胡经之文集

胡经之文集

第二卷

中国古典文艺学

海天出版社（中国·深圳）

图书在版编目（CIP）数据

中国古典文艺学 / 胡经之著. — 深圳：海天出版社，2015.10
（胡经之文集；2）
ISBN 978-7-5507-1468-7

Ⅰ.①中… Ⅱ.①胡… Ⅲ.①文艺美学—中国—古代—文集 Ⅳ.①I01-53

中国版本图书馆CIP数据核字（2015）第224738号

胡经之文集·第二卷·中国古典文艺学
HUJINGZHI WENJI · DIERJUAN · ZHONGGUO GUDIAN WENYIXUE

出 品 人	聂雄前
项目负责人	于志斌
责 任 编 辑	梁　萍
责 任 校 对	陈少扬　方　琅
	万妮霞
责 任 技 编	蔡梅琴
装 帧 设 计	龙瀚文化

出版发行　海天出版社
地　　址　深圳市彩田南路海天综合大厦　（518033）
网　　址　www.htph.com.cn
订购电话　0755-83460293（批发）　83460397（邮购）
排版制作　深圳市龙瀚文化传播有限公司　33133493
印　　刷　深圳市新联美术印刷有限公司
开　　本　787mm×1092mm　1/16
印　　张　40.75
字　　数　580千
版　　次　2015年10月第1版
印　　次　2015年10月第1次
定　　价　170.00元

海天版图书版权所有，侵权必究。
海天版图书凡有印装质量问题，请随时向承印厂调换。

前　言

胡经之

《中国古典文艺学》即将出版。在付梓之前,我想对这部书稿的写作意图、整体构思,略做说明,作为前言。

这部书稿的最初构想始于21世纪初。自20世纪50年代以来,我陆续接触了不少我国古人谈说艺文的资料,很想在整理这些资料的基础上,做出我对这些资料的阐释,谈论一番我对中国古典文艺思想的看法。但我在20世纪末正在思考文艺美学的发展,关注当下,未能顾及古典;随着审美文化的扩大,又在思索着文艺美学应如何超越古典,走向文化美学。在深入摸索的过程中,我发觉,文艺美学也好,文化美学也好,若要超越古典,就要更深入地研究古典,现代创新要以继承古典为基础。正好,从我攻读博士学位的李健,钻研中国古代文论已久,对我的研究思路较为了解,很想沿着我的思路继续下去,进一步做深入的研究。于是,我们就一起着手《中国古典文艺学》的构思。

中国古代文艺思想是历史地发展着的,具有历时性。百年来出现的各种中国文学批评史、中国文艺思想史、中国文艺理论批评史等,都是从"史"的纵向发展做历时性的研究,已取得巨大成绩。如今,面对浩如烟海的中国古代论说艺文的理论资料,能否在历时研究的基础上多做些"论"的综合,探索这些艺文论说的横向联系?中国古典文艺思想闪烁着精辟的见解,精彩纷呈,谈说艺文的范畴更是丰富多彩,若能将这些在历史发展进程中不断涌现出的思想、论点、范畴做深入探索,梳理内在的逻辑联系,对弄清中国古典文艺理论的民族特征,颇有帮助。

中国古代谈论艺文,形式多样,不拘一格,并无现代的理论形态,因而很难做理论概括。我们这部书稿,基本按照文艺活动必有的三个环节

"创作—作品—接受"作为大致的轮廓，然后，把历代先后出现的、能表述一些重要文艺观点的基本范畴，分别在这三个基本环节中予以展开，进行现代梳理。全书十五章，第一章是"绪论"，总论中国古典文艺学的基本形态、内容和特征，研究中国古典文艺学的现代意义。然后，围绕文道、言志、缘情、形神、言意五个基本范畴，论述中国古代对作品这个基本环节的思考。在"创作"这一基本环节，对文气、神思、应感、物化、比兴、法度这六个范畴展开了论述。最后，在接受这一基本环节，集中讨论了知音、意境、风骨、趣味这四个范畴，对作品接受过程展示出独特的理解。

我之所以想写这部《中国古典文艺学》，自有历史的缘由。

早在1956年，北大受国务院之命试行副博士学位制，中文系就有文艺学这一专业方向。我当时刚从北大中文系毕业，在中国人民大学马列主义研究班当研究生，听到这个消息就又回到北大，投杨晦先生门下，当文艺学副博士研究生。杨晦先生虽在大学本科时就教我文学概论，还主持过由苏联专家主讲的文艺学研究班，但他对当时苏联的文艺学甚不满意，认为所论离中国实际太远。所以，在送走苏联专家毕达可夫之后，他就全心投入，研究中国古代文艺思想，探索中国文艺发展的规律。他的研究虽然关注的主要是文学思潮，但也旁及其他艺术，连《世本》《乐记》《考工记》等都在他的研究视野之内。他希望我能跟随他沿着中国古代文艺思想发展的道路，一步一步向前走，心无旁骛。于是，从1956年始，我有近三年时光，两耳不闻窗外事，一心只读圣贤书，从老、庄、孔、孟之书一直读下来，一边读书，一边做笔记，最后做成卡片，积累了不少资料。

当时，我读了北大图书馆能找到的几种中国文学批评史专著，有陈钟凡的《中国文学批评史》、郭绍虞的《中国文学批评史》、罗根泽的《中国文学批评史》、朱东润的《中国文学批评史大纲》等。在此期间，我还和罗根泽相识。当时，这位曾在清华大学讲授过中国文学批评史的著名教授正在和郭绍虞合作，主编规模宏大的巨型丛书"中国古典文学理论批评专著选辑"。他从南京大学到北京来处理编务，到北大找到吴小如和我，要我们依据北大图书馆的藏本，为丛书做审校。读了这些书籍，我感到中国古代论说艺文的思想资料真是浩如烟海，对中国古代文艺思想的研究还不知如何着手。

后来，我又读了两本书，受到了新的启发，懂得研究中国古典文艺思想，不只有历史的方法。一是方孝岳的《中国文学批评》。这本书虽然仍沿着"史的线索"，但却并不是梳理史实，而是"以史的线索为经，以横推各家意蕴为纬"，"要从批评学方面，讨论各家的批评原理"，例如"兴观群怨"说、"文气"说、"妙悟"说等。全书注意到纵向的历史的发展，但更注重横向的逻辑比较，并自称是"比较文学批评学"。不过，方孝岳此书基本构架还是以传统的史传结合的方式勾勒中国古代文学批评发展的轮廓。二是傅庚生的《中国文学批评通论》。该书写作于20世纪40年代，却另辟蹊径，"另标体制"，突破了传统的史传结合方式。全书只以十分之一的篇幅"中国文学批评史略"描述了史的线索，然后，集中笔力，以逻辑的方式，横向概括了中国古典文学批评的基本原理。傅庚生按照当时美国文艺理论所说的文学四要素，将中国古代文学批评的基本原则分成四大方面，即感性论、哲学论、思想论、形式论，用中国古典文论的材料展开论证。这是中国学者以西方文艺理论概括中国古典艺文思想资料的一种尝试。

中国古典艺文思想的资料是那样众多，文评、诗话、词话、赋论、画论、曲话、剧说、乐记、书品、艺谭、笔记等，散见于各类典籍之中，历代出现的诸如《艺文类聚》《艺文志》之类也不少。读了两三年的古籍，我脑海里逐渐盘旋着一个念头：对于专家来说，恐怕要穷毕生之力才能深入堂奥，但对于生活于当今时代的初学者来说，如何能以最少的时间及早了解中国古典文艺思想的精粹？今人又如何理解和评价古代的文艺思想？我的导师杨晦在1959年开始为中文系高年级讲授中国文艺思想史，一个学期下来，只讲了一个问题：艺术的起源；对铸鼎象物做了详尽的论证，却还意犹未尽。因时间不够，只好就此打住。我的另一位老师宗白华从1959年开始准备"中国美学思想史"讲座，1963年正式为中文系、哲学系高年级学生开课，一个学期下来，主要讲了先秦时代的工艺美术、《易经》美学、《乐记》美学、《诗经》美学，先秦以后的只能简略带过，无法展开。因此，我在当研究生的那几年，若想较为完整地了解中国古典文艺思想，只能自己找更多的书来读，除了郭绍虞、罗根泽主编的那套丛书外，还有《历代诗话》《中国画论类编》《中国古典戏曲论著集成》等。

沉湎于古书堆中近3年，到了1958年秋，时代把我拉回到现实中。那时，被称为马克思主义文艺理论家的周扬，带着张光年（光未然）、邵荃麟、何其芳、林默涵，主动提出要到北京大学开设"马克思主义文艺理论"讲座。当时负责北大文科学术委员会的学部委员魏建功和中文系主任杨晦亲自做了安排，让中文、哲学、西语、俄语、东语等系的高年级学生约800人去听课，让我担任这个讲座的助教，负责和周扬等人联系，并与各系沟通。这样，该有一年的时光，我全身心投入当下实务，并由此开始接触文艺界。周扬当时正在呼吁建立中国自己的马克思主义美学，对这个讲座十分重视，他一个人就曾分别讲了两次（第二次在1959年春）。为使演讲有针对性，我先后去他办公室和沙滩外街他家里，直接面谈过三次。邵荃麟讲了革命现实主义和革命浪漫主义相结合问题，何其芳也针对当时的现实讲了几个理论问题。周扬等人的讲座激起了北大学生对马克思主义文艺理论的兴趣，当时的1955级学生正忙于编写"红色"文学史，一部分学生就动手编写《毛泽东文艺思想概论》，1956级学生则集中力量编撰《马克思主义论文艺》，要在周扬20世纪40年代末所编的《马克思主义与文艺》一书的基础上加以扩充，使之更臻完整。为《毛泽东文艺思想概论》和《马克思主义论文艺》的编写，我得以进一步和周扬交流，听他发表了不少在公众场合听不到的高见。例如，马克思、恩格斯为什么对文艺复兴有高度评价；精神生产和物质生产的发展为什么会出现不平衡；普列汉诺夫的社会心理中介说为什么很有价值；等等。第一次交谈时，他就知道我是杨晦的学生，在心理上就缩短了距离。他把杨晦看作文艺界前辈，很尊敬。1959年春，我和周扬有了最后一次交谈。当时，我已开始考虑今后的研究方向应向哪里发展。在说完讲座之事后，我就借此机会向周扬提出我的困惑：我这几年埋在古书堆里，而现实又是迫切需要马克思主义文艺理论，像我这种状况，应向哪里发展？周扬当时就对我说："建设中国自己的马克思主义文艺理论，一定需要吸收中国古代文艺理论的精华，研究中国古代文艺理论，正是为了建设中国自己的马克思主义文艺理论，这不矛盾，只不过一个是手段，一个是目的。"他反过来问我，"你对什么感兴趣？"我说："喜欢研究文学艺术中的美学问题，比如音乐的魅力究竟何在？电影有什么艺术特征？"周扬很有兴趣地说："那好啊！朱光潜、宗白华不是都在你们北大吗？可以向他们讨教。我们对艺术的特性研究得太少，年轻人应该兴趣广一些。"最后，我大胆地问他:"马克思说古希腊艺术和史诗还能继续给予我们艺术享受,最大困难是要在理论上说清楚它。我对这个问题很感兴趣,想沿着马克思的思路来解说我国古典文学为何至今仍有艺术魅力,不知行不行?"周扬颇感兴趣地说:"这个问题很有意思,中国古典文学、艺术那么丰富,如能从马克思主义观点去说明古典文学艺术为什么至今还有艺术魅力,这对美学、文艺理论建设都有积极意义。你是跟杨晦学习中国古代文艺理论的,如能把中国古代文艺理论中的一些精华也吸收进来,那就更好了。"

周扬在北大的讲座开设完之后,曾交代不要发表他的讲稿,所以,我只在北大学报上做过简单的介绍。当时,文艺界好多报刊闻风而来,我都不给讲稿,只做简单介绍。于是,我开始和文艺界接触。就在此时,中国作家协会和《文艺报》举行讨论会,开始讨论革命现实主义和革命浪漫主义相结合的问题,文艺界的一些元老,如欧阳予倩、曹禺、老舍等都参加了讨论会,北大请了杨晦、冯至、季羡林等,也请了年轻的我。我是当时最年轻的一辈,由于从未出席过这样的会议,所以很紧张。我准备了一个短稿,在会上宣读,后来在《文艺报》全文刊载了,这是我进北大后第一次发表文章。应张光年、侯金镜之邀,我成了《文艺报》特约评论员。接着,《文学评论》由王信来约稿,我写了一篇长文《理想与现实在文学中的辩证结合》,发表在1959年第一期上。

两耳不闻窗外事,不接触现实倒也罢了,可一旦面向现实,现实问题可就多了,会把你拖进文艺旋涡,由不得你。《野火春风斗古城》一出来,上海文艺出版社就约我写书评小册子,一印就是10万册。王愿坚的短篇小说出来,我也被约写了好几篇评论。照此发展下去,我可能会走文学批评之路。

在和周扬最后一次交谈之后,我意识到,我喜欢的还是书斋生活,平和宁静,但又不能不关切外界生活。如何找到一条适合自己的临界线,能将两者结合起来?我想,最好还是掌握中国传统文化,又从当今文化的高度做出新的阐释,以适应新时代发展的需要。这样,我从1959年夏天就又回到书斋。这时,跟随杨晦研究中国文艺思想史的助手已有张少康、邵岳,而我的研究兴趣愈来愈向美学倾斜。杨晦也鼓励我向从美学研究文艺这个方向发展。于是,我就潜心研究起最感兴趣的美学问题:为何古典作品至今还有艺术魅力？这篇近3万字的论文在1960年写成，成为我副博士研究生四年学习的毕业论文，后来，在《北京大学学报》(1961)全文刊载。

我1960年年底毕业留北大任教之后，先是随蔡仪编写《文学概论》，后来也一直教此课程，也教马列文论。反而在"文化大革命"后期，为了要弄清楚《红楼梦》为什么是古典小说中最好的一部，我花了2年的时光，从北大图书馆借来几乎所有的清代线装小说，浏览了一遍。等我重新关注起中国古典文艺思想时，便已开始探索"文艺美学"，视野由古典小说转向了古典文艺思想。

我读了西方的许多美学名著，深感其逻辑思维的宏大与精密，确实令人赞叹。黑格尔的《美学》将对文学艺术的思辨纳入抽象的哲学构架中，达到古典美学的高峰。但是，按照他的理论，我觉得仍很难完全解释中国的文学艺术。朱光潜、宗白华、蔡仪、王朝闻开创了中国美学研究的新道路，他们要从美学上解决中国自己的问题。到了我们这一辈，虽然先天不足，后天又失调，但是，还应尽可能在前辈的基础上有所创新。我在准备写作《文艺美学》的过程中，又重新审视中国古典文艺思想资料，琢磨如何吸收其中的精华，做一些新的阐释。尽可能找到台湾学者和海外华裔学者如王梦鸥、徐复观、姚一苇、叶嘉莹、叶维廉、刘若愚等人的文艺理论著作，我发现，他们都在运用西方的美学或文艺理论重新解释中国传统文化，很受启发。

一个新的问题在我面前凸显出来。1980年，我在北大开始讲"文艺美学"；1981年，我开始招收文艺美学专业的硕士研究生，怎样才能以最简洁的方式向他们介绍中国古代的文艺思想？中国古代文艺思想是那样丰富和复杂，我不可能再像过去的那些文学思想史、文学批评史那样做详细的历史叙述，怎么办？我想起了当年读古书时花了不少精力摘下的笔记、卡片，觉得不妨让研究生一入学就快些接触古籍，边读古书，边编资料，既掌握了基本的文艺思想资料，又可为较快地登堂入室提供一些方便。于是，我和王一川、陈伟、丁涛（后来还有王岳川）编选了三本《中国古典美学丛编》(中华书局)，后来又与王一川、陈伟编选了《中国现代美学丛编》(北京大学出版社)，在材料取舍和编选方法上，不同于北京大学哲学系美学教研室编选的《中国美学史资料选编》(中华书局)。

前 言

　　我把近70万言的中国古典文艺美学思想资料归纳为三大类，分成三卷：一是作品，二是创作，三是鉴赏。之所以这样分类，乃是觉得文学艺术作为人类的一种特殊活动，主要就包含了这三个环节。20世纪80年代初期，叶维廉、刘若愚、李达三、袁鹤翔等曾先后到北大访问，我曾与季羡林、杨周翰、张隆溪一起接待过他们，交谈中，我最关切的还是如何研究文学艺术活动的过程问题。1982年春，刘若愚来北大，送给我他的中文版《中国文学理论》（台湾联经出版公司）。我陪他在未名湖畔散步时，自然而然地就谈到文学理论的构架问题。英国文艺理论家理查兹（Richards）的美国弟子艾布拉姆斯（Abrams）提出，文学艺术的四要素是作品、世界、艺术家、欣赏者，"几乎所有力求周密的理论总会在大体上对这四个要素加以区辨"。他以作品为中心，勾画出一个世界、艺术家、欣赏者围绕着作品而作用的图式。刘若愚则在《中国文学理论》中，肯定了这四要素，但他进而发挥，认为这四要素乃是相互作用的循环构架：世界与艺术家互动，艺术家与作品互动，作品与欣赏者互动，欣赏者又与世界互动。我的看法是，世界、艺术家、作品、欣赏者当然相互作用、相互影响，但世界并不是艺术活动的一个环节，艺术活动的基本环节还是：艺术家—艺术品—欣赏者。而整个艺术活动都是在社会中进行的，不只是艺术家和世界的相互作用，而且艺术品也是世界的一种存在，和其他存在发生互动关系；欣赏者生活在世界上，在接受艺术作品之后，他和世界更有一种互动的关系。艺术活动的每一个环节，都与世界发生关系，世界不仅是艺术活动的一个环节，而且是世界渗入每一个环节，世界涵盖了整个艺术活动。对此，刘若愚并不否定，认为可以作为一说，予以更深入的阐释。

　　文学艺术存在于世界上，是这个世界的一种特殊存在。这个"世界"，既包括社会，又包括自然，文艺究竟和社会是什么样的互动关系，这是文艺社会学的应有之义，再细一些，甚至还有文艺政治学、文艺经济学、艺术文化学等门类。近来，文艺生态学也兴盛起来，探讨文艺的生存、发展的生态，这"生态"就不仅是社会生态，还包括自然生态。这些都是文艺的宏观研究，十分需要。但是，如果把"创作—作品—接受"这个动态的过程作为一个相对独立的系统，那么，文艺美学就应对这三个环节做系统研究。所以，我在20世纪80年代初期写了一篇《文艺美学——文学艺术的系统研究》，探讨了这一问题。说来惭愧，当初孤陋寡闻，只读过台湾王梦鸥的《文艺美学》，直到前年，才见到李长之的《苦雾集》(1941)，其中有《文艺史学与文艺科学》一文，是在翻译了一部书后和记者的对话。依李长之之见，文艺科学应是对文艺做科学研究的"文艺体系学"，并且画龙点睛地说："文艺体系学也就是文艺美学。"他虽然没有进一步展开论证，但观点十分鲜明。王梦鸥的《文艺美学》是否受到李长之的启发就不得而知了。我听杜书瀛说，他在台湾做过调研，发现在王梦鸥之前已有些学者在台湾开设过"文艺美学"课程。我猜测，当年的学者可能受过老一辈美学家朱光潜、宗白华、李长之等人的影响，而我们这辈人却在20世纪五六十年代中断了过去的美学传统，一叹！

  正是觉察到在建设文艺美学时必须接续和发扬自己过去的文艺美学传统，所以新世纪初，在李健的参与下，我们在《中国古典美学丛编》的基础上，增补了50多万字的古典文艺思想资料，重新编成《中国古典文艺学丛编》，分为三编：第一编"创造"，第二编"作品"，第三编"接受"。同时，着手写作《中国古典文艺学》一书，仍然是围绕着"作品—创造—接受"这个系统展开一些基本范畴的研究。李健长期从事中国古典文艺学的教学与研究，他来南方跟我攻读文艺美学博士学位，和我有共同的研究思路，所以很快进入状态。如今，献给大家的这部《中国古典文艺学》，是我们共同思考和探索的成果。李健已经出版了博士学位论文《比兴思维研究》，另一部专著《魏晋南北朝的感物美学》是他的博士后研究报告，亦将问世，目的亦在接续和发扬中国古典文艺美学的传统。

2006年春节，深圳

目　录

中国古典文艺学

第一章	绪论	2
第二章	文与道：形而上观念与文艺本体理念	48
第三章	言志与缘情：文艺本质的双重规定	92
第四章	形与神：艺术形象的审美创造	130
第五章	言与意：言尽意与言不尽意	169
第六章	文气：文学艺术创造的内驱力	207
第七章	神思："文之思也，其神远矣"	234
第八章	应感：不以力构，风飞电起	265
第九章	物化：审美创造的最高境界	293
第十章	比兴：称名也小，取类也大	313
第十一章	法无定法：艺术法度之魅力	366
第十二章	知音：文学艺术的审美接受	400
第十三章	境、象、意：艺术意境的美学品格	429
第十四章	风骨：古典艺术的美学风范	460
第十五章	趣味：艺术的审美评判	484

参考文献 … 508

后　记 … 517

重释古典为今用

美学亦应解"红学"	520
意象经营石头记	539
谁解其中味	553
"红学"解读需美学	576
文化融合的结晶	579
捕捉审美中轴线	584
探索古典文艺学	589
读史更助逍遥游	596
文学鉴赏亦有道	598
古为今用先引路	601
文心奥妙"象"中寻	609
探秘古典诗意境	614
重释古典为创新	618
中华民族好精神	622
弘扬优秀文化传统	625
国学：传统之学	632
国学教育人文始	634
国学复兴为创新	636
国学研究在拓展	638

中国古典文艺学

胡经之　李健　著

第一章 绪论

中国在漫长的历史发展过程中,先后以黄河流域和长江流域为中心,孕育了中华民族的灿烂文化。文字的产生,为远古文化的流播提供了便利。因为有了文字的记载,才有了中华民族的史学、经学、文学和艺术。在中国文学发展史上,诗是基础文类。这是一种不同于西方诗的、以抒情为主的文类,几乎中国文学的所有文类都是在这一文类的基础上衍生的。由于诗的历史极为悠久,而对以诗为基础的文学艺术的研究历史同样悠久,在此基础上,形成了中国古典文艺学和美学。

第一节 中国古典文艺学的发生

中国古典文艺学的发生是与中国古代文学艺术的发生紧密联系在一起的。史前的文学艺术发展状况,由于缺少文字这一"中间环"的记载,真情难详,只能借助实物考证,据此推测、判断。艺术起源于人类的生产、生活活动,文学晚于艺术,这是不争的事实。只有人类的智力发展到一定的水平,艺术才可能产生。

艺术的起源与图腾有关。远古图腾昭示着先民的信仰崇拜,它们往往与巫术、礼仪一道,成为先民精神生活的主要内容。巫术、礼仪中杂糅着远古的歌、舞、绘画等元素,先民以此宣泄情感,表达崇敬与希望。起初的歌、舞和绘画是粗陋的,随着社会的发展,越来越趋于精细,久而久之,便演化为美妙的文学和艺术。在没有文字的史前时期,所谓的艺术形式只能是歌、舞和绘画。这是整个史前人类艺术的发展状况,具体到中华民族这一特殊的群体也是如此。歌舞构成了乐,乐成为中华民族的艺术之源。而后,乐又与诗联系在一起,诗是乐的一个重要的组成部分。这种情形在先秦的典籍中记载比较详尽。

《左传·文公七年》载：

> 晋郤缺言于赵宣子曰："日卫不睦，故取其地，今已睦矣，可以归之。叛而不讨，何以示威？服而不柔，何以示怀？非威非怀，何以示德？无德，何以主盟？子为正卿，以主诸侯，而不务德，将若之何？《夏书》曰：'戒之用休，董之用威，劝之以九歌勿使坏。'九功之德，皆可歌也，谓之九歌。六府、三事，谓之九功。水、火、金、木、土、谷，谓之六府。正德、利用、厚生，谓之三事。义而行之，谓之德礼。无礼不乐，所由叛也。若吾子之德，莫可歌也，其谁来之？盍使睦者歌吾子乎？"宣子说之。

《国语·晋语八》亦云：

> 平公说新声，师旷曰："公室其将卑乎！君之明兆于衰矣。夫乐以开山川之风也，以耀德于广远也。风德以广之，风山川以远之，风物以听之，修诗以咏之，循礼以节之。夫德广远而有时节，是以远服而迩不迁。"

从这两段引文，我们可以看出，乐在春秋时期是多么重要。乐是用来歌功颂德的，是用来宣扬礼仪的。歌功颂德、宣扬礼仪是为了教化百姓，因此，乐是统治者实施统治、传播德行的工具。先秦时期的贤人们多有这种共识，他们在不同的场合都发表了类似的见解。如："礼云礼云，玉帛云乎哉！乐云乐云，钟鼓云乎哉！"（《论语·阳货》）"乐以天下，忧以天下，然而不王者，未之有也。"（《孟子·梁惠王下》）"君子以钟鼓道志，以琴瑟乐心。"（《荀子·乐论》）这些言论都出于这样的意图，这种思想奠定了乐在中国传统文化中的地位，产生了极其深远的影响。

然而，在先秦，也有不少否定乐的声音。从这些否定的声音中，我们同样可以看出当时的乐之兴盛，进而推测出遥远的先秦，确乎存在着纯艺术的形式。这种纯艺术的形式能够给人以充分的美感和享受，使人忘记一切而入情。否定乐者认为，乐影响了人的生产劳动，从而影响了人们的衣食住行，唤醒了人的恶劣本性，导致人纯真天性的丧失。

《老子》二十章云：

> 五色令人目盲，五音令人耳聋，五味令人口爽；驰骋田猎，令人心发狂；难得之货，令人行妨。是以圣人为腹不为目，故去彼取此。

《墨子·非乐》云：

> 今大钟、鸣鼓、琴瑟、竽笙之声既已具矣，大人锵然奏而独听之，将何乐得焉哉？其说将必与贱人不与君子。与君子听之，废君子听治；与贱人听之，废贱人之从事。今王公大人惟毋为乐，亏夺民之衣食之财，以拊乐如此多也！是故子墨子曰："为乐，非也。"

《庄子·天地》云：

> 且夫失性有五：一曰五色乱目，使目不明；二曰五声乱耳，使耳不聪；三曰五臭熏鼻，困惾中颡；四曰五味浊口，使口厉爽；五曰趣舍滑心，使性飞扬。此五者，皆生之害也。

他们把乐看成洪水猛兽，表达了坚决取缔的愿望。这本是出于民本主义的考虑，但是，我们不能不指出，先秦的贤人们多虑了。他们在张扬人的个性的同时，却又无情地扼杀了人的本性，这是"非乐"观念的最大弊端。当然，我们不能否认，当时确实存在一些消磨人意志的靡靡之音，这种音乐的确能使人陷入萎靡、精神不振。假如要求取缔的是这样的音乐，倒也无可厚非，但从上述言论，我们可以看出，他们否定的是所有的乐，并无选择。这就使先秦的反乐潮流步入了一条极端之途。

先秦时期，诗是附属于乐的，是乐的组成部分。先秦所说的"诗"，多特指"诗三百"，亦即我们今天所说的《诗经》。"诗"在先秦时是配乐而唱的，每一首诗都有固定的曲谱，只是因为时代久远，曲谱不传，乐词独存，成为我们今天能读到的《诗经》文本。诗乐一体在先秦典籍中有明确的记载，《左传·襄公二十九年》叙述了吴公子札观乐的史实，就是对《诗经》内容的演绎。诗乐一体，决定了中国古典诗歌注重抒情、注重音律的音乐品性，对中国古代文学艺术特性的形成影响甚巨。

中国古典文艺学以中国古代的文学艺术为研究对象，首先把目光聚焦于乐，提出了一系列艺术主张，这便促成中国古典文艺学的发生。在先秦，关于乐的讨论呈压倒一切艺术类型之势，诗既然是乐的组成部分，当然应包含在乐的批评里面。由于后来诗、乐分家，诗成为一种独立的艺术门类，对诗的批评也逐渐趋于独立，使文学艺术的研究不能不注意这一具体的语言形式，进而准确把握它的特性。

在上文的论述中，我们列举了先秦时期关于乐的两种截然不同的批评意见，这已经属于中国古典文艺学的内容了。从这两种截然不同的意见可以看出，那时，人们对乐的特性的认识是复杂的，并非一种单一的义理所能包容。乐的意向性迎合不同主体的实用需要，能够娱人心性，泄导感情。这两种批评的观念，一种着眼于乐的内在修养价值，另一种着眼于乐的外在扰乱价值，着眼点不一样，判断的标准也不一样，自然得出了不同的结论。尽管如此，它们对乐的表情特征都抓得很准，都看到乐具有强烈的情感力量，具有一定的启迪意义。

先秦产生了不少论述乐的著作，主要有《乐记》《荀子·乐论》《吕氏春秋》等，另有很多只言片语保留在当时的诸子、史传等著作中。由于《乐记》的著者无定论，成书于何时难以考察，有学者以为成书于战国，有学者以为成书于汉代，最为流行的看法是成书于《荀子》之后，属于荀子学派。且不管《乐记》成书于何时，可以肯定的一点是，《乐记》观点的形成是一个漫长的过程，并不是一时一地由一人创设的，即使成书于汉代，也必定打上先秦音乐思想的印记。从这种态度出发看待《乐记》，或许可以得出一种公平、持正之论。

从《乐记》首先能认识到，乐的产生是人心"感于物"的结果。所谓"感于物"，就是强调外在事物与人心的相互感应，外在事物激发起人们的创造冲动，促使人们创造出音乐这种美妙的艺术。"物"对人的情感具有兴发感动的作用。

> 乐者,音之所由生也;其本在人心之感于物也。是故其哀心感者,其声噍以杀;其乐心感者,其声啴以缓;其喜心感者,其声发以散;其怒心感者,其声粗以厉;其敬心感者,其声直以廉;其爱心感者,其声和以柔。六者,非性也,感于物而后动。

人的七情六欲都可以借助乐表达出来,乐是人宣泄情感的一种完美形式。同时,乐又与伦理相通。"乐者,通伦理者也。是故知声而不知音者,禽兽是也;知音而不知乐者,众庶是也。惟君子为能知乐。"(《乐记》)它还能教化人民,使之明好恶,知礼节。"暴民不作,诸侯宾服,兵革不试,五刑不用,百姓无患,天子不怒,如此,则乐达矣。"(《乐记》)乐的最终目的是实现"和"。"和"即心与物的和谐、礼与法的和谐、君与臣的和谐。"和"作为中国古典文艺学的一个重要范畴,由此诞生,它的丰富内涵奠定了中国古典文艺学、美学的基础,成为我们今天仍然必须借鉴的一个重要的观念。

《荀子·乐论》的思想意旨大致与《乐记》相当,它虽然没有说乐的产生是"感物"的结果,但是也强调乐的兴发感动力量,进而肯定乐对下民的教化意义。

> 夫声乐之入人也深,其化人也速,故先王谨为之文。乐中平则民和而不流,乐肃庄则民齐而不乱。民和齐则兵劲城固,敌国不敢婴也。

乐有一种创造团结协作的精神力量。这种精神力量又能迅速促成物质力量的转化,因此,荀子把它看成强兵之基,强国之本,无限夸大了乐的价值。然而,荀子"钟鼓道志"的思想却值得我们注意,它是先秦"言志"观念的一个重要组成部分,在一定程度上推动了"言志"思想的完善和深入。

《吕氏春秋》杂取各家乐的思想,它在中国古典文艺学和美学史上的贡献并不亚于《乐记》和《荀子·乐论》。《适音》篇云:

> 夫乐有适,心亦有适。人之情,欲寿而恶夭,欲安而恶危,欲荣而恶辱,欲逸而恶劳。四欲得,四恶除,则心适矣。四欲之得

也，在于胜理。胜理以治身则生全以，生全则寿长矣；胜理以治国则法立，法立则天下服矣。故适心之务，在于胜理。

人对乐的接受并不是机械的、被动的，而是积极的、主动的。乐的意旨必须对人的生存和发展有利，必须对伦理道德有利，必须对治国安邦有利，唯其如此，才能成为民众崇尚的对象。因此，乐只能在主客体的相互交融和相互吸收中凸显它的价值，并显示出无限的丰富性、生动性和感人性。应该说，这种思想有其积极的意义。此外，《吕氏春秋》还对艺术的起源问题进行了认真的探讨。在《古乐》等篇中，它以较大的篇幅记载了周以前的古乐发展情况，探讨了诸如古朱襄氏、葛天氏、陶唐氏、黄帝、颛顼等时代的乐，我们可以看出，远古时期，乐有传布德行、辅察时政工具的独特价值。这些记载都为从乐里提炼我国古代艺术之源的理论提供了较为充分的证据。然而，《吕氏春秋》关于乐的起源的种种记载，其可信度是值得怀疑的，尚有待进一步考辨。但是，中国古代艺术起源于乐的思想，无疑是有价值的，值得我们认真思索。

被朱自清先生称之为"开山纲领"的"诗言志"的观念，首先是一个乐的观念。[1]上文我们已经说过，先秦时期的诗是乐的一个组成部分，诗与乐是难解难分的，乐包含着诗，诗就是乐。朱自清先生精辟地指出："《左传·襄公二十七年》也有'诗以言志'的话。那是说'赋诗'的，而赋诗是合乐的，也是诗乐不分家。"[2]《尚书·尧典》关于"诗言志"的记载明显地打上诗乐合一的印痕，且不管《尚书》是何时所出，这种说法应是可信的。它和《乐记》《荀子·乐论》的"钟鼓道志"、"反情以和其志"应有同样的内涵。我们今天秉承的文学观念以及其他艺术门类的观念，都是从古代乐的观念中分化出来的。这是一个非常重要的问题，需要专题讨论。

---

[1] 朱自清：《诗言志辨》序，华东师范大学出版社，上海，1996年，第4页。
[2] 同上书，第1页。

第二节　诗与史

在先秦时期，尽管诗附属于乐，是乐的组成部分，但是，由于它有独特的表意功能，故可以单独对待。这样，诗便渐渐趋于独立，成为中国文学史上最具活力的文学形式。

在古人的观念里，诗到底是什么？这是我们必须要弄清楚的。先秦时期，一提到诗，人们便想起"诗三百"，即我们今天所讲的《诗经》，一切关于诗的讨论，均从"诗三百"开始。孔子说："诗三百，一言以蔽之，曰：思无邪。"（《论语·为政》）又说："诗可以兴，可以观，可以群，可以怨，迩之事父，远之事君，多识于鸟兽草木之名。"（《论语·为政》）在孔子看来，"诗三百"是一部百科全书式的著作，现实生活中的一切，都在诗中有所表现。"诗三百"可以表达人的情感意志，可以加强人们的群体意识，可以反映生动而丰富的现实全景，还可以尽忠道与孝道。总之，诗表达了无邪之思。孔子的思想基本代表了先秦儒家先贤的共同心声，在当时产生了很大的影响。因此，到了汉代，汉儒们便将"诗三百"与书、礼、易、春秋一起并列，称为"五经"，成为典型的政治学和伦理学的读本。今天看来，将"诗"列为五经的做法显得十分荒唐。但是，如果我们细细思之，在当时的文化背景下，这样做也有其自身的理由。

先秦时期以乐治天下，诗作为乐的一个重要组成部分，必然与乐的整体思想意蕴保持一致。乐是当时的思想情感和艺术形式极度成熟的产物，乐的境界是一个完美无缺的境界。故而，孔子说："兴于诗，立于礼，成于乐。"（《论语·泰伯》）从孔子的这句话中，我们似乎悟出了人生修养的阶段。在他看来，诗、礼、乐三者的地位并没有本质的不同，是人生修养必不可少的科目。

《尚书·尧典》中所说的"诗言志"的观念是一个重要的文艺学观念。这一观念的重要地位古往今来多有评价，褒贬不一。由于《尚书·尧典》的产生年代至今还不能确切断定，直接影响我们评价

"诗言志"产生的时代意义。①但是,有一点可以肯定,"言志"是春秋时期的文学观念,从先秦的典籍中能够找到充分的证明。《礼记·乐记》云:"诗,言其志也。"《左传·襄公二十七年》引文子语:"诗以言志。"《庄子·天下》云:"诗以道志。"《荀子·儒效》云:"诗言是,其志也。"这里的"诗"都是指《诗经》。《尚书·尧典》中的"诗言志"的"诗"是否"确凿地""作为一种文学样式"②,我们认为倒未必,但这并不影响"诗言志"的观念成为一种有价值的文学观念。"诗三百"既是一种文本,又是一种形式。作为文本,它是儒家心目中的一个真理性文本;而作为一种形式,它是任何人都可以模仿学习的。先秦时期,学习、模仿"诗三百"而创作诗的例子不多,荀子的《佹诗》,正是典型的模仿。它充分说明,《诗经》并不是不可以模仿学习的,其不仅在内容上是完善人们伦理道德的手段,在形式上也是人们学习的范本。

《左传·襄公二十五年》记载的一条史料值得我们注意:

仲尼曰:"志有之:'言以足志,文以足言。'不言,谁知其志?言之无文,行而不远。晋为伯,郑入陈,非文辞不为功。慎辞哉!"

这里的"言"与"文"均指文辞,应该是包括诗的。但朱自清先生却认为,这里的"言志"与"诗言志"的观念是两回事③,这一看法应该是合乎情理的。这是因为,文辞的范围极为广泛,不仅今天如此,先秦时期也是如此。诗言志,其他的文体也可言志,同样是言志,言志的内涵绝不一样,不能够并列而论。然而,它们之间又有联系。这种联系就表现在"言"与"文"对诗的涵盖上,诗是用语言写成的,应该是"言"与"文"的组成部分。

《左传》乃《春秋左氏传》的简称,它是先秦时期重要的历史资料,所记载的春秋时期的史实,具有很大的可信度,是我们研究先秦

---

① 关于《尚书》的产生年代,学术界的争论至今仍很大,对各篇产生年代的看法都不一致,说法各别。据蒋善国先生在《尚书综述》中的考定,《尧典》出现于前372~前289年间,当属战国时代。
② 陈良运:《中国诗学批评史》,江西人民出版社,南昌,1995年,第49页。
③ 朱自清:《诗言志辨》,华东师范大学出版社,上海,1996年,第45页。

时期历史文化重要的依凭文本。《左传》对《诗经》非常重视。据朱自清先生统计:"《左传》所记赋诗,见于今本《诗经》的共五十三篇,《国风》二十五,《小雅》二十六,《大雅》一,《颂》一。引诗共八十四篇,《国风》二十六,《小雅》二十三,《大雅》十八,《颂》十七。重见者均不计。再将两项合计,再去其重复的,共有一百二十三篇,《国风》四十六,《小雅》四十一,《大雅》十九,《颂》十七,占全诗三分之一强,可见'诗三百'当时流行之盛之广了。"①朱先生统计得非常仔细,省却了我们的点数之功。从这些统计数字可以看出,在先秦,诗与史的关系非常密切。那时,以诗为用,以诗证史,诗记载真实的历史,诗与史巧妙地结合在一起。没有哪一个国家修史如此看待诗,这是中国文化一道亮丽的风景。

《左传》记载赋诗、引诗,其主要目的不是为了说诗,而是出于某种政治、伦理、道德教化的需要。因此,它在很大程度上断章取义,为我所用。《左传·襄公二十八年》引卢蒲癸的话说明赋诗的方法和目的,可谓夫子自道:"赋诗断章,余取所求焉。""赋诗断章"是其方法,"余取所求"是其目的。断章取义意味着会误读文本,这是一种偏见。由此,我们想到了现代德国哲学家、美学家伽达默尔对"误读"的评价。他将合理的误读称为"合法的偏见"。在他看来,一个文本的意义是无止境的,它有一个无限生成的过程。在这个过程中,文本不断地被误读,每一次新误读就是对旧误读的克服。在这里,误读是一个审美阅读合法性的概念。自从文本诞生,交由读者阅读理解,误读就已经存在了。这是因为,读者的阅读理解不完全等同作家、艺术家当时的创作意图。但是,误读应该有一个范围和界限,不能过分地随意化和主观化。它应该有一个大致的原则。先秦时期对诗的阅读是不太遵循误读的游戏规则的,它过分地随意化和主观化,因此,才会产生"余取所求焉"的阅读行为。

我们可以看一下《左传·闵公元年》的一处引诗:

狄人伐邢。管敬仲言于齐侯曰:"戎狄豺狼,不可厌也。诸夏

---

① 朱自清:《诗言志辨》,华东师范大学出版社,上海,1996年,第65~66页。

亲暱，不可弃也。宴安鸩毒，不可怀也。《诗》云：'岂不怀归，畏此简书。'简书，同恶相恤之谓也。请救邢以从简书。"齐人救邢。

在这里，管敬仲引诗实际是劝齐侯出兵救邢。有意思的是，他特别强调了引诗中的简书，对其做了一番伦理、道义上的解释，认为简书的内涵是"同恶相恤"。这实在不通顺！这两句诗出自《诗经·小雅·出车》。原本是一首怨诗，以一个将领的口吻，描述了他为王事出征、长期在外征战的心理感受。"昔我往矣，黍稷方华。今我来思，雨雪载途。王事多难，不遑起居。岂不怀归，畏此简书。"朱熹注："简书，戒命也。临国有急，则以简书相戒命也。或曰：简书，策命临遣之词也。"①显然，朱熹的解释受《左传》影响，但他又纠正了《左传》的曲解之意。简书，就是"策命临遣之词"。"岂不怀归，畏此简书"，表达了长期征战在外的将领渴望回归的情感，害怕战争，受国王调遣，不得回归。其表现的怨情是极为清楚的，而管敬仲却把它作为一种正义的力量要求齐侯出兵救邢。从这里，我们可以看出，诗在当时人们心目中的崇高地位。尽管地位崇高，只要对我有用，是可以随意曲解的。但是，这种曲解并非"合理的偏见"，而是彻头彻尾的扭曲。

《诗经》是一个真理性的文本，是当时人们言说的依据。人们的言行无不受诗的影响，在正式场合，言必称诗是人有修养的一种表现。这在先秦的历史中屡有记载。后人解诗，从毛氏开始，每每以《左传》记载为根本，或陈说事理，或演绎史实。诗与史成为截然不可分割的两个方面，它们之间并没有鲜明的界限。例如，《左传·隐公三年》载："卫庄公娶于齐东宫得臣之妹，曰庄姜，美而无子，卫人所为赋《硕人》也。"《硕人》见于《诗经·卫风》。统观全诗，硕人之美历历可见，似与无子无关。尽管《左传》对诗的附会值得怀疑，但诗与史毕竟是对应的，成为人们心目中的互释文本。

同样的例子见于《左传·文公六年》："秦伯任好卒，以子车氏之三子奄息、仲行、针虎为殉，皆秦之良也。国人哀之，为之赋《黄鸟》。"《黄鸟》之诗见于《诗经·秦风》。这首诗所描写的内容与《左

---

① 朱熹：《诗集传》，中华书局，北京，1958年，第107页。

传》的记载完全相符,在这里,诗与史实现了真正的互释。由此看来,在先秦时期,诗离不开史,史也离不开诗。诗以对现实社会的准确而真实的描述,成为史家参照的对象,诗与史具有同样的地位。

然而,诗的本意是什么?诗与史究竟有何种关系?这是我们研究中国古典文艺学首先应该认真追问的。

我们以"诗三百"所记载的内容与历史记载相对照,讨论了古人以诗为用、以诗证史的做法,以此探讨诗与史的关系。这是中国古代文化相对成熟时期的现象。为了更加深入解说这一问题,我们还应该把视野向前延伸,从本源上考察诗与史的关系。

检许慎《说文解字》:"诗,志也。从言,寺声。"诗在这里训为"志"。"志"又是什么呢?《说文解字》又云:"志,意也。从心,之声。"从这里我们可以看出诗、志、意三者之间的关系,诗即志,志乃意,因而诗、志、意三者是相通的。

当代学者叶舒宪在前人研究成果的基础上,从人类文化学和古文字学的角度提出自己的新见解。他认为,"志"当是"㞢",与"寺"是同音假借,"㞢"和"寺"才是构成"诗"概念的核心和主体,也就是说,"寺"是"诗"概念形成之前最接近它的概念。叶舒宪深入考察了"寺"的语源意义,认为"寺"的本意是"诗",意指祭祀主持人,含有"有法度"之意,由此得出结论:"诗"原本是有祭政合一性质的礼仪圣辞,与谣、歌等有不同的来源。①至于"诗"何时具有今天意义上的诗的概念,这恐怕有一个漫长的历史过程。诗何以和谣、歌等韵文形式合流,并称为诗,且为谣所同化,至今仍是一个谜团,恐怕还要从音乐中寻求答案。

诗原本是祭政合一性质的礼仪圣辞,是由寺人宣讲的。寺人是阉官,主祭祀,扮演着原始宗教领袖的角色,是原始的巫。上古时期,巫史是不分的,寺人就是原始的史官。由此,诗与史发生了联系。

"史"的原初意义比较单一,就是指史官。而后才有历史、史书等意义。史官的职能是起草法令、记言、记事。这与礼仪圣辞虽有差异,

---

① 叶舒宪:《诗经的文化阐释》第三章,湖北人民出版社,武汉,1996年。

但并没有质的不同。因此，从这个意义讲，诗与史原本是同源的，具有近亲的血缘关系。在古代，不少学者将《诗经》列入史一类的做法就是原始观念的遗存，与诗的原始功能有密切的关系。

诗、史分离以后，以诗记史和以史记诗的风尚依然存在。《诗经》中有不少诗就记载了曾经发生的历史史实，同时，《左传》等史书也记载了当时的用诗情况，是以史记诗的典型事例。由于诗歌反映现实，其本身已带有史的性质，有助于人们认识社会历史，因此，此类诗歌被称为史诗。史诗是用诗写成的历史，与一般的历史记载不同，但反映历史事件的本质应是相同的，否则，史诗就失去了其历史意义。

由此可见，中国古代诗与史的概念内涵极其复杂。它们同根同源，关系密切。研究中国诗歌，研究中国古典文艺学，离不开对史这一观念的考察。对史的观念越深入剖析，越有利于文艺学本质问题的解决。

第三节 文艺学与哲学

当今，文艺学与哲学的关系已至为密切，它们之间的界限很难划分，有点哲学就是文艺学、文艺学就是哲学。这里就存在着"返古"的现象。因为，在古代，无论是中国还是西方，文艺学都没有完全独立。它们都是依赖于哲学而存在的。西方20世纪以来的诗学与哲学尤其如此，它往往超越诗学和哲学的研究视界，成为相互融通的一个整体。这种现象直接影响中国现当代的文艺学研究。

中国古典文艺学是脱胎于传统哲学的，许多重要的文艺学命题也是哲学的命题，蕴涵着人的生命体验和审美体验的意义。中国古典哲学关于文与道的解说、言与意的解说、情与理的解说等，都经常被移植到文艺学中，成为文艺学探讨的重要问题，自觉或不自觉地凸显了其在文学和美学领域存在的意义。

中国的经学是一门涵盖面极其广泛的国学，中国古代的经学研究启发了古典文艺学，提出了许多有关文艺学的有价值的问题，如古与今、文与德、诗六义等。经学对中国古典文艺学的形成与完善立下了汗马功劳，它是哲性色彩和诗性色彩都极其浓郁的中国传统学术。

中国古典哲学流派众多，思想纷杂，每一哲学流派都能形成自己的理论系统，且在一定程度上能相互吸收、相互兼容，表现出中国古典哲学的开放性。从整体而言，中国古典哲学大致可分为儒、道、佛三大流派。儒、道两派产生于中国本土，佛学则西来于印度。佛学经过中国古代儒、道哲学的改造，已成为中国化的宗教哲学，迥然不同于印度的佛教。

在中国古代的思想领域，影响最大的莫过于儒家哲学了。它以"仁"为思想核心，"仁"渗透到儒家哲学的各个层面，大可治国安邦，小可惠及亲邻。要真正地做到"仁"，应从一点一滴的小事开始，"博施于民而能济众"（《论语·雍也》），最终才能凭"仁"的力量成就大业。儒家是非常重视人格的完善的。孔子说："君子无求生以害人，有杀身以成仁。"（《论语·卫灵公》）孟子也高扬舍生取义的人格理想，认为在人的生命之外，还有比生命更为宝贵的东西存在。这些睿智的哲思直接影响了儒家的文艺思想，使儒家文艺思想更加关注生命的存在意义。

儒家是倡导诗歌教化的。孔子说："兴于诗，立于礼，成于乐。"（《论语·泰伯》）又说："诗可以兴，可以观，可以群，可以怨。迩之事父，远之事君，多识于鸟兽草木之名。"（《论语·阳货》）《礼记·经解》云："温柔敦厚，诗教也。"这些都着眼于儒家的人格完善，将文艺作为塑造人、塑造国民灵魂的手段。儒家的诗教观直接引发了文与道、比与兴观念的提出，使它们成为中国古代文学艺术创作和批评的重要观念。

文与道是对文学本质特征的哲性规定，与"诗言志"这一被朱自清先生称之为"开山纲领"的古老理论一脉相承。在"诗言志"的统领下，文与道的意义相对单纯，它超越了中国哲学理论中广义的"文"（天文、地文、人文）和多义的"道"（道义、道理、道德、自然之道），仅将其限定在文艺学的视阈，内涵极为丰富。"文以明道"、"文以载道"均言述文与道的关系，明显把"文"看作是一种工具，并认定这种工具在形而上的意义上是具有实用价值的。而"道"作为工具的载体，能够表现自然、现实与心灵的生动感人和无限复杂的一面。儒家之"道"尤其注重人的完全社会化了的、具有自觉和自主意识的心灵，与社会的终极关怀有极其密切的关系。由此引申，文与道的关系进一步演化为文与德的关系，强调文品和人品的一致，把人品（德）视为决定文品的唯一依据，表现了儒家文艺思想的局限。

比兴观念的提出是儒家对文学艺术创作理论的重大贡献。它肇始于儒家的解诗，与先民的原始思维有一段遗传和变异的情结。在先秦，由于比兴与儒家用诗是相伴而生的，虽然其形态上表现的是较为纯粹的文艺学概念，但其骨子里仍蕴涵着儒家的伦理道德观。比兴和儒家的仁学思想是一体化的，这并不影响它作为一个有价值的文学艺术创作和批评理论的健康成长，丰富并完善了中国古代的创作和批评理论内容。比兴启发了中国古典文艺学中的许许多多创作观念，使之得以生成，展示了它无比美妙的诗性品格，诸如创作的思维方式、语言策略等，在中国古代文艺创作的意象经营中发挥了巨大的作用。

道家的哲学思想在古典文艺学中的影响丝毫不亚于儒家。如果说，儒家的文艺思想是一种注重实用的、关注当下现实的功利主义文艺学，那么，道家的文艺思想则是一种注重审美的、超功利的、着意于自然的唯美主义文艺学。两者对文学的态度不一样，结果导致对文学艺术的本质特征认识差异很大。儒家强调外在的社会的政治、伦理、道德对作家、艺术家创造才能的影响，重视教化；道家则强调作家、艺术家内在心灵的自然，注重自由的艺术创造。道家在"道法自然"的哲学理念指导下演绎了一整套文学艺术创作理论，对深化文学艺术的审美创造和审美体验发挥了巨大的作用。

道家的虚静和物化观念成为中国古典文艺学、美学的重要理论范畴，其所涉及的心理学、思维学、美学的内容非常丰富，正因为此，才引起了后世治中国美学和文艺理论学者的高度重视。作为文艺学和美学的范畴，虚静是对作家、艺术家创作过程的心理言述。它原本是道家的人生修养原则。老子强调对自然社会的认识要保持一种虚静的心态，只有在这种心态下才能洞见事物的本质。虚静是虚与静的有机融合。虚乃虚空，静乃沉静。正因为虚空才需要万物去充实，正因为沉静才能进入思维的角色，两者是相辅相成的。庄子将虚看作是一种心斋的过程。他说:"唯道集虚,虚者,心斋也。"(《庄子·人间世》)今人陈鼓应将"虚"理解为"空明的心境"[1],准确把握虚的思想内涵。虚的本质即是空,它是使思维进入文学艺术创作澄明之境的重要途径。虚静是思维极度活跃时的一种心理状态,隐含着作家、艺术家的内在修养品质。虚静虽重虚重静,但并非无中生有,而是对生命的深刻体验。在虚静的状态中,作家、艺术家的艺术想象和艺术灵感发挥到极致,艺术创造才能得到升华。老庄的虚静理论在后世文学艺术家和理论家的创作和理论中得到了广泛的应用,即使在当今的文学艺术创作中,仍然具有无可替代的功能。

物化是老庄的又一哲学理念。"这种物化思想运用到技艺创造中,即是所谓技艺神化的境界。"[2]庄子在解说物化的哲学理念时拈出一个梦蝶的寓言故事,充满玄虚意蕴。庄周做了一个梦,梦见自己变成了蝴蝶,梦醒之后,便产生困惑,不知是蝴蝶变成庄周还是庄周变成了蝴蝶。庄与蝶的关系是在梦境中形成的,梦是庄、蝶发生联系的媒介。梦是一种玄思的现象,它的生成非常奇妙,并非"日有所思,夜有所梦"一句话所能解说,它涉及人的精神心理中非常隐秘的内容。在当今,释梦成为心理学的一大难题。弗洛伊德认为,梦是一种无意识的冲动,它通过一些象征的手段对潜意识本能进行改装,因此,使梦具有"化妆后的显意和剥夺了化妆的隐意"[3]两种意义。弗洛伊德将文艺创作看作是白日梦,其意旨与庄子不谋而合,只不过庄子在表面上并没有如弗洛伊德一般概括而已。

物化是一种潜意识,这并非一个刻意营造就能够达到的境界。它的突出表现是忘我,在忘我的基础上产生了审美感应,从而实现物我互化。物化思维昭示了创作行为的自然特质,强调人的主动性和独立性。物我互化是人与物角色的互相转化,在这种转化过程中,物也像人一样有思想、情感,会哭、会笑,会表达悲喜。物的这种情感是感应的结果。因为,在物化的过程中,作家、艺术家与自然物之间的感应是

---

[1]陈鼓应:《庄子今注今译》,中华书局,北京,1999年,第118页。
[2]张少康:《中国古代文学创作论》,北京大学出版社,北京,1983年,第45页。
[3]胡经之、王岳川:《文艺学美学方法论》,北京大学出版社,北京,1995年,第87页。

交互的。物是作家、艺术家进行文学艺术创作的潜意识的需要,是作家、艺术家进行文学艺术创造不可缺少的对象。物本身具有独立的审美价值和独特的艺术意义,这是我们所要强调的。

道家的语言哲学对中国古典文艺学、美学的影响也极其深远,后世的研究者并没有给予其应有的关注。直到今天,随着西方语言学思想的进入,文学艺术研究的语言问题成为一个无法回避的重要问题,人们才开始关注道家的语言观。道家的创始人老子开宗明义,在《老子》一章中就涉及语言问题:"道可道,非常道;名可名,非常名。"一般在理解这句话时,会从语言和意义的指称关系上入手,认为老子此语在于强调语言表达意义的局限性。这只是抓住了老子非常浅层次的思想意旨。其实,老子是非常注重语言的形而上意义的。他说:"大方无隅,大器晚成,大音希声,大象无形。"(《老子》四十一章)所谓"大音希声",就是对语言的形而上意义的强调,它并非漠视语言的表意作用,而是赞赏语言的能指与所指合力创造的一种意义境界。

庄子将语言问题更加深入地推动了一步,对语言的形而上意义认识得更加明晰。他说:"世之所贵道者书也,书不过语,语有贵也。语之所贵者意也,意有所随。意之所随者,不可以言传也,而世因贵言传书。"(《庄子·天道》)又说:"筌者所以在鱼,得鱼而忘筌;蹄者所以在兔,得兔而忘蹄;言者所以在意,得意而忘言。"(《庄子·外物》)庄子把语言的最终功能归结为表达意义,认为语言的表意过程呈现出复杂的状态。陈鼓应先生释"意有所随"为"意义所指向",[1]认为意义的指向不可言传,这是准确地把握了庄子思想的精髓的。庄子并不是单独肯定语言的表意功能,而是更加强调语言的形而上意义。这是道家哲学的一个有价值的发现。这一发现在后世理论家的理论著作中得到了很好的阐发,如陆机的"恒患意不称物,文不逮意"(《文赋》)、刘勰的"思表纤旨,文外曲致,言所不追,笔固知止"(《文心雕龙·神思》)、司空图的"象外之象,景外之景"(《与极浦书》)等,都可以看作是对道家文学语言观的继承并深化。

---

[1] 陈鼓应:《庄子今注今译》,中华书局,北京,1999年,第357页。

对中国古典文艺学产生深远影响的还有佛教哲学。佛教自印度东渐以来，由于思维方式与中国本土的思维方式相近，很快被中国本土思想所接纳，在融合的过程中，形成了一套有完整理论系统的佛教哲学，显示了中国古代学术的开放性和包容力。禅宗是典型的中国佛教，对中国古典文艺学的启发尤大。在思维上，禅宗强调"禅定"、"止观"，强调内在心灵的体静入悟、见性成佛，与道家的虚静思想有异曲同工之妙。魏晋南北朝时期，佛经翻译是一大盛事，佛经在传译的过程中形成了一套翻译理论，这些理论由于化用中国传统的文艺理论和美学理论的词语，实际上已经成为中国传统文学理论和美学理论的一部分，沾溉后世。

中国古典文艺学、美学的很多重要的范畴来自佛教，或者与佛教密切关联，如言与意、虚与实、意境、境界、妙悟等。意境范畴最早见于唐人王昌龄的《诗格》（有人疑为伪托），而诗格作为一种批评的形式，其本身就是受佛教的影响。很难想象，最早在诗格中运用的意境范畴能够与佛教脱离干系。佛教的理论是意境理论的生成根源之一。佛教瑜伽派认为，人的认识能力可分为"八识"，它并非宇宙万有派生的；"八识"中起主导作用的是"阿赖耶识"，它是一种"自性缘起"，从本质上讲是"识有境无"、"唯识无境"。佛学将色、声、香、味、触、法称为"六境"，又因其虚妄不真而称之为"六妄"或"六尘"，将"识"与"境"看成是一个整体，这便促成了中国古代艺术意境理论的产生。唐释道世纂《法苑珠林·摄念篇》，提出"境界"一词；日人弘法大师撰《文镜秘府论》，引述王昌龄《论文意》中关于"意"与"境"关系的讨论，认为"意"与"境"只有实现高度的统一，才能使文学艺术作品具有很高的审美价值。唐代以后，意境理论内容被不断地充实，情与景相兼、虚与实互融、动与静为伍、形与神不离，成为意境理论的复杂景观。意境理论有巨大的包容性和顽强的生命力，它使文学艺术也充满生命意识，郁勃、鲜活、生动。故而，东坡云："静故了群动，空故纳万境。"（《送参寥师》）朱承爵云："作诗之妙，全在意境融彻，出音声之外，乃得真味。"（《存馀堂诗话》）

佛教哲学的妙悟理论也对中国古典文艺学产生了深刻的影响，它引发了一场艺术思维的革命,作为一种佛学参法重要形式的"妙悟",成为中国古典文艺学的关键词。这实在是佛教理论对中国古典文艺学的一大贡献。

"妙悟"滥觞于人类的原始思维,与原始人类的巫术崇拜有很大关系。它是人类原始记忆的遗传,充满着神秘的互渗。佛教哲学在完善自己的宗教理论体系过程中吸收了这一人类的思维成果,注重原逻辑的直观性和感悟性,使妙悟理论既充满哲性,又具有诗性,为其与艺术思维的嫁接创造了可能。"妙悟"在成为中国古典文艺学关键词的过程中,经历了一番脱胎换骨的改造,不仅继承了佛教思维的精华,而且吸收了中国传统的道家思想,内涵更为丰富,诗性更加浓郁。"妙悟"所关涉的文艺学问题很多,除了艺术思维的感悟性、模糊性等原逻辑的特征之外,还关涉作家、艺术家的天才、艺术能力、语言等至关重要的问题,对深化文艺学的研究极有启发。成熟表现在谢灵运、王维等著名作家、艺术家的艺术创造中,然而,到了严羽,其理论的完善与系统化才算完成,其作为中国古典文艺学的重要概念才得以真正确立。[①]

值得注意的是,对中国古典文艺学与哲学的关系仅仅从儒、道、佛这三条线索上认识是不全面的,其具体表现极其复杂。魏晋南北朝时期,社会的动乱、民族的融合,促成了文化的融合,在此背景下产生了玄学。玄学的思想核心是道家思想,但又兼容儒、佛,其对中国古典文艺学的刺激也是极为强烈的。宋代以后,理学作为儒家哲学的分支盛行于中国,但又兼容道、佛,呈现出内在意蕴多元发展的趋势,其对中国古典文艺学的刺激同样强烈。明清之际,对性灵与理性的关怀成为士人思想解放的一个重要标志,也是中国古典文艺学从经世致用转入内在心灵的一个良好契机。

从以上简略的描述中可以看出,中国古典文艺学与哲学的关系是极为密切的。如果忽略中国古典哲学,考察中国古典文艺学的发展,

---

① 李健:《妙悟:从佛禅参法到艺术思维》,《阜阳师范学院学报》(社科版)2001年第6期。

研究其范畴内涵的演变,就无法正本清源,中国古典文艺学的研究也无法深入下去。

第四节　范畴:中国古典文艺学的基本形态

　　在中国古典文艺学中,范畴居于核心地位,起着举足轻重的作用。举凡中国古典文艺学的重要问题,都是借助于范畴加以言说的。这便形成了中国古典文艺学的一大景观。范畴凸显了本民族文艺学的特征,构筑起中国古典文艺学的基本形态。

　　范畴是一个哲学的概念,它是人对客观事物普遍本质的概括和反映。作为一个西来的学术概念,它具有西方意义上的科学含义,注重逻辑层次的严整性和内涵的相对恒定。一般地说,范畴是针对具体学科而言。任何一个学科都有自己的理论体系,相应地,也有自己的概念范畴。在此一学科成为范畴的概念术语在彼一学科并不一定能够成为范畴,即使某一范畴有幸成为彼一学科的范畴,其内涵的差别必然很大,必定具有不可通约性。

　　中国古典文艺学的范畴和西方诗学的范畴具有天然的不可通约性。这在学人中间并没有形成共识。有人喜欢将中国古典文艺学的范畴硬套入西方的诗学范畴,或将西方的诗学范畴硬套入中国古典文艺学的范畴,如神思之于想象、应感之于灵感等,这种做法其实大谬。尽管它们都是文艺创作的范畴,但是,由于它们的哲学基础(立论的基点)不一样,内涵的差异是很大的。这是传统文化和民族思维方式使然。这种不可通约性虽然无法弥纶,但也并不意味中西文艺学失去对话的可能。

　　实际上,当我们用这个西来的"范畴"术语言述中国古典文艺学时,其内涵也发生了不小的变化,这是由中国古典文艺学范畴的特质决定的。它虽然秉承了对事物普遍本质的言述,但是又基本上失去了西方意义上的逻辑层次的严整和内涵的恒定,被赋予中国传统的逻辑内容。范畴的视野由窄至宽,尽管它也受学科内容的限制,但这种限制已经失去西方科学的谨严,而表现得相对灵活、宽泛。这是中国古代思维潜在的逻辑观念。基于中国古代这种潜在的逻辑观念，有学者指出，中国古代的美学（文艺学）是"建范畴立理论"，"意谓美学体系仅需范畴的勾勒就足以完成，范畴就是理论的筋骨"①。这种见解抓住了中国古典文艺学（美学）的特征，可谓一语中的。我们也认为，中国古典文艺学是范畴文艺学，离开范畴，中国古典文艺学便无从说起。所有想依凭西方理论体系构筑中国古典文艺学体系的努力必定会陷入难以自拔的僵局，必定是对中国古典文艺学的歪曲与蔑视。

中国古典文艺学的所有重要问题都是借助范畴进行阐释的，范畴是中国古典文艺学的理论筋骨。如言志、缘情、文道之于文艺的本质，神思、比兴、妙悟、应感、虚静、物化之于艺术思维，知音、知人论世、以意逆志之于文艺鉴赏与审美接受，风骨、意境之于文艺的美学品格，文气、文德之于作家批评，意象、言意、形神之于文学形象的塑造，势、法之于文学艺术的创作方法等。我们随意拈起一个理论问题，如果抛开范畴，简直无可置喙。范畴成为阐释理论的必要工具，对范畴的阐释其实就是对理论的阐释。理论是以范畴的形式出现的，并且随范畴的演进不断完善，如从诗言志到诗缘情，从象到象外之象等。这说明，中国古典文艺学的范畴并不是僵化的，而是随文学艺术思潮的发展而发展的，在发展的过程中显示出旺盛的生命活力。

言志作为文学本质的典型言述，所起的理论性筋骨作用堪称楷模，它丰富的理论内涵无愧于"开山纲领"的评价。不管将"志"理解为记忆、记录还是理想、抱负，都不游离其作为诗的本质的意义。②这一古老的诗歌理论范畴中，蕴涵着极为丰富的文化观念，透露出其作为远古政治、历史之一部分的文学形式所特有的文化地位和文化价值，使人回味无穷。"志"无论作为记忆、记录还是作为理想、抱负，都强调以人为中心，诗是人灵魂心理的艺术折射。"志"是包含情感的，有极为宽泛的内涵。作为儒家的文学范畴，"志"又有非常特别的涵义。"诗道志，故长于质，礼制节，故长于文。"（董仲舒《春秋繁

---

① 程琦琳：《中国美学是范畴美学》，《学术月刊》1992年第3期。
② 闻一多：《神话与诗》，华东师范大学出版社，上海，1997年，第201页。

露·玉杯》)"故仆志在兼济,行在独善。奉而始终之则为道,言而发明之则为诗。"(白居易《与元九书》)志、礼与兼济、独善联系在一起,意谓借助于这一文学形式表达政治理想抱负,宣扬伦理道德。"志"成为政治、伦理、道德的同义语。由此可见,作为古老的文艺学范畴,言志所涵盖的理论内容极为广泛,它有使诗成为非诗的因素,这是远古模糊的文学观念使然。更为重要的是,它又重视作为诗之主导的诗人本人内在心灵的流露,重视诗歌表达意志、反映现实的特质。

何故谓之诗?诗者言其志。既用言成章,遂道心中事。(邵雍《论诗吟》,《伊川击壤集》卷十一)

诗言志,志足而情生焉,情萌而气动焉。如土膏之发,如候虫之鸣,欢欣噍杀,迂缓促数,穷于时,迫于境,旁薄曲折而不知其使然者,古今之真诗也。(钱谦益《题燕市酒人篇》,《牧斋有学集》卷四十七)

正因为"志"之内涵厚重,才会赋予诗如此重大的使命。言志范畴对文学本质的论释可谓周详,其在中国古典文艺学中的确起着筋骨的作用。

再以"风骨"说之。"风骨"是魏晋南北朝时期定型的一个重要的文艺学、美学范畴,它意指一种刚劲、雄迈的美学风范,是对一种文学艺术风貌的概括,后来被广泛运用。刘勰赋予"风骨"这一范畴以实在的含义:"是以怊怅述情,必始乎风,沈吟铺辞,莫先于骨。故辞之待骨,如体之树骸;情之含风,犹形之包气。结言端直,则文骨成焉;意气骏爽,则文风清焉。若丰藻克赡,风骨不飞,则振采失鲜,负声无力。"(《文心雕龙·风骨》)联系刘勰对文学发展历史的认识,便可获取风骨范畴的直观感受。如他评建安文学:"观其时文,雅好慷慨,良由世积乱离,风衰俗怨,并志深而笔长,故梗概而多气也。"(《文心雕龙·时序》)由此可知,李白所言"蓬莱文章建安骨"(《宣州谢朓楼饯别校书叔云》)是为了张扬一种美学的风范。风骨实指慷慨悲凉的美学风貌。这种风貌能振作人们的精神,鼓舞人们的斗志,使文学作品弥漫英雄主义的壮怀激烈。刘勰是从文学价值的角度认识文学之美的，只不过他摆脱了儒家教条化的说教，将之上升至美学的高度加以言述，意蕴深厚。钟嵘以"建安风力"评价建安文学，"风力"当属风骨的同义语，同样是为了褒扬建安文学的风骨之美。到了唐代，陈子昂重提汉魏风骨，强调"兴寄"，是对风骨范畴的进一步深化。此后，凡涉及壮怀激烈、慷慨悲凉者均以风骨冠之，足见古人对这一美学风貌的赞赏与嘉许。清沈德潜云："北朝词人，时流清响，庾子山才华富有，悲感之篇，常见风骨。"（《说诗晬语》卷上）刘熙载云："太白长于风，少陵长于骨，昌黎长于质，东坡长于趣。"（《艺概·诗概》）"风骨"范畴凸显了众多美学风貌的一种典型品格，它的筋骨作用在中国古典文艺学的美学品格研究中依然鲜明。

中国古典文艺学范畴林立。起初，范畴的言述多以单个汉字为主，如气、道、意、象、神、韵、文、质等，而后才逐渐向两个汉字或多个汉字的复合形式演进，如文气、意境、兴象、神思、神韵、文质等。在形式演进的过程中形成序列或集群，内涵由粗疏趋于精密，逻辑层次亦井然有序。

我们以"意"为例陈述之。在中国古代，"意"是一个哲学的范畴。在《周易》中，"意"意指思想、意义，与"言"、"象"相伴存在。"子曰：'书不尽言，言不尽意。'然则圣人之意，其不可见乎？子曰：'圣人立象以尽意，设卦以尽情伪，系辞焉以尽其言。变而通之以尽利，鼓之舞之以尽神。'"（《周易·系辞上》）思想或意义是难以言述的，意指思想或意义的精微与玄秘。要实现"尽意"，不单靠语言的努力，还要靠"立象"，即采用直观的图像语言以曲尽其妙。对"意"的追求是一个艰难的过程。如果从哲学的角度辨解"意"，与文艺相差太远。因之，作为原初范畴的"意"不免有粗疏之感。然而，复合形式的"意"便充满活力了，不仅含义异常丰富，而且意指极为明确，具有了文艺学、美学的意义，如意境、意象、意趣、会意、写意等。这个范畴的序列或集群不仅内涵精密，而且逻辑层次很强，涉及文学艺术的创造、审美、美学品格等诸多问题。我们以"会意"范畴说之。这是陆机《文赋》所提出的范畴。陆机云："其会意也尚巧，其遣言也贵妍。"会意乃合意，是指文学艺术创作的构思精巧，立意高妙。这是对文学艺术创作的一种美学的要求。所谓立意的高妙应兼顾文本的能指和所指,力求包含最精致、最大量的信息,给人们以极高的审美享受。因此,"会意"的过程可以说是赋意的过程。在这个过程中,有对作家、艺术家修养的许多要求,一个"巧"字就包蕴了这种要求。"会意"作为中国古典文艺学的创作论不能不引起人们的关注。

范畴在演进的过程中所形成的序列或集群,其意蕴并不一定处于同一的意义层面,它是不断繁衍生长的。虽枝蔓扶疏,但根干不倚。如上述由"意"繁衍的意境、意象、意趣、会意、写意等,意境、意象兼具艺术创造与审美的范畴,意趣属审美鉴赏的范畴,会意、写意则偏重艺术创造的范畴,并不处于同一的意义层面。这是因为"意"的意义复杂的缘故。这一事实的存在并不证明古人逻辑的混乱,相反,却显现出这些范畴序列或集群的逻辑层次之鲜明、有序。

中国古典文艺学的范畴有其内在的逻辑结构。不仅序列或集群范畴有一种清晰的逻辑层次,即使某个范畴在言述某一理论问题时也有一定的逻辑层次。每一个范畴都是某一理论问题的准体系。

中国古典文艺学范畴的内在逻辑结构首先表现在范畴与范畴之间的相互关系上。有学者以"范畴的开放性和渗透性"予以阐释,认为范畴与范畴的关系表现在三个方面:1.范畴可以通释;2.范畴可以融合构成新范畴;3.一个范畴否定超越并涵盖另一个范畴。[①]此论甚为精辟。但是,这三个方面的实现均须有一个前提条件。范畴的通释是在内在的逻辑层次上进行的,范畴与范畴之间必须发生一定的逻辑关系,如言、象、意、境等,"言不尽意"、"立象以尽意"、"意境融彻"都是言述它们之间的逻辑关系,只有在这种关系中才能通释,它们之间并不是随意拈出两个或几个范畴,就能实现通释的,如道、境、势、兴等。可见,范畴与范畴之间的通释的条件不能忽略。同样,范畴的融合构成新的范畴也有一个前提条件,它也不是随意的。气、韵、神、象、意、境之所以能够相互组合,是因为它们之间在传统文化背景中结成紧密的逻辑关系,所以才会出现气韵、神韵、气象、意境、

---

① 程琦琳:《中国美学是范畴美学》,《学术月刊》1992年第3期。

境象、意象等范畴。一个范畴超越并涵盖另一个范畴，一般情况下是在范畴的序列或集群中进行的，离开范畴的序列或集群，这一理论也就失去了意义。由此可见，中国古典文艺学的范畴的内在逻辑结构是严谨的。

中国古典文艺学的范畴的内在逻辑结构还表现在元范畴的统领上。所谓元范畴，就是居于核心地位的范畴。汪涌豪指出："元范畴是那种不以其他范畴作为自己的存在依据，不以其他范畴规定自己的性质和意义边界的最一般、抽象的名言。"[1]汪涌豪的意思是：元范畴是一种原创性的范畴。这种范畴起初可能不是用来言述文学艺术对象的，但其意义比较模糊，后来却被用在文学艺术的言述上。既然元范畴"不以其他范畴作为自己"的存在依据，不以其他范畴规定自己的性质和意义边界，那么，元范畴是如何产生的呢？它"最精微最深刻"的内容、"最广泛最普遍"的范围、"最强最持久"的活动和延展力是怎样得来的？[2]汪涌豪并没有回答这些问题。我们认为，元范畴一般都是从哲学中派生的，其意义虽然模糊，但是，由于它的原创性具有不可忽视的意义，应属中国古典文艺学各范畴序列或集群中最精微最深刻、最广泛最普遍、最有活力的范畴；同时，在中国古典文艺学的整体构架中，元范畴确实在承担着独立阐释某一问题的重任，起着无可替代的作用，如比兴、意境、风骨、趣味等。正是因为众多元范畴的存在，才能统领庞大的范畴序列或集群，并使其具有极强的内在逻辑结构。

中国古典文艺学的每一个范畴都是某一理论问题的准体系，都对某一理论问题有比较全面的阐释。这往往不是一个文论家的功劳，而是凝聚一批人的心血。古代文学理论家们的共同努力，铸就了中国古典文艺学范畴的品格。

文道范畴是对文艺本质的一种言述，其本身就蕴藏着准体系。作为一个文艺学范畴，它是对中国古典哲学范畴的借用，具有泛文学

---

[1] 汪涌豪：《范畴论》，复旦大学出版社，上海，1999年，第420页。
[2] 同上。

的特性。"文"指一切之文，其中包括文章等文字成品、图像成品和自然界的一切现象，即先贤所言之天文、人文。"道"的内涵就比较复杂了。人们喜欢按学派论道，以为儒家之道、道家之道、佛家之道各各不同，不能混淆。其实，儒、道、佛之道在不同之中亦有同的一面。"道"意指道德、道理、原理、规律等使此事物具有形而上的本质。从文学艺术的角度理解，文与道的内涵依然广泛。第一，它言述的是文学艺术的内容和形式的关系，指出文学艺术作品的二元结构，并涉及语言与意义的关系。第二，它言述文学艺术与道德、道理、现实、情感、抱负之间的关系，涉及文学艺术的本质问题。"文以明道"、"文以载道"、"文以贯道"是对这一关系的典型阐释，这并非一个单纯的文学社会作用的认识问题，其中包含着极为复杂的内容，值得深掘。第三，文道范畴是文学复古主义者用以标榜的旗帜，自然涉及古与今的言述，触及文学艺术的继承与革新问题等。尽管文道范畴充满政治的意味，有很多非文学的因素，但是从先秦至清代的发展深化中依然形成一个准体系。中国古典文艺学的范畴无不如此，也正是中国古典文艺学范畴的活力之所在！

当然，中国古典文艺学范畴的准体系价值并不一样，这要依据这一范畴在整个古典文艺学中的地位而定。一般地说，元范畴、重要范畴的准体系价值要高些，次要范畴的准体系价值要低些。这是符合中国古典文艺学范畴的发展规律的。

中国古典文艺学的范畴是经验性的范畴，这一点毋庸讳言。它是对艺术经验和审美经验的高度概括，并采用中国传统的思维方式对之加以整合的结果。因此，中国古典文艺学是感悟式的，是注重直观的，具有极强的操作性。尽管如此，中国古典文艺学范畴并非没有思辨，夹杂感悟式的思辨表现了中国传统思维的独特性。既注重思辨，更偏爱感悟，这是中国古典文艺学范畴的特征。

中国古典文艺学范畴的思辨性首先表现在其与哲学理性相关联的学理层次上。前文已言，中国古典文艺学的范畴与中国古典哲学有关，很多范畴是借用中国古典哲学的，这便赋予中国古典文艺学以哲性的品格。在《文心雕龙·夸饰》篇中，刘勰言述言意范畴：

夫形而上者谓之道，形而下者谓之器。神道观摹，精言不能追其极；形器易写，壮辞可得喻其真；才非短长，理自难易耳。故自天地以降，豫入声貌，文辞所被，夸饰恒存。虽诗、书雅言，风格训世，事必宜广，文亦过焉。是以言峻则嵩高极天，论狭则河不容舠，说多则子孙千亿，称少则民靡孑遗，襄陵举滔天之目，倒戈立漂杵之论，辞虽已甚，其义无害也。且夫鸮音之丑，岂有泮林而变好；荼味之苦，宁以周原而成饴；并意深褒赞，故义成矫饰；大圣所录，以垂宪章。孟轲所云"说诗者不以文害辞，不以辞害意"也。

可谓有理、有据、有节。刘勰辨析形而上之道和形而下之器，认为道之精微使"精言不能追其极"。作为形而下之器的语言是形象生动的，可以运用各种修辞手段（如比喻、夸饰）多方渲染，以达到表意的目的，从而最大限度地接近形而上之道。这种论述并不缺少思辨，而且思理清晰、气势如虹，展示了中国古典文艺学思辨之风采。学理和思辨是相辅相成的，离开学理，何谈思辨？反之，离开思辨，何谈学理？刘勰较好地处理了这一问题。

我们再以"文气"范畴为例，谈论中国古典文艺学范畴的思辨。曹丕云："文以气为主，气之清浊有体，不可力强而致。"（《典论·论文》）吕南公云："盖才卑则气弱，气弱则辞蹇。为文而出于蹇弱，则理虽不失，人罕喜读。人不读矣，则谁复料其持论哉！"（《与王梦锡书》，《灌园集》卷十四）魏禧云："气之静也，必资于理，理不实则气馁。其动也，挟才以行，才不大则气狭隘。然而才与理者，气之所冯，而不可以言气。才与气为尤近，能知乎才与气者之为异者，则知文矣。"（《论世堂文集序》，《魏叔子文集》卷八）这里辨析了文、气、才、理之间的关系，认为"气"是为文之本。而"气"是先天赋予和后天修养的综合，故曹丕云"不可力强而致"。"清浊"这一对概念是"气"衍生出来的，其本身就包含对立统一的意蕴，极为抽象。"气"又与人的才能关系甚密，"才卑则气弱，气弱则辞蹇"。才、气、辞三者是因果关系。可见，中国古典文艺学的文气范畴牵涉面很广，才、气、文、理一环套一环，整体的逻辑非常严谨，具有很强的思辨性。

当然，中国古代的逻辑思辨不可能等同西方的逻辑思辨，它们是两种文化孕育出来的两种思想体系，差异必然是很大的。国内外不少理论研究者否认中国古典文艺学的逻辑思辨，均是以西方文艺学为参照。为此，有学者精辟地指出：

> 事实上，中国古代文论及其范畴除了与文学创作和鉴赏实践联系密切，因而可以说具有重视经验，尤其是感悟的特点之外，同时又有着自己的理论思维和逻辑特点，并不缺乏分析性和系统性，因此亦有自身的体系结构，只是在体性上不同于西方文论而已。但是，由于文化认同和知识谱系方面的原因，加之对于中国传统思维方式和理论形态之文化隔膜，使得一些论者以西裁中，以为只有符合西方式的思辨、逻辑、分析才是思辨、逻辑、分析，异之者则非是也；只有同于西方式的理论形态、体系才算理论形态、体系，否则便不是，因而产生了种种对中国古代文论及其范畴和体系的偏颇之见和责难。①

这种思维的定势的确到了该纠正的时候了，只有改变这种偏见，才能使中国古典文艺学的研究步入常轨。

中国古典文艺学的范畴是偏爱感悟的，许多范畴以生动形象的语言形式出现，充满隐喻。注重感性的直觉，注重语义的模糊与精微是感悟的思维特征。这并不妨碍其理论的传播与推广，也没必要担心其精微之义的丧失。感悟、直觉与一个民族的思维习惯是相互联系的。对西方民族来说，它可能导致其精微思想的表达不畅，而对中华民族来说，无数精微的思想均在感悟、直觉中产生，感悟、直觉成为理论分析的武器，是本民族的思维长处。民族的思维方式并没有高与低的差别，关键应看能否运用这种思维方式解决问题、创造价值。

在中国古典文艺学诸多范畴中，气、象、韵、神、境、风、骨、味等单字范畴都是感悟式的，由这些单字范畴组合而成的复合范畴也都是感悟式的，如文气、意象、气韵、神思、境界、风骨、趣味、神韵、兴

---

① 党圣元：《中国古代文论的范畴和体系》，《文学评论》1997年第1期。

象、气象、精神等。韩愈云:"气,水也;言,浮物也;水大而物之浮者大小毕浮。气之与言犹是也,气盛则言之短长与声之高下者皆宜。"(《答李翊书》)这是比喻,以"气"隐喻文章才力与气势,而"言"正是"气"的外在表现形式。"气"是看不见、摸不着的,但从语言中能够感悟,看似玄虚其实实在。中国古人就是要在玄虚中领悟实在,能够根据各自的条件化用玄虚,从模糊走向精微。这就达到了目的。"气"的范畴能典型表现中国古典文艺学范畴感悟的特点。

这些感悟的范畴广泛地应用于文学艺术作品和作家的批评接受上。谢赫评晋明帝画"虽略于形色,颇得神气"(《古画品录》)、钟嵘评曹植"骨气奇高"(《诗品·魏陈思王植诗》)、张戒评韦苏州"韵高而气清"(《岁寒堂诗话》)、严羽评唐诗"惟在兴趣"(《沧浪诗话·诗评》)等,都是感悟批评的典范。他们以深切的审美体验感受到作家作品的妙处,用生动形象的批评范畴予以阐释,如禅家之偈语与机锋,模糊而精微。它使人们往往有这种感觉:这一范畴用以评判这个作家尤其精当,不好再找另一个范畴替换。如张戒评韦苏州"韵高而气清",使人自然而然联想到韦苏州的诗:"独怜幽草涧边生,上有黄鹂深树鸣。春潮带雨晚来急,野渡无人舟自横。"(《滁州西涧》)韦苏州学陶渊明,得陶渊明之平淡自然。唯"韵高"与"气清"才能展示韦诗的自然风采。

在感悟之中展开思辨是中国古典文艺学诸多范畴里常用的方法,并且达到炉火纯青、精妙之至的程度。感悟与思辨相得益彰,增强说理的形象生动,丝毫也不损害理论的深入。如陆机对"应感"范畴的论述:

> 若夫应感之会,通塞之纪,来不可遏,去不可止。藏若景灭,行犹响起。方天机之骏利,夫何纷而不理。思风发于胸臆,言泉流于唇齿。纷葳蕤以馺遝,唯毫素之所拟。文徽徽以溢目,音泠泠而盈耳。及其六情底滞,志往神留,兀若枯木,豁若涸流。揽营魂以探赜,顿精爽于自求。理翳翳而愈伏,思乙乙其若抽,是以或竭情而多悔,或率意而寡尤。虽兹物之在我,非余力之所戮。故时抚空

怀而自惋，吾未识夫开塞之所由。(《文赋》)

多么美妙的文字！志、理、思这些抽象的理念似有情有思，具有灵性。"应感"作为文艺创作的奇特现象是灵感呈现的过程。"应感"是什么，陆机不知道，我们今天仍回答不清楚。它是一种心理和思维现象。它"来不可遏，去不可止"，有声有形，充满幻象。它能控制人的创造才力，挥洒人的创造激情，对文学艺术创造起推动作用。陆机用充满感悟的语言言述了"应感"范畴的特点和作用，具有极高的理论价值。这是中国古典文艺学在感悟中展开思辨的典型范例。

中国古典文艺学是在范畴中生长并发展起来的，范畴是它的理论筋骨。随着范畴的不断完善，中国古典文艺学内在的逻辑结构也趋于完善与精致。因此，中国古典文艺学是范畴文艺学，范畴构成了它的基本形态。

第五节　感悟：中国古典文艺学的基本方法

在中国古典文艺学中，无论是文本理论、创作理论还是接受理论，都是采用感悟的方式加以言述的。感悟成为中国古典文艺学的一种重要的研究方法。学人们往往将之归为中华民族的独特思维方式，以与西方的逻辑思维相区别。其实，中西研究方法的区分远远没有这么简单。感悟并不完全等同于直觉或经验的表述。在感悟的背后，隐藏着极为抽象的内容。因此，我们可以说，感悟是抽象的形象化过程，是理性的经验透视。

中国古典文艺学的感悟来自于中国传统的哲性思维。《周易》是中国传统哲性思维的集大成者，它所采用的方法就属于感悟的方法。在《周易》中，所有关于社会、政治、历史、伦理、心理、文艺的道理无不包容殆尽，但这些道理均是通过卦象的推演感悟出来的，对事理的阐释极形象且极抽象，充满辨证色彩。例如比卦，其卦象是䷇，下坤（☷），上坎（☵）。下坤为地，上坎是水。《象传》云："地上有水，比。先王以建万国，亲诸侯。""地上有水"意为水滋润大地，大地生养万物，象征人们真诚相待、相亲相附。然而，水又是凶险的象征，它在地上，构成陷阱，会对人们形成威胁。同时，比卦还有"比附"之意。蒋凡先生认为，比附有两种不同的理解：一是小人朋党比奸，结成一个黑暗的社会集团；一是"君子"之间的相亲相附，组成一个以仁义圣贤为中心的光明社会，安定团结，大吉大利。[①]可见，比卦的卦象极形象生动，其义理更抽象多义。这是典型的中国传统的哲性思维，是感悟。正是这种思维方式影响了中国古典文艺学，使感悟成为中国古典文艺学阐释理论问题的基本方法。

感悟是感应的、直觉的、生动形象的，同时，感悟又是理智的、抽象的。无论从"感"还是从"悟"的字面表述，都可以看出这种特征。"感"是"咸"的通假字，"咸"乃无心之感。《说文解字》云："咸，皆也，悉也。"《周易》中专门有咸卦陈述男女相悦之事。《杂卦传》云："咸，速也。"说明感是男女之间极快的情感回应，不夹杂太多的理智思考，在形式上是直接的、凭感觉的。这正是男女之情感回应的一种通常现象。文学艺术创作的最初动机也是对感的激发，由一种外在的物象或一种外在的事实引发，产生了情感的激荡，其本身就是直观的、经验的，很少带有理智的成分。而作为探究文学艺术创作本质的文艺学，如果要真正地实现它对文学创作和批评的指导或推动作用，必须对文学艺术的创作和批评进行直接回应。从这一角度来理解中国古典文艺学的直觉性和经验性，就可能找到恰当的视角，得出合理的结论。

"悟"具有与"感"不同的内涵。《说文解字》云："悟，觉也。从心，吾声。"又释"觉"："寤也，从见，学省声，一曰发也。"觉是一种发现或梦中醒悟，可见，它已不是纯粹直觉或感性的经验内容，带有一些理智的意味。文艺学作为文艺的理论升华，单单依靠经验与直觉远远不够，必须具有理性的分析。只有将直觉与理智结合才能对中国古典文学艺术问题实现真正的阐释。在这个意义上，感悟便具有非同寻常的理论内涵。

---

① 蒋凡：《周易演说》，湖南文艺出版社，长沙，1998年，第62~63页。

中国古典文艺学的范畴多是感悟的，单单从范畴的本义就能够发现其感悟的特点。感悟多借助于人对客观对象的感觉，对客观对象形态、特点进行隐喻，是取式于自然和人事的结果。[①]举凡人与自然界的生动的形态特征，均可用之于文艺的创作与批评，给人以直觉和理智的印象。如象、神、味、境、道等，象指形象或自然的物象，在《周易》中用得最为普遍。《周易·系辞上》云："圣人有以见天下之赜，而拟诸形容，象其物宜，故谓之象。"又云："圣人立象以尽意，设卦以尽情伪，系辞焉以尽其言。"这里的象主要是指卦象。在古人的观念中，卦象是生动直观的，它是对自然界物象的模拟与隐喻，以象征人事的吉凶祸福。当它作为一个隐喻或象征意义时，就具有了抽象的意味，充满理智。象不仅指有形的事物，也指无形的事物，无形的事物也可有象，如乐象、气象、兴象、意象等。象一旦意指无形的事物，就变得极为抽象，不可捉摸，具有非同寻常的意义。但是，它在字面上仍具有极强的直观特征，给人以无比丰富的想象。这就是感悟的文艺学范畴所具有的特点。在考察中国古典文艺学的范畴时，这一特点尤其不容忽视。

正是因为中国古典文艺学范畴的感悟特征，造成了范畴内涵的游移不定。中国古代的文艺理论家们对范畴意义的理解不具备严密的逻辑性和延续性，在运用范畴论述理论问题的过程中，往往各取所需，采用的可能是某一范畴众多内涵中的一个，给人以以偏概全的印象。而这并没有什么不好，恰恰说明中国古典文艺学范畴具有旺盛的生命力和理论命题的衍生力。范畴意义的确定，其目的是为了言述准确，让读者能"准确"把握说者之意，以便准确表达思想。其实，做到这一步很难，几乎不可能。即使在西方严密的逻辑系统中，不是照样产生了对文本的误读？误读成为语言哲学界公认的一种普遍的现象。

试以"意境"来解说之。作为中国古典文艺学的一个核心范畴，意境的内涵是极其丰富的。最早使用这一范畴的王昌龄如此言述意境："张之于意而思之于心，则得其真矣。"（《诗格》）显然，这里的

---

① 汪涌豪：《范畴论》第二章，复旦大学出版社，上海，1999年。

意境完全是主观心性的内容，偏重理性，与物境、情境相呼应。殷璠就从这一角度把握意境，他说："维诗词秀调雅，意新理惬，在泉为珠，着壁成绘；一句一字，皆出常境。"(《河岳英灵集》卷上)一方面强调"意新理惬"；另一方面，又注重形象性，所谓"在泉为珠，着壁成绘"是也。刘禹锡的意境观便有所不同了，他开始拓展意境的思想内涵，认为意境的主要品质在于其意义的精微："义得而言丧，故微而难能；境生于象外，故精而寡和。"(《董氏武陵集纪》)此涉及言、意、象这些根本的问题，已有意摆脱理性的束缚，着意于象外之境的发掘。他把意境与《周易》和老庄的言、象、意的思想联系起来，表现了较为开阔的视野。在唐代，意境内涵的演化就具有如此复杂的特点，其在后世的发展就更可想而知了。然而，纷纭复杂的解读对这一文艺学核心范畴的误读也达到一个新的层次。

宋人喜欢将意境拆开进行言说，表面上看好像沿袭了唐代的意境分析方法，其实中间存在着深刻的误读。唐代的意境理论常以"境"相标榜，如殷璠的"常境"、高仲武的"佳境"(《中兴间气集》)、韩愈的"异境"(《桃源图》)、皎然的"取境"等，这些"境"字均可作"意境"解，具有意境的最一般的含义。但是，到了宋代却发生了很大的变化。东坡曾云"境与意会"(《东坡诗话》)，代表了他的意境观，认为意境是虚实的结合，是情景的融合，是"行于所当行"、"止于所不可止"(《答谢民师书》)的自然状态，是"咸酸杂众好"的"至味"(《送参寥师》)。这个"境与意会"是一个完美的整体，并不存在割裂之嫌。但到了有些人那里，却将意与境对举，仅从语言表达内容的主客观之别区分意境，视界未免狭窄。如南宋普闻《诗论》云："陈无己诗云：'枯松倒影半溪寒，数个沙鸥似水安(境中带意)。曾买江南千本画，归来一笔不中看(意)。'石屋诗云：'八峰春到了，双涧雨初晴(境)。小室钩帘坐(境中带意)，人间无画图(意)。'《禁脔》谓夺胎法，石屋之诗见之，然其境句不胜耳。"普闻公开宣示："天下之诗莫出于二句：一曰意句，二曰境句。境句则易琢，意句难制。境句人皆得之，独意不得其妙者，盖不知其旨也。"(《诗论》)可见，他还是把握了意境的某些独特之处，尽管割裂了意境概念，却并没有完全游离这一理论的精义妙旨。

意境的形成源自心的感悟。感悟表现在任何一个人的身上都是不同的，都会随着感悟者先天和后天的素质发生变化，有时差异很大。不能因为每个人的感悟不同而否定感悟对象的存在价值，进而否定在一种文化氛围中逐渐生成的文学艺术理论。

感悟的方法在文学接受中运用得较为普遍，这符合文学艺术理论发展的实际。在理解和鉴赏文学艺术作品的过程中，理解者和鉴赏者调动了自己的生活经验、视觉经验和想象，在接触文学艺术作品的一刹那，便获得了一种审美的满足，这是一种感悟。当然，这种感悟须在一定时间的考验中才有可能固定，成为文学艺术审美中有说服力的真理性的理论。谢榛在比较释贯休和李太白的诗之后说："贯休曰：'庭花濛濛水泠泠，小儿啼索树上莺。'景实而无趣。太白曰：'燕山雪花大如席，片片吹落轩辕台。'景虚而有味。"（《四溟诗话》卷一）为什么景实反而不好，景虚反而有味？就是意境生成的一个重要问题。因为，景实让人一眼看过便尽览无余，景虚则让人玩味无穷，愈思而愈感到情之浓烈、理之深刻。因此，对文学艺术的感悟须有一个标准，这个标准不是固定的，而是根据感悟者个体的爱好来自行确定的。这个标准就是一种审美的准则。

感悟本身就是一个审美的过程。这是对艺术生活经验的玩索，更是对理智的玩索。感悟的内容是全方位的，感悟的角度多种多样。或从文学艺术作品的内容入手感悟它的滋味、韵味、趣味；或从文学艺术作品的形象性入手感悟它玲珑的兴象、恢宏的气象、美妙的意象；或从文学艺术作品的风格特征入手感悟它的平淡、自然、阳刚、阴柔；或从文学艺术的形式入手感悟它的绮靡、丽雅、文质；或从文学艺术的美学品质入手感悟它的风骨、雄浑、神韵、意境。感悟的过程由浅入深，从而完善了中国古典文艺学的思维方式。

文学艺术的审美感悟在先秦时期已经形成，孔子、孟子、荀子等就曾经以理智的态度感悟"诗三百"，将其所描写的形象与社会的伦理道德联系在一起。如孔子曾将《诗经·卫风·硕人》所描绘的美人形象与儒家之礼相连接；孟子将《诗经·小雅·小弁》与《诗经·邶风·凯风》所描绘的内容与儒家的亲孝相连接；荀子喜欢用诗表达他的礼乐思想，在《荀子·富国》篇中多有演绎。这些都是理智的感悟。他们从自己的身份、学识与修养出发，有很多是为某一实用功利的需要，是想当然的误读。这种现象经过两汉480多年的艰难发展，至魏晋时期才有新的气象，人们逐渐摆脱社会批评的实用功利性，开始寻求审美的感受。《世说新语》记载顾恺之评画："顾长康道画：手挥五弦易，目送归鸿难。"（《世说新语·巧艺》）手挥五弦，这是一种极其现实的生活场景；目送归鸿，则显得比较飘逸。这里涉及的是虚实与形神的问题。顾恺之以自己对现实生活的感悟言述了艺术创作中的一个重要命题。

《世说新语·文学》曾记载了一则极为典型的感悟："郭景纯诗云：'林无静树，川无停流。'阮孚云：'泓峥萧瑟，实不可言。每读此文，辄觉神超形越。'"阮孚以自己的审美体验表达了深切的感悟。这种感悟已经超越先儒社会功利的需要，趋向个体化。这便赋予感悟以生命。这种感悟的方法在后来的诗话、词话乃至小说评点中被大量运用，使文学艺术的审美鉴赏成为个体审视艺术生命的一种有趣味的存在形式。"池塘生春草"、"明月照积雪"为什么会令人感动？王夫之有自己的感悟。他说："（这些）皆心中目中与相融浃，一语出时，即得珠圆玉润；要亦各视其所怀来，而与景相迎者也。"（《姜斋诗话》）欧阳永叔的"人间自是有情痴，此恨不关风与月。直须看尽洛阳花，始与东风容易别"为什么高妙？王国维感悟到，其"于豪放之中有沉著之致，所以尤高"（《人间词话》）。金圣叹在评点《水浒传》六十回阮小五唱"手拍胸前青豹子，眼睖船里玉麒麟"时感悟说："极险之情，极趣之笔，读之欲满饮一斗。"感悟的特征非常明显，其情思恍惚却有固定指向，其语言闪烁却又意图鲜明，将之用于文学艺术的审美接受是一种极为适宜的方法。这就充分证明感悟在文学艺术批评中独具的方法论价值。

感悟的方法还用于文学艺术创作理论的阐发，这在中国古典文艺学中已成为一种惯常现象。在这一点上，其与西方的文艺学研究方法相比，表现出极大的差异。西方在阐发文学艺术的创作理论时自始至终都采取严密的逻辑性思辨方式，很少做感悟式的分析，以为只有如此才能达到科学理解的目的。如阿诺·理德解说灵感:"'灵感'一词的古代意义是众所周知的,它是指艺术家借助于某种高于他自身的一种存在物,例如上帝(或神性)、一个缪斯女神或一个天使的媒介创造了他的作品。灵感的意思就是'吸气',也就是通过缪斯女神或其他神灵把音乐或诗或其他类似的东西吹进了艺术家的灵魂中去,让他誊写下来。虽然这种看法现在不再具有它曾经有过的力量,但是每当某人讲出来的东西好像显得不是从他自己本身那里来的,而是从一个他自身以外的某种力量或作用那里来的时候,我们常常会说这个人是被灵感了。"[①]其言述的内容我们姑且不论,单从方法上言,其理性的思辨之强,逻辑之严密,都堪称典范。而中国古代的文艺理论家们很少用这种方法来阐释问题。他们本能地意识到文学艺术创造活动的不可言述,亦即讲不清它是什么或不是什么,只能描述它的现象,以期透过现象洞见本质。

我们以陆机和刘勰对神思的探讨来认识中国古典文艺学的感悟方法。《文赋》云:

> 其始也,皆收视反听,耽思傍讯,精骛八极,心游万仞。其致也,情瞳昽而弥鲜,物昭晰而互进,倾群言之沥液,漱六艺之芳润,浮天渊以安流,濯下泉而潜浸。于是沈辞怫悦,若游鱼衔钩,而出重渊之深,浮藻联翩,若翰鸟缨缴,而坠层云之峻。收百世之阙文,采千载之遗韵,谢朝华于已披,启夕秀于未振。观古今于须臾,抚四海于一瞬。

刘勰云:

> 古人云:形在江海之上,心存魏阙之下。神思之谓也。文之思也,其神远矣。故寂然凝虑,思接千载;悄焉动容,视通万里;吟咏之间,吐纳珠玉之声;眉睫之前,卷舒风云之色;其思理之致乎!(《文心雕龙·神思》)

---

① [英]阿诺·理德:《美学研究》,转引自朱狄的《灵感概念的历史演变及其他》,《灵感之谜》,北京师范学院出版社,北京,1986年,第5页。

神思是文学艺术创作的一个重要的思维学命题，在文学艺术的创造中发挥着无与伦比的作用。陆机和刘勰均从作家的创作立场出发言述神思，将自己作为作家和艺术家的一分子，以自己对文学艺术的深刻理解阐幽发微，给人以亲切之感。陆机描述了神思过程中情感与物象由曈昽弥鲜到浮藻联翩的情状，多用比喻阐说理论问题。刘勰更以"形在江海"、"心存魏阙"来说明神思开展时作家、艺术家身在此而心在彼，借以发挥神思超越时空界限、能唤起艺术家的情感进行艺术创造的心理机制，同样多用比喻。用感悟的方法讨论文学艺术创造有一个最大的好处，那就是，它摆脱了纯粹理性思辨所带来的单一的、科学化的束缚，最大限度发挥了文学艺术创作中游移不定的模糊机制，适应了文学艺术创作中的复杂状况，具有亲切感人、实在实用的特点。然而，它的弊端也正在这里。

西方注重逻辑思辨的方法和中国古典文艺学注重感悟的方法并没有真正意义上的优劣之别。有人认为思辨好，因为思辨注重科学性；有人认为感悟好，因为感悟注重模糊性。文学艺术创作中的状况是非常复杂的，这种复杂性又因民族思维方式的差异更呈现出多元发展的趋势。无论是中国古代还是西方，都有自己独特的文学艺术，这些文学艺术都是世界文学艺术宝库中的精华，它们是不同思维方式的结晶。从这一角度认识中西思维方式的差别，可能会得出中正持平之论。

感悟是中国古典文艺学的基本方法。感悟是经验的，又是理智的。在长期的发展中，感悟的内涵被不断地充实着、完善着，最终成为世界文艺学和美学研究中最具光彩的方法之一。

第六节　中国古典文艺学的现代意义

当我们拈出中国古典文艺学这一概念时，我们就已明确意识到，它在内涵上与西方的诗学概念有明显的不同。这种不同，不仅表现在地域和民族的差异上，而且表现在文学艺术的内在特质和思维方式的差异上。这些，并不足以成为阻隔中国古典文艺学和西方诗学的天然鸿沟。也恰恰是在这种不同中,我们明确看到了它们之间精神意义的相通。那就是寻求文学艺术创作和接受的内在规律性,寻求民族艺术自身不断完善的途径。

中国古典文艺学是采用纯正的古代文言文表述的,在这种语言表述的过程中,产生了一套属于我们民族的范畴和术语。今天看来,有些范畴和术语显得那么遥远,那么陌生,以至于让人难以思议。这是因为,五四新文化运动不仅仅改革了语言的表达形式,促使文言文消隐,白话文兴起;更重要的是,它在很大程度上改变了中国人的思维方式,由古代的那种较为单一的感悟式的具象思维发展成今天具象与抽象并存的思维。这是一种必然。在思维方式的转变中,汉语言说的概念术语也发生了转变。这些概念术语大多是沿袭西人的,有时,很难在中国古代的语境中找出与其相对应的概念。这就使我们今天以白话文语境为代表的现代文艺学趋于西化,丧失了古典的个性。现在,我们已经习惯于西方的抽象逻辑思维,也就是说,我们已经认同了西方的逻辑思维的长处,以此反观古人,必然会发现古人的许多短处。不少学者怀疑中国古典文艺学的体系和价值,实际上是有一个比较的参照,既然他们已经把西方的逻辑思维当作"是",必定会把中国古代的具象思维当作"否",因为,西方传统的哲学本质是二元对立的。从这里,我们也非常清楚地看到二元对立的弊端。世界上的许多事物并不是"是"与"否"那么简单,这个道理很多人都已经意识到了。只有打破二元论,才会进入一个新的认识境界,而不会否定中国古典文艺学的现代意义了。

中国古典文艺学是中国古人对文学艺术创作和批评的理论和经验总结,数千年来,一直指导并推动中国古代文学艺术创作与批评的开展,使之成为世界文学艺术宝库的珍品,在世界文艺史上写下了辉煌灿烂的一页。我们为我们的《诗经》、楚辞、汉赋、唐诗、宋词、元曲和明清小说自豪,我们为我们的古代音乐、书法、绘画自豪,我们惊叹这些类型不同的文学艺术作品所表现出来的美妙情思和精神力量。试想,如果没有一种经验理论为指导,会一代一代地延续这种文学的传统,会表现出如此旺盛的生命力吗?这种理论自有它的精髓存在。这种理论的精髓是什么？这正是我们应着力发掘和思索的。文学艺术虽有古今之别，但是，文学艺术的创作理论却是古今相通的，古代的理论仍然能够指导我们今天的文学艺术创作。也正是在这一方面，中国古典文艺学才具有现代意义。

人们常说，中国是一个诗的国度。其实，这句话只讲对了一半，因为它模糊了中国文学艺术的源头，仅看到了由原始艺术所派生的文学形式这一表面现象。严格地说，中国是一个乐的国度。音乐是中国古代艺术的源头。诗是乐的一个组成部分，诗的一切特质无不与乐有关系。今天，我们称之为《诗经》的诗在先秦时期是配乐演唱的，每一首诗都有固定的曲谱，只是因为年代久远，曲谱不传，唯乐词独存，这便是诗。在先秦，"诗"或"诗三百"特指我们今天所称的《诗经》。诗乐一体在先秦的典籍中有明确的记载，《左传·襄公二十九年》就叙述了吴公子札观乐的史实，观乐的内容就是对《诗经》内容的演绎。先秦时期对乐特别重视，除《左传》《国语》等史籍之外，如孔子、墨子、老子、庄子、孟子、荀子、韩非子等先秦诸子都有大量的言论言说乐。他们并不把乐当作一个纯粹艺术的概念，而是将之作为传播政治思想、德行、礼义的重要工具。当然，也有人把乐作为一种纯艺术概念理解，但一旦把它作为一种纯艺术的概念，乐便会失去在人们心目中的崇高地位，被当作否定的对象，如墨子、韩非子等。由此，也生发了许多与文学艺术创作有关的思想，如"言志"、"和"等。此后的中国诗歌，如汉乐府、永明体、唐诗、宋词、元曲等，无不与音乐有关。依韵作诗、倚声填词成为古代骚人墨客的创作习惯，许多诗词被谱曲广为传唱，极大地丰富了中国诗歌的音乐性。关于这一点，如果我们认真检索一下中国文学史，就能得到较为完美的解答。有趣的是，中国的古乐均来自民间。先秦之乐无不与民间有关系。"诗三百"是精选各地的乐歌；楚辞是屈原放逐期间改造民间音乐的创作；汉乐府来源于民间；词、曲起初都是在民间演唱；即使带有精雕细刻之痕的律诗，如果细细追究其来历，恐怕也要追溯到民间。可见，中国古代的音乐、诗歌起源于民间，它们是古代劳动人民的伟大创造。

由于中国诗歌与乐的关系极为密切，这就从根本上塑造了中国诗歌的品性：注重音律，注重抒情，追求语言的圆滑流美，悠然写意。中国的抒情诗特别发达，就是因为音乐的渗入，是音乐品性的直接外化。

在此基础上的中国古典文艺学准确抓住了中国诗歌的这一特征，提出许多有价值的理论命题，这在今天，仍有现实意义。

我们首先把目光聚焦于中国传统的"言志"观念。关于"言志"的意义，不少学者从文字训诂学、人类文化学等角度做了较为深入的阐释，很有启发。闻一多先生说："志有三个意义：一记忆，二记录，三怀抱。这三个意义正代表诗的发展途径上的三个主要阶段。"[①]接着，闻先生做了具体分析：诗产生于文字之前，那时，人们是依靠有韵律的诗帮助记忆的；文字产生以后，便用文字记载记忆，因此，古时几乎一切文字记载都叫志；诗、歌合流之后，诗的内容便发展为表达情思、感想、怀念、欲慕了。闻先生的分析尽管有不少人赞同，但仍有不少疑问存在。比如，他讲文字产生以前的情况佐证的是先秦的史料，应是推测之语。史前的诗到底怎样，甚至有没有诗，都是值得追究的。在这里，我们无法追究，也无须追究。依闻氏所言，"志"的内涵极为广泛，但他特别看重诗乐合流以后"志"的内涵，认为诗乐合流"真是一件大事"[②]。这就很值得玩味了。这说明，闻先生在某种程度上认识到乐对诗的品性的影响，是乐催生了诗的表情、表事、表意的功能。乐对诗的本质特征的形成起着至关重要的作用。

这样说，并非有意抬高音乐的价值，事实应当如此！然而，先秦的"言志"观实际上是各种学术、政治思想的混合。先秦诸子都强调"言志"，这里的"志"不会是单纯的情感因素，政治抱负的因素恐怕就多了一些。但这并不妨碍"言志"成为一种有价值的文艺学观念。后来，陆机又提出了"诗缘情"的思想，标志一种纯文学观念的形成。因为"缘情"更近于诗的本质。"言志"的"志"是包含情的，"缘情"的"情"也包含志，情中含志与志中含情绝不能画等号。唐代孔颖达糅合二说，云"情志一也"（《左传正文·昭公二十五年》），是一种稀

---

① 闻一多：《神话与诗》，华东师范大学出版社，上海，1997年，第201页。
② 同上书，第207页。

里糊涂的见解，不足以作为一种有价值的文艺学观念，主要是因为他从根本上抹杀了诗的特性，混淆了文学和非文学的界限。但是，从另一个角度看问题，我们又不得不承认孔颖达的真理性。

基于诗的音乐品性，古人要求诗歌"言志"、"缘情"，在任何时代都不会过时。这是由这两种观念的人文本质所决定的。诗歌是对社会现实生活的反映，是人的情感反映，它给人以充分的美感，在诗歌中寄予了诗人深沉的生存意识和人文关怀精神，当然，诗歌也展现个人的情感和心灵天地。扩而及之，所有的文学艺术类别无不如此！

当今的文学艺术创作仍然超越不了古人为我们织造的"言志"和"缘情"之网。尽管它在表现手法和创作方法上超越了古人的藩篱。随着对国外各种新的创作方法的引进，情感和志向的表现更加丰富多彩了。它的内涵充实了，它的审美功能增强了，真正呈现出一个五彩缤纷的多元世界。20世纪80年代，朦胧诗现象就是一个特异的文学现象。关于朦胧诗的论争其实交织着对传统艺术革新的论争，即如何表情言志的论争。朦胧诗并不是对传统的反叛，而是对20世纪40年代初和整个五六十年代以来的文学创作的反叛。传统的"言志"、"缘情"在狂热的五四时期都没被丢弃，可在40年代后被狭窄化和庸俗化了。诗歌应抒人民之情、应成为时代的颂歌和战歌等提法，仅是出于政治的目的，并非出于艺术的考虑。因此，以表现个人感觉为主的朦胧诗自然会被作为异端横加指责。然而，艺术的魅力是永恒的，朦胧诗最终以优美、纯真的情感力量取得了合法地位。

但是，当今的文学艺术创作也确实存在许多问题，一些怪异的创作方法扼杀了作家和艺术家的情感意向，许多作品转向过于私人化的内在心灵表现，追求让别人难以理会的私人语言和私人情感，甚至有人公开宣称文学创作就是语言游戏。特别是20世纪90年代以来的新诗创作尤其典型。正像孙绍振所批评的那样：

> 当前中国新诗显然是处于危机之中，主要表现是在于两个方面：首先是，有追求的诗人陷于理念化。他们叛逆新诗和朦胧诗的全部理论基础是照搬西方诗歌的。西方当代诗歌，尤其是后现

代的诗歌,其基本理论都是以诗歌表现某种西方文化哲学的理论为最高境界的。这种表现文化哲学的追求本身就与诗歌的艺术本性发生矛盾……其次,由于把表现理念作为新诗的根本任务,就必然导致新诗的艺术准则发生了混乱。既然诗歌的任务就是表现某种文化哲学理念,就必然与诗歌的一切传统的艺术成就彻底决裂……但是艺术并不是在空地上能够建立得起来的。一些艺术的败家子至今还不清醒。哀哉!在可以预见的未来,我们八九十年代的诗歌,必然受到历史的嘲笑。①

抛弃了诗歌的音乐品性,是对"言志"与"缘情"的背离。这样的作品的最终结局只有一个——被人遗弃。相反,那些以社会道义为己任、充满人文精神的"言志"、"缘情"之作将会被载入文学艺术的史册。

中国古典文艺学对当今文学艺术创作和批评的指导意义还表现在对一系列范畴的实际运用中,这些内容之多,难以列举殆尽。如形神、神思、风骨、比兴、意境等。由于这些范畴内蕴着无比丰富的内涵,我们今天的创作和批评仍摆脱不了这些问题。有的作为显形的批评话语在使用,如形神、比兴、意境等;有的则作为隐形的批评话语在使用,如神思、风骨等。显形的批评话语容易辨识,而隐形的批评话语则难以辨识,一些不熟悉古典文艺的人往往从西方诗学中去找源头,最终弄得笑话百出。在古代汉语语境转向现代汉语语境的初期,出现这种状况我们抱以理解。但是,有些研究文学理论的人完全与古典隔绝,这确实是一个危险的信号。

先说形神,古人以形写神的思想余韵远播,在文学艺术的创作和批评中影响深远。张九龄说:"意得神传,笔精形似。"(《宋使君写真图赞并序》)要求绘画不仅要形似,而且要传神。形似之笔宜精,传神之意应深,这才能称得上精品。当今的绘画,不管是中国画还是西洋画都存在着形与神的问题。形是形而下的技法,神是形而上的意义,两者是一个整体,不可截然分开。中国古代有个"君形者"(《淮南子》)的概念就恰当表述了形与神二而一的特点。一幅绘画作品如

---

① 孙绍振:《向艺术的败家子发出警告》,《星星》1997年第8期。

果技法不精,绘物粗疏,就无法传达精深的意义。文学创作也是如此。叙事性作品以叙述故事塑造形象为主,所谓叙述"生动传神"就是准确抓住事物的外在肌理,进而表达深刻的思想,无论采用传统的创作方法还是西方现代派的创作方法都逃避不了这个问题。即使是对内心的刻画,仍有一个形与神的问题。至于诗亦是如此。屠隆说:"诗道之所为贵者,在体物肖形,传神写意,妙入元中,理超象外,镜花水月,流霞回风,人得之解颐,鬼闻之欲泣也。"(《论诗文》)这用来评价中国古代诗歌再恰当不过了,可用于阐释现代汉语语境中的新诗又如何呢?我们试一试解读北岛之《守夜》。该诗第一节云:

月光小于睡眠/河水穿过我们的房间/家具在哪儿靠岸

我们不知道可不可以将北岛与唐代大诗人李商隐相比。总之,读过北岛的这首诗就会想到李商隐的《锦瑟》与《无题》,感到它巨大的时空感。北岛的诗歌表达了一种深沉的思维,展现了一个情感的世界,使人感到夜的安详、宁静,充满骚动。这里用了极不合逻辑和语法的词语搭配以展示思绪错乱了的时空。月光和睡眠怎会有谁大谁小的问题?可在这里却让人感到非常形象,确实达到了"传神写意,妙入元中"的境界。

我们继续接着北岛的诗说神思。神思是中国古典文艺学的一个重要的艺术思维范畴,在推动中国古代文学艺术的创作中曾起过巨大的作用。北岛的《守夜》便是神思的结晶。这首诗的构思极为奇特,它浓缩了诗人的丰富想象和创作灵感,展示了一个美妙的境界,通过音韵铿锵的语言表达再现了诗的音乐品性。这是极为可贵的。

风骨是一个内涵非常丰富的古典文艺学范畴,它标示出一种慷慨悲凉的美学品格。这个范畴对今天普通的文艺学研究者来说可能已经陌生了,不懂了,是不是就据此可以认定它与当下的文学创作批评完全隔膜呢?也不是的。风骨与西方的崇高内涵部分相似,同时,它本身还有对语言的要求,要求语言刚健有力、骨劲气猛。实际上,风骨纠缠着我们今天比较重视的西方诗学中符号学的相关理论,在具体批评时借鉴风骨的内涵完全可行,即使直接借助这一术语也未尝不可,不一定会像某些人想象的那样,会成为一个可怕的怪物。

由此可见,中国古典文艺学对现代的文学艺术创作和批评仍有意义。当然,我们不否认,随着社会的发展、文学观念的演进,古典文艺学中确实有些内容已经死了,没有意义了,但很多理论内容还是鲜活的。中国的当务之急是使古典文艺学现代化,即在继承传统的基础上对它的概念范畴进行改造、消化,不一定严格按其在古代的意义来理解、使用,只要精粹不失即可。实际上,如意境、形神、虚实等当下仍然活跃的古典文艺学的范畴、概念已经超越古典了。从事古典文艺学研究的学者应力所能及地做一些普及工作,而从事文艺学研究的学者应该认真对待中国古典文艺学,下一番功夫研究,不要眼睛盯着西方。倘若长久与中国古典文艺学绝缘,那么,我们的古典文艺学这块珍宝恐怕真的要被埋没了。

现代社会已经进入一个多元共生的时代。在当今中国,随着改革开放步伐的加快和信息技术的发展,各种文化交汇、渗透,人们的思想观念也迅速转变。对话是这个时代的显著特征。中国古典文艺学作为有中华民族特色的文艺理论必然会被推向前台,成为中国与世界诗学对话的唯一文本形式。这几乎已经成为学人们的共识。现在,不少学者提出古代文论的"现代转型"问题,并且有意识朝这一方向努力,就是寻求中西对话的途径。这是非常可贵的。但是,学者们在探讨"现代转型"时,明显地存在两套话语形式:一套是研究现代文艺学的学者话语,他们只是从学理层次提出"应当如此"的依据,而找不准"应当如此"的方法;另一套是研究古典文艺学的学者话语,他们的眼光受到局限,对古典文艺学认识较准、较深刻,对现代文艺学和西方诗学没有把握好,陷入自言自语的独白。这两套话语很少搭界。最近,终于有人提出建议,要求从事现代文艺学研究的学者和从事古典文艺学研究的学者好好坐下来,共商大计。我们也认为确实应当如此,只是还有一点困惑:在共商大计之前,是否先补补课?双方应相互学习、相互借鉴。这一点很重要。

中国现代文艺学至今仍然没有形成自己的个性和特色。它的框架和理论内容的设定都是舶来品,缺少本民族传统文艺学的精髓,不符合本民族的创作和批评实际。尽管在理论内容的阐述中运用了中国古典文艺学的只言片语,并不能说明这个文艺学体系中已经有我们民族的东西。在我们看来,只不过是把中国古典文艺学拆成一个个小小的零件往西方设定的框架上安装,至于安装得合适与否,是很值得怀疑。欲用这种舶来的现代文艺学和西方对话,又如何对话?只能陷入尴尬的境地。现代文艺学本身就存在着一种偏见:妄自菲薄!它不是把中西方的文艺学放在平等的地位上,而是主西次中,把中国古典当作彻头彻尾的陪衬,连中国学者都这么干,如何评价西方学者的鄙薄?这就不是真正的建设。

中国古典文艺学和西方诗学的对话应该在一个平等的层次上设定,在此基础上构筑中国现代的文艺学,才能使我们现代的文艺学魅力四射。

我们始终认为,对中西文艺学范畴的清理与比较是确立对话关系的关键,也是建立我们民族的现代文艺学的关键。这是一个基础性的工作。这个基础性的工作做不好,民族的文艺学大厦就建立不起来。五四运动以后,一种狂热的反传统的理念导致现代与传统的隔膜。中国文化要与世界接轨,引进西方的观念是适宜的,包括西方的文艺学;与此同时,开展了对中国古典文艺学的整理与思考。起初的工作是较为规范的,出现了一批代表性的成果,如朱自清的《诗言志辨》等。后来,好像就陷入了史的陷阱中,导致一部又一部文学批评史、思想史、理论史的著作出版,而且部头越写越大。在这里,我们无意否定文学批评史、思想史、理论史的撰写之功,为中国古代的文学理论描述出一条清晰可信的线索是必需的。但如果学者们只是纠缠于史,未免有些片面了,应着眼于中国古典文艺学的框架打造,从宏观上考察并清理范畴,这样,才能真正体现中国古典文艺学的价值,才有利于现代的应用。

现在,已有不少人在具体做这方面的工作,清理中国古典文艺学范畴,重新审理西方的诗学范畴,并且取得了一定的成绩,如赵沛霖的《兴的源起》、吴调公的《神韵论》、汪裕雄的《意象探源》、汪涌豪的《中国古典美学风骨论》等。另有一些综论范畴的著作,应特别提到顾祖钊的《艺术至境论》和蒲震元的《中国艺术意境论》。顾著的价值在于清理了中西文艺学中三个重要的范畴：意境、意象、典型。其中意境、意象是中国的（顾云意象为中西方共有，这也是事实，但源头在中国），典型是西方的。且不管顾著"至境"的提法是否恰当，艺术创作中到底有没有至境，将这三个范畴同等并列为艺术形象的范畴，应该是有意义的。这说明我们民族的意境、意象理论有独特性，它们是中国传统文学艺术创作的理论总结，同样适用于西方文学艺术的创作与批评，更毋庸说现代了。蒲著的价值在于从美学的高度较为深入地清理了意境的审美内涵、历史形态、深层的审美结构等，为我们全面认识意境提供了一个多元的视角，也为我们与西方对话提供了一种言说的方式。

中国古代文论的许多范畴，如感物、趣味、知音、言意、文气、自然等在今天依然是独立自足的理论概念，但它们相互之间是互动的关系。它们对文学创作和批评的意义得到人们的充分认可，与世界诗学并非阻隔。发掘这些范畴的理论意义是构筑具有民族特色的现代文艺学的基础，也是中国古典文艺学融入世界、与西方对话的资本。

我们感到，中国古典文艺学中最具中国特色的是艺术思维理论，我们始终认为那种丰富性和包容性不亚于西方，而且更具有实践意义，但是，没有很好地整理。我们的现代文艺学关于艺术思维的内容主干是西方的。现在，人们已经烂熟了诸如想象、联想、灵感、象征、隐喻等艺术思维的范畴，可对我们自己的神思、比兴、物化、虚静、应感、妙悟等艺术思维范畴缺乏深入了解。自己本民族已有好东西却又偏偏要借助于其他民族，实在可悲！我们在理会西方的想象、联想、灵感、象征、隐喻等艺术思维范畴时，总会产生一种割裂艺术思维的感觉。也就是说，西方的想象、联想、灵感、象征、隐喻等不是自足的，而中国古典文艺学中的每一个艺术思维的范畴都是自足的，都代表一种个性鲜明的思维方式。如神思，在这一艺术思维范畴中包含有西方的想象、联想、灵感、象征、隐喻等内涵，应感、物化、比兴、虚静、妙悟等也大体如此，但是，又各有偏重，各有个性。有人喜欢将中国古代艺术思维的某一范畴同西方的某一范畴对应，其实谬矣！中西文艺理论范畴没有严格意义上的对应关系。在这里，我们无意于评说谁优谁劣。我们清楚地意识到中西思维的民族差异，是这种民族差异造成了中西艺术思维的差异。西方的思维方式是严格逻辑意义上的抽象思维，这种思维要求对所思虑的任何问题都有一个严格的逻辑界定。而中国古代的思维方式是感悟式的具象思维，这种思维并不要求对所思虑的问题有一个严格的逻辑界定。抽象思维有利于科学理论问题的严谨与规范，而具象思维就不具备这一优势了。文学艺术创作的思维问题应该说不是一个严谨与规范的科学理论问题，它既是技术性的，又是经验性的。这种技术性和经验性的思维方式能更好地解决文学创作的实际情况。感悟是模糊的、无边的，但感悟却有非凡的魔力。如此看来，中国古代的艺术思维理论有巨大的理论价值，丝毫不逊色于西方的艺术思维理论。以此来完善我们的文艺学体系，具有民族个性；以此来与西方对话，应该能找到相同的话题。通过交流，相互取长补短，共同完善世界的文艺理论。

中国古典文艺学是中华民族奉献给人类的宝贵的文化财富。研究中国古典文艺学，并不仅仅是为了怀念过去的文明，而是为了推动现在和未来，它精深的理论内容对深化现代的文学艺术理论具有重要的意义。这一点我们深信不疑。

第二章　文与道：
形而上观念与文艺本体理念

　　文与道问题是中国古典文艺学的一个至关重要的问题，涉及的理论内容较多，内涵非常丰富。首先，作为中国古典哲学最具魅力的命题之一，文与道的提出是极为自觉的，其立志于对宇宙世界本原的考索，对形而上观念的发掘，故而，成为中国古典哲学的核心范畴，对文学艺术的启迪尤不可忽视。"道"最为复杂的意义层面是形而上层面，在不同的哲学派别的理论观念中，其意义的表现千差万别。儒、道、佛这三支哲学流派都注重对"道"的发挥，它们对"道"的解说由于其哲学基础不同、方法不同、角度不同，意义更不相同。儒家注重从人伦、道德的角度言述道，其方法是伦理学和社会政治学的，道的意义主要指三纲五常，其核心是仁。道家注重从自然、艺术的角度言述道，其方法是艺术的和科学的，道的意义主要指艺术创造的规律和自然与人事的法则，其核心是有、无。佛家在中国晚出，其注重从宗教、人生的角度言述道，其方法是讲说的和仪式的，道的意义主要指世界与人生的因果关系，其核心是涅槃。三哲之道对艺术生命意义的滋养极其深厚，它们共同铸就了中国古代文学艺术的本质。文与道是一对孪生姊妹，它们之间没有高低轻重之别，只有分司职能的不同。文是人或事物的外部特征、现象，诸如人的相貌、衣着、打扮，动物和植物的形态、颜色、纹理，自然界的雷电、风雨、季节，社会政治、文化、经济的发展状况等，都是文。文可以是非常直观的形象，也可以是较为抽象的特征与现象。它不完全等同于西方哲学中的形式，比形式具有更为丰富的内涵。道是事物外部特征及现象背后所隐藏的本质，它从根本上确定了某一事物只能是某一事物而不是另一事物。当然，"道"的显现是依靠文完成的。在一个具体的事物身上，文就是道，道就是文,道与文是一体化的,不可能截然分开。一切划清道与文的界限的企图都是徒劳的、愚蠢的,只会割裂二者之间的必然联系。中国古典文艺学中文与道的迷人表现,引诱我们重新咀嚼这一耐人寻味的话题。

第一节 文、文学和文章:文的意义辨析

中国古代没有我们今天普遍使用的文学概念。如果要找出一些和今天使用的"文学"一词相对应的概念术语,则可列举文、文章、文辞和诗、词、话本、传奇、杂剧、散曲、演义等具体文体。文、文章、文辞的概念外延比文学大得多,它们既包括审美性的文学文体,也包括非审美性的实用文体。中国古典文艺学在讨论具体的理论问题时,是将文学文体和实用文体放在一起的——尽管在言述的过程中有所区别。这就充分说明,中国古典文艺学实际上是一种杂文学理论。

"文"在先秦典籍中出现的频率极高,含义也极为广泛。综而言之,它是指宇宙万物的现象和特征。作为群经之首的《周易》正是在这个意义上使用"文"的。

贲卦《彖》云:

> 刚柔交错,天文也,文明以止,人文也。观乎天文以察时变,观乎人文以化成天下。

《周易·系辞下》云:

> 古者包牺氏之王天下也,仰则观象于天,俯则观法于地,观鸟兽之文与地之宜,近取诸身,远取诸物,于是始作八卦,以通神明之德,以类万物之情。

所谓"天文",是指自然界的征象,通过征象的变化来推测整个自然界的变化。自然界是一个广阔无垠的实体世界,它还应该包括地理。《周易》喜欢奢谈天、地、人,并谓之"三才",可在具体论述的时候,独独少了"地文",可见,天文是包括地理(地文)的,是指整个自

然界的征象。所谓"人文",是指人事的礼仪,包括文饰在内的统治、交往的形式。蒋凡先生认为,贲卦主张发展文饰,是对文明的倡导,"文章灿烂,礼义修明,集中地体现了人类社会的文明进步"①。此言不虚。可见,《周易》之"文"作为一个意蕴丰厚的概念具有了形而上的性质,不可对其做单一理解。"天文"和"人文"的思想在刘勰《文心雕龙·原道》中均有具体发挥,涉及文学的产生及文饰等一系列重要的问题,容下文讨论。

孔子的"文"的观念主要是针对"人事"而言的,大略等同于《周易》之"人文"。孔子云:"质胜文则野,文胜质则史。文质彬彬,然后君子。"(《论语·雍也》)又云:"敏而好学,不耻下问,是以谓之文也。"(《论语·公冶长》)前一则文与质对举,"文"是指礼仪方面的内容,当然也包括文饰在内。在孔子看来,品质之于君子重要,而懂得礼仪、讲究文饰同样重要,不可偏废。如果深究,"文"还包括知书达理的一面。对一个君子来说,深厚的文化素养是必备的素质。孔子是非常注重文化修养的,在许多场合都提出了这一要求。后一则之"文"是孔子对一个个案的解说和评价,他是在回答子贡的提问。子贡问孔子:"孔文子何以谓之文也?"孔子做如上回答。一是评价孔文子聪敏;二是褒奖他好学,不耻下问。不耻下问是礼仪的一种表现,聪敏则是一个人身上所表现出来的灵气,这种灵气在人的行动中流露出来,让别人有所感知。这两者都属于"文"的内容。"文"在孔子看来,是人天生和后天素质的集中表现。

孔子"文"的观念也有确指典籍的。相比于上文所言之"人文",内涵具体而丰实。《论语·雍也》云:"子曰:君子博学于文,约之以礼,亦可以弗畔矣夫!"《学而》又云:"子曰:弟子入则孝,出则弟,谨而信,泛爱众,而亲仁。行有余力,则以学文。"这里的"文"则指文化典籍,包括诗等文学典籍在内。《论语》中所说的"诗"特指"诗三百",它是属于"文"这个大范畴的。孔门四教之文、行、忠、信之文则指文化典籍,要求弟子学习文化知识,以使自己成为有学识、有道

---

① 蒋凡:《周易演说》,湖南文艺出版社,长沙,1998年,第187页。

德、忠诚、信实的人。《论语》记载了孔子许多有关学诗的言论,他教诲他的儿子孔鲤:"不学诗,无以言。"(《论语·季氏》)学诗是学文的一部分,必须长期坚持,这样,才有利于提高人的文化素质。

孔子文的思想具有代表性。在先秦其他典籍中,"文"的意义莫不如此!具有《周易》之"人文"意义者,如《左传·桓公二年》的"火、龙、黼、黻,昭其文也"、《墨子·辞过》的"女子废其纺织,而修文采,故民寒"、《荀子·礼论》的"礼者,以财物为用,以贵贱为文,以多少为异,以隆杀为要"等。具有典籍之意义者,如《左传·襄公二十五年》的"言以足志,文以足言"、《荀子·礼论》的"凡礼始乎梲,成乎文,终乎悦校"、《韩非子·五蠹》的"儒以文乱法,侠以武犯禁,而人主兼礼之,此所以乱也"等。此外,包括孔子在内的学者将言、辞与典籍之文比肩者在先秦比比皆是,如《论语·宪问》:"子曰:有德者必有言,有言者不必有德。"《论语·卫灵公》:"子曰:辞达而已矣。"《孟子·尽心上》:"孟子曰:仁言不如仁声之入人深也,善政不如善教之得民也。"《老子》八十一章:"信言不美,美言不信。"《庄子·天道》:"意之所随者,不可以言传也,而世因贵言传书。"类似言论不胜枚举。

在先秦,"文"产生的同时,还出现了"文学"和"文章"的概念。两种称谓尽管内涵仍很复杂,但已不像"文"那样无边无际,多数情况下则指学问、典籍。《论语·先进》:"德行:颜渊、闵子骞、冉伯牛、仲弓。言语:宰我、子贡。政事:冉有、季路。文学:子游、子夏。"《荀子·王制》:"王虽庶人之子孙也,积文学,正身行,能属于礼义,则归之卿相士大夫。"这里的文学兼有文章和学问之义。郭绍虞先生说:"周秦时期所谓文学,兼有文章博学二义:文即是学,学不离文。这实是最广义的文学观念,也是最初期的文学观念。"[①]这种观念奠定了后世治学的基础,使文史哲一体化,不做明确归类。文、文学在先秦时期难以细分,在许多语境中,二者涵义几可等同,但有时差别也很明显。"文"在狭义上指文章,而"文学"则偏重学问,文章和学

---

① 郭绍虞:《中国文学批评史》(上),百花文艺出版社,天津,1999年,第5页。

问虽然有关系，二者却不处在同一层次。文章是由具体的语言文字组成的实体，学问则是知识修养方面的积累。这样看待先秦的"文学"概念，我们倒怀疑郭绍虞先生的见解，"文学"远不如狭义的"文"来得直接，说"文"是最广义的文学观念，也是最初期的文学观念，似乎更为确切。

从另一个角度，即概念出现的频率来考察，"文"的出现频率极高，自不待言。然而，"文"与"学"合称在先秦典籍中却很罕见。以一个出现频率极低的罕见词作为具有广泛代表性的意义总是有点说不过去。郭绍虞实际上受到西来"文学"一词的影响，并力图在中国古代找一个名称相同、意义也相同的词代替。西、汉转译、连通的最终结果是在古典文献中寻求一个代替词，"文学"就是这么一个代替词。这一代替词的意义与中国古代典籍中的"文学"的含义却相差十万八千里。这是我们应该正视的。

"文章"的意义与文学迥然有别，在先秦时指典籍，也指文采。《论语·公冶长》云："子贡曰：夫子之文章，可得而闻也。"何晏集解："章，明也。文彩形质著见。"邢昺疏："夫子之述作威仪礼法有文彩，形质著明。""文章"用以言述典籍没有疑问，但在更多的场合却是超越典籍的。在《论语·泰伯》中，孔子高度赞美尧统治时代的社会状况："焕乎，其有文章。""这里的'文章'，指的是黄黼黻衣、丹车白马、雕琢刻镂之类同社会生活美有关的感性物质的文饰或文采，这正是对逐渐步入文明社会的文化的赞颂。"①这里就超越典籍了。类似的情况在先秦其他著作中均有不同表现，如《墨子·非乐》的"非以刻镂华文章之色，以为不美也"、《庄子·骈拇》的"骈于明者，乱五色，淫文章"，及《胠箧》中的"灭文章，散五采，胶离朱之目"、《荀子·王霸》的"目好色而文章致繁，妇女莫众焉"等，这里的"文章"都是指文饰或文采。"文"和"章"是两个概念，先秦时期多分开使用。《考工记》云："青与赤谓之文，赤与白谓之章，白与黑谓之黼，黑

---

① 李泽厚、刘纲纪：《中国美学史》第一卷，中国社会科学出版社，北京，1987年，第140页。

与青谓之黻,五彩备谓之绣。"可见,"文章"本就是指画缋之事的文饰和文采,而以文字为基础的文章典籍也是讲究文饰的,故而,先秦以"文章"来言述典籍亦应成为人们能接受的做法。

由上所述可知,先秦时期,文、文学、文章是有分别的。"文"的含义极为广泛,既指天文,也指人文。人文中包含文学在内的古代典籍以及典籍的语言文采。"文学"虽然与典籍有关,但主要指学问,那是人的知识积累。而"文章"与"文"之"人文"的某些内涵相似,诸如社会的礼仪、法律制度、人与事物的修饰与文采,当然也包括典籍的语言修饰在内。三者相较,"文"有更为广阔的辐射力。三者合成构成先秦的文学观念,在漫长的中国文学发展史和文学理论发展史上影响甚巨。"文"最终的内涵被固定下来,成为堪与今天之文学比肩的最通用的文学观念。

汉代仍沿用先秦的文、文学、文章,但是由于具体的语言文化环境发生了变化,其内涵也发生了变化。文和文学的观念仍沿袭先秦。"在纵向传承意义上,汉代文学思想所显示的意义最明显亦最抽象地表现了汉人对'文'的认识和理解。"①"文"仍具有广阔的意义,但和先秦相比,外延已有所收缩,几乎指称与文章典籍相关的事物,这就必然地决定其内涵更为丰富。《淮南子·缪称训》云:"文者,所以接物也;情,系于中而欲发外者也。以文灭情则失情,以情灭文则失文。文情理通,则凤麟极矣,言至德之怀远也。"这里的"文"是指语言文饰。《毛诗序》云:"情发于声,声成文谓之音。"这里的"文"是指五声。《史记·太史公自序》云:"于是论次其文。"这里的"文"是指古代典籍。《史记·屈原贾生列传》云:"其文约,其辞微,其志洁,其行廉,其称文小而其指极大,举类迩而见义远。"这里的"文"是指屈赋,即楚辞。由此可知,汉代"文"的意义确乎更接近语言文字产品,包括文学作品在内。"文学"则指学问。《汉书·武帝纪》载元朔元年冬十一月诏:"故旅耆老,复孝敬,选豪俊,讲文学。"《汉书·董仲舒传》载董氏对策:"秦继其后,独不能改,又益甚之,重禁文学,不

---

① 许结:《汉代文学思想史》,南京大学出版社,南京,1990年,第1页。

得挟书。"这里的"文学"均指学术,既包括经学,也包括文学。

与先秦相比,有较大发展的是"文章"这一概念。它已不是主要指文饰或文采,而泛指各种形式的文字成品,这与汉代文体的飞速发展有很大关系。《史记·儒林列传序》引公孙弘奏议云:"臣谨按诏书律令下者,明天人分际,通古今之谊,文章尔雅,训辞深厚,恩施甚美。"这里的"文章"当是指诏书律令这类文体。《汉书·扬雄传》:"雄从至射熊馆,还,上《长杨赋》,聊因笔墨之成文章。"《论衡·书解》:"汉世文章之徒,陆贾、司马迁、刘子政、扬子云,其材能若奇,其称不由人。"上例之"文章"特指《长杨赋》,下例之"文章"则指不具体的文字成品。这里,将"文章"作为各类文体的总称极为明显,其最终固定为现今之内涵。

魏晋南北朝的学者开始了深入细致的文体辨析,对文、文学、文章的内涵做了进一步的清理。其实,早在东汉,王充已有意识地从事辨别文体的工作。《论衡》一书就涉及诗、赋、颂、议、传、书、札、疏、奏、史、记、论、说、经、诸子等十数种之多的文体,而且,王充"文"的自觉已达到空前的程度。他说:"文人宜遵五经六艺为文,诸子传书为文,造论著说为文,上书奏记为文,文德之操为文。"(《论衡·佚文》)将自先秦以来的"文"的观念演绎得非常完整。在对文体的自觉区分中,已经不自觉地涌动出划分文学和非文学界限的欲望,引发了魏晋南北朝时期长久的文笔之辨。

曹丕著有《典论·论文》,以建安七子为例品评文章优劣,批评文人相轻之陋习。其在言述的过程中列举四科八体,以示"文本同而末异","盖奏议宜雅,书论宜理,铭诔尚实,诗赋欲丽"(《典论·论文》)。这开启了魏晋南北朝文笔之辨之先声。曹丕将"文"与"文章"等同,如《典论·论文》中云:"盖文章,经国之大业,不朽之盛事。"强调文章经国治世的作用。"文"或"文章"仍是一个杂文学的概念,与两汉没有什么不同。陆机沿袭这种观念,他在《文赋》中讨论了文章创作的许多问题,特标出十种文体,以审美的眼光加以透视,角度较前有明显的变化,已有意识地追寻文学的意义。挚虞的《文章流别论》遍论各种文体的性质、源流,他给"文章"做了一个解说——从传统的思想意识出发申述文章的作用:"文章者,所以宣上下之象,明人伦之叙,穷理尽性,以究万物之宜者也。"刘勰的《文心雕龙》论文叙笔,以庞大的理论构思陈述文笔的区别。它是一部体大思精的文章学著作,也是中国古代最具完整体系的文艺学、美学著作。

何以为"文"?何以为"笔"?这是我们辨析"文"的意义的焦点,不可不对它们进行特别关注。《文心雕龙·总术》云:

> 今之常言,有文有笔,以为无韵者笔也,有韵者文也。夫文以足言,理兼诗书,别目两名,自近代耳。

这里说明了两个问题:其一,文、笔的区分是"近代"的事,之前,都是以"文"相称的。所谓近代,概指魏晋至齐这一阶段。区分见诸史籍的、较为典型的是颜延之的"竣得臣笔,测得臣文"的言论,为各家所称引。其二,文、笔是以"有韵"和"无韵"作为区分特征的。"有韵"的是"文","无韵"的是"笔"。这是一种形式上的区分,也暗含对文学和非文学的划分。因为,当时流行的主要文学形式如诗、赋是有韵的。以有韵和无韵区分文、笔弊端很大,它不足以准确说明某一类文体的本质特征。刘勰以转述的口气言说文、笔,只是集中批评了颜延之的言笔观,对文、笔的内涵缺乏具体辨析,令人摸不着头脑。至于《序志》中所言"论文叙笔",只是笼统言述《文心雕龙》从《明诗》至《书记》共20篇文章所讨论的文体内容,至于哪些是文,哪些是笔,很难说清楚。罗宗强先生认为:"刘勰虽'论文叙笔,囿别区分',但其目的,仅在以有韵无韵分别论述各体文章的发展过程与写作之不同要求,而不在以文、笔区分文学与非文学,在刘勰看来,文、笔均属于'文',一以视之,都是他论'为文之用心'的对象。"[①]但刘勰是不是"以有韵无韵分别论述各体文章的发展过程与写作之不同要求"?很难说。也就是说,有韵和无韵是不是刘勰区分文笔的标准,这是一个疑问。罗宗强先生以为《文心雕龙》论及81种文体,其中有韵之文14种,无韵之笔46种,杂文19种,既有文也有笔,实际可归入文的有25

[①]罗宗强:《魏晋南北朝文学思想史》,中华书局,北京,1996年,第265页。

种,可归入笔的有54种,另有2种界限不明。这种穷根究底的精神令人钦佩,但罗先生是否陷入刘勰设定的圈套也未可知。我们赞同罗先生评价刘勰的文的观念是一种杂文学观念的观点,却不敢苟同有韵无韵是刘勰区分文笔的标准,这里有一个误读的问题。

萧绎的文笔观却解决了刘勰没有解决的问题。他的文笔观义理明晰,应是对前代文的观念的总结,基本上区分出文学和非文学的界限。《金楼子·立言》云:

> 古人之学者有二,今人之学者有四。夫子门徒,转相师授,通圣人之经者,谓之儒。屈原、宋玉、枚乘、长卿之徒,止于辞赋,则谓之文。今之儒,博穷子史,但能识其事,不能通其理者,谓之学。至于不便为诗如阎篡,善为章奏如伯松,若此之流,泛谓之笔。吟咏风谣,流连哀思者,谓之文。

> 笔退则非谓成篇,进则不云取义,神其巧惠,笔端而已。至如文者,惟须绮縠纷披,宫商靡曼,唇吻遒会,情灵摇荡。

萧绎梳理了前人关于"文章"和"文学"的观念,所谓"古人之学者有二"即是指此。同时,清理了"今人之学者有四"的内涵。"儒"是"通圣人之经者";"文"是指具有文学性质的辞赋;"学"是指"能识其事,不能通其理"的儒;"笔"是章、表、奏、记之类不便为诗的文体。萧绎的可贵之处在于他进一步辨析了"文"的意义。他认为,"文"既是"吟咏风谣,流连哀思"的,又是"绮縠纷披,宫商靡曼,唇吻遒会,情灵摇荡"的。这就较为全面地认清了文学的表情、注重宫商文采的美的特质。萧绎之"文"几同于今天之文学了。罗宗强先生在归纳文、笔区别时说得好:

> 我以为,如果从文学思想的发展考察,文、笔概念的各种不同理解并不十分重要,因为它只说明"文学"观念在形成与发展过程中的必然产生的现象,重要的是在这些不同的认识中,出现了一种十分可注意的观点,即萧绎以文学特征范围"文"的观念这样一种观点。这种观点的价值,如前所述,它透露出一个十分重要的

讯息，即出现了一种虽朦胧、但意向明确地要划分出纯文学来的想法。而这种想法，其实正是文学独立成科发展。至此需要在理论上加以表述的一种要求，一种对于"文学"的正名。①

中国古典文艺学关于"文"的意义辨析到魏晋南北朝已告一段落，此后，文、文学、文章的发展超不出魏晋南北朝及以前的设定。从上面的论述可以看出，"文"在中国古典文艺学中具有更大的统摄性，它囊括了今天的文学含义，也为其与道的衔接提供了坚实的形而上基础。

第二节 道：从形而上观念到文艺学理念

道的原初意义是指道路。许慎《说文解字》曰："所行道也，从辵首，一达谓之道。"道为行走提供方便，道也为行走者引导方向。道本来是一个生动可感的物象，但由于中国文字具有顽强的衍生能力，不知何时成为一个形而上观念，一个抽象的理念。《周易·系辞上》云："是故形而上者谓之道，形而下者谓之器。"由于《易传》的产生年代相对较晚，其所言述的道已不具有原初的意义，开始从哲学的高度加以理解，使道成为事物的本质属性，具有普遍的价值。

中国古典文艺学对道的关注受其形而上观念的启发，一方面要求文艺作品要表现道，另一方面要求文艺作品要创造道，给予人们以人生、艺术、哲理等多方面的启迪。道的内涵极为丰富，道的表现多种多样。道可以是中国传统的人伦道德，也可以是自然与社会的法则。自然与社会的林林总总、千奇百怪，无不在道的弥纶之中，而作为表现道、创造道的文学艺术也同样挣脱不了道的天网，其本身就为道所役使，甘心情愿地变成了道的奴隶。

中国古代最早、最完整地从形而上角度言述道的是《老子》一书，此书开篇便直接论道："道，可道，非常道；名，可名，非常名。"这里出现3个"道"字，意义有二解。其一是作为恒常义理的道，凡自然、社会、人事等一切事物与现象都属于这种道，这个道是指法则、规

---

① 罗宗强：《魏晋南北朝文学思想史》，中华书局，北京，1996年，第378页。

律、本质、道德、现象等;其二是作为动词言说的道。老子意谓道有高低层次之分,一种是普通的道,这种道可以言说;另一种是常道,这种道是不可言说的,亦即语言难以穷尽它的奥秘。老子对这个"常道"是非常推崇的。他说:"道之尊,德之贵,夫莫之命而常自然。"(《老子》五十一章)这种道是自然之道,它是天地宇宙的生成之源。老子甚至认为这种道不好命名,不知道应该叫它什么。

有物混成,先天地生,寂兮寥兮,独立不改,周行而不殆。可以为天下母。吾不知其名,字之曰道,强为之名曰大。(《老子》二十五章)

道的不可言说、不可命名正意谓道内涵的无限丰富性。老子喜欢抽象论道,将其上升为宇宙万物普遍适用的规律,当然难以言说。但在具体言述自然与人事时,道便不是那么幽深晦暗,而是亲切感人的了。老子认为,道生有无,有无体现了道的规定性,展示了道最基本的意义特征。在具体讨论有无的过程中,极具生活气息,表现了老子对生命投以无限关注的深沉哲思。他说:"三十辐共一毂,当其无,有车之用;埏埴以为器,当其无,有器之用;凿户牖以为室,当其无,有室之用。故有之以为利,无之以为用。"(《老子》十一章)有无之道对中国古典文学艺术的启发很大,由此生发了文学艺术创作的虚实观,使古典文学艺术朝着更为纯粹和诗意的方向迈出了坚实的一步。而将道作为一个审美的标准正是从老子开始的。

道在中国古代有天道和人道之分,一如文之有天文和人文。天道是指自然和宇宙的观念,这一观念的提出,表明人已经开始有意识地认识大自然,以便适应自然的变化而生存。远古社会,人类征服自然和改造自然的能力极其低下,大自然的肆虐给人类带来极大的威胁,使人类不得不正视大自然,"仰则观象于天,俯则观法于地",从中发现征服自然和改造自然的规律。《周易》阴阳观念的提出应是天道的一个命题,日月运行、风雨雷电、山泽草木等对人的生活都会产生影响,只有阴阳和合,才会风调雨顺,对人类生存有利。《庄子》专门有《天道》一篇探讨自然的规律,认为"天道运而无所积,故万物成",

强调"天乐"。"夫天地者,古之所大也,而黄帝尧舜之所共美也。故古之王天下者,奚为哉?天地而已矣。"(《庄子·天道》)以老庄为代表的道家思想就是看准了大自然生生不息的力量,要求以自然为法,为人道寻求一个范式。在这一点上,儒家恰恰与道家达成了共识。

儒家的天道观内容远不如道家丰富,然仍有可观之处。儒家学派的创始者孔子强调以天为法,把尧所处的辉煌时代看作是一个法天的时代:"子曰:大哉,尧之为君也!巍巍乎,唯天为大,唯尧则之。"(《论语·泰伯》)天是非常高贵的,天的威严不可侵犯,同时,天也代表着真理,一种自然的法则。因此,孔子也担心"获罪于天"(《论语·八佾》),正是忧虑人不能很好地生存。孔子是很少谈论天道的。子贡说:"夫子之文章,可得而闻也;夫子之言性与天道,不可得而闻也。"(《论语·公冶长》)这并不是说孔子对天道没有认识,他以自然现象比德,就是他天道思想的重要表现:"知者乐水,仁者乐山"(《论语·雍也》);"岁寒,然后知松柏之后凋也"(《论语·子罕》);"子在川上曰:逝者如斯夫,不舍昼夜"(《论语·子罕》)。天道与人道合二而一,寄寓着孔子多么富有诗意的思索!

中国古代的儒家中,集中对天道进行认真探讨的是汉代的今文经学大师董仲舒,其代表作《春秋繁露》的主导思想是"天人合一"。这是一个融天道和人道思想为一体的新的思想体系,对后世哲学美学影响甚巨。董仲舒认为,天地是美的,因为天地都有仁慈的心胸,它能化生万物,养育生灵。"仁之美者在于天,天,仁也。天覆育万物,既化而生之,有养而成之,事功无己,终而复始,凡举归之以奉人。察于天之意无穷极之仁也。"(《春秋繁露·王道通三》)天地的无私充满强烈的道德精神力量,这种力量是拟人化的、富有诗意的。但是,董仲舒又确实板着面孔,信誓旦旦地发布天有灵性的迷信思想,给中国古代的天道观念罩上了一层浓重的阴云。

> 天将阴雨,人之病故为之先动,是阴相应而起也。天将欲阴雨,又使人欲睡卧者,阴气也。有忧亦使人卧者,是阴相求也;有喜者,使人不欲卧者,是阳相索也。(《春秋繁露·同类相动》)

这如痴人说梦,有些滑稽。然而,董仲舒的天道观里又提出人必须顺应天地才能得天地之美的要求。顺应天地,才能长生、快乐,否则,定会受到自然的惩罚。

董仲舒的思想经过后世的不断过滤,成为各家各派哲学的一个生长点。魏晋南北朝以迄隋唐,每一个时代都能或多或少地看出他的踪迹。

宋代理学的兴起是对董仲舒思想的发展,理学家们把穷理尽性看作是达于天道的一个阶级,已经超越了天道的传统藩篱,实现了本体的飞跃。程氏兄弟说:"理也,性也,命也,三者未尝有异。穷理则尽性,尽性则知天命矣。天命犹天道也,以其用而言之则谓之命,命者造化之谓。"(《二程遗书》二十一下)这样看来,说天道仍离不开人道。天道和人道本来就是浑然一体的。

人道是为人之道或社会的运行之道。它是一个社会与人生的观念,举凡政治、经济、法律、道德、伦理、艺术等均属于人道范畴。如果说,天道言述的是自然和宇宙的观念,其目的是通过对自然和宇宙的了解使人更好地生存,那么,人道更具体而微,通过对社会、人事法则的言述,同样是为了使人更好地生存。无论天道还是人道,都是生命哲学的一个重要组成部分。

《周易》将天、地、人并列,谓之"三才",天道与人道并重,涉及人道的内容极为丰富。六十四卦卦卦讲人道,充满对生命的执着关注。乾卦九三爻云:"君子终日乾乾,夕惕若。厉,无咎。"这是告诫那些自强不息、春风得意的人,要时刻保持警惕以预防不测,不可为一时的成功冲昏头脑,忘乎所以。这不只是一个心理学的问题,又是一个极为重要的道德问题。在人的生命流程中,这种心理素质和高尚的品德显得尤其可贵。蒙卦讲述的是启蒙教育,卦辞云:"亨。匪我求童蒙,童蒙求我。"意谓一个好的征象。六五爻云:"童蒙,吉。"赞赏对儿童进行启蒙教育,开发人类的智慧,大吉大利。教育是人事的一项重要内容,关系到千秋万代的大事业。《周易》对之非常重视,故专列一卦进行推演。既济卦以渡水为喻言述成功。其卦辞云:"亨。小利贞。初吉终乱。"成功和祸患往往是连在一起的,不可不对其加以重视。未济卦紧承既济卦而说，以为事业的暂时成功只是一段的终结，后面的路正长，也更为艰险，需要不断努力。卦辞云："亨。小狐汔济，濡其尾，无攸利。"六三爻云："未济，征凶。利涉大川。"这里对人事的演说极为辩证。从此，我们可以体悟《周易》哲学作为生命哲学的意义。

道家推崇自然之道，其着眼点却在人道上。达生、卫生、赏生是道家生命哲学的基本取向[①]，老子、庄子和后世的道家论道，都遵从这一主旨。老子云："天地长久。天地所以能长久者，以其不自生，故能长久。是以圣人后其身而身先，外其身而身存。以其无私，故能成其私。"（《老子》七章）"后其身而身先，外其身而身存"是达生的一种手段。要实现达生，必须以超越生命为先。超越生命是庄子所说的"外生"、"外物"、"外天下"，把包括生命在内的所有的物累都统统抛到九霄云外，实现精神的极度自由。庄子说：

且夫失性者有五：一曰五色乱目，使目不明；二曰五声乱耳，使耳不聪；四曰五臭熏鼻，困慢中颡；四曰五味浊口，使口厉爽；五曰趣舍滑心，使性飞扬。此五声，皆生之害也。（《庄子·天地》）

现实的色、声、臭、味、趣之所以成为生之害，是因为其失性，在道家看来，这是了不得的伤害。可见，道家对生命的珍视程度。

老子又说："持而不盈，不若其以。揣而锐之，不可长保。金玉满堂，莫之能守。富贵而骄，自遗其咎。功遂身退，天之道。"（《老子》九章）老子所说的是卫生的手段。对生命的捍卫仅仅用战场上的刀兵太受局限，有一个好的方式就是内心的觉悟，这是治本之法。人不要有太多的欲望，欲望是杀生的凶手，只有摆脱欲望才能更好地生存。"功成、名遂"，这是人生命辉煌的极致，在这种情况下应急流勇退——"身退"，以颐养天年，保全生命。这个"天之道"是人生存不可更易的道，是人道而不是天道。庄子对此有深刻的体会，他以虚静言述人的生命之道，将人道推入一个本体的层次，更具有意味。庄子说：

[①] 朱良志：《中国艺术的生命精神》第一章第四节，安徽教育出版社，合肥，1998年。

> 虚则静,静则动,动则得矣。静则无为,无为也则任事者责矣。无为则俞俞,俞俞者忧患不能处,年寿长矣。夫虚静恬淡寂寞无为者,万物之本也。(《庄子·天道》)

"虚静恬淡寂寞无为",多么恬静的理想!不要轰轰烈烈,不要处心积虑,不要忧患,摒弃欲望。如果不从实用功利去考虑,只从养生的角度去认识,庄子卫生的理想的确表现出非常可贵的生命精神。

老庄的人道思想在魏晋南北朝时期出现了一个质的飞跃,以王弼等人为代表的魏晋玄学,在发挥老庄神髓的基础上,继续推演生命之变,其生命观并不仅仅表现在达生和卫生的层次,更注重惜生和赏生。因此,美学和文学上便出现了两个貌离神合的声音。"生年不满百,长怀千岁忧。"(《古诗十九首》)"人生天地间,忽如远行客。"(《古诗十九首》)"时人目王右军,飘若游云,矫若惊龙。"(《世说新语·容止》)"嵇康身长七尺八寸,风姿特秀。见者叹曰:'萧萧肃肃,爽朗清举。'或云:'肃肃如松下风,高而徐引。'山公曰:'嵇叔夜之为人也,岩岩若孤松之独立,其醉也,傀俄若玉山之将崩。'"(《世说新语·容止》)无论是慨叹生命之短促,死亡之悲哀,还是品赏人物之风姿,名士之风度,都有惜生和赏生的人道意味。惜生的审美态度是悲凄的,赏生的审美态度是欢愉的,但两者的目的却一致,即通过对人生的感悟实现对生命的认识和理解,从而使人能更好地生活和生存。

沐浴玄风、深受玄学影响的大诗人陶渊明,对生命之道的体悟是人道观念的升华,他身上汇集了许多忧伤和欢乐的人生际遇,一方面歌咏生命,另一方面又哀叹生命。

> 存生不可言,卫生每苦拙。诚愿游昆华,邈然兹道绝。与子相遇来,未尝异悲悦。憩荫若暂乖,止日终不别。此同既难常,黯尔俱时灭。身没名亦尽,念之五情热。立善有遗爱,胡可不自竭。酒云能消忧,方此讵不劣。(《影答形》)

因此,他又说:

甚念伤我生，正宜委运去。纵浪大化中，不喜亦不惧，应尽便须尽，无复独多虑。(《神释》)

他深味存生之苦，卫生之难，强调委运、忘我、不喜不惧，正是注重惜生和赏生的内在精神。

儒家的人道观主要表现在对社会人伦道德的言述上。他们特别重视人的伦理道德的修养，总结出一整套的理论，用这些理论对人的言行加以规范，使之成为人生活的准则。孔子并没有明确集中地说"道"是什么，一部《论语》，处处都有对道的解答。"子曰：'参乎！吾道一以贯之。'曾子曰：'唯。'子出，门人问曰：'何谓也？'曾子曰：'夫子之道，忠恕而已矣。'"(《论语·里仁》)杨伯峻先生认为，"忠恕"是孔子思想的核心，概括地讲是"仁"①。仁的背后包含很多内容："克己复礼为仁。"(《论语·颜渊》)"孝弟也者，其为仁之本与！"(《论语·学而》)"巧言令色，鲜矣仁。"(《论语·学而》)"樊迟问仁。子曰：爱人。"(《论语·颜渊》)可见，仁是关于人的伦理道德修养的观念，它是对人的忠诚、信实、孝悌、仁爱的品德的肯定，看重由仁的履行所造成的社会影响，并由此产生的正价值。当然，其中也包含着孔子非常美好的理想。

孟子在倡导人道观念的同时强调养气的重要性，他要求人善养浩然之气。所谓浩然之气，就是那种"至大至刚"的"无害"之气。"其为气也，配义与道；无是，馁也，是集义所生者，非义袭而取之也。"(《孟子·公孙丑上》)养气是培养仁者君子的重要途径。养气所贯穿的生命意识极为强烈，它的形而上意蕴是同孟子讲说的舍生取义联系在一起的，后来成为仁人志士的精神支柱。

孔子仁的思想表现了强烈的生命意识，这种生命意识与社会的伦理道德密切关联。后来的理学家们大多从这里发挥、阐释，丰富了儒家人道的内涵。

朱熹说：

---

①杨伯峻：《试论孔子》，《论语译注》，中华书局，北京，1982年。

> "仁"字须兼义礼智看，方看得出。仁者，仁之本体；礼者，仁之节义；义者，仁之断制；智者，仁之分别。(《朱子语类》一卷第六)

又说：

> 要识仁之意思，是一个浑然温和之气，其气则天地阳春之气，其理则天地生物之心。(《朱子语类》一卷第六)

由仁统领的礼、义、智构成了仁的本体，这个仁有一种温和之气，恰似三月阳春，又恰似天地物心，非常柔和，非常温馨。儒家以这种仁爱之心推及人与人的关系，推及人与社会的关系，进而推及人与物的关系，是极为理性的人道思想，使中国古代以仁为本体的儒家人道精神发扬光大，成为治国治民和调节生命的重要法则。

道作为一个文艺学理念是从形而上观念衍生而来的。文学艺术作为一种重要的意识形态是观念的产物，是对社会、历史、现实的情感表现。举凡政治、法律、宗教、人伦、道德、文化等无不在文学艺术中显现，以情感的方式透视，以高度诗性的语言描述，使之具有情感的打动力量。因此，作为文艺学理念的道和作为形而上观念的道在本质上没有差别。唯一区别的是：作为文艺学理念的道有时侧重于对文学艺术作品创作和接受的技艺的言述，这又属于形而下的内容了，"形而下者谓之器"，我们用文艺学理念来指称道，其意图正在于此。

维柯在《新科学》中讨论了诗性智慧的起源，有助于对文艺作品中"道"的理解。他说：

> 但是因为玄学是崇高的科学，它分配特殊具体的题材给它下面的各种附属科学，因为古代人的智慧就是神学诗人们的智慧，神学诗人们无疑就是异教世界的最初的哲人，又因为一切事物在起源时一定都是粗糙的，因为这一切理由，我们就必须把诗性智慧的起源追溯到一种粗糙的玄学。这种粗糙的玄学，就像从一个躯干派生出肢体一样，从一肢派生出逻辑学、伦理学、经济学和政治

学,全是诗性的;从另一肢派生出物理学,这是宇宙学和天文学的母亲,天文学又向它的两个女儿,即时历学和地理学,提供确凿可靠的证据——这一切也全是诗性的。①

这里的"玄学",我们可以把它等同于中国古代的道,"诗性"可以理解为粗糙,不严密。维柯非常看重"粗糙玄学"的衍生力量,这类似于老子的"道生一,一生二,二生三,三生万物"(《老子》四十二章)的思想。可见,在中西方的观念中,道或玄学都具有极大的涵盖性。维柯常常用文学艺术作品来解说他的玄学观念,如荷马史诗、寓言故事等,他说:"一切野蛮民族的历史都从寓言故事开始。"②但是,他又常常超越这种玄学观念,以诗性中丰富而奇特的想象力来言述文学艺术的特别意蕴。他如此言述诗性智慧:

> 因此,诗性的智慧,这种异教世界的最初的智慧,一开始就要用的玄学就不是现在学者们所用的那种理性的抽象的玄学,而是一种感觉到的想象出的玄学,像这些原始人所用的。这些原始人没有推理的能力,却浑身是强旺的感觉力和生动的想象力。③

中国古代从《周易》开始,用阴阳观念来言述道,将卦象爻象配以简洁明快的语言,充满象征、隐喻,具有丰富的想象力,这是中国古代的诗性智慧。也正是在这一时刻,形而上观念的道和文学艺术发生了联系。不能够说《周易》的理性与抽象已等同于我们现在的理性与抽象,但是,它的理性与抽象确实又是现在理性与抽象的源头。《周易》不是文学作品,但却初步具备了文学作品的品格。卦辞、爻辞中有不少生动形象的诗歌,描写天文、地理与人间风俗,想象丰富。如归妹卦爻辞云:"女承筐无实,士刲羊无血,无攸利。"大过卦九二爻辞云:"枯杨生稊,老夫得其女妻。"九五爻辞云:"枯杨生华,老妇得其士夫。"关于归妹卦,《来氏易注》云:"凡夫妇祭祀,承筐而采蘋者,女

---

①[意]维柯:《新科学》,朱光潜译,商务印书馆,北京,1997年,第175页。
②同上书,第119页。
③同上书,第181~182页。

之事也;刲羊而实鼎俎者,男之事也。"陈良运认为,这里用的是暗示性语言,句意显然指女子腹中无子,未能生育,士也无意让女生子以巩固王室地位。①关于大过卦,九二、九五爻辞合在一起就是一首诗,讲述的是非常离奇的婚姻,年轻男子找了个老太太做妻子,老头子娶了个年轻俊美的媳妇,且分别用"枯杨生稊"、"枯杨生华"为喻。《周易》不是专门的文艺学著作,但对文艺学的启发极大。刘勰《文心雕龙》无数次引述《周易》陈述文理,足见《周易》在中国古典文艺学中的地位。中国古典文艺学的许多"道"在《周易》中都能发现蛛丝马迹——不管是形而上之道还是形而下之器,因此,言述中国古典文艺学的理念不能绕过《周易》,而且,必须对其加以高度重视。

中国古典文艺学对道的意蕴阐发,可以从以下几个方面去体味:

第一,要求文学艺术作品通过丰富的想象力和诗性语言,艺术地表现历史、现实的生活,通过现象求得本质。孔子评价《诗经》说:"诗三百,一言以蔽之,曰:思无邪。"(《论语·为政》)他认为无邪即是诗道。他说诗可以兴、观、群、怨,是强调诗对社会现实的认识作用和审美作用,同时,肯定诗对道德、礼义、治国的影响,就是因为诗表现了历史及现实的生活,可通过现象洞见本质。儒家对文学艺术的认识基本采取这种立场。叶燮说:

> 曰理、曰事、曰情三语,大而乾坤以之定位,日月以之运行,以至一草一木一飞一走,三者缺一,则不成物。文章者,所以表天地万物之情状也。(《原诗·内篇》)

理是事物的本质,事是事物的现象,情是文学艺术家的态度,这就是为文之道。古人对文学艺术本体的考察多么周详!

第二,要求文学艺术作品表现出人的精神风貌和良好的人伦道德,认为这才是达道。柳冕深味其道,他说:

> 夫君子学文,所以行道。足下兄弟,今之才子,官虽不薄,道则未行,亦有才者之病。君子患不知之,既知之,则病不能无病。故

---

① 陈良运:《周易与中国文学》,百花洲文艺出版社,南昌,1999年,第149~151页。

无病则气生,气生则才勇,才勇则文壮,文壮然后可以鼓天下之动。此养才之道也,在足下他日行之。(《答杨中丞论文书》,《唐文粹》卷八十四)

梁肃也说:

文之作,上所以发扬道德,正性命之纪;次所以财成典礼,厚人伦之义;又其次所以昭显义类,立天下之中。(《补阙李君前集序》,《文苑英华》卷七百三)

汤显祖说:

天下英豪奇瑰之士,苟有意乎世容,非好色者乎。君父不见知,而有不怨其君父者乎。彼夫好色而至于淫,怨其君父而至于乱者,则有意乎世之极,而不得夫道者也。(《骚苑笙簧序》)

人伦道德在古人的心目中占据极其重要的位置,因此,中国古典文艺学特别强调对人伦道德的渲染,就是为了更好地展示人的精神风貌。

第三,要求文学艺术作品表现出自然之美的特质,倡导自然之道。"自然"这一概念产生很早,《老子》中就有"道法自然"之说,这个自然是高于天地的一种境界,一种形而上的观念。然而,自然亦指自然界,是天地的造化。老子的自然观与天地造化不是一回事,但却有关系。我们在这里言述的自然当指后者,是指文学艺术表现的对象。文学艺术以自然为描写对象,展示自然美的特质,这是文学艺术的一项重要任务,与表现历史现实、描摹人伦道德同等重要。大自然有无穷无尽的美等待人们去展示。对此,刘勰有生动描绘:

傍及万品,动植皆文,龙凤以藻绘呈瑞,虎豹以炳蔚凝姿;云霞雕色,有逾画工之妙,草木贲华,无待锦匠之奇;夫岂外饰,盖自然耳。(《文心雕龙·原道》)

大自然给人情性以陶冶,它的美妙是无可代替的。它是人生活的一个重要组成部分。文学艺术揭示自然的美妙，就是对自然之道的倡导。中国古代山水田园诗和山水花鸟画的勃兴，正是适应这种文学艺术之道。

然而，中国古典文艺学道的理念中，还有偏重于道艺方面的探索，这应属于形而下的内容。道艺是技艺、技巧，指从事某项工作的操作技巧和熟练程度。在古代，庄子是最看重道艺的。他经常称道艺为道，在阐释叙说某一道艺的过程中，又喜欢将之上升为形而上的高度，因此，庄子的道艺观并不是纯粹形而下的，而是与形而上连为一体的。

庄子讲述了许多寓言故事，探索道艺。轮扁斫轮、削木为鐻、佝偻承蜩、庖丁解牛等都是脍炙人口的名例，其中对技艺的叙述寓意深刻，富有哲理。技艺的培养并非一朝一夕之事，这一点庄子看得很清楚，它需要操持者有一种献身、忘我的精神，"用志不分"，"以天合天"，方能游刃有余。这是人的生命价值的体现。庄子钟情于生活的经验，善于从现象把握本质，运用直观的方法而又能上升到很高的理性，颇类似于当代西方的现象学哲学。约瑟夫·祁雅理对现象学有一个简洁的概括："现象学是一种描写物自体的方法，是一种描写呈现在摆脱了一切概念的先天结构的旁观者的纯朴眼光下的物自体与世界的方法，事实上，它就是用直接的直觉去掌握事物的结构或本质。"①

庄子说：

> 以道观言而天下之君正，以道观分而君臣之义明，以道观能而天下之官治，以道泛观而万物之应备。故通于天地者，德也；行于万物者，道也；上治人者，事也；能有所艺者，技也。技兼于事，事兼于义，义兼于德，德兼于道，道兼于天。（《庄子·天地》）

技艺作为道的一个组成部分并不能孤立存在，而是与义、德这些形而上的内容连为一体的，共同组成世界的存在之道。这种观念直接促成了文学艺术自然观的形成。当然，这也是庄子继承老子"道法自然"神髓的一种提升。

---

① [法]约瑟夫·祁雅理：《二十世纪法国思潮》，商务印书馆，北京，1982年，第56页。

我们前文已经言述了自然，那个"自然"是指自然界，即天地造化。这里所言述的自然主要偏于道艺，具体地讲，就是文学艺术的创作方法，其中包括文学艺术作品的组织结构、语言和意义、风格等。如语言和意义等内容，我们将在下面的章节中详论，这里略而不谈。

古人非常注重文学艺术创作中的自然。钟嵘《诗品》引汤惠休语评颜、谢："谢诗如芙蓉出水，颜如错采镂金。"（《诗品·宋光禄大夫颜延之》）又如刘禹锡答白居易诗：

> 吟君遗我百篇诗，使我独坐形神驰。玉琴清夜人不语，琪树春朝风正吹。郢人斤斫无痕迹，仙人衣裳弃刀尺。世人方内欲相寻，行尽四维无处觅。（《翰林白二十二学士见寄诗一百篇，因以答贶》）

这里是言述诗歌风格。"芙蓉出水"乃自然造化，清新可人；"斤斫无痕迹"指抛弃雕琢，天衣无缝。苏东坡云："所示书教及诗赋杂文，观之熟矣。大略如行云流水，初无定质，但常行于所当行，常止于所不可不止，文理自然，姿态横生。"（《答谢民师书》）这里主要言述文章的组织结构，亦即"文理"，强调文章应如行云流水般自然，笔法摇曳多姿。黄子肃云："意既立，必须得句。句有法，当以妙悟为上。第一等句，得于天然，不待雕琢，律吕自谐，神色兼备。"（《诗法》，《诗学指南》卷一）这里主要言述句法，认为天然之诗应律吕和谐，神色兼备。从江西诗派始，文学艺术创作非常注重法，这是对道艺的进一步深入。这一内容，我们将在下文列专章详述。

道从形而上观念发展成为文艺学理念，经过了非常曲折复杂的过程，道的内涵是极为丰富的，道的表现多种多样。道是文学艺术的本质属性，具有普遍的意义和价值。

第三节 "夫文，传道而明心也"

文与道形而上学的本质决定了它们的内涵非常宽泛。天文、地理、物象、人事连同世界的极其抽象的定理、法则等，无不在它们的涵盖之列。这恰恰符合作为语言文字成品的"文"的表现特征，因为，"道"是靠"文"来传播的，"文"中有"道"，"文"集"道"为一体。在人类历史的长河中，"文"所起的传播文明的作用是无与伦比的，它不仅使人类的历史真正地成为历史，并且，铸就了人类历史的辉煌。

中国古典文艺学中的"文"是一个杂文学观念，它既包括审美性的文学作品，也包括实用性的应用文章。古人在讨论文字成品的"文"时往往是两者兼顾的。因此，单单从文学的角度评判古人之"文"往往会产生许多偏颇之见。无论是审美的文学作品还是非审美的应用作品，在本质上有相似之处，都是为了表现作者之思。这种思可以是道，也可以是情。有时言道的文章也充满感情，言情的文章也包蕴道的说教，想从表现内容上截然划分文学和非文学的界限确非易事。中国古代文学理论中长期弥漫着文笔之辨，就充分表现了"文"的复杂性。考察中国古典文艺学，不可不对"文"的复杂性予以关注，只有正确认识"文"的复杂性，才能正本清源，准确评说中国古典文艺学"文"的观念。

古代的先贤们在言述道与文时，常常是与心结合在一起的。例如荀子说：

> 辨说也者，心之象道也；心也者，道之工宰也；道也者，治之经理也。心合于道，说合于心，辞合于说，正名而期，质请而喻，辨异而不过，推类而不悖，听则合文，辨则尽故，以正道而辨奸，犹引绳以持曲直。是故邪说不能乱，百家无所窜。(《荀子·正名》)

心是道的主宰，道的是非曲直皆心所为，因此，言辞辨说必须合于心，心必须合于正道。这里的言辞辨说即是文。荀子是较早也较清醒地认识到文以达道的人。

在荀子的文学观念中，心是文与道的主宰，心关乎伦理道德的传播与熏染，心是使文与道一体化的关键之所在。荀子在评价《诗》《书》《礼》《乐》《春秋》时，就坚持文与道统一的立场，评文即是讲道，讲道亦是评文。

故《书》者，政事之纪也；《诗》者，中声之所止也；《礼》者，法之大分，类之纲纪也。故学至乎《礼》而止矣。夫是之谓道德之极。《礼》之敬文也，《乐》之中和也，《诗》《书》之博也，《春秋》之微也，在天地之间者毕矣。(《荀子·劝学》)

《诗》《书》《礼》《乐》《春秋》都是圣人心的产物，圣人认为道德力量的象征是道之管、文之源，只有圣人之文才能弥纶古今之道，成为教化后人的典范。故而，荀子又说："圣人也者，道之管也。天下之道管是矣，百王之道一是矣。故《诗》《书》《礼》《乐》之归是矣。"(《荀子·儒效》)这种以圣人为文学和思想精英的主张，成为后世文艺学、美学的精神源泉之一。

心是一种诗意的"在"，它与思是联系在一起的。孟子曰："心之官则思。"(《孟子·告子上》)思可以是理智的，也可以是情感的，但是，无论是理智的还是情感的都必须符合道，也就是"心合于道"。心促成了思的形成，心决定了思的存在和敞开，心就是一种"在"。文学艺术作为心的产物，"就是从令人喜欢和讨人喜爱的东西的意义上对美的事物的表达"，在"满足鉴赏家与审美者的敏感还是为提高心灵的道德境界"上，本质都没有区别。①

文与道有别，当它们作为一种形式显现的时候，则具象为文，因此，文与道又是一体化的。中国古典文艺学美学家们有不少人已经认识到这一点，在阐发他们的文艺学美学思想时多有精妙的言述，值得关注。陆贾云："是以君子居乱世则合道德，采微善，绝纤恶，修父子之礼，以及君臣之序，乃天地之通道，圣人之所不失也。故隐之则为道，布之则为文。"(《新语·慎微》)这里的"文"就是道的显现形式，它们是一体化的，并非割裂的。在这一点上，刘勰的阐释最为周详。《文心雕龙·原道》云："文之为德也大矣，与天地并生者何哉！夫玄黄色杂，方圆体分，日月叠璧，以垂丽天之象；山川焕绮，以铺理地之形；此盖道之文也。"又云：人文之元，肇自太极，幽赞神明，易象

---

① [德]海德格尔：《形而上学导论》，熊伟、王庆节译，商务印书馆，北京，1996年，第133页。

惟先。庖牺画其始，仲尼翼其终。而乾坤两位，独制文言。言之文也，天地之心哉！若乃河图孕乎八卦，洛书韫乎九畴，玉版金镂之实，丹文绿牒之华，谁其尸之，亦神理而已。

刘勰在广义的"文"的背景上论说文与道，将"文"区分为"道之文"（自然之文）和"人文"两类，认为两类之文都是与"道"（自然之道、神理）一体化的，不可将其剥离。自然之道的形成与人的活动有关，它是人以自然为法、"心生而言立，言立而文明"的结果，可见，自然之道并非完全言述自然生成和运行的现象与法则，其中包含人对自然的认识和改造活动。人以自然为法并不是对自然的刻意模仿，而是灵活地化用自然之道。刘勰在分析"人文之元"时，以《周易》为例，指出《周易》的精妙思想来自"天地之心"，这是《周易》之"神理"。因此，"道之文"（自然之文）和"人文"是二而一的，自然之道与人文神理也是二而一的。刘勰以自己对文与道的准确把握，为后世树立了一个理论的典范，也为我们现实地改造文与道提供了一个理论的参照。

与此同时，刘勰对文与道关系的考察也值得玩味。他精心设计了圣、文、道这样一个三角模式，指出三者的关键是圣，圣拥有最高尚的道，也只有圣才有资格写文，以使文以明道。刘勰说：

> 爰自风姓，暨于孔氏，玄圣创典，素王述训，莫不原道心以敷章，研神理而设教，取象乎河洛，问数乎蓍龟，观天文以极变，察人文以成化；然后能经纬区宇，弥纶彝宪，发挥事业，彪炳辞义。故知道沿圣以垂文，圣因文以明道，旁通而无滞，日用而不匮。（《文心雕龙·原道》）

圣对道的开拓是师法自然的结果，依靠这种自然的物理完善人类的道德。然而，这种道只能借助于文来传播。"物理无穷，非言不显，非文不传，故所传之道，即万物之情，人伦之传，无小无大，靡不并包。"[1]圣的作用在这里表现得极为特异。刘勰之所以标榜圣，是因为圣具有异常突出的才能。他们的思想足以指导后人，他们的创造力

---

[1] 黄侃：《文心雕龙札记》，华东师范大学出版社，上海，1996年，第11页。

足以启发后人,他们的品德足以教化后人。而圣人之文正集中了圣的诸多品德,故而,刘勰将圣作为文与道之主宰,为他的征圣思想奠定了理论的基础。

刘勰宣扬圣的作用,肯定圣人之道与圣人之文,是受先秦两汉以来的儒家思想的影响,也是中国传统文艺学注重主体创造性的表现。文与道的关系受制于主体自身的素质,主体异常复杂的品质远远超越刘勰及古人眼中的圣。文的主宰一旦走下了神坛,那么,文的传统风范将会随之泯灭,文与道的关系将会变得扑朔迷离。因此,人们很难给文与道确定一个较为固定的内涵。

文以明道是一种纯朴的理想。文要实现明道的目的,必须依靠圣的努力。这是因为,圣的主体品质决定道的价值取向,它集中了在民族文化背景中崛起的思想精英的思想精华,对下民百姓与王道策略有教化和指导的意义。但是,文并不是圣人的专利。孔子早就看到了这一点,他说:"有德者必有言,有言者不必有德。"(《论语·宪问》)但是,孔子还是要求用文传道布德,益于教化。"子曰:志于道,据于德,依于仁,游于艺。"(《论语·述而》)强调文以明道的正面价值取向。后来的理论家如荀子、扬雄,甚至包括刘勰,也基本继承了以孔子为代表的儒家思想,发挥精义,合理阐释,有时,又不可避免地会步入绝对和偏狭之途。

有学者言:"凡欲考察文与道之关系者,必当自中唐古文运动说起。"①其实,就文与道关系而言,其绵延先秦至盛唐,一直有困扰着理论家们的一个问题,关于这一问题的争论从来没有中断过,即使在魏晋南北朝这一特别混乱的时代仍是如此。而中唐则是一个转折点,所谓转折点,意谓这一时期对此问题的探讨更为集中、更为深入而已,但绝不可漠视中唐以前关于文与道认识的理论意义。

中唐古文运动的直接发起者是诗人元结。元结对百姓与现实给予关注,杜甫曾给予高度的评价:

> 观乎《舂陵》作,欻见俊哲情,复览《贼退》篇,结也实国桢。

---

① 韩经太:《理学文化与文学思潮》,中华书局,北京,1997年,第2页。

贾谊昔流恸，匡衡常引经。道州忧黎庶，词气浩纵横。两章对秋月，一字偕华星。(《同元使君舂陵行并序》)

元结自己在言述其创作的切身感觉时称，他的创作是"赋诗言怀"：

文章道丧盖久矣。时之作者，烦杂过多，歌儿舞女，且相喜爱，系之风雅，谁道是耶？诸公尝欲变时俗之淫靡，为后生之规范，今夕岂不能道达情性，成一时之美乎？(《刘侍御月夜宴会序》，《次山集》卷七)

他是把文章之道与"道达情性"联系在一起的，认为文章的功能是反映现实，救济时弊，如此方能达道。他赋予文与道以更切近文艺本质的实质内容，实是中唐古文运动和新乐府创作思潮的理论先声。

"变时俗之淫靡，为后生之规范"，其中包含着道的内容，文学（文章）囊括了诸多的伦理道德和社会正义，足以成为垂世的典范。这便是"传道"。而"道达情性"则是"明心"，意谓文章乃心之产物、情性的产物，这种情性的产生又是现实生活激发的结果。元结在不经意中说出了文章传道而明心的话题，在中国古典文艺学中具有一定的理论意义。此后，柳冕续接这一话题。他说：

门人云："夫子之文章，可得而闻也；夫子之言性与天道，不可得而闻也。"即圣人道可企而及之者文也，不可企而及之者性也。盖言教化发乎性情，系乎国风者谓之道。故君子之文，必有其道。道有深浅，故文有崇替；时有好尚，故俗有雅郑；雅之于郑，出乎心而成风。(《答衢州郑使君论文书》，《唐文粹》卷八十四)

直到韩愈，才将传道而明心的文章话题演绎成内涵更为丰富的古典文艺学的核心话题。

韩愈关于文与道的理论认识具有多重内涵。首先，他将"道"严格限定在儒道的范围内，摒弃佛老之道，以为只有儒道才能救时补弊，重塑人格。"是故以之为己，则顺而祥；以之为人，则爱而公；以之为心，则和而平；以之为天下国家，无所处而不当。"(《原道》，《昌黎先生集》卷十一）这哪里是说文学，分明是说政治学和伦理学。但是，韩愈的这一理论观点又的确涵盖文学。他要求文学具有这种功能，只有如此，文学才不枉为文学，才能更好地发挥经国治世的作用。其次，韩愈提倡一种新的立言原则：务去陈言，追求创新。这里的"言"并非指狭义的语言，而是指文与道一体化的文章。"陈言"指语言呆板、观点陈旧、沉溺古人道德与言述方式的文章。韩愈指出，若要胜过古人之立言，必须加强内在的修养："无诱于势利，养其根而俟其实，加其膏而希其光。"（《答李翊书》）只有这样，才能实现"根之茂者其实遂，膏之沃者其光晔，仁义之人，其言蔼如也"（《答李翊书》），达到真正意义上的创新。言外之意，文章只有实现"传道而明心"，才能超越古人。再次，韩愈认识到"气"在文学创作中的意义，要求文章应贯注作家的气格。他说："气，水也；言，浮物也；水大而物之浮者大小毕浮。气之与言犹是也，气盛则言之短长与声之高下者皆宜。"（《答李翊书》）这个"气"，糅合了古代儒家的"养气"之说和曹丕的"文气"之论，但又有别于儒、丕之论，实乃贯注于作家自身、充满壮大与郁勃情思的气格。

在这种文道观念的统帅下，从具体的文学创造出发，韩愈又提出了"不平则鸣"的创作思想，深化了他文道观念的诗性特征。沿袭他在《答李翊书》中的气、水之论，他又一次为文学设喻：

大凡物不得其平则鸣。草木之无声，风挠之鸣；水之无声，风荡之鸣。其跃也或激之，其趋也或梗之，其沸也或炙之。金石之无声，或击之鸣。人之于言也亦然。有不得已者而后言，其歌也有思，其哭也有怀。凡出乎口而为声者，其皆有弗平者乎！（《送孟东野序》）

物之鸣皆有缘起，而人之鸣亦同物之鸣，也由外在现实对人的心灵的激发，使人不得不把内在的不平之气表达出来。在这里，韩愈特别强调鸣其不幸。他说："三子者（按：指孟郊、李翱、张籍）之鸣信善矣。抑不知天将和其声，而使鸣国家之盛邪！抑将穷饿其身，思愁其心肠，而使自鸣其不幸邪！三子者之命，则悬乎天矣。其在上也奚以喜，其在下也奚以悲。"(《送孟东野序》)就是体会到了现实的不平，对人的情感特别起激发作用，这种激发具有极其重要的意义。韩愈非常理解不平之气对文学艺术的创造意义，在《荆潭唱和诗序》中有明确的理论表述："从事有示愈以《荆潭酬和诗》者，愈既受以卒业，因仰而言曰：夫和平之音淡薄，而愁思之声要妙；欢愉之辞难工，而穷苦之言易好也。""愁思之声要妙"、"穷苦之言易好"抓住了阅读和创造的一种重要的心理反应，意谓穷苦的遭遇能引起人们异常特别的共鸣和创作冲动，从心理学的角度解决了艺术创造动力学的一个难题。这也是一个传道和明心的话题。下一节再做深入剖析。

与韩愈同时的柳宗元对文与道关系的关注同样执着。他一再强调不为辞而作文，而要求文以明道。他说："夫为一书，务富文采，不顾事实，而益之以诬怪，张之以阔诞，以炳然诱后生，而终之以僻，是犹用文锦覆陷阱也。"(《答吴武陵非国语书》)这里言述的是一种行文的极端，并不是针对真正意义上的文学。柳宗元曾经对怪诞的文学表达过自己的赞美态度，在《读韩愈所著毛颖传后题》一文中，他曾这样写道：

> 自吾居夷，不与中州人通书。有来南者，时言韩愈为《毛颖传》，不能举其辞，而独大笑以为怪。而吾久不克见。杨子诲之来，始持其书，索而读之，若捕龙蛇，搏虎豹，急与之角而力不敢暇，信韩子之怪于文也。世之模拟窜窃，取青媲白，肥皮厚肉，柔筋脆骨，而以为辞者之读之也，其大笑固宜。

可见，柳宗元对言辞的态度是有两个层面的：第一个层面是反对专以文采为能事的言辞，以为这样的言辞"诬怪"、"阔诞"、"僻"，将之视为文辞的陷阱；第二个层面是肯定以怪诞为行文风格的言辞，以为这类言辞"俳"，是"大羹玄酒，体节之荐"(《读韩愈所著毛颖传后题》)，有益于世。只要是有益于世的，文辞的怪诞是可以不回避的。这突出表现了柳宗元的实用原则。

柳宗元对道的认识是与他的文学政治观紧密联系在一起的。所谓文学政治观是政治立场在文学理论中的表现。柳宗元以振兴古道

为己任,目的是要恢复以儒家为代表的人文传统,但对其他学派的优秀的思想还是主张兼收并蓄的,这表现了他的开放态度。他说:

> 凡吾所陈,皆自谓近道,而不知道之果近乎,远乎?吾子好道而可吾文,或者其于道不远矣。故吾每为文章,未尝敢以轻心掉之,惧其剽而不留也;未尝敢以怠心易之,惧其弛而不严也;未尝敢以昏气出之,惧其昧没而杂也;未尝敢以矜气作之,惧其偃蹇而骄也。抑之欲其奥,扬之欲其明,疏之欲其通,廉之欲其节,激而发之欲其清,固而存之欲其重。此吾所以羽翼夫道也。(《与韦中立论师道书》)

在具体创作的实施过程中,柳宗元不仅要求参之《尚书》《诗经》《礼记》《春秋》《周易》这些"取道之原"的经典,而且,还要求参之《孟子》《荀子》《庄子》《老子》《国语》《离骚》《史记》这些"旁推交通而以为文"的古代典籍,表现出兼容并包的文学理想。

柳宗元崇尚文章的实用性与他的社会责任感分不开,在具体探讨文章实用价值的过程中,又表现出较为独特的文学审美眼光。他说:

> 文之用,辞令褒贬,导扬讽喻而已。虽其言鄙野,足以备于用。然而阙其文采,固不足以竦动时听,夸示后学。立言不朽,君子不由也。故作者抱其根源,而必由是假道焉。(《杨评事文集后序》)

他把文采看作是"假道"的工具,认为是文章必不可缺少的。他深入探讨文章的实用性时,往往和审美联系在一起,更表现出眼光的不同凡俗。他说,导扬讽喻,本乎比兴。"比兴者流,盖出于虞、夏之咏歌,殷、周之风雅,其要在于丽则清越,言畅而意美,谓宜流于谣诵也。"(《杨评事文集后序》)他看重文章"丽则清越"、"言畅而意美"的审美作用,认识到文学审美的特质。这就使他的文道观充满了极强的美学意蕴,超越了前人的文道之论,使文与道这一对范畴真正地成为中国古典文艺学用以界定文学本质特征的重要范畴,在中国古代美学史上也具有重要的意义。

宋代的文道观表现出异常复杂的发展趋势。与唐代相比，由于具体的创作环境不同，针对性不同，故而，文道观的内容多不相同。宋初文坛的主要作家大多经过五代文风的熏染，"花间派"的"香径春风"、"红楼夜月"，以及追求辞藻轻艳的倾向，引起一批有社会责任感和道义感的文人的反感，以柳开、田锡、王禹偁等为代表的作家纷纷以古文相号召，目的在于恢复并延续儒家的道统与文统，重建儒家思想的统治秩序。

柳开首先给古文以明确的内涵。他说："古文者，非在辞涩言苦，使人难读诵之。在于古其理，高其意，随言短长，应变作制，同古人之行事，是谓古文也。"（《应责》，《河东先生集》卷一）他摒弃时人对古代语言的模仿和追求辞涩言苦的糊涂观念，强调"古其理，高其意"。他继承了韩、柳以来文道思想中的政治观念，却淡化了他们文道思想中的审美观念，也淡化了文学的本质特征。他说："吾之道，孔子、孟轲、扬雄、韩愈之道；吾之文，孔子、孟轲、扬雄、韩愈之文也。"（《应责》，《河东先生集》卷一）传道或明道虽为文学的职能，但是，并非文学的唯一职能，然而，如果全部文章仅仅局限在传道或明道上，势必导致文学的凋敝。韩、柳虽然强调文以明道，但并不忽略文的"气盛言宜"、"丽则清越"、"言畅而意美"的审美功能。在纯粹意义的文学观念上，柳开明显表现出倒退的倾向。

田锡和王禹偁则有所弥补。田锡一方面疾呼："夫人之有文，经纬大道，得其道，则持正于教化，失其道，则忘返于靡漫。"（《贻陈季和书》，《咸平集》卷二）另一方面又细致剖析韩、柳之道：

> 故识者观文于韩、柳，则惊心于邪僻。抑末扶本，跻人于大道可知也！然李贺作歌，二公嗟赏，岂非艳歌不害于正理，而专变于斯文哉！（《贻陈季和书》）

可见，文风的靡漫与艳歌的出现并非就是对道的违背，只要"艳歌不害于正理"，也是一种合理的存在。田锡的文道思想更大胆，更切近文学的本质特征。韩、柳在创作中表现出来却没有说出来的文学创作现象，就这样被田锡一语道破了，足以表现他思理的睿智，更具有美学的眼光。

王禹偁将传道与明心并重。他明确指出：

> 夫文，传道而明心也。古圣人不得已而为之也。且人能一乎心，至乎道，修身则无忝，事君则有立。及其无位也，惧乎心之所有不得明乎外，道之所畜不得传乎后，于是乎有言焉。又惧乎言之易泯也，于是乎有文焉。信哉，不得已而为之也！（《答张扶书》，《小畜集》卷十八）

他从儒家修身养性的观念出发，讨论文与道，这里的"道"自然就是儒家修身养性的法则。他反复言述文是"古圣人不得已而为之"，乃是看到了外在事物对人情感（心）的激荡，这种激荡的结果使人不吐不快，人的情性气理便在这种激荡中统统表现出来，是之谓明心。王禹偁极力反对语言的艰涩："吾观吏部之文，未始句之难道也，未始义之难晓也。"（《答张扶书》）并且以韩愈的"吾不师今，不师古，不师难，不师易，不师多，不师少，惟师是尔"（《答张扶书》）作为自己的创作信条，充分显示出他对传统文道思想的继承与创新。此后产生的诗文平淡之论，实在是宋代文道观念的深化。它标志着宋代关于文与道这一文学核心话语由半政治半文学的理论话语真正地转化成文学审美话语。这一理论的代表者为梅尧臣、欧阳修、苏轼。

梅尧臣写了一系列的诗表达他的文道思想：

> 圣人于诗言，曾不专其中，因事有所激，因物兴以通。自下而磨上，是之谓国风。雅章及颂篇，刺美亦道同。不独识鸟兽，而为文字工。屈原作《离骚》，自哀其志穷，愤世嫉邪意，寄在草木虫。迩来道颇丧，有作皆言空。烟云写形象，葩卉咏青红；人事极谀诡，引古称辨雄；经营唯切偶，荣利因被蒙。（《答韩三子华韩五持国韩六玉汝见赠述诗》，《宛陵先生集》卷二十七）

他倡导"因事有所激，因物兴以通"的写作，赞赏屈原寄寓在草木之中的愤世嫉邪，从审美的角度要求文字优美（"文字工"）。同时，梅尧臣还极力推崇文章的气势。在写给苏舜钦、欧阳修的一首诗中，他这样评价韩、孟：

> 韩孟于文词，两雄力相当。偶以怪自戏，作诗惊有唐。篇章缀谈笑，雷电击幽荒。众鸟谁敢和，鸣凤呼其凰。孟穷苦累累，韩富浩穰穰。穷者啄其精，富者烂文章。发生一为宫，挚敛一为商。二律虽不同，合奏乃铿锵。（《读蟠桃诗寄子美永叔》，《宛陵先生集》卷二十四）

气势是文章雄力的表现，这种雄力来自于作家对社会现实之道的深切体验，其中蕴含着平淡自然的成分。所谓"篇章缀谈笑，雷电击幽荒"即是此意。可见，梅尧臣从审美的态度对文学创作提出了诸多的要求，已经远远超出了一般的文道之论，具有深刻的意义。

欧阳修躬身参与文与道的讨论并进行创作实践，在理论与创作上多有突破。他清楚地认识到前人的弊端，明确指出对文与道的单纯沉溺并不能真正实现文的明道与传心，只能步入歧途。他说：

> 夫学者，未始不为道，而至者鲜焉。非道之于人远也，学者有所溺焉尔。盖文之为言，难工而可喜，易悦而自足。世之学者，往往溺之，一有工焉，则曰吾学足矣。甚者至弃百事不关于心，曰吾文士也，职于文而已。此其所以至之鲜也。（《答吴充秀才书》，《欧阳文忠公集》卷四十七）

很显然，欧阳修所说的"道"是指社会的现实生活，它就存在于人们的身边。一个不关心社会现实的文人，往往过分沉溺于文，仅仅注重雕章丽句和语言技巧，最终导致文与道实质性的分离。而一个对社会现实非常关心的文人，由于他把自己全部的思想情感用于对现实人生的体验，对之进行审美的过滤与升华，取得了文学创造的成功。这是自然而然的。欧阳修特别赞赏孔子老而归鲁后所取得的成功，孔子以充满诗意的情感修订六经，是因为他积累了无限丰富的现实生活经验，深入理解了文以明道的道理：

> 昔孔子老而归鲁，六经之作，数年之顷尔。然读《易》者如无

《春秋》，读《书》者如无《诗》，何其用功少而至于至也。圣人之文，虽不可及，然大抵道胜者文不难而自至也。故孟子皇皇不暇著书，荀卿盖亦晚而有作。若子云、仲淹方勉焉以模言语，此道未足而强言者也。后之惑者，徒见前世之文传，以为学者文而已，故愈力愈勤而愈不至。(《答吴充秀才书》)

文学创作不可急于求成，在急功近利的过程中，也有可能取得暂时的成功，但这对于一个作家的成长是非常不利的。由此可见，欧阳修的文道观已经不是政治意蕴浓厚的文学政治论，而是一种至真至诚的文学创造论了。正是在这一点上，显示出他与先前古文家及此后理学家的区别。尽管理学家们从欧阳修身上总结出不少东西，但在文学理论领域，他们的理论见解是保守落后的，其价值大打折扣。

苏轼继承了梅、欧的平淡理论，注重对其理论意义的发掘。梅尧臣曾说："因吟适情性，稍欲到平淡。"(《依韵和晏相公》)"作诗无古今，唯造平淡难。"(《读邵不疑学士诗卷杜挺之忽来因出示之且伏高致辄书一时之语以奉呈》)欧阳修也说："圣俞平生苦于吟咏，以闲远古淡为意，故其构思极难。"(《六一诗话》)平淡（古淡）是文与道的一个重要内涵，它不同于韩、柳以来以迄柳开、王禹偁等人对言辞易晓的追求，更不是指言辞的质木无文、意义的浅显易懂，而是绚烂之极的本真状态。苏轼称这种本真的最高境界为淡泊。他评韦应物、柳宗元的创作是"发纤秾于简古，寄至味于淡泊"(《书黄子思诗集后》)。他对陶渊明极为推崇，称他的诗"外枯而中膏，似淡而实美"(《评韩柳诗》)，并且，着重从"味"的角度给平淡自然以极高的美学评价，同时，也涉及动静、虚实等文学艺术创作的实质性内容。可见，苏轼完全将文道演化成一个美学的命题，在内容上加以改造，淡化其非文学的因素，并切实地将这一美学主张运用到艺术实践中去，对后世产生了极其深远的影响。

文与道的讨论在苏轼之后便陷入了无止境且无聊的纷争。多数论者均围绕周、程理学的"文以载道"命题展开，实际上转换了文与道的话题，将文作为一种工具。更有甚者，强调作文害道，抹杀了文学的审美意义。这无形中降低了传统文道思想的理论品位,是文学观念的倒退。其中的原因,我们可以做一个专门的文化课题来探讨,这里不便深入下去。

第四节　文与道:对社会现实的终极关怀

中国古典文艺学关于文与道理论的一个重要发明就是强调文对社会现实的关注。文应表现现实生活的现象和本质,揭示生活在特定时代的人的精神风貌和思想情感。这种信条将永远不会过时,并且,随着社会的发展,将会愈来愈凸显它的真理性。尽管在文艺理论众声喧哗的今天,不少学者已向传统的理论价值发出质疑,提出挑战,但是,话题的核心仍离不开对社会现实的关注,只不过关注的内涵更加丰富多彩而已。

在先秦,不唯独儒家才有社会的责任感和道义感,其实,法家、墨家、道家、兵家、农家、杂家等思想中都充满强烈的社会道义。一向超脱于尘世的道家,其思想中所包含的浓重的忧国忧民之思并不亚于其他诸家,而且更具有诗意。庄子就曾这样说过:

> 夫道,有情有信,无为无形;可传而不可受,可得而不可见;自本自根,未有天地,自古以固存。神鬼神帝,生天生地;在太极之先而不为高,在六极之下而不为深,先天地生而不为久,长于上古而不老。(《庄子·大宗师》)

这是他对道的总体认识。当他以道来观照现实时,也会不自觉地讲出不太符合道家身份而更切近儒家身份的话,让人刮目相看。他说:

> 以道观言,而天下之君正;以道观分,而君臣之义明;以道观能,而天下之官治;以道泛观,而万物之应备。故通于天地者,德也;行于万物者,道也;上治人者,事也;能有所艺者,技也。技兼于事,事兼于义,义兼于德,德兼于道,道兼于天,故曰:古之畜天下者,无欲而天下足,无为而万物化,渊静而百姓定。(《庄子·天地》)

可见，庄子并非一个不食人间烟火的清教徒，而是一位对生活有真诚信仰的人。我们今天解读《庄子》，应从他对社会现实的执着关心出发，不可片面夸大他虚无、避世的一面，不然，会对庄子这一古代思想巨擘造成误解。

孔子很早就提出诗的兴、观、群、怨之说，学者们通常把它看作是孔子关于文学价值和作用的认识，应该说，也基本抓住了孔子思想的核心。但是，我们不可片面阐释孔子的政治意图而忽略他的审美思想。仅仅从文学的政治学角度把握孔子的兴、观、群、怨，远远不够，应从审美心理的角度，将之置于立体的视角之中，多元观照，方能洞察这一思想的精髓。孔子的这一思想中，蕴含着他深沉的忧患意识，一种对社会现实的终极关怀精神。

"兴"是指诗的兴发感动力量，朱熹将之注为"感发志意"是有眼光的。但是，诗靠什么来感发人的思想情感？显然不是政治的说教，而应靠其内在的艺术力量，使人们在审美的过程中灵魂受到震动。"兴"作为一种艺术的手段，有委婉含蓄之意，这从郑玄等人对"六诗"（六义）的解释可以深深领悟到。当然，郑玄等人对兴的认识，依托的依然是政治说教，他们说诗的政治修辞学策略应该有其合理性，不可不对之加以重视。孔子"可以兴"之"兴"，显然不同于"六义"之"兴"，两者不是同一层次的概念。很多学者将其混同，就是没有认识清楚两者的差异。概言之，孔子说的"可以兴"之"兴"是就文学（诗）的接受而言的，强调文学（诗）对人们思想情感的打动；六义中的"兴"是就文学本体而言的，言述的是文学本体所固有的艺术特征。这两个"兴"没有直接的关系，绝不可混同。孔子的"兴"已经蕴含了某种道义的内容。

"观"是指诗的认识意义，何晏《论语集解》引郑玄注云"观风俗之盛衰"，不免太窄太实！朱熹说"观"是"考见得失"，与郑玄的意思一样。实际上，"观"的内涵非常宽泛，并不能仅仅局限于社会政治方面，而应扩大到整个现实生活，其中包括人的精神世界。文学艺术作品正是因为展示了现实世界和人的精神世界才具有价值。孔子曾经这样说过："父在，观其志；父没，观其行；三年无改于父之道，可谓孝矣。"(《论语·学而》)又说:"视其所以,观其所由,察其所安。人焉廋哉?人焉廋哉?"(《论语·为政》)这里的"观"都有察言观色之意,察言观色的目的在于了解人的心理世界。孔子就是要洞察人的内心世界,进而深入了解整个社会现实。孔子在说"观"时,有一种非常明显的忧患意识存在。他忧患人伦道德的沦落,想内在地考察人的本质。这样,孔子的"观"具有深沉的心理内容,它本身不是直观的,而是抽象的。

"群"是指诗的团结激励作用,学者们经常引用孔安国的注"群居相切磋"予以阐释,不免语义不明。也有学者认为"群"就是"合群性"[1],似显粗疏。其实,"群"仍指诗对人们的心理影响及感化,它能培养人和谐交往及团结协作的意识,并有一种激励的作用。孔子解诗,向来为我所用。现在看来,他的许多解释不足称道,但是,他的解诗方法,我们今天也可从文学的角度为我所用。我们不知道,在孔子的眼里,哪些诗具有"群"的作用?也很难想象!孔子说:"君子矜而不争,群而不党。"(《论语·卫灵公》)杨伯峻先生注说:"'群而不党'可能包含'周而不比'以及'和而不同'两个意思。"[2] "群"是团结之意,这是借助于诗(文学)培养人的这种心理。在这里,孔子执着的终极关怀精神表现得非常鲜明,他对社会现实怀有深深的道义感和责任感,济世的情怀粲然可观。

"怨"是指诗的忧患意识。孔安国注说的"怨刺上政",仅仅是一个方面,而且是一个较小的方面。其实,就社会现实而言,怨的对象很多,涉及社会生活的方方面面。据杨伯峻先生统计,"怨"在《论语》中出现了20次。"怨"的意义也很多。如"子曰:'放于利而行,多怨。'"(《论语·里仁》)这指的是对不仁不义、违反道德者的怨恨。"入,曰:'伯夷、叔齐何人也?'曰:'古之贤人也。'曰:'怨乎?'曰:'求仁而得仁,又何怨?'"(《论语·述而》)这指的是对不良政治的怨。"子曰:'出门如见大宾,使民如承大祭。己所不欲,勿施于人。在邦无怨,在

---

[1] 参见杨伯峻《论语译注》之《阳货》《卫灵公》篇的译文。
[2] 杨伯峻:《论语译注》,中华书局,北京,1982年,第166页。

家无怨。'"(《论语·颜渊》)这指的是对不良政治的怨和个人恩怨。可见，孔子"怨"的内涵非常丰富，以"仁"为统领，涉及社会现实生活的方方面面，其中包括男女情怨。"怨"囊括了悲剧的因素，表现在文学作品中，并不单纯地是一种怨的情绪的演绎，而是将许多有价值的东西撕碎给人看。这是一种极其深沉的忧患意识。这种意识，在后世被进一步发挥，成为一个意义深远的文艺学、美学命题。

《诗经》中的怨诗占有很大比例，除颂无怨诗之外，风、雅的怨诗皆写得哀艳感人，颇具悲剧色彩，如《卫风·氓》《王风·黍离》《小雅·采薇》等。这均与道的失落有很大关系。《卫风·氓》哀叹的是夫妇之道的沦落；《王风·黍离》是一个时代悲剧的象征[①]；《小雅·采薇》是对战争悲剧的控诉。这些内容均是传统意义上的道。造成这些悲剧的原因是王道的衰败、人伦的颓废。孔子正是站在这个立场上评价《诗经》的："诗三百，一言以蔽之，曰思无邪。"(《论语·为政》)这把握了"诗三百"对社会现实的终极关怀意旨。

屈原是执着社会现实、关怀社会现实的杰出典范。他是把对楚国王政的忧虑与自己身世的沉浮联系在一起。现实的不平积于内而发于外，他的诗篇篇弥漫忧国忧民的情思和对自己怀才不遇的愤懑。《离骚》作为屈原的代表作，是对他所处时代的抒写。司马迁这样评价《离骚》："屈平之作《离骚》，盖自怨生也。《国风》好色而不淫，《小雅》怨诽而不乱。若《离骚》者，可谓兼之矣。上称帝喾，下道齐桓，中述汤武，以刺世事。明道德之广崇，治乱之条贯，靡不毕见。"(《史记·屈原贾生列传》)而屈原自己则从创作发生心理学的角度现身说法，指出自己创作的缘起是由于愤懑。《惜诵》云："惜诵以致愍兮，发愤以抒情。所作忠而言之兮，指苍天以为正。"这种愤懑，一方面包含私人的情绪，是表现自己"信而见疑，忠而被谤"的态度；另一方面，也是更为广阔的方面，是对怀王疏于治乱、辱没楚国的愤慨，是对楚国沦丧的哀痛。屈原之所以名垂青史，正是因为他的这些"发愤

[①]《王风·黍离》是一首"闵宗周"诗。刘勰《文心雕龙·时序》云："幽厉昏而《板》《荡》怒，平王微而《黍离》哀。"即是此意。

以抒情"的诗篇所表现出的终极关怀精神,为后世的文学创作树立了一个光辉的典范。

司马迁一方面高扬屈原精神,另一方面总结了中国古代的著述传统,强调现实的悲剧对人情感的激发作用。他以古代贤人的磨难比附自己灵魂躯身的遭辱,指出《史记》也是发愤之所为,寄寓了自己的愤慨之思。他说:

> 于是论次其文。七年,而太史公遭李陵之祸,幽于缧绁,乃喟然而叹曰:是余之罪也夫!是余之罪也夫!身毁不用矣!退而深惟曰:夫《诗》《书》隐约者,欲遂其志之思也。昔西伯拘羑里,演《周易》;孔子厄陈、蔡,作《春秋》;屈原放逐,著《离骚》;左丘失明,厥有《国语》;孙子膑脚,而论兵法;不韦迁蜀,世传《吕览》;韩非囚秦,《说难》《孤愤》;《诗》三百篇,大抵贤圣发愤之所为作也。此人皆意有所郁结,不得通其道也,故述往事,思来者。(《史记·太史公自序》)

寄寓愤慨是心理和情感的动力,这种心理和情感在文章中有鲜明或隐约的表现,它有一个非常明确的意旨,那就是"述往事,思来者",希望对后世有警示作用,能激发人们的同情和反思,这才是最重要的。

司马迁和屈原的发愤有一个明显的不同,那就是,屈原现身说法,直抒胸臆,情感的表现沉痛而直接;而司马迁则是通过对前代历史的客观描述展示自己的胸襟,尽管时时夹杂对史实的评论,但情感意向基本隐约,并不妨碍他寄寓自己的情思。《史记》虽然是一部古代通史,但是,由于它奇妙的叙事方式,具有很高的文学价值和美学价值。

究其实,无论是屈原的"发愤以抒情"还是司马迁的"发愤著书",都是怨的情思表现,怨所体现的悲剧精神由于其感天动地的情感力量具有实质性内容,往往掩盖了文学艺术的其他用途,成为对社会现实终极关怀的一种表征。在中国古代,这种怨的情思对文学艺术创作的推动意义重大。许多理论家都深悟这一理论的价值,这一理论也被不断地多角度阐发,在每一时代都被赋予新的内涵。

在汉代,对怨的情思的发掘,除了表现在对屈原创作的评价之上,还具体呈现在对人自身的心理和需求的渴望上。班固曾经敏锐地指出乐府诗有"感于哀乐,缘事而发"的特点和其所具有的"观风俗,知薄厚"(《汉书·艺文志》)的作用。何休也明确认识到现实生活对人的情感的激发:"男女有所怨恨,相从而歌。饥者歌其食,劳者歌其事。"(《春秋公羊传·宣公十五年解诂》)情感和生理的欲望得不到满足时,便会产生怨,并通过文学艺术表现出来。可见,文学艺术是发泄心理怨恨、弥补现实缺失的重要手段。它能给人以充分的情感和精神的满足。这样,我们又不得不再一次进入韩愈"不平则鸣"的体会。

在上一节,我们已经指出,韩愈的"不平则鸣"是在文道观念的统帅下,从具体的文学创造出发所提出的一种重要的创作心理学思想。这种思想对文学创作的意义重大。首先是基于它所包蕴的强烈的终极关怀精神。韩愈以充满诗意的语言描述了历代社会的发展与文的关系。他说:

> 周之衰,孔子之徒鸣之,其声大而远。传曰:"天将以夫子为木铎。"其弗信矣乎!其末也,庄周以其荒唐之辞鸣。楚,大国也;其亡也,以屈原鸣。臧孙辰、孟轲、荀卿,以道鸣者也。杨朱、墨翟、管夷吾、晏婴、老聃、申不害、韩非、慎到、田骈、邹衍、尸佼、孙武、张仪、苏秦之属,皆以其术鸣。秦之兴,李斯鸣之。汉之时,司马迁、相如、扬雄,最其善鸣者也。其下魏、晋氏,鸣者不及于古,然亦未尝绝也。(《送孟东野序》)

这里,尽管韩愈的认识存在着缺陷(如他对魏晋文学的认识),但是,他的文学与社会现实及历史关系的思路却是正确的。首先,无论是鸣其衰还是鸣其兴,都表现出对社会历史的终极关怀,表现了作家的责任感和道义感。其次,韩愈"不平则鸣"的思想特别重视对社会现实的批判。从他对孔子、庄周、屈原等人的评判中可以看出,"郁于中而泄于外"对文学艺术的创作是多么重要,特别强调鸣其不平。这个"不平",一个重要的内涵是指时代伦理道德的沦丧,是导致国家衰落的最根本原因。文学作品应着眼于社会的发展,以忧虑天下为己任,补时救弊。韩愈说:"故士之行道者,不得于朝,则山林而已矣。山林者,士之所独善自养,而不忧天下者之所能安也;如有忧天下之心,则不能矣。"(《后廿九日复上书》)"行道者"以天下为忧,是因为天下失道,道不得行。在这种状况下,"行道者"的生命方向有两条:一条是以身殉道,另一条是归隐山林。无论哪一条路,结局都是一样的,都意味着生理生命的消失或政治生命的终结,也往往隐喻一个时代的终结。可见,鸣其不平是文学担当道义的一条重要途径。再次,这种不平之鸣乃是作家、艺术家的心理和情感的回应。现实对个体情感和心理的刺激是直接的、残酷的,特别是恶劣的现实刺激会给个体留下深深的心理伤痕。只要这种现实的刺激之源是非道义的、不公正的,只要被刺激的对象是有文学艺术才能的,必定会在文学艺术作品中得到表现。作家、艺术家在表现这种现实时注入了自己浓郁的情感体验,以真情打动人,具有强烈的艺术震撼力。故而,韩愈说"穷苦之言易好"。这种理论在中西文学艺术创作理论中都有较为充实的论证。从"愤怒出诗人"到"文学是苦闷的象征"这些西方的至理名言中,可以体会到人类文学艺术创造的共同心理。对于这一问题,中国古代的理论阐述尤其丰富与充实,值得认真总结。

不平之鸣表现了对社会现实的终极关怀精神,展现了作家、艺术家的济世情怀。这种精神和情怀体现在个体的不平和穷苦的生活经历之中,没有曲折而艰难的生活经历,没有真切而细腻的艺术体验,很难取得艺术上的成功。中国古代强调作家、艺术家要有穷苦的生活阅历,并非要求所有的作家、艺术家都去自觉地、有意识地制造穷苦、体验不平,而是强调现实的促成。欧阳修就从这个角度去认识问题。他说:

> 予闻世谓诗人少达而多穷。夫岂然哉?盖世所传诗者,多出于古穷人之辞也。凡士之蕴其所有,而不得施于世者,多喜自放于山巅水涯,外见虫鱼草木风云鸟兽之状类,往往探其奇怪;内有忧思感愤之郁积,其兴于怨刺,以道羁臣寡妇之所叹,而写人情之难

言;盖愈穷则愈工。然则非诗之能穷人,殆穷者而后工也。(《梅圣俞诗集序》,《欧阳文忠公文集》卷四十二)

对于诗人来说,其"忧思感愤"堆积愈厚、愈典型,创作就愈成功。所谓"愈穷则愈工"并非强调穷苦和诗工成正比例对应关系,而是强调典型性,即诗人穷苦经历的典型意义。倘若穷苦的经历与前人相似,而作品又不能用独特的抒情叙事角度表达一种别样的思想感情,尽管穷苦,也没有什么意义。可见,"穷而后工"的文学艺术创作命题也存在一个辩证的问题。

苏东坡又提供了一个看问题的角度。他不说诗穷而后工,反说"诗能穷人"。他分析说:

诗能穷人,所从来尚矣,而于轼特甚。今足下独不信,建言诗不能穷人,为之益力,其诗日已工,其穷殆未可量。然亦在所用而已。不龟手之药或以封,安知足下不以此达乎?人生如朝露,意所乐则为之,何暇计议穷达,云能穷人者固谬,云不能穷人者,亦未免有意于畏穷也。(《答陈师仲书》,《经进东坡文集事略》卷四十五)

苏轼承认"诗能穷人"这种观念具有两面性,要求"意所乐则为之",不特计议穷达。可见,"诗能穷人"的因果关系不如"诗穷而后工"的因果关系牢固,前者强调客体诗的主导作用,后者则强调主体心的主导作用。作为创造主体的人,本身是鲜活的、有生机的,现实的社会生活能激发人的无限创造力。

文学艺术以弘扬道义为己任,除了与作家、艺术家自身的才能有关之外,创作的工与不工还与个人的生活阅历有很大关系。韩愈和欧阳修特别强调穷苦的生活遭际对人情感心理的激发,提倡文学艺术对社会现实的终极关怀。戴表元似乎又进了一步,他对"穷而后工"的文艺学命题又有新的阐发。他说:

人尝言:作诗惟宜老与穷。彼老也,穷也,事之尝其心者多矣,故其诗工。人孰不愿其诗工,而甚无乐乎老与穷,则夫诗之必至此而工者，人之见之宜相吊以悲，而顾好之，何哉？曰：天固以是慰之也。天以是慰之，则凡人之得工于诗者，命也，非其性能也。诗之工非其性能而有挟之者，是挟命欤？曰：是亦人也。人少而好之，老斯工矣；其穷也亦好之，而诗始工也。其不好者，虽老且穷犹不工也。人之好工其诗，且好老与穷欤？余亦好老而穷者也，然亦适遭之也。(《周公谨弁阳诗序》，《剡源戴先生文集》卷八)

老与穷是人生的生存规律，也是人可贵的生活阅历。老是一种自然现象，任何人都逃不过这一关；穷则因多方面因素的促成，或自然因素，或人为因素。对诗人来说，这都是宝贵的。人年老而又穷困之时，激赏其内心往事的机会便多了起来，有独特创作才能的人，便能充分利用这些丰富的生活阅历，写出悲壮的诗篇，历代传颂。而对于没有创作才能的人来说，老而穷的生活境遇只能留下心灵的折磨和悲哀，没有什么意义。戴表元特别强调"诗人之材"对创作的作用，认为徒有穷苦的生活阅历而没有创作才能的人是不能创造的。

人之能以翰墨辞艺行名于当时者，未尝不成于艰穷，而败于逸乐。何者？材，动物也。诗人之材，其于翰墨辞艺，动之尤近而切者也。彼其营度于心思，绵历于耳目，讽咏于口吻。辛苦锻炼，百折而后以其成言，裁决而出之，而诗传焉。其得之也勤，其发之也精。使有一毫昏愈眩惑之气干之，则百骸九窍，将皆不为吾用，而何清言之有乎？今夫世俗，膏粱声色，富贵豪华，奉养之物，固昏愈眩惑之所由出也。(《吴僧崇古师诗序》，《剡源戴先生文集》卷九)

只有主体的阅历和创造结合在一起，才能达到工的目的。

"穷而后工"是中国古典文艺学关于创作心理研究的有意义的论题，它昭示了文学艺术对社会现实的终极关怀精神，直至明清，仍屡有阐发。李贽云："一旦见景生情，触目兴叹；夺他人之酒杯，浇自己之块垒；诉心中之不平，感数奇于千载。"(《杂述·杂说》，《焚书》卷三) 黄淮云："先儒论诗，以为穷而后工。近古以来，若李白、杜甫、柳子厚、刘禹锡诸名公，其述作皆盛于困顿郁抑之余，至今脍炙人口。"(《省愆集序》,《皇明文衡》卷四)纪昀云:"兴、观、群、怨之旨,彼且乌识哉?是集以不可一世之才,困顿偃蹇,感激豪宕,而不乖乎温柔敦厚之正,可谓发乎情、止乎礼义者矣!穷而后工,斯其人哉!"(《俭重堂诗序》,《纪文达公遗集》卷九)这充分说明这一创作心理论题的重大理论价值。我们今天考察文与道所包蕴的文学与现实的关系,不能不重拾这一问题。

对社会现实的终极关怀是中国古典文艺学文与道理论所揭示的一个重要内容。关心现实、批判现实,在古人眼中是达道之途。文学艺术唯有揭示现实的本质并充分表达真实的情感,方具有审美价值,方能体现作家、艺术家的责任和道义,进而表现出作家、艺术家的终极关怀。

第三章 言志与缘情：
文艺本质的双重规定

　　文艺的本质是什么？这个问题至今仍很难回答。西方的文艺理论研究者往往力图从语义分析的角度对这一问题进行解答，认为文艺的本质是虚构，是想象，是美感距离、无为的观照等[①]，但是，每一种解答都不能让人满意，仍给人留下种种疑窦。可见，文艺的本质是文艺学中的一个难题。中国古代文、史、哲没有鲜明的界限，文艺观念相对淡漠，要想真正解决文艺的本质问题谈何容易！然而，经过长期摸索和悉心体悟，古代的文艺理论家们仍做出了自己的努力。先是提出了"言志"说，进而补充为"缘情"说，讲究情、志并重，较为深入地阐述了文艺的本质特征。在中国古代，言志和缘情是两条相互交织的线。它们之间虽然有鲜明的界限，但重合之处也很多，在具体的理论言说中，往往将其合而为一，表现出有趣的趋同。这实际上是力图糅合不同哲学背景下的各家各派的思想，给文艺的本质以一个折中的说法。文艺的本质涉及的范围较为广泛，仅仅以"志"或"情"予以概括确实不准确，问题很多。中国古代"情"和"志"的对立就充分暴露出这些理论所存在的问题。但是，我们无论如何也不能忽视古人为理解文艺的本质所做的理论和实践上的努力。

第一节 "诗言志"的诗性阐释

　　"诗言志"的观念产生于文学观念混沌的时代。"诗"具体所指

[①] [美]韦勒克、沃伦：《文学理论》第二章，刘象愚等译，生活·读书·新知三联书店，北京，1986年。

究竟为何？一种较为普遍的看法是今本《诗经》。这里存在很多问题难以理解：其一，"诗"的本义是什么？从古文字学的发展历程中能否有效地弄清"诗"之本义，进而廓清先秦的"诗"的观念？其二，"志"的本义是什么？先秦时期把"诗"与"志"联系在一起，起因何在？"诗"与"志"之间到底是一种什么关系？其三，"诗言志"是具体针对"诗三百"文本还是整个诗歌创作？最早提出这一理论观念的应是哪部典籍？"诗言志"是怎样成为中国古典文艺学的纲领的？这些，都是我们在认识"诗言志"时必须考虑的。

"诗言志"是先秦时期的一种重要的文学理论观念，完整记载这一观念的是今文《尚书·尧典》。据古今学者考证，《尚书》各篇成书时代不一，绵延于西周至西汉这一漫长的历史阶段。著名历史学家顾颉刚认为《尧典》为汉人所作。①陈梦家考证今本《尧典》是秦代的官本，是齐、鲁儒者所定。②陈良运参之以先秦典籍，如《左传》《论语》《孟子》《荀子》及汉之《毛诗序》（《诗大序》）推断，舜曰"诗言志"应予否定。③否定了《尧典》的真实性存在，并不否定"诗言志"的文艺学命题。在先秦，言志观念被屡屡阐发，足以证明"诗言志"的提出实有缘起。《左传·襄公二十七年》载郑伯宴请赵孟，子展、伯有、子西、子产、子大叔、二子石（印段、公孙段）侍宴，赵孟建议七子赋诗言志，子展等人分别赋《草虫》《鹑之贲贲》《黍苗》《隰桑》《野有蔓草》《蟋蟀》《桑扈》等诗。伯有因与郑伯有隙，赋诗讥刺。事后，文子告诉叔向："伯有将为戮矣。诗以言志，志诬其上，而公怨之，以为宾荣，其能久乎？幸而后亡。"这里的"诗以言志"应从两方面理解：一是赋诗言志；二是听诗观志。两者都是借助于"诗三百"这一文本来实现的。这是先秦用诗的普遍做法。《左传》是一个相对可靠的文本，它提出的"言志"必定事出有因。究竟这个因是什么？是一个颇费思量的问题。要给这个问题理出点头绪，恐怕还是应从古文字及远古

---

① 顾颉刚：《古史辨》（第一册），上海古籍出版社，上海，1982年。在其他相关著作中，顾氏也反复申述这一点。
② 陈梦家：《尚书通论》，中华书局，北京，2005年，第132页。
③ 陈良运：《中国诗学体系论》之"言志篇"，中国社会科学出版社，北京，1998年。

文化入手，探究"诗"的起源及功能。

不少研究者都发现了这么一个事实：已经被解读的数千个甲骨文和金文中，还没有发现"诗"字。"诗"字大概出现在西周时期。《诗经》中共出现了三个"诗"字，分别见于《小雅·巷伯》《大雅·卷阿》和《大雅·崧高》，但是，《诗经》里已经多次出现有关作诗的字眼。朱自清先生做了一个统计，他说："至于《诗经》中十二次说到作诗，六次用'歌'字，三次用'诵'字，只有三次用'诗'字，那或是因为'诗以声为用'的原故；《诗经》所录原来全是乐歌，乐歌重在歌诵，所以多称'歌'、'诵'。"①以此可以意推，在《诗经》之前已经存在诗的形式，而"诗"字虽没有出现，必定有一个与其相近的字代替它，这个字的本义即是诗。为此，叶舒宪经过精心研究，从杨树达关于"诗"字的释义中受到启发，得出结论："'志'当是'㞢'，与'寺'之同意假借，'㞢'和'寺'才是构成'诗'概念的核心和主体。或者说'寺'是'诗'概念形成之前最接近它的概念。"②

杨树达从许慎的《说文解字》出发释诗，根据《尚书·舜典》的"诗言志"和《礼记·乐记》的"诗言其志也"反推："盖《诗》以言志为古人通义，故造文者之制字也，即以言志为文。其以㞢为志，或以寺为志，音同假借耳。"③这里运用的恰恰是后出的文献，以此来证明诗的本义有多大的有效性？这有很多疑问。但是，从另一方面也说明，后人在造"诗"字时，是充分考虑到诗字的表意特点的，将它看作人的志意表达的一种形式。故而，许慎《说文解字》云："诗，志也。从言，寺声。"这并不是许慎的发明，只不过是他总结归纳文字的发展演变而得出的结论。

既然诗和寺、志相通，那么"诗言志"可能就是"诗言寺"的深化。"诗言寺"言述的"诗"字的造字方法，是依据中国远古文化的

---

① 朱自清：《诗言志辨》，华东师范大学出版社，上海，1996年，第13页。
② 叶舒宪：《诗经的文化阐释》，湖北人民出版社，武汉，1998年，第137页。
③ 杨树达：《释诗》，《积微居小学金石论丛》（增订本），中华书局，北京，1983年，第26页。

发展和文字创造的表意特征，诗乃是寺人之言。①叶舒宪通过运用三重例证法对寺进行破解之后，有力地指出："汉语中'诗'的概念与'谣'、'歌'等有不同来源。它最初并非泛指有韵之文体，而是专指祭政合一时代主祭者所歌所诵之'言'，即用于礼义的颂祷之词也！"②这种对文化追根究底的精神非常可贵！但是，我们也要注意这个事实：既然人们已经改造了"言寺"为"言志"，除因为寺、志相通而外，恐怕还有一个用诗的考虑，那就是为了充分发挥诗的礼义教化功能。"言志"在不违背诗之本旨的状况下又能明确诗的功能，成为一个响亮的口号亦属必然。我们不能鄙视从先秦至朱自清《诗言志辨》以来为解决诗的本质特征所做的努力。"诗言志"已经成为中国古典文学创作的一个优秀传统。这一观念，即使在西方也能找到同样的诗学回应。这就充分证明，人类的诗心有相通之处。

"诗言志"最早的出处是《左传》，是作为用诗的一个范例并作为史实加以记载的。"诗以言志"是对《诗经》的评价、认识，其内涵有二：一是说《诗经》是用来表达志的；一是说借助于《诗经》来表达志。如果从这一段用诗的记载本身看，确像一些学者所言，这里的"诗以言志"是从接受的角度言述的。但是，在当时人们的观念中，用诗综合赋诗、赏诗、创作为一体，赋诗即是赏诗，即是创作，单单从接受的角度来认识《左传》中的"诗以言志"显然不够全面。"诗以言志"乃是对《诗经》的本质的认识。

先秦时期的普遍做法是将"诗三百"神圣化，进而，将诗这种文体形式神圣化。一般的人只能运用"诗三百"，而不能另创新诗，因此，用诗也就是创作，只不过这种创作不是语言文字上的，而是志意上的。先秦时期产生了许多行为，诸如献诗、赋诗、教诗等，都可以看作是一种创作行为，这些行为得到普遍的认可。正是因为先秦人将诗神圣化，导致战国以前诗歌创作成为空白，遏制了文学创作的发展。这是中国文学史的可悲事件，直到屈原才打破诗歌创作的僵局。

---

①叶舒宪：《诗经的文化阐释》第三章，湖北人民出版社，武汉，1998年。叶氏认为，"言志"为"言寺"之假借，数千年来关于"诗言志"的讨论实为误导，诗为寺人之言。
②同上书，第158页。

由于先秦的诗歌创作主要体现在用诗上,志意是创新的一个标志,这样,我们不得不转入对"志"的讨论,看看先秦典籍中反复言述的"诗以言志"及类似观念中"志"的内涵到底是什么,以便能准确把握早期文学观念中对文学本质特征的认识。

前文我们引述了杨树达先生的观点,志与㞢、寺为同音假借。志的古文是"㞢"。《说文解字》云:"志,意也,从心,之声。""之"亦即古文"㞢"。在甲骨文和金文中,依旧不见"志"字出现,只有"㞢"字。"志"字出现之时,恐怕"诗"字也出现了,两个字已不是相互替代的假借字,乃至读音也渐趋分别。以此推测,"诗"、"志"出现以后的"诗言志"与"诗言寺"的意义已有了根本的不同。

闻一多先生于"志"特别留意。他说:"志有三个意义:一记忆,二记录,三怀抱,这三个意义正代表诗的发展途径上三个主要阶段。"①又说:"志字从㞢。卜辞㞢作㞢,从止下一,像人足停止在地上,所以㞢本训停止。卜辞'其雨庚㞢'犹言'将雨,至庚日而止'。志从㞢从心,本义是停止在心上。停在心上亦可说是藏在心里,故《荀子·解蔽篇》曰'志也者臧(藏)也',《注》曰'在心为志',正谓藏在心,《诗序》疏曰'蕴藏在心谓之为志',最为确诂。藏在心即记忆,故志又训记。"②非常可贵的是,闻一多先生将"志"看作是人心的产物,是"停在心上"或"藏在心里"的人的情感和意识活动。这便回应了《说文解字》里"志,意也"的释义,也为我们更好地解开"志"之奥秘提供了一把钥匙。

《左传·襄公二十七年》记载郑伯宴请赵孟时,子展等七人赋诗表达了各自志向的史实,对此,陈良运在他的《中国诗学体系论》中分析得颇为细致,我们无须饶舌。需要申述的是,子展等人的赋诗都有他们的动机:或对来宾表示欢迎,或赞美来宾的功绩,或表示与来宾永结同好,或勉励来宾戒骄戒躁、保持美德等。这些都被赵孟视为各人之"志"。上述赋诗所表现出来的志是《诗经》各诗的思想内容,子

---

① 闻一多:《歌与诗》,《神话与诗》,华东师范大学出版社,上海,1997年,第201页。
② 同上书,第201~202页。

展等人只是转述而已。当然,各人又寄寓着自己的情感意向,包括当时规范的伦理、道德和礼义方面的内容,这便是子展等人的志。综观先秦典籍关于用诗的记载,借助于"诗三百"文本言志的比比皆是。不能忽视的是,其中存在着对"诗三百"文本严重的歪曲与误读。在当时人的眼里,这是一种合情合理的行为。比较典型的是《左传·隐公三年》的一段记载:"卫庄公娶于齐东宫,得臣之妹曰庄姜,美而无子,卫人所为赋《硕人》也。"《硕人》一诗确是描写美人之美,但这首诗是否附会庄姜之事?不得而知。从诗所描写的"齐侯之子,卫侯之妻,东宫之妹,邢侯之姨"诗句看,似与庄姜身份相符,但整诗极度渲染女子的貌美、高贵,通篇表达的尽是赞美的感情,并没有哀叹、怜惜之意。如果说,该诗的创作缘起是庄姜"美而无子",那么,这首诗可归为怨诗之列,但是,我们实在找不出任何怨的蛛丝马迹。孔子更是离奇!他把"手如柔荑,肤如凝脂,领如蝤蛴,齿如瓠犀,螓首蛾眉,巧笑倩兮,美目盼兮"几句描写美人特征的诗看作是对礼的赞美,要求学生去臆测、附会,实在难以说服人。可以说,孔子真正曲解了诗人之志,把自己的志意、思想附加于诗,这便不是真正地说诗,而是借助于诗说他那些抽象而教条的礼了。

先秦赋诗一般有两个动机:一是讽刺,二是颂美。但是,无论是讽刺还是颂美,都不一定符合"诗三百"文本之意,往往赋诗断章,只取其中对赋诗者有用的一两句诗或几句诗,不是采用全诗之意。这样,先秦的用诗具有很大的随意性。也就是说,赋诗者用诗只挑选切近于自己志意的一两句或几句诗借以表达志意,实现赋诗的目的。

讽刺是对某事或某人表达嫌恶的感情。先秦的用诗多带有政治或伦理、道德的倾向,而且,往往是以政治或伦理、道德的观点统领嫌恶的情感。在具体表达上是委婉的、温柔敦厚的,故后人谓之"美刺"。前文引述的《左传·襄公二十七年》的史实,伯有赋《鹑之贲贲》,赵孟马上听出了伯有的讽刺之意。他说:"床笫之言不逾阈,况在野乎!非使人之所得闻也。"该诗的核心是"人之无良,我以为兄"和"人之无良,我以为君",伯有以此表达他对郑伯的怨恨。再如《左传·成公八年》的一段史实,记载鲁、齐两国本来为争夺汶阳之地就有很深的矛盾,晋国作为当时的霸主曾在中间调解,先是主张齐国归还汶阳于鲁国,后来因为晋国本国的利益又要求鲁国还回来。于是季文子批评晋国背信弃义,又引用《诗经·卫风·氓》表达自己的怨恨:"女也不爽,士贰其行。士也罔极,二三其德。"在我们今天看来,这是一种非常可笑的做法,但在当时,却被视为极文雅、极有分寸的行为。讽刺表现的委婉和温柔敦厚正是借助于用诗体现出来的。这是因为,借助于"诗三百"文本表达讽刺之意本来就是一种间接的行为,而且,"诗三百"文本在当时被视为一个真理性文体,它的温柔敦厚是公认的。后来的《礼记·经解》云"温柔敦厚,诗教也"就是对前人看法的归纳和总结,也是赋诗之人通过表达志意所透露出来的深厚内容。

颂美是对某人或某事的歌咏与赞美。在先秦,这同样带有很强的政治和伦理道德的倾向。颂美的情感往往是热烈而含蓄的,也是委婉和温柔敦厚的,这是赋诗者志向的一种表现。《左传·隐公元年》曾记载了庄公和母亲姜氏母子和好的史实。因庄公寤生,导致姜氏在情感上讨厌他,做出一系列不符合情理的事。庄公发誓不及黄泉不与她相见,尔后反悔,认为这一誓言有背伦理。在颍考叔的劝导下,遂于地道之中与母亲相见。"公入而赋:'大隧之中,其乐也融融。'姜出而赋:'大隧之外,其乐也洩洩。'"我们可以将之作为一个特例。这里的赋诗,并非引用"诗三百"文本,而是即兴创作,赞美母子和好,极为真切地表达了赋诗者的志向,同样具有委婉的特点。这种即兴创作在先秦是极为少见的。《左传》叙述了庄公母子和好之后,有一段赞美颍考叔的话:"君子曰:颍考叔纯孝也!爱其母,施及庄公。《诗》曰:'孝子不匮,永锡尔类。'"这里的"《诗》曰"是指《大雅·生民·既醉》篇,断章取义地赞美颍考叔的行为符合孝道,认定这是人间淳美的人伦道德。

在讽刺和颂美之外,先秦赋诗的一种流行的做法是根据自己的需要,或表达志向,或表达理想,或进行某种预测等。如《左传·僖公二十三年》记载秦穆公宴请晋公子重耳时,重耳赋《沔水》,秦穆公则赋《六月》,各言尔志。《沔水》云:"鹤鸣于九皋,声闻于野。鱼潜在渊,或在于渚。乐彼之园,爰有树檀,其下维萚。它山之石,可以为错。"重耳赋此诗,意在表明回国的愿望,希望秦国给予帮助。秦穆公赋《六月》,借赞美尹吉甫辅佐宣王征伐狎狁之事,预言重耳回国后定能成就大业,名垂青史。

从上文的言述中,我们可以看出,先秦赋诗、引诗都是借助于"诗三百"文本表达志意。这种志意包含着浓烈的情感成分,但主要还应指与政治、伦理、道德有关的抱负。这种抱负不一定是"诗三百"文本所固有的,而是赋诗、引诗者将之运用于某种政治事件、伦理道德事件的结果,从而给文学的情感蒙上阴影。这就决定"志"不完全是文学的,"志"作为一种文学艺术,本质范畴存在着明显的局限,但是对后世又影响深远。

非赋诗、引诗的即兴创作,我们已经列举了庄公母子和好时的歌咏:"大隧之中,其乐也融融"、"大隧之外,其乐也泄泄"。那种母子和好的欢乐情感都寄寓在大隧上,极为真切。这可视为赋诗言志的典范。而到了战国之际,屈原的创作成为"言志"的最初实践,他是第一位自觉作诗言志的诗人。在他的诗作中,大量运用了比兴的手法(象征、比喻),多视角地表达了自己的理想、情感和志向。他的诗歌是继《诗经》之后我国诗歌创作的高峰,由于是第一位自觉的文人创作,更显得可贵。屈原曾反复言述作诗以言志。《惜诵》云:"忠何罪以遇罚兮,亦非余心之所志。"《抽思》云:"羌中道而回畔兮,反既有此他志。"《怀沙》云:"离闵而不迁兮,愿志之有像。""定心广志,余何畏惧兮。"这里的"志"均有志意、志行、志向、志愿之意。更为奇特的是,屈原情志并举,有时二者并没有鲜明的区别。如《惜诵》:"惜诵以致愍兮,发愤以抒情。"王逸注:"言己身虽疲病,犹发愤懑,作此辞赋,陈列利害,泄己情思,以风谏君也。"(《楚辞章句》)《惜诵》:"言与行其可迹兮,情与貌其不变。"王逸注:"志愿为情,颜色为貌。"(楚辞章句)志和情可以相互置换。屈原抒情即言志,言志即抒情,二者已没有什么区别。可见,屈原已经不自觉地改造此前的言志观,使之更切合文学艺术创作的实际,通过他亲身的文学创作实践,在广阔的诗学背景下奠定了情志一体化的基础。从此,诗言志也有了更为诗性的内涵。

差不多与屈原同时的荀子是"诗言志"观念发展历程中的一个关键人物。他的关键性并不仅仅在于他也是一位较早的作诗言志的诗人。他曾经创作了《成相》《佹诗》等新体诗歌,并借此表达自己的志向,具有讽刺、批判的特点,"显然是有意对《诗》的模拟"①。可以说,这一做法顺应了文学发展的潮流,呼唤文学创作的繁荣,具有一定的意义。应该说,屈原在此方面比荀子出色得多,因此,荀子不算典型。然而,荀子的关键性却在于对"诗言志"内涵的理论充实上,"诗言志"之能成为一个重要的创作和批评观念,与他的深刻演绎有很大的关系。

《荀子·儒效》云:

> 圣人也者,道之管也。天下之道管是矣,百王之道一是矣,故《诗》《书》《礼》《乐》之归是矣。《诗》言是,其志也;《书》言是,其事也;《礼》言是,其行也;《乐》言是,其和也;《春秋》言是,其微也。故《风》之所以为不逐者,取是以节之也;《小雅》之所以为《小雅》者,取是而文之也;《大雅》之所以为《大雅》者,取是而光之也;《颂》之所以为至者,取是而通之也。

他首先讨论了道与圣的关系,从主体主宰的角度肯定圣人是"道之管",天下与百王之道皆出自圣人。接着,他讨论了《诗经》《尚书》《礼记》《乐记》《春秋》与圣、道的关系,认为它们表达的皆是圣人之道。《诗经》记载的是圣人的志向;《尚书》记载的是圣人的事迹;《礼记》记载的是圣人的行为;《乐记》记载的是中和之音;《春秋》记载的皆微言大义。这五种典籍被后人称为训导和规范人们言行的准则。最后,荀子特别论述了《诗经》。《诗经》由风、大雅、小雅、颂组成。它既然记载的是圣人的志向,那么,在表达圣人之志时,各部分具有不同的功能。风之所以不陷于流荡无礼,是因为有圣人用圣人之道在制约着;小雅之所以成为小雅,是因为有圣人用圣人之道在修

---

① 陈良运:《中国诗学体系论》,中国社会科学出版社,北京,1998年,第42页。

饰它;大雅之所以成为大雅,是因为有圣人用圣人之道在光大它;颂之所以成为诗之极致,是因为有圣人用圣人之道融通它。荀子把《诗经》看作是寄寓并弘扬圣人之道的最高典范,对之推崇备至,实开后世明道、宗经、征圣之先河,为扬雄和刘勰的理论提供了强有力的支撑。从此可以看出,荀子"《诗》言是,其志也"的核心就是强调诗应表达儒家的政治伦理道德思想。圣人是指以文王、周公、孔子为代表的先儒,"志"即是儒家的政治伦理道德思想。

然而,荀子也同屈原一样,是一位情、志并重的倡导者。他也强调情为人情所不免:"性者,天之就也;情者,性之质也;欲者,情之应也。以所欲为可得而求之,情之所必不免也;以为可而道之,知所必出也。"(《荀子·正名》)但是,并没有真正地将"情"的观念贯穿到"志"的观念中去。在他的文艺思想中,"情"与"志"基本是分离的,"志"居于统领的地位。这又显示出他与屈原的差异。《荀子·乐论》是一篇述情的理论文字,其中讨论了乐的特征:"夫乐者,乐也,人情之所不免也。"但很快便转入了实质性的内容:"故人不能不乐,乐则不能无形,形而不为道,则不能无乱。先王恶其乱也,故制雅、颂之声以道之,使其声足以乐而不流,使其文足以辨而不諰,使其曲直、繁省、廉肉、节奏足以感动人之善心,使夫邪污之气无由得接焉,是先王立乐之方也,而墨子非之,奈何!"(《荀子·乐论》)这里又是言志了。荀子以"志"统"情"的思想在中国漫长的文艺学史上有巨大的威慑力,很多理论家不敢越雷池一步,在很大程度上制约了古人对文艺本质特征认识的深入。

将荀子的文艺观糅合为一部完整的诗学理论典籍为汉代产生的《毛诗序》(《诗大序》)。这篇诗歌理论情志并举,并做了相对完整的阐发,从而确立了儒家诗学的创作原则。其云:

  诗者,志之所之也,在心为志,发言为诗。情动于中而形于言,言之不足故嗟叹之,嗟叹之不足故永歌之,永歌之不足,不知手之舞之,足之蹈之也。

沿袭先秦"诗以言志"的观念而又有所申发,《毛诗序》认为,诗是因志的激发才产生的。诗存在于人的心里是志向,用语言表达出来就成为诗。同时,诗的产生又是"情动于中而形于言"的,自始至终都有情感参与。这样,《毛诗序》将情、志一体化,在诗、乐、舞统一的大背景下,高扬"情动于中"的意义,这的确是古代文学观念的深化。《毛诗序》整合了此前关于诗的看法并做了自己的发挥,为深入认识文艺本质特征奠定了重要的基础。

《毛诗序》在倡言"情动于中"时,并没有抛弃自《左传》以来的诗歌教化观念。它主张诗应发挥讽刺功能,"上以风化下,下以风刺上";同时,要求诗人要明察国家政治、伦理、道德得失的迹象,"伤人伦之废,哀刑政之苛,吟咏情性,以风其上",论证诗应是"发乎情,止乎礼义"的。"情"不能超越礼义的限制,只能在礼义允许的范围内展开,这又给诗的创作制定了人为的框框。这说明,《毛诗序》所倡言的"情"是经过儒家礼义熏染的,并非人类的至纯至真之情。"发乎情,止乎礼义"被后世奉为文学创作之圭臬,直到清代的纪晓岚,在批评陆机的"缘情"观念时仍沿用这一标准,指责他"发乎情,不止乎礼义"。

《毛诗序》倡言情,是因为认识到了情感的打动力量。从文学反映现实的立场出发,《毛诗序》又准确地认识到不同的社会现实必定要有相应的情感反应:

> 故治世之音安以乐,其政和;乱世之音怨以怒,其政乖;亡国之音哀以思,其民困。故正得失,动天地,感鬼神,莫近于《诗》。先王以是经夫妇,成孝敬,厚人伦,美教化,移风俗。

这种无限夸大诗歌的情感打动力量的做法必将引起统治者的高度重视,其结果是:使诗最终沦为社会政治、伦理道德的工具,给诗的发展乃至整个文学艺术的发展套上枷锁,继而使文学艺术失去生命的活力。

《毛诗序》情、志并举的做法尽管有种种缺陷,但是,在中国古典文艺学的发展史上,的确又具有里程碑的意义。它摆脱了先秦时期言志观念中单一的社会政治、伦理道德的内涵,而糅合了情感的成分,强调并肯定了情感的打动力量。这是文学观念的进步。"诗言志"之所以能成为中国诗学的"开山纲领",成为一条千古诗人效法的不易法则,实与《毛诗序》对它内涵的充实和丰富有至为密切的关系。因此,无论如何,我们都不应该低估《毛诗序》的存在意义。

通过上文的论证可以看出,"诗言志"的观念到《毛诗序》产生后才被真正地规范,它的功利性虽然更为明确,同时,诗性也更加完善。以此为起点,"诗言志"便又开始担负起人类道义的重任,踏上了播撒诗性的漫漫征程。

第二节 "诗缘情":纯文学本质的凸显

在中国古典文艺学、美学的发展历程中,"情"的观念虽然出现得很晚,但是,作为人类的一种生理与心理的存在,它的生成却是与人类的产生同步的。没有情,就没有人类,也不会有这么一个生机盎然的世界。人是情感的动物,人的一切活动都受情感支配。文学艺术作为人类的一种纯粹的审美感应活动,情的作用与意义更非同寻常,离开情,文学艺术活动本身将不会存在。

作为对文艺本质的认识,"缘情"是从文学艺术的创造实践活动中总结出来的。在现实生活中,当人的喜怒哀乐达到无法抑制的时候,都会借助于一定的形式加以宣泄。这种形式,可能是歌咏,可能是舞蹈,也可能是绘画,这便慢慢形成了各种各样的艺术种类,从而,也规定了文学艺术的本质。用文学艺术表现感情,人类很早就有体验。只要人类存在,情感就不会消亡,文学艺术也不会消亡。表达情感是文学艺术的永远职能,虽然情感的表现内容会随时代的发展而发生变异,表达的方式也会随时代的发展更加多样,但是,文学艺术表情的这一职能却不会改变。

《诗经》就是情感的产物。作为中国文学史的第一部诗歌总集,它以现实生活为表现对象,在对现实生活的深切反映中,表达了人的喜悦、怨恨、悲哀的情感。《诗经》的情感性在一些具体诗作中就有明确的认识,如:"维是偏心,是以为刺。"(《魏风·葛屦》)"夫也不良,歌以讯之。"(《陈风·墓门》)"君子作歌,维以告哀。"(《小雅·四月》)"吉甫作诵,穆如清风。"(《大雅·烝民》)这里都是夫子自道,诗人通过自己之口说出诗是表达情感的,是表达人喜悦、怨恨、悲哀的。故而,明代的何良俊这样评价《诗经》:"诗以性情为主。《三百篇》亦只是性情。"(《四友斋丛说》卷二十四)清人黄宗羲也慨然叹息:"盖《三百篇》大抵出于放臣怨女怀沙恤纬之口,直达其悲壮怨谲之气,初未尝有古人之家教存于胸中,以为如是可以悦人,如是可以传达也。"(《姜友棠诗序》,《黄梨洲文集》序类)

翻检远古典籍,我们可以发现这种情况:"情"字不见于中国上古的甲骨文和金文,但在《左传》之后却大规模运用,尤以《墨子》《庄子》《荀子》为甚,屈原的诗句运用较为广泛。这说明,"情"的观念出现很晚,它形成于艺术生成之后。这符合文学理论发展的实际。因为,理论是对实践的总结,任何一种理论都不可能超越实践、在实践之前产生,只有实践达到一定的程度,才可能得出一种理论。先秦典籍中,"情"的涵义很多,不少义项指情况、情状。如《左传·庄公十年》云:"大小之狱,虽不能察,必以情。"《墨子·辞过》云:"古之民未知为衣服时,衣皮带茭,冬则不轻而温,夏则不轻而清。圣王以为不中人之情,故作诲妇人,治丝麻,梱布绢,以为民衣。"这里的"情"都是指情况、状况。可见,"情"的原初意义并不是指人心理活动之情感,而是指对象的客观情状。有人说,"情"的古义是指真实的、本质的东西①,这种看法具有一定的可信度。"情"的原初意义同真实应该有非常密切的关系。

中国古典文艺学中,较早对"情"有所发明的是庄子。《庄子》三十三篇处处演绎情、解说情,"情"在某种意义上与庄子的"道"相通。《庄子》的"情"中,也有不少是真实的内涵,它常常"情"、"信"对举,足以表明它对"情"的认识。《齐物论》云:"可行已信,而不见其形,有情而无情。"陈鼓应注:"情,实也。"②《大宗师》云:"夫

---

① 陈良运:《中国诗学体系论》"缘情"篇,中国社会科学出版社,北京,1998年。
② 陈鼓应:《庄子今注今译》,中华书局,北京,1999年,第47页。

道,有情有信,无为无形;可传而不可受,可得而不可见。"这里的情依然是真实。真实即道。故而,"情"与"道"相通。然而,庄子却又把"情"与"性"联系在一起,"情"的内涵也发生了变化。《马蹄》云:"故纯朴不残,孰为牺尊!白玉不毁,孰为珪璋!道德不废,安取仁义!性情不离,安用礼乐!五色不乱,孰为文采!五声不乱,孰应六律!"《盗跖》云:"今吾告子以人之情,目欲视色,耳欲听声,口欲察味,志气欲盈。"这里的"情"已悄悄地变成人的心理活动,但与真仍有一定的关系。庄子向来把人的心理之情看作是真的表现,在《庄子》一书中多有阐释。《渔父》云:

> 真者,精诚之至也。不精不诚,不能动人。故强哭者,虽悲不哀;强怒者,虽严不威;强亲者,虽笑不和,真悲无声而哀,真怒未发而威,真亲未笑而和。真在内者,神动于外,是所以贵真也。

悲、怒、哭、笑,这些情感与心理的表现,足以展现人至精至诚之真。这样,真便与情联系起来。发自内心的情感应该是真实的、不虚伪的,只有真实的情感才能打动人。庄子本人就以自己的至精至诚之真向人们展示了一个光彩炫目的心理世界,为文学艺术的情感表现提供了一个美的范本。

屈原脱颖于战国文人,师法儒道,情、志并重,抒情在屈原的创作中已经成为一种极为自觉的行为。他诗歌中那灿烂的文采和丰富奇特的想象,是荆楚大地诗性文化孕育的结果。他和庄子一道,成为先秦文学的两大奇观。他的诗歌作品反复申述自己内心情感的苦闷:"情沈抑而不达兮,又蔽而莫之白。"(《惜诵》)"结微情以陈辞兮,矫以遗夫美人。"(《抽思》)"申旦以舒中情兮,志沈菀而莫达。"(《思美人》)"焉舒情而抽信兮,恬死亡而不聊。"(《惜往日》)借助于诗来发泄苦闷的情感,诗是他抒情言志的重要工具。屈原的苦闷与他的人生体验有关,从政治中心走向政治的边缘是导致他内心苦闷的直接原因。他欲诉无门,欲哭无泪,只有借助于草木意象,把自己的痛苦、悲伤、愤懑、哀怨等情感全寄托在这些物象中,"情"在屈原的创作观念中居于核心的地位。屈原实际上已经实现了缘情的自觉。

屈原有缘情的自觉是因为他经历过现实磨难，有切肤之痛；是因为诗人的角色大于政治家的角色。与屈原差不多同时的荀子就没有经历过这种角色的转变，虽然也情志并举，但终与诗性隔了一层，缺乏艺术的勃勃生机。这实际上是由他政治家的身份所决定的。

《荀子·礼论》云："凡礼，始乎梲，成乎文，终乎悦校。故至备，情文俱尽；其次，情文代胜；其下，复情以归大一也。"他把情最终归为礼，以情达礼，以礼节情，认为情是礼的一部分。这样，荀子的"情"与文艺无涉，还是政治话语。《荀子·性恶》又云："若夫目好色，耳好声，口好味，心好利，骨体肤理好愉佚，是皆生于人之情性者也。感而自然，不待事而后生之者也。夫感而不能然，必且待事而后然者，谓之生于伪。"这里，他把情分为自然之情和伪情，自然之情是真情，是情性滋生了色、声、味、利等欲望。实际上，荀子又把情等同于欲望，那是一种完全功利化的东西，这种情显然是缺乏诗性的。当然，荀子对情言说的本意并非辨别文学艺术之情，意在阐释人性的善恶，因此，我们没有必要去苛刻追究。然而，在《乐论》这一篇论述乐（艺术）的文章中，他对情持的又是什么态度呢？我们来看荀子的论述："乐者，圣人之所乐也，而可以善民心，其感人深，其移风易俗，故先王导之以礼乐而民和睦。夫民有好恶之情而无喜怒之应，则乱。先王恶其乱也，故修其行，正其乐，而天下顺焉。"乐可以感动人心、移风易俗，这是基于乐的教化本质而言的。在这里，乐作为统治者意志的艺术传达形式被扭曲了，由此关联的对百姓情性的驯化也被扭曲了。乐的这种霸权倾向是统治者刻意赋予的，并非乐的本质。

然而，荀子又公然倡言情性是人的心理活动，对文艺本质的认识有一定的启发意义。文艺有教化的功能，可是，并不能以教化为目的。人的情性是人心理活动的自由开展，并不一定遵循某人的指令或统治者规定的路线。我们并不否认中国传统思想有其合理的成分，而是要求在实际的运用中摒弃糟粕。文学艺术传达政治伦理道德也是应该的，但是，这种传达必须遵守文学艺术的规律，应有一定的自由，不应成为社会政治、伦理道德的婢女。

屈原、荀子等人对情的设定，为中国古典文艺学的情感观提供了一个道不尽、说不完的话题。对这一问题，各个时代有各个时代的理解与阐释。中国古典文艺学对文艺本质特征的认识也不是与时代的发展成正比例的，而是时有曲折，路途坎坷。

情的表现就是人心的表现，由于人心的复杂性，情的表现形态也具有复杂和多样的特点。孔子特别强调怨，是因为怨能真实再现人的思想情感；孟子重视乐，是因为乐能表现人们对社会现实的肯定态度。《礼记·乐记》揭示了情感的复杂性，有这么一段话：

> 是故其哀心感者，其声噍以杀；其乐心感者，其声啴以缓；其喜心感者，其声发以散；其怒心感者，其声粗以厉；其敬心感者，其声直以廉；其爱心感者，其声和以柔。

乐能表现这许多复杂的情感，是因为"情动于中"。《毛诗序》正是从"情动于中而形于言"的观念出发阐述了情的意义，肯定了情感的打动力量，主张情、志统一。《毛诗序》表现了非常矛盾的倾向，也正是这一矛盾，使《毛诗序》成为中国早期诗学的话语中心。儒学家认可它，文学家也认可它；官方认可它，民间也认可它。但是，认可的视点截然不同，理解的层次也很分明。在中国古典文艺学、美学的发展史上，情的观念是随着文体的自觉而逐渐规范起来的。我们应正视这种现象，切不可泛论情；对文学艺术来说，泛论情无论如何都是灾难。

中国文学经过汉代的浸润，文体大备。那时，文学已经开始脱离经学和史学，成为一个独立的门类。具体到诗，内涵充实了，形态完备了；人们已自觉摆脱"诗三百"的体式，进行自由的创造，因此，便有了四言诗、五言诗以及杂言的汉乐府民歌。这时，赋作为一种文体脱胎于诗，又与诗明显不同，最终成为汉代文学的标志性文体。实际上，汉代文体的发展已经充分显示了文学的自觉。

文学体式的变化，意味着表情的方式发生了变化。赋的抒情不等于诗的抒情。在汉代，由于诗体独立，诗的抒情远比《诗经》更为丰富。而赋是靠体物表情的，即借助于对事物的细致刻画来表达情感。刘勰《文心雕龙·诠赋》云："赋者，铺者，铺采摛文，体物写志也。""体物"即描写、铺叙事物，实际说的是汉赋的铺张扬厉。"写志"即表达情志。故刘勰又说："原夫登高之旨，盖睹物兴情。情以物兴，故义必明雅；物以情观，故词必巧丽。丽辞雅义，符采相胜，如组织之品朱紫，画绘之著玄黄，文虽新而有质，色虽糅而有本，此立赋之大体也。"（《文心雕龙·诠赋》）"情以物兴"、"物以情观"，这是刘勰对辞赋这一文体的最基本认识。汉代辞赋的大兴引起文学观念的变化于此可见一斑。至于诗，其引起抒情方式的变化也尤为显著。以五言诗为代表的新诗体的崛起，增强了诗的抒情表意功能。钟嵘慧眼识珠，高度评价五言诗"指事造形，穷情写物，最为详切"（《诗品序》）的功能。这说明，汉代文体的变化也给文学观念带来了深刻的变化，这时，"诗缘情"的文学观念登场的时机已经成熟，中国古典文艺学便水到渠成地进入一个新的历史阶段。

陆机"诗缘情"观念的提出就是建立在文体自觉的基础上的，这一点在《文赋》中表述得十分清晰。陆机云：

  诗缘情而绮靡，赋体物而浏亮。碑披文以相质，诔缠绵以凄怆。铭博约而温润，箴顿挫而清壮。颂优游以彬蔚，论精微而朗畅。奏平彻以闲雅，说炜晔而谲诳。（《文赋》）

"诗缘情"的意义并不在于言述诗歌缘于情感、表达情感，而在于消解了"诗言志"的中心话语地位。从实质看，这一观念的本身不是意在制造与"诗言志"的对立，而是在貌似对立的外表下追求文艺本质的多元共存，这才是最重要的。

我们在讨论诗言志时已经指出，《毛诗序》"情动于中而形于言"在诗、乐、舞统一的历史背景下高扬情的创造价值，也就是说，它已经认识到情对文艺作品的催生作用。但是，《毛诗序》的"情"是与"志"交织在一起的，它以伦理道德家的口吻来言情，未免给情打上陈腐的印记。这是中国古典文艺学、美学不把《毛诗序》视为"缘情"之先的一个重要原因。《毛诗序》情、志并举表现了极其矛盾的心态：它一方面难以割舍政治教化的言志传统，另一方面又认识到情的创造价值。实际上，《毛诗序》在评价"诗三百"时已经有了一个当下文体变化的参照，就像朱自清先生所说的："《大序》的作者似乎看出'言志'一语总关政教,不适用于原是'缘情'的诗,所以转换一个说法来解释。"①正言述的是《毛诗序》的这种矛盾心态。

陆机的"诗缘情"观念不是意在与"诗言志"对立,而是追求文艺本质的多元共存。这是我们对待"缘情"的基本态度。但在具体表述时,陆机却有以"情"统"志"的倾向。《文赋》在讨论情感的培养时,一方面要求感物,即作家通过与自然的感应唤起深藏在内心的美好情感;另一方面又要求"颐情志于典坟",认为只有这样才能做到"心懔懔以怀霜,志渺渺而临云",肯定这是文学创作的根本。在言述文学创作的构思时,他充分强调情感的参与意义,但也并不忽略理。《文赋》云:"理扶质以立干,文垂条而结繁。信情貌之不差,故每变而在颜。思涉乐其必笑,方言哀而已叹。""理"应指情理或情志,与"文"对应。陆机浓墨重彩,渲染文学创作的情,以"情"统"志"的倾向极为明显。在区分文章十体之后,陆机深沉地说:"虽区分之在兹,亦禁邪而制放。要辞达而理举,故无取乎冗长。""禁邪"、"制放"乃儒家思想,指的是邪僻、放荡等不符合儒家伦理道德规范的行为,"理"依然指情志。从陆机的家学及修养看,我们这样来理解陆机应该符合他的本意。在言说文章术病时,陆机多次谈到情与理:"或辞害而理比"、"或文繁而理富"、"或遗理以存异"、"言寡情而鲜爱"等。这里的"理"都含有情理、情志之意。可见,陆机并不是有意制造"情"与"志"的对立,而是在努力调和它们,表现出极其谨慎的态度。在对待具体文学作品时,陆机的卫道士倾向也鲜明地表露。"或奔放以谐合,务嘈囋而妖冶。徒悦目而偶俗,故声高而曲下。寤《防露》与《桑间》,又虽悲而不雅。""不雅"即指不符合儒家伦理道德的规范。《桑间》《防露》均为古代乐曲。《礼记·乐记》载:"《桑间》《濮上》之音,亡国之音也。"陆机肯定二曲的感人力量,但却强调它们"不雅",这是不是就"言志"的角度而言呢?可以得出肯定的结论。在《文赋》最后,陆机讨论了文学的作用与价值:"伊兹文之为用,固众理之所因。恢万里而无阂,通亿载而为津。俯贻则于来叶,仰

---

①朱自清:《诗言志辨》,华东师范大学出版社,上海,1996年,第29页。

观象乎古人。济文武于将坠,宣风声于不泯。途无远而不弥,理无微而不纶。配沾润于云雨,象变化乎鬼神。"这与《毛诗序》的"动天地,感鬼神"有什么区别?可见,陆机并没有完全抛弃"诗言志"的观念,他"诗缘情"理论的提出只不过是要整合文学艺术的本质特征,将其置于多元的观照之下,追求文艺本质的多元共存,这才是陆机的目的。所有认为"言志"和"缘情"是对立的文学观念的看法都是站不住脚的,是对陆机彻头彻尾的误读!

客观地说,和"诗言志"相比,"诗缘情"更加接近文学的本质。它的提出,标志着人们对文学作品的理解又进了一步。"诗缘情"的提出并不算超越历史时代、超越文学本身的飞跃,只能是对文学发展历史的准确总结。在"缘情"之外,陆机特加上了对文学形式特征的描述:绮靡。在中国古典文艺学、美学发展史上,"诗缘情而绮靡"招来了多少非议!明谢榛云:"陆机《文赋》曰:'诗缘情而绮靡,赋体物而浏亮。'夫'绮靡'重六朝之弊,'浏亮'非两汉之体。徐昌谷曰:诗缘情而绮靡,则陆生之所知,固魏诗之查秽耳。"(《四溟诗话》卷一)然而,更多的人认同陆机的观念。这说明,陆机的文学观是符合时代审美发展潮流的。文学艺术不仅要表情,而且要华美,只有如此,才能给人以美的享受。

"缘情"和"绮靡"都是文学固有的特征,是文学区别于其他文体的重要标志。先秦虽然认识到"诗以言志",也意识到"发愤以抒情",但是并没有意识到文学的华美。《左传》引用《诗经》只着眼于用意,并不考虑"诗三百"语言的华美。倒是先秦的音乐理论注意到美的问题。《左传·襄公二十九年》记载吴季札观乐时连连慨叹"美哉"的史实,这"美哉"不仅仅局限于志向之美(言志),而且包括音乐的音色优美。孔子评价《韶》乐有"尽善尽美"(《论语·八佾》)之语,"美"即指好听。《乐记》极力赞美音乐的优美感人在于声音,音乐的美得到广泛的认可。这里的"美"在很大程度上都是指形式的因素。因此,到了汉代,对文学形式美的认识才达到一定的自觉。《西京杂记》记载司马相如已有意识地辨别赋的美的形式:"合纂组以成文,列锦绣而为质,一经一纬,一宫一商,此赋之迹也。"扬雄《法言·吾子》也对美展开了深入讨论,他所说的"雾縠之组丽"、"荼蝇红紫"、"女有色"等评语,都是比较典型的。最为经典的是他对赋的认识。他说:"诗人之赋丽以则,辞人之赋丽以淫。"(《法言·吾子》)不管是什么样的赋,其总体的特征是"丽"。这实是陆机"绮靡"的先声。曹魏时,曹丕将这一"丽"的观念引申扩大为"诗赋欲丽"(《典论·论文》),亦即诗和赋都是华丽的,这是区别文学和非文学特征的关键一步。无论是司马相如,还是扬雄、曹丕,他们对文学的认识都是表面的。只有陆机将"缘情"与"绮靡"并举,将文学的本质特征和形式特征一网打尽,并以"缘情"统领,实现了文学观念的飞跃。我们今天肯定"缘情"的意义仍包括他总结的文学"绮靡"的观念,舍此,"缘情"理论的价值会大大降低。后来,人们对陆机的非议并非独指"缘情",很大一部分是针对他的"绮靡"理论的,把整个六朝时期华丽和淫艳的文风全都归咎到陆机的头上。这夸大了他的理论和人格的魅力。我们应该清醒地认识到:魏晋南北朝文学观念的觉醒是文学自身发展的必然结果,单单靠一两个人的力量是实现不了的。

"诗缘情"的理论在魏晋南北朝时期形成一股浪潮,并且和文学艺术的创作实践紧紧结合在一起。这一时期,出现了中国文学史上许多一流的作家,如左思、陶渊明、谢灵运、鲍照、庾信等,他们都特重情感与文采,在文学表现的视野上也多有开拓,形成了一时盛貌。同时,沈约、刘勰、钟嵘、萧统、萧绎在理论上前呼后应,进一步促进了"诗缘情"理论的深入探讨。沈约曾用"文以情变"、"以情纬文"(《宋书·谢灵运传论》)来评价汉魏作家,在评述潘岳、陆机时,他明确指出他们作品绮靡的特征:"缛旨星稠,繁文绮合"。尔后,沈约又集中讨论了声律,阐扬声律在文学创作中的意义,可视为沈约对陆机的呼应。刘勰《文心雕龙·明诗》明言"诗者,持也,持人情性",后在《时序》篇中又指出西晋文学"结藻清英,流韵绮靡"的特点,并且专门有一篇《声律》讨论诗文的声律问题。钟嵘恶用四声,却主张诗歌创作"干之以风力,润之以丹采"(《诗品序》),特别重视外在景物及事件对情感的激发作用。萧统搜罗古今文章,分门别类,以"事出于沈思,义归乎翰藻"(《文选序》)相标榜,区分了文学和非文学的界限。萧绎以对文学艺术的深刻洞见,深入分析文学的特征:"至如文者,惟须绮縠纷披,宫徵靡曼,唇吻遒会,情灵摇荡。"(《金楼子·立言》)萧绎情感与绮靡并重,将陆机的"诗缘情"理论推到极致,最终,实现了文学形式的自觉和文学观念的自觉,为古典文艺学、美学观念的发展做出了贡献。

由此可见,在魏晋南北朝时期,"缘情"理论得到了很大的发展。人们不仅注意到文学缘情的本质特征,而且,注意到文学绮靡的形式特征。"诗言志"的话语中心地位在一定程度上被打破,以"志"统"情"的观念被以"情"统"志"的观念所取代。这是文学发展的必然。正是因为这一正确的文学本质观念的确立并深入人心,才有此后唐诗、宋词、元杂剧及明清小说创作的辉煌。"缘情"理论的魅力是无穷的,在中国文学乃至世界文学的发展史上写下了极有光彩的一章。

第三节　情志合一:有意义的趋同

中国古典文艺学对文艺的本质规定是双重的,一种是"言志",一种是"缘情"。"言志"的实质是以"志"统"情","志"包含"情";"缘情"的实质是以"情"统"志","情"包含"志"。"言志"和"缘情"并没有根本的冲突,但是,二者的区别也非常显著。从"言志"到"缘情",标志着中国古典文艺学对文艺本质认识的深入,也展现了中国古代文学观念的发展历程。从此,文学也开始摆脱经史的附庸地位,自觉、独立地承担起培养人们审美情感的重任。

"缘情"的产生并没有促成"言志"的彻底隐退,二者实际形成了共存的局面。"言志"与"缘情"在不同时代、不同人的身上各有偏重,这在中国古典文艺学中是存在的事实。也就是说,中国古代文学观念的发展并没有随着"缘情"的确立呈现出一边倒的趋势,对于这种现象,我们应正确对待,不能绝对地以"缘情"作为标准去断定哪些是文学,哪些是非文学。可以从汉代文学说起,论证这一看法。我们认为,汉代的文学观念已经觉醒,但是,汉代的文学创作却依然停留在"言志"阶段。班固作为汉代的辞赋大家就是一个典型,他一方面称颂古人的"称诗以谕其志"是为"别贤不肖而观盛衰"(《汉书·艺文志》);另一方面又充分肯定汉代言语"润色鸿业"的特征。在《两都赋序》中,他讲了一段意味深长的话:

> 或曰:赋者,古诗之流也。昔成康没而颂声寝,王泽竭而诗不作。大汉初定,日不暇给,至于武、宣之世,乃崇礼官,考文章,内设金马石渠之署,外兴乐府协律之事,以兴废继绝,润色鸿业。是以众庶悦豫,福应尤盛。白麟、赤雁、芝房、宝鼎之歌,荐于郊庙。神雀、五凤、甘露、黄龙之瑞,以为年纪。故言语侍从之臣,若司马相如、虞丘寿王、东方朔、枚皋、王褒、刘向之属,朝夕论思,日月献纳。而公卿大臣御史大夫倪宽、太常孔臧、太中大夫董仲舒、宗正刘德、太子太傅萧望之等,时时间作。或以抒下情而通讽喻,或以宣上德而尽忠孝。雍容揄扬,著于后嗣,抑亦雅颂之亚也。

这里记述西汉文学发展的概况,十分详切。汉赋作为一种文学体裁,最初是为娱乐君王而专用的。后来,赋也像诗一样成为言志的工具。不少作者在创作赋时,是以言志作为创作理想的,把自己的思想、情感、志向、抱负都寄托在言辞中,希望君主理解,实现某种意图。因此,汉代辞赋极尽铺张扬厉之能事。汉赋对君王的劝谏居多,也最著名,诸如司马相如的《子虚赋》《上林赋》《大人赋》,均表达的是讽喻之意。班固所言的"抒下情而通讽喻"即是言志,把赋看成一种和"诗三百"一样的、具有讽喻和教化功能的文体,故而,他称汉赋"亦雅颂之亚也"。

然而,讽喻和教化之于汉赋并非万无一失,在很多情形下,汉赋并不能满足人们讽喻、教化的企图。扬雄经过自己的悉心观察和思考,最终认识到辞赋无益劝谏,没有讽喻与教化的功能,由此产生了对辞赋言志的怀疑,终身不再作赋。《汉书·扬雄传》就记载了扬雄对辞赋态度转变的缘由:"雄以为赋者,将以风也,必推类而言,极丽靡之辞,闳侈钜衍,竞于使人不能加也。既乃归之于正,然览者已过矣。往时武帝好神仙,相如上《大人赋》欲以风,帝反缥缥有凌云之志。由是言之,赋劝而不止,明矣。"这实际是对"言志"传统的怀疑,形成中国古典文艺学史上的一个绝妙的反讽。从此之后,扬雄不再写作辞赋,并宣扬辞赋是"童子雕虫篆刻"(《法言·吾子》)的小道,对之大加贬低。扬雄对以辞赋为代表的文体的否定,虽然逆历史潮流,但从另一个角度也可说明,他并没有真正地将文学与经学分开,对文学教化的期望值过高,如此才陷入偏狭的境地。

扬雄对辞赋的否定依然是从言志角度考虑问题,这正说明汉代的文学观念在很大程度上还停留在言志阶段。然而,"言志"并非排斥情感。尽管汉代的文学理论没有太多关于情感的表白,但在创作倾向上却有明确的表现。汉大赋强烈的抒情性展示了一种新文体迷人的魅力;五言诗的产生丰富了诗的抒情方式。汉代文学文体的完备在某种程度上正是文学抒情方式的完备,同时,所有的文学文体又都必须满足言志的需要。故而,王逸评东方朔的《七谏》称"作此辞以述其志"(《楚辞章句·七谏章句序》),评刘向的《九叹》称"赞贤以辅志,骋词以曜德"(《楚辞章句·九叹章句序》)。

汉代以"志"统"情"的做法决定了言志观念居于主导地位,而魏晋南北朝以"情"统"志"决定缘情的观念居于主导地位。陆机之前,曹魏时期的刘劭就曾经说过"盖人物之本,出乎情性"(《人物志·九微》),但那不是评文的,而是评人的。自陆机"诗缘情"的观念提出之后,理论中言情即成为一种风尚。人们发自内心地认为文学是情感的产物,在具体评文的时候也多从情的角度来考虑问题。挚虞批评文章有"四过",其中之一是"丽靡过美,则与情相悖"(《文章流别论》);沈约评价建安文学是"以情纬文"(《宋书·谢灵运传论》);范晔谈文学创作主"情性旨趣"(《狱中与诸甥侄书》);刘勰以"情以物迁,辞以情发"(《文心雕龙·物色》)论物色对人情感的激发;萧绎指出文的特征之一是"情灵摇荡"(《金楼子·立言》)等。尽管魏晋南北朝时期的文学理论家们如此大谈缘情,言志的理论也没有被淹没,它仍不时地被文学理论家们提起,并将之视为与缘情互补的一种重要的文学观念。

魏晋南北朝时期文学的言志是在"情"的统领下展开的。在某种意义上,"情"就是"志","志"就是"情",两者没有鲜明的界限。潘岳《悼亡诗》云:"赋诗欲言志,此志难具纪。命也可奈何,长戚自令鄙。"这是一首悼念亡妻的诗。"赋诗欲言志"已显然不是先秦的表达志向,这里的"志"就是情感,唯有发自内心的悲戚的感情才能表达对亡妻的悼念。陶渊明被称为"古今隐逸诗人之宗"(《诗品·宋征士陶潜》),他的诗歌平淡自然,以描写田园风光为主,极少言及政治、伦理道德,但他在诗歌创作中,多次申述自己的言志。《闲情赋》云:"夫何瓌逸之令姿,独旷世以秀群。表倾城之艳色,期有德于传闻。佩鸣玉以比洁,齐幽兰以争芳;淡柔情于俗内,负雅志于高云。"《五柳先生传》云:"尝著文章以自娱,颇示己志,忘怀得失,以此自终。"《感士不遇赋》云:"夫导达意气,其惟文乎?抚卷踌躇,遂感而赋之。"这里的"志"或"意气"主要指情感。刘勰《文心雕龙》里将情、志并举,论述最为详切。他已把他的文学本质观置于多元的观照下,在中国古典文艺学史中有重要的意义。

首先,刘勰将"言志"与"缘情"的理论贯穿到文学的发展历史中去,力争从文学的历史发展中透视文学的本质。他说,人"为五行之秀,实天地之心,心生而言立,言立而文明,自然之道也"(《文心雕龙·原道》)。"心"作为人独特的组成部分,包含着"情"与"志"两个方面,情、志的作用虽不同,但是目的一样,均是立言。因此,在评说中国远古的文学时,他说:"元首载歌,既发吟咏之志;益稷陈谟,亦垂敷奏之风。"(《文心雕龙·原道》)又说:"雕琢情性,组织辞令,木铎起而千里应,席珍流而万世响,写天地之辉光,晓生民之耳目矣。"(《文心雕龙·原道》)具有文学史意义的《时序》篇在陈述历代文学的发展时也同样贯穿着情与志的认识,这在他评述建安文学的发展时表现得最为明显。刘勰高度赞美了以曹氏父子及建安七子为代表的建安作家的个人成就,并以精辟的语言做了概括:"观其时文,雅好慷慨,良由世积乱离,风衰俗怨,并志深而笔长,故梗概而多气也。"(《文心雕龙·时序》)"慷慨"是从"志"与"情"两方面而言的,并非单一所指。可见,刘勰已着意糅合"志"与"情",有意识地将情、志并举了。

其次,刘勰在阐述他的文学观时,时而言志,时而言情,时而情志合一,并没有一个固定的标准。这并不说明刘勰没有自己的主见,恰恰证明他思想的通达,视野的开阔。《文心雕龙·明诗》云:"大舜云:'诗言志,歌永言。'圣谟所析,义已明矣。是以在心为志,发言为诗,舒文载实,其在兹乎!诗者,持也,持人情性。"又说:"人禀七情,应物斯感,感物吟志,莫非自然。"在评价汉代以前的诗时,基本采用"言志"的标准。如"春秋观志,讽诵旧章,酬酢以为宾荣,吐纳而成文身"。在评价汉以后的诗时,则基本采用"缘情"的标准。如"观其结体散文,直而不野,婉转附物,惆怅切情,实五言之冠冕也"。可见,刘勰评价文学作品采用的是双重标准,依据不同时代的文学发展状况和不同作家自身的创作情况再斟酌标准的使用,时而志,时而情,有时,他的情与志并没有鲜明的界限。这完全符合文学发展的实际。我们不可据此简单地判定刘勰的文学观念游移不定、充满矛盾。

言志、缘情并不是对立的,而是融合的。有时,它们之间也会产生对立,那多是因为作家违反文学创作的规律人为造成的对立。如魏晋时期玄言诗的末流,在诗歌中表达玄远的志向,将诗歌等同于道德论。这样的诗歌虽然言志,却排斥情感,形成情与志的对立。这种对立的实质非常明显。故而,刘勰慨然叹息:"及正始明道,诗杂仙心,何晏之徒,率多浮浅。"(《文心雕龙·明诗》)钟嵘也说:"永嘉时,贵黄老,稍尚虚谈,于时篇什,理过其词,淡乎寡味。爰及江表,微波尚传,孙绰、徐询、桓庾诸公诗,皆平典似道德论,建安风力尽矣。"(《诗品序》)在这种情形下,情与志的对立实属必然。再如南朝宫体诗末流,表情可谓甚矣,但是,情感只集中在女人的体态服饰,全无社会的责任感和道义感,必定会产生志与情的对立,遭到后人的激烈批判。因此,陈子昂说:"仆尝暇时观齐梁间诗,彩丽竞繁,而兴寄都绝,每以咏叹。窃思古人,常恐逶迤颓靡,风雅不作,以耿耿也。"(《与东方左史虬修竹篇序》)《隋书·文学传序》批评梁、陈文风:"梁自大同之后,雅道沦缺,渐乖典则,争驰新巧。简文、湘东,启其淫放;徐陵、庾信,分路扬镳。其意浅而繁,其文匿而彩,词尚轻险,情多哀思。格以延陵之听,盖亦亡国之音乎!周氏吞并梁、荆,此风扇于关右,狂简斐然成俗,流宕忘返,无所取裁。"这些批判有时可能言过其实,夸大了特定文学现象的负面作用,但是,基本上言之有据。志与情的对立尽管反映了文学创作态度的冲突,也体现了作家们调和情与志本身的倾向。冲突中可能有某些政治因素的干预,只要这种干预不违背文学创作的规律,就不应给予太多的责难,而应抱以理解。

正是因为文学本质观念的发展有以"志"统"情"和以"情"统"志"两种现象存在,到了唐代,情、志合一成为一种自觉的要求。孔颖达明确提出"情志一也",其用意在于混同情与志的观念,并不标志他深入认识了文学本质。他完全着眼于经学的教化来讨论这一问题,没有太多的现实意义。其《诗大序正义》云:

> 诗者,人志意之所之适也。虽有所适,犹未发口,蕴藏在心,谓之为志。发见于言,乃名为诗。言作诗者,所以舒心志愤懑,而卒成于歌咏。故《虞书》谓之"诗言志"也。包管万虑,其名曰心;感物而动,乃呼为志。志之所适,外物感焉。言悦豫之志则和乐兴而颂声作,忧愁之志则哀伤起而怨刺生。《艺文志》云:"哀乐之情感,歌咏之声发。"此之谓也。

这是对《诗大序》的简单发挥。我们不认同孔颖达的"情志一也"的说法。但是,从文学本质特征出发,抛弃孔颖达的经学立场,情、志合一又是文学本质特征的合理存在。它是基于古今文学创作的实践得出的有价值的结论。

情、志合一不是指情和志的相加,而是情与志的融合。言志可以不采用文学的形式,但用文学的形式言志必须以情感作为志向表达,否则,便会削弱文学的艺术价值。令狐德棻以对文章的深切体会认识到这一点,他说:

> 原夫文章之作,本乎情性。覃思则变化无方,形言则条流遂广。虽诗赋与奏议异轸,铭诔与书论殊途,而撮其指要,举其大抵,莫若以气为主,以文传意。(《周书·王褒庾信传论》)

这里的"情性"包括情、志两个方面。这是泛论文章写作的,从令狐德棻所论的上下文关系看,他论述的主要对象是文学,阐释文学情性的"变化无方",实际上意识到情志的表现没有一定的规则,只能由个人的情性所决定。这种思想在唐及以后的文学观念中极为流行。皇甫湜云:"歌咏者极情性之本,载述者遵良直之旨。触类而长,不失其要。"(《谕业》,《皇甫持正文集》卷一)文天祥云:"诗所以发性情之和也。性情未发,诗为无声;性情既发,诗为有声。闳于无声诗之精,宣于有声诗之迹。"(《罗主簿一鹗诗序》,《文山先生集》)杨维桢云:"诗本情性。有性此有情,有情此有诗也。上而言之,雅诗情纯,风诗情杂;下而言之,屈诗情骚,陶诗情靖,李诗情逸,杜诗情厚。诗之状未有不依情而出也。"(《剡韶诗序》,《东维子文集》卷七)顾起元云:"诗以持人之性情,天地之神理寄焉。古人之为诗也,无亦惟是取真情与真境缘饰之而已矣。晋、宋、齐、梁最称浮靡,然其一时人物之风华,情态之艳冶,可按而求,则神理犹未尽离也。"(《刘成斋先生诗序》,《明文授读》卷三十六)古人情与志融合的思想于此可略见一斑。

在情、志融合的理论与实践上,白居易是做得较为突出的一位。他的《与元九书》是情、志合一的宣言。在这篇与好友元稹的信中,白居易表达了对诗的本质特征的看法:

> 感人心者,莫先乎情,莫始乎言,莫切乎声,莫深乎义。诗者,根情,苗言,华声,实义。上自贤圣,下至愚骏,微及豚鱼,幽及鬼神;群分而气同,形异而情一,未有声入而不应,情交而不感者。(《白居易集》卷四十五)

首先,他强调诗的创作是"先乎情"的,情是诗发生的根源,此乃"诗缘情"之义。而情的表现能够打动人心,从圣贤到普通百姓都有情感,都能被外在的力量打动。其次,他又强调诗的创作应"深乎义"。所谓"深乎义",亦即有寄托,能表达某种义理。这又是"言志"了。白居易以情为统领,对言志做了多角度的阐释。他认为,从秦朝至梁、陈的诗歌均不以"补察时政"、"泄导人情"为根本,导致"六义"失落。"苏、李,骚人,皆不遇者,各系其志,发而为文。故《河梁》之句,止于伤别;泽畔之吟,归于怨思。""晋宋以还,得者盖寡。以康乐之奥博,多溺于山水,以渊明之高古,偏放于田园。江、鲍之流,又狭于此。""至于梁、陈间,率不过嘲风雪、弄花草而已。"(《与元九书》)这里,从言志的角度对前代文学给予并不符合实际的评价。与此同时,他也从言志的角度肯定了有唐以来陈子昂、李白、杜甫的创作成就,但是,认为他们的表现并不令人满意。陈子昂仅有《感遇诗》言志,李、杜之作,"索其风雅比兴,十无一焉"(《与元九书》)。在此基础之上,他提出了"文章合为时而著,歌诗合为事而作"的创作主张,这实在是"诗言志"的翻版。生活于特定时代的白居易,想以诗振作世风,"泄导人情"。他开创的新乐府运动继承"诗三百"以来的讽喻传统,虽然在文学史上产生了巨大的影响,但是,他的诗歌理论由于有太多的政治色彩和偏激言论,价值大打折扣。这就充分证明,我们对古代文学"言志"与"缘情"观念各有偏重,表现在不同时代的不同作家身上各有不同的判断是正确的。白居易可作为情、志融合过程中在理论上坚持以志为主的重要代表。

  然而,白居易的诗歌创作却较好地实现了情与志的融合。他一生创作了大量的讽喻诗、闲适诗、感伤诗、杂律诗,尤其看重自己的151首新乐府诗,就是因为它们是美刺比兴的。今天,以文学艺术的眼光看,这些诗的整体成就并不高。而那些"吟玩情性"的闲适诗和"事物牵于外,情理动于内,随感遇而形于叹咏"的感伤诗和杂律诗,却有较高的艺术成就。并非因为这些诗不表现政治的内容,而是因为其真正发自内心地去反映政治与生活,质朴自然,无太多呆板的说教。白居易在评说他的闲适诗和杂律诗时这样说:"谓之闲适诗,独善之义也。""其余'杂律诗',或诱于一时一物,发于一笑一吟,率然成章,非平生所尚者,但以亲朋合散之际,取其释恨佐欢"(《与元九书》),正言中了文学的审美价值。文学艺术的真正目的是审美,倘若文学艺术在审美的过程中经受了政治、伦理、道德的陶冶,使人的精神得到了审美的升华,这才是文学艺术的价值之所在。单纯地想依靠文学来改变社会时代的政治及伦理道德的现状,仅仅是一种理想,很难实现。

  无论如何,白居易都是一位有极强的社会责任心和道义感的诗人。他的情、志合一理论尽管还有诸多不完善之处,但是,他的文学创作却弥补了这一缺陷。他的情、志合一理论在中国古典文艺学史、美学史上产生了重要的影响。

白居易的情、志合一理论借情说志,以志为主,后来仍有不少理论家借志说情,以情为主。陆游《曾裘父诗集序》云:

> 古人说诗曰言志。夫得志而形于言,如皋陶、周公、召公、吉甫,固所谓志也。若遭变遇谗,流离困悴,自道其不得志,是亦志也。然感激悲伤,忧时悯己,托情寓物,使人读之,至于太息流涕,固难矣。至于安时处顺,超然事外,不矜不挫,不诬不怼,发为文辞,冲淡简远,读之者遗声利,冥得丧,如见东郭顺子,悠然意消,岂不难哉!(《渭南文集》卷十五)

在陆游的思想意识中,"志"包括很多内容,其中"情"是最为核心的部分。表"情"是很难的,特别是打动人心之情和冲淡简远之情更难表达。陆游表面说"志",其实是说"情","情"与"志"是不可截然分开的。

汤显祖也明确指出"志"就是"情"。他说:

> 《书》曰:"诗言志,歌永言,声依永,律和声。"志也者,情也。先民所谓发乎情,止乎礼义者,是也。嗟乎,万物之情,各有其志。董以董之情而索崔、张之情于花月徘徊之间,余亦以余之情而索董之情于笔墨烟波之际。董之发乎情也,铿金戛石,可以如抗而如坠。余之发乎情也,宴酬啸傲,可以以翱而以翔。(《董解元西厢题辞》,《汤显祖诗文集》卷五十)

这是对传统的"诗言志"和"发乎情,止乎礼义"观念所做的独特发挥,并且,汤显祖还以《牡丹亭》的创作实践了自己的这种美学观,以人鬼之情的演绎将"情"的作用推到了极致。而袁枚又进了一步,在《再答李少鹤书》一文中,他将"志"具体化,"志"与"情"在其"性灵"理论的背景中已经完全合一。这标志着中国古典文艺学情、志合一理论的深化。

来札所讲"诗言志"三字，历举李、杜、放翁之志，是矣。然亦不可太拘。诗人有终身之志，有一日之志；有诗外之志，有事外之志；有偶然兴到，流连光景，即事成诗之志。志字不可看杀也。谢傅之游山，韩熙载之纵伎，此岂其本志哉？多识于鸟兽草木之名，亦夫子余语及之，而夫子之志岂在是哉？（《再答李少鹤书》，《小仓山房尺牍》卷十）

这里的"志"是情与志的合一。袁枚以自己对"诗言志"的理解把这一传统的诗学理论推到一个新的阐释时代。

"情"与"志"由分离到合一，是对文学艺术本质特征认识的深化。这一过程是漫长的，具体表现也极为复杂。经过古代文学理论家们的不懈努力，最终促使"情"与"志"完成合一。中国古典文艺学也在这一过程中自然而然地进入了现代的语境。

第四节　情与志表达：文学的人文精神

中国古典文艺学对文艺本质"言志"和"缘情"的双重规定，使文学艺术与社会现实生活紧密结合在一起，也使文学艺术与人文精神紧密联系在一起。从此，文学艺术便找到了一个理想的栖居之地和自由的发展空间，依靠语言和形象的媒介，诠释着人的心理世界，凸显了文学艺术的人文精神。

现实丰富多彩的生活是人文精神生动而具体的体现，人文精神则是对现实生活的审美升华。"人文"的概念早在《周易》中就已经出现，贲卦《彖》云："刚柔交错，天文也。文明以止，人文也。观乎天文，以察时变；观乎人文，以化成天下。"简而言之，"人文"是指人的精神风貌，具体内涵相当丰富。中国古代的"人文"虽然不同于西方文艺复兴时期所倡导的"人文主义"（humanism），但是，在以人为本的精神理念上却表现得惊人的相似。这说明，人类的思维和欲求有共同性，不以种族为界限，不以地域为阻滞。

"言志"和"缘情"都要求文学要表现人的精神风貌，展示人丰富多彩的内心世界。这种精神风貌和内心世界并不是个体私欲的产物，它是对现实生活的折射。先秦时期的赋诗言志具有特别的象征意义，赋诗者往往把"诗三百"文本作为一个真理性的文本施之于现实，认为它已包罗了现实生活中的所有现象。赋诗表达了对现实的评价，也表达了自己的情感和理想。

中国古人在漫长的文化积淀中形成了一套较为完整的伦理道德观念，这些观念一直被视为规范人言行的法则，是一种精神的力量，以"仁"为核心的儒家思想和礼乐观念成为道德修养的重要内容。今天看来，儒家思想中有不少束缚人性的教条内容，但是，也确实有许多思想是总结人类智慧所提炼出来的精华，对人性的发展有推动作用，将之作为一种人文精神是完全适宜的。

古人特别注重人的道德之美，这是人文精神的重要内容，也是文学中"言志"的重要内涵。《左传·桓公二年》记载的臧哀伯讨论文与德的一段话颇有意味："火、龙、黼、黻，昭其文也；五色比象，三辰旂旗，昭其明也。夫德俭而有度，登峰有数。文物以纪之，声明以发之，以临照百官，百官于是乎戒惧而不敢易纪律。"以物之文来昭德是一种象征，即借助于外物的"文彩"象征德之美、德之威，这是人类惯用的伎俩。这些物之文便表现了统治者之志，也表现了一种人文精神。孔子也非常认同道德的表现对人品性的熏染，在《论语》中，多次强调德的重要性。"子曰：志于道，据于德，依于仁，游于艺。"（《论语·述而》）"子曰：弟子入则孝，出则弟，谨而信，泛爱众，而亲仁。行有余力，则以学文。"（《论语·学而》）"子曰：有德者必有言，有言者不必有德。"（《论语·宪问》）将德作为一种人文精神来弘扬，在古代还有很多具体的方式。古人将德作为怀抱、志向、理想在文学作品中反复表述，正是对人文精神的深情呼唤。

"言志"的基本导向是以"志"统"情"，"志"的显现形态便是一种人文精神。首先，"志"是动态的系统。在不同的作家、艺术家的创作中，"志"的表现内容虽然千差万别，但都能满足并完善人的生存状态。其次，"志"的表现在文学中以讽喻、颂美为情感的两极，关涉的都是与人们生活密切联系的现实本身。再次，"志"也"邻于理想"。这种理想近于西方的乌托邦，但对人的生存积极性有所激励。如孔子"仁"的思想就是几近于乌托邦的思想，由"仁"所导致的世界大同是历朝历代都向往并追求的理想，恐怕这也是今后人们所追求的生存目标。可见，"志"的人文精神是一个永恒的话题。下面，我们以其作为一种文学观念在古代文学理论和创作中的表现稍做引申。

文学言志的早期表现形态是"观风俗，知得失，自考正"，强调文学对社会现实的反映。作为中国最早的文学形式的诗，便被认为具有这种功能而被拉入政治统治的序列。汉武帝时，朝廷专门设置了一个采诗机构——乐府，负责搜采各地的民歌以考见政治统治的得失。诗歌作为政治统治的一面镜子被认为是清明、纯净、真实的。故而，班固说：

> 故古有采诗之官，王者所以观风俗，知得失，自考正也。孔子纯取周诗，上采殷，下取鲁，凡三百五篇，遭秦而全者，以其讽诵，不独在竹帛故也。（《汉书·艺文志》）

文学对现实的反映是全方位的，因具有考见得失功能的形式，更注重对现实的批判和揭露，但是，这种批判和揭露不是政治的，而是审美的。这是中国古代很多文学理论家、作家、诗人没有搞懂的问题。文学的审美功能并不弱化批判和揭露现实的力度，相反，只能增强这种力度。屈原作品的意义不在于他批判地描写了楚国由兴而衰的现实，而在于他以奇艳的手法创作了能够打动人们情感的哀艳的悲歌，以审美的态度考察了自己和楚国的命运。这才是屈原作品为一代又一代人称颂的原因。

同样，汉代产生的《古诗十九首》也表现出对现实执着关怀的人文精神。钟嵘称它："文温以丽，意悲而远，惊心动魄，可谓几乎一字千金。"（《诗品·古诗》）李泽厚称："表面看来似乎是如此颓废、悲观、消极的感叹，深藏着的恰恰是它的反面，是对人生、生命、命运、生活的强烈的欲求和留恋。"[1]文学作品所表现的人文精神不同于哲

---

[1] 李泽厚：《美的历程》，中国社会科学出版社，北京，1984年，第110页。

学著作,它不以深刻的哲理演绎完善它的内涵,而以审美的、个案的志向表达美感和享受,在获得美感和享受时,也领略了它的意义。

"言志"的核心内容是教化。教化是政治、伦理、道德的,针对文学作品的所有读者。教化是实质是对人心灵的感化,亦即亚里士多德所说的"净化"。诗人和诗在古代中西方都有崇高的地位,人们自觉地将诗人看作是人类灵魂的塑造者,将诗看作是传播道德的工具。贺拉斯说得比较直接:"诗人的愿望应该是给人益处和乐趣,他写的东西应该给人以快感,同时对生活有帮助。在你教育人的时候,话要说得简短,使听的人容易接受,容易牢固地记在心里。一个人的心里记得太多,多余的东西必然溢出。虚构的目的在引人欢喜,因此必须切近真实;……寓教于乐,既劝谕读者,又使他喜爱,才能符合众望。"[①]虽然中国古代对教化说得不是这样周全,这样有逻辑层次,但也极为深刻。孔子的兴、观、群、怨已涉及若干的教化内容和美的问题,《礼记·经解》明确地提出了诗教的概念:"其为人也,温柔敦厚,《诗经》教也。""温柔敦厚"是诗教的结果,是人的灵魂塑造和完成。诗具有改变人灵魂的魅力。诗教注入了儒家的伦理道德的内容,只有伦理道德渗透了人的身心,才能使人成为一个温柔敦厚的人,成为一个完人。《毛诗序》则从另一个角度切入,指出诗教的对象不同,目的也不相同。"上以风化下,下以风刺上,主文而谲谏,言之者无罪,闻之者足以戒,故曰风。"诗营造了一个君臣和谐的氛围,感化、讽谏相得益彰,共同促进了人类社会的进步。

中国古代的教化有两种手段,一种是讽喻,一种是颂美。讽喻又称美刺,即采用含蓄委婉的表现方法对政治统治达到怨刺的目的。颂美则是对统治的赞美,即歌功颂德。通常情况下,教化采用这两种手段,而运用更多、作用最大、最具有审美意义的还是讽喻。汉大赋以歌功颂德为基本主题,但是,在歌功颂德之余,仍有不少美刺的内容,如司马相如《子虚赋》《上林赋》,扬雄的《长杨赋》《羽猎赋》

---

① [古罗马]贺拉斯:《诗艺》,杨周翰译,《诗学·诗艺》,人民文学出版社,北京,1984年,第155页。

等。在《子虚赋》《上林赋》中，司马相如以子虚先生和乌有先生夸耀地域之美为主题，辅之以亡是公铺叙天子游猎之事，赞美汉帝国的强盛。《汉书·司马相如传》云："以子虚，虚言也，为楚称；乌有先生，乌有此事也，为齐难；亡是公者，亡是人也，欲明天子之义。故虚藉此三人为辞，以讽谏焉。"扬雄创作《羽猎赋》也以讽谏为本。其云："孝成帝时羽猎，雄从。以为昔在二帝三王，宫馆台榭，沼池苑囿，林麓薮泽。财足以奉郊庙，御宾客，充庖厨而已。不夺百姓膏腴谷土桑柘之地。女有余布，男有余粟，国家殷富，上下交足。……又恐后世复修前好，不折中以泉台，故聊以校猎赋以讽之。"（《羽猎赋序》）可见，讽谏在辞赋创作中的地位。汉大赋虽然是汉代成熟的宫廷文学形式，其主要的用途是为大一统的政治服务，但是，也履行了弘扬社会道义的义务，其中的讽谏内容正是人文精神的体现。

由于文学的教化与社会政治息息相关，教化的盛衰一般与儒学思潮的盛衰有关，与社会的治乱有关。两汉时期提倡儒学，文学以言志为本，教化兴盛。初唐及中唐，儒学失落，社会动乱，故而倡导文学的兴寄与复古，这种思潮一直延续到宋代。明中期以后，社会衰败，文学重提经世致用的原则。清朝立国之后，重内容、崇道德的创作风尚一直弥漫。"言志乃诗人之本意，咏物特诗人之余事。"（张戒《岁寒堂诗话》卷上）"言不直遂，比兴以彰，假物讽喻，诗之上也。"（李梦阳《秦君饯送诗序》，《空同集》卷五十一）"诗不本于言志，非诗也。"（钱谦益《徐元叹诗序》，《牧斋初学集》卷三十二）"在心为志，发言为诗。古之风人，特自写其悲愉，旁抒其美刺而已。"（纪昀《鹤街诗稿序》，《纪文达公遗集》卷九）诸如此类的声音不绝于耳。由此可见，教化作为言志传统之一支，在中国古典文艺学中占据着特殊的位置，时时被文学理论家所提起。尽管在具体言述的过程中有不少迂腐之气，但是，其中也蕴藏着执着的人文精神。

"缘情"的基本导向是以"情"统"志"。"情"以内心的兴发感动为根本，外在的表现形式也是丰富多彩的。概而言之，"情"有人伦之情、爱恋之情、友朋之情；有政治感情、道德感情、自然感情；有喜乐之情、悲愁之情、平淡之情等。"情"所表现的人文精神最富有诗意,能直接打动人心,缩短人与接受对象的距离,消除读者和作者之间存在的障碍,最终实现心灵的融通,达到一种审美的妙境。

文学艺术作品表现之情不是单一之情,往往糅合了多种复杂情感,使文学艺术作品的意旨深厚、形象丰富。如屈原作品所表达的情,依他自己的话说是"发愤"之情,抒发的是对昏庸的政治统治的愤慨,政治意蕴是极为浓厚的。然而,屈原抒情的外在表现却借助于爱恋之情,以自己对国王的忠心比附于情人之间的关系,语气柔婉却又柔中藏刚。"时暖暖其将罢兮,结幽兰而延伫。世浑浊而不分兮,好蔽美而嫉妒。朝吾将济于白水兮,登阆风而绁马。忽反顾以流涕兮,哀高丘之无女。"(《离骚》)以此表现他对社会、政治的关怀。

同样,杜甫诗的抒情性也具有这种复杂的特点。杜甫有"诗史"之誉,是因为他的诗歌较为深刻地描绘了"安史之乱"前后的社会现实。他的诗多属政治抒情诗,但却借助于思乡、天伦等情感表达了某种政治的意蕴。如《闻官军收河南河北》:"剑外忽传收蓟北,初闻涕泪满衣裳。却看妻子愁何在,漫卷诗书喜欲狂。白日放歌须纵酒,青春作伴好还乡。即从巴峡穿巫峡,便下襄阳向洛阳。"诗人的喜悦表现在妻子的喜悦上,那种思乡的情思通过设定回乡路线表达出来,诗中弥漫着多年动乱的艰辛和对安宁、和平的企盼。杜甫是政治抒情诗的大家,在他的诗作中,情感的表现具有极强的煽动性和层次性。他的诗歌对人文精神的关注不仅仅表现在对社会战乱的愤慨、对人民生活的同情上,还表现在人生活的各个层面。

在诸多的感情中,爱情是永恒的、最有魅力的一种情感。它作为人性的表现,是人的生活中不可缺少的。但是,在中国古代,爱情却长期遭到贬抑,经常将它与色、淫联系在一起。这是对人性的蔑视与践踏。爱情诗真诚地呼唤人性,也是人文精神的表现。对此,人们应投以更多的关注。

中国古代的爱情诗产生得很早,《诗经·国风》中的第一首《关雎》就是优美的爱情诗。这首诗经过儒家的附会,被认为是歌颂周文王妃太姒的功德,曲解了诗的原意。沈德潜《古诗源》搜罗了大量唐以前的诗歌,其中就有不少爱情诗,这些诗歌,生动细致地表现了爱情的悲欢离合。如,《答夫歌》是一首短小的四言诗,以朴素的语言描写了妻子对远行丈夫的叮嘱:"其雨淫淫,河大水深,日出当心。"出语非常奇特。《古诗为焦仲卿妻作》是一首哀婉的爱情悲歌。全诗通过对焦仲卿和刘兰芝忠贞不渝爱情的描写,赞美了人间至真至纯的感情,对旧时代的家长极权进行了血泪控诉。人性的美好通过焦、刘的悲剧展现出来,全诗弥漫着浓郁的人文精神。

爱情主题随着词这一新的文体的出现被进一步拓展。词为艳科,主要是因为词在粉墨登场的时候是以爱情题材的面目出现的。后来,词的题材虽然被不断扩大,但是,语言华丽的本质并没有改变。词在描写爱情的同时,也出现了一个极端:玩赏女性。对女性的描绘极尽文辞之工,语言华美,然而,却缺乏真情实感,这实际上已堕入了某种感官和欲望的刺激。这是反人文精神的。词的末流不能作为这种文体形式的代表,对这些末流之词,我们应加以摒弃。

北宋的文学理论家田锡在总结文学发展的时候曾说了这么一段话:"世称韩退之、柳子厚,萌一意,措一词,苟非美颂时政,则必激扬教义。故识者观于韩、柳,则警心于邪僻。抑末扶本,跻人于大道可知矣。然李贺作歌,二公嗟赏,岂非艳歌不害于正理,而专变于斯文哉?"(《贻陈季和书》,《咸平集》卷二)这里赞赏的是韩、柳对文的态度。韩、柳作为唐代文学复古运动的代表人物,本身是要求文章言志的。他们特别注重颂美时政、激扬教义。然而,二人都特别"嗟赏"李贺的艳歌。"岂非艳歌不害于正理,而专变于斯文哉?""艳歌不害于正理",虽然是一句道学味极浓的话,但是,给情感浓郁、辞藻艳丽的文学作品正名倒非常贴切。艳歌之中也包含着强烈的人文精神,包含着关怀社会、关怀现实的情感意识,而且具有更高的审美价值。这样,以爱情为主题的优秀文学作品也是人文精神的典范,它们丰富了文学发展的历史,给文学增添了光彩。

对大自然的情感投注也是中国古代作家、艺术家们的一贯做法。中国古代的绘画有山水画、花鸟画;中国古代的诗也有田园诗、山水诗。大自然集中了诸多美的对象,能够陶冶人们的心胸,引起人们的遐想,礼赞大自然也是人文精神的鲜明表现。

在中国古代，最早、最集中对大自然进行情感投注的当推陶渊明。钟嵘称他是"古今隐逸诗人之宗"，是针对他淡出政治官场的做法而言的，隐逸并非脱离现实生活、失去生活的热情，相反，却是为了更好地生活。陶渊明寄情于大自然就是为了追求身心的自由与愉悦，为了更好地生活。他的诗歌虽然以平淡自然为本色，但是，情感依然浓郁，富有极强的艺术感染力。他描写田园景色："采菊东篱下，悠然见南山。山气日夕佳，飞鸟相与还。"（《饮酒》之五）"青松在东园，众草没其姿。凝霜殄异类，卓然见高枝。"（《饮酒》之八）"榆柳荫后檐，桃李罗堂前。暧暧远人村，依依墟里烟。狗吠深巷中，鸡鸣桑树巅。"（《归园田居》之一）悠闲自得之气充溢其中，从中，我们依然能够体验到诗人炙热的感情。大自然陶冶了陶渊明的心怀，几乎使他达到忘我的境界，寓身心于自然，能够坦然地面对现实生活中的一切。在《形影神》之《神释》中，陶渊明这样写道：

> 大钧无私力，万物自森著。人为三才中，岂不以我故。与君虽异物，生而相依附。结托善恶同，安得不相语！三皇大圣人，今复在何处？彭祖爱永年，欲望不得住。老少同一死，贤愚无复数。日醉或能忘，将非促龄具？立善常所欣，谁当为汝誉？甚念伤吾生，正宜委运去。纵浪大化中，不喜亦不惧。应尽便须尽，无复独多虑。

正因为得益于自然的熏染，陶渊明才有如此超脱的心境。这种对自然的礼赞是真诚的。

自然可以寄寓人的欢乐，也可以寄寓人的伤感。古今描写自然的圣手均深谙此道。谢灵运《登池上楼》中的"池塘生春草，园柳变鸣禽"是与"祁祁伤豳歌，萋萋感楚吟"的伤感联系在一起的；李白《早发白帝城》中的"两岸猿声啼不住，轻舟已过万重山"则寄寓了获赦后的欢乐。单个的自然现象没有任何意义，只有与人的情感联系在一起才具有意义。因此，自然也具有了人文精神。正像王夫之所说的："情景虽有在心在物之分，而景生情，情生景，哀乐之触，荣悴之迎，互藏其宅。天情物理，可哀可乐，用之无穷，流而不滞，穷且滞者不知尔。"（《姜斋诗话》卷上）

像"言志"的末端因为走向理性的说教而失去文学性一样,"缘情"也有面临穷途末路的时候,那就是以矫讹之情代替真情,以海淫之情代替爱情。这种现象在文学创作中也是经常存在的。徐渭曾尖锐批评了虚设情感的创作态度:

> 夫设情以为之者,其趋在于干诗之名;干诗之名,其势必至于袭诗之格而剿其华词。审如是,则诗之实亡矣。是之谓有诗人而无诗。(《肖甫诗序》,《徐文长集》卷二十)

虚情的结果必将导致诗的灭亡,真情才是文学创作必须具备的心胸。袁枚指出,真情乃是自然之情。他说:"从性情而得者,如水出芙蓉,天然可爱;从学问而来者,如元黄错采,绚染始成。"(《答何水部》)这是创作的甘苦之言。文学创作情感的沦落必然导致文学性的沦落,也将导致人文精神的沦落,其所产生的后果是难以想象的。

中国古典文艺学"言志"、"缘情"理论对人文精神的关注是一个值得深究的话题。"言志"和"缘情"虽然都是对文学本质特征的言述,但是,侧重点不一样。"言志"的具体表现是以"志"统"情","缘情"的具体表现是以"情"统"志"。在具体的文学创作中,"情"与"志"时有交叉,经常互补,使文学艺术的创作自始至终都保持着优良的传统:一方面描写生民疾苦,反映社会现实;另一方面也深入人的内心,探测人最隐秘、最真诚的世界。"言志"与"缘情"凸显了深刻的人文精神,它当然有资格立于世界文艺理论之林,成为一座不朽的丰碑。

第四章　形与神：
艺术形象的审美创造

　　形与神是中国古典文艺学的一个重要命题，曾在文学和艺术各层面引起了广泛的讨论，涉及审美心理、形象感知、审美创造等诸多的理论问题。这些理论在古代的文学艺术创造中发挥了极其重要的作用，在今天仍有重要的启发意义。形与神的核心是艺术形象的创造，这在先秦时期就已经有比较明确的意识。以老庄为代表的道家哲学对之高度重视，将其纳入道之序列进行了深刻的阐发，赋予其创造和美的意义，推动其在艺术领域中的广泛运用。从此，形与神的创造作为艺术创造的生机所在被屡屡提及，在中国古典文艺学理论中放射出迷人的光彩。形神理论的重要发展阶段是汉代和魏晋南北朝。这一阶段，由于古典艺术的体式逐渐完备，特别是绘画艺术逐渐成熟并趋于精深，对形与神有了明确而细致的要求。神贵于形，神制形从的观念随即产生，整个理论界弥漫着崇神的风气。但是，在崇神之余，并没有忽略形，作为艺术家必须遵循的信条"以形写神"被广泛运用，对文学艺术创作产生深刻的影响。唐以后的形神理论逐渐完备，"意得神传，笔精形似"（张九龄《宋使君写真图赞并序》，《唐丞相曲江张先生文集》卷十七）不仅作为绘画要求，而且作为诗文创作的要求被广泛阐发，"入神"作为文学艺术创作的最高境界成为文学艺术家孜孜追求的目标。中国古代的形神理论在"入神"的理论感召下进入了一个更高的层次。

第一节　形神意义溯源

　　形与神的概念在先秦的哲学典籍中已经产生,但讨论的对象不是文学艺术,而是包括人在内的、虚幻的或实在的各种物象或现象,探讨这些物象或现象所具有的形上意义。老子云:"大象无形。"(《老子》四十一章)这个"形"就不是一个实在的所指,包含诸多虚幻的内容。首先是因为"大象"本身就不是一个实在的象,而是道的象征;其次是因为形以"无"作修饰,突出了形的虚幻性。老子的思想中,尽管"形"是虚幻的,但是,他还是要求描绘它,其结果不是塑造了一个生动感人的直观形象,而是达到了"无"(道),实现了他的哲学意图。"孔德之容,惟道是从。道之为物,惟恍惟惚。惚兮恍兮,其中有象,恍兮惚兮,其中有物。"(《老子》二十一章)老子还说到"神":"以道莅天下,其鬼不神。非其鬼不神,其神不伤人;非其神不伤人,圣人亦不伤人。"(《老子》六十章)这个"神"同样是一个不易捉摸的东西。王弼云:"神不害自然也。物守自然,则神无所加。神无所加,则不知神之为神也。"①可见,在老子的哲学中,形与神都是虚幻的而非实在的象。这虽然还算不上一个严肃的文学艺术理论话题,但却具有文学艺术理论所必备的潜质。然而,先秦哲学典籍中的形与神有时也指人。如《管子·内业》云:"凡人之生也,天出其精,地出其形,合此而为。"《管子·心术》又云:"虚其欲,神将入舍。扫除不洁,神乃留处。"当形与神被用以分析人的身心形象时,便成为一个对应的范畴,形与神便迅速朝着形象的生命形态靠近。

　　究竟形与神的意义是什么?这是我们必须要解决的。

　　形是指人或物的状态、容貌、体格等,它属于客观存在的因素。《说文解字》云:"形,象也。"《广雅·释诂四》云:"形,容也。"《礼记·檀弓上》有"敛首足形"一语,是说丧葬的,这里的"形"是指形体。这说明,形是可直接感知的物象。《周易·系辞上》云:"圣人有以见天下之赜,而拟诸其形容,象其物宜,是故谓之象。"后来,形与

---

① 楼宇烈:《王弼集校释》,中华书局,北京,1999年,第185页。

象、容、体便组成了形象、形容、形体这些复合词,渐渐形成了以形象为统领,可以之对事物外在特征进行判断、辨别的观念,并影响到文学艺术的形象创造。

"形"在中国古代已经成为一种符号,一种有着独特象征意义的符号。《周易》的卦象、爻象就是一种形,一种有着象征意义的符号,"—"是阳爻,代表着天、太阳、男性,象征着刚健、强壮;"--"是阴爻,代表着地、月亮、女性,象征着柔美、软弱。《周易》就是通过对阴、阳两爻的组合与推演,使它们组成了不同的形,从而赋予这些形各种深刻的含义,展示了它的生命精神。

"神"在先秦典籍中的意义主要有三个:其一,是天神、鬼神。如《诗经·大雅·云汉》中的"靡神不宗",《周礼·春官·宗伯》中的"以祀天神",《老子》中的"其鬼不神"等,其中的神均是指天神、鬼神。其二,是指雷电。《说文解字》释神:"神,天神引出万物者也,从示、申。"古文字中的"申"即为"电"。杨树达释"神"曰:"盖天象之可异者,莫神于电,故在古文,申也,电也,神也,实一字也。其加雨于申而为電,加示于申而为神,皆后起分别之事矣。《说文解字》十四篇下申部云:'申,神也。'正谓申为神之初义矣。"①雷电是受天神指使控制的,故而,天神与雷电是相互联系的。其三,是指人的灵魂、精神。如《庄子·达生》云:"用志不分,乃凝于神。"《庄子·养生主》云:"臣以神遇而不以目视,官知止而神欲行。"屈原《九歌·国殇》云:"身既死兮神以灵,子魂魄兮为鬼雄。"此处之"神"都是指人的灵魂、精神。在古人的思想意识里,灵魂是不死的,屈原的"子魂魄兮为鬼雄"就宣扬灵魂不死,变成鬼神。可见,灵魂之"神"也是天神决定的。上述"神"的三个义项并非各自孤立,它们之间有密切的联系。

中国古典文艺学对"神"的这三个意义是可区别对待的。天神、鬼神、雷电与文学艺术的创造没有什么关系,最多只能成为文学艺术作品中的一个形象或意象。与文学艺术创造有密切关系的是灵魂、精神。在具体创作的过程中,灵魂、精神适应不同的创作因素会有相

---

① 杨树达:《积微居小学金石论丛》(增订本),中华书局,北京,1983年,第16页。

应的表现情状。它可以表现在形象的创造上，可以表现在风格的形成上，也可以表现在语言的运用上。古代的文艺理论家们认为，文学艺术作品作为主体创造的物化形态是有灵魂、精神的，它能展现作家、艺术家独特的思想气质和精神品质；而文学艺术作品的语言连同生动感人、活灵活现形象，也被认为具有某种精神品质。这种思想气质和精神品质是文学艺术作品独特灵魂之所在，具有相当活跃的生命因素。任何物（包括文学艺术作品及其所塑造的形象、意象、境界等）都有其外在的形式，即形。形和灵魂、精神之神对应起来，连接在一起，便成为一个不可分割的范畴——形神。这一范畴在中国古典文艺学中被广泛运用，并在发展完善的过程中不断地充实着新的内涵。

形与神对应、结合之后，最初的言述对象是人。形是指人的形体、形容、形象，神则是指人的灵魂、精神。在古代，较早以形神说著书的当推《庄子》，其中所描写的许多神人、真人就是形神一体化的形象，具有隐喻的特征。如《齐物论》中的形如槁木、心如死灰的南郭子綦，《逍遥游》中的"肌肤若冰雪，绰约若处子"、"其神凝"的藐姑射山神人，都是智者的象征，扮演着神的角色，成为现实生活中难以企及的精神偶像。

庄子言说人之形神，常常借形说神，对形的描述较多。并且，庄子也会着重渲染形之丑的一面，有意使形与神失衡，造成一定的反差，以此来表达神的美妙。因此，《庄子》一书中就出现了许许多多奇形怪状的人物，如支离疏、哀骀它、兀者王骀、叔山无趾等，他们都是庄子理想中的人物形象。他描绘支离疏的形："支离疏者，颐隐于脐，肩高于顶，会撮指天，五管在上，两髀为胁。"（《庄子·人间世》）他描绘哀骀它，反复说他是"卫之恶人"、"以恶骇天下"（《庄子·德充符》）。他描写兀者王骀是"无形"，描写叔山无趾是"踵"。而且，从这些人的名字就可以得知他们的形，名字本身就是对形的刻画。庄子着意突出这些人物形象的丑形，意在宣扬他们德性的高尚，这就形成了形与神的失衡，形与神不成正比例地对应了起来。他高扬形残而神美，认为这是完人的标志之一，有一种怪异的审美趣味。形残不是由于不道德或不谨慎的行为造成的，而是"道与之貌，天与之形"，是

"天选"(《庄子·德充符》)的结果。这样，庄子对形与神的讨论实际上是在哲学的层面上展开的，通过人的形与神失衡与不成比例的分析阐释他的道的理念。

庄子的形神观已经具有了诗性的内涵，后来，文学艺术中的形神理论都与庄子有某种血缘关系。全面展开庄子的形神理论是一个很大的论题，并非本章所能胜任。但是，对他的形神理论做一必要的勾勒，有助于我们把握中国古代艺术形象的审美创造，这却是一个不可缺少的环节。

庄子形神理论在于着意把握生命的精神现象，进而体味生命的价值。上文我们所陈述的形与神失衡的观念，在本质上并不是忽视形而重视神（这似乎是学术界一种较为普遍的看法），而是在宣扬他的道。庄子把道看作是超越万物（包括人的形神）的哲学存在，意图在于用道把握生命，这才是重要的。庄子在说形时还强调"忘"。《德充符》在描绘了众多貌残形陋的贤者之后，曾说到"忘"："故德有所长，而形有所忘。人不忘其所忘，而忘其所不忘，此谓诚忘。"(《庄子·德充符》)这说明庄子对形与神的认识是朝着生命的完美方向发展的。所谓"忘"不是记忆的概念，而是注意的概念。在道的发现过程中，用记忆不能解决的问题，只能用注意来解决。注意包含着理性的判断，记忆只是保存、再现，与理性无缘。庄子的"忘"是运用理性的判断来思索生命的价值，这是他独特的思维视觉，后来，评判文学艺术运用的象外之象、言外之意、言有尽而意无穷等理论都是这种哲学观念的拓展。

庄子的"忘形"观在《庄子》一书中有许多延伸，都涉及生命的本质。他曾借孔子之口说出这样的话："鱼相忘乎江湖，人相忘乎道术。"(《庄子·大宗师》)这就是说，人处于大道之中，就像鱼儿悠游于江湖之中，最终达到了本真。这正是因为人忘"形"——抛弃了现实生活中的种种欲望——所达到的境界。《大宗师》中还记载了一段颜回与孔子的对话，进一步讨论了"忘"，最为明显地表现了庄子的态度：

> 颜回曰:"回益矣。"仲尼曰:"何谓也?"曰:"回忘礼乐矣。"曰:"可矣,犹未也。"他日,复见,曰:"回益矣。"曰:"何谓也?"曰:"回忘仁义矣。"曰:"可也,犹未也。"他日,复见,曰:"回益矣。"曰:"何谓也?"曰:"回坐忘矣。"仲尼蹴然曰:"何谓坐忘?"颜回曰:"堕肢体,黜聪明,离形去知,同于大通,此谓坐忘。"仲尼曰:"同则无好也,化则无常也,而果其贤乎!丘也请从而后也。"

"坐忘"是"忘"的最高境界,也是生命体验的最高境界。对此,徐复观先生有一段精妙的分析:

> 庄子的"堕肢体"、"离形",实指的是摆脱由生理而来的欲望。"黜聪明"、"去知",实指的是摆脱普通所谓的知识活动。二者同时摆脱,此即所谓"虚",所谓"静",所谓"坐忘",所谓"无己"、"丧我"。……而庄子的"离形",也和老子之所谓无欲一样,并不是根本否定欲望,而是不让欲望得到知识的推波助澜,以至于溢出于各自性分之外。在性分之内的欲望,庄子即视为性分之自身,同样加以承认。所以在坐忘的意境中,以"忘知"最为枢要。忘知,是忘掉分解性的、概念性的知识活动,剩下的便是虚而待物的,亦即是徇耳目内通的纯知觉活动。[①]

庄子的"忘形"之所以能够获得哲理的升华,是因为实现了以"忘知"为最终目的的生命体验。

庄子论述了形与神的失衡,强调忘形,并不意味着他只重视神而忽略形。对于人来说,形与神并没有主次之别、高低之分。形与神只有处于一体化的状态,人才能成为人。缺少形或缺少神,人都会失去存在的可能。对于外在的其他事物也是一样。

庄子以形神论人的观念对哲学的进化意义非凡,对艺术的影响也很大。汉代的形神理论直接从庄子的理论中汲取营养,进一步深化,先是在以元气自然论为代表的哲学领域发挥巨大作用,继而又在

[①] 徐复观:《中国艺术精神》,华东师范大学出版社,上海,2001年,第43~44页。

文学艺术领域展现其动人的魅力。

汉初,具有代表性的哲学思潮是黄老之学。这一哲学形成于战国中期齐国的稷下学宫,它主张用黄老刑名思想为社会服务,在统治上倡导无为而无不为,对安定汉初社会起过重大作用。当时,治黄老之学的大家有毛翕公、盖公、曹参、司马谈等。司马谈兼收黄老与庄子的包容态度给后人留下了极其深刻的印象,他曾借助于庄子的形神理论来解说政治:"道家使人精神专一,动合无形,赡足万物。其为术也,因阴阳之大顺,采儒墨之善,撮名法之要,与时迁移,应物变化,立俗施事,无所不宜。指约而易操,事少而功多。""凡人所生者神也,所托者形也。神大用则竭,形大劳则敝,形神离则死。死者不可复生,离者不可复反,故圣人重之。由是观之,神者生之本也,形者生之具也。不先定其神,而曰'我有以治天下',何由哉!"(《论六家要旨》)由人的形神与生命的关系论及政治,颇多新意。《淮南子》则广泛运用形神理论解说人的生命现象与文艺现象,是对黄老之学的进一步深化。

《原道训》云:"夫形者,生之舍也;气者,生之充也;神者,生之制也。一失位则三者伤也。"又云:"故以神为主者,形从而利;以形为制者,神从而害。"形与神合为一体的观念在这里便凸显了。这是对庄子形神观的忠实继承,但却摆脱了庄子的那种幽谬之说、荒唐之言,讲得更为实在。值得注意的是,《淮南子》在说形舍神制时,中间加了一个"气"的要素。"气者,生之充也",就是说,气是调节形与神的状态,使之生机勃发的内在因素。"气"是"心"的结果。故而,《原道训》又云:"夫心者,五藏之主也。所以制使四支,流行血气,驰骋于是非之境,而出入于百事之门户者也。是故不得于心,而有经天下之气,是犹无耳而欲调钟鼓,无目而欲喜文章也,亦必不胜其任矣。""心"指使血气运行,它能自由地出入是非之境、百事之门,那么,"心"是形与神的主宰。《精神训》在言述心的主宰作用时说得极为明确:"心者,形之主也;神者,心之宝也。""心"的存在意义在于它是生命根本之根本,没有心,形与神就不可能存在。

《淮南子》认为形与神是整一的、一体化的,是生命不可缺少的,但是,它有时又特别强调神的作用,把神抬到一个很高的位置。

《诠言训》云:"神贵于形也,故神制则形从,形胜则神穷。聪明虽用,必反诸神,谓之太冲。"《原道训》也说:"以神为主者,形从而利;以形为制者,神从而害。"乍看起来,这似乎陷入了一种矛盾。然而,通过深入思考,我们就会发现,这是不矛盾的。对于人来说,形与神虽然是一体化的、整一的,但是,真正对外在产生影响的往往不是形,而是神。因为,就一个人来说,形(外貌)不产生真正的功利,只有人的精神品格、思想境界(神)才能作用于人的生活,并产生真正的功利。从这个意义上认识《淮南子》的"神制形从",便能得出合乎逻辑的结论。

《淮南子》对艺术的重视超越了《庄子》。《庄子》纯粹记述艺术的文章极少,然而,《田子方》一篇记载宋元君作画,借画师"解衣槃礴裸"的自然形态描绘其内心(神),可谓传神之笔,被艺术史不时提起。《淮南子》记述了大量的艺术事例,结合形与神的创造,并对这些艺术事例进行了深入的剖析,并且,提出一个"君形者"的概念,对后人正确理解形神关系有极大的启发。

《说山训》云:"画西施之面,美而不可悦,规孟贲之目,大而不可畏,君形者亡焉。"西施的美貌和孟贲的大眼睛是他们外在形象的典型特征。画他们的肖像,关键是要能在这些外在的典型特征背后展现出他们的"君形者"。这里的"君形者"不是一般意义的神,而是形神一体化的、整一的神。《淮南子》之所以不用神而用"君形者"来言述艺术,就是要强调形神一体化、整一性。它们本来就是一个东西,不能硬性分开,但是,为了解说方便,又不得不把它们分开说,实在是迫不得已!"君形者"是主宰形的,是与形一体化的、整一的,这个概念本身就包含对形的重视。《淮南子》不仅用这一概念来言述绘画,而且用它来言述没有具体形象的音乐,足见"君形者"是一个艺术和美学的概念。《说林训》云:"使但吹竽,使工厌窍,虽中节而不可听,无其君形者。"此处又导出"君形者"的另一层含义,那就是流畅的生命之气。"君形者"实际上是形、气、神一体化的结构,只有在这种结构中,艺术才能表现出它的生命价值。《览冥训》以一曲感人的哀歌深化了"君形者":"昔雍门子以哭见于孟尝君,已而陈辞通意,抚心发声,孟尝君为之增欷歍唈,流涕狼戾不可止。精神形于内,而外谕哀于心,此不传之道。使俗人不得其君形者而效其容,必为人笑。"雍门子之所以能以自己的歌唱、陈辞感动孟尝君,是因为他成为表达的君形者,并且将之准确地传递给孟尝君。所谓"精神形于内,而外谕哀于心"正是"君形者"存在的本质。因此,"君形者"能以自身的生命力量打动人、感化人,是因为它缘于个人的审美体验。

中国古代的形神论从人论领域、政治哲学领域扩展到文学艺术领域是由《淮南子》开风气之先的。《淮南子》之后,整个汉代对形神的讨论并没有深入下去,一直持续到魏晋时期才出现转机,上承《淮南子》的理论余绪,开创了形神理论的新天地。

魏晋时期玄学大炽,老庄、《周易》是热门话题。由于人物品评在当时已蔚为风气,品评的重点仍是形与神。刘劭《人物志》品赏人物,特重形神:"物生有形,形有神精。能知精神,则穷理尽性。""夫色见于貌,所谓征神。征神见貌,则情发于目。"鉴赏人物,首先从形开始,在形中发现精神,在形中穷理尽性。形是通往神的阶梯,形与神是一体化的、整一的。魏晋人物鉴赏特重风神,这在《世说新语》中有大量记载。如:"世目李元礼,'谡谡如劲松下风'。"(《世说新语·赏誉》)"王右军道谢万石'在林泽中为自遒上',叹林公'器朗神俊',道祖士少'风领毛骨,恐没世不复见如此人',道刘真长'标云柯而不扶疏'。"(《世说新语·赏誉》)这些评赏采用的都是形象化的语言,但都准确地道出评赏对象的神韵。风神既是形也是神,神中有形,形中有神。

与此同时,形神理论还广泛运用于文学艺术的创造与鉴赏之中。音乐、绘画、文学、书法等艺术门类都运用形神理论来解决问题。嵇康《声无哀乐论》是一篇重要的音乐美学著作,其中不少地方讲到形与神的关系。"夫声之于音,犹形之于心也。有形同而情乖,貌殊而心均者。何以明之?圣人齐心等德,而形状不同也。苟心同而形异,则何言乎观形而知心哉?""垂涕则形动而可觉,自得则神合而无忧。是以观其异而不识其同,别其外而未察其内耳。"这里提出了关于形与神的一系列新问题,阐发了他在形神问题上的态度。这是我们下面各节将要讨论的问题,在这里,不做申论。这就说明,嵇康的形神理论已经自觉地从多角度、多视点透视文学艺术中的形神关系,较前已有实质性的进展,具有重要的理论意义。至于绘画、书法理论中的形神问题则更为突出。"以形写神"、"传神写照"等命题纷纷提出,标志形神理论从人论向艺术的移植趋于成熟。《世说新语》记载了许多绘画故事涉及形与神的关系:"顾长康画人,或数年不点目精。人问其故,顾曰:'四体妍蚩,本无关于妙处,传神写照,正在阿堵之中。'"(《世说新语·巧艺》)"顾长康画裴叔则,颊上益三毛。人问其故,顾曰:'裴楷俊朗有识具,正此是其识具。看画者寻之,定觉益三毛如有神明,殊胜未安时。'"(《世说新语·巧艺》)眼睛作为人身体的一部分最能传达出人的内在精神,人外在形貌的典型特征也是传达人精神气质的一个符号。顾恺之把形神关系处理得恰到好处,他的作品堪称传神写照的典范。

如果说,人物画的创作与以人为言述对象的传统形神理论关系比较密切的话,那么,将形神理论移入山水花鸟画的创作之中则是魏晋南北朝艺术家们的创造。宗炳《画山水序》云:"是以观画图者,徒患类之不巧,不以制小而累其似,此自然之势。如是,则嵩华之秀,玄牝之灵,皆可得之于一图矣。夫以应目会心为理者。类之成巧,则目亦同应,心亦俱会。应会感神,神超理得,虽复虚求幽岩,何以加焉?又神本无端,栖形感类,理入影迹,诚能妙写,亦诚尽矣。"这就是说,山水画也有形与神的问题。山水的外在形象能使人"应目会心"、"神超理得",其中亦含有丰富的人间妙理,这便是山水之神。魏晋南北朝的形神理论虽然受老庄的启发很大,但是,也和孔子的"智者乐水,仁者乐山"融汇在一起,展现了一种包容的气势。

中国古代的形神理论起源于人论,终结于文学艺术论,这一过程到魏晋南北朝已经完成。形神理论由一个哲学、政治学的命题演变为文学艺术理论的一个重要命题有它的必然性,其中包含的文学艺术形象塑造的审美法则是一个动态的系统,必须结合具体的文学艺术的现象才能说明。形与神的关系是一体化的、整一的,不是可以随便割裂的、分离的,这是我们考察古代形神理论时必须认真对待的问题。如果一味割裂它,分离它,认为形是形,神是神,那么形就不成为形,神也就不成为神,形神理论将会失去它的美学意义。这是考察形神理论之大忌。

第二节　形与神的生命本质

　　形神理论关注的是艺术形象的审美创造问题。艺术形象是集中诸多美学因素的生命现象，它不仅包括文学艺术作品中所描绘的人物形象，还包括文学艺术作品中所刻画的物的形象。中国传统所说的意境、意象等也都属于艺术形象的范围。艺术形象的审美创造实际上是艺术形象的生命本质问题。这自然涉及形与神的生命本质。

　　形与神作为一个生命的实体是一体化的、整一的，但是，这并不是否定形与神的独立存在。当我们观察一个特定的物象时，首先是这个物象外在的形吸引我们，然后，才是它的气质、神韵。形使我们直接感觉到这个物象的独特所在，它是进入形象创造和审美体验的第一个阶梯。由外在的形引发想象与联想才切入内在的神，神融合了文学艺术审美创造的诸多理性因素。对同一形象的观察，不同的观察者从相同的形着眼，对神的判断可能就不一样。这就足以说明形与神的差异：形是客观的、实在的；神是主观的、虚幻的。形与神的结合构成了艺术形象的生命本质，也显现了形与神自身的生命本质。

　　中国古典文艺学对艺术形象的要求是传神，不能够传神的形象不足以成为艺术形象。《淮南子》所列举的"美而不可悦"的西施之面和"大而不可畏"的孟贲之目就不是艺术形象，因为其失去了"君形者"，没有做到传神，不能够以生动、鲜明打动人、感染人。传神的途径只能靠形。要做到传神，关键在于对形的把握和处理。这种把握和处理，不仅仅是技巧的，而且是情感的、思想的。这就给写形提出了许多要求。艺术形象的创造往往是虚构的，不真实的，写形与真实应保持一段距离。写形不是照着形实有的样子，应抓住形最典型的特征去写。顾恺之画裴楷，颊上益三毛，谓之"识具"，这"识具"就是最典型的特征。正因为这"识具"的存在，使人一眼便能识别出这个形象只能是裴楷，而不是其他人。"识具"是传神的关键之所在。

　　不同艺术门类对艺术形象的创造要求不一样，因此，对形与神的要求也不一样。泛泛讨论形与神可能会造成诸多误解，不利于问题的解决。由于中国古代形神理论在文学艺术中的应用最早是从绘画开始的，那么，我们首先从绘画谈起，考察形与神的生命本质。

朱良志在《中国艺术的生命精神》中说：

> 生命是跳荡于中国画之中不灭的精魂。如山水画创作，千百年来，依然是深山飞瀑、苍木古松、幽涧寒潭……似乎总是老面孔。然而人人笔下皆山水，山山水水各不同。它的艺术魅力，就在于似同而实异的表相中所掩盖的真实生命。抽去这种生命，中国山水画也许会成为拙劣的形态呈现，早已消逝在历史的长河中。在花鸟画中，重视蓬蓬勃勃的生命感则更为明显。①

这实际是在解说形与神的生命本质。形与神在绘画中的表现是与生命联系在一起的，独立的形的存在没有任何意义，只有将形赋予一种生命的意识才有意义，才具有传神的功能。从这一视点来认识顾恺之的"以形写神"，我们便能够体验顾恺之的高明之处。

《世说新语·巧艺》中，曾经记载了顾恺之对于"传神写照"的言论：

> 顾长康画人，或数年不点目精。人问其故。顾曰："四体妍蚩，本无关于妙处。传神写照，正在阿堵之中。"

张彦远的《历代名画记》还记载了顾恺之的一段言论：

> 人有长短，今既定远近以瞩其对，则不可改易阔促，错置高下也。凡生人亡有手揖眼视而前亡所对者，以形写神而空其实对，荃生之用乖，传神之趋失矣。空其实对则大失，对而不正则小失，不可不察也。一像之明昧，不若悟对之通神也。（《历代名画记》卷五）

画面的生动传神缘于画面形象的结构安置，追求画面形象的生命和谐是以形写神的妙法，倘若"空其实对"，则会导致精魂的消

---

① 朱良志：《中国艺术的生命精神》，安徽教育出版社，合肥，1998年，第175页。

逝、生命的泯灭。顾恺之重视艺术形象的生命，在《魏晋胜流画赞》中还有更多的表现。如，他评《小烈女》画"面如恨，刻削为容仪，不尽生气"；评《伏羲》《神农》"神属冥芒，居然有得一之想"等，均是他生命意识的体现。

中国古代绘画对形的选择非常挑剔，现实生活中所有的自然现象和人物并不一定能随便入画，只有具有丰富文化意蕴的物象才能入画，才能寄托人的生命情思。除自然的山、水之外，常常入画的形象，植物主要有梅、兰、竹、菊、松、荷等，动物主要有龙、鹤、马、鹰、虎等，人物主要有帝王、仕女、名人、传说人物等，每一种形都灌注了历史积淀下来的文化意蕴，是生命精神的象征。

山水形象早在孔子的时代已经被道德化、哲理化了。孔子说："智者乐水，仁者乐山；智者动，仁者静；智者乐，仁者寿。"（《论语·雍也》）山水已成为生命精神的象征。魏晋南北朝时期，山水画兴起，画家们已自觉地寄情于山水。宗炳《画山水序》云：

> 圣人含道映物，贤者澄怀味象。至于山水质有而趣灵，是以轩辕、尧、孔、广成、大隗、许由、孤竹之流，必有崆峒、具茨、藐姑、箕首、大蒙之游焉。又称仁智之乐焉。夫圣人以神法道而贤者通，山水以形媚道而仁者乐。不亦几乎？

"澄怀味象"就是通过山水来陶冶人的生命情操。宗炳把山水看成有生命的自然，认为其"质有而趣灵"，是圣人的游乐之地。山水的"趣灵"是指山水所蕴含的鲜活、流动的生命意象，这种意象是仁智的。故山水之形与"道"为近，山水之形也有精神品质。这就把山水形象提高到生命本质的高度来考察，在绘画领域影响甚巨。

石涛《画语录·资任章》评山水最重其生命本质。其评山：

> 山之得体也以位，山之荐灵也以神，山之变幻也以化，山之蒙养也以仁，山之纵横也以动，山之潜伏也以静，山之拱揖也以礼，山之纡徐也以和，山之环聚也以谨，山之虚灵也以智，山之纯秀也以文，山之蹲跳也以武，山之峻厉也以险，山之逼汉也以高，山之

浑厚也以洪,山之浅近也以小。

其评水:

> 夫水:汪洋广泽也以德,卑下循礼也以义,潮汐不息也以道,决行激跃也以勇,潆洄平一也以法,盈远通达也以察,沁泓鲜洁也以善,折旋朝东也以志。

山水之形在这里完全是生命精神的化身,其中浸润的中国文化的精深意旨并非形神二字所能道尽。

对山水之形与人的生命精神的嫁接,用西方的格式塔(Gestalt)心理学的眼光看,是一种异质同型,也就是说,人与自然是心理和物质的关系,即人大脑的心理活动机制与自然的物理活动机制具有同一性,是同一种力的运动。美国著名审美心理学家鲁道夫·阿恩海姆说:

> 不论是在我们自己的心灵中,还是在人与人之间的关系中;不论是在人类社会中,还是在自然现象中;都存在着这样一些基调。这种诉诸人的知觉的表现性要想完成自己的使命,就不能仅仅是我们自己感情的共鸣。我们必须认识到,那推动我们自己的情感活动起来的力,与那些作用于整个宇宙的普遍的力,实际上是同一种力。只有这样去看问题,我们才能意识到自身在整个宇宙中所处的地位,以及这个宇宙整体的内在统一。①

山水之形所包蕴的宇宙自然之力表现在绘画中就与画家的心理产生共鸣,从而孕育了绘画的神。可见形与神是一体化的、整一的,形神之中包蕴着自然宇宙之力,也包蕴着人的生命本质。

绘画如此,书法又是如何呢?

中国书法是另一种形神合一的生命形式。朱良志说,取象是中国书学的纲领;从创作和接受过程看是观象以取意,以象而尽势;从

---

① [美]鲁道夫·阿恩海姆:《艺术与视知觉》,滕守尧、朱疆源译,四川人民出版社,成都,2001年,第620页。

形式构成看,象是书法线条形成的根源。①象乃是形,但它是包含神在内的格式塔,是一种完形。象的功能在于显示生命,表现生命的价值。由于中国书法是以象形汉字为基础形成的一门艺术,与绘画有相同的渊源关系,因此,书法同样寄托着书家的生命情思,成为表现文化符号的一种符号。传说为王羲之所作的《题卫夫人笔阵图后》便对书法创作的体验做了这样的描绘:

> 夫纸者阵也,笔者刀矟也,墨者鍪甲也,水砚者城池也,心意者将军也,本领者副将也,结构者谋略也,飐笔者吉凶也,出入者号令也,屈折者杀戮也。

书法的整个创作过程就是人灵魂生命的争斗过程。在这里,王羲之以形象化的语言描写了书法的形,这看似简单的出入曲折之中包含着多少关于生命的思索!书法及书法创作之神就寄予在这书法的外在形象之中。《题卫夫人笔阵图后》还描述了书家进行书法创作时的心理,极类似于格式塔心理学所描述的心理想象的活动:

> 夫欲书者,先干研墨,凝神静思,预想字形大小、偃仰、平直、振动,令筋脉相连,意在笔前,然后作字。若平直相似,状如算子,上下方整,前后齐平,便不是书,但得其点画耳。

凝神静思是心性的陶冶过程,也是生命的酝酿过程。在凝神静思之中,所有的情思、感想以及对生命的体验都灌注在字的线条之中,融入字的筋脉里。这就是所谓的"意在笔前"。人的内心有所郁结,在传达这种郁结的过程中要寻求一种与其相同的自然宇宙之力,而书法就是寻求的对象。书法之形凝聚着书家的生命思索,是一种诗意的格式塔。书法同样体现了生命的本质。

书法和绘画虽然同源,但是,在展现人的情思方面,它们之间的差别很大。中国书法与绘画最根本的不同在于抽象,这一点古人已多有认识。张怀瓘云:

---

① 朱良志:《中国艺术的生命精神》,安徽教育出版社,合肥,1998年,第217页。

文章之为用，必假乎书；书之为征，期合乎道。故能发挥文者，莫近乎书。若乃思贤哲于千载，览陈迹于缣简，谋猷在觌，作事粲然，言察深衷，使百代无隐，斯可尚也。及夫身处一方，含情万里，标拔志气，黼藻精灵，披封睹迹，欣如会面，又可乐也。（《书断》）

又云：

尔之初之微也，盖因象以瞳眬，眇不知其变化，范围无体，应会无方，考冲漠以立形，齐万殊而一贯，合冥契，吸至精，资运动于风神，颐浩然于润色。（《书断》）

可见，古人认为，书与道通。正是因为书与道通，才能"范围无体，应会无方"。"风神"是一个抽象的概念，它指的是书法中所表现出来的、具有生命气质的物象之道。书法由文字的象形演化为抽象之道正是它由实用走向艺术的过程。在这一过程中，随着象形的消失、抽象的增强，书法便获得了内在的生命。

书法的形与神是通过"势"表现出来的。所谓"势"是指书的内在结构中的开合、屈伸、虚实的态势，是书法生命气质的外在显观。沈宗骞说：

笔墨相生之道，全在于势。势也者，往来顺逆而已。而往来顺逆之间，即开合之所寓也。（《芥舟学画论·取势》）

解缙《书学详说》云：

若夫用笔，毫厘锋颖之间，顿挫之，郁屈之，周而折之，抑而扬之，藏而出之，垂而缩之，往而复之，逆而顺之，下而上之，袭而掩之，盘旋之，踊跃之，沥之使之入，衄之使之凝，染之如穿，按之如扫，注之趯之，擢之指之，挥之掉之，提之拂之，空中坠之，架虚抢之，穷深掣之，收而纵之，蛰而伸之，淋之浸淫之使之茂，卷之麽之，雕而琢之使之密，覆之削之使之莹，鼓之舞之使之奇。（《文毅集》卷十五）

取势用势的过程中，积聚了多少生动的力量，凸显出书法的气势美。书法的外在形状通过笔墨正反、开合的渲染已经融入了书家的生命因素，变得鲜活，达到对静态之美的超越。从而，书法由形与神所表现出来的生命本质也得到了提升。无怪乎，刘熙载说笔墨也有性情："笔性墨情，皆以其人之性情为本。是则理性情者，书之首务也。"（《艺概·书概》）书法所表现出来的生命本质其实是人对生命本质的体悟。

形与神理论在文学中的运用大约是在魏晋南北朝后期。《世说新语》大量地运用形神理论是用于评赏人物和绘画的，几乎不涉及文学作品。受人物品评和绘画的影响，南朝时期已开始用"形似"的概念来言述文学作品。沈约《宋书·谢灵运传论》云："相如巧为形似之言，班固长于情理之说，子建、仲宣以气质为体，并标能擅美，独映当时。是以一世之士，各相慕习。"钟嵘评张协："其源出于王粲。文体华净，少病累，又巧构形似之言，雄于潘岳，靡于太冲，风流调达，实旷代之高手。"（《诗品·晋黄门郎张协》）颜之推评何逊诗："何逊诗实为清巧，多形似之言。扬都论者，恨其每病苦辛，饶贫寒气，不及刘孝绰之雍容也。"[①]"形似"在当时是一个肯定性评价。从沈约评司马相如"巧为形似之言"、钟嵘评张协"巧构形似之言"可以看出，将"形似"与"巧"连在一起，足见对"形似"是一个肯定性评价。这是当时所倡导的一个美的标准。但是，从"形似"使用的语境上看，这一美的标准仅限于语言，概指语言的形象生动。"形似"观念的提出是与整个魏晋南北朝绮靡华艳的文风相适应的。这就充分说明，在魏晋南北朝时期，形与神的观念并没有被完全引入文学理论。

但是，在刘勰的《文心雕龙》中，已有形神对举的言辞。《夸饰》篇云："神道难摹，精言不能追其极；形器易写，壮辞可得喻其真。"将"神道"与"形器"对举，并不是形与神对应，这完全不是我们今天理解的形与神的意义。魏晋南北朝文学崇尚"形似"的风潮中，刘勰

[①] 颜之推：《颜氏家训·文章第九》，王利器：《颜氏家训集解》，中华书局，北京，1996年，第298页。

也不例外。"形似"在他的眼里也是一个美的标准。《文心雕龙·物色》云:"自近代以来,文贵形似,窥情风景之上,钻貌草木之中。"这里的"形似"是包含神似的,是赞美之意。形神对应的观念在《文心雕龙》中虽然没有出现,但这并不说明刘勰对文学的生命本质没有体察。《物色》篇在论述物象对人情感的激发时讲了这么一段话:"是以诗人感物,联类不穷;流连万象之际,沉吟视听之区;写气图貌,既随物以宛转;属采附声,亦与心而徘徊。"这里实际上就论述的是形与神的关系,论述的是艺术形象的审美创造。他已经意识到,仅仅凭靠语言的形似不足以展示艺术形象的生命本质,只有心与物交融才能实现真正的审美创造。

形与神对应在文学中的应用应始于唐朝,徐寅《雅道机要》已明确以形神说诗:"体者,诗之象,如人之体象,须使形神丰备,不露风骨,斯为妙手。"皎然在《诗式》中虽然没有明确使用形神,但有一处已典型地说到形神:"评曰:或云:诗不假修饰,任其丑朴,但风韵正,天真全,即名上等。予曰:不然。无盐阙容而有德,曷若文王太姒有容而有德乎?"(《诗式·取境》)显然,皎然对偏形重神的做法表示不满,要求形神兼备。司空图仅说到形似,但是,他的理论意旨远远不同于魏晋南北朝的形似,已极为明确地追求形与神合一的神似,追求文学的生命本质。《诗品·形容》云:"绝伫灵素,少回清真。如觅水影,如写阳春。风云变态,花草精神。海之波澜,山之嶙峋。俱似大道,妙契同尘。离形得似,庶几斯人。"一系列绝妙鲜活的比喻,言述了"离形得似"的种种意境。同时,"离形得似"的理论意义也得到凸显。"离形得似"其实就是追求心物同一的格式塔,在追求形似的同时也达到了神似,实现真正意义上的形神合一。

形与神在文学中的应用所表现出来的生命本质,可从以下几个方面来体认:

第一,天工与清新的自然气质。中国古典文学注重自然的风尚由来已久,很多文学家的创作都以自然相标榜,自然便成为中国古典文艺学、美学重要的理论观念和美学追求。形神理论引进了自然的观念是从魏晋南北朝开始的。陶渊明有《形影神》组诗,就是宣扬自然观念的。其有序云："贵贱贤愚，莫不营营以惜生，斯甚惑焉。故极陈形影之苦，言神辨自然以释之。好事君子，共取其心焉。"陶诗的创作是针对当时违反自然的宗教迷信的，意在从哲学上申述自己的生活理想与志趣，并借助于形影神来言说。这是一组奇特的诗，从这组诗中，我们能够体会到形神与自然的关系。苏轼把形与神从哲学的自然观念中拉回到文学的视域，给它定位是"天工与清新"。其诗云："论画以形似，见与儿童邻。赋诗必此诗，定非知诗人。诗画本一律，天工与清新。边鸾雀写生，赵昌花传神。何如此两幅，疏淡含精匀。谁言一点红，解寄无边春。"（《书鄢陵王主簿所画折枝二首》）这是一首论及形神问题被广泛引用的诗，其意在说明诗画的创作单单实现形似是远远不够的，只有做到形神兼备才能使诗画具有天工与清新的生命气质。王若虚指出东坡此语意旨是"论妙在形似之外，而非遗其形似"（《滹南诗话》卷二）；杨慎说东坡之论"此言画贵神，诗贵韵也"（《论诗画》，《升庵全集》卷六十六）。二人理解东坡此论存在分歧。王氏以为东坡形似与神似兼顾，杨氏以为东坡贵神忽形。这只能是二位对东坡理论的见仁见智。我们认为，东坡之论的精华在于"天工与清新"。"天工"意即自然天成，包括形与神两个方面；"清新"乃言述一种生命的气质，仅有形似或神似都是难以做到的。

其次，传神写照的艺术精神。传神写照是顾恺之提出的重神观念，针对的是绘画艺术中的形象创造。文学创作中的重神观念较早的引入者当属白居易。此前的杜甫虽然多次言述"下笔如有神"，但是，这个"神"仅仅是一种体验而已，与为形象创造的神的观念不是一回事。白居易云："文之神妙，莫先于诗。若妙与神，则吾岂敢？如梦得'雪里高山头白早，海中仙果子生迟'、'沉舟侧畔千帆过，病树前头万木春'之句之类，真谓神妙。"（《刘白唱和集解》，《白居易集》卷六十九）此处"神妙"当为传神之意。严羽把"传神"作为诗歌创作的最高境界："诗之极致有一，曰入神。诗而入神，至矣，尽矣，蔑以加矣。"（《沧浪诗话·诗辨》）"入神"亦为传神。谢榛云："赵章泉谓'作诗贵乎似'，此传神写照之法。当充其学识，养其气魄，或李或杜，顺其自然而已。"（《四溟诗话》卷二）"传神写照"的实现之途在于"充其学识,养其气魄",给文学作品注入生命的因素。然而,谢榛的"传神写照"有相当多的局限性,他的理论中除有创造的意旨之外,还有模仿的意旨,如云"或李或杜,顺其自然",就是说模仿李或杜做到自然而然、不刻意雕琢即算"传神写照",这根本不符合顾恺之"传神写照"的本原意图。谢榛虽然将"传神写照"移植到文学创作之中,但却表现出了保守、倒退的思想倾向。这实际上抹杀了"传神写照"的生命精神。

屠隆则较好地完成了将"传神写照"从绘画领域向文学领域的移植。其《论诗文》云:"诗道之所为贵者,在体物肖形,传神写意,妙入元中,理超象外,镜花水月,流霞回风,人得之解颐,鬼闻之欲泣也。"(《鸿苞节录》卷六)这里包含以下观念:1. 创作首先应做到"体物肖形",也就是说,先做到形似。对物象的观察细致,是谓"体物";对物象的描绘逼真,是谓"肖形"。2. 进入"传神写意",即实现神似。"传神写意"是建立在"体物肖形"的基础之上的,其中融入了作者极为深切的审美体验和生命思索,注入了作者的真挚情感。文学作品要达到"妙入元中,理超象外",实现蕴藉、空灵,必须做到"体物肖形"和"传神写意"的融合。3. 实现"体物肖形"与"传神写意"融合的作品能够给人以强烈的美感震撼,"人得之解颐,鬼闻之欲泣",也就是说,文学作品所创造的形象、意象或意境表达了真切的情感并且感人至深。这才是关键。因为,文学作品的价值就在于它能激活人潜藏在内心的情感,使人体验生命,感受生命,进而完善生命。"传神写照"如果达到这个层次便会获得艺术上的升华,展现艺术的生命本质。

再次,性格丰满的人物形象。中国古代的叙事文学相对滞后,原因颇多。我们认为,其中主要一点是历史传记的发展取代了叙事文学,甚至将史传与叙事文学等同。古人对这一问题一直含混不清,这便导致长期的真实与虚构之争。直至明中期,这个问题才算得以完满解决。随着明代以后中国叙事文学的迅速发展,人物形象的塑造趋于成熟,原本用于绘画的形神理论移用到人物形象的批评中,激活了古代的形神论。李贽在《忠义水浒传》第三回总批中说:"描画鲁智深,千古若活,真是传神写照妙手。且《水浒传》文字妙绝千古,全在同而不同处有辨。如鲁智深、李逵、武松、阮小七、石秀、呼延灼、刘唐等众人，都是急性的。渠形容刻画来，各有派头，各有光景，各有家数，各有身份，一毫不差，半些不混，读去自有分辨，不必见其姓名，一睹事实，就知某人某人也。"同样的性格，在施耐庵笔下刻画得极有分寸。施氏极其准确地捕捉到人物性格的传神之处，让人一眼看到就能有分别。这是多么高超的技巧！李贽评点《水浒传》人物多次用到传神。如第十三回总批对周谨、杨志、索超、刘唐的形象创造"真有出神入化手段"。第二十四回批语评武松婉言批评潘金莲后潘氏骂武大的一段话多次用"画"，并眉批"传神传神，当作淫女谱看"，都体验到《水浒传》人物性格的丰富性，简直达到呼之欲出的境界。同样，脂砚斋重评《石头记》中也大量运用传神的字眼。如在第十四夹批中评对凤姐的描写为"有神"、"如神"等，都是对人物性格丰富性的肯定。

人物形象的性格塑造是叙事文学的重要任务。成功的、典型的人物形象是鲜活的、有生命力的，具有历久不衰的永恒的审美价值。我们今天仍津津乐道中国古典小说所塑造的系列人物形象，如诸葛亮、刘备、曹操、李逵、鲁智深、潘金莲、贾宝玉、林黛玉等，就是因为他们性格丰满，形神兼备，在人们的心中活了起来。优秀的艺术形象往往比人的生命要长久得多，永恒得多。艺术形象的创造达到了这种境界，也就取得了极大的成功。

形与神的生命本质是通过生动、鲜活而具有永恒魅力的艺术形象创造表现出来的。中国古代的形神理论非常注重对艺术形象的发掘，要求在艺术形象的创造过程中尽可能地展示艺术形象的生命存在价值，揭示艺术形象的生命本质，这从上文对形与神意义的考察中可略见一斑。然而，艺术形象的创造过程是一个复杂的过程，对这一过程的审美体认必须借助于心理学的观念才能深入。这是另一个论题的任务。在这里，我们对中国古代形神理论的思考是初步的，权作抛砖，希望有志于中国古代形神理论探索的贤者有更为精深的发明。

第三节 "意得神传，笔精形似"

中国古典文艺学的形和神这两个概念都包含着极为复杂的内容，简而言之，形既指文学艺术作品的语言、形象，又指语言对形象的刻画及书画的运笔之法等；而神则是文学艺术作品所表现的意趣、哲理、言外之意、象外之象、形象的神采等。形与言、象相连，神与意、理为伴。因此，古代文艺理论家在说形时，必道言与象；在说神时，必论意与理。由于形与神是一体化的、整一的，使言、象、意、理集于一身，不好截然分开。故而，我们讨论形神不能避开言、象、意、理，必须对它们有充分的认识和把握。

言作为形是为表达意义服务的，世界上没有不表达意义的语言，离开意义，语言也不能存在。关于语言和意义的问题，我们拟在下章探讨，在这里，仅就其与形神相关层面的问题做一简单的论述，并以此展示中国古典文艺学诸范畴之间的错综复杂的关系。

语言是有形象的，这是因为语言能唤起人们的想象，使人通过对语素编码的运用，整合内心业已构成的形象。语言的形象不同于书画的形象。语言的形象具有极大的虚拟性和包容性，使不同的人对同一的语言形象理解往往差距很大。比如"蒹葭苍苍，白露为霜"，有人将"苍苍"理解为青色。如朱熹："蒹葭未败，而露始为霜，秋水时至，百川灌河之时也。"[①]"蒹葭未败"意指蒹葭还有青苍之色。有人将"苍苍"理解为灰白色，与露一起，共同烘托秋天。那灰白色干枯的芦苇，与芦苇上一层薄薄的霜粒，共同构成秋之意象，其表现的情调便与将"苍苍"理解为青色所表现的情调不可能一样。至于蒹葭的姿态，不同人的理解更是千差万别了。语言形象的虚拟性和包容性于此可见一斑！语言表意的丰富性与语言形象的传神性成正比。也就是说，语言愈形象、传神，其意义愈丰富。"红杏枝头春意闹"是北宋词人宋祁的名句。该句的传神之处不在有实体形象的"红杏枝头"，而在"闹"字。"闹"所表现的狂欢场面是动物的、植物的，是整个自然界

[①] 朱熹：《诗集传》，中华书局，北京，1958年，第76页。

的。蜂蝶翩翩,杏花斗艳,这是一种无言的狂欢,却生动揭示了春天生机盎然的景象。故而,王国维评此词:"着一'闹'字而境界全出。"(《人间词话》)语言是集形象与意义为一体的,形象和意义结合构成了意象。意象是形神的有机统一。

"意象"是中国古典文艺学里一个有丰富内涵的概念,其萌芽于先秦,形成于汉代。《周易》已明确认识到意与象的关系。《系辞》借孔子之口云:"圣人立象以尽意,设卦以尽情伪,系辞焉以尽其言。"王充《论衡·乱龙》里已经出现了意象合成词:"夫画布为熊麋之象,名布为侯,礼贵意象,示义取名也。"刘勰第一个将其引入文学理论中。《文心雕龙·神思》云:

是以陶钧文思,贵在虚静,疏瀹五藏,澡雪精神,积学以储宝,酌理以富才,研阅以穷照,驯致以绎辞,然后使玄解之宰,寻声律而定墨,独照之匠,窥意象而运斤。

刘勰将意象置于文学创造的过程之中,把它与作家虚静澄明的心灵、学识及语言能力联系在一起,实际上已是一个形与神的创造问题。因为,文学艺术形象的创造不仅仅是外在物象的融入交汇,而且要能展示形象的意义、神采。形象的意义、神采是文化精神的凝聚,它包含作者的学识、气质、审美趣味等诸多因素。所以,意象的创造实际上已是形神的创造。这是一种不可重复的独创。

意象是一种审美形象,是集形神为一体的审美形象。意象的创造在《诗经》里就有,它可以是人,也可以是物。"蒹葭苍苍"中的蒹葭就是一个意象,是一个象征时间与生命的审美意象。"桃之夭夭"的桃也是一个审美意象。诸如此类的还有雎鸠、苤苢等,这是自然的物象。而人的意象在《诗经》里也有很多,如《关雎》中的"窈窕淑女"和君子,《氓》中的抒情女主人公,《硕人》中那位"手如柔荑,肤如凝脂,领如蝤蛴,齿如瓠犀,螓首蛾眉"的美人。《诗经》对他们的描绘都达到了形神兼备的境界。

意象作为一种审美形象携带着丰富的文化密码,往往是一种文化意象。这些意象,无论是物还是人,都被赋予了相对固定的美学品格。如屈原笔下的橘与女英、娥皇二妃,司马相如笔下的子虚先生、乌有先生和亡是公,曹操笔下的沧海,曹植笔下的洛神,陶渊明笔下的菊、酒与飞鸟,王维笔下的明月与清泉,李白笔下的蜀道,杜甫笔下的马、鹰,白居易笔下的原上草、残阳、江南,林逋笔下的梅,柳永笔下的杨柳,苏东坡笔下的月亮和大江,关汉卿笔下的六月飞雪,曹雪芹笔下的通灵宝玉等。只要一提起这些意象,人们马上就会联想到这个意象的文化意义,理解诗人或作家所赋予的美学意义。它的形神历历在目,它的光彩楚楚动人。这些审美意象携带着大量的文化密码,给人无穷无尽的美好享受。每每触及这些意象,人们都会产生灵魂的震动。这就是因为作者在创造这些审美意象的过程中实现了形神兼备。

我们可以以屈原的橘意象来言说之。橘在屈原的《橘颂》中是一个美的象征。屈原对它的描绘是从形与神两个方面展开的。橘的外在形象是"绿叶素荣"、"曾枝剡棘"、"青黄杂糅"、"精色内白";其内在的表现是"独立不迁"、"深固难徙"、"闭心自慎"、"秉德无私"、"淑离不淫";这样,橘的形象就鲜活了,达到形神兼备的境界。它俨然一个品德高尚的人。屈原赋予橘的这种美的意象具有永久的生命力,最终成为一个文化和美学意象。

大凡形神兼备的意象都是独创的、不可重复的。屈原的橘的意象是不可重复的,李白的蜀道意象也是不可重复的。蜀道"难于上青天"的意象通过李白行云流水般的酣畅笔调展现出来,给人以强烈的震撼。这蜀道,外在的形象是奇、险。"黄鹤之飞尚不得过,猿猱欲度愁攀援。青泥何盘盘,百步九折萦岩峦。扪参历井仰胁息,以手扶膺坐长叹。""连峰去天不盈尺,枯松倒挂倚绝壁。飞湍瀑流争喧豗,砯崖转石万壑雷。"其内在的形象风光旖旎、无比美妙,引起人们无限的向往。李白对蜀道的描绘非常传神,殷璠《河岳英灵集》称赞这首诗"奇之又奇","然自骚人以还,鲜有此体调也"。充分肯定蜀道意象的独创性。

形与神所表现的独创性早在《淮南子》中就有认识。《齐俗训》曾这样记载:

若夫工匠之为连钆、运开、阴闭、眩错,入于冥冥之眇,神调之极,游乎心手众虚之间,而莫与物为际者,父不能以教子。瞽师之放意相物,写神愈舞,而形乎弦者,兄不能以喻弟。

形与神的微妙是人们用语言、线条等手段无法准确模仿的,但语言、线条等手段在人们想象的支配下也能够做到形神兼备。形神兼备的美的意象只能是独创的、不可重复的,并以此显现意象的生命意义。

意象的活动空间是非常广阔的。它可以在抒情、叙事等文学的空间活动,也可以在书法、绘画、园林、音乐等艺术的空间活动。在文学作品中,意象虽然是一个审美的形象,但它又不能等同于文学中的性格形象。意象与性格形象的差别在于:性格形象是相对完整的,并且是相对客观的艺术形象;意象则是相对不完整的,并且是感觉的艺术形象。两者虽同为艺术形象,但不是同一层面的问题。性格形象主要是在叙事层面展开的,意象在所有的抒情和叙事等层面都存在。性格形象的隐喻与象征相对较弱,而意象的隐喻、象征相对较强。如古典诗词中的梅与柳,只能是意象而不是性格形象;古典小说中的人物如李逵、武松、林黛玉、贾宝玉等只能是性格形象而不是意象。意象和性格形象又都属于艺术形象,它们之间又有共同性。这种共同性就表现在:它们都有形,是一个真真切切的象;它们又都有神,都包蕴着非常精深的思想意旨和生命精神。

中国古代的文艺理论家们常用形神来评说诗中的意象,重视意象的神采气质。胡仔引《西清诗话》评杜甫"落月满屋梁,犹疑照颜色"诗句云:"熟味之,百世之下,想见风采,此于李太白传神诗也。"(《苕溪渔隐丛话前集》卷第五《李谪仙》)这两句诗出自杜甫的《梦李白》,描写夜里对好友李白的思念,借助于月烘托出李白的神采。满屋的月色仿佛又照见出李白的容颜,将月与李白联系在一起。李白是写月的圣手,将月与李白连接,能更好地表现李白的神采。李白有多首咏月的诗皆生动传神,其中最精彩的莫过于《静夜思》了。"床前明月光,疑是地上霜。举头望明月,低头思故乡。"对月不经意的描写中，表现了月之神采，后人称之为"不工而工"、"妙绝千古"。潘德舆评《诗经》中的意象描写："以其细者论之，'杨柳依依'，能达杨柳之性情者也，'蒹葭苍苍'能达蒹葭之性情者也。任举一境一物，皆能曲肖，神理托出毫素，百世之下，如在目前，此达之妙也。"(《养一斋诗话》卷二)这些形神兼备的意象创造使诗作"百世之下，如在目前"。这是一种大手笔，非有高超的语言技巧者莫能为，非有细腻的生活体验者莫能工。杜甫的《画鹰》是一首题画诗，也是一首形神兼备的绝妙好诗。诗云："素练风霜起，苍鹰画作殊。㧐身思狡兔，侧目似愁胡。绦旋光堪摘，轩楹势可呼。何当击凡鸟，毛血洒平芜。"金圣叹评鹰之意象：

> 世人恒言传神写照，夫传神写照，乃二事也。只如此诗，㧐身句是传神，侧目句是写照。传神要在远望中出，写照要在细看中出。不尔便不知颊上三毛，如何添得也。(《杜诗解》卷一)

由此可见，诗意象的形神兼备是使诗富有生命活力的关键之所在。有了形神，意象便有了美的风采。

叙事作品中也有意象，也注重意象的形神描绘。关于叙事的意象问题，杨义的《中国叙事学》有较为详尽的讨论，可参看。我们在这里只是从形神的角度考察叙事意象的创造，并简要分析其在叙事作品中的生命意义。

叙事作品中的意象较为复杂，可以为物，可以为人及人的动作。它一般贯穿整个叙事作品的始终，起着画龙点睛的作用。为物者如桃花扇(孔尚任之《桃花扇》)、通灵宝玉(曹雪芹之《红楼梦》)、紧箍咒(吴承恩之《西游记》)、十五贯钱(冯梦龙编《醒世恒言》)等；为人者如《红楼梦》中的跛足道人、《三国演义》中的凤雏先生、《儒林外史》中的胡屠户、《西游记》中的如来佛等；人的动作也常常作为叙事的意象，如《老残游记》中的明湖居说书、《红楼梦》中的黛玉葬花、晴雯撕扇，《聊斋志异》中狐女婴宁的笑等。这些意象都增强了叙事作品的传神功能。无论是物、人，还是人的动作，都携带着大量的文化密码。它们在叙事作品中出现，并不仅仅以这个人、物或人的动作出现,而富有深刻的隐喻或象征。如桃花扇象征鲜血、爱情、政治。孔尚任本人对桃花扇的意象有生动的阐释:"其不奇而奇者,扇面之桃花也;桃花者,美人之血痕也;血痕者,守贞待字、碎首淋漓不肯辱于权奸者也;权奸者,魏阉之余孽也;余孽者,进声色,罗货利,结党复仇,隳三百年之帝基者也。帝基不存,权奸安在?惟美人之血痕,扇面之桃花,啧啧在口,历历在目,此则事之不奇而奇,不必传而可传者也。人面耶?桃花耶?虽历千百春,艳红相映,问种桃之道士,且不知归何处矣。"(《桃花扇小识》)桃花扇贯穿全剧的始终,在凄婉的爱情背后,包蕴着诸多的内涵!由此可见,意象所传递的文化密码是极其丰富的,它的审美价值也正在这里。

叙事文学作品中,人物作为意象的表现特征是:没有完整的性格,但又性格鲜明。在整个作品中,其性格的表现是支离破碎的,往往在情节推进的关键时候出现,像寓言人物。如《儒林外史》中的胡屠户,他是范进的丈人。范进屡次参加举人考试屡次败北,便屡次引来他的冷嘲热讽,抱怨将女儿嫁给他这个不中用的东西。可是,当范进中举后因过度高兴陷入癫狂状态时,人们要求他要一下威风,打女婿一巴掌以使他清醒,他却害怕了,害怕得罪天上的文曲星。胡屠户便是一个意象。《儒林外史》对他的刻画虽寥寥几笔,但形神兼备。他的性格在作品中的展现是支离破碎的,是介于意象和性格形象之间的艺术形象。相比之下,跛足道人却是一个神秘的意象。《红楼梦》第一回初次出现了跛足道人,以一曲《好了歌》感化了甄士隐,使得他"将道人肩上的褡裢抢了过来背上,竟不回家,同着疯道人飘飘而去";第十二回贾瑞受了凤姐的恶毒戏弄之后仍相思成病,无药医治,跛足道人再次出现,奉送贾瑞风月宝鉴,并告以使用之法;贾瑞死后,祖父代儒归罪道人,遂命人焚烧风月宝鉴,跛足道人再次出现,"抢了镜子"又"飘然而去"。跛足道人是一个神秘的意象。这一意象左右着《红楼梦》情节的发展。他是传神的、形神兼备的。他身上所包蕴的丰富的哲理和诗意是中国传统文化孕育出来的精华。

人物动作作为意象可以《聊斋志异》中婴宁的笑作为典型,对此,杨义称之为"文眼",并在《中国叙事学》中给予细致的分析。狐女婴宁的笑是在任何情况下都可以发生的。摘花时因高兴"笑容可掬";发现一陌生的青年男子注视她且毫无顾忌地"笑语而去";爬树游戏时兴奋得"狂笑欲坠";结婚的洞房里不时能听到她哧哧的笑声;即使男邻居对她不怀好意也"不避而笑"……婴宁的笑"形成一个意象流,把笑所蕴含的自然人生、自由心态和青春气息凝聚于一处,显得格外醒目","使这篇小说异常强烈和充满诗意地成为青春的颂歌"[①]。

意象在书法、绘画、园林、音乐等艺术中的表现迥异于文学,有它自己独特鲜明的特征,但有一点是共同的,那就是追求传神,形神兼备。

中国画形神兼备的意象主要表现在画的境界上。中国画的境界很多,相同境界的表现方法也多种多样。比如同是荒寒之境,可以寒林表现之,可以冰雪表现之,还可以用其他物象表现之。这些物象都是些表意的物象,即意象。画雪是中国画家的嗜尚,李成、范宽、马远、夏圭等都是画雪的高手。他们都画出了雪的精神、雪的气质。这种精神气质其实都是人精神品格的象征。山石也是古代画家嗜尚的一个意象。李渔云:

> 言山石之美者,俱在透、漏、瘦三字。此通于彼,彼通于此。若有道路可行,所谓透也;石上有眼,四面玲珑,所谓漏也;壁立当空,孤峙无倚,所谓瘦也。(《闲情偶寄·居室部》)

透、漏、瘦正是山石的精神。中国画特重意象的创造,意象是中国画的生命。

中国书法也注重形神兼备的意象创造。苏东坡说:"书必有神、气、骨、肉、血,五者阙一,不为成书也。"(《论书》,《东坡题跋》上卷)神、气、骨、肉、血表现在字形与取势上,只要具备五者,无论长短肥瘦都是美的。东坡曾评前代书家:

> 兰亭茧纸入昭陵,世间遗迹犹龙腾。颜公变法出新意,细筋入骨如秋鹰。徐家父子亦秀绝,字外出力中藏棱。峄山传刻典刑在,

[①] 杨义:《中国叙事学》,人民出版社,北京,1997年,第318页。

千载笔法留阳冰。杜陵评书贵瘦硬,此论未公吾不凭。短长肥瘠各有态,玉环飞燕谁敢憎?(《孙莘老求墨妙亭诗》,《东坡全集》卷三)

刘熙载论书时明确提出意象,他说:"圣人作《易》,立象以尽意。意,先天,书之本也;象,后天,书之用也。"(《艺概·书概》)所谓"书之用"则是书法外形表现出来的短长肥瘠之美。刘熙载用形与神进一步解释书法意象。他说:"古人草书,空白少而神远,空白多而神密。"(《艺概·书概》)"昔之言,为书之体,须入其形,以若坐、若行、若飞、若动、若往、若来、若卧、若起、若愁、若喜状之,取不齐也。然不齐之中,流通照应,必有大齐者存。故辨草者,尤以书脉为要焉。"(《艺概·书概》)神有所谓远、密之分,是与书形(空白)相对的。神之远、密是指表现意理与情感的玄远与疏淡。书法形神所表现出来的意象是书家生命情思的灌注。

中国古代的园林艺术对意象的追求非常执着,古人常常把园林的形状姿态与意兴神理相结合,讲究趣。独孤及云:"试论亭之趣,夫物不感则性不动,故景对而心驰也;欲不足则患不至,故意惬而神完也。"(《卢郎中浔阳竹亭记》,《全唐文》卷三百八十九)相对于绘画、书法艺术而言,园林艺术是以现场实景的绝对真实面目出现的,它给人带来的身心愉悦不需要像欣赏书画一样过多地凭借想象,只需要身心接触就能达到目的。园林的整体结构布局以鲜活、通透为最高法则,具体表现在山、水、亭、榭、草、木的处理上,应着力显现园林的生气。袁中道曾经引李文叔语评说园林之趣:"园圃之胜,不能兼者六,务宏大者,鲜幽邃;人力胜者,少苍古;多泉水者,艰眺望。惟斐晋公湖园兼之。"(《书灵宝许金吾先园图后》,《珂雪斋文集》卷十二)这是论述园林形神特点的。宏大、多泉水乃形,幽邃、苍古乃神。张岱从形神意象上论述了亭榭楼台曲径回廊的山水风月之美,有一段精妙绝伦之论:

水宕水胜,而亭榭楼台,意全在水,一水之外,不留寸址。非以身中看水,则以槛中看水。叙身其下,则悄然骨瞿,肃然神怵,顷返欲堕，不可久留。旱宫水不甚胜，而意不在水，多留隙地，以松放其山，而山反亲昵，以疏宕其水，而水反萦回。造屋者之为丛林，不为山水。有厨属而山水以厨属妙，有回廊而山水以回廊妙，有层楼曲房而山水以层楼曲房妙，有长林可风，有空庭可月。夜爇孤灯，高岩拂水，自是仙界，决非人间。(《吼山》，《琅嬛文集》)

园林对意象的追求也是从陶冶情性，形神兼备着眼的。意象美妙的园林会给人们带来无限美的享受。

以声音为符号的音乐也追求意象，讲究形神兼备。《乐记》记载了先秦大量的音乐资料，论述了乐本、乐论、乐礼、乐言、乐施、乐象等若干重要的问题。《乐记》认为，音乐与礼、政是相通的。"凡音声，生人心者也。情动于中，故形于声；声成文，谓之音。是故治世之音安以乐，其政和；乱世之音怨以怒，其政乖；亡国之音哀以思，其民困。声音之道，与政通矣。"《乐记》专设《乐象》一篇，认为乐亦有形神之别。"乐者，心之动也。声者，乐之象也。文采节奏，声之饰也。君子动其本，乐其象，然后治其饰。"音乐的和谐即达到声情并茂，实现形神兼备。可见，最迟从《乐记》的时代起，人们对乐的认识已达到很高的水平。嵇康在《声无哀乐论》中提出"观同观异"的方法，是否定传统儒家乐论以乐为哀乐的情感表现。嵇康认为，音乐的声音意象得之于自然，"和"是音乐本体，它超于哀乐之"和"，是无限自由的。因此，"观同"就是观音乐之"和"。这个"和"不是儒家所谓的"和"，而是超越个体所立足的社会，重视个体精神自由的"和"。嵇康还认为声无哀乐，也并不是说乐声不能表达哀乐的感情，而是认为乐声作为乐之形本身没有哀乐。他打了个比方，声和音相比就像形与心。有形同而情不同，有形不同而情同。圣人齐心等德，而形貌不相同，如果心同而形异，仅靠观形能知心吗？在这里，他主张"观异"，也就是注意区分同声的音乐表达的不同情感，异声的音乐表达的相同情感。嵇康之论虽然逻辑不太严密，但对我们考察音乐的形神意象有很大的启发。徐上瀛也注意到音乐的演奏与意象的关系。他强调音乐演奏应注意三个方面："弦与指合，指与音合，音与意和。"(《溪山琴况》)并特

别着重讨论了音与意的关系:

> 音从意转,意先乎音,音随乎意,将众妙归焉。故欲用其意,必先练其音;练其音,而后能洽其意。如右之抚也,弦欲重而不虐,轻而不鄙,疾而不促,缓而不弛。左之按弦也,若吟若猱,圆而无碍,以绰以注,定而可伸。纡回曲折,疏而实密;抑扬起伏,断而复联,此皆以音之精义,而应乎意之深微也。(《溪山琴况》)

只要音与意和谐统一,音乐便可达到形神兼备的境界。

唐代诗人张九龄在《宋使君写真图赞并序》中有两句话赞美形与神的统一:"意得神传,笔精形似。"意指意理、思想、情感。任何艺术都包含意理、思想、情感。作家、艺术家在创作之前已经有意存在,故而,古代艺术理论家有"意在笔前"之说。神是附着于意之上的精神品格,它往往是文学艺术作品中的点睛之处和"文眼",但又包含着整个文学艺术风貌的特征。神与意、理为伴,有好的意理和神,必须有相应的形与之配合。"笔精形似"意谓用生花妙笔写出对象形的特征,这一特征是传神的,富有意理的。它能够准确表达作家、艺术家的思想情感,赋予描写对象生命的内涵,最终,实现形与神的统一。

第四节 形神创造与艺术本真

文学艺术形象的创造达到形神兼备便实现了艺术本真。所谓艺术本真乃是艺术的本体之真,它是艺术生命的敞亮和体验的升华过程。艺术本真的关键之所在是生命真实,这便与形神的生命本质发生了联系。艺术本真聚合了文学艺术创造中的种种要素。"不管情感真实也好,想象真实也好,模仿得逼真也好,认识生活反映生活真实的'生活透视论'也好,都只不过把握了艺术本体真实的一个侧面,一个片断,一个维度,而只有生命的真实——人的本质的总体投注,人的知、情、意全面介入,人的意识和无意识的完全融合,才能使艺术创作主体的体验之真贯穿于作品之真而使欣赏者达到再度体验之真。"①形与神的生命本质虽是艺术本真的一个侧面,一个片断,一个维度,但却是一个不平凡的侧面、片断和维度。对形与神的生命本质我们已经做了论述。在这里,我们着重讨论形神创造与艺术本真的深层关系。

中国古代的文学艺术创作是要求以形写神的,"意得神传,笔精形似",不仅要做到形似,更要做到神似。形似是追求描绘对象的形貌之真,神似是追求描绘对象内在的精神、品质之真。两者是相辅相成、缺一不可的。由于文学艺术是对客观物象的内在模仿,在创作的过程中有文学家和艺术家的主观情感参与,融进了诸多的虚构因素,这就决定了所创作的形象只能实现"似",即创作者将艺术形象与现实中的客观物象相对照所产生的感觉。然而,正是这种"似"唤起了人们的美感,由此引发了人们发自内心的感动。在这个意义上,"似"就成为艺术真实的前提。

中国古代往往是将真与诚、信联系在一起的,真首先就是本体之真。《周易》引孔子语云:"君子进德修业,忠信所以进德也,修辞立其诚,所以居业也。"(《周易·乾卦·文言》)《论语·卫灵公》云:"言忠信,行笃敬。"《老子》亦云:"信言不美,美言不信。"这些哲人之语都说明中国古代之真是本体之真。然而,本体之真又是困惑中国古代文人和整个人类的难题。本体之真的实质是什么?怎样才能实现本体之真?这是哲学孜孜探求的一个问题,也是文艺学、美学极力追索的一个问题。中国古典文艺学对这一问题探求的一个侧面就是形与神的关系。形神创造所追求的艺术真实说到底乃是本体真实。这样,我们就不难理解中国古代执着追求神似的内在缘由。

形似与神似并没有必然的因果关系,形似的结果不一定是神似,但神似的结果必定包含形似。就艺术真实而言,形似的创造实现了形象的外在真实,神似的创造却实现了形象的本质真实。外在真实和本质真实的统一才是真正的艺术真实,故而,艺术形象创造的极致不是神似,而是形似与神似的统一。

---

①胡经之:《文艺美学》,北京大学出版社,北京,1999年,第170页。

中国古典文艺学对形似与神似的追求并非单纯的，不追求单一的形似，也不追求单一的神似。尽管在理论上经常表现为一种绝对的提倡，但是，其真正的意图还是相互兼顾的，强调神似必须以形似为前提，强调形似必须以神似为结果。如魏晋南北朝时期，形似已成为一个美学的标准，它指语言的生动华美，形象模拟得酷肖逼真。实际上，这个形似是包含神似的。钟嵘评张协诗："巧构形似之言"，又说他"风流调达"，"使人味之娓娓不倦"。颜之推评何逊诗为"多形似之言"，又批评他"每病苦辛，饶贫寒气"。足见形似包括神似。形似不能离开神似单独存在，有如形体不能离开生命而单独存在。这个道理非常简单。问题是，形似中所包含的真实意蕴是否就是艺术真实——融合本质真实的艺术真实？这才是我们关注的。综观魏晋南北朝的形似理论，我们大致可以得出如下结论：它是融合本质真实的艺术真实。这一点应该没有什么疑问。

我们可以刘勰《文心雕龙·物色》申述之。《物色》篇云：

> 自近代以来，文贵形似，窥情风景之上，钻貌草木之中。吟咏所发，志惟深远；体物为妙，功在密附。故巧言切状，如印之印泥，不加雕削，而曲写毫芥。故能瞻言而见貌，即字而知时也。

显然，刘勰是以高度赞赏的态度对待他所处时代的文学的。形似的意蕴一方面指"巧言切状"的物象描绘，描绘细致的程度"如印之印泥"、"曲写毫芥"；另一方面又指情志的表达，所谓"窥情风景之上"，"吟咏所发，志惟深远"，"瞻言而见貌，即字而知时"，即是强调情感意向之真，这便是本质之真。可见，形似所包含的真实是融合了本质真实的艺术真实。我们不能仅对魏晋南北朝的形似理论做字面上的理解。若此，则会对这一时期的理论认识出现整体的偏差。

魏晋南北朝的文学理论追求形似，而这一时期的艺术理论也同样追求形似。嵇康《琴赋》云："若论其体势，详其风声。器和故响逸，张急故声清。间辽故音庳，弦长故微鸣。"音乐的形似首先源于对自然界声音的模仿，模仿的逼真程度决定了形似的水平。但是，音乐不可能纯粹是对自然的模仿，它仅是借助于自然的特征，通过音色和音质的变化来表情达意。音乐的神似是充分地表达情感,宣泄情感。这神似隐藏在优美的旋律之中。由于音乐是极其抽象的艺术形式,神似的追求往往与形似密不可分。音乐中确乎存在着形与神的问题,形神在音乐中的表现同样是合二而一的。

书法艺术的形似具体表现在笔画的运用之中。为了更好地说明书法的形似,书法理论家们常常通过多方比喻论述运笔之法,极为形象生动。传说卫夫人所作的《笔阵图》,曾描绘出了这样一幅书法运笔的"笔阵出入斩斫图":

"一"如一千里阵云,隐隐然其实有形。

"丶"如高峰坠石,磕磕然实如崩也。

"丿"陆断犀象。

"乁"百钧弩发。

"丨"万岁枯藤。

"乀"崩浪雷奔。

"𠃌"劲弩筋节。

根据每一笔画的形状多方联想,多方比喻,从而赋予笔画以生命的活力。当然,在创作的过程中,古人并不仅仅停留在单纯的比喻和联想上,而是要求在书法实践中切实做到比喻和联想所描述的效果。"'乁'百钧弩发"所执着的劲健之力是对书法美学的要求;"'丨'万岁枯藤"是对亘古永存的赞美;"'乀'崩浪雷奔"是对书法气势的推崇……所有的美学意蕴都寄寓在笔画之形上,通过笔画之形似展示书法内在的生命精神。书法所追求的形似之中也包含神似,这是魏晋南北朝形似理论的独特之所在。

魏晋南北朝的绘画理论也推崇形似。顾恺之提出"以形写神"的主张首先是重视形似的,意谓神似的表现必须建立在形似的基础之上。《世说新语》记载了顾恺之的绘画实践,充分证明他形似和神似并重的思想观念。他对形似的追求也是包含神似的,形似中蕴含的真实乃是艺术真实。裴叔则颊上三毛,顾恺之将之作为具有典型意义的"识具"。表面上看是追求外在的真实,其实,是追求外在真实和本质真实的统一。所谓"定觉益三毛如有神明",即言述了外在真实和内在真实的统一。顾恺之强调形似,并不一味追求逼真、酷似。《世说新语·巧艺》曾记载他为殷荆州画像的故事:

> 顾长康好写起人形,欲图殷荆州,殷曰:"我形恶,不烦耳。"顾曰:"明府正为眼尔。但明点童子,飞白拂其上,使如轻云之蔽日。"

殷仲堪外貌形象有一个缺陷是"眇目"(眼睛瞎了),那最有神采的东西失去了,因此,殷仲堪说自己"形恶"。顾恺之恰恰认为,眇目不是他的形陋之处,正是他形象的闪光点。只不过要做艺术的处理。"明点童子,飞白拂其上",使殷仲堪之目有"轻云蔽日"之美。顾恺之的形似创造完全按照艺术真实的标准,其中融合了对人的神采的虚构和想象,足见他形象创造观念之可贵。

由此观之,整个魏晋南北朝时期的形似理论,不管是文学还是艺术,都不是指单一的外在真实,而是融合本质真实的艺术真实,形似的核心乃是艺术本真。这是魏晋南北朝时期形似理论的独特之所在。

与此同时,魏晋南北朝时期还强调神似。顾恺之"以形写神"的落足点是神,在进一步讨论时,又强调"传神"与"通神"。宗炳《画山水序》亦说:"应会感神,神超理得,虽复虚求幽岩,何以加焉?又神本亡端,栖形感类,理入影迹,诚能妙写,亦诚尽矣。"说的是,神是形的升华,"神超理得"是推崇神似。《世说新语·巧艺》记载顾恺之画人之目的相关言论,把眼睛作为传神之焦点,说明神似在绘画中有崇高的地位。然而,魏晋南北朝时期的神似理论是否像一般人所理解的那样,是对这一时期形似的超越?恐怕不尽如此。这一时期的神似观念在内涵上与形似一致,没有根本的区别。一如神似中包含着形似,包含着外在的形象真实;形似中也包含神似,包含着本质的真实。顾恺之画人点目总体上以形似为基础,他所说的"四体妍蚩,本无关于妙处",并非从根本上否定形似,而在于通过人眼之神采展示人的精神风貌。宗炳虽强调"神超理得"、"神本无端",但还是肯定"栖形感类"的价值,认为"理入影迹"方能达到妙写之佳境。在这个意义上认识魏晋南北朝时期的形似和神似,才能真正洞幽察微,发现本质。从这里,我们也深深体会到,对一个具体问题的认识,单单从概念的现象辨析往往会出现许多谬误,只有深入到现象内部,才能准确把握其理论的精髓。

形神创造是为了展示艺术本真。形与神的关系具体表现为形象创造过程中的主客体的审美关系。形神创造的过程中有想象与情感的参与,通过对客观物象几近逼真的模仿来表达创造者的主观情意,从而实现艺术本真。形神创造是作家、艺术家文学艺术创造自发性和创造力的一种表现。中国古代的文艺理论家们是看重作家、艺术家的这种自发性和创造力的。这与西方的模仿说相比有很大的不同。西方的模仿说强调艺术模仿自然,但在一定程度上,又认为艺术家的自发性和创造力是一种干扰性因素而不是一种建设性因素,这是因为,它歪曲事物的样子而不是根据事物的真实性质去描绘它们。[1]而中国古代的形神理论则恰恰相反,强调作家、艺术家的自发性和创造力的价值。晁补之云:"画写物外形,要物形不改。诗传画外意,贵有画中态。"(《和苏翰林题李甲画雁》,《鸡肋集》卷八)这是言述诗画互补的,一方面说画画出了物的真实的形状,真切感人;另一方面又说诗写出了画外之意,意蕴深厚。画外意不是因为写诗才存在,是画本身固有的,是画家赋予的。这是画家主观的自发性和创造力的表现,是画家美学思想的体现。

艺术本体之真是形似和神似创造的高度统一。艺术创作如何才能实现艺术本体之真? 这在很大程度上又取决于神的升华,因为神集中表现了文学艺术审美的主客观关系,最能显现形象的本质。从这个角度来认识中国古典文艺学的重神思想,就会把握古代文艺理论家们重神的意图。苏轼特重诗画传神,鄙视片面追求形似。他说:"论画以形似,见与儿童邻。"王若虚评东坡此论:"论妙于形似之外,而非遗其形似,不窘于题,而要不失其题,如是而已耳。"(《滹南诗话》卷二)就是说,苏轼虽重传神,但并不忽略形似。他之所以强调妙在形似之

---

[1] [德]卡西尔:《人论》,甘阳译,上海译文出版社,上海,1997年,第177页。

外,是因为神似能真切地表现艺术本真,进而,表现艺术的审美实质。苏轼在《传神记》一文中还具体剖析了形象传神的意义。他说:

> 传神之难在目,顾虎头云:"传形写影,都在阿堵中。"其次在颧颊。吾尝于灯下顾自见颊影,使人就壁模之,不作眉目,见者皆失笑,知其为吾也。目与颧颊似,余无不似者,眉与鼻口可以增减取似也。传神与相一道,欲得其人之天,法当于众中阴察之。今乃使人具衣冠坐,注视一物,彼方敛容自持,岂复见其天乎?凡人意思各有所在,或在眉目,或在鼻口。虎头云:"颊上加三毛,觉精采殊胜。"则此人意思,盖在须颊间也。优孟学孙叔敖抵掌谈笑,至使人欲死者复生。此岂举体皆似,亦得其意思所在而已。(《东坡全集》卷三十八)

东坡认为,艺术形象以形传神,形中蕴意,意是作家、艺术家主观审美情趣的表露,是艺术本真的闪光点。东坡虽论传神,很多笔墨仍花在对形的论述上。这就充分说明,形似和神似是整一的,形似是通达神似的必要阶梯。但是,艺术本真的归宿必然在神似上,在艺术形象的形状神采之中寄寓着时代的精神和美学理想。这是苏轼之所以推重神似的缘由。

不唯苏轼,后来的许多推重神似的理论家和批评家,似乎都持这种理由。谢榛评诗:

> 诗无神气,犹绘日月而无光彩。学李杜者,勿执于句字之间,当率意熟读,久而得之。此提魂摄魄之法也。(《四溟诗话》卷二)

也就是说,诗之神气不像绘画一样直观,必须仔细把玩,只有理会到诗之神气,才能产生强烈的美感,获得美的享受。在具体论及文学创作时,谢榛反对对前代优秀作家亦步亦趋地模拟,提倡对神有独特创造。他说:

> 自然妙者为上,精工者次之,此着力不着力之分,学之者不必专一而逼真也。专于陶者失之浅易,专于谢者失之镵钉。孰能处于陶谢

之间，易其貌，换其骨，而神存千古。(《四溟诗话》卷四)

只有神的独特创造才是不朽的审美创造。神的独特性铸就了艺术本真的独特性，进而形成了时代精神和美学理想的独特性。

追求人物性格的神似是中国古代形神理论的一个重要内容，这在明清的小说评点中也得到较为突出的表现。李贽在《水浒传》第二十五回总批中高度赞赏作者对小人物郓哥的性格刻画，认为画出了"种种逼真"。"第画王婆易，画武大难，画武大易，画郓哥又难。今试看郓哥处，有一语不传神写照乎？怪哉！"为什么偏偏画郓哥难，就是因为郓哥是一个小人物，是一个着墨不多的人物，寥寥几笔写出郓哥的传神之处，确属不易。而且郓哥在小说的情节结构中是一个关捩点，故而，李贽非常在意这一人物形象的传神，是着眼文章结构的总体美以及人物性格的美的意蕴的。郓哥身上所表现的艺术本真恰恰符合他的"童心"准则。

金圣叹评《水浒传》特重《水浒传》人物性格。他说：

《水浒》所叙，叙一百八人，人有其性情，人有其气质，人有其形状，人有其声口。夫以一手而画数面，则将有兄弟之形；一口而吹数声，斯不免再映也。施耐庵以一心所运，而一百八人各自入妙者，无他，十年格物而一朝物格，斯以一笔而写百千万人，固不以为难也。(《水浒传序三》)

人物性格的精妙之处在于传神。金圣叹对传神认识的独到之处在于"格物"，所谓"格物"就是对现实生活的深刻体验和提炼。这就不经意地把生活真实和艺术真实的关系揭示出来。《水浒传》一百八人，人人有其性情、气质、形状、声口，是因为作家对现实人物性格进行提炼加工，展示了每一个人物性格的本质真实。如果作家没有现实生活的深刻体验，很难描写出众多人物形象的神采气质。由此观之，在艺术形象创造的过程中，作家和艺术家的审美观念起着极其重要的作用。作家和艺术家必须具备深厚的文化教养才能进行美的创造，从而实现艺术本真。

艺术本真的实现是形神创造的一个飞跃。从文学艺术作品而言，形似和神似是一体化的，必须经历以形写神的阶段。形似是神似的基础，神似是形似的必然结果。单纯的形似并不能成为艺术，不写出物象的外在形似很难进入实质的神似。因此，片面地奢谈神似或形似都不能打通通向艺术本真之途。从作家、艺术家的创造而言，由形似到神似的过程是作家、艺术家主客体融合的过程，也是审美升华的过程。在这个过程中，作家、艺术家的学识、修养、性格、气质及审美趣味都得到了完美的表现，其艺术本真的实现水平是作家、艺术家才能的展示。艺术本真是评判文学艺术作品价值的重要的尺度，其重要性是其他因素不能代替的。这是因为，艺术本真蕴含了文学艺术诸因素的综合互动，其中有作家、艺术家的主观创造能力（如想象力、语言能力、哲学的分析和理解力等），也有外在的社会、文化、现实的影响力。艺术本真的实现是一个艰难的过程。文学艺术作品如果不处理好以形写神的创造关系，就根本无法实现艺术本真，这是一个必然的规律。

第五章　言与意：
言尽意与言不尽意

　　中国古典文艺学是非常重视言与意的关系的。在先秦时期，言与意就已经成为哲学探讨的重要问题。先秦哲学家们敏锐地捕捉到言与意的内在矛盾，认识到语言传播思想的深刻局限，"言不尽意"成为一时的共识。《老子》说："道，可道，非常道；名，可名，非常名。"（一章）《周易》云："子曰：'书不尽言，言不尽意。'然则圣人之意，其不可见乎？子曰：'圣人立象以尽意，设卦以尽情伪，系辞焉以尽其言。变而通之以尽利，鼓之舞之以尽神。'"（《系辞上》）甚至连倡导"知言"的孟子，也曾慨然叹息"气"之难言，不能准确界定它的意义。先秦时期，对言与意的关系有独特见解的思想家当推庄子。《庄子》一书中记载了许多关于言和意的言论值得我们深思。首先，庄子认为自然界的现象不可言说，由此得出圣人的品德不能够言说。"天地有大美而不言，四时有明法而不议，万物有成理而不说。圣人者，原天地之美而达万物之理，是故至人无为，大圣不作，观于天地之谓也。"（《知北游》）这是因为自然现象和圣人品德所包含的意义广泛，难以说尽。其次，庄子认为相对于意义而言语言表现力有限。轮扁斫轮所表达的意义不在于贬低语言的功能，而在于强调意义的精微。语言表意的极致是无言。庄子倡导综合运用经验、语言之外的符号辅之以语言表意，对文学艺术的启发很大。再次，庄子认为语言的功能在于表意。对阅读者来说，其所追求的并非语言形式，而是意义索解。他说："筌者所以在鱼，得鱼而忘筌；蹄者所以在兔，得兔而忘蹄；言者所以在意，得意而忘言。"（《外物》）这已成为中国古典解释学的解释策略，在这里，语言的形而下意义极为浓重。然而，庄子并没有从根本上否定语言,他只是消解了语言在表意过程中的显赫身份,把阅读的核心指向意义。庄子的言意思想照亮了中国古典文艺学和美学的理论之途。后世中国文艺学和美学关于言意的精妙言论均由此生发,并在多极融合的过程中,深化了这一理论的内容,值得深入探究。

第一节　言、象、意之关系阐释

中国古代的言意理论首先是在哲学层面展开的。以言、象、意的三维构成言述意义的生成过程,是从《周易》开始的。《周易》准确洞察语言表意的局限性,还为了使语言表意成为可能,特意搬出"象"这一形象、直观的媒介,以便语言能更为准确地表达意义。

《周易·系辞》以孔子之口说出"书不尽言,言不尽意"的理论命题,对言、象、意的理论探究便由此引发。"书不尽言,言不尽意"是说书写记述的有限性和语言表意的有限性。从字面上看,好像有一种绝望的感觉,对语言无能为力,求全责备,其实,这是一种较为客观的言说。人们通过对语言的运用,直接体会到语言的变幻莫测。语言好像一个魔方,难以琢磨而又趣味无穷。世界上的现象异常复杂,现行的语言和文字难以书写这种复杂的现象,即使书写下来,也难以完全准确地表达意义,这便出现了"书不尽言,言不尽意"的困惑。言与意的表达既然这么不顺当,又如何理解圣人(《周易》之作者)之意呢?这便牵扯出"象"。《周易》借孔子之口说出了这样的观点:"子曰:'圣人立象以尽意,设卦以尽情伪,系辞焉以尽其言。变而通之以尽利,鼓之舞之以尽神。'"究竟象是什么?象怎样尽意?《周易》云:"是故夫象,圣人有见天下之赜,而拟诸其形容,象其物宜,是故谓之象。"(《系辞上》)可见,"象"是一种独立于语言之外的符号,这种符号有形象、直观的特点,能协助语言表达意义,是语言表意的得力助手。具体到《周易》,"象"就指卦象和爻象。

既然通向意义之途不仅仅限于语言,而且包括语言之外的象,那么言与象何以能够达意?这是我们要解决的问题。

语言是同现实密切相关的独立系统。伽达默尔说:"语言不是供我们使用的一种工具、一种作为手段的装置,而是我们赖以生存的要素。"①这是现代西方的语言观。中国古代也常常从生存的意义去谈论语言,着重道德的层面。孔子说:

> 名不正则言不顺,言不顺则事不成,事不成则礼乐不兴,礼乐不兴则刑罚不中,刑罚不中则民无所措手足。故君子名之必可言也,言之必可行也。君子于其言,无所苟而已矣。(《论语·子路》)

孔子把君子之言看成是一种极为庄重、严肃的行为。这里的言不是一般的语言,而是挟带礼乐思想和道德思想的语言。显然,孔子是把语言看成与实在相统一的,并且能准确表达人的内心体验及思想的手段。他曾进一步说:"有德者必有言,有言者不必有德。"(《论语·宪问》)直截了当地将语言与人的道德生存联系在一起。

孔子的语言观具有明显的统领性。作为知言的先哲,他是关注语言的表意功能的,总体上认为语言能够表意,但也不时显露自己对语言的困惑。《论语·颜渊》记载了一段司马牛与孔子的对话:"司马牛问仁。子曰:'仁者,其言讱。'曰:'其言也讱,斯谓之仁已乎?'子曰:'为之难,言之得无讱乎?'"所谓"其言讱",意谓语言迟钝。据司马迁《史记·仲尼弟子列传》记载:"司马耕,字子牛。牛多言而躁,问仁于孔子。孔子曰:仁者其言也讱。""其言讱"是针对司马牛多言而燥的缺点而言的,其中也表明用语言对仁进行言说较为艰难。这是因为,一方面仁的内涵无比丰富,另一方面仁的履行与实践极为艰苦,没有感知或体验不深便不能够准确言说。这里虽是孔子对司马牛的善意的忠告,但又确实说明了语言表意的局限。

孟子是自信知言的。他曾经理直气壮地说他自己的长处是:"我知言,我善养吾浩然之气。"但是,当有人问他何谓浩然之气时,他则坦白地说:"难言也!"气可养而不可说,孟子的知言仍然受到限制。但是,他又敏锐地发现了言近而旨远,认识到语言表意的复杂性和多变性,给后人以深刻的启迪。

---

① [德]伽达默尔:《科学内在的理性》,薛华等译,国际文化出版公司,北京,1988年,第44页。

不可否认的是，孟子在一定的程度上做到了知言，这从他"以意逆志"和"知人论世"地接受美学命题中可以深味。他强调，说诗者不要拘泥于诗的语言辞采，而应着眼于诗意的把握，"以意逆志"。"如以辞而已矣，《云汉》之诗曰：'周余黎民，靡有孑遗。'信斯言也，是周无遗民也。"（《孟子·万章上》）确如孟子所言，如果仅从字面上理解诗（文学作品），可能会产生很大的反差，甚至错误。《云汉》一诗中的这两句诗，字面上说的是周代的黎民百姓都死光了，没有遗留下来的了。可这并不是诗人的本原意图。诗人的本意是说周代的大旱给百姓带来了无穷的灾难，饿死了很多人，运用了夸张的修辞手法。所以，从这一诗的现象中可以看出，语言本身具有欺骗性和虚伪性。正是语言本身的欺骗性和虚伪性导致了对意义理解的困难。

言与意的矛盾在孟子的思想中得到深刻地揭示。语言能指和所指的变幻不定是造成理解困难的重要原因。它与阅读者的前理解有很大关系，取决于阅读者的知识背景和历史传统。德国当代语言哲学家海德格尔和伽达默尔都非常看重前理解的作用。海德格尔在论证笛卡尔的意识概念和黑格尔的精神概念时就是从前理解着手得出了令人信服的结论。伽达默尔说："一切理解都必然包含某种前见（即前理解）"，"前见其实并不意味着一种错误的判断。它的概念包含它可以具有肯定和否定的价值"①。从这种思想方法出发，反观孔孟的语言观，我们感到，孔孟所展示的言与意的矛盾乃是对前理解的困惑。对于人的理解来说，由于前理解涉及人的自身素质，潜藏于人的意识深处，是难以把握的一种精神现象。这乃是语言富有欺骗性和虚伪性，让人琢磨不定的最主要、最直接的原因。

语言能够达意，这是因为语言的交际性。语言是在一定的社会条件下产生的，一种语言的流播区域有相同的文化和历史背景。生活在这些区域的人有大致相同的生活和交际习惯，对语言有相同的辨别能力。这是前理解的基础。春秋战国之际，上层社会把"诗三百"作为一种语言交际的内容，以此来沟通思想，表达感情，增强了这个时

---

① [德]伽达默尔：《真理与方法》上卷，洪汉鼎译，上海译文出版社，上海，1999年，第347页。

代的诗性氛围。这种文化习惯所形成的前理解，决定了在当时的上层社会中，人人都能理解对方所赋的断章取义的诗，并认定这种交际方式是一种高雅的言说方式。孔子就曾经说："不学诗，无以言。"(《论语·季氏》)表示尊尚这种交际方式。即使是误读"诗三百"，人们也基本能理解。从这里，我们可以领略语言达意的社会和历史基础。

同时，语言又不能达意。语言不能达意来自两种情况：其一，从言说者而言，由于言说对象所包蕴的意义非常广泛且非常精微，给言说者造成一定的困难。言说者找不到一个合适的概念言述对象，或概念的包容性不强，或言述的切入点不准确。故老子有"道，可道，非常道"的说法，陆机有"意不称物，文不逮意"的困惑。相对于"言"来说，"意"更精微、准确，同时，"意"也最为模糊。其二，从接受者而言，语言不能达意的表现情况更为复杂。首先，言说的语境造成了言不达意。这是由于语境的不同形成了言说者和接受者心境的差异。其次，知识的隔膜也造成了言不达意，这又是前理解的问题。再次，言说者操持的是私人语言，这种语言不具有公共的效应。最后，语言的表述不符合通常的逻辑规则，语无伦次。应该说，上述举例并不全面，却也是社会的语言现象。不可否认，无论语言达意的程度如何，它都是一种语言现象，都或多或少地表达了思想，也或多或少地接受了思想。

"象"作为达意的手段是独立于语言之外的符号，它是形象的、直观的。《周易》说"立象以尽意"，"象"的创造方法是"拟诸其形容，象其物宜"。这个"象"乃是《周易》之卦象和爻象。《周易》由经和传两部分组成。八经卦和六十四别卦组成的基本符号是"—"和"--"两种，"—"代表天，"--"代表地。这两个符号有深刻的象征意义，逐渐成为一种观念的符号。这两个观念的符号在古人看来是形象的、直观的，它们比语言表达的意义要丰富。八经卦指的是☰（天）、☷（地）、☳（雷）、☴（风）、☵（水）、☲（火）、☶（山）、☱（泽），每卦由三个符号组成。"但八个新符号的呈现，不管哪个，都很难见到对相应对象形容和模拟的痕迹了，就是说，八个符号是超脱具象的，不再以感性事物的本来面目出现，它们所蕴含的阴阳刚柔观念具有了更高、更普遍的意义。"①尽管如此，在古人的观念中，八经卦的卦象乃至六十四别卦的卦象都是形象的、直观的，它们比语言的表意更为丰富。

《周易》卦象表意的丰富性从大传对它的多义解说可以看出。如蒙卦（䷃），其卦象是坎（☵）下艮（☶）上，下面是水，上面是山。《彖》传解说此卦："蒙，山下有险，险而止，蒙。"《象》传释云："山下出泉，蒙。君子以果行育德。"一是说山下有危险，遇险而止；一是说山下出泉水，君子应用果敢行为培养人的品德。释意的差异性很明显。再如艮卦（䷳），其卦象是艮（☶）下艮（☶）上。《彖》传释："艮，止也。时止则止，时行则行，动静不失其时，其道光明。"《象》传释："兼山，艮。君子以思不出其位。"一是说当行则行，当止则止，不失时机；一是说君子的考虑不要超出他的职位。释意明显不同。由此可见，人们从卦象所获得的意带有很强的主观随意性，因而，也有更多的创造性。这对文学艺术的鉴赏与批评有很大的启迪。

"立象以尽意"架起了一座由象达意的桥梁，象达意的丰富性和宽泛性引起了一些眼光敏锐的思想家的注意。于是，象也由卦象迅速扩展为所有相关的形象。这样，象便由《周易》的纯粹以表意为主的非审美的卦象演化为生动可感的审美形象。最典型的表现是王充《论衡·乱龙》篇的记载："匈奴敬畏郅都之威，刻木象都之状，交弓射之，莫能一中。不知都之精神在形象邪？"郅都是汉代的一员猛将，以英勇善战威震匈奴，匈奴人既怕他又恨他，刻了一个郅都的木像，作为射箭的标的。由于木像刻得传神，刻出了郅都的精神，因此，无一人能射中。尽管木像非郅都本人，匈奴人还是害怕他。这是一种精神的力量在起作用。这个"形象"便是生动可感的审美形象。郅都形象的威慑力就是象所表现的神，匈奴人对郅都形象的恐惧是因为前理解的缘故。可见，"立象以尽意"有审美心理的依据。

然而，象究竟能不能尽意？历史上也有人怀疑。《魏书·荀彧传》注引何劭《荀粲传》记述了一段荀粲的话：

---

①陈良运：《中国诗学体系论》，中国社会科学出版社，北京，1998年，第167页。

> 盖理之微者,非物象之所举也。今称立象以尽意,此非通于意外者也。系辞焉以尽言,此非言乎系表者也。斯则象外之意,系表之言,固蕴而不出矣。

荀粲认为,象不能表达精微之理,立象不能言述准确之意。意的存在是复杂的,象外有意。象虽能达意,但不能达象外之意;系辞能尽其言,但仅言及表面现象,不能言及精深的意旨。可见,荀粲并非从根本上否定言与象达意,只是强调不能尽。应该说,荀粲的态度是比较客观的,没有什么偏激之处,他对言、象尽意有自己的理解。

魏晋时期玄风大炽,玄学的一个重要的命题即是言与意的关系问题。王弼注《老子》《周易》,进一步发挥了"立象以尽意"的理论。在《周易略例·明象》中,他说:

> 夫象者,出意者也。言者,明象者也。尽意莫若象,尽象莫若言。言出于象,故可寻言以观象;象生于意,故可寻象以观意。意以象尽,象以言著。故言者所以明象,得象而忘言;象者所以存意,得意而忘象。犹蹄者所以在兔,得兔而忘蹄;筌者所以在鱼,得鱼而忘筌。然则,言者,象之蹄也;象者,意之筌也。是故,存言者,非得象者也;存象者,非得意者也。象生于意而存象焉,则所存者乃非象也;言生于象而存言焉,则所存者乃非其言也。然则,忘象者,乃得意者也;忘言者,乃得象者也。得意在忘象,得象在忘言。故立象以尽意,而象可忘也;重画以尽情,而画可忘也。

王弼全面探讨了言、象、意的关系,认为"言者所以明象","象者所以存意",言与象各有所司,职能不同。这实际是对《周易》表意的现象说明,并没有高深意旨。《周易》的言即卦辞和爻辞,都是解说卦象的,卦象才真正表达出意义。王弼不直接讨论言与意的关系,是因为《周易》之言与卦象所表达的意义无直接关系。卦象所蕴含的意义是全面的、丰富的,语言不能尽言。语言只能言说象的表面形象。

此外,王弼还意识到言明象、象存意的有限性,强调"忘"。得象而忘言,得意而忘象。为什么会出现这种情况呢?这是因为,保存下来的语言并不能完全明象，现有的象也不能完全尽意。因此，"象生于意而存象焉，则所存者乃非其象也；言生于象而存言焉，则所存者乃非其言也。"反过来说，意是先于象、言而存在的，由意生象，由象生言。意所产生的象并非那个存在于意识中的原原本本的象，象所产生的言也不是那个存在于象中的原原本本的言。言与象经过了意的加工都发生了变化，因此，得意便会忘象，得象便会忘言。

这样，王弼关于言、象、意的认识实际陷入了意义中心主义。无论是言尽象、象尽言，还是意生象、象生言，都强调意义的中心地位。王弼糅合了《周易》和《庄子》的思想，从理性上阐释了言、象、意的关系，无论在哲学上还是在文学上都有一定的意义。从哲学而言，王弼进一步揭示了这一哲学难题，在语词和实在之间力求寻求一个恰当的言说方式，其精粹的思想内容，辉映当代。当今西方现代派哲学之现代主义和后现代主义津津乐道的命题，不少是重复老庄与玄学的。诸如结构主义的能指与所指理论、代码与信息理论等，均可与言、象、意互释。其理论内涵的相似性表明，中西不同民族的思维实有相同之处。从文学而言，王弼深化了文学艺术形象、意蕴表现的理论意旨，将老子的"大音希声"、"大象无形"的命题更加实在化，强调象表达意义的丰富性、深刻性与模糊性。正因为象的这种表意特点，使文学艺术耐人寻味，富有美感。而文学的意义也因此成为文学艺术理论一直反复探讨的难题，成为一个道不尽、说不完、永远具有现在时的理论命题。

言、象、意是文学作品不可缺一的三个重要因素。文学的语言、文学形象的创造、文学的意义可以说构造了文学理论本身，它们是文学理论大厦的支柱，很多精妙的理论问题均由此派生。言、象、意三者相互缠绕且相互作用，共同推动了文学创作的发展。

第二节　言不尽意：语言的困惑与文学理论的拓展

语言作为一种社会现象，并不能独立于社会的现实生活，与人们的思想、情感、意识、感觉有密切的关联。语言能够交流思想，表达情感，展示人内心深处的意识和感觉，但是，它是否能将人绵密、细微的思想、情感、意识和感觉一网打尽？这是《周易》和《庄子》对语言表意性产生怀疑的依据。语言的困惑从这种怀疑开始，并将伴随着人类活动的始终，在扑朔迷离之中，显示其动人的魅力。

"书不尽言，言不尽意"，其前提还是承认语言能够表达意义的，只不过强调语言表意的局限性。这种局限性究竟有多大影响？只能放在具体的言说语境中去检测。随着产生语境的时间相去越来越远，阅读和阐释人群的知识背景、文化差异越来越大，"言不尽意"的表现会越来越突出，理解会变得越来越困难。这是正常的阅读和理解现象。在某种程度上，我们可以这样说，一部人类的语言文化史，就是在不断的误读和曲解中形成的。然而，这并不影响人类社会文化发展的整体格局。

"言不尽意"造成的语言困境，可以从以下几个方面去体会：

其一，语言本身的局限性。语言是一个形、音、义共存的实体，任何一个因素的改变都会影响到它的意义。就一种具体的语言来说，形是相对固定的，而音却是流动和变化的。尽管汉语有固定的音调，但是，在具体言说时，音的快慢强弱所表达的意义明显不同。这对人的理解是一个挑战。庄子就强调语言表意的有限性，他以轮扁斫轮的寓言故事申述自己的理由，先借轮匠轮扁之口说圣人之书乃思想之糟粕，继之谈论自己的斫轮体会：

> 臣也以臣之事观之，斫轮，徐则甘而不固，疾则苦而不入。不徐不疾，得之于手而应于心，口不能言，有数存焉于其间。臣不能以喻臣之子，臣之子亦不能受之于臣，是以行年七十而老斫轮。古之人与其不可传也死矣，然则君之所读者，古人之糟魄已夫！（《庄子·天道》）

轮扁斫轮的技艺达到了炉火纯青的地步，他对车轮制作的整个过程了如指掌、心领神会，可是，就是不能用语言表述，将之传授给儿子。这不是轮扁语言能力的愚钝，而是因为语言不能表达这种精妙的技艺。由此推论：精微的思想意旨不可言说。在轮扁的体验中，斫轮技艺仅是个人的经验，具有私密性和模糊性。轮扁深刻地认识到语言表意的局限。这也是庄子深入体验社会现实生活后对语言表意特殊性的认识。

庄子借轮扁之口所表述出来的语言思想是一种真实的在场。德国哲学家伽达默尔说:"没有一种人类的语词能够以完善的方式表达我们的精神。"①伽达默尔认为,语词的不完善性乃是由人的理智不完善性所造成的,由于人的理智不完善导致人类的语词不是唯一的,而是杂多的,这就决定语词在表达思想时并不因为个别语词不能完满地表达精神所意指的东西而掩盖人类理智的缺陷。不管如何,这也是语言的局限。语言作为一种思维的工具,它与思维是谐调的,同时,也有对立性。对立的结果则是语言不能准确表达思想,即"言不尽意"。这是人类对语言的一大困惑。

其二,语言本身的多义性。语言意义的丰富性是社会和历史形成的。从意义发展的历史看,语言最初的表现是词语意义单一,没有丰富的意指,而后,语言的词语意义不断繁衍、派生,逐渐形成一棵语义树,用以表达人复杂的思维和情感意识。

庄子的言意观包含了对语言本身局限性的认识,也包含了对语言本身多义性的认识。在本质上,他认为语言是表意的,只是难以表达精微的意义。从轮扁斫轮这一寓言故事中,我们可以看出他的语言观的特点,也透露出他贵意义、轻语言的倾向,把语言贬低为极端形而下的东西,只能表达出意之糟粕。庄子还说:

> 世之所贵道者书也,书不过语,语有贵也。语之所贵者意也,意有所随。意之所随者,不可以言传也,而世因贵言传书。世虽贵之,我犹不足贵也,为其贵非贵也。故视而可见者,形与色也;听而可闻者,名与声也。悲夫,世人以形色名声为足以得彼之情!夫形色名声果不足以得彼之情,则知者不言,言者不知,而世岂识之哉!
> (《庄子·天道》)

---

① [德]伽达默尔:《真理与方法》下卷,洪汉鼎译,上海译文出版社,上海,1999年,第544页。

庄子承认语言有它的可贵之处，但它的可贵之处在于能表达意义。但是，他又认为，意义的指向不能用语言表达，世人的"贵言传书"的做法并不可取。这样，庄子又立刻消解了语言的表意性。这些，最终的落足点还是在语言的多义性。他以"形色名声"与"情"的对立来讨论语言的多义性，认为通过语言只能得到形声名色，亦即西方语言观中的"外在词"，得不到的却是"情"，即西方语言观中的"内在词"。"内在词并不是表述出来的语词，而是思想"①，是意义，而"外在词"也是意义，只不过是浅显的意义而已。庄子对语言的消解，是对语言多义的一种困惑。在《庄子》一书中，就有不少篇章纠缠于语言的多义性。《秋水》篇所载庄子与惠施游于濠梁之上的故事其实就是对语言多义性的形象陈述。惠施对庄子"儵鱼出游从容，是鱼之乐也"发难，抓住鱼与人的本质区别和"乐"的感觉主体有差异与分离，指出庄子语言所存在的问题，虽然最终流于诡辩，但也深切说明语言的多义性。"言不尽意"的原因之一乃是语言多义的魔力，这于哲学是悖论，于文学却是幸运。

其三，语言本身的私人性。语言虽然是一种社会现象，是一种能理解的"在"，但是，语言又有它无可回避的私人性。所谓语言的私人性是指语言中所展现的思想情感及思维方式是个人的、独特的，不具有普遍的可传达性。语言困惑的焦点之一就是语言本身的私人性。

语言本身的私人性决定于个体独特的生活体验、知识、感情和思维方式。这种私人性也是相对的，并不是绝对的。德国现代哲学家维特根斯坦称这种私人语言是任何人都不懂的私人感觉，否认它是种族、文化等大的语境之一部分以及由此产生的语言现象。②对于个体的私人而言，个体独特的生活体验、知识、感情和思维方式的确是他者所不具有的。庄子所述轮扁斫轮寓言故事中的体验就有个人的独特体验，这种体验不具有普遍的可传达性，使别人难以理解，由此也造成了知识的消亡。这是语言的悲剧。虽然这种表现是个别的，并非

---

① [德]伽达默尔：《真理与方法》下卷，洪汉鼎译，上海译文出版社，上海，1999年，第540页。
② [德]维特根斯坦：《哲学研究》，李步楼译，商务印书馆，北京，1996年，第133页。

普遍的,但是,这种语言的现象也值得重视。

中国古典文艺学将语言的私人性作为一个重要的现象加以认识。陆机叹息"文不逮意",言述的是与轮扁同样的体验。"文不逮意"是"言不尽意"之意。《文赋》这样申述:"患挈瓶之屡空,病昌言之难属。故踸踔于短韵,放庸音以足曲。恒遗恨以终篇,岂怀盈而自足。惧蒙尘于叩缶,顾取笑乎鸣玉。"这是说,语言难以表达那属于个人的思想和情感,勉强为之,后悔无穷。杜牧也说:"意能遣辞,辞不能成意。"(《答庄充书》,《樊川文集》卷十三)同样是说私人语言使言与意陷入了一个矛盾的关系之网。

私人语言的私人性并不是说这是任何人都绝对不能理解的思想和体验。尽管它的表现是晦涩难懂的,但是,由于人的心理有共同性基础,人们还是能够捕捉到意义的一些蛛丝马迹。因此,语言的私人性还是有一个限度的,可能因为这个度表现得非常小,人们难以捕捉。这也是"言不尽意"的原因之一。

其四,语言本身的文化性。语言是一种文化的符号,它本身携带了大量的文化密码。结构主义语言学认为,语言的符号功能之一是,它是一种代码和信息。这种代码和信息具有意指性。罗兰·巴特指出,构成文学因素的主要有五种代码:解释性代码、寓意代码、象征代码、行动代码、文化代码。①其实,这五种代码中的前四类皆可入文化代码,即语言的文化性,正是由于语言的文化性,导致语言的解释、寓意、象征、行动的内涵各各不同。

语言的文化性着眼于不同的人文、历史传统,要想较为深刻地理解一种语言,必须接受运用这一语言的民族的传统文化的熏陶,这是一个前提。就一个民族内部来说,知识修养水平的高低也决定了语言的接受程度。具有不同知识修养的人对同一语境下的语言理解可能会千差万别,这是产生"言不尽意"语言困惑的又一原因。司马迁似乎感悟到这一点,他慨然叹息:"天道恢恢,岂不大哉!谈言微中,亦可以解纷。"(《史记·滑稽列传》)此外,写作者对文化传统的理解也直

---

① [法]罗兰·巴特:《符号学原理》,李幼蒸译,生活·读书·新知三联书店,北京,1988年。

接影响阅读者。写作者能否把自己的理解传达出来,采取合乎民族思维习惯的语言,言说出符合民族文化的逻辑性,也是关键。中国古代有"作者既易工,闻者亦易动听"(何良俊《曲论》)的观念,认定作者是理解的中枢。作者的写作不能准确赋意,这便是"言不尽意",后来的理解者在理解作品时肯定也会有"言不尽意"之感。这里仍然存在着一个语言的文化性问题。

文化性制约着语言对意义的表达。语言成为文化的密码,对密码的破译是准确理解意义的关键。但是,这一工作的艰难性超出了人们的想象,要想真正实现对历史的文化密码进行理解简直不可能,故而,"言不尽意"将会永远困惑理解者。

中国古代对"言不尽意"的认识还有一个传播过程的问题需要提及。就创作者个人而言,语言和意义的产生经过由心向口舌或文字的转换过程,在转换的过程中造成了意义的丢失。袁宗道说:"口舌代心者也,文章又代口舌者也。展转隔碍,虽写得畅显,已恐不如口舌矣,况能如心之所存乎?"(《论文》,《白苏斋类集》卷二十)在传播的过程中形成了"言不尽意",这是因为由内在之心向外在语言的转换过程中已经形成了"隔碍",这种"隔碍"是不可避免的。

由此观之,"言不尽意"所造成的语言困境,原因特别复杂。它在其本质上是必然的。然而,人类是否就不能借助于语言表达或理解意义?又不是。语言虽然不能尽意,但它还是表达了意义。人们仍能借助语言交流、沟通思想。然而,"言不尽意"在文学理论上却有重大拓展。它使中国古代的文学理论出现了实质性的转机,"'言不尽意'移居文学领域而飞跃,'象外之意'进入美学领域而升华。"[①]

文学的语言是一种情感语言,它所蕴含的象征性和多义性最为丰富,它的意义最难把握也极易把握,因为,文学的意义是以情感的感性形式存在的,它截然不同于哲学的意义。以情感的感性形式表现的意义具有鲜明的形象性,生动可感。凡是具有阅读能力的人都能不同程度地把握作品的意义。文学语言的象征性、形象性和多义性赋予

[①] 陈良运:《周易与中国文学》,百花洲文艺出版社,南昌,1999年,第297页。

"言不尽意"以理论的活力。

"言不尽意"在作家、文本和读者中具有不同的表现,由此也产生了不同的结果。

在作家方面,以陆机为代表,对"意不称物,文不逮意"的现象充满深切的忧患,把它作为创作的普遍现象加以探讨,意谓自我能体验到的"意不称物,文不逮意"的作品便不是优秀作品。其实,这只是作家追求完美的一种心态。在陆机看来,作品之意应以作家赋意为唯一目的,作品表现的是作家的思想感情。这也是传统作家对文学创作的理解。作家在创作时产生的苦恼乃是对情感的追忆所致。语言在情感高涨的阶段往往是软弱无力的,因为,作家的情感激流冲击并弱化了他对语言驾驭的能力,所有的感觉都以情感(意)为中心。在这种状况下,作家自然会感到"意不称物,文不逮意"。陆机的忧患具有普遍性。

作家在创作过程中,都会产生语言和意义的困惑。萧子显说:

> 若夫委自天机,参之史传,应思悱来,勿先构聚。言尚易了,文憎过意,吐石含金,滋润婉切。杂以风谣,轻唇利吻,不雅不俗,独中胸怀。轮扁斫轮,言之未尽,文人谈士,罕或兼工。非唯识有不周,道实相妨,谈家所习,理胜其辞,就此求文,终然翳夺。故兼之者鲜矣。(《文学传论》,《南齐书》卷五十二)

刘勰也有同感,《文心雕龙·神思》云:

> 方其搦翰,气倍辞前,暨乎篇成,半折心始。何则?意翻空而易奇,言征实而难巧也。

王士源评孟浩然创作:"浩然凡所属缀就,辄毁弃,无复编录,常自叹为文不逮意也。"(《孟浩然集序》,《孟浩然集》)作家对文不逮意的普遍忧患,就充分说明西方20世纪语言学的观点:意义不仅是某种以语言"表达"或"反映"的东西,意义其实是被语言创造出来的。我们并不是先有意义或经验,然后再着手为它穿上语词;我们能够有意义的经验仅仅是因为我们拥有一种语言的容纳经验。①语言创造了意义,语言起着主导作用,并不因为作家的赋意而改变语言对意义的创造。这是作家创作时普遍感到"文不逮意"的原因之所在。

作家在创作过程中对语言表意困惑的同时,也伴随着对语言的追求,力图使语言成为一种更为完美的形式。这表现了作家追求的矛盾。一般地说,作家对文学语言的追求是华美的,要求文学语言多用比喻、象征,充满想象。也就是说,作家赋予了文学语言以较大的想象空间。所有这些手段的运用就是为了达意,但这些虚幻的手段恰恰又影响了意义的表达,产生言不尽意。这是一方面。另一方面,作家又抱怨"意不称物,文不逮意",力求意称物、文逮意。这一对矛盾根本无法调和。"言不尽意"只能作为一个意味深长的文艺学命题留给后人长期争论。也正是这"言不尽意",才使优秀的文学作品具备了永久审美的特性。

从文本方面而言,文学的意义是一个无法穷尽的海洋,"言不尽意"使文学作品常读常新,永远充满生命的活力。

法国解释学家保罗·利科尔说,文本是"由书写所固定下来的任何话语"②。在文本中,说话者的当下性不复存在,只有文本和它的意义。也就是说,文本是一个独立的存在。文本存在着三重自律:"与作者意图相关的自律;与文化背景以及所有产生文本的社会学条件相关的自律;最后,和最初的读者(听众)相关的自律。文本所表达的不再和作者意图一致;语言的意义和精神的意义有不同的命运"③。并且,文本的意义随着时代的发展和读者群的改变不断生成,使文本更加"言不尽意"。

中国古代的文艺理论家们对文本的意义早有体认,他们意识到文本的"言不尽意"乃是文本创造的必要环节。刘勰《文心雕龙·隐

---

① [英]特雷·伊格尔顿:《二十世纪西方文学理论》,伍晓明译,陕西师范大学出版社,西安,1986年,第68页。
② [法]保罗·利科尔:《解释学与人文科学》,陶远华等译,河北人民出版社,石家庄,1987年,第148页。
③ 同上书,第91页。为保持行文概念的一致,此处"本文"改为"文本"。

秀》篇云：

> 是以文之英蕤，有秀有隐。隐也者，文外之重旨者也；秀也者，篇中之独拔者也。隐以复意为工，秀以卓绝为巧，斯乃旧章之懿绩，才情之嘉会也。

隐和秀均是指语言。刘勰明确指出"隐以复意为工，秀以卓绝为巧"，其中蕴含的意义异常丰富。旧题白居易的《金针诗格》更现身说法，以具体的诗歌意义言述了语言的运用，强调语言表达多重意义的特点：

> 诗有七义例：一曰说见不得言见，二曰说闻不得言闻，三曰说远不得言远，四曰说静不得言静，五曰说苦不得言苦，六曰说乐不得言乐，七曰说恨不得言恨。

说某物而不言某物，在后世的理解中就会导致语言表意的复杂性，任何误读都有它的合理性。从而，使文本在不断地阅读中意义也越来越丰富，越来越难以穷尽，在不同的时代，在不同人的阅读视野中，便具有了不同的审美意义。

从读者方面而言，"言不尽意"所带来的审美感受依然突出。由于作家深刻的赋意和文本对意义的创造，读者在阅读作品时所产生的"言不尽意"的感受通常表现为以下几种状况：

1. 由文本"不确定"和"空白"引起了读者的无穷想象。"不确定性"和"空白"原本是文学现象学的概念，伊塞尔却借用过来解说接受美学问题。他说："空白的东西导致了文本的未定性"，"空白暗含着文本各不同部分的互相联结"，"空白从相互关系中划分出图式和文本视点，同时触发读者方面的想象活动"[①]。这多是由文学作品的情节和语言触发，文学作品的情节往往至关键处戛然而止，给读者言不尽意的感觉；或在本为读者期待详细的情节处却省略描写，造成言不尽意。古人对此多有觉察。梁廷枏《曲话》评《桃花扇》："《桃

[①] [德]沃尔夫冈·伊瑟尔：《阅读活动——审美反应理论》，金之浦、周宁译，中国社会科学出版社，北京，1991年，第220页。

花扇》以《余韵》作结,曲终人杳,江上峰青,留有余不尽之意于烟波缥缈间,脱尽团圆俗套。"《脂砚斋重评石头记》第二十二回批语道:"最奇者黛玉乃贾母溺爱之人也,不闻为作生辰,却云特意与宝钗,实非人想得着之文也。"这都是强调"不确定性"及"空白"所引起的读者的想象。"言不尽意"表现在读者身上是复杂的。

  2. 由于读者与文本产生时代的文化差异导致读者意识中会产生言不尽意。这种阅读情况普遍存在。时代的隔膜,文化的差异,没有使读者完全不理解文本,只是使他们阅读文本时感到没有尽意。中国古代章句学的兴起便是对这种理解现象所做的努力,通过对古代典籍的注释实现理解。我们可以从王弼注《老子》的行为中感受到这一点。如《老子》的"无名天地之始,有名万物之母",非常简洁,总使人有言不尽意之感。王弼注:"凡有皆始于无,故未形无名之时,则为万物之始。及其有形有名之时,则长之、育之、亭之、毒之,为其母也。言道以无形无名始成万物,[万物]以始以成而不知其所以[然],玄之又玄也。"①王弼之注使人对《老子》的理解进了一步。此外,中国古代常常会指责某些文章"辞涩言苦"、"佶屈聱牙"也多是指时代文化差异所导致的言不尽意。这种阅读现象在读者阅读的过程中具有相当的普遍性。

  3. 读者的"期待视野"表现在阅读行为中产生了言不尽意。"期待视野"是接受美学的一个重要命题,它强调读者接受的主动性和创造性。读者在阅读作品时,对自己"期待视野"之内的作品并不感兴趣,相反,却对超出自己"期待视野"的作品产生浓厚的兴趣。因为超出自己"期待视野"的作品会给人以审美的新鲜感,具有言不尽意的特征,它校正了读者的"期待视野",拓展了一种新的审美视界。中国古代对文学作品的欣赏特别注重这种"期待视野"的超越。谢榛云:"鲍防《杂感》诗曰:'五月荔枝初破颜,朝离象郡夕函关。'此作托讽不露。杜牧之《华清宫》诗曰:'一骑红尘妃子笑,无人知是荔枝来。'二绝皆指一事,浅深自见。"(《四溟诗话》卷一)鲍防虽是一位

---

①楼宇烈:《王弼集校释》,中华书局,北京,1999年,第1页。

不见经传的小诗人,但在谢榛的眼里,他的诗却超越了人们的"期待视野",比大诗人杜牧高出一筹,具有一种言不尽意之美。文学作品的创作构思出人意表才能超出人们的"期待视野",具有较高的审美价值,而那些循规蹈矩的创作往往缺乏创新,丧失了作品的生命活力。故而,刘熙载深有体会:"绝句取径贵深曲,盖意不可尽,以不尽尽之。正面不写写反面,本面不写写对面、旁面,须如睹影知竿乃妙。"(《艺概·诗概》)这是符合读者"期待视野"的需求的。刘熙载在不经意中说出了接受美学所要表述的重要理论。

从上述论述中可以看出,"言不尽意"这一原本是哲学所关注的问题在文学领域却得到了拓展和升华,在作家、文本、读者之间产生了不同的美学效果。给作家赋意、文本表意和造意、读者接受提供了一个很大的包容空间。这是"言不尽意"对中国古典文艺学和美学的重大贡献。"言不尽意"将成为中国文艺学、美学中永不褪色的话题。我们可以借用英国诗人雪莱的话来言述"言不尽意"的理论魅力:"当写作开始时,灵感已经衰退,迄今传给这个世界最灿烂的诗歌,很可能只是诗人(The Poet)本来理念的薄薄的影子。"①

第三节　言尽意:语言表意的自觉性

"言尽意"一直是古人的追求目标,孔子曾经把它当作一种理想,但明确意识到它很难实现。《论语·阳货》记载了孔子对语言的困惑:"子曰:'予欲无言。'子贡曰:'子如不言,则小子何述焉?'子曰:'天何言哉?四时行焉,百物生焉,天何言哉?'"孔子认为,不仅天(自然现象)难以言说,即使德行也难以言说;语言在传授德行方面受到很多限制,它表述不尽德行的丰富内涵。在长期的教育活动中,他深深地体会到这一点。但是,孔子又无时无刻地借用语言表达思想,把自己的知识和德行传授给学生。他深有感慨地说:"辞达而已矣。"(《论语·阳货》)开启了后世对"言尽意"问题的广泛探讨,影

---

①张隆溪:《道与逻格斯》,冯川译,四川人民出版社,成都,1998年,第109页。

响深远。

"言尽意"的理论内涵在魏晋南北朝的"言意之辨"中得到了进一步的充实。以欧阳建为代表的言尽意派对玄学家"言不尽意"的观点展开了激烈地批判,批判的焦点仍围绕着先秦以来一直争论不休的名理之辨。欧阳建云:

> 夫天不言,四时行焉;圣人不言,而鉴识存焉。形不待名,而方圆已著;色不俟称,而黑白以彰。然则名之于物无施者也,言之于理无为者也。而古今务于正名,圣贤不能去言,其何故也?诚以理得于心,非言不畅;物定于彼,非名不辨。言不畅志,则无以相接;名不辨物,则鉴识不显。鉴识显而名品殊,言称接而情志畅。原其所以,本其所由,非物有自然之名,理有必定之称也。欲辨其实,则殊其名;欲宣其志,则立其称。名逐物而迁,言因理而变。此由声发响应,形存影附,不得相与为二矣。苟其不二,则无不尽;吾故以为尽矣。(《言尽意论》)

这里表述了比较丰富的言与意的思想,大略从以下几方面可以意会:

第一,形、色和名、称并不是一一对应的关系,客观事物的形状、颜色及其本身的诸多属性由这一客观事物的本质规定,并不因外在名称的加入和指称的称谓能够改变的。这一观念的产生是受孔子的启发。孔子说:"天何言哉?四时焉,百物生焉,天何言哉?"四时的运行、百物的产生,不因为人们用名称的言说改变它们的本质规定,而圣人的远见卓识(鉴识)也并不因为"圣人不言"就不存在。事物早已先于名称而存在,与它们后来的名称没有任何因果关系。这奠定了欧阳建唯物主义哲学观念的基础。

第二,既然形、色与名、称不一一对应,那么,名与物、言与理在实质上是割裂的,并非一体化的。名不能尽物,言于理也无能为力。这是由形、色与名、称分离而做出的自然而然的推论。表面上看,欧阳建似乎又陷入了言不尽意的怪圈,但是,他对自己理论确立的支点把握得很准。虽然名与物、言与理是矛盾的,但是,古往今来一直用名来言述物,圣贤还是用语言来陈述理。这是为什么呢?欧阳建认为,名与言作为人对客观事物本质的外在规定是人们用以表达客观事物的符号,人们只能借助于名与言来认识事物。语言是能表达意义的。

第三,言能够明理,名能够称物,并不是说物本来就应该有这个名字,这个理本来就应该这样称呼。理产生于心,是人长期思考的产物;物和其他物相比较才能显出分别,没有名称就不足以显示物与物之间的分别。假如语言不能表达人的思想志向(理),就会造成人与人之间的隔膜,不能相互交流;假如名不能够分辨事物,就会形成人不能区别众多事物的现象。这样,人类社会就不足以构成人类社会,世界上的事物就会变得混沌不清。正是因为言能够明理,才使人的思想、志向表达得更顺畅;名能够称物,才使众多事物有一个明晰的区分。从这个意义上说,语言能够表达意义。

第四,对事物的辨别和区分,完全依靠人类给它们命名;对众多事理的宣扬与分析,只有语言才能胜任。人类是用语言来思维的。对事物命名的不同,是因为事物之间有实质性的差别;对事理的称呼不同,是因为事理只借助于这种不同才能分辨清楚,从而进一步表达思想志向。离开语言,人类根本无法对事物、事理做出分辨,无法表达自己的思想情感。

第五,名称是随着事物的发展变化而发展变化的,语言也随着事理的变化有不同表达。名与物是二而一的,言与理也是二而一的,不能够将它们截然分开。就像"声发响应,形存影附"的自然现象一样,当我们用一个名称言述某一事物时,这个名称只适合这一事物,不适合其他事物;当我们用语言来言述某一事理时,这时的语言只适合这一事理,不适合其他事理。名与物、言与理在言说时达到高度的统一。既然两者各自实现了统一,那么,语言在言说时就没有什么不可表达的。语言是能够完全准确地表达意义的,这一点无需怀疑。

欧阳建的辨析非常雄辩、有力。他紧紧抓住名与物、言与理的统一表达自己的言意观,非常强烈地冲击了玄学家"言不尽意"的诡辩,对深化言与意这一重要哲学命题的讨论有积极的推动作用。

欧阳建的名与物、言与理的统一观即是当代德国哲学家伽达默尔所强调的"语词和事物之间的内在统一",亦即语言和逻辑(Logos)的统一。由于这一统一具有相当的复杂性,伽达默尔称这一统一是神秘的。他说:

> 语词和事物之间的内在统一性对于一切远古的时代是这样的理所当然,以致某个真正的名称即使不被认为是这个名称的承载者的代表的话,它也至少被认为是这个名称的承载者的一个部分。……语词首先被人们从名称的角度来理解。但名称乃由于某人这样称呼或他的名字就这样称呼,所以才成其为名称。名称附属于它的承载者。名称的正确性就是通过某人这样被称呼而得到证明。因此名称似乎属于存在本身。①

语言一方面有它的局限性,但是另一方面又能表达意义。总体上说,语言以表达意义为最终目的,在这个意义上,语言和意义实现了统一。正是语言和意义的统一,世界上的万事万物才有分别,才有秩序,人类才能相互沟通、交流。

"言尽意"观在中国古典哲学上占据支配地位,在中国古典文艺学、美学中的影响是相当深远的。应该说,很多文学理论家特别是儒家学派的文学理论家喜欢以言与意统一的眼光来看待这一问题,提出一些有价值的观点,从而形成了一统中国文坛的言尽意派。这对文学理论言与意观念的深化是有益的。

欧阳建之前或同时,对言尽意的探讨只是停留在理论思辨层面,刘宋时期的文学理论家范晔开始从言与意统一的立场出发提出言与意的等级与轻重问题,实现了言尽意由纯粹理论问题向实践问题的转变。范晔说:

> 文患其事尽于形,情急于藻,义牵其旨,韵移其意。虽时有能者,大较多不免此累。政可类工巧图缋,竟无得也。常谓情志所托,故当以意为主,以文传意。以意为主,则其旨必见;以文传意,则其

---

① [德]伽达默尔:《真理与方法》,洪汉鼎译,上海译文出版社,上海,1999年,第516~517页。

词不流。然后抽其芬芳,振其金石耳。(《狱中与诸甥侄书》)

文章创作只要能表达意义就达到了目的,这个"意"是作者赋予的思想和情感。"以文传意"意谓文章借助于语言表达情意。作者的思想情感被语言传达出来,语言也具有了活力。它就不仅仅是文章的外衣,是情意的外衣,而成为意义的一个组成部分。范晔在言述言尽意这一命题时实际上有一个假设。他认为,如果作者在他的文章中做到了"以意为主,以文传意",那么,接受者就能够从他的语言表达中理解这种意义。这多少有些一厢情愿的色彩,但也代表了中国古代学人对言尽意的执着信念。

言尽意之途多种多样,但大凡倡导言尽意者,都追求语言的质朴。他们认为,只有质朴的语言才能准确表达意义,由于人们的注意力被吸引到美妙的辞采上,华美的语言干扰了人的视听,将人的理解引入歧途,故而难以达意。

唐代的杜牧就接着范晔"以意为主"的观点,论述了语言表意的质朴性问题,指出"意能遣词,词不能成意",更为明确地将语言归入形而下的范围。他说:

> 凡为文以意为主,以气为辅,以辞采章句为之兵卫。未有主强盛而辅不飘逸者,兵卫不华赫而庄整者。……苟意不先立,止以文彩辞句绕前捧后,是言愈多而理愈乱,如入阛阓,纷纷然莫知其谁,暮散而已。是以意全胜者,辞愈朴而文愈高;意不胜者,辞愈华而文愈鄙。是意能遣辞,辞不能成意。(《答庄充书》)

意作为主导语言的因素必须在创作之前确立,围绕意组织语言才能使语言不凌乱,从而更好地实现表意。言尽意的过程是辩证统一的过程,并不是越优美的语言表意性愈强,越质朴的语言表意性越弱。在意全胜的状况下,这一情形的表现恰恰相反,若"辞愈朴而文愈高"。不能否认,杜牧在这里表现出一种绝对化的倾向,与他作为诗人的言论有些不符。但是,就"言尽意"的主旨来说,以意义为目的,强调意义的主导作用,语言的从属作用,确实也是"言尽意"的一个策略。

紧承杜牧"辞愈朴而文愈高"的言尽意观，后来的文论家们有不少都追求语言的质朴，以为只有质朴的语言才能恰到好处地表达意义。这种观念大盛于北宋的欧、苏时代，形成一种迥异于传统的审美倾向。与欧阳修同时且友善的梅尧臣倡导平淡诗风，其中就包括语言的平淡质朴。他说："因吟适情性，稍欲到平淡。苦辞未圆熟，刺口剧菱茨。"（《依韵和晏相公》）要求用平淡的语言表达情性（意）。欧阳修多有附和："圣俞平生苦于吟咏，以闲远古淡为意，故其构思极难。"苏东坡极力推崇孔子的"辞达而已矣"，对言尽意做出了他独特的理解。他说：

  夫言止于达意，即疑若不文，是大不然。求物之妙，如系风捕影，能使是物了然于心者，盖千万人而不一遇也，而况能使了然于口与手者乎？是之谓辞达。辞至于能达，则文不可胜用矣。（《答谢民师书》）

他认为，孔子的"辞达"包含着追求语言的平易，语言平易并非不注重文采，它的最基本的要求就是"了然于心"，亦即表达人的思想，这本身就是很难的事了。苏轼认为，只要用平易的语言表达出丰富的思想情感的文章就是高妙的文章，是自然之文。

对"辞愈朴而文愈高"的言尽意观有深刻发挥的当数有明一代的诗评家胡应麟，他从具体的文学创作实际出发论述了"语浅意深，语近意远"的道理。他说：

  乐天诗世谓浅近，以意与语合也。若语浅意深，语近意远，则最上一乘，何得以此为嫌！《明妃曲》云："汉使却回频寄语，黄金何日赎蛾眉？君王若问妾颜色，莫道不如宫里时。"《三百篇》《十九首》不远过也。（《诗薮》内编卷六）

白居易诗以浅近闻名，文学史上颇多毁誉，胡应麟对之评价很高。他认为，白居易的浅近恰恰证明他做到了言与意合，也就是说，白居易的诗歌语言准确地表达了他的思想情感，人人都能理解，人人都能体会。这样，语言的浅近就并不是什么病了。他说，如果诗歌创作能够做到语言浅近,意义深远,那必定是最上乘的诗歌。在中国文学理论史上,如此为浅近翻案者虽代不乏人,但如胡应麟对此做出深刻阐释者并不多。胡应麟对言尽意理论的阐释为人们认识这一问题提供了一个新的视角。

文学创作以表达思想情感为主,语言仅是表达思想情感的工具。言尽意对作家来说就是如何将自己现在的思想情感用语言准确地表达出来,并且能够让读者准确地理解,严格地说,作家本人对这个度也难以把握。杜牧强调用质朴的语言,胡应麟强调用浅近的语言,这都是一种折中的做法。也就是说,他们都考虑到读者知识修养的差别,要求作家不要人为制造语言障碍,以实现读者对作品的理解。这些愿望是良好的,也具有一定的可行性。但是,是否质朴和浅近的语言就能够达到目的,这又是一个问题。对于读者来说,实现对作品的理解取决于许多条件,除了知识修养之外,读者的生活体验、审美趣味以及期待视野、前理解等都是决定读者接受的因素。由此可见,想给言尽意确定一个实现的向度确实很难。

这样,我们又不得不回到孔子对语言和意义的感慨:辞达而已矣。这里虽有一种无可奈何,但也有一种执着的信念:语言是能够表达意义的。

上文我们引述了东坡之言,他对"辞达而已矣"进行了创造性的理解。辞达有语言平易之意,但是,平易的语言往往也具有深意。苏东坡就要求语言表意"了然于心"。他认为,这已属不易,而要做到了然于口、手,更为不易。因为心里的意会口里不一定说得出,手上写得出,所谓"辞达",就是要求做到最基本的一点即"了然于心"就够了,作者的思想情感等意义层面便会凸显出来。这就是所谓"辞至于能达,则文不可胜用矣"。

苏东坡对孔子"辞达而已矣"的理解还有一点值得注意,那就是强调语言的自然特质,强调作者驾驭语言的自然性。他说:

> 吾文如万斛泉源,不择地而出,在平地滔滔汩汩,虽一日千里无难。及其与山石曲折,随物赋形而不可知也。所可知者,常行于

所当行，常止于不可不止，如是而已矣。(《文说》)

这是对"辞达"的一种形象生动的描绘，是苏东坡言尽意思想的隐喻。语言表意有时也能达到"尽"的程度，就像流水，一日千里，随物赋形，不以山石而阻隔，不以途远而流断，行于所当行，止于不可不止。语言只有尽意才能如此自然本色。"辞达"是苏轼言尽意的策略。苏轼将之作为一个法则谆谆告诫作者：言尽意并非不可能，在很多情况下，言尽意的实现是可能的。苏轼作为一个具有多方面文学成就的大家，他能够从审美的角度认识文学言尽意理论，自然成为文学言尽意派的典型代表。

与苏轼同时的司马光也是尊崇孔子"辞达而已矣"的一位文学家。他认为，语言能够表达意义。只要语言做到了表意这一点，也就足够了，至于华美的辞藻、宏富的辩论皆可以省略。他强调语言表意，不提倡语言华美，言外之意是华美的语言不能够准确表达意义。这似乎缺少一种美学的眼光。他说："孔子曰：'辞达而已矣。'明其足以通意斯止矣，无事于华藻宏辩也。"(《答孔子文仲司户书》)这种言不尽意的观念在唐代就已经遭到批评。皎然就曾经尖锐地指斥这种蔑视丽词观念："或曰：今人所以不及古者，病于丽词。予曰：不然。先正诗人，时有丽词。'云从龙，风从虎'，非丽邪？'昔我往矣，杨柳依依；今我来思，雨雪霏霏'，非丽邪？但古人后于语，先于意。"(《评论》)丽词并不妨碍意义的表达。可见，司马光否定华美言词，认为其不能准确表意只是一个借口，是想借此批评某种文风。这样，司马光所强调的"辞达"、言尽意与苏轼所强调的"辞达"、言尽意内涵并不一样，苏轼的"辞达"、言尽意并不排斥华美的语言。他甚至明确批评了辞达即意谓不讲文采的观念："夫言止于达意，即疑若不文，是大不然。"(《答谢民师书》)就像司马光与苏轼在政治观念上一度对立一样，他们的言意观也是貌合神离、基本对立的。

循着"辞达而已矣"的言意策略，苏轼之后，学人们又有不少阐发。刘将孙认为，诗就是要让人理解的，理解的前提必须是辞达。他说："辞而不达，谁当知者？"(《黄公海诗序》)他还认为，只要语言

达意,且不管篇幅的长短,缩之可以为五七言,发之可以为大制作。语言只以表达意义为目的。李东阳认为,作诗须以辞达意。他说:

> 作诗不可以意徇辞,而须以辞达意。辞能达意,可歌可咏,则可以传。王摩诘"阳关无故人"之句,盛唐以前所未道。此辞一出,一时传诵不足,至为三叠歌之。后之咏别者,千言万语,殆不能出其意之外。必如是方可谓之达耳。(《麓堂诗话》)

他反对以意循辞、用意跟着语言跑的做法,主张辞要达意,以意为主。诗歌做到了辞达意,便可千古传颂。同时,他还认为意义之所以有无比广泛的包容性,乃是因为语言的新奇。他举王维《阳关三叠》(又名《渭城曲》)为例说明语言创新的重要性。"西出阳关无故人"一语,情感真挚,意义丰富,表达了千古离情别绪,使"后之咏别者,千言万语,殆不能出其意外"。这也就是说,以辞达意并非狭隘地表达了作者此时此地之意,它是囊括了作者此时此地之意、读者在阅读时又能够自由创造的、具有强大化生力和包容性的意义。这是一种新鲜的见解。像苏轼一样,李东阳也从审美上认识言尽意,与苏轼单纯从审美创造上认识言尽意不同的是,他从审美创造和接受这两个角度言述言尽意的意蕴,具有重要的理论价值。

有清一代的言尽意观在前代的基础上又有深入,基本上仍循着孔子"辞达"理论发挥。王夫之从情景交融的视角着手,认为写诗作文都应"以意为主",以"势"为辅。所谓"以意为主",并不是要求诗文单纯说理,而要表达感情,融情于景;"势"是气势,是婉转屈伸的手段。王夫之说:"把定一题一人一事一物,于其上求形模、求比拟、求词采、求故实,如钝斧子劈栎柞,皮屑纷霏,何尝动得一丝纹理。以意为主,势次之,势者意中之神理也。唯谢康乐为能取势。婉转屈伸,以求尽其意,意已尽则止,殆无剩语。"(《夕堂永日绪论·内编》)语言虽是实现诗文尽意的手段,但是,它却是"意中之神理",是达到诗文尽意的必经阶梯。

恽敬进一步阐释了"辞达"的理论内涵。他说:

圣人之所谓达者,何哉?其心严而慎者,其辞端;其神暇而愉者,其辞和;其气灏然而行者,其辞大;其知通于微者,其辞无不至。言理之辞,如火之明,上下无不灼然,而迹不可求也;言情之辞,如水之曲行旁至,灌渠入穴,远来而不知所往也;言事之辞,如土之坟壤咸泻,而无不可用也。此其本也。(《与纫之论文书》)

这里把辞达与作者的心、神、气、知联系起来,也就是说,辞达并不是语言本身的问题,而是作者的能力问题,是作者的情感、意志、生活态度、知识修养等诸方面的能力的综合效应。理、事、情在语言中的表现是作者心、神、气、知的高度统一。理、事、情在文章中得到了完整准确的表现,可谓言尽意。恽敬也自觉地运用美学的眼光认识表达理、事、情的语言。他说,言理之辞,如火之明,上下都得到了照亮,而不透露半点痕迹;言情之辞,如水流蜿蜒曲折,灌渠入穴,不知所终;言事之辞,如土之坟壤倾泻,无处不用。语言在表达理、事、情的过程中发挥了最大的作用,尽了最大的努力。

中国古典诗歌的创作特重声律,声律作为语言的一个重要的组成部分在表意方面所起的作用不可小视。沈约《宋书·谢灵运传论》云:"至于先士茂制,讽高历赏,子建函京之作,仲宣霸岸之篇,子荆零雨之章,正长朔风之句,并直举胸情,非傍诗史,正以音律调韵,取高前式。"在言表意、表情的过程中,悠扬的音律能增强情感表达的效果,增强文章的美感魅力。故而,刘勰《文心雕龙》特列《声律》一篇以示重要,并声称:"标情务远,比音则近,吹律胸臆,调钟唇吻。声得盐梅,响滑榆槿,割弃支离,宫商难隐。"

声律经过永明文学的升华,至唐代已空前成熟。唐诗、宋词的成就与声律的发展分不开,声律不仅增强了语言的表意能力,而且使语言抑扬顿挫,具有音乐之美。这一点,古代的文艺理论家们认识得非常深刻。王若虚就说:"诗之有韵,如风中之竹,石间之泉,柳上之莺,墙下之蛩。风行铎鸣,自成音响,岂容拟议。"(《滹南诗话》卷二)杨载也说:"押韵稳健,则一句有精神,如柱磉欲其坚牢也。"(《诗法家数》)

值得注意的是,音律的运用必须遵循自然的法则,不可刻意雕琢。如果刻意,不仅不利于意义的表达,反而会起相反的作用。古人对此早有评论。钟嵘就批评声律的运用"使文多拘忌,伤其真美"(《诗品序》);李德裕也强调"意尽而止,成篇不拘于只偶"(《文章论》);毛奇龄在论词之用韵时说,韵律于词虽有功劳,"然反失古意"(《西河词话》卷一)。可见,音律的运用要以恰到好处地表达意义为度,不可过滥。

古人强调言尽意,也就是强调文学作品要表达情感,给人以美的享受。同时,古人也认识到言尽意只是相对的。因此,在具体讨论时要求语言质朴、浅近,认为这是尽意之途。更有眼光深远者,强调要以华美的言辞表达出深广的意义,认为这才是尽意。这实际上已经是在讨论无穷之意了。由此可见,言尽意与言不尽意、言有尽而意无穷是相互渗透的命题,它们之间并不矛盾。只不过为了言述的方便,我们将它们分而论之,意在表明它们的区别与联系。

第四节 言有尽而意无穷

无论《周易》还是《庄子》,其言意观中都对无穷之意有追求的思想意旨。"书不尽言,言不尽意"本身就具有两面性,一是言述语言的局限,一是言述意义的无穷。正是因为语言的局限表达不了那无穷的意义,也正是因为意义的无穷使语言具有了局限性。《庄子》中的轮扁斫轮的故事表明,语言能够达意,但是,表达不了精微的意义,这是因为精微之意难以穷尽。故而,《庄子》又说:"言无言,终身言,未尝言;终身不言,未尝不言。"(《寓言》)语言表意的过程是极其复杂的,无论语言怎样言说,都会陷入悖论。

《周易》和《庄子》的言意观并不能使人类对语言失去信心。人们总是一直在言说不可言说的事物。在中西哲学史中,对这种言说的讨论仍在继续。这就形成了一种反讽模式。张隆溪曾经这样写道:

尽管庄子告诫人们应该"忘言",但具有反讽意味的是:正是他的语言使他永远铭记在人们心中。许多人都把庄子阅读和理解成中国古典文学中最伟大的散文家，他们欣赏他瑰丽的想象、优美的语言，却并不一定关注他的道家思想。这也就是说：人们更容易记住他的"言"而忘掉他的"意"；庄子的告诫，作为诗意的譬喻和反讽，发挥了反对自己的作用。而他那自我消解的哲学，如同老子的哲学一样，也就这样被他自己的文字所颠覆。①

在庄子思想的启发下，"言不尽意"便演化为"言有尽而意无穷"，成为中国古典文艺学、美学的又一个重要命题。

魏晋南北朝是文艺学、美学自觉发展的一个时代，是完成"言不尽意"向"言有尽而意无穷"转变的关捩点。"言尽意"和"言不尽意"的深刻辨析在文艺学、美学上却殊途同归，都为丰富和发展中国古典文艺学和美学的语言观做出了贡献。作为魏晋南北朝文艺学和美学的集大成人物，刘勰和钟嵘独具慧眼，较早认识到"言有尽而意无穷"的理论价值，并做了淋漓尽致地阐发。刘勰云："隐也者，文外之重旨者也；秀也者，篇中之独拔者也。隐以复意为工，秀以卓绝为巧，斯乃旧章之懿绩，才情之嘉会也。"（《文心雕龙·隐秀》）又说："夫隐之为体，义生文外，秘响傍通，伏采潜发，譬爻象之变互体，川渎之韫珠玉也。"（《文心雕龙·隐秀》）刘勰对"隐"极为推崇，认为"隐"包含着"文外之重旨"，"隐"以复意为工，"隐之为体，义生文外"。这样，"隐"首先是一种语言，然后才是美学意象。黄侃《文心雕龙札记》云：

夫文以致曲为贵，故一义可以包余；辞以得当为先，故片言可以居要。盖言不尽意，必含余意以成巧；意不称物，宜资要言以助明。言含余意，则谓之隐；意资要言，则谓之秀。隐者，语具于此，而义存乎彼；秀者，理有所致，而辞效其功。②

由于《隐秀》篇残，黄侃产生代为补足之念，功过如何，留待后

---

① 张隆溪：《道与逻格斯》，冯川译，四川人民出版社，成都，1998年，第90页。
② 黄侃：《文心雕龙札记》，华东师范大学出版社，上海，1996年，第249页。

人评说。但他对隐与秀的语言阐释当符合刘勰本义,即隐是"言含余意",秀是"意资要言"。可见,刘勰已经准确把握了言有尽而意无穷的美学内涵,肯定这一美学命题的艺术创造力。钟嵘在《诗品序》中也发现并阐释了这一美学命题。他对诗的语言表意提出了很高的期望。在论述五言诗的滋味时,拈出兴、比、赋三义,明确指出兴是"文已尽而意有余"。刘勰与钟嵘一道,将自先秦以来的言意观发展成一个颇具魅力的美学命题,为后人更好地理解言意问题提供了一个视角。

"文已尽而意有余"包含着丰富的语言修辞学策略,钟嵘以之释"兴",是建立在前人对"兴"的认识之上的。孔子就曾经提出"诗可以兴",孔安国释"兴"为"引譬连类"。这样,"兴"包含着比喻、类比、联想等多种修辞和心理学的内容,这是对语言的美学规定。然而,就语言的修辞而言,任何一种修辞手段都能够引起人们的类比与联想,如比拟、象征、隐喻、借代等,它们都能赋予语言以无比丰富的意义。因此,"文已尽而意有余"又不仅仅属于"兴",它是属于整个文学语言的,是文学语言的美学特性。

文学语言要做到"文已尽而意有余",必须是含蓄的,含蓄的语言才有韵味,才包蕴审美的情趣。所谓含蓄,亦即含而不露,忌讳直白。司空图《二十四诗品》以诗演绎"含蓄"的品格:

> 不著一字,尽得风流。语不涉难,己不堪忧。是有真宰,与之沈浮。如渌满酒,花时返秋。悠悠空尘,忽忽海沤。浅深聚散,万取一收。

其"不著一字,尽得风流"一语,囊括了"文已尽而意有余"的核心内涵。文学的语言只要具备了含蓄性,便会有无穷的韵味。

含蓄的语言是一种隐喻语言。孟郊《游子吟》云:"谁言寸草心,报得三春晖。"隐喻极深。诗文写对母亲的思念,以"寸草"隐喻子女,以"三春晖"隐喻母爱。以春日阳光照耀小草促使小草茁壮生长隐喻子女在母爱中长大。隐喻的语言拓展了诗的无穷韵味,增强了全诗的美感魅力。

含蓄的语言是一种象征的语言。象征加重了诗的抒情性。陶渊明

《归园田居》云:"少无适俗韵,性本爱丘山。误落尘网中,一去三十年。羁鸟恋旧林,池鱼思故渊。开荒南野际,守拙归园田。"尘网、羁鸟、池鱼都是象征,象征着世俗的羁绊、束缚,象征着渴望自由的人。陶渊明借此表达自己的理想、志向,使全诗意趣横生,言有尽而意无穷。

含蓄的语言是一种曲笔。曲笔作为一种表达的手段是一种语言的技巧,在中国古代也有深厚的传统。先秦时期,曲笔被形象地称之为春秋笔法,具有微言大义。作者对曲笔的运用,往往是由于自身处于一种独特的历史文化环境和个人的生活际遇之中,因涉及某些政治倾向或隐私不能直接表白,语意隐晦。曲笔与比喻、象征等修辞手段有关,但没有直接的联系。《诗经》的诸多诗篇可称为曲笔,如《黍离》:

彼黍离离,彼稷之苗。行迈靡靡,中心摇摇。知我者,谓我心忧;不知我者,谓我何求。悠悠苍天,此何人哉!

巨大的忧愁与哀痛油然而生。到底为何而哀?朱熹注释道:"周既东迁,大夫行役至于宗周,过故宗周宫室,尽为禾黍。闵周室之颠覆,彷徨不忍去,故赋其所见黍之离离,与稷之苗,以兴行之靡靡,心之摇摇。"[1]如果说,《黍离》之诗的曲笔形成是因为年代久远,背景不明,那么,李商隐系列诗歌的曲笔运用则涉及个人隐私,难以索解。如《锦瑟》一诗:

锦瑟无端五十弦,一弦一柱思华年。庄生晓梦迷蝴蝶,望帝春心托杜鹃。沧海月明珠有泪,蓝田日暖玉生烟。此情可待成追忆,只是当时已惘然。

这首诗写的是什么?是爱情?是悼亡?是思念?真是一言难尽!曲笔的形成依赖众多的典故,华美的语言织成了情感的外衣。尽管这首诗诗意难明,人们仍把它当作一首优美的好诗。

曲笔的运用虽以诗词为多,但在《春秋》之后的文章中也多有运

---

[1] 朱熹:《诗集传》,中华书局,北京,1958年,第42页。

用。《红楼梦》中的曲笔为世人称颂,也让世人颇费思量。第一回带有神话气质的描写为整个小说的情节展开埋下伏笔,这是典型的曲笔。由此而导出的许多人物及其命运是对整个故事的暗示。曲笔的运用增强了《红楼梦》的可读性,也增强了小说情节扑朔迷离的美感,奠定了其在中国乃至世界文学史上的地位。

如果说,钟嵘的"文已尽而意有余"还是"兴"的修辞学言述,那么,后来的许多理论家在讨论言与意的关系时往往超越了这个范围,在更广阔的背景上讨论了意在言外的问题。司空图将文中之意比作味,味即韵味,要求诗歌创作要讲究韵外之致,味外之旨;追求象外之象,景外之景。这就要在较高的美学风范上追求言与意的协调。意义的表达应摆脱语言的局限,最大限度地发挥语言的表意作用。

司马光在总结古人诗歌创作的经验时这样说:

> 古人为诗,贵于意在言外,使人思而得之,故言之者无罪,闻之者足以戒也。近世诗人,惟杜子美最得诗人之体,如"国破山河在,城春草木深。感时花溅泪,恨别鸟惊心"。山河在,明无余物矣;草木深,明无人矣;花鸟,平时可娱之物,见之而泣,闻之而悲,则时可知矣。(《温公续诗话》)

司马光对"意在言外"的理解过于狭窄,仅在于讽喻劝谏。他对杜诗的解释过于实在。在他的解释中,我们不仅体会不出杜诗的诗味,反而产生一种厌倦之感。杜甫《春望》一诗的好处在于,他一反前人对春天的热烈赞美,将春天的勃勃生机化为悲凉的景致。"草木深"展示了往昔繁华都市的凄惨荒凉,花鸟这些植物、动物也被拟人化,懂得悲哀。诗人与自然万物产生感应,将自己的情感移植到动植物的身上,达到了言有尽而意无穷的境界。

词人姜夔曾经引用东坡之语评价黄山谷。他说:

> 语贵含蓄。东坡云"言有尽而意无穷"者,天下之至言也。山谷尤谨于此。清庙之瑟,一唱三叹,远矣哉!后之学诗者,可不务乎?若句中无余字,篇中无长语,非善之善者也;句中有余味,篇中有余

意,善之善者也。(《白石道人诗说》)

这"余味"和"余意",就是耐人咀嚼、回味之意。这是文学创作与审美的至高境界。

"言有尽而意无穷"首先涉及语言表意的习惯问题,往往借助于语言的双关、典故的运用、正话反说、反话正说、模糊语言等手段来达到目的。这些不同于含蓄、曲笔、象征、隐喻等修辞技巧。这种语言的意义只有具备相应的文化背景、相当的知识修养的人才能理解。我们还是从中国古典文学的实际出发来讨论这些问题。

一个民族有一个民族的表意习惯。由于中华民族语言文字有固定性,使中华民族的表意习惯基本上没有太多的变化。语言的双关就是一个明显的例证。魏晋南北朝时期的诗歌创作就有大量的双关手法,广泛表现在乐府民歌和文人的创作中。陶渊明作为一代诗宗,他的诗中不时运用双关,如《止酒》一首:

> 居止次城邑,逍遥自闲止。坐止高荫下,步止荜门里。好味止园葵,大欢止稚子。平生不止酒,止酒情无喜。暮止不安寝,晨止不能起。日日欲止之,营卫止不理。徒知止不乐,未知止利己。始觉止为善,今朝真止矣。从此一止去,将止扶桑涘。清颜止宿容,奚止千万祀。

这首诗每句用"止",既有停止之意,又有连接语意的助词之意,在语意上是双关。如果不解此诗的双关之意,要想理解这首诗是很难的。逯钦立先生说:"庐山道人有诗每句着化字,此诗每句着止字,皆游戏之作。"[①]陶诗以抒写性情、描绘理想著称,简单判定此诗为渊明游戏之作,似不妥。这首诗依旧描写了他逍遥、旷达的生活,借酒寻乐的生活旨趣与他的《饮酒》二十首、《述酒》等优秀诗篇一脉相承。"止"字的双关运用出神入化,增添了这首诗的音乐性和抒情性。

《西洲曲》是南朝著名的乐府曲辞。对这首诗的绝妙,沈德潜有

---

① 逯钦立校注:《陶渊明集》,中华书局,北京,1999年,第100~101页。

评价:"续续相生,连跗接萼,摇曳无穷,情味愈出。"[1]其中最有特色的,还在于双关的运用。

> 采莲南塘秋,莲花过人头。低头弄莲子,莲子清如水。置莲怀袖中,莲心彻底红。忆郎郎不至,仰首望飞鸿。

在这首诗中,"莲"与"怜"音义双关,表示爱情。女子将采莲当作是爱情的体验,对莲百般爱惜,几多柔情。这样,采莲的场景描绘实际是采莲女细腻的心理活动的描写。这种双关语的运用使全诗情味盎然,言有尽而意无穷。

除了上述的音义的双关之外,还有一种单纯意义上的双关。这种双关表现较为复杂。它可以是一句话,也可以是整篇文章。韩愈的《毛颖传》通篇运用双关,而且双关是在多层面展开的。毛颖双关着兔子,双关着毛笔,双关着文人士子的遭遇。每一层双关都有耐人寻味的意义。如果不理解《毛颖传》的双关,很难读懂这篇奇文。在双关语言的运用中,显示了韩愈作为一代文章宗师的创造力。双关使这篇文章以有限的语言表达了无穷的意义。人们也正是在双关中领略了这篇奇文的美的意蕴。

典故作为一种行文的策略是文化知识的传承,它所携带的文化密码信息量最大,往往为文人雅士所采用。典故作为一种语言的策略是类比、暗示。刘勰《文心雕龙·事类》云:"事类者,盖文章之外,据事以类义,援古以证今。"并指出,这是"明理引乎成辞,征义举乎人事,乃圣贤之鸿谟,经籍之通矩也"。典故的运用是自远古以来就有的做法。古人借此以少总多,委婉表达情意。刘勰总结出的典故运用原则,值得我们思考。他对人的学识提出很高的要求:"是以综学在博,取事贵约,校练务精,捃理须核,众美辐辏,表里发挥。"(《文心雕龙·事类》)在这一原则的指导下,古代很多文人的诗文创作对典故的运用达到出神入化的程度,从而更好地表达作者的思想情感,可谓言有尽而意无穷。

相传为李白所作的《忆秦娥》一词在典故的征引上堪称典范。

---

[1] 沈德潜:《古诗源》,中华书局,北京,1999年,第290页。

箫声咽，秦娥梦断秦楼月。秦楼月，年年柳色，霸陵伤别。　乐游原上清秋节，咸阳古道音尘绝。音尘绝，西风残照，汉家陵阙。

此词两次征引典故。第一处是"箫声咽，秦娥梦断秦楼月"。据《列仙传》记载，秦穆公之女弄玉喜爱吹箫，后来与善吹箫的仙人萧史结婚。萧史每日教她吹箫，作凤鸣声，能把凤凰引到他们居住的楼上。几年后的一天，他们双双随凤凰飞去。此处征引这一典故，暗示女子曾经拥有过一段美满恩爱的爱情生活，与当下形成鲜明的对比。同时，这一典故使语言的意义隐藏得较深，读者须再三品味方能领略，使人无穷回味。第二处是"年年柳色，霸陵伤别"。霸陵，是汉文帝刘恒的墓，在汉代就是著名的风景地。霸陵附近有霸桥。据《三辅黄图》载："霸桥，在长安东，跨水作桥。汉人送客至此桥，折柳赠别。"女子看到一年一度的青青柳色，勾起了往事的回忆，内心的痛楚不言而喻。这两处典故的运用，用极为精炼而抒情的语言表达出了丰富的思想，真正做到了言有尽而意无穷。

正话反说、反话正说又谓之反语，这是语言隐藏意义的技巧之一。反语的最大特点是语言通过声音或字面所表达出来的表面意义是其真实意义的反面，这往往通过语言和上下文来判断。反语运用的是人的逆向思维，能有效增强语言的幽默感和情感表达的力度，给人以无穷的回味。反语具体使用的场景很多，表现也较为复杂。通常的状况下，反语通过以下几种形式表现：

1. 反问。反问的语气极为强烈，充满激愤。反问在各体文章中均有运用，《史记·陈涉世家》以"王侯将相宁有种乎？"一句反问，激起了农民的反抗情绪，成为一时叛逆的呼声和对统治者不满的典型话语。反问在诗中的运用也非常常见。如左思《咏史》之二：

郁郁涧底松，离离山上苗。以彼径寸茎，荫此百尺条。世胄蹑高位，英俊沉下僚。地势使之然，由来非一朝。金张藉旧业，七叶珥汉貂。冯公岂不伟？白首不见招。

诗中激愤的情感借助于"冯公岂不伟"一句反问喷薄而出，把世间的不平之气也发泄出来。反问在语言表意中所起的作用能直接导出无穷之意,是语言表意不可缺少的一种策略。

2. 反说。无论是正话还是反话只要颠倒着说便可称反说。反说是绝对违背真实的言说,中国古代的叙事作品为增强作品的艺术表现力多有使用。《红楼梦》第十二回描写贾瑞调戏王熙凤的情节使用的就是反说。贾瑞到了王熙凤家,见贾琏不在,遂有了下面一段对话。

> 贾瑞见凤姐如此打扮,越发酥倒,因饧了眼问道:"二哥哥怎么还不回来?"凤姐道:"不知什么缘故。"贾瑞笑道:"别是路上有人绊住了脚,舍不得回来了罢?"凤姐道:"可知男人家见一个爱一个,也是有的。"贾瑞笑道:"嫂子这话错了,我就不是这样人。"凤姐笑道:"像你这样的人,能有几个呢?——十个里也挑不出一个来!"

王熙凤的话带有讽刺挖苦之意,显然是反话正说,把贾瑞的好色心理以及如此大的色胆描写得淋漓尽致。

3. 假谬。假谬是凭借谬理言说或依靠谬理证明,也是中国古代诗文常用的言说方法。这种言说往往选择一些不可能实现的自然现象,以突出言说的个性,达到反语的目的。如汉乐府民歌《上邪》:

> 上邪!我欲与君相知,长命无绝衰。山无陵,江水为竭,冬雷震震,夏雨雪,天地合,乃敢与君绝。

诗歌列举五种不可能实现的自然现象作为假设,假如这五种自然现象都能够发生,才是恩断义绝之时,以此表达爱情之忠贞。这种言说方式极为奇特,后世的诗词创作中不时出现。如敦煌曲子词《菩萨蛮》:

> 枕前发尽千般愿,要休且待青山烂。水面上秤锤浮,直待黄河彻底枯。白日参辰现,北斗回南面。休即未能休,且待三更见日头。

这里又叠用了六种绝不可能发生的自然现象,想象大胆、奇特。语言的表意魅力显得绚丽多姿,使得作品言有尽而意无穷。

模糊语言是指那些富有想象的神秘语言。模糊的形成是由于语言表意的局限性和表达对象的神秘性，不可宽泛地界定这种语言现象。模糊语言是与科学语言相对的一种审美的语言，它注重语言的审美特性。这一特性规定了模糊语言意蕴的丰富性。

模糊语言与含蓄有密切关联，但又不等同，它们的差异主要表现在对意义的追求上。含蓄所追求的是象征、隐喻、曲笔等意义的在场，而模糊追求的是语言表达对象的神秘，即意义的不完全在场。古人往往是将二者混淆并称的。如范德机云："辞简意味长，言语不可明白说尽，含糊则有余味。"（《木天禁语·五言短古篇法》）谢榛也说：

  凡作诗不宜逼真，如朝行远望，青山佳色，隐然可爱，其烟霞变幻，难于名状；及登临非复奇观，惟片石数树而已。远近所见不同，妙在含糊，方见作手。（《四溟诗话》卷三）

这是混淆了含蓄与模糊。在具体的作品中，模糊与含蓄在语言上的表现的确难分轩轾。

让我们来分析一首皇甫松的词：

  兰烬落，屏上暗红蕉。闲梦江南梅熟日，夜船吹笛雨萧萧，人语驿边桥。（《梦江南》）

这首词的情感隐藏得很深，王国维评此词："情味深长，在乐天、梦得之上。"（《人间词话补遗》）这首词的意象是神秘的，"屏上暗红蕉"在暗示抒情主人公为一妙龄女子；"闲梦"在暗示心境悠闲，无所事事；"江南梅熟日"暗示时间是在夏天，这是一个多雨的季节，也是一个收获的季节；"夜船吹笛雨萧萧，人语驿边桥"，非常细节化、生活化。但这首词的情感意向如何？只能根据读者的心境去意会。此词大概表达了对江南故乡的思念。思念之作往往都有一种伤感之气，但是，此词几乎没有伤感的意象透露出来，显得神秘。作者就是要运用这模糊的语言表达感情，可谓含蓄，"情味深长"。

模糊语言在以宗教为题材的诗文中广泛运用，这是因为宗教本身的神秘性规定了语言表意的神秘。陶渊明是受玄学影响很深的诗人，他的诗充满神秘，其《形赠影》云：

> 天地长不没，山川无改时。草木得常理，霜露荣悴之。谓人最灵智，独复不如兹！适见在世中，奄去靡归期。奚觉无一人，亲识岂相思？但余平生物，举目情悽洏。我无腾化术，必尔不复疑。愿君取吾言，得酒莫苟辞。

逯钦立先生认为，这是一组批判佛、道迷信而肯定"自然"的哲理诗，是针对庐山和尚慧远的《形尽神不灭论》《万佛影铭》等宣传佛教迷信的文章的。①尽管诗中充满议论、说理，但仍能给人以无穷的回味。其枯淡的语言模糊而真诚，具有美感。

同样的风格还表现在对佛禅颇有好感的黄庭坚身上。黄庭坚论诗，追求玄虚神秘，连江西派诗人都莫名其妙。他的诗作，也常常化用佛禅，如《病起荆江亭即事》云：

> 翰墨场中老伏波，菩提坊里病维摩。近人积水无鸥鹭，时有归牛浮鼻过。

钱锺书先生花费不少笔墨对之注释，是因为这首诗运用了太多的模糊语言，读之虽语义难明，但又确实有无穷的回味。

中国古典文艺学、美学还追求一种无言的境界，这是对"言有尽而意无穷"的进一步引申。无言的追求以意义为核心，强调得意。"得意忘言"，"义得而言丧"（刘禹锡《董氏武陵集纪》）。这仍是一种表意的策略，超越不了我们上述所论语言表意的范围，其目的还是追求文学作品的无穷意味。

中国古代的言意理论内容丰富，从言不尽意到言尽意再到言有尽而意无穷，对立与融合的态势极为鲜明，涉及语言表意的无限复杂性。语言的局限性在这场争论中得到了较为透彻的辨析。然而，对立只是一种表面的现象。实际上，无论是言不尽意、言尽意还是言有尽而意无穷，终极目标都是一样的。那就是，探讨语言表意的本质，探索语言的本质，为人们进一步认识语言打下基础。

---

① 逯钦立校注：《陶渊明集》，中华书局，北京，1999年，第214页。

第六章 文气：
文学艺术创造的内驱力

气作为中国古典哲学的一个重要范畴，言说的是中国古代的宇宙观。古人认为，宇宙万物都是由气构成的，或者说，是由气所化生的，气是宇宙万物的生成之源。气有阴阳之分，因此，在化生万物时，赋予万物以不同的品性和特征。气对人来说也是不可缺少的。《庄子·知北游》云："人之生，气之聚也，聚则为生，散则为死，若死生为徒，吾又何患？"《淮南子·原道训》亦云："夫心者，五藏之主也。所以制使四肢，流行血气，驰骋于是非之境，而出入于百事之门户也。是故不得于心而有经天下之气，是犹无耳而调钟鼓，无目而欲喜文章也，亦必不能胜任也。"将"气"的观念运用到文学艺术的创作中，第一次提出"文气"的是曹魏时期伟大的文学批评家曹丕，他的"文气"说将中国古典文艺学推进到一个崭新的时代。

第一节 气：从哲学范畴到文艺学范畴

在中国古代的哲学观念中，气是构成宇宙万物的一种自然物质。《周易·系辞上》云："精气为物，游魂为变，是故知鬼神之情状。"古典哲学认为，在天地之中，有阴阳二气存在。这阴阳二气便是构成宇宙万物的基本元素。《周易》所谓"精气"，实指阴阳二气。它不仅化为物质，而且化为精神。它的演化是极其神妙的，是不可预测的。因此，《周易·系辞上》说"阴阳不测之谓神"。这就使"气"具有一种玄秘的色彩，让人难以解喻。

气在不同的哲学流派那里有不同的解说，也有不同的内涵，但都是言述宇宙万物的生成。《周易》的阴阳之气适应于不同的社会现象，富有象征意味。阴不仅象征地，还象征女性、柔弱；阳不仅象征天，还象征男性、刚强。并以此推演万事万物的变化，对后世哲学思想产生了巨大的影响。《管子·内业篇》曾记载了宋钘、尹文学派对"气"的阐释：

> 凡物之精，比则为生，下生五谷，上为列星，流于天地之间，谓之鬼神，藏于胸中，谓之圣气，是故名气。

这就是说，气是一种神圣的物质，这种物质对万事万物有化生作用，它是宇宙生成的本原。《淮南子》对气的论述就更为具体了。在《天文训》中，《淮南子》从宇宙的生成说起，认为阴阳四时、日月水火的变化都是气作用的结果。它说：

> 天坠未形，冯冯翼翼，洞洞浊浊，故曰太昭。道始于虚霩，虚霩生宇宙，宇宙生气。气有涯垠，清阳者薄靡而为天，重浊者凝滞而为地。清妙之合专易，重浊之凝竭难，故天先成而地后定。天地之袭精为阴阳，阴阳之专精为四时，四时之散精为万物。积阳之热气生火，火气之精者为日，积阴之寒气为水，水气之精者为月。日月之淫为精者为星辰。天受日月星辰，地受水潦尘埃。

气的作用既然如此之大，无怪乎古人如此看重。汉代的纬书虽然是伪书，但也不失为有价值的学术著作，它们也对气进行了探讨。《易纬·乾凿度》云："太易者，未见气也；太初者，气之始也；太始者，形之始也；太素者，质之始也。"太初是古人意识中的遥远时代，它是古人对史前时代的划分。在太初之时，气已产生。可见，这种气是一种原始之气，它是非常古老的。

中国古典哲学虽然把气视为构成宇宙世界的物质，但这种气到底是一种什么物质呢？古人没有今天的科学观念，只能凭靠对人类的遥远想象来判断。这种气虽然是一种物质，但也是一种虚无。古人将之视为一种存在，不仅用之解释宇宙的生成，还用之解释社会现实和人的生命现象。《荀子·乐论》就用"逆气"和"顺气"来言述社会现象,将"逆气"视为乱世的象征,"顺气"视为治世的象征,即是一例。将气视为人的生命情感的言论在《左传》中就有记载。《左传·昭公二十五年》引子产之语曰:"民有好恶,喜怒哀乐,生于六气。"这"六气"是什么呢?杜预注:"六气谓阴、阳、风、雨、晦、明。"是否世界仅存六气?并不尽然。"六"是古人解说的一种策略。在古代,对各种现象以"六"冠以解说是一种普遍的现象,仅从先秦的典籍中就能找出很多,如六律、六德、六诗等,这是受《周易》的影响。但是,在这里,将人的情感与自然现象联系起来,表现了古人对人与自然关系的态度。古人强调人与自然的统一,这就是汉代所说的"天人合一"。将气移诸个体生命和精神的认识乃是一种自然的结局,故而,才有《管子·内业篇》的说法:

> 精也者,气之精者也。气道乃生,生乃思,思乃知,知乃止矣。凡人之形,过知失生。一物能化谓之神,一事能变谓之智,化不易气,变不易智。

孟子把气与人的情志相提并论:"夫志,气之帅也。气,体之充也。""志壹则动气,气壹则动志。"他强调养气,也就是培养人的情志。在《孟子·公孙丑上》中,孟子发挥了他的养气理论。他说:

> 敢问夫子恶乎长?曰:吾知言;吾善养吾浩然之气。敢问何谓浩然之气?曰:难言也。其为气也,至大至刚,以直养而无害,则塞于天地之间。其为气也,配义与道;无是,馁也。是集义所生者,非义袭而取之也。行有不慊于心,则馁也。

尽管这种情志是以儒家的道义为主的,但也是用自然之气解说人性情的有价值之论。始终重视生命的庄子将气看作人的生存之本,他认为:"人之生,气之聚也,聚则为生,散则为死,若死生为徒,吾又何患?"同时,他又将气看作是一种虚空,看作人生命的最高境界,即"心斋"的境界,已经涉及人的精神层面。

在先秦,气作为人的精神又衍生出许多情感类型,这在《礼记》中有大量记载。如《礼记·乐记》所说的"刚气"、"柔气"以及哀乐喜怒,《大戴礼记》将之统称为"心气"。"心气华诞者,其声流散;心气顺信者,其声顺节;心气鄙戾者,其声嘶丑;心气宽柔者,其声温好。"(《大戴礼记·文王官人》)这就是说,不同的情感会导致不同声音的产生。

从生命精神的角度对气做出深入解释的是西汉初年的《淮南子》。《淮南子》认为,在人的生命中,有三种物质比较重要,那就是形、气、神。"夫形者,生之舍也;气者,生之充也;神者,生之制也。一失位,则三者伤也。"(《原道训》)气是介于形与神之间、用于充实生命的一种物质,它能够使人的生命处于生机勃勃的状态。在《精神训》中,《淮南子》继续讨论了气对于生命的意义。对"精神",刘文典注曰:"精者,人之气也;神者,人之守也。"《淮南子》自己也解释了精神的产生:

> 有二神混生,经天营地,孔乎莫知其终极,滔乎莫知其所止息,于是乃别为阴阳,离为八极,刚柔相成,万物乃形,烦气为虫,精气为人。是故精神,天之有也;而骨骸者,地之有也。精神入其门,而骨骸反其根,我尚何存?是故圣人法天顺性,不拘于俗,不诱于人,以天为父,以地为母,阴阳为纲,四时为纪。天静以清,地定以宁,万物失之者死,法之者生。

这就是说,世界原本是由阴阳之气构成的,阴阳之气不仅赋予世界以万物,而且赋予了人类以精神。人只有顺应万物的法则,才能保持旺盛的生命力,才可能更好地生存。这种思想对后世哲学影响很大,也是对先秦思想的忠实继承。

《淮南子》之后,对气做出深刻理解的是东汉思想家王充。他从元气自然论的立场出发,强调尊重自然。作为一个今文经学家,王充应当是一个儒者,但却对黄老之学情有独钟。他说:"天地合气,万物自生,犹夫妇合气,子自生矣。"(《论衡·自然》)又说:"人之所以生者,因阴阳气也。"(《论衡·订鬼》)人的产生也是阴阳合气的结果。气作用于人不同,致使人的性格千差万别,人的才能也有高低之分。"天禀元气,人受元精,岂为古今者差杀哉?优者为高,明者为上,实事之人，见然否之分者，睹非，却前退置于后，见是，推今进置于古，心明知昭，不惑于俗也。"（《论衡·超奇》）这就是说，人的才能的高下是禀受自然元气的结果，它对人的施与是有分别的。这为后来曹丕提出"文气"说奠定了哲学基础。

这种哲学思想表现在文学理论中，就导致"文气"说的产生。从此，气也由哲学范畴转变为文学范畴。考察一下中国文学批评史，最早将气用来评价艺术的应该是荀子。他在《荀子·乐论》中，首先用"顺气"和"逆气"来解说乐象：

> 凡奸声感人而逆气应之，逆气成象而乱生焉；正声感人而顺气应之，顺气成象而治生焉。唱和有应，善恶相象，故君子慎其所去就也。

"逆气"和"顺气"是治世和乱世的表现状态，这些在音乐中都有所反映。但是，这里的"气"离"文气"说的"气"还相差十万八千里。同样是评论音乐，《乐记》却有所突破。《乐记》说："夫民有血气心知之性，而无哀乐喜怒之常，应感起物而动，然后心术形焉。"又说："是故先王本之性情，稽之度数，制之礼仪，合生气之和，道五常之行，使之阳而不散，阴而不密，刚气不怒，柔气不慑，四畅柔于中而发于外，皆安其位而不相夺也。然后立之学等，广其节奏，省其文采，以绳德厚。"这里的"气"便是文气了。人的性情以气的形式表现在音乐中，遂产生了阳刚和阴柔的不同风格。在音乐中如此，在文学中同样如此。这便引发了曹丕的文气说。

曹丕的《典论·论文》讨论的中心问题是"文人相轻"。"文人相轻"的弊端很大，它导致文学创作停滞不前，导致文学批评不良风气的产生。曹丕对"文人相轻"持激烈批判的态度，坚持文人不应相轻。他指出，文人之所以不能相轻，是因为文章体裁繁多、作者各有擅长、作者气质相异的缘故。其中，作者的气质最为关键。他以"建安七子"为个案，品评优劣。就"七子"而言，由于每个人的气质、性情不同，导致他们对各种文体的适应能力不同，导致创作风格的差异。这是自然而然的。"文以气为主，气之清浊有体，不可力强而致。譬诸音乐，曲度虽均,节奏同检,至于引气不齐,巧拙有素,虽在父兄,不能以移子弟。"(《典论·论文》)这里以音乐演奏作比,形象生动。在文学创作中,作家的才性同样关键。曹丕陈述了这样一个事实:人的才性是天生的,是人力所不能改易的。气有清浊之分,人的性情禀受气的化育,也有很大的差异。这就和孟子的养气联系了起来。"文气"是对作家主体性情的肯定。

曹丕第一次清醒地将气这一哲学的观念移植于对文学创作的解说中,用以阐释文学创作中的复杂现象,高度肯定人在文学创作中的作用。这一观念甫一提出,立即引起各方面的回应。反应最为强烈的是魏晋南北朝伟大的文学理论家刘勰,在《文心雕龙·体性》中,他以如椽之笔描述了人的性情与文学创作的关系:

> 夫情动而言行,理发而文见,盖沿隐以至显,因内而符外者也。然才有庸俊,气有刚柔,学有浅深,习有雅郑,并情性所铄,陶染所凝,是以笔区云谲,文苑波诡者矣。故辞理庸儁,莫能翻其才;风趣刚柔,宁或改其气;事义浅深,未闻乖其学;体式雅郑,鲜有反其习;各师成心,其异如面。

这里,"才"、"气"都是先天的,是人生来就有的;"学"、"习"是后天的,是通过各方面学习得来的。作家、艺术家的创作仅仅靠先天的因素并不够,还需后天的涵养。并且,性情必须灌注在才、气、学、习之中才能生动而形象地展示作家、艺术家的创作风格。刘勰还高度评价了曹丕的理论意义。在《文心雕龙·风骨》中,他借助曹丕的"文气"说来说明气之于风骨的重要,强调"情与气偕,辞并体共",认为这样才能"文明以健,珪璋乃聘"。在《文心雕龙·养气》中,他还强调养气的重要,主张"玄神宜保,素气资养"。这就大大丰富了曹丕的文气理论。

用气的观念评价文学艺术创作,在魏晋六朝之后的理论家那里已经成为一种自觉的行为。唐代的理论家运用气来进行文学批评时依然杂糅了传统的哲学观念,他们认定气是一种物质。柳冕在《答衢州郑使君论文书》中说:"夫善为文者,发而为声,鼓而为气。直则气雄，精则气生，使五彩并用，而气行于其中。故虎豹之文，蔚而腾光，气也；日月之文，丽而成章，精也。精与气，天地感而变化生焉，圣人感而仁义形焉。"这里的气虽然也是文气，但是，范围更广大一些，不是单指作家、艺术家自身的主体气质，而包含主体气质在内的天地感应。白居易也如是说：

> 天地间有粹灵气焉，万类皆得之，而人居多；就人中，文人得之又居多。盖是气，凝为性，发为志，散为文。粹胜灵者，其文冲以恬；灵胜粹者，其文宣以秀；粹灵均者，其文蔚温雅渊，疏朗丽利，检不扼，达不放，古淡而不鄙，新奇而不怪。（《故京兆元少尹文集序》，《白氏长庆集》卷六十八）

这灵粹之气也是上天给予的，文人接受了它，便成为自己的创造动力。到了宋代，这种观念依然根深蒂固。画家韩拙认为，自然山川都存在着自然之气，画家要善于把握这些自然之气。在陈述绘画的感受时，他说：

> 夫通山川之气，以云为总也。云出于深谷，纳于愚夷，夺日掩空，渺渺无所拘。升之晴霁，则显其四时之气；散之阴晦，则逐其四时之象。故春云如白鹤，其体闲逸，和而舒畅也。夏云如奇峰，其势阴郁，浓暧黮而无定也。秋云如轻浪飘零，或若兜罗之状，廓静而清明。冬云如澄墨惨翳，示其玄冥之色，昏寒而深重。此晴云四时之象。春阴则云气淡荡，夏阴则云气突黑；秋阴则云气轻浮，冬阴则云气惨淡。此阴云四时之象也。然云之体，聚散不一。轻而为烟，重而为雾，浮而为霭，聚而为气。其有山岚之气，烟之轻者，云卷而霞舒。云者，乃气之所聚也。凡画者分气候，别云烟为先。山水中所用者，霞不重以丹青，云不施以彩绘，恐失其岚光野色自然之气。（《论云烟霭岚光风雨雪雾》，《山水纯全集》）

云的变化带动了整个山川的变化，也带动了整个视觉和情感的变化。韩拙称云为"云气"，就是将云看作一种奇妙的物质，是一种气。这种气能左右人的情感。表面上看，它似乎与作家、艺术家的主体气质没有什么关系,但仔细推敲起来还是有密切关系的。自然景物的变化在作家、艺术家的视觉中,都已是情感化的,有作家、艺术家的主体性情注入其中。正是有了作家、艺术家的主体参与,才有生动感人的艺术形象。

元明清之时,学人们对创作的认识更加细致,对文气的认识也更加明确深刻。文气就是作家、艺术家的性情、神气。杨维桢说:"人有面目骨骼,有情性神气;诗之丑好高下亦然。风雅而降为骚,骚降为十九首,十九首而降为陶杜,为二李,其情性不野,神气不群,故其骨骼不庳,面目不鄙。"(《赵氏诗录序》,《东维子集》)董其昌也说:"文要得神气。"(《画禅室随笔·评文》)宋濂紧承孟子,强调养气,主张用儒家的伦理道德熏陶、培养人的性情。"为文必在养气,气与天地同,苟能充之,则可配序三灵,管摄万汇。不然,则一介小夫尔,君子所以攻内不攻外,图大不图小也。"(《文原》,《宋文宪公全集》卷二十五)甚至有人认为道就是"气之君",这样,就使得曹丕以来的文气说变成儒家养气理论的翻版,步入一个不太正常的领域。如,方孝孺就说过:"道者,气之君;气者,文之帅也。道明则气昌,气昌则辞达。文者,辞达而已矣。"(《与舒君》,《逊志斋集》卷十一)然而,更多的理论家还是从气韵、气格之角度论文、论艺,体现了这一时期对气理解的多元化。具体的问题我们将在下列各节中分别展开,在这里不做细论。

曹丕将气分为清浊两类,到了刘勰,又将之分为刚气和柔气。清浊和刚柔是对应的,并无高下之别。后来,人们却偏重于对清气或刚气的强调,认定阳刚之气才是一种理想的类型。李德裕称:"鼓气以势壮为美,势不可以不息;不息则流荡而忘返。亦犹丝竹繁奏,必有希声窈眇,听之者悦闻;如川流迅激,必有洄洑逶迤,观之者不厌。"(《文章论》,《李文饶文集外集》卷三)司空图在《诗品·劲健》中亦称:"行神如空,行气如虹,巫峡千寻,走云连风。"这是一种审美风尚流行的标志。它反映了人们的审美偏好,并不是特意区分优劣。只有清代的姚鼐完整地分析了这两种"气",认定它们是两种不同的美学风貌,即阳刚和阴柔的美,真正深化了自曹丕以来的文气理论。

第二节　浩然之气：一种奋发昂扬的主体人格

气有不同的类型，也有不同的审美意蕴。阴阳之气是天地间的两种原生之气，它们可以派生出许许多多的事物，创造出无比美妙的世界图景。自然、社会、人生，无不在它们的包容之中。有了它们，才会有生动丰富的大自然；有了它们，才会有生生不息的人类社会。

气作为作家、艺术家的主体性情和修养，必然体现在作家、艺术家的创作之中。在文学艺术作品中，人们能够感受到作家、艺术家的人格魅力；在文学艺术作品中，人们能够获得无穷的美的韵味，进而，实现情感的满足。文学艺术作为一门关于人的艺术，展示了人的无限丰富性和复杂性，它是洞察人心灵的一扇窗口。为了更完美地表现自己，作家、艺术家必须养气，造就自己能够为大众所接受的、符合一定美的规范和道德规范的主体人格。

在中国古代，儒、道、佛三家都是非常注重养气的，由于三家的哲学主张不同，养气的方式和内容也不相同。概言之，儒家重视对人进行积极入世品格的培养，强调人要涵养自己的仁义之气；道家重视对人进行自然性情的培养，强调人要涵养自己的本真之气；佛家重视对人进行承受苦难能力的培养，强调人要涵养自己的容忍之气。因此，在各家哲学所造就的文学艺术作品中，人们能够看到各种风貌的主体人格，如儒家的真诚、道家的飘逸、佛家的凝重。这是哲学观念对文学艺术的投射。儒、道、佛三家哲学中，最为重视人主体修养的要数儒家了。儒家以推动社会前进为己任，要求每个个体极力培养自己积极入世的品格，希望通过每个个体的努力，使社会达到高度的和谐。在这种主导观念的支配下，孟子提出"浩然之气"的主体养气理论也是一种自然而然的事情。他的养气理论在中国古典文艺学、美学中产生了实质性的影响。

"浩然之气"是一种刚健、壮大之气。孟子说，它是"至大至刚"的，是"配义与道"的，是"集义所生"的。显然，这种"浩然之气"是指一种无比高尚的精神品格，具有奋发昂扬的激励特征。这种品格的外在表现是：极为仁厚，极为刚烈，"富贵不能淫，贫贱不能移，威武不能屈"(《孟子·滕文公下》)。只有具备这种气的人才能承担起道义的大任,才能完成社会和人类赋予的特殊使命。

如何培养这种"浩然之气"?我们在孟子的言行中能够找到合理的阐释。

首先,要培养自己的仁爱之心,能以仁厚的态度待人接物。这在《孟子·梁惠王上》中有细致的描述。战国时期的梁惠王自己标榜仁爱,但并没有多少百姓归顺,对此,他无比困惑:"河内凶,则移其民于河东,移其粟于河内。河东凶亦然。察邻国之政,无如寡人之用心者。邻国之民不加少,寡人之民不加多,何也?"针对此,孟子说,这只是仁爱的一个方面,但是,仅仅这一方面的仁爱并不足以使百姓纷纷归顺。接着,他从民本主义立场出发,要求国王不废稼穑、兴办教育,让百姓在物质生活和精神生活两方面都得到极大的满足,才能引起人们的向往,国家才会人丁兴旺,社会才会繁荣富强。"百亩之田,勿夺其时,数口之家可以无饥矣。谨庠序之教,申之以孝悌之义,颁白者不负戴于道路矣。七十者衣帛食肉,黎民不饥不寒,然而不王者未之有也。"也就是说,仅仅在一个方面做到仁爱并不够,要能全方位地施行仁爱,让仁爱之心真正地成为实施政治统治的一个重要组成部分,这才是至关重要的。孟子还论述了保民而王的道理,要求国王"老吾老,以及人之老,幼吾幼,以及人之幼",并将这种道德切实变成实际行动,使之成为个体人格的一个重要组成部分,这样,不仅人的修养达到一个更高的层次,而且能实现国家的长治久安。

其次,要加强内在意志的磨练,要能忍受艰苦环境的考验。孟子很看重这一点。他认为,人既然想做一番事业,就不能图一己私利,必须做好接受磨难的准备,做好献身的准备。生活的路途并不总是一帆风顺的,而是时有坎坷。人要能够坦然面对这些坎坷,始终保持一种旺盛的战斗力。孟子曾以寓言家的口吻说:"故天将降大任于斯人也,必先苦其心志,劳其筋骨,饿其体肤,空乏其身,行弗乱其所为,所以动心忍性,曾益其所不能。"(《孟子·告子下》)生活的磨难能够锻炼人的意志,使人面对复杂的局面处乱不惊,保持清醒。这种不卑不亢的精神气质一直被看成人格美的典范,为历代仁人志士所继承。孟子还提出了舍生取义的命题。他曾经承诺：如果要求他在生命和道义之间做出选择的话，他宁愿舍弃生命而选择道义。这是因为道义比生命更为可贵，更值得珍惜。"生亦吾所欲，所欲有甚于生者，故不为苟得也；死亦吾所恶，所恶有甚于死者，故患有所不辟也。如使人之所欲莫甚于生，则凡可以得生者，何不用也？使人所恶莫甚于死者，则凡可以辟患者，何不为也？由是则生而有不用也，由是则可以辟患而有不为也。"（《孟子·告子上》）他提醒人们，保持人格的完善是人的生存之本。"一箪食，一豆羹，得之则生，弗得则死。"在这种情形下，就要看如何"得"。"呼尔而与之，行道之人弗受；蹴尔而与之，乞人不屑也。"所谓饿死事小，失节事大，即是从这里而来。由此可见，孟子对主体人格培养的重视程度。

再次，要能够经受住生活的诱惑。人不仅要能够忍受艰苦生活的磨练，而且要能够经得起舒适生活的引诱。生活常常会遇到这种情况：在艰苦的环境中，大家能相濡以沫、同舟共济，而在舒适的环境中却离心离德、勾心斗角。人往往能经受住艰苦的磨难，却经不起舒适的引诱，这是人性的脆弱之处。人的欲望是导致人堕落的罪魁祸首。孟子对这一点看得很清楚。他要求人要节制自己的欲望，要寡欲。这也是养气的一个重要方面。"养心莫善于寡欲。其为人也寡欲，虽有不存焉者，寡矣；其为人也多欲，虽有存焉者，寡矣。"（《孟子·尽心下》）"养心莫善于寡欲"，这是孟子的过人之处。孟子以他的精神品格实现了养气的目标，给后人树立了一个光辉的典范。

然而，孟子不把这些仅仅当作好听的言语来要求别人，而提出将之贯注、融化到人的内心，使之能够支配人的思想和行为，成为人生存的血液。孟子说："君子所性，仁义礼智根于心。其生色也，睟然见于面，盎于背，施于四体，四体不言而喻。"（《孟子·尽心上》）养气的实质是要使养气的内容成为人们切实的行动，表现在作家、艺术家的文学艺术创作中，要求在文学艺术作品中体现出作家、艺术家高尚的思想情操。这是中华民族特有的民族特征和精神品格，不能简单将之作为儒家的教条而加以蔑视。

上述言论可视为对孟子养气理论的简单概括。综观《孟子》的文学理论,他不仅这样说,也切切实实这样做。文学艺术作品表现了作家、艺术家的精神情操,人们通过对作品的欣赏,能够直观地把握这种精神情操。孟子说:"诐辞知其所蔽,淫辞知其所陷,邪辞知其所离,遁辞知其所穷。"(《孟子·公孙丑上》)这就是孟子所说的"知言",是与养气连在一起的。"知言"包含着对作家、艺术家养气的评判,作家、艺术家的精神气质与审美修养如何,在作品中有比较直观的表现,人们通过具体的文本阅读——或从内容描写上,或从言语的表达中——能够真切地体验。因此,作家、艺术家的精神世界在文学艺术作品中是敞开的、无蔽的。尽管作家、艺术家有时采取隐喻的手法进行创作,掩饰其丑陋的一面,展示其光彩的一面,但是言语风格中仍会透露出内在的精神气质。丑陋的不管怎样掩饰还是丑陋的,它终究在作品中显现出来。这就说明,语言作为一个真实的存在是无法掩饰的。

孟子的"浩然之气"贯注着儒家的理想人格,规定了作家、艺术家的艺术责任。作家、艺术家在儒家修身、治国、齐家、平天下的思想感召下,应义无反顾地投身于社会的正义事业,用文学艺术宣扬生存的价值,弘扬社会道义。这对中国传统的价值观产生了实质性的影响,也深深作用于文学艺术创作。不少作家、艺术家都在其作品中表达了这种理想,展示出伟岸孤傲之人格,在实践中呼应着孟子的文学思想。

在文学理论上较早与孟子相互呼应的是魏晋南北朝时期伟大的文艺理论家刘勰。在《文心雕龙·养气》中,刘勰并没有沿袭孟子关于养气的纯粹政治伦理思想的说教,从文学思想上对他的"浩然之气"做了有深度的发挥。他论述了养气的重要性,在养气的方法上对孟子做了补充。他强调"率志委和",反对"钻砺过分",认为前者导致"理融而情畅"——这是一种理想的创作状态,后者则导致"神疲而气衰"——这是一种不理想、疲惫的创作状态。养气的主要途径是学习。刘勰说:"夫学业在勤,功庸弗怠,故有锥股自厉,和熊以苦人。志于文也,则申写郁滞,故宜从容率情,优柔适会。若销铄精胆,蹙迫和气,秉牍以驱龄,洒翰以伐性,岂圣贤之素心,会文之直理哉?"表面看来，刘勰虽然也谈养气，但是，实际谈论的却是另一个问题，与孟子不在一个层面上，这正是刘勰的独到之处。《文心雕龙·养气》篇所论养气是纯粹用于文学艺术创作的，不是关涉哲学思想的，确实与孟子所论的养气不在同一层面。然而，他们在精神上是相通的。在《文心雕龙·风骨》篇中，刘勰则接上了孟子"浩然之气"的理论内容，但是，不着重在政治伦理思想层面，而着重于艺术和审美层面，推崇一种"骨劲气猛"的审美品格。他说："结言端直，则文骨成焉；意气骏爽，则文风清焉。若丰藻克赡，风骨不飞，则振彩失鲜，负声无力。是以缀虑裁篇，务盈守气，刚健既实，辉光乃新，其为文用，譬征鸟之使翼也。"养气能导致文学艺术作品刚健而有光辉，这是人奋发昂扬的主体人格在文学作品中的注入。刘勰非常推崇建安风骨，正是看中了建安文学慷慨悲凉——宣扬建功立业、哀叹生死无常——的文学境界。同时，刘勰还特别考察了曹丕的文气说对文章风骨形成的影响，他认为，风骨这一审美品格的产生就是养气的结果，正是因为气的刚健才导致风骨的刚健。刚健的风骨包含不同类型的文学艺术创作，只要不是使人意志消沉的文学艺术作品都是具有风骨的优秀作品。故而，刘勰说："然文术多门，各适所好，明者弗授，学者弗师。于是习华随侈，流遁忘反。若能确乎正式，使文明以健，则风清骨峻，篇体光华。"（《文心雕龙·风骨》）他将最高的审美理想最终归结于"风清骨峻"，这"风清骨峻"并非一种单调的要求，仍包含极为丰富的内容。我们在以后的章节中还要对刘勰的风骨论做进一步的论证。

孟子"浩然之气"的养气理论以儒家的全人格相标榜，在唐宋之时发挥了重要的作用。唐宋时期的文学创作特别是盛唐的文学创作所追求的盛大气象和昂扬的精神状态，实际上糅合了孟子思想的精华。这一点，学术界并没有给予充分的评价。文人们建功立业的抱负较为完整地展现在诗歌中，使人产生了一种振奋的感觉，同时，也较为完美地展示了诗人的人格。最为典型的代表是边塞诗派的诗人们。他们所描绘的如大漠、雪山、孤城等边塞风光，与战争的惨烈相得益彰，气势恢弘，壮怀激烈，充满昂扬的精神。宋代文学也不乏慷慨激昂之作。以苏轼为代表的豪放词派所表现的气势和历史感也与孟子所标榜的"浩然之气"有千丝万缕的联系,特别在南宋时期,陆游、辛弃疾、张元幹、文天祥等爱国词人都在作品中展示了他们高尚的人格,在创作实践中再现了养气的魅力,实现了孟子等先人所认可的人格追求。同时,在理论上,唐宋的理论家们也有相应的表现。韩愈的《答李翊书》所宣扬的"气盛则言之短长与声之高下者皆宜"就表述的是"盛气"(浩然之气)对文学艺术作品的渗透。他一再抨击浮靡黯弱、陈言堆积的文学创作,强调师古,就是要回归圣人包括孟子在内的理想人格。在《荐士》一诗中,他曾经这样解析前代的文学:"周诗三百篇,丽雅理训诰。曾经圣人手,议论安敢到?五言出汉时,苏、李首更号。东都渐弥漫,派别百川导。建安能者七,卓荦变风操。逶迤抵晋宋,气象日凋耗。中间数鲍、谢,比近最清奥。齐、梁及陈、隋,众作等蝉噪。搜春摘花卉,沿袭伤剽盗。国朝盛文章,子昂始高蹈。勃兴得李、杜,万类困凌暴。"他看重的还是陈子昂、李杜等人的高蹈创作,肯定在他们身上所表现出来的朝气蓬勃的儒家人格。苏轼对孟子的钟情就更为明显了。在《韩文公庙碑》这篇文章中,他曾经这样说过:"孟子曰:'我善养吾浩然之气。'是气也,寓于寻常之中,而塞乎天地之间。卒然遇之,则王公失其贵,晋、楚失其富,良平失其智,贲育失其勇,仪秦失其辨。是孰使之然哉?其必有不依形而立,不恃力而行,不待生而存,不随死而亡者矣。故在天为星辰,在地为河岳,幽则为鬼神,而明则复为人,此理之常,无足怪者。自东汉以来,道丧文弊,异端并起,历唐贞观、开元之盛,辅以房、杜、姚、宋而不能救。独韩文公起布衣,谈笑而麾之。天下靡然从公,复归于正,盖三百年于此矣。文起八代之衰,而道济天下之溺,忠犯人主之怒,而勇夺三军之帅,此岂非参天地,关盛衰,浩然而独存者乎?"(《经进东坡文集事略》)苏轼认为,孟子主张的"养气"之"气"是一种自然之气,它充塞于天地之间,不依形而立,不恃力而行,不待生而存,不随死而亡,只有能者集之。这种气是仁义之气。他高度评价了韩愈在开拓古文新风过程中所起的作用,认为他继承并发扬了孟子的养气理论,以实际行动实践了孟子的养气理想,赋予它更为深刻的内涵。

孟子"浩然之气"的养气理论,是对作家、艺术家奋发昂扬的主体人格的肯定，也是对刚健壮大文风的弘扬。它对引导作家、艺术家的创作具有十分重要的意义，其理论价值弥足珍贵。

第三节 文以气为主：艺术家创作的主导因素

气表现在作家、艺术家的身上具有两种内涵，一种是作家、艺术家天生的、不可更易的性情；另一种则是后天的、通过学习和生活磨练所形成的气质。在文学艺术创作中，这两种因素是一种合力，它们相互制约、相互为用，共同组成了作家、艺术家的主体性情，是作家、艺术家主体性的一个组成部分。气既然成为作家、艺术家主体性的一个组成部分，它必然参与到文学艺术的创造之中，主导着作家、艺术家的创作，最终，促成作家、艺术家总体风格的形成。在这一方面，较早的、认识最为清晰的还是曹丕。在《典论·论文》中，我们能够较为清晰地看到曹丕的态度。在评价"建安七子"时，他一方面指出"七子"学识渊博，善于创新，"于学无所遗，于辞无所假"；另一方面又强调他们自身的个性。他评徐干"时有齐气"，评应玚"和而不壮"，评刘桢"壮而不密"，评孔融"体气高妙"，这些都是依据作家自身具有的主体气质所得出的结论，兼顾了作家的不可更易的性情和后天修养。在具体解说文气时，他简略地概括了文气的特点：

> 文以气为主，气之清浊有体，不可力强而致。譬诸音乐，曲度虽均，节奏同检，至于引气不齐，巧拙有素，虽在父兄，不能以移子弟。（《典论·论文》）

这里有两点需要我们注意：其一，气有清浊两种，这两种气是截然分明的，在一个作家身上只能体现出一种主导之气，非清即浊，非浊即清。其二，作家身上表现出来的清气或浊气是这个作家自身固有的、不可改变的。这清浊之气是人天生性情与后天化育的结果，最终成为作家、艺术家自身的独特品格。这种品格由于兼及先天和后天的因素，很难改变。因此，曹丕说"不可力强而致"。清浊之气是一个总体的概括，是针对作家、艺术家的全部性情而言的。就作家、艺术家的性情来说,非清即浊。这里有必要对清浊之气做一辨析,这是理解曹丕文气说的关键。

清浊实际上是阴阳的变称。早在西汉时期,《淮南子》就曾经讨论过清浊之气。《天文训》云:

> 天坠未形,冯冯翼翼,洞洞浊浊,故曰太昭。道始于虚霩,虚霩生宇宙,宇宙生气。气有涯垠,清阳者薄靡而为天,重浊者凝滞而为地。清妙之合专易,重浊之凝竭难,故天先成而地后定。天地之袭精为阴阳,阴阳之专精为四时,四时之散精为万物。

清气即是阳气,浊气即是阴气。这是宇宙间存在的两种气,它们之间无优劣之分。东汉以后,人物品评盛行,清浊也常常被用来进行人物品藻,但是,意义却发生了细微的变化,清和浊俨然成为对立的两极,可以分出优劣。如王充《论衡·骨相》篇说:"非徒富贵贫贱有骨体也,而操行清浊亦有法理。贵贱贫富,命也;操行清浊,性也。"操行是人的品德行为,人的操行当然是可以分出优劣的。王充就将操行清浊看作是人性的表现。在《论衡·本性》篇中,他又说:"且孟子相人以眸子焉,心清而眸子瞭,心浊而眸子眊。人生目辄眊瞭,眊瞭禀之于天,不同气也。非幼小之时瞭,长大与人接乃更眊也。性本自然,善恶有质。"这里的表现已经很明显了,清浊成为两个对立的概念,用来评价人心的善恶。王充认为,通过眼睛能够洞悉人的内心。清是美好的、善良的,浊是丑陋的、凶恶的。这清浊之气又是"禀之于天"的,言外之意就是说,清浊之气是天生的,不是人力所能左右的。用清浊来评价人操行的善恶在东汉成为通行的做法。《后汉书·左雄传》曾载左雄批评当时的人才选用状况:"清浊不分,朱紫同色",曹丕稍后的袁准曾作《才性论》说:"凡万物生于天地之间,有美有恶。物故何美? 清气之所生也;物何故恶? 浊气之所施也。"(《西晋文纪》卷八)这与王充的用法大致相当,都是说清和浊是对立的两极,是可以分出优劣的。

王充的清浊理论本身包含着优劣的价值评价,清是褒义的,浊是贬义的。然而,曹丕的"气之清浊有体"是否也包含一种优劣评价呢? 这还要从《典论·论文》的真正用意去看。《典论·论文》论述的主旨是"文人相轻"。曹丕是坚决反对"文人相轻"的。他从两个方面说明文人不能相轻。首先是文体。曹丕认为，文体的种类非常繁多，每一个作家对文体的适应有限，不可能擅长所有的文体，只能对其中的一种或几种擅长，因此，这一种或几种文体的文章写得较好，而对其他文体的文章就不一定能得心应手了。其次是才性。这个才性就是曹丕所说的文气。曹丕认为，作家对文体的擅长还与作家自身的才性有关。由于每个人的气质、修养、性情不同，反映在创作中，是每个人的创作风格都不一样。由于作家的气质、修养、性情有清浊之分，创作出来的文章同样也有清浊之分。可见，曹丕的"气之清浊有体"之清浊直接继承了《淮南子》的思想，借助于自然的特质来比拟人类的性情，其真正的用意与前述王充等人的清浊观念恐怕不是一回事。他不是在道德层面上讨论这一问题的，而是立足于自然，有他自己独特的理解。今人有研究曹丕者，以为东汉以来的关于清浊的善恶观念与曹丕的用法大致相当[1]，这是一种误解。我们赞赏这么一种态度："所以，同样用'清浊'，在王充的思想以及东汉政治性人物品藻中，其含义是纯粹政治伦理的，在曹丕的《典论·论文》中则是审美的，审美的意义已远远超过政治伦理的意义。"[2]实际上，曹丕的"气之清浊有体"之清浊并不包含善恶或优劣的评价，而是指由于人不同的性格特征所导致的不同的文学风格。"清"是一种阳刚、清新、爽朗的性格特征，"浊"则是阴柔、凝重、沉郁的性格特征。这两种性格特征各有胜处。它们都是人类性格中不可缺少的，缺少任何一种都会失去平衡。因此，不能说清的性格就是美好的性格，而浊的性格就是丑恶的、不好的性格。同理，不能说阳刚的风格就是一种好的风格特征，而阴柔的风格就是不好的风格特征。如果这样，李白的风格是飘逸、豪放的，可归为清的一类，杜甫的风格是沉郁、顿挫的，可归为浊的一类，那么，李白就比杜甫更胜一筹。这样的结论显然荒唐。因此，曹丕清浊的概念与东汉以来用于道德操行评价的清浊不是一回事，这一点在《典论·论

---

[1] 袁济喜：《六朝美学》，北京大学出版社，北京，1999年，第76页。
[2] 李泽厚、刘纲纪：《中国美学史》第二卷（上），中国社会科学出版社，北京，1987年，第37页。

文》中的表现是非常清楚的。如果用道德操行评价的清浊概念来解释曹丕的"气之清浊有体",有很多问题不能说明白,必然会导致风格优劣论,抹煞丰富多样的文学艺术风格。

曹丕说"文以气为主",气决定了作家的创作。那么,这个"气"应该符合什么样的标准呢?这在《典论·论文》中不易直接看出来。在对曹丕之"气"理解的过程中,人们一般也受到了鲁迅的干扰,因为鲁迅曾经讲过曹丕说诗赋不必寓教训,反对寓训勉于诗赋的话,好像曹丕与儒家没有太大的关系。但是,从曹丕所论文的价值和人的价值的言论中,我们可以度测一二。曹丕说:

> 盖文章,经国之大业,不朽之盛事。年寿有时而尽,荣乐止乎其身,二者必至之常期,未若文章之无穷。是以古之作者,寄身于翰墨,见意于篇籍,不假良史之辞,不托飞驰之势,而声名自传于后。故西伯幽而演《易》,周旦显而制《礼》,不以隐约而弗务,不以康乐而加思。夫然则古人贱尺璧而重寸阴,惧乎时之过已。而人多不强力,贫贱则慑于饥寒,富贵则流于逸乐,遂营目前之务,而遗千载之功,日月逝于上,体貌衰于下,忽然与万物迁化,斯志士之大痛也。(《典论·论文》)

曹丕认为,文章应该为经国服务,它是经国的伟大事业。同时,文章还有益于自身,能够传播人的思想,使人的声名长久留存。这显然是对儒家的立德、立功、立言三不朽观念的忠实继承。从他所列举的西伯演《周易》、周旦制《礼记》这些儒家圣人的例子可以看出,曹丕坚信的还是儒家人格。那么,他的文气之气则是指儒家的人格理想,这一点应该没有什么疑问。至于鲁迅说曹丕说诗赋不必寓教训,反对寓训勉于诗赋的话则是对曹丕纯文学态度的肯认,不一定是否认他的儒家人格。

由此看来,曹丕的文气说所提出的清浊理论是对人性格的简单分类,分类的标准是中国传统的阴阳标准,这是一种自然的观念。以此类推,将清浊的观念用于文学风格的解说,也是对风格的简单认识。清就是刚健、爽朗、豪迈的风格特点,浊就是阴柔、凝重、沉郁的风格特点。曹丕的"气之清浊有体"的理论不仅开启了后世对作家、艺术家主体性的认识,而且开启了后世对文学艺术风格的探讨,其理论价值十分明显。

如果我们将曹丕的文气说和西方的天才说相比较,会发现他们之间有显著的差异。西方的天才说是一个具有广泛意义的概念。18世纪以前的西方理论家们一直把天才作为一种艺术创造的才能加以阐释,到了康德,这一概念的内涵更加丰富。康德不仅认为"天才就是给艺术提供规则的才能",它是人"天生的内心素质"①,而且认为独创性是它的第一特性。这种独创性就表现在,具有示范性的天才的作品不是通过模仿产生的,相反,它被别人模仿。康德特别强调天才与自然的关系。他说:

> 天才自己不能描述或科学地指明它是如何创作出自己的作品来的,相反,它是作为自然提供这规则的;因此作品的创造者把这作品归功于他的天才,他自己并不知道这些理念是如何为此而在这里汇集起来的,甚至就连随心所欲或按照计划想出这些理念,并在使别人也能产生出一模一样的作品的这样一些规范中把这些理念传达给别人,这也不是他所能控制的(因此天才这个词也很可能是派生于genius,即特有的、与生俱来的保护和引领一个人的那种精神,那些独创性的理念就起源于它的灵感)。
>
> 自然通过天才不是为科学,而是为艺术颁布规则,而且这也只是就这种艺术是美的艺术而言的。②

康德认为,天才是人天生的才能,这天生的才能包括灵感在内。自然不是一种人为操纵的创作行为,它是人自然而然地创造行为。这都与曹丕所说的文气有关系。气是一个人天生的禀赋与后天修养的融合,天生禀赋和后天修养在一个作家、艺术家身上的表现是一种综合效应,二者之间的关系是极为密切的。人天生的禀赋愈高,其接受

---

① [德]康德:《判断力批判》,邓晓芒译,人民出版社,北京,2002年,第161页。
② 同上书,第162页。

和理解的能力就愈突出，表现出来的才能就愈优秀。对一个作家、艺术家来说，天生的禀赋尤其重要。这种禀赋不是别的，而是作家、艺术家艺术体验的独特才能。它与知识水平的高低关系往往不大。这一点，中国古代很多的文艺理论家和美学家都有深刻的认识。宋代的严羽用"妙悟"来解释作家、艺术家的这种独特的天赋，他说："大抵禅道惟在妙悟，诗道亦在妙悟。且孟襄阳学力下韩退之远甚，而其诗独出退之之上者，一味妙悟而已。"（《沧浪诗话·诗辨》）这种妙悟也就是作家、艺术家自身所固有的气。它是作家、艺术家的先天禀赋，是天生的才能。这种气是贯穿在整个创作之中的，形成了作家、艺术家独特的创作个性。李德裕曾经这样说："魏文《典论》称'文以气为主，气之清浊有体'。斯言尽之矣。然气不可以不贯。不贯则虽有英词丽藻，如编珠缀玉，不得为全璞之宝矣。"（《文章论》，《李文饶文集外集》卷三）苏辙在评价孟子和太史公之文时说："此二子者，岂尝执笔学为如此之文哉？其气充乎其中，而溢乎其貌，动乎其言，而见乎其文，而不自知也。"（《上枢密韩太尉书》，《栾城集》卷二十二）可见，气在古人心目中的位置。它贯穿在文学艺术作品中，是作家、艺术家情感气质和审美修养在文学艺术作品中的流露。我们说气是作家、艺术家的先天禀赋，并不是漠视作家、艺术家的知识修养。一个没有知识的人先天的禀赋再高，也注定不是天才，不能够创作出优秀的文学艺术作品。前述严羽虽然说孟浩然的学力比韩愈差得很远，这是将一个大学者与普通的诗人比较，韩愈知古通今，在文学、史学、哲学及理论上有颇多建树。或许正是他渊博的知识拘束了他的诗才的发挥，他的诗歌创作在后来的诗学批评领域引起了颇多争议，集中体现在他"以文为诗"和崇"奇"尚"险"的诗歌创作倾向上。但是，历代文人赞美韩愈诗歌创作的也很多。如《渔隐丛话》引苏轼之语评韩愈："诗之美者莫如韩退之，然诗格之变自退之始。"（《栾城集》卷十七）陈善《扪虱新话》也说："以文为诗，自退之始。"还有为韩愈之奇才辩护的，如章学诚，他说："中唐文字，竟为奇碎。韩公目击其弊，力挽颓风，其所撰著，一出之于布帛菽粟，务裨实用；不为矫饰雕镂，徒佟美观。惟其才雄学富，有时溢为奇怪，而矫时励俗，务去陈言。学者不察,辄妄诩为奇耳。"①足见严羽对韩愈之评价并非定评。然而严羽也有他的道理,他标举"兴趣",特别看重盛唐"兴象",以这种标准来衡量韩愈之诗,韩诗当然不符合这种审美理想,而且韩愈也的确存在严羽所批评的弊端。在文学艺术的创造中,知识水平与文学艺术的创作水平不是等同的,这一点毫无疑问。

　　这里还存在对知识的应用问题。文学艺术的创作需要知识,但是,不需要死的、僵化的知识,要求使知识作为人活生生的"气"的组成部分参与到文学艺术的创作中去。知识对完善作家、艺术家的气有重大的意义。古代的理论家们对此也有很多精辟之论。陆机《文赋》云:"伫中区以玄览,颐情志于典坟。……游文章之林府,嘉丽藻之彬彬。"刘勰也说过:"积学以储宝,酌理以富才,研阅以穷照,驯致以绎词。"(《文心雕龙·神思》)这就强调了知识在培养作家、艺术家情感气质中的作用。这里的知识不仅是指理性的、科学的真理和一般的生活常识,还指感性的包括文学艺术作品所表达的幻想、想象、情感和生动的生活图景。对这些知识的体验能充实作家、艺术家对生活的理解,促成作家、艺术家对美的发现。知识不仅能使作家、艺术家生成情感,而且能完善作家、艺术家的天才。它是创作之宝,是"穷照"之途。对知识的汲取因人而异,不同的作家、艺术家对同一知识的接受和体验可能会千差万别,他们依据自己的性情对这种知识加以改造并融化,使之成为自己的表现内容。因而,知识也同样打上了主体的性格特征。这种性格特征转化为气,被施之于文学艺术的创作之中,成为支配作家、艺术家创作的主导因素。

　　综上所述,曹丕提出"文以气为主"的文学观念,是探讨作家、艺术家主体性的一个非常重要的问题。这一命题所包含的文艺学、美学的意义尤其重大,囊括了文学艺术创作的先天禀赋、情感、意识和无意识、气质、审美修养、审美心理、知识积累等关乎作家、艺术家主体性的内容。随着时代的发展,这一命题的价值会愈来愈突出。气作为作家、艺术家文学艺术创作的主导因素,本身具有更多的特殊性,这些

---

① 章学诚:《皇甫持正文集书后》,《章氏遗书》卷八,嘉业堂本。

特殊性只有通过细读文本，通过对个体作家、艺术家的认真研究才能洞悉。这是从事文艺学、美学研究的学人们值得花工夫去做的一件有意义的事。

第四节　阳刚与阴柔：主体性情与美学风格

　　气既指作家、艺术家的先天禀赋，又包括作家、艺术家的后天修养。曹丕的气之清浊的理论对此已有较为明晰的认识。清浊本身就是对性情和风格的划分，它是一种自然性的存在，并不是能够人为改变的。曹丕清浊理论的可贵之处在于，它没有受到汉代以清浊论人的褒清贬浊的道德论影响，对作家的性情和体现在文学作品中的风格做出自己的褒贬评价，而是指出人的清浊性情是自然的、天生的、不可更易的。清是一种性格特征，浊也是一种性格特征，它们之间没有优劣之分。清浊理论影响了更为明晰的美学风格理论的提出，被清代的桐城派文艺理论家姚鼐发挥出一种理论：阳刚和阴柔。

　　其实，在先秦，清浊的概念和刚柔的概念是并行的，它们均用来言说声音。由于中国古代的乐特别发达，关于乐的理论也特别丰富，形成了许多音乐理论的概念。清浊和刚柔是其中的两个。在诸多的音乐学概念中，阴阳应该是第一位的概念。清浊、刚柔都是由它派生的。阴阳在《周易》中是用来解释自然界万事万物的一个概念，后来才进入音乐领域，成为音乐学的一个概念。此外，还有大小、短长、疾徐、哀乐、周疏、高下、迟速等。《左传·昭公二十年》就曾经记载齐相晏婴之言说：

> 先王之济五味，和五声也，以平其心，成其政也。声亦如味，一气，二体，三类，四物，五声，六律，七音，八风，九歌，以相成也。清浊，小大，短长，疾徐，哀乐，刚柔，迟速，高下，出入，周疏，以相济也。君子听之，以平其心，心平德和。故《诗》曰："德音不瑕。"

　　在这里，清浊和刚柔是并列的。它们都是指不同的声音。如果认真分辨，清浊和刚柔的区别是极其明显的。概言之，清是指声音高亢、清脆、嘹亮，浊是指声音凝重、低沉、浑厚；刚是指声音刚健有力，柔是指声音委婉柔美。可见，清浊和刚柔在声音上是不能够对应的。清浊作为一种声音的现象而存在，而刚柔作为一种声音的美学而存在。这两对范畴在具体运用的过程中最终产生了实质性的分野。刚柔的使用范围更加广泛。它不仅用来言说声音，还用来言说各种自然现象，这在古代的典籍中能够找出大量的范例。如《老子》七十六章就说："人生之柔弱，其死坚强。万物草木生之柔脆，其死枯槁。故坚强者死之徒，柔弱者生之徒。"孟子用刚来言述气，推崇那种至大至刚的阳刚之气。《乐记》则明确地用刚柔来言说性情，它说：

> 是故先王本之情性，稽之度数，制之礼义，合生气之和，道五常之行，使之阳而不散，阴而不密，刚气不怒，柔气不慑，四畅交于中而发作于外，皆安其位而不相夺也。

《乐记》的言说具有典范的意义，他是刚柔美学思想直接产生的精神渊源，对文气说的影响也极为深远。

曹丕提出了文气说，用清浊之气来概括文气，这只是一个先导。后来，理论家们在发挥这一理论时，便不用清浊而用刚柔了。刘勰较早用刚柔的概念进行文学和美学的批评。在《文心雕龙·体性》中，他这样说过：

> 夫情动而言形，理发而文见，盖沿隐以至显，因内而符外者也。然才有庸俊，气有刚柔，学有浅深，习有雅郑，并情性所铄，陶染所凝，是以笔区云谲，文苑波诡者也。

这里就沿袭《乐记》，以刚柔来言说气。这里的"气有刚柔"，其实就是曹丕提倡的"气之清浊有体"的意思，但是，刚柔明显地昭示出是一个美学的标准。在《熔裁》篇中，刘勰继续用刚柔的概念来言说人的情性："情理设位，文采行乎其中。刚柔以立本，变通以趋时。"在《定势》篇中又说："然渊乎文者，并总群势，奇正虽反，必兼解以俱通；刚柔虽殊，必随时而适用。"这就是说，作家、艺术家或刚或柔的性情在文学艺术作品中所产生的审美效果是截然不同的，刚柔的性情使文学艺术作品所表达的情感有了一定的依托，能够产生打动人心的艺术力量。然而，这种刚柔的情感又具体为文学艺术作品的美学风格，成为作家、艺术家不可更易的一种品质。

在唐代，刚柔的美学观念在文学理论中被发挥的同时，又被运用到书法和绘画理论的研究中，其理论的内涵也得到了增长。唐代对刚柔的要求是刚柔相济，两者要完美地结合，缺少任何一方都是不完美的。唐初，魏徵最早谈到刚柔问题，有意思的是，他讨论刚柔，不仅是针对文学艺术，而且用于比较南北词人的风格。他在考察南北词人的异同的时候，杂用了清浊和阳刚的概念，在《隋书·文学传序》中，他这样写道：

> 江左宫商发越，贵于清绮；河朔词义贞刚，重乎气质。气质则理胜其词，清绮则文过其意。理深者便于时用，文华者宜于咏歌。此其南北词人得失之大较也。

"清"和"刚"明显是拆解清浊和刚柔这两个范畴，将"清"和"刚"对应，一方面准确地说明了南北方文风的差异，另一方面又准确地做出了自己的美学评价。南北词人的这种"清绮"和"贞刚"是由于地域的原因产生的，是特殊的地域风情造就的性格特征，这种特征在文学作品中又演化成一种艺术风格。"清绮"偏于柔美，"贞刚"偏于雄壮。各有胜处，难分彼此。但是，这两种性情都有它们的缺陷。魏徵要求"合其两长"是一种有见地的美学态度，应该认真吸纳。在书法和绘画美学上，孙过庭和李嗣真都强调刚柔之美，主张刚柔相济。李嗣真在评价郑法士的画时说："气韵标举，风格遒俊。丽组长缨，得威仪之樽节；柔姿绰约，尽悠闲之雅容。"（《续画品录》）这是刚柔结合的一种典范。刚则"风格遒俊"，柔则"柔姿绰约"。在一个画家的身上，并非或刚或柔型的单一的性情特征，而是有两种性情特征并存，只不过有时表现为刚，有时表现为柔，这是艺术家此时此地的情感发展使然。文学的创作也是如此。孙过庭批评了当时书法创作的倾向，其中就有"刚狠者又掘张无润"、"温柔者伤于软缓"（《书谱》）等现象。一味地刚或者一味地柔都不是一种理想的境界。所谓"刚狠"就是刚过了头;所谓"软缓"则是柔过了头,这都是没有很好地实现刚柔相济的美学要求,因而是不理想的。晚唐,司空图将阳刚和阴柔两种美学风格加以拆解,其《二十四诗品》中就有不少品格是对刚和柔的解说,如雄浑、劲健、豪放、悲慨、旷达等是对刚的解说,而纤秾、绮丽、清绮、飘逸等是对柔的解说。这说明刚和柔的内涵是丰富而多义的,不能给它规定一个固定的品格。到了宋代,理学家们较早地涉及刚柔的问题,把刚柔和阴阳连在一起,有了较为明确的风格倾向。邵雍说:

> 以物观物,性也;以我观物,情也。性公而明,情偏而暗。人得中和之气则刚柔均,阳多则偏刚,阴多则偏柔。(《观物外篇十》,《皇极经世》)

朱熹也说:

> 盖天地之间有自然之理:凡阳必刚,刚必明,明则易知;凡阴必柔,柔必暗,暗则难测。(《性理大全书》卷五十)

阳和刚有密切的联系,阴和柔有密切的联系,阳刚和阴柔组合在一起便产生了强大的美学包容力量。到了明代,刚柔又被用来言述戏曲。王骥德在论述南北二曲的差别时说:"南北二调,天若限之。北之沉雄,南之柔婉,可画地而知也。北人工篇章,南人工字句。工篇章,故以气骨胜;工字句,故以色泽胜。"(《曲律·杂论》)沉雄是刚的一种类型,柔婉就是阴柔之美。这些都为后来姚鼐提出阳刚和阴柔的美学理论奠定了基础。

阳刚和阴柔是两种美学风格指向,但是,又不能将之过于具体化,认为文学艺术的创作中只存在这两种风格。其实,文学艺术创作的风格是多种多样的,可以说,大凡成功的作家、艺术家,每一个人都有自己的风格。我们之所以说这是两种美学风格而不说它是两种艺术风格,就是因为美学风格具有统观性,而艺术风格是具体而细微的。所谓统观性,就是说它有极为宽广的涵盖面,具有极为丰富的意义指向,很难一下子把它的内涵讲清楚。比如,阳刚到底是一种什么样的状态?阴柔又到底是一种什么样的状态?可以说,没有人能把它说得十分清楚。如果问豪放是一种什么类型？大家可能很快做出反应，就是东坡"大江东去，浪淘尽，千古风流人物"这种类型，极为直观。我们说，豪放是一种阳刚之美，但是，阳刚之美还有其他类型，这就例数不尽了。

我们还是看看姚鼐的阐释：

> 鼐闻天地之道，阳刚阴柔而已。文者，天地之精英，而阴阳刚柔之发也。惟圣人之言，统二气之会而弗偏，然而《易》《诗》《书》《论语》所载，亦间有可以刚柔分矣。值其时其人，告语之体各有宜也。自诸子而降，其为文无弗有偏者。其得于阳与刚之美者，则其文如霆，如电，如长风之出谷，如崇山峻崖，如决大川，如奔骐骥；其光也，如杲日，如火，如金镠铁；其于人也，如冯高视远，如君而朝万众，如鼓万勇士而战之。其得于阴柔之美者，则其文如升初日，如清风，如云，如霞，如烟，如幽林曲涧，如沦，如漾，如珠玉之辉，如鸿鹄之鸣而入寥廓；其于人也，漻乎如叹，邈乎其如有思，暖乎其如喜，愀乎其如悲。观其文，讽其音，则为文者性情形状举以殊焉。且夫阴阳刚柔，其本二端，造物者糅而气有多寡进绌，则品次亿万，以至于不可穷，万物生焉。故曰：一阴一阳之为道。夫文之多变，亦若是已。糅而偏胜可也，偏胜之极，一有一绝无，与夫刚不足为刚，柔不足为柔者，皆不可以言文。（《复鲁絜非书》）

在这里，姚鼐的理论贡献可以分为以下几点：

其一，他明确指出，在文学艺术创作中，存在着两种截然不同的美学类型，他将之称为"阳与刚之美"、"阴与柔之美"。这种区分的意图极为明显，就是将阳刚和阴柔作为两种大的美学分类，所有的艺术风格都可涵盖在这两种美学分类之中。这是对前人理论的总结。他认为，作家、艺术家的艺术风格是一言难尽的，所谓"告语之体各有宜"，就是说每人有每人的风格，每一个人都有适宜他自己的风格。当然，阳刚和阴柔又不是具体指哪一种风格，它的内涵极为丰富。姚鼐采取打比方的方法说明阳刚之美和阴柔之美的种种表现，又涵盖了作家、艺术家的风格类型，对司空图的理论是一种完善和补充。

其二，阳刚或阴柔的美的表现与作家、艺术家的主体性情有着密切的关系。阳刚的性情和阴柔的性情都丰富多彩,不能用准确的语言描述。他同样用形象的描绘之法描述了阳刚和阴柔的形象。他说,阳刚的形象就像凭高视远一样,视界辽阔;又像一国之君主被万众朝拜,享受尊荣;像数万勇士奋战在沙场,一往无前。那种威严,那种气势,足以让世人景慕。阴柔的形象就像人一声轻轻的叹息,又像人若有所思的形态;像人温文尔雅的欢喜,又像人凄怆的悲愁。在这种情感状态下,人往往呈现的是阴柔的风貌,对文学艺术风格的影响是不言而喻。姚鼐所描写的阳刚和阴柔的形象实际上是一种情感形象。作家、艺术家在这种情感状态下必定会呈现不同的创作风貌,表现他们独特的艺术风格。

其三,阳刚与阴柔虽可偏胜,但不可偏胜之极。这也就是我们上文所说的刚柔相济。就一个人的性情来说,有整体的刚和柔的区别。其性格偏刚则刚胜,其性格偏柔则柔胜。但是,人的性格并非永远刚,也并非永远柔。冷面丈夫也有柔情的一面,温柔的女子也有刚烈的一面。人的这种性格表现是极其复杂的,因此,表现在文学艺术作品中的美学风貌也是多变的。李白的诗歌以浪漫飘逸见长,但是,他的作品中也不乏沉郁之作,如《登金陵凤凰台》一诗就写得极为沉郁,读起来一点都不像李白的作品。杜甫的诗歌以沉郁顿挫为主,但是,他的作品中也有一些飘逸之作,如《江南逢李龟年》一诗,写得文采飞扬,可以与李白的文风混淆。风格的多变性充分展示了人性格的复杂性,这符合文学艺术创作的规律。姚鼐的刚柔虽可偏胜但不能偏胜至极的观点具有较大的合理性。

姚鼐对阳刚和阴柔两种美学风貌的总结,将曹丕以来的文气理论发挥到了极致。这两种美学风貌既涵盖了人的主体性情,又包容了文学艺术的风格,从而深刻揭示了主体性情与文学艺术风格的关系。这对中国古典文艺学是一个重大的贡献,具有极高的理论价值。

第七章　神思：
"文之思也，其神远矣"

　　神思是中国古典文艺学、美学的一个重要范畴，这一范畴的产生有长期的历史积淀。在先秦，并没有神思这一概念。作家、艺术家在言述其创作构思的时候，要么用"虚静"来加以概括，要么用"志"和"气"来加以统摄。老子说："致虚极，守静笃，万物并作，吾以观复。"庄子说："气也者，虚而待物者也。"（《庄子·人间世》）我们可以对此做更为审美化的理解，艺术的创造是以人的"气"为主导的，它靠的是人的虚静之气。这种虚静之气，我们不仅可以将之理解为情感，更可以将之理解为人的一种构思和想象的能力。因此，先秦时期的创作论可以说是一种气化生成论，"气"成为包括文学艺术创造在内的所有创造的决定性因素。到了汉代，由于各种文学艺术类别特别是汉赋、书法、绘画的兴起，人们的文学艺术观念渐趋自觉，出现了一些谈论文学艺术创造的真正的文学艺术理论，其中也涉及神思问题。葛洪托名汉刘歆撰有《西京杂记》，其中记述了司马相如关于"赋家之心"的言论，就具体谈论的是神思的内容。他说："赋家之心，包括宇宙，总揽人物，斯乃得之于内，不可得而传。"这里的"赋家之心"也就是神思。它具有包括宇宙，总揽人物的功能。所谓"包括宇宙，总揽人物"，就是说，在文学艺术作品中，通过作家、艺术家的神奇妙思，生动地展现了世界的大千物象，没有什么不能够被表现的，没有什么不能够被传达的。然而，这种神妙之思又是"得之于内，不可得而传"的。它是作家、艺术家长期思虑偶然得之的结果。但是，这种神妙之思是经验性的，具有私密性，只源自个体的审美体验。其在本质上是不能够用言语表达的，因此，也就不具有普及性。这里既强调了神思独特的个性体验特征,又强调了神思的普遍性特征,堪称我国最早的神思论。其后,曹植在《洛神赋》中曾说"精移神骇,忽焉思散","足往神留,遗情想象",描绘对洛神的顾盼;在《宝刀赋》中,更明确说出铸造宝刀的体验是"规圆景以定环,摅神思而造象",最早提出了"神思"这一概念。这也已触及神思理论的最根本问题,为后来陆机、刘勰的神思论打下基础。

第一节 "神思"释义

神思作为一个规范的文艺学、美学概念,其形成应该在魏晋时期。据杨明照先生的《文心雕龙校注拾遗补正》考证,将"神思"二字最早连在一起使用的是曹植的《宝刀赋》[①]。其实,曹植在其他文章中也曾经使用过"神思"这一概念,《三国志·魏志·曹植传》引曹植黄初五年的一次上疏,有"又闻豹尾已建,戎轩鸾驾,陛下将复劳玉躬,扰挂神思"一语,可见,"神思"在曹植文章中的出现不止一处。《宝刀赋》作于建安年间,赋前有序云:"建安中,家父魏王,乃命有司造宝刀五枚,三年乃就,以龙、虎、熊、马、雀为识。"其赋云:"乌获奋椎,欧冶是营。扇景风以激气,飞光鉴于天庭。爰告祠以太乙,乃感梦而通灵。然后砺以五方之石,鉴以中黄之壤。规圆景以定环,摅神思而造象。垂华纷之葳蕤,流翠采之滉瀁。"这篇赋不是一篇文学理论文字,而是一篇陈述宝刀铸造体验的文学作品。宝刀的铸造是一个惊心动魄的过程。铸造者都是像乌获和欧冶一样的高手。他们鼓扇激风,使飞光照耀天庭。然后向神灵祷告,神灵托一灵梦,令其在五方之石上磨砺,在中黄之土中出光。对《宝刀赋》这段文字的理解,歧义并不是很多,问题出在对"规圆景以定环,摅神思而造象"的解释上。对前一句的解释没有疑义,大体认为,"规"是计度,"圆景"是日形,"环"是指环形的刀柄,意谓给宝刀精心锻造一个太阳形的柄。而对后一句的解释却有较大的分歧。分歧集中在对"神"与"思"字的

[①] 杨明照:《文心雕龙校注拾遗补正》,江苏古籍出版社,南京,2002年,第262页。

注释和理解上。"摅"乃"抒"的异体字,有抒发、表达之意;"神"应指神灵,或释为神妙,亦通,二者有精神上的关联;"思"有疑为"功"者,如丁晏《曹集铨评》曰:"《艺文》作功。"(按:《艺文》是指《艺文类聚》)赵幼文《曹植集校注》同意这种说法:"案作功是。"①不知依据何在。《艺文类聚》乃唐欧阳询所编的一部类书,书中集录了不少先前的资料,尽管具有很高的学术价值,但其抄录有误是极有可能的,不能将此书作为权威版本加以引用。依此说,"神功"意指卓绝之技巧。整个句意为:发挥卓绝的技巧打造宝刀的形状。这样,"思"的意义就没有了。此种解说虽然通顺,但是,有望文生义之嫌。考目前流传的曹集诸本,除《艺文类聚》的辑录之外,无一作"功"者。"功"无论从形象上还是从意义上均与"思"风马牛不相及,何以能发生关系?若怀疑古人误抄,为何诸本均作"思"而无一本作"功"?在古代的章句注疏中,往往会出现这种情形:不理解文中某字的意蕴,就找一个能够疏通文义的,或者象形的、容易理解的字代替,妄加臆测,这种行为本身就歪曲了作者原本的意图。这里的"神思"应结合上下文来理解,它从上文的"感梦通灵"而来,应该意指神启而产生思绪,即铸造者受神灵的启发而产生的一种奇妙的幻象和思绪,然后,依据神启的幻象而造像。从而,使锻造出的宝刀"垂华纷之葳蕤,流翠采之滉瀁"。因此,"神思"是一个带有神性的形上思维层面的问题,不唯形下技艺方面的问题。恐怕只有从这种角度来理解才符合曹植的原本意图。

曹植的"神思"带有神性色彩,是思维层面的问题,我们还可以从他的其他文章中找出印证,说明曹植提出神思概念的可能。《七启》云:"玄微子隐居大荒之庭,飞遁离俗,澄神定灵,轻禄傲贵,与物无营,耽虚好静,羡此永生。独驰思乎天云之表,无物象而能倾。"《洛神赋》云:"于是精移神骇,忽焉思散,俯则未察,仰以殊观。""于是背下陵高,足往神留,移情想象,顾望怀愁。冀灵体之复形,御轻舟而上泝。浮长川而忘反,思绵绵而增慕。夜耿耿而不寐,沾繁霜而至

---

① 赵幼文:《曹植集校注》,人民文学出版社,北京,1998年,第162页。

曙。"这几段话虽然没有明确言说神思的整体概念，但与《宝刀赋》中的"神思"联系紧密。由于它们所展示的都是一个神性的境界，故而，表达的意旨相同。这里的"神"与《宝刀赋》中的"神"含义不同，不是指神灵，而是指人的精神，但是与"思"的行为相承接，意谓"思"是由"神"所发出的，"思"与"神"是一体化的。《七启》是一篇神性的演说，玄微子就是一个虚构中的神性人物，他的"澄神定灵"是"驰思乎天云之表"的前提条件，与"感梦通灵"在思维的精神上保持一致。而《洛神赋》作为一篇对神女的痴狂想象，其"足往神留，移情想象"表现了神思定型后的思维特征。

曹植稍后，不少人都运用了神思这一概念，使这一概念大有流行的趋势。更从侧面证明了曹植最早提出这一概念的可能。如，《三国志·魏书·管辂传》裴松之注引管辂语："于是使梓慎之徒，登高台，望风气，分灾异，刻期日，然后知神思遐幽，灵风可惧。"《三国志·蜀书·杜琼传》引谯周语："由杜君之辞而广之耳，殊无神思独至之异也。"《三国志·吴书·楼玄传》引华覈语："陛下既垂意博古，综及艺文，加勤心好道，随节致气，宜得闲静以展神思，呼翕清淳，与天同极。"《晋书·刘寔传》云："平原管辂尝谓人曰：'吾与刘颍川兄弟语，使人神思清发，昏不假寐。'"仔细辨别，各家"神思"的意义有一定的差异，或言驰神运思，或言神奇妙思，但都统一于思维这一领域。在这一方面，曹植的首倡之功不可没。他的"攄神思而造象"之说，创造意义浓郁，对"神思"内涵的形成产生了决定性的影响。

在刘勰之前，对"神思"做出较为完善阐释的是宗炳，其《画山水序》云：

> 夫以应目会心为理者，类之成巧，则目以同应，心亦俱会。应会感神，神超理得，虽复虚求幽岩，何以加焉？又神本无端，栖形感类，理入影迹，诚能妙写，亦诚尽矣。于是闲居理气，拂觞鸣琴，披图幽对，坐究四荒，不违天励之藂，独应无人之野。峰岫峣嶷云林森渺，圣贤暎于绝代，万趣融其神思，余复何为哉？畅神而已，神之所畅，孰有先焉？

这里提出"应会感神,神超理得"、"万趣融其神思"等命题,凡涉及"神"者有六,都指的是人心,是人奇妙的心理运动。这是一个思维层面的问题。在宗炳的意识中,人的思维是飘忽不定的,不受任何时空的限制,故而,他说"神本无端"。宗炳的最大贡献是对"神思"这一概念内涵的阐发。在中国古代文艺理论史上,宗炳先折了桂枝。虽然"神思"这一概念并非由他发明,但是,却由他最早应用于艺术创造思维的解说之中。然而,对这一范畴做出详尽理论阐释的却是刘勰。没有刘勰,这一范畴将很可能会像中国古典文艺学上曾经出现的其他范畴一样,也处于沉睡状态,不会有今天这样的鲜活面貌。因此,宗炳与刘勰共同成为"神思"范畴的开启者。

既然神思是一个思维层面的问题,那么,它的内涵应该怎样界定呢?

刘勰在《文心雕龙·神思》中说:"古人云:'形在江海之上,心存魏阙之下。'神思之谓也。"这是引用《庄子·让王》的话,但主旨已与《让王》无关。在《让王》篇中,中山公子牟和瞻子讨论的不是创作思维的问题,而是重生轻利的问题。中山公子牟叹息说:"隐身江海,却惦念宫廷,想着那里的荣华富贵,这可怎么办呢?"瞻子说:"这对养生是不利的,人应该重生而轻利,不该有种种非分之想。"刘勰在引用这个典故时抛弃了重生轻利的主导性观念,主旨放在江海和魏阙的时空距离上,借以说明神思超越时空的特征。为什么神思具有这样的特征?这还要从"神"字和"思"字上说起。

"神"的古义是天神,它是一种虚无的神灵。许慎《说文解字》云:"神,天神引出万物者也。"许慎的意思到底是什么?是说天神还是说万物?我们有些困惑。在这里,许慎好像是给神下定义,说神是由天神所派生的万物。这样,神就等同于万物。如果依此理解,我们感觉许慎本人可能也没有很好地理解神的意义。这与他在《说文解字》中所表现出来的一贯的解字风格有很大的差别。从今天神在语言中的使用看,它无外乎神灵、精神、神妙这些义项。这些义项都统一于天神,亦即神灵。它们都是虚无缥缈的。刘勰的神思之"神"不是神灵,只能是人的精神,是由精神所派生出来的人的心理、思维。这种心理、思维是没有时间概念的，也没有空间的距离，在任何时间、任何地点都可以由人发出。至于"思"，许慎曾如此释义："容也，从心，从囟。凡思之属皆从思。"段玉裁注"容"："容也，各本作容也。或以伏生尚书思心曰容说之。今正，皃曰恭，言曰从，视曰明，听曰聪，思心曰容，谓五者之德，非可以恭释皃，以从释言，以明聪释视听也。谷部曰：容者，深通川也，引容甽浍岠川，引申之，凡深通皆曰容。"①也就是说，"思"的意义是深入理解、领会。这也是言述人的思维。但是，同样言述人的思维，"神"与"思"各有分工。神是指思维的精微性和飘忽性，思是指思维的深刻性。这样，"神"与"思"连在一起便有了一种新的意义。神思既是驰神运思，又是神妙之思。两者是相辅相成的，不能须臾分离。

　　许慎关于"神"的解释让我们感觉茫然，是因为他没有给"神"一个明确的意义，让人百般猜疑。他忽略了前人包括《周易·系辞上》对神的解说，没有抓到神的本原的意义。《系辞上》云："阴阳不测之谓神。"说的是"神"的虚幻的、变化莫测的一面，正因为它是虚幻的、变化莫测的，所以才是神妙的。变化莫测已经是对神奇思维的精妙概括了，其中包含了思维活动过程中的时间内容，也包含了这一思维活动过程中的空间内容。此后，"神"的意义还在不断地充实、完善着。晋韩康伯等人在注释《周易》的时候又赋予了它新的意义，这是我们要关注的。《周易·系辞下》云："精义入神，以致用也。"韩康伯注："精义，物理之微者也。神寂然不动，感而遂通，故能乘天下之微，会而通其用也。"孔颖达正义曰："精义入神，以致用者，亦言先静而后动。此言人事之用，言圣人用精粹微妙之义，入于神化，寂然不动，乃能致其所用。精义入神，是先静也；以致用，是后动也；是动因静而来也。"②这里没有正面地解释"神"，但是，对于动静的阐释，实际上涉及"神"的表现状态，"神"是寂然不动的，那是因为"神"看不见摸不着，无形无状。范文澜说这是彦和"陶钧文思，贵在虚静"说的渊

―――――――
① 段玉裁：《说文解字注》，上海古籍出版社，上海，第501页。
② 《周易注疏》，《唐宋注疏十三经》（一），中华书局，北京，1998年，第115页。

源。①神思与虚静的关系我们还要在下文中专门讨论,在这里不便深入。"神"是寂然不动的,是感而遂通的,只有在寂然不动的状态中才能领会万事万物之精义,鲜活的生命状态。可见,"神"作为一种思维的形式早在《周易》中已经开始萌芽。魏晋南北朝时期风靡的思想方法是玄学哲学,它恰以《周易》、老庄作为思想渊源,在那时,"神"最终演化为艺术创造的思维形式也就是必然了。这恰恰适应了当时的学术文化背景。

神思是驰神运思,又是神妙之思。它是一种创造性的艺术思维方式,包含着许许多多复杂的思维和心理内容。归纳起来,大致有以下几个方面:

其一,神思的运行有一个激发的因素,这个因素就是情感。情感主导神思发展的方向。同时,它又贯穿在整个神思的运行过程中,成为神思的一个组成部分。神思的产生首先由情感点燃、引导,并在情感的支配下运行,整个过程其实就是情感的运动过程,最终形成了刘勰在《文心雕龙·神思》篇中所说的"登山则情满于山,观海则意溢于海"的现象,达到了神思的最高境界。这也是神思独具的创造性潜质。对神思的情感特征的认识,从屈原的时代已经开始了。屈原在《远游》一诗中曾经这样写道:"思旧故以想象兮,长太息而掩涕。"虽然这里的"思"有思念、追忆之意,但"想象"一词明显地表明这种"思"不仅仅是思念、追忆,而且带有强烈的神思意蕴,并且,这一过程是伴随着情感的,所谓"长太息而掩涕"即标明这种情感态度。陆机的神思论公然提倡在神思爆发之前要培养自己的"情志",在神思开展当中要运用自己的情感,"思涉乐其必笑,方言哀而已叹"(《文赋》),丰富并充实了神思的理论意旨。其后,刘勰等人大加发挥,"神用象通,情变所孕"(《文心雕龙·神思》),"文章者,盖情性之风标,神明之律吕也。蕴思含毫,游心内运;放言落纸,气韵天成"。(萧子显《南齐书·文学传论》)这说明,神思在古人的思想观念中并不是一种纯粹理性的思维活动,而是一种情感的运动。这种思想认识将神思牢牢

---

① 范文澜:《文心雕龙注》,人民文学出版社,北京,2000年,第496页。

地固定在文学艺术创作的神坛上,使之最终成为中国古代原创性的文学艺术创作思维。我们不能不将之归为情感的激发作用。

其二,神思的表现形态是虚幻的,它再现的是一个无法用语言言说的心理事实。古代的艺术家和理论家们对这一特征的认识最为完整。从司马相如的"赋家之心,包括宇宙,总揽人物,斯乃得之于内,不得而传"(《西京杂记》),到陆机的"是盖轮扁所不得言,亦非华说之所能精"(《文赋》),再到刘勰的"至于思表纤旨,文外曲致,言所不追,笔固知止"(《文心雕龙·神思》),都说神思的精义妙理不能够言说。但是,这种不能言说是指心理层面的,并非说这种现象不可认识。就具体作家而言,每个人的思维细节都是不可言说的,不仅别人不可言说,即使作家本人也是不能言说的。在文学艺术创作中,为什么会出现妙笔生花的状况?为什么这个作家能达到这样的状态而其他作家难以达到?这是一种经验现象。这种经验是属于个体的,不是公众的。正因为其属于个体,所以才不可言说。正因为其属于个体,才保持了每个作家创作的独创性。文学艺术创作作为一种经验只能表现在文学艺术作品中,在文学艺术作品中展露蛛丝,想具体而微地解释这种经验确实很困难。因此,古人对神思的直观感觉很准确,从另一个方面也说明文学艺术创作的不可重复性,唯有不可重复,它才是独特的。对神思的这种不可言说的虚幻性的困惑,不是古代文学理论家的底气不足,而是因为创作本身就是一个虚无缥缈的现象,这一现象不易认识。文学艺术创作的心理问题永远是一个奥秘,不要指望能全面揭示它,总结出一个放之四海而皆准的规律。如果这种创作的心理真正到了成了规律的那一天,也就是文学艺术创作终结的那一天。因为,人人都能够掌握这一规律,人人都可以成为作家、艺术家,那么,创作的独特性也就不存在了,文学艺术也就灭亡了。因此,中国古典文学理论家对创作心理的孜孜追求和无尽困惑也给我们今天研究文学艺术创作的思维和心理以很大的启迪。

其三,神思与物象的关系。严格地说,神思和物象的关系也是一个思维和心理的问题,它探讨的是物象对情感的激发、对思维的激发,人的情感和思维对物象的选择和寻求,以及它们最终在文学艺术作品中的呈现。在进行这方面探讨的时候,古代的文艺美学家是将物也作为一个主体来加以认识的,神思和物象的关系是一种天人(主体间)关系,不是主体和客体之间的关系。如果简单地将之作为一种心物关系——主客体的关系来对待,似乎不符合中国传统的观念,也显得过于机械、单薄,难以充分揭示神思和物象之间的奥秘。因为心物关系仅仅揭示的是由心至物的过程,亦即心如何融合物,使之成为一个生动感人的形象或意象,至于由物至心,则不是心物论所关注的内容。也就是说,心物论认为主体在文学艺术的创作中起着主导作用,而物是退居次要地位的。实际上并不尽然。在文学艺术创作的神思活动中,外在物象有时起着非常关键的作用。它能够激发作家、艺术家的创作灵感,使他们保持旺盛的创作激情。对此,古代的作家和理论家有较为独特的认识。陆机的"遵四时以叹逝,瞻万物而思纷;悲落叶于劲秋,喜柔条于芳春"(《文赋》),说的就是人的情感受外在物象变化的感发,与外在自然物象产生了感应,这缘于人对自然和现实的深刻体验。不是因为人有悲哀的情感树叶才飘零,也不是因为人有欢喜的情感枝条才返青,而是大自然的变化触发了人的情感,人的情感与外在物象产生了感应。这种感应是相互的,人感物,物也感人。刘勰说得就更为清楚了。在《文心雕龙·物色》篇中,他这样写道:"春秋代序,阴阳惨舒,物色之动,心亦摇焉。盖阳气萌而玄驹步,阴律凝而丹鸟羞,微虫犹或入感,四时之动物深矣。""是以献岁发春,悦豫之情畅;滔滔孟夏,郁陶之心凝;天高气清,阴沉之志远;霰雪无垠,矜肃之虑深。岁有其物,物有其容;情以物迁,辞以情发。"外物之所以能够引导神思的开展,按照格式塔心理学的观点,是因为外在物象具有与人心相似的结构,它本身形成了一个张力场,外在物象也是一个主体,它本身就具有激发作家、艺术家产生创作冲动的素质。这样,物的主导地位无可置疑。神思在开展的过程中表现出来的主体间的心理现象是极其复杂的,并不是三言两语就能够道尽的。

其四,神思的创造性。神思的创造是一种心理的创造,它融合了物象、情感、语言等因素,以语言、声音、图像的形式传达给受众,使受众也产生一种情感的震撼,达到理想的审美境界。古人在讨论神思的创造性时,更关注的是纷纭无端的物象。如陆机就说:"罄澄心以凝思,眇众虑而为言,笼天地于形内,挫万物于笔端。"(《文赋》)天地间众多的物象在神思的弥缝下有了秩序,有了神采。但是,这些物象已不是自然原初的物象,而是携带着作家、艺术家情感的艺术形象。刘勰在讨论物象由自然物象转变为艺术形象时说:"若情数诡杂,体变迁贸。拙词或孕于巧义,庸事或萌于新意;视布于麻,虽云未贵,杼轴献功,焕然乃珍。"(《文心雕龙·神思》)自然物象与艺术形象的关系就好比麻与布的关系,粗劣的麻经过织机的织造就变成了精美的布,自然的物象经过神思的巧妙创造就具有了艺术的特征,成为艺术形象。神思的创造性如此神妙!萧子显也深刻认识到神思的创造性,《南齐书·文学传论》云:"属文之道,事出神思,感召无象,变化不穷。俱五声之音响,而出言异句;等万物之情状,而下笔殊形。"所谓"俱五声之音响,而出言异句;等万物之情状,而下笔殊形",说的是神思变化多端的创造性,只有经过神思的创造,万物之象才能成为与自然物象迥异的真正的艺术形象。

在中国古典文艺学、美学中,神思具有非常丰富的意义。作为一个有中国特色的文艺学、美学范畴,它在古代的文学艺术创作和审美中发挥了积极、巨大的作用。即使在今天,尽管文艺学、美学的话语发生了根本性的转变,它的理论价值仍不可忽视,它精妙的理论内涵仍然有积极的意义,值得我们认真发掘、总结。

第二节 "精骛八极,心游万仞":神思的时空意义

神思的一个重要的思维特征是浓缩时空,将无限广阔的时空浓缩在作家、艺术家狭小的心理天地之中,从而使心具有无与伦比的时空意义。神思对自然时间和空间的浓缩或超越,强化了文学艺术创作的审美价值,人的情思能够自由地翱翔在自然的时空之上,对自然的物象进行有目的的审美选择和审美熔铸,使之成为一个审美的形象。这样,自然的时间和空间在神思的笼罩下显得软弱无力,甚至毫无意义,在神思中跳动的只是一个个失落了时间和空间的鲜活的物象。这

些物象又牵引着作家、艺术家的思想和情感,最大限度地发挥着它们的审美创造作用,唯其如此,才显示了神思的魅力。中国古代关于浓缩或超越时间和空间意义的讨论开始得很早,这些讨论的主旨不一定是辨别神思,而是阐发形形色色的哲学和人生问题。如果摆脱纯粹的文学艺术因素,从杂文学的艺术立场着眼认识时空思维问题,我们就可以发现,先秦的典籍中就存在着关于时空思维的大量描述。这些描述虽然不是具体地言说神思,但是,也与神思有着哲学上的关联。如老子就说过:"不出户,知天下;不窥牖,见天道。其出弥远,其知弥近。是以圣人不行而知,不见而名,不为而成。"(《老子》四十七章)《论语·子罕》云:"子在川上曰:'逝者如斯夫!不舍昼夜。'"《庄子·齐物论》云:"梦饮酒者,旦而哭泣;梦哭泣者,旦而田猎。方其梦也,不知其梦也。梦之中又占其梦焉,觉而后知其梦也。且有大觉而后知此其大梦也。"这些,都是关于时空思维的典范表述。老子的"不出户,知天下;不窥牖,见天道",描述的是圣人的先知先觉,它是建立在丰富而深刻的人生体验之上的,其中蕴涵着对时空的理性推理和想象。孔子对水的慨叹就是对时空和人生的慨叹,以时空变幻推演人生哲理,展现了一种独特的时空思维视觉。而庄子对梦的解析分明是对梦境时空的哲学演绎,梦的时空和觉的时空交互重叠且互为因果,表现了人生的荒诞与离奇。这些关于时空思维的表述虽然不是针对艺术创作,但已具有了较为明显的艺术意义。神思的时空思维的展开深受这些哲学思想的启发,浓缩了入思方式的精华。在文学艺术理论中,较早对神思的时空思维属性有明确认识的是司马相如,他所说的"赋家之心,包括宇宙,总揽人物"已对神思的时间性和空间性展开理性表述。宇宙再大,事物再纷杂,在人的时空思维中也没有任何意义,它们只是神思随意出入的领地。正是在这个领地上,神思自由地选择着、运动着,完美地展示着审美创造的能力。

对神思的时空意义较早地做全面准确把握的古代文艺理论家是陆机。他的著名理论著作《文赋》就曾对神思的时空浓缩性和超越性做了较为深入的探讨,涉及神思的时空本质。陆机认识到,作家、艺术家神思的开展是情感激荡的结果,它从外物中来,又到外物中去,

在外物主体性的磨合下产生了神奇的思维效应,这样,神思才具有意义。为此,他对神思的时空性进行了详细的阐说:

> 其始也,皆收视反听,耽思旁讯,精骛八极,心游万仞。其致也,情曈昽而弥鲜,物昭晰而互进,倾群言之沥液,漱六艺之芳润,浮天渊以安流,濯下泉而潜浸。于是,沉辞怫悦,若游鱼衔钩而出重渊之深;浮藻联翩,若翰鸟缨缴而坠层云之峻。收百世之阙文,采千载之遗韵,谢朝华于已披,启夕秀于未振,观古今于须臾,抚四海于一瞬。(《文赋》)

此时,作家、艺术家处于一种天人合一的"此在"中,并以此为基点展开了对时空的丈量。在这种"此在"中,时间呈现了多极错位,当下融合了现在、过去、未来,使之成为一个整体。陆机所言述的"其始也"和"其致也"均呈现一种当下状态。"收视反听"和"耽思旁讯"是作家、艺术家"此在"的表现形式,是对时间当下性的描绘。与此相关的还有"其致也"以下所描述的作家、艺术家所处的现时的创作状态。这些,都不算是陆机的独特发现,在陆机之前已经有不少这样的言说,如我们前面说到的司马相如。陆机的独特之处在于对思维空间性的把握。他注重思维的现时性,更加强调思维的空间性的价值,并将时空在现时性的统一中糅合在一起,凸显了思维的时空意义。在思维开展的"此在"中,最为重要的是对"此在"的空间性的浓缩或超越,正是这种对"此在"的空间性的浓缩、超越铸成了神思,将神思推到文学艺术创造的前台。陆机对神思空间性的考察表现在他以下的言论中:"精骛八极,心游万仞"、"浮天渊以安流,濯下泉而潜浸"、"浮藻联翩"、"观古今于须臾,抚四海于一瞬"。作家、艺术家在进行创作的时候,纵横捭阖,出今入古,升天入地,凭靠的就是"精"和"心"所铸成的神思,凭靠的是神思具有的浓缩、超越时空的能力。

陆机对神思时空意义的认识还体现在他对"精"与"心"的考察上。在古代,"精"和"心"几乎是一个概念。陆机就是这种态度。老子将"精"称之为道,庄子就更进一步将心称之为"精"。老庄都是注重虚静,主张心体斋戒的,即在一种无时空的状态中修身养性。所谓无时空,是指在虚静的状态下对时空的忽略。"静"是平静,更是静止。静止停顿,时间凝固,空间也处于一种不变的状态。可见,在中国古典哲学中,"精"或"心"本身是摈弃时空的,根本就没有时空意识。陆机受老庄的影响极其深重,他在讨论神思开展的过程时,强调"收视反听"、"耽思旁讯",就是老庄虚静观的翻版。在这种情形下,时空也就没有太多的意义。陆机漠视心的时空性,并不表示心没有整合时空的功能。恰恰相反,正是虚静之心才能浓缩、超越时空,在文学艺术的审美创造中发挥出巨大的作用。

陆机关于神思的时空意义的讨论具有鲜明的中国古典特色,其描述的方式是感悟的、直觉的,不是纯粹理性的,但是,又达到一般的理性论辩无法企及的理论高度,真正地让人只可意会不可言传。这种感悟、直觉的思维方式也代表了陆机的时空感受,如他所说的"精骛八极,心游万仞"就借助具体的所指(八极和万仞)来表现方向和高度,用思维来测量方向和距离。其意指神思的过程没有时间和空间的差别,所有的时间和空间都处于一种共时的状态中,由神思随意调遣。在神思的过程中,时间失落了,空间也随之失落。万事万物在失落的时间和空间中滚动,组成了一个个美妙的意象。神思的过程是一个时空不断变换的过程,通过时空的不断变换将物象和事象进行对接,因此,才会出现"浮天渊以安流,濯下泉而潜浸"、"观古今于须臾,抚四海于一瞬"的奇特景观。这种思维特征作为一种创作经验流传下来,也作为一种时空观念深深地扎根于作家、艺术家的创造行为中。

陆机对神思时空意义的讨论仅仅是一个起点,起点之高是文艺学、美学界所公认的。人们每每以"精骛八极,心游万仞"作为神思状态的经典性表述,足见陆机对神思的时空体验与描绘均十分准确。在西方,很难找到如此美妙又充满诗性的表述。古希腊时期的亚里士多德在论述想象时说:"想象是相对于直接感觉所形成的意见。"[1]这里的想象类似于神思。它也存在着一个时空问题。同时,亚氏又认为,

---

[1] [古希腊]亚里士多德:《论灵魂》,《亚里士多德全集》第三卷,中国人民大学出版社,北京,1997年,第73页。

想象是虚假的，与人的欲望有关，它能够在适度空间中任意驰骋，时间、距离都不能限制这种艺术思维的开展。可是，亚氏的表述中却忽略了时空，关于想象的言论中找不到明确的时空踪影。极为重视时空的亚里士多德在论述想象的时候却忽略了时空，这不能不是一个值得关注的现象。①此后，西方的想象理论都沿袭亚氏的思想，将这一空灵而富有诗意的现象表述得极其抽象。我们从瑞恰慈的《文学批评原理》对想象力的概述和讨论中可以看出西方对想象的超验主义态度。②这种态度必然导致西方整体的想象理论蔑视想象思维中的时空。这说明，中国古代的神思理论和西方的想象理论是两个差异很大的东西，具有天然的不可通约性，在某些方面甚至很难沟通。

陆机之后，对神思的时空意义做出较为详尽讨论的是刘勰。在《文心雕龙·神思》中，他对神思在文学艺术创作中的种种时空表现给出了远比陆机更为完备的概括，神思作为中国古典文学里一个规范的文艺美学范畴，正是在刘勰那里才成熟的。

刘勰的神思理论首先就规定了神思的时空特征，他以"形在江海"而"心存魏阙"演绎神思，表达的是对神思的时空认识。在他的意识中，时空显然是神思运行过程中不能缺少的内容。正是在这一前提下，刘勰展开了他关于神思的时空讨论：

> 文之思也，其神远矣，故寂然凝虑，思接千载；悄焉动容，视通万里；吟咏之间，吐纳珠玉之声；眉睫之前，卷舒风云之色；其思理之致乎？故思理为妙，神与物游。神居胸臆，而志气统其关键；物沿耳目，而辞令管其枢机。枢机方通，则物无隐貌；关键将塞，则神有遁心。（《文心雕龙·神思》）

"思接千载"是神思的时间体验。在神思的方寸之中，千年万年又算得了什么，它自然能弥缝时间的流逝带来的遗憾，让时间重新

---

① [德]海德格尔：《时间概念》，孙周兴选编《海德格尔选集》上卷，上海三联书店，上海，1996年。
② [英]艾·阿·瑞恰慈：《文学批评原理》第三十二章，百花洲文艺出版社，南昌，1997年。

流转，为我所用。在这里，"千载"这一时间概念没有任何意义，有意义的是人们对已经流逝了的"千载"产生了情思与叙事的追忆，所谓"发思古之幽情"是矣。"视通万里"是神思的空间体验，其言述的是神思距离上的无碍。在神思的状态中，人变得耳聪目明，能听到万里以外的声音，能看到万里以外的物象。但是，在神思之中，它们却变得那么藐小，足见神思的融合力之大。神思的时空意义在时空的浓缩和融合中凸显、神化了其自身存在的价值。

时空均是无限的，只在它们面对现在和当下时才有意义。时间是对现在和当下的确定，空间必定要适应时间，服从当下的需要，人的思想和精神在时间中才会放射出光彩。故而，奥古斯丁慨然叹息："我的心灵啊，我是在你里面度量时间。……我度量时间的时候，是在度量印象。"①时间被奥古斯丁精神化、主观化了，被罗素称为"比起希腊哲学中所见的任何有关理论，这个理论乃是一项巨大的进步"②。神思作为一种艺术思维活动，它是衡量作家、艺术家创作水准的尺度，是作家、艺术家对自己创造精神的测量，也是对作家、艺术家驾驭时间和空间能力的测量。刘勰的神思论就面对的是这么一个主观的精神，这个主观精神，表面上看是死寂的，其内在又是极其活跃的。从刘勰的描述性的文字中，我们处处都能够看到人的主观精神做出的剧烈反映，那不是精神的死寂，而是精神剥离时空时的痛苦或欢欣。

刘勰关于精神死寂表面的追溯是神思时空意义的深化，这种精神死寂也缘于老庄的虚静思想。刘勰追溯的本质不是显示作家、艺术家在进行文学艺术创作时的心如死灰，恰恰相反，是为了展示心对时空的熔铸能量。这种虚静，当代美学家宗白华先生称之为"静照"。他说：

> 艺术心灵的诞生，在人生忘我的一刹那，即美学上所谓的"静照"。静照的起点在于空诸一切，心无挂碍，和事务暂时绝缘。这

---

① [古罗马]奥古斯丁：《忏悔录》，周士良译，商务印书馆，北京，1981年，第254~255页。
② [英]罗素：《西方哲学史》上卷，何兆武、李约瑟译，商务印书馆，北京，1996年，第436页。

时,一点觉心,静观万象,万象如在镜中,光明莹洁,而各得其所,呈现着他们各自的、充实的、内在的、自由的生命,所谓万物静观皆自得。这自得的、自由的各个生命在静默里吐露光辉。[1]

这里言述的是由虚静熔铸的时空再现的生命特征。因此,虚静在本质上是心的全方位的追寻,它是神思开展的一个必备条件。因而有刘勰"寂然凝虑,思接千载;悄焉动容,视通万里"的诗性解说。

无论陆机还是刘勰,他们对神思的时空考察都注意到时空的虚拟性。这不同于一般的时空观念。所谓虚拟性时空有两个意旨:一是指神思开展是在超越现实的时空中进行的,二是作家、艺术家所创造的形象是一个时空错乱的物象。也就是说,作家、艺术家所进入的时空是虚拟的,尽管这个虚拟的时空中的所有物象都是现实存在的,但却不是现实的,而是作家、艺术家的凭空虚构。在《文赋》中,陆机曾经说过:"课虚无以责有,叩寂寞而求音。""虚无"和"寂寞"都是一个虚拟的时空世界,在这个虚拟的时空世界中,作家、艺术家竭力施展自己的创作才能,"含绵邈于尺素,吐滂沛乎寸心"。在论述艺术形象的创造时,陆机还认识到"离方而遁圆"的问题。所谓"离方而遁圆"就是艺术虚构,在一个虚拟的时空中融合诸多现实的和非现实的因素创造出符合作家、艺术家审美趣味的艺术形象。刘勰似乎更深入一点,在谈到神思的时空虚拟性时,他这样说:"夫神思方运,万途竞萌,规矩虚位,刻镂无形,登山则情满于山,观海则意溢于海,我才之多少,将与风云而并驱矣。"(《文心雕龙·神思》)"规矩虚位,刻镂无形",就是指作家、艺术家在一个虚拟的时空中发挥创造,尽管这种时空是虚拟的,作家、艺术家仍然注入了强烈的情感因素,把在虚拟时空中所体验到的种种物象全都打上情感的印痕,这便是"登山则情满于山,观海则意溢于海",是陆机不曾明确阐说的。

神思对时空的浓缩和超越是在虚拟的状态下进行的。这种对时空的浓缩和超越,谢榛将之表述为"远而近之法",似乎离现代的认

---

[1] 宗白华:《论文艺的空灵与充实》,《美学散步》,上海人民出版社,上海,2002年,第25页。

识更近了一些。谢榛说:

> 诗贵乎远而近。然思不可偏,偏则不能无弊。陆士衡《文赋》曰:"其始也收视反听,耽思旁讯,精骛八极,心游万仞。"此但写冥搜之状尔。唐刘昭禹诗云:"句向夜深得,心从天外归。"此作祖于士衡,尤知远近相应之法。凡静室索诗,心神渺远,西游天竺国,仍归上党昭觉寺,此所谓"远而近"之法也。(《四溟诗话》卷四)

所谓的"远而近之法"就是时空的浓缩、超越之法,这一法则必须遵循由远到近的原则,心神驰骋再邈远,总归要回到当下的创作上。实际强调的是作家、艺术家对时空的控制。作家、艺术家在神思的过程中必须能够驾驭神思,保证神思的审美,从而实现文学艺术创造的目标。因此,神思的时空虽然处于一种虚拟的状态中,并非是对现实时空的背离,而是对现实时空的超越。

综上所述,神思的时空意义只有放置于当下才能够凸显,它是对作家、艺术家当下思维状态的认定。神思的主体功能是浓缩、超越时空,它在本质上是藐视时空的,时空的存在对作家、艺术家当下的思维没有太多的意义,但却是作家、艺术家艺术创造不可或缺的起点。

第三节 "志气"与"辞令":神思开展的依托

神思的开展需要一定的依托,这也是神思运行的支点。神思怎样才能够产生?神思何以在文学艺术创作中体现?对此,古代的作家、艺术家和文艺学、美学家们有比较精深的体验。陆机在《文赋》一文中论述了文学创作的"放言遣词"问题,以自己切身的创作体会,认识到"意不称物,文不逮意"的双重困境。作家、艺术家要想克服这种双重困境是很难的,除非他们有常人无可比拟的天才。这涉及语言和神思的关系问题。至于神思是如何产生的?在整篇《文赋》里找不到确定的答案。倒是刘勰说出了原委,他清晰地认识到整个文学艺术创作的过程中,"志气统其关键"。

《文心雕龙·神思》云:

故思理为妙,神与物游。神居胸臆,而志气统其关键;物沿耳目,而辞令管其枢机。枢机方通,则物无隐貌;关键将塞,则神有遁心。

"神与物游"是神思运行的状态,在神思开展的过程中,"神"始终是伴随着物的。"神"即是心,它具体外化为"志气",即带有情感意蕴的情志意气;"物"是指客观的自然物象或者事象,它们是构成文学艺术形象的基元;"游"则是游动、游戏。文学艺术创作的神思开展过程就是"神"与"物"的游戏,它是一种以情感为主的游戏。游戏的本质表明,它是虚构的,非真实的,同时是自觉的,自由的。刘勰特别提出了"志气统其关键"的问题,就是强调情志意气在神思开展过程中所起的关键作用。可见,刘勰对神思的认识比陆机又深入了一步。

我们说"志气"是作家、艺术家带有情感意蕴的情志意气,之所以不重复情感一元化的文学创作发生论,是因为通过我们的考察,文学艺术创作发生的多元化更符合中国古代文学艺术创作的实际。从文学艺术创作原始动机看,情感也只是一个方面,不足以构成文学艺术发生的全部。情志意气囊括了情感、志向、意图、气质等诸多的创作因素,在神思运行的过程中,这些因素自始至终伴随着神思,并支配着神思,规定了神思运行的方向。我们有必要对这一问题进行一次细致地梳理。

在中国古典文艺学中,情感最初并不被作为文学艺术创作发生的第一要素。古人创作只是强调"感",即人心与外物的感应。如《乐记》云:

乐者,音之所由生也,其本在人心之感于物也。是故其哀心感者,其声噍以杀;其乐心感者,其声啴以缓;其喜心感者,其声发以散;其怒心感者,其声粗以厉;其敬心感者,其声直以廉;其爱心感者,其声和以柔。六者非性也,感于物而后动。

这里的喜、怒、哀、乐、敬、爱并非全属情感的范畴,因为这里的"感"是感发、感应,有时是属于感性的活动,有时是属于理性的活动,并非情感那样是纯感性的心理活动。这就说明,引发文学艺术创作的并不一定是情感,也有可能是某种理性。理性也像情感一样有一种激发的作用。这是文学艺术创作中存在的实际情况。即使在今天,文学艺术的创作动机也不完全是为了情感,也有一定的功利目的。同时,这种观念的产生与最初的文学艺术没有独立分学科有关。由于文学艺术没有独立,只是依附于相关的学科之中,湮没了文学艺术的特征,甚至被看作是政治伦理的一个部分,人们自然认识不清楚文学艺术的本质。从我国最早的文学观念"诗言志"的提出就可以看出,"志"为第一要素,而不是以"情"为第一要素。这是因为,先秦人不把"诗三百"当作纯粹的文学艺术看待,而是当作政治伦理道德的文本来对待,故而,才会有"言志"之说。这种观念一直贯穿中国漫长的封建社会的始终。关于"诗言志"的"志"的意义,我们在第三章已经做了解说,在这里不便做更多的重复。"志"是指理想、抱负,更多的是政治、伦理、道德方面的内容,虽然它也包括情感,但与情感没有必然的联系。这是学者们普遍认同的。受"志"在文学艺术创作发生中所起的作用,它自然支配神思的运行,是研究神思理论不可忽视的一个问题。"志"往往与情、意、气一起,综合作用于神思运行的过程中,一种孤立的因素很难操纵神思这一复杂的心理机器。"志"是起主导、支配作用的。宋代的理学家邵雍说:"诗者人之志,非诗志莫传。人和心尽见,天与意相连。论物生新句,评文起雅言。兴来如宿构,未始用雕镌。"(《伊川击壤集·论诗吟》)"志"是明心见性、使天意相连的根本,可见,"志"支配神思的运行。作为理学家说出这样的话可能会给人夸大事实的感觉,似乎有意抬高理性"志"的作用。而文学批评家张戒在《岁寒堂诗话》卷上中也说出了同样的感受,就不能不让人信以为真了。张戒说:"言志乃诗人之本意,咏物特诗人之余事。古诗、苏、李、曹、刘、陶、阮,本不期于咏物,而咏物之工,卓然天成,不可复及。其情真,其味长,其气胜,视'三百篇'几于无愧。"由"志"导出情、味、气,使它们共同作用于神思。在这里,"咏物"意指神思的过程,这就与刘勰的"志气统其关键"的理论连接起来,表达了一种相同的思想。明代的吴宽说得就更为清楚了:"古诗人之作,凡以写其志之所之者耳。或有感遇，或有所触发，或有怀思，或有所忧喜，或有所美刺，类此始作之。"（《园中四兴诗集序》，《鲍翁家藏集》卷四十）清代的钱谦益也说："志之所之，盈于情，奋于气，而激发于境，风识浪奔昏交凑之时世。于是乎，朝庙亦诗，房中亦诗，吉人亦诗，棘人亦诗，宴好亦诗，穷苦亦诗，春哀亦诗，秋悲亦诗，吴咏亦诗，越悲亦诗，劳歌亦诗，相春亦诗。"（《爱琴馆评选诗慰序》，《牧斋有学集》）在"志"的统领下，在神思的融合下，所有的日常生活都可以写入诗中，成为诗人发泄情感的工具。

在中国古代，"志"与"情"是文学艺术创作的两个重要因素，也是始终困扰文学艺术本质的两个重要内容。在文学艺术创作中，它们往往是不可调和的。这种不可调和性实际表现为文学艺术与政治伦理之间的不可调和，尔后，具化为它们之间谁为主导的问题。在学术观念纷繁的古代，出现这种状况是自然而然的，没有必要彻底判定某种观念的是是非非。然而，随着学术观念的发展，古人也觉察到"志"与"情"之间的巨大差异。为了力图弥缝文学艺术与政治伦理之间的隔阂，古代的文艺理论家们做出了种种努力，如将"志"解释为"情"，认为情志一体。这对调和情与志的矛盾起到一定的作用。

在古人的情志观念中，情最终占据了主导地位。情感成为支配神思开展的重要因素。我们难以确指在神思过程中起支配作用的情感理论发生在什么时期，如果认定是在陆机所处的西晋时期，那么，在整个西晋乃至以后，认定文学的本质是情感却并非学界主流。很多重要的文学家和文艺理论家还在谈论言志的话题，如挚虞《文章流别论》云："夫诗虽以情志为本，而以成声为节。"陶渊明《五柳先生传》云："尝著文章自娱，颇示己志。忘怀得失，以此自终。"沈约《宋书·谢灵运传论》曰："夫志动于中，则歌咏外发；六义所因，四始攸系；升降讴谣，纷披风什。"即使在伟大的文艺理论家刘勰所处的齐梁时期，萧统还在说："诗者，盖志之所之也，情动于中而形于言。"（《文选序》）此风历经唐朝，一直弥漫整个宋代。如果翻检一下中国文学艺术理论的资料，我们就会发现这一事实：到了元明时期，才开始大规模地谈论性情问题，性情才真正地被提到文案上。但是，在任何一个学科的发展过程中，理论上的表现都是滞后的。我们并不能以此推论情感在神思开展过程中起支配作用的时代是元代或者明代，真正开始这种创作实践的时代可能更早。如果我们从具体的创作实践着手认识这一问题，就能够在《诗经》中找到情感主导神思开展的范例。这就更进一步说明，文学艺术创作是一种复杂的现象。文学观念和文学实践呈现出一种不对等的关系，文学观念的严重滞后恐怕是任何一个国家和民族都存在的不争事实。但是，从整体的创作状况考察，情感在神思开展过程中起支配作用的时代当是魏晋南北朝时期。其肇始于《古诗十九首》，成熟于建安时期，理论上以陆机《文赋》中所提出的"诗缘情"为标志。魏晋南北朝人谈论"言志"的问题，很大程度上是指表达情感，那是典型的"情"、"志"混用。这从上文所列举的言论中可以领略一二。

"意"也是神思开展过程中不可忽略的。"意"指意图、想法，它不像"志"那样庄严，也不像"情"那样柔婉，介于"志"与"情"之间，往往等同于古人所言说的"情志"。陆机说"意不称物，文不逮意"的"意"是指情意，兼于情与意二者。刘勰说"登山则情满于山，观海则意溢于海"，这个"意"就等于情。王昌龄云："凡属文之人，常须作意，凝心天海之外，用思元气之前，巧运言词，精练意魄。"（《诗格》，《诗学指南》卷三）葛立方曰："前辈论诗思多生于杳冥寂寞之境，而志意所如，往往出乎埃壒之外。苟能如是，于诗亦庶几矣。"（《韵语阳秋》卷第二）可见，古人是很注意神思开展过程中"意"的作用的，将创作的种种意图贯穿于神思的始终。同时，"意"也充实了神思的内容，强化了神思的哲理性和情感性。这样，与"志"和"情"一样，"意"在神思开展的过程中具有不同的分工，也是不可缺少的。

上文由"志"展开，涉及神思开展过程中的情与意问题。实际上，这些问题是缠绕在一起的，不能够截然分开。与此相关的还有一个重要的问题是"气"，这也是研究神思运行过程不可忽视的问题。

"气"在中国古典文化中向来复杂，它具有自然元气、精神、气质、气格等内涵，囊括了自然和人生的多重意义。"气"的自然意义不是我们要讨论的，我们要研究它在人精神方面的价值，在神思开展过

程中所扮演的角色。著名学者徐复观先生说:

> 其实,切就人身而言气,则自《孟子·公孙丑上》的气字开始,指的只是一个人的生理的综合作用;或可称之为"生理的生命力"。若就文学艺术而言气,则指的是一切个人的生理的综合作用所及于作品的影响。凡是一切形上性的观念,在此等地方是完全用不上的。一个人的观念、感情、想象力,必须通过他的气而始能表现于其作品之上。同样的观念,因作者的气的不同,则由表现所形成的作品的形相(style)亦因之而异。支配气的是观念、感情、想象力,所以在文学艺术中所说的气,实际上已经装载上了观念、感情、想象力,否则不可能有创造的功能。但观念、感情、想象力,被气装载上去,以倾卸于文学艺术所用的媒材的时候,气便成为有力的塑造者。所以一个人的个性,及由个性所形成的艺术性,都是由气所决定的。①

气是受观念、感情、想象力支配的,它本身又外化为人的观念、感情、想象力。也就是说,作家、艺术家在运用神思创作的过程中缺少不了气的参与,气起着弥缝和统领的作用,并且显示文学艺术作品的生命力。故而,刘勰说:"志气统其关键。"我们前文引述的王昌龄的诗文"凝心天海之外,用思元气之前",这里的"元气"指一种自然之气,不是人自身所具有的观念、情感、想象力之气,而"凝心"和"用思"则是作家、艺术家用气的表现,是化用观念、情感、想象力的外在表现形式。其他如袁黄的"情感天地,化动鬼神,声披丝竹,气变冬春"(《诗赋》)之说,王世贞的"气从意畅,神与境合"(《艺苑卮言》卷一)之说,都言述的是气在神思运行中所起的关键作用。

"气"因人而异,在曹丕的《典论·论文》中已经说得很清楚。那么,在神思的开展过程中,由于气的差异性导致每一个作家、艺术家的神思活动都有自己的个性,这种个性的外在表现是作品的风格特征。关于这一点,中国古代的神思论也有集中的论述。谢榛云:

---

① 徐复观:《中国艺术精神》,华东师范大学出版社,上海,2001年,第97页。

> 自古诗人养气,各有主焉。蕴乎内,著乎外,而隐见异同,人莫之辨也。熟读初唐、盛唐诸家所作,有雄浑如大海奔涛,秀拔如孤峰峭壁,壮丽如层楼叠阁,古雅如瑶琴朱弦,老健如朔漠横雕,清逸如九皋鸣鹤,明净如乱山积雪,高远如长空片云,芳润如露蕙春兰,奇绝如鲸波蜃气,此见诸家所养之不同也。学者能集众长合而为一,若易牙以五味调和,则为全味矣。(《四溟诗话》卷三)

这是不同的气在文学艺术作品中的表现,气外化为文学艺术的风格特征,实因作用于神思之不同。在一些个案的解说中,中国古代的神思论也涉及这方面的问题。如晁补之评黄庭坚云:"鲁直于治心养气能为人所不为,故用于读书为文字,致思高远,亦似其为人。"(《书鲁直题高求父杨清亭诗后》,《鸡肋集》卷三十三)徐祯卿云:"气本尚壮,亦忌锐逸。魏祖云:'老骥伏枥,志在千里,烈士暮年,壮心不已。'犹暧暧也。思王《野田黄雀行》,譬如锥出囊中,大索露也。"(《谈艺录》)"气"促使作家、艺术家在神思运行的过程中保持自身的个性,也展示了每个作家、艺术家神思的独特性。

通过上述分析,我们理解了刘勰"志气统其关键"的内涵。"志气"是神思开展的依托,也是神思运行的支点,它支配着神思活动,是统辖神思的关键。

在神思开展的过程中,语言的作用不可忽视,它也是神思运行的另一个依托。刘勰在讨论神思时,提出了"物沿耳目,而辞令管其枢机"的命题,似与陆机所言述的"文不逮意"的思想相矛盾,其实这是一个问题的两个方面。"辞令管其枢机"是说神思的创造价值只有通过语言(辞令)才能够显现,语言表现了神思所创造的艺术形象;"文不逮意"是说语言表达思想的局限性,语言不仅不能很完整地表达思想,甚至也不能很好地表现艺术形象,也就是说,语言所表现的艺术形象离作家、艺术家理想中的艺术形象相差很远。前者是就可表达性而言,后者是就可表达的度而言。他们对问题的讨论不在一个层面。陆机讨论的层面在刘勰《文心雕龙·神思》篇中也有更为深入的触及,如"方其搦翰,气倍辞前,暨乎篇成,半折心始。何则?意翻空而易奇，言征实而难巧也"。刘勰同样认为语言在表达思想时有不尽人意的一面。所谓"物沿耳目"也就是"神与物游"，是神思开展的一种状态。在这种神思的状态中，各种物象纷至沓来，展现在作家、艺术家的视听之中。这个"物沿耳目"之物是自然和现实之物，还不是意中之物，但是，已经进入了意中之物的选择之列，具备成为艺术形象的可能性。一旦经过了神思的情感化改造、虚构和熔铸，这个"物"便可成为艺术形象。然而，要使之成为有形有象的艺术形象，必须借助于语言符号来表现。语言符号是使艺术形象成为人们既可目睹又可意会的枢纽，没有语言符号，再美好的文学艺术形象也无法表现。

由此可知，神思的开展是以语言为依托的。尽管语言在表达思想情感和塑造艺术形象时存在着深刻的局限，但是，在文学艺术的创造中，它仍是不可缺少的。语言的局限性表现在它对真实的还原，亦即语言不能高度还原思想和情感的真实，甚至不能表现形象的真实。但是，语言也有不可估量的能量，通过自身的符号性传达，它还是表现了无限丰富的意义，在模糊和不确定中展现了无可比拟的魅力。人们通过语言还是能够理解相互的思想与情感的。杜甫在谈论自己的语言理想时说"语不惊人死不休"，坚信语言表达思想情感的能力。皮日休也曾经表达过类似的感受，他说："言出天地外，思出鬼神表。读之则神驰八极，测之则心怀四溟。磊磊落落，真非世间语者。"（《刘枣强碑》，《皮子文薮》卷四）语言能使人产生如此神奇的想象，仿佛出自天外的神仙之音。这是对语言表达性的张扬，也是对语言诗意性的高度肯定。

神思的开展虽然以语言为依托，但在实际的运用中，它们又是相互依存的。它们之间相互制约，相互作用，相互推动。语言在神思开展中的表现是与神思的通与阻联系在一起的。神思通畅，语言的表达就理想；神思阻塞，语言的表达就艰涩。这在陆机的《文赋》中就讲得很清楚："思风发于胸臆，言泉流于唇齿"、"及其六情底滞，志往神留，兀若枯木，豁若涸流"。这些言述都是神思的语言状态。在神思的通与阻中，语言有截然不同的表现，更进一步明确展示语言与神思的关系。在研究这一问题时，我们不能单向度地认识神思或语言，而应多向度地考察它们之间的关系，只有这样，才能准确揭示语言在神思开展过程中的作用，从而揭开语言和神思的一系列神秘关系。

第四节　秉心养术：神思的精神蓄养

神思是作家、艺术家进行文学艺术创作的一种思维方式。在神思开展的过程中，作家、艺术家应该具备怎样的修养？应该保持怎样的精神状态？这是一个值得人们认真思索的问题。因为，作家、艺术家作为创作的主体，他们的精神状态和各方面的素质影响神思开展的质量，也决定了创作的成败。古代的文艺理论家们早已注意到这些问题，从文化、修养、审美心理等多方面对之做了比较细致的考察，发表了一些极为精辟的言论。

古代的文艺理论家们普遍认识到，作家、艺术家在进行文学艺术创作时，首先必须保持精神的虚静状态。虚静为神思之本，作家、艺术家只有在虚静的状态中才能保持创作的亢奋。从陆机和刘勰的典范描述中，我们可以看出古人对虚静这一创作态度的重视，他们把虚静当成了神思生命力的一个重要标志。

陆机《文赋》云：

> 其始也，皆收视反听，耽思旁讯，精骛八极，心游万仞。其致也，情瞳昽而弥鲜，物昭晰而互进，倾群言之沥液，漱六艺之芳润，浮天渊以安流，濯下泉而潜浸。于是，沉辞怫悦，若游鱼衔钩而出重渊之深；浮藻联翩，若翰鸟缨缴而坠层云之峻。收百世之阙文，采千载之遗韵，谢朝华于已披，启夕秀于未振，观古今于须臾，抚四海于一瞬。

《文心雕龙·神思》云：

> 文之思也，其神远矣，故寂然凝虑，思接千载；悄焉动容，视通万里；吟咏之间，吐纳珠玉之声；眉睫之前，卷舒风云之色；其思理之致乎？故思理为妙，神与物游。神居胸臆，而志气统其关

键；物沿耳目，而辞令管其枢机。枢机方通，则物无隐貌；关键将塞，则神有遁心。是以陶钧文思，贵在虚静，疏瀹五藏，澡雪精神。

陆机所说的"收视反听，耽思旁讯"就是神思的一种状态。这种状态是以虚静为本的。各家注说均注意到这一点。李善《文选注》云："收视反听，言不视不听也。耽思旁讯，静思而求之也。"《五臣注文选》云："济曰：谓思文之始也。讯，求也。收视，不视。反听，不听。谓专思旁求，迁转攒积，所以精驰八极，心游万仞也。"方廷珪注："收视，敛其目之所视。反听，绝其耳之所听。"唐大圆说："执笔为文之始，必断向外之视听，令其收反内向。如是内力冲积，乃能耽思旁讯，如佛家闭目冥坐，修习禅定。名'思维修'，亦名'由定生慧'。"（《文赋注》）张少康说："此承前段'伫中区以玄览'句意，强调虚静在创作构思中的作用。"（《文赋集释》）可见，陆机是强调神思的虚静特质的，神思的开展少不了虚静的蓄养。刘勰就直截了当说：神思的开展是"贵在虚静"。

虚静作为一种修养的状态是老庄将之发扬光大的，包含的道家哲学意蕴自然多一些。在人生修养方面，道家有一种脱俗之风，对世俗有深刻的洞见。老庄看到纷扰的世俗对人精神的影响，尤其鄙视功利行为对人精神状态的侵蚀，认为这妨碍了人思维的自由，阻断了人自由创造的能力。为此，他们要求人在修身养性和进行艺术创造时应保持一种无功利的心态。这就是以虚静为主导的精神态度。这种态度也贯穿在他们的思维行为之中，导致他们提出思维方面的一系列惊世骇俗之论，如形如朽木、心如死灰之说，化腐朽为神奇之说。这也确实是道家精深的精神体验。颜成子说南郭子綦隐几而坐的行为是形如槁木，心如死灰，这并不是一种悲观的描述，并不意味着南郭子綦的神态真的麻木了，心真的死了，不视不听不思了。恰恰相反，这是一种大智若愚的状态，是思维活跃的一种表征。南郭子綦之所以能达到这样的状态，是由于他长期精神修炼，达到高度的无功利的境界。这种境界使心摆脱了世事的烦扰和拖累，开始向自然的状态回归。这就是虚静，是保持思维的自然状态的手段。人只有在这种状态中，才能对人生和艺术的本真问题开展思索,切入问题的实质;也只有在这种状态中,人的思维才是本真的。

刘勰在描述虚静的创造性时说,虚静能够使人思接千载,视通万里,给人提供无比广阔的时空,并做出跨时空的超越。在这种状态中才能最大限度地发挥创造的才能,使作家、艺术家才思涌动,笔底生花,字字珠玑,达到创作的最高境界。这就是"吟咏之间,吐纳珠玉之声;眉睫之前,卷舒风云之色",也是佛家所说的"由定生慧"。

虚静展现了人思维过程中精神状态的矛盾,一方面是人形态上的静,另一方面是人心理上的动。然而,这一动一静又是辨证的,人形态上的静正是心理上动的前提,这一静一动的奇妙组合推动了神思的发展,能更好地发挥它的创造作用。

神思的开展还与作家、艺术家的学识有关。对此,陆机没有集中阐发,刘勰却详细地讨论了这个问题。他说:

> 积学以储宝,酌理以富才,研阅以穷照,驯致以怿词,然后使玄解之宰,寻声律而定墨,独照之境,窥意象而运斤。此盖驭文之首术,谋篇之大端。(《文心雕龙·神思》)

"积学"是学问的积累;"酌理"是对事理的斟酌;"研阅"是广泛的阅读和研究;"驯致"是顺从自然的理路。这都与学识有关。这些学识,包括从书本得来的和从现实实践得来的学识两种,都是作家、艺术家在进行文学艺术创造过程中应该具备的。有了广博的学识,神思开展的过程才能游刃有余,最大限度地发挥作家、艺术家的创造才能。

对学识与文学艺术创作的关系,古代学者存在着不同的理解。一种理解认为,作家、艺术家的学识修养是创作成功的保证;另一种理解则认为,文学艺术的创作与作家、艺术家的学识修养不成正比关系,并非一个人的学识修养愈高,其创作的才能就愈突出。其实,这两种理解没有根本的分歧。它们都承认文学艺术的创作离不开学识,没有学识的人无论如何也不会成为优秀的作家,但是,一个学富五车的人也不一定就能成为优秀的作家。刘勰是肯定文学艺术的创作离不开学识的。他认为,在神思运行的过程中,学识起着重要的作用,它浓缩了作家、艺术家的人生情感、阅历和对万事万物的态度,并将之熔铸于文学艺术的形象创造之中。这种观念有很大的影响力,得到了不少文学艺术家的认同。杜甫谈论写作文章时,强调行万里路,读万卷书。明代的画论家唐志契说:

> 昔人评大年画,谓胸中必有千卷书,非真有千卷书也。盖大年以宋宗室,不得远游。每集四方远客山人,纵谈名山大川,以为古今至快。能动笔者便令其想象而出之。故其胸中富于闻见,便富于丘壑。然则不行万里路,不读万卷书,欲作画祖,其可得乎?此在士夫勉之,无望于庸史矣。(《绘事微言》卷一)

要写出好的文章,要画出好的画,必须要有好的修养。要有好的修养,必须多读书,多思考,多观察。但是,由于文学艺术创作存在复杂性,学识在个体的作家、艺术家的创作行为中发挥的功能不同,并非一个人的学识愈丰富,他的创造力就愈强。创作,特别是文学艺术创作有其自身的独特性,要求作家、艺术家要有特殊的才能。这种才能不只是后天的学识修养,还有先天的因素。在《文心雕龙·神思》篇中,刘勰就没有讨论作家、艺术家的独特才能问题,说明他对文学艺术创作的学识因素所起的作用还未深入考察。他没有弄清学识与文学艺术创作的特殊关系,只是一味强调学识在作家、艺术家的创作中所起的作用,给人产生学识越丰富创作才能越突出的错觉。严羽则有所补足,他也强调作诗要广泛学习,"以汉魏晋盛唐为师,不作开元天宝以下人物"(《沧浪诗话·诗辨》)。严羽这里的学习仅限于对诗的创作技巧的学习,也就是说,他看到了文学艺术创作的独特性。他认为,诗人的学识与创作才能的高下没有直接的关系,作诗的才能是诗人对这种审美形式独特的妙悟能力。"大抵禅道惟在妙悟,诗道亦在妙悟。且孟襄阳学力下韩退之远甚,而其诗独出退之之上者,一味妙悟故也。"(《沧浪诗话·诗辨》)由此,严羽得出这样的结论:

> 夫诗有别材,非关书也;诗有别趣,非关理也。然非多读书,多穷理,则不能极其至,所谓不涉理路不落言筌者,上也。(《沧浪诗

话·诗辨》)

由此可见,学识与创作的关系比较复杂,创作需要作家、艺术家的独特感悟,不一定学识愈丰富,创作才能愈突出。但可以肯定地说,没有学识的人无论如何也创作不出优秀的文学艺术作品。学识能够扩大作家、艺术家神思的深度和广度,帮助作家、艺术家更好地开展神思。见多识广的作家、艺术家必定会有不同凡响的神思能力,想一般人所不能想,做一般人所不能做。因此,学识在神思中的地位是不能低估的。

虚静为神思之本,学识是神思之翼。有了较为丰富的学识,保持身心的虚静状态,作家、艺术家才能展开神思的翅膀,在思维的天空中自由翱翔。学识不与创作才能成正比,并不说明学识在作家、艺术家的文学艺术创作中没有实际意义,只是强调它在神思活动中不处于支配地位、作用不凸显而已。这是因为,神思的过程是一个直觉的过程,它压抑理性的学识,张扬直觉的感悟。因此,感悟才是神思极为看重的条件。

在作家、艺术家的神思开展的过程中,具体到单个作家、艺术家自身的创作上,由于每个人的素质不同,感悟的能力不同,因此,创作的迟速表现也不相同。有的作家、艺术家才思敏捷,有的作家、艺术家文思迟缓,这都是正常现象,并不标志作家、艺术家创作才能的优劣。对作家、艺术家这种神思的素质,刘勰的考察可谓精细。在《文心雕龙·神思》篇中,他做了完整的论述:

> 人之禀才,迟速异分,文之制体,大小殊功:相如含笔而腐毫,扬雄辍翰而惊梦,桓谭疾感于苦思,王充气竭于思虑,张衡研京以十年,左思练都于一纪,虽有巨文,亦思之缓也。淮南崇朝而赋骚,枚皋应诏而成赋,子健援牍如口诵,仲宣举笔似宿构,阮瑀据案而制书,祢衡当食而草奏,虽有短篇,亦思之速也。若夫骏发之士,心总要术,敏在虑前,应机立断;覃思之人,情绕歧路,鉴在疑后,研虑方定。机敏故造次而成功,虑疑故愈久而致绩。难易虽殊,并资博练。若学浅而空迟,才疏而徒速,以斯成器,未之前

闻。是以临篇缀虑，必有二患：理郁者苦贫，辞溺者伤乱。然则博见为馈贫之粮，贯一为拯乱之药，博而能一，亦有助乎心力矣。

首先，刘勰认识到，作家、艺术家创作的迟速与文章体制的大小有关系。一般地说，文章体制越大，制作越复杂，思虑时间就越长久；相反，文章体制越小，制作越简单，思虑时间就短暂。体制制约着创作的迟速，这是人人都能够理解的情形。构思写作一长篇大赋与构思写作一短篇小诗所花费的时间不可能一样，长篇花费的时间肯定要多得多。刘勰也看到了这种迟与速的界限。"张衡研京以十年，左思练都于一纪"，张衡的《两京赋》写了十年，左思的《三都赋》写了十二年，篇幅虽然长了一些，但却大大超过写作一般时间界限，构思和写作也算是比较慢的了。其次，刘勰还认识到，创作的迟速还与作家、艺术家的性情有关。文思快速的人，事先就已经对创作的问题有所关注，思虑了很长时间，且具备了一定的创作技巧。文思较慢的人对一个问题追求深思熟虑，为自己的思路设计了很多种途径，经过反复比较，择其善者而从之。因此，无论创作的快慢都能够取得实绩。刘勰罗列了一系列作家的创作以说明文章体制与创作迟速的关系，但并不是绝对的。创作的迟速并不说明创作的优劣，"学浅空迟，才疏徒速"的现象随处可见，其主要的表现是理贫、辞乱，想以此在创作上取得成功是很难的。再次，创作的迟速与作家、艺术家平素的修炼有很大关系。这种修炼一方面是学识修养上的，另一方面是艺术技巧上的。刘勰强调学识修养对文学艺术创作的作用，在技巧上，他明确地提出了"心总要术"，就是要求全面掌握文学艺术创作的技巧，以保持创作中的机敏状态。最后，刘勰强调"博见"和"贯一"的统一。"博见"就是具备广博的学识和见识，它能够丰富作家、艺术家对事理的理解；"贯一"就是将纷纭复杂的事理条贯整一，融为一体，以实现文思通畅，情理明晰。这样就能达到神思的最高境界。

刘勰对文学艺术创作迟与速的考察是对创作性情的深入论证。从他所罗列的作家的创作情况看，他们都是成功的作家。迟与构思的艰苦联系在一起，速与构思的快乐联系在一起。实际上，凡是成功的创作，其构思阶段大多是艰苦的，其完成阶段都是快乐的，只不过迟缓的创作让痛苦的时间长一些，快速的创作让痛苦的时间短一些，仅此而已。但是，刘勰总体上又是倾向于快乐创作的。他说："是以秉心养术，无务苦虑，含章司契，不必劳情也。"（《文心雕龙·神思》）这就要求作家、艺术家应保持自己内心的虚静，潜心修炼，多读书，多穷理，多观察，培养自己驾驭文学艺术创作的娴熟技巧，只有这样，才能保持一种快乐的心境，达到创作的至臻境界。

第八章 应感：
不以力构，风飞电起

应感是应物生感，它是文学艺术创作中的感应现象，也就是文学艺术情思突然到来，使文学艺术创作迅速完成臻于完美的创作现象。它近似于西方所说的灵感。这种现象，由于它的特异性、突发性以及表现的无规律性，使作家、艺术家无所适从，感到对它很难捕捉和把握。但是，作家、艺术家又无不承认它在文学艺术创作中所产生的巨大作用。应感理论产生于先秦，《周易》最早提出"感应"问题。咸卦云："咸，感也。柔上而刚下，二气感应以相与，止而说，男下女，是以'亨利贞，取女吉'也。天地感而万物化生，圣人感人心而天下和平。观其所感，而天地万物之情可见矣。"这里的感应就是相互感发和相互应和，是中国古典哲学认识人与世界关系的一种基本态度，也包含着应感的最基本的理论内容。后来，又衍生了艺术创造的感物理论。"感物"作为一个完整的文艺学和美学的概念，最早由《乐记》提出，其理论主旨在于说明，音乐的产生是由于物对人心的激发。因为物的导引，人才产生感动，使心与物互动，最终促使音乐的生成。"凡音之起，由人心生也。人心之动，物使之然也。感于物而动，故形于声。"到了汉代，由于谶纬迷信的兴起，感应的理论内涵发生了一些变化。心与物的感应被理解为神秘的、是神灵左右着的一种活动，董仲舒的"天人感应"理论应时而生。这一理论虽然罩着一层迷信的光环，但是，其内在仍保留着天人合一的传统思想精粹，有不少可取的内容，如春夏秋冬四季与人的喜怒哀乐情感的对应等，确实反映了人的生理变化和自然的对应关系。应感作为一种完善的文学艺术创作理论是陆机在《文赋》中提出的。陆机的应感理论既不同于先秦的感应说，又不同于感物说，而是融合了二者在文学艺术创作中的特征并重新阐发形成的一种新创作理论,具有原创性。对这种新的创作理论,我们自然不能漠视。

第一节 "来不可遏,去不可止"

在中国古典文艺学、美学中,陆机第一次完整阐发了应感理论。《文赋》说:

> 若夫应感之会,通塞之纪,来不可遏,去不可止。藏若景灭,行犹响起。方天机之骏利,夫何纷而不理。思风发于胸臆,言泉流于唇齿。纷葳蕤以馺遝,唯毫素之所拟。文徽徽以溢目,音泠泠而盈耳。及其六情底滞,志往神留,兀若枯木,豁若涸流。揽营魂以探赜,顿精爽而自求。理翳翳而愈伏,思乙乙其若抽。是以或竭情而多悔,或率意而寡尤。虽兹物之在我,非余力之所戮。故时抚空怀而自惋,吾未识夫开塞之所由。

在这里,陆机讨论了应感来去的两种情形。应感来临之时,任何纷乱的思绪都能够顺利地理出头绪。思绪像风一样从胸臆中吹出,非常迅疾;语言像流水一样从唇齿中流出,十分通畅。林林总总的物象纷至沓来,用笔很难记录下来。眼前的物象和耳边的声音原本都是虚幻的,却都像真的一样。当应感消逝,万物死寂,情感阻滞,人的思绪和神情依然停留在对欢欣状态的神往之中,但无论如何也找不回来令人惊心动魄的应感。这时,人处于极度的精神困惑之中,弄不清楚这种现象到底是一种什么样的神力推动。

陆机在论述应感现象的特征时,用"来不可遏,去不可止"进行概括,是一种客观描述。陆机认为,这种现象是一种奇妙的精神现象,它的来去都不可人为操纵,不是人力所能控制的。世间往往就存在着这么一些奇妙现象,令人难以认识。要想给个合理的说法,恐怕还要从中国传统哲学和人的心理结构两方面说起。

中国传统哲学是崇尚神性的,看重神秘的感应。姑且不说《周易》《老子》《庄子》,即使"不语怪力乱神"的儒家思想也有崇尚神秘的一面。中国古代的神秘思想主要表现在"天"、"道"、"神"等观念中,这些观念在各家思想中均有不同的阐释,但有一点却是相同的,即,它们都认为"天"、"道"、"神"来去无踪,既是神秘的,又是至高无上的、仁慈的,是不能周详认识的,更是不能用一般的语言言说的。《周易》作为一部中国哲学典籍和周朝时期的占卜之书,对"天"、"道"、"神"和万事万物进行阐释,较为典型地表现了古人的观念。它认为,万事万物都与"天"、"道"、"神"相通,都有神秘的一面。然而,神秘的"天"、"道"、"神"又并非不可亲近,与人世隔膜,它们也有丰富的情感,与人的性情相通。《周易》能作为"神"的代言人,就是沟通人神乃至人与万物的桥梁。因此,《周易·系辞上》云:

  《易》与天地准,故能弥纶天下之道。仰以观于天文,俯以察于地理,是故知幽明之故。原始及终,故知死生之说。精气为物,游魂为变,是故知鬼神之情状。与天地相似,故不违。知周乎万物,而道济天下,故不过。旁行而不流,乐知天命,故不忧。安土敦乎仁,故能爱。范围天地之化而不过,曲成万物而不遗,通乎昼夜之道而知,故神无方而易无体。

又说:

  《易》无思也,无为也,寂然不动,感而随通天下之故。非天下之至神,其孰能与于此。

  是故形而上者谓之道,形而下者谓之器。化而裁之谓之变,推而行之谓之通,举而错之天下之民谓之事业。

  正因为神与人情相通,与天下万物相通,《周易》才能感知它,捕捉它,把握它,让它更好地呵护芸芸众生。这样,世间万物包括神好像就没有什么神秘之处了,《周易》就能轻而易举地进行沟通。然而,《周易》对神与万事万物神秘性的言说,表现在不纯粹使用语言的形式而杂以符号的形式进行形象的推演上。这就说明,人在与神包括自然万物沟通的过程中,由于神的踪迹不定,难以琢磨,所以语言不能够表达它。进一步说,语言不能表达许多事物的精深意旨,或者说,语言在表达精深意旨方面受到很大的局限。大凡精深意旨，在很大程度上是神秘的，是常人不能够理解的。一种有效的理解之途就是直观感应，亦即凭靠自己的直觉来把握，实现神与人的契合。老庄也讨论了"天"、"神"、"道"及万事万物的神秘性问题。《老子》说："道可道，非常道。名可名，非常名。无名，天地之始，有名，万物之母。故常无，欲以观其妙。常有，欲以观其徼。此二者，同出而异名，同谓之玄。玄之有玄，众妙之门。"（一章）这就是说，道是神秘的，至少它有神秘的一面。对这一段引文的断句古今存在着巨大的分歧，直接涉及对这一段话的理解。无论如何断句"非常道"和"玄"都关涉神秘性问题，这一点是毫无疑问的。《老子》还说："有物混成，先天地生。寂兮寥兮，独立而不改，周行而不殆，可以为天下母。吾不知其名，强字之曰道。"神秘是世界的本原，万事万物就在神秘中存在，这是老子的基本意旨。庄子也表述过相似的体验："夫大道不称，大辨不言，大仁不仁，大廉不嗛，大勇不忮。道昭而不道，言辨而不及，仁常而不周，廉清而不信，勇忮而不成。"（《庄子·齐物论》）"世之所贵道者，书也，书不过语，语有贵也。语之所贵者，意也，意有所随。意之所随者，不可以言传者，而世因贵言传书。"（《庄子·天道》）庄子还用许多寓言故事表达世界的神秘性，如轮扁斫轮、庖丁解牛、削木为镰等，最为深刻，也最为传神。其内在的精深意旨，不易道尽。《周易》、老庄都是以神秘立宗的大家，可是，儒家讨论这一问题，就说明神秘性是一个公认的问题，这一问题往往不可回避。孔子是不言"性"与"天道"的，但是，他对"天"也发表过自己的看法，曾经说过："天何言哉！四时行焉，百物生焉。天何言哉！"（《论语·阳货》）他之所以不言性与天道，是因为它们神秘不可言。孔子又清醒地认识到，并非因为天神秘，它就不存在，它是无所不在的。孟子将这一问题进一步深化了，他提出了一个"天命"的命题，并且对之做了明确的解释："莫之为而为者，天也；莫之致而至者，命也。"（《孟子·万章上》）也就是说，天是自然的、神秘的，它有一种人们无法驾驭的力量，人们还是靠着对天的直觉感应去做自己应该做的事情。在论及人自身的修养时，孟子提出了"知言养气"的观念，这也是一个神秘的论题。在和弟子公孙丑讨论养气的问题时,他这样说:"(浩然之气)难言也。其为气也,至大至刚,以直养而无害,则塞于天地之间。其为气也,配义与道;无是,馁也。"(《孟子·公孙丑上》)这"难言"正说明气是神秘的。气虽然神秘,但并非不可捕捉。从孟子对养气的描述可以看出,气还是能够涵养的。涵养的方法之一就是感应,是人心对自然社会各种知识的直觉感应。孟子还说过:"可欲之谓善,有诸己之谓信,充实之谓美,充实而有光辉之谓大,大而化之之谓圣,圣而不可知之之谓神。"(《孟子·尽心下》)这里的善、信、美、大、圣、神都具有一种神秘的意蕴,尤其是美、大、圣、神。朱熹注"充实之谓美":"力行其善,至于充满而积实,则美在其中而无待于外矣。"注"大而化之之谓圣":"大而能化,使其大者泯然无复可见之迹,则不思不勉、从容中道,而非人力之所能为矣。张子曰:'大可为也,化不可为也,在熟之而已矣。'"注"圣而不可知之之谓神":"程子曰:圣不可知,谓圣之至妙,人所不能测。非圣人之上,又有一等神人也。"[1]美、大、圣、神都是虚幻的、神秘的,是人们的直觉感应。这一哲学思想影响并支配着文艺学、美学理论,在这种情形下,陆机提出神秘的应感理论,将它的特征说成是"来不可遏,去不可止",并将之引进文学艺术的创作中就是自然而然的了。这正迎合了中国古代哲学思想文化发展的大背景。

我们再从中国人的心理结构上解说陆机"来不可遏,去不可止"的应感论。从文化史上考察,中国人是特别注重心的作用的,把心的作用看得高于一切。管子说:"心之在体,君之位也。九窍之有职,官之分也。心处其道,九窍循理。嗜欲充益,目不见色,耳不闻声。"(《管子·心术上》)心就是人的上帝。在心中,人们能够寻求到自己所需要的一切东西,甚至神本身也是心所创造的。后来,心神一体,心就是神,神就是心。在对心的运用上,中国古代是强调直觉的。不需要理性的思虑,只依靠直接的感悟,就能理解许许多多的问题。这种感悟的最大特征就是模糊,老子称之为"恍惚",庄子称之为"象罔",孔孟称之为"神"。古代的先哲们正是依靠这种方式来认识自然和社

---

[1] 朱熹:《四书章句集注》,中华书局,北京,2001年,第370页。

会,感知自然和社会所包含的丰富的知识。在认识万事万物的过程中,中国不像西方,运用明晰的概念,尽量清晰地表述;严格地说,中国古代没有西方意义上的概念,只有直觉感悟,恰恰是这种直觉感悟接近真理,给中国文化带来了荣誉。

中国人强调心的感悟,其外在的表现形式就是虚静。关于虚静,我们在前面几章中已经从不同的角度谈到一些,在这里,我们从中国人的心理结构的角度再予以重新认识,有利于解决我们所要讨论的问题。实际上,感悟的过程就是虚静的过程,需要人保持身心的绝对纯净。只有在这种状态下才能接近感悟的目标。虚静作为一种心理状态是以结果的形式呈现出来的,它的形成有一个漫长的、艰苦的修炼过程,也就是说,要达到虚静的状态,人必须要进行学识、德行、品性等多方面的修炼。这种修炼并非一朝一夕就能完成,它可能会耗费人的整个一生。虚静没有限度,人的修行越高,虚静的纯度越高,创造性就越强。同时,虚静在每一学派中所包含的内容不一样。在道家看来,虚静的最高状态是"心斋"和"坐忘";在儒家看来,虚静的最高状态是"虚壹而静"(《荀子·解蔽》)。道家的"心斋"和"坐忘"是完全无功利的心理境界,它睥睨一切庸俗的、自私的心理,强调无功利的直观,认为这是达到"朝彻"清明的必由之路。儒家的"虚壹而静"同样是一个大彻大悟的境界。对此,荀子自己有一个解释:

> 心生而有知,知而有异;异也者,同时兼知之;同时兼知之,两也;然而有所谓一;不以夫一害此一谓之壹。心卧则梦,偷则自行,使之则谋;故心未尝不动也;然而有所谓静,不以梦剧乱知谓之静。未得道而求道者,谓之虚壹而静。(《荀子·解蔽》)

也就是说,人心所产生的知有同异之别,不要以同害异或以异害同,这就是"壹"。梦、行、谋都是心的活动,心是动的,之所以称之为静,是因为它不以梦的烦嚣搅乱知。为了求得真理,不被偏见虚说所迷惑,这便是虚壹而静。可见,荀子对虚静的态度与道家有天壤之别。但是,他们都强调心的修炼,在修炼的基础上才能实现对本真的感知,达到最高的感悟境界。受这种思想的启发,中国古代文人注重虚静的感悟，也就自然而然地造就了中国人独特的心理结构，即对任何事情都抱以素朴清淡的心境，以求得事物的本真。这本身就是诗性的。虚静必然会对文学艺术的创作产生实质性的影响。

同时，还应该注意的是，"神"在中国人的心理结构中所处的位置。中国人原本就把神当作一种与人密切相关的存在，在中国人的传统观念中，神、人是一体的。没有哪一个神不与人相关联，没有哪一个神不带有人性。"神"不仅是天神，而且还是人类的祖先，如伏羲、女娲、黄帝、尧、舜、禹、神农、公刘、后稷、仓颉等，他们是人类的祖先，又都是人们心目中的神。这直接影响中国人的心理结构。中国人对神有天生的亲和感，然而，中国人从来就没有对神产生过信仰，正是这种亲和感消除了人、神之间的界限。因此，中国没有自己的宗教，不像西方，造出一个让人们都信仰的耶和华，在一定程度上，部分代替政治和法律，规范人们的行为。但是，中国却有神性的心理感悟，神性在人的社会生活中无处不在，包括文学艺术创作。

"来不可遏，去不可止"上承中国传统文化，是文学艺术创造中神性存在的表征。它是对万事万物神秘性的困惑，这些困惑是文学艺术创作必须面对的。文学艺术创作是一种奇妙的心理过程，这种过程不可能像科学的程序那样，有固定的运行轨迹，它本身是神秘的，不可能给予定量分析。同时，文学艺术创作又综合万事万物，万事万物的神秘性不时会在创作中凸显，它们会适应应感的需求。由于应感是神秘的，它的出现具有突发性，消逝也具有突发性，使人很难做好各方面的精神准备。"来不可遏，去不可止"就是对应感突发性和神秘性的描述。这种描述是客观的、真实的，不含有对神性崇拜的因素。这一点，从陆机的"吾未识夫开塞之所由"的慨叹中，我们可以看出。这正是中国文化的特点。

"来不可遏，去不可止"还包含着创造性的内容，它意指文学艺术创作的一种自然的状态。这种自然的状态往往以创作率真的形式表现出来。作家、艺术家在进行文学艺术创造的时候，不需要苦苦思虑就能够达到自己理想的创作境界，仿佛一切都遵循自然而然的法则。而且，这种创作的境界很高，创造的价值很大，故而，包括陆机在内的许许多多的文学家、艺术家都强调应感的作用,就是因为它有无可比拟的创造价值。

第二节 不以力构,风飞电起

应感能促使作家、艺术家的创作达到一种神性的境界,它具有突发性和创造性,不是人力所能控制的。它的到来没有时间的约定,只能静静地等待。对此,萧子显和刘孝绰有更为明晰的认识。萧子显以自己的亲身创作体验到:"每有制作,特寡思功,须其自来,不以力构。"(《自序》,《梁书》卷三十五引)刘孝绰也准确地看到前代文人创作时思若有神的情状,他说:"若夫天文以烂然为美,人文以焕乎为贵,是以隆儒雅之大成,游雕虫之小道。握牍持笔,思若有神,曾不斯须,风飞电起。至于宴游西园,祖道清洛,三百载赋,该极连篇;七言致拟,见诸文学;博弈兴咏,并命从游;书令视草,铭非润色;七穷炜煜之说,表极远大之才。皆喻不备体,词不掩义,因宜适变,曲尽文情。"(《昭明太子集序》,《梁文纪》卷十二)这里用"不以力构"和"风飞电起"描绘了应感的发生和运行的两种状况。

"不以力构"描述了应感创作现象的发生不以人意志为转移的神性,这是一种客观描述,不带有任何虚幻的成分。中国古代的文学家和理论家们充分认识到,创作不是作家、艺术家想达到一种什么情状就能够达到一种什么情状,在创作的过程中,经常会有一些神奇的力量左右着作家、艺术家的创作,这种神奇的力量是难以认识的,它们到底是一种什么东西,至今也说不清、道不明。虽然如此,中国古人又不把它看作是神启的结果,朦胧地将之视为作家、艺术家自身的素质,但是,古人又常常将之与神性相比拟。陆机说应感的到来是人的"天机"骏利,这"天机"仿佛是上天的操纵,神仙的操纵;钟嵘说应感到来时仿佛"语有神助",似神仙代言;刘孝绰说应感到来所产生的思维敏捷的现象,好像"思若有神";皎然说应感的到来是"宛如神助"。这些观点并不是真诚地认为应感的到来是有神仙的帮助,还是把它看作是作家、艺术家自身的素质。尽管说不清这种素质到底是一种什么东西,但是，古人还是描述了这种现象。在他们的意识中，应感是人为的，不是神启的。故而，刘勰强调养气，似乎隐隐感觉到应感的涵养价值。

应感的外在表现是创作率真，这是文学艺术创作的一种不经意的状态。这种率真，刘勰称之为"从容率情"。在《文心雕龙·养气》篇中，他集中笔墨讨论了这个问题，首先讨论的是"率志委和"。他说："率志委和，则理融而情畅；钻砺过分，则神疲而气衰；此性情之数也。"什么是"率志委和"？范文澜引用司马谈《论六家要旨》和葛洪《抱朴子·至理》篇里有关形、神、气的理论加以申述，并说："彦和论文以循自然为原则，本篇大意，即基于此。盖精神寓于形体之中，用思过剧，则心神昏迷。故必逍遥针劳，谈笑药勚，使形与神常有余闲，始能用之不竭，发之常新，所谓游刃有余者是也。"①说刘勰论文以自然为原则本身没有错，但是，用形神理论来解释刘勰的"率志委和"似乎不符合刘勰的意旨。刘勰在这里讨论的是创作的两种状况，一种是应感到来时的状况，这种状况就是"率志委和"；另一种是应感没有来临时一般的创作状况，这种状况就是"神疲气衰"。作家、艺术家处于"率志委和"的状态中，不须劳神，自然而然地就能达到一种较高的创作境界；而"神疲气衰"则是应感没有光临时的情境，这时，作家、艺术家尽管劳神苦思，但创作结果往往不理想。刘勰显然是推崇应感到来时的创作情状的。因为，它能够使人的精神振奋，创作出成功的文学艺术作品，展现出巨大的创造价值。在《文心雕龙·养气》中，刘勰对"率志委和"还有进一步的论述。他说：

> 夫学业在勤，功庸弗怠，故有锥股自厉，和熊以苦之人。志于文也，则申写郁滞，故宜从容率情，优柔适会。若销铄精胆，蹙迫和气，秉牍以驱龄，洒翰以伐性，岂圣贤之素心，会文之直理哉？且夫思有利钝，时有通塞，沐则心覆，且或反常，神之方昏，再三愈黩。是以吐纳文艺，务在节宣，清和其心，调畅其气，烦而即舍，毋使壅滞；意得则舒怀以命笔，理伏则投笔以卷怀，逍遥以针劳，谈笑以药勚，常弄闲于才锋，贾余于文勇：使刃发如新，凑理无滞，虽

---

① 范文澜：《文心雕龙注》，人民文学出版社，北京，2000年，第648页。

非胎息之迈术,斯亦卫气之一方也。

在这里,刘勰对创作中产生的应感现象的态度是非常明显的。他毫不隐晦地说,作家、艺术家的创作不可盲目为了写作而写作,应该等待并依靠应感的到来。"神之方昏"之时,是创作的低谷时期。这时,要遵循"烦而即舍,务使壅滞"的原则,也就是说,不要强迫自己做不能做的事情,写不出来不要强写,宜保持一种自然本真的创作状态,平静地等待应感的到来。只有当应感来临之时,才应该洒翰和墨。它会促使作家、艺术家自觉地进行创作,使作家、艺术家不得不写,使创作达到自然的状态。刘勰还对涵养应感发表了自己独特的看法,他认为,要想使应感经常光临,必须养气,亦即涵养作家、艺术家敏锐的审美感应和直觉。养气对每个人的要求都不相同,有的人天资聪颖,故而气盛;有的人天资愚钝,故而气衰。同时,这还与人所处的不同的年龄段有关。刘勰说:"凡童少鉴浅而志盛,长艾识坚而气衰;志盛者思锐以胜劳,气衰者虑密以伤神:斯实中人之常资,岁时之大较。"刘勰还认识到学习对养气的重要性。在《文心雕龙·神思》中,他讨论了学习培养神思的问题;在《养气》篇中,他说养气的主要途径还是要靠学习,依靠学习来积累应感爆发的能量。学习的过程是一个艰苦的过程,要求人要勤勉,要锥厉自奋。可见,尽管应感的真相人们弄不清楚,但它的产生途径,人们还是大致能摸得清的。有聪颖的天资加上勤奋的学习,应感就会经常光顾,使作家、艺术家的创作达到"不以力构"的状态。

刘勰的思想在后世引起了很大的反响。许多文学艺术家和理论家从创作和理论上对之进行阐发,引人深思。唐太宗在论述书法创作时曾经说过"神为精魄"、"心为筋骨"的问题,这也是应感问题。他认为,神若不和,则字无态度;心若不坚,则字无劲健。书法的风格与气的涵养极为密切,因此,他要求书法家要能够做到心气合一:"夫心合于气,气合于心。神,心之用也,心必静而已矣。""及其悟心也,心动而手均,圆者中规,方者中矩,粗而能锐,细而能壮,长者不为有余,短者不为不足,思与神会,同乎自然,不知所以然而然矣。"(《唐太宗指意》,《佩文斋书画谱》卷五)书法如同写作,"心动而手均"的奇妙现象也是"不知所以然而然"的,这就是一种应感现象。书法如此,绘画也是如此。绘画中讲究天机,实际上也是应感问题。宋代张怀在解释"天机"时这样说:"性者,天所赋之体;机者,人神之用。机之发,万变生焉。惟画造其理者,能因性之自然,究物之微妙。心会神融,默契动静于一毫。投乎万象,则形质动荡,气韵飘然矣。"①(《山水纯全集后序》)只要天机发动,也就是应感成熟的时机。应感一旦成熟,心与神会,万事万物的微妙也就自然而然地显现出来,达到"形质动荡,气运飘然"的境界。这就是"不以力构"。可见,艺术的应感与文学的应感是相通的。

应感的到来不是人力所能控制的,但它是能涵养的,通过养气能够促成应感来临的高频率。但是,应感到底是一种什么东西?人们普遍感到困惑,认为难以认识。应感往往是以轰轰烈烈的形式呈现于作家、艺术家的内心的。它轰轰烈烈的创造性,每一个有创作经验的人都能直觉感悟。因此,刘孝绰用"风飞电起"来加以形容,最为确当,可谓抓住了应感的另一表现形态。

由于应感是人力难以控制的,它的到来是短暂的、突然的,必然轰轰烈烈、气势恢弘。张怀瓘体验到了应感的这种特征,他曾描绘过应感产生时的书法创作过程:

> 尔其初之微也,盖因象以瞳昽,眇不知其变化,范围无体,应会无方,考冲漠以立形,齐万殊而一贯,合冥契,吸至精,资运动于风神,颐浩然于润色。尔其终之彰也,流芳液于笔端,忽飞腾而光赫,或体殊而势接,若双树之交叶,或区分而气运,似两井之通泉,麻荫相扶,津泽潜应,离而不绝,曳独茧之丝,卓尔孤标,竦危峰之石,龙腾凤翥,若飞若惊,电烻煋煒,离披烂漫,翕如电布,曳若星流,朱焰绿烟,若合乍散,飘风骤雨雷怒霆激,呼吁可骇也,信足以张皇当世,轨范后人矣。(《书断》卷上)

应感的这种气势只有作家、艺术家才能体会。它酝酿于静中,凸显于作家、艺术家的灵魂深处,最终以艺术的形式表现出来。通过

---

① 韩拙:《山水纯全集》,《景印文渊阁四库全书》,台湾商务印书馆,台北,1986年。

对文学艺术作品的欣赏,可自然而然地感受到作家、艺术家的气势,体验到作家、艺术家内心所涌动的巨大冲突。皎然在讨论诗的取境之时也说过:"取境之时,须至难至险,始见奇句。成篇之后,观其气貌,有似等闲,不思而得,此高手也。有时意静神王,佳句纵横,若不可遏,宛若神助。不然,盖由先积精思,因神王而得乎?"(《诗式·取境》)皎然并不反对创作中多用苦思,他认为苦思是一个历尽艰险的过程。文学创作中的应感现象也少不了苦思,经过一番至难至险的苦思之后才能"佳句纵横"。苦思的过程是以"意静"的外在形式表现的,人们在欣赏、阅读文学艺术作品时,一种直观的印象是"有似等闲,不思而得",好像有天外仙音,达到一种最高的境界。这种境界的形成是不可遏止的,"宛若神助"。皎然直截了当地承认文学艺术创作的应感现象也是苦思的结果,恐怕更符合文学艺术创作的实际。因为应感现象在创作中的表现过程虽然是以一种率情的形态呈现的,但这种率情的背后凝聚了作家、艺术家多少苦思冥想!这个苦思的过程在应感中被省略了,留下的只是刹那间的顿悟。

关于应感的轰轰烈烈,宋以后,人们往往以风水相遭的激荡情形来加以描绘。这应该从宋初的田锡开始。田锡以情合于性、性合于道的理论来规范应感,最终将应感置于风水相遭的比喻中,亲切而朴实。在《贻宋小著书》中,他说:"若使援毫之际,属思之时,以情合于性,以性合于道,如天地生于道也,万物生于天地也,随其运用而得性,任其方圆而寓理,亦犹微风动水,了无定文,太虚浮云,莫有常态。"(《咸平集》卷二)应感就是情合于性、性合于道,在应感的状态中,才能"随其运用而得性,任其方圆而寓理"。但并不是说,田锡对应感的理解没有任何障碍,他说,应感的表现形式就像风水相遭和太空浮云一样"了无定文"、"莫有常态",显然是对应感的困惑。用风水相遭来比喻应感状态的还有苏洵。在《仲兄字文甫说》中,他说:

且兄尝见夫水之与风乎?油然而行,渊然而留,渟洄汪洋,满而上浮者,是水也。而风实起之。蓬蓬然而发乎太空,不终日而行乎四方,荡乎其无形,飘乎其远来,既往而不知其迹之所存者,是风也。而水实形之。今夫风水之相遭乎大泽之陂也,纡徐委蛇,蜿蜒沦涟,安而相推,怒而相凌,舒而如云,蹙而如鳞,疾而如驰,徐而如缅,揖让旋辟,相顾而不前。其繁如縠,其乱如雾,纷纭郁扰,百里若一。汩乎顺流,至乎沧海之滨,磅礴汹涌,号怒相轧,交横绸缪,放乎虚空,掉乎无垠,横流逆折,溃旋倾侧,宛转膠戾,回者如轮,萦者如带,直者如燧,奔者如焰,跳者如鹭,跃者如鲤,殊状异态,而风水之极观备矣。故曰"风行水上,涣"。此亦天下之至文也。(《嘉祐集》卷十四)

这一段较长的引文,把风水相遭的林林总总描绘得极为形象生动,实是渲染应感到来时的气势。应感的到来是轰轰烈烈的,但这种轰轰烈烈只有具有丰富创作经验的作家、艺术家才能感知。一切都在貌似平静的心中发生,不露任何痕迹。

应感"不以力构"和"风飞电起"的背后,饱含作家、艺术家的苦苦寻觅和追求。积之在平日,得之在偶然。在很大程度上,作家、艺术家应感的来临,得益于作家、艺术家本人对生活的直接而细腻的体验。陆游在一首诗中曾经说过他作诗的体会:

我昔学诗未有得,残余未免从人乞。力孱气馁心自知,妄取虚名有惭色。四十从戎驻南郑,酣宴军中夜连日。打球筑场一千步,阅马列厩三万匹。华灯纵博声满楼,宝钗艳舞光照席。琵琶弦急冰雹乱,羯鼓手匀风雨疾。诗家三昧忽见前,屈贾在眼元历历。天机云锦用在我,剪裁妙处非刀尺。(《九月一日夜读诗稿有感走笔作歌》,《剑南诗稿》卷二十五)

经过一场惊心动魄的人生体验后,陆游才感悟到作诗的真谛。所谓"天机云锦用在我,剪裁妙处非刀尺",就是说,作家、艺术家的应感并不能超越生活,它也是在生活的体验中产生的。同时,作家、艺术家的应感还来自对书本知识的顿悟。杨基曾经说过:"胸中何所蓄,经史子集传。酒酣文思涌,强弩机发箭。"(《赠别龚行义》,《眉庵集》卷一)在应感到来的时候,作家、艺术家的所有体验都被它的轰轰烈烈所淹没了，但是，作家、艺术家并没有忽视他们曾经经历过的无止境的追索，很多人仍然用自己生花的妙笔记录下了这方面的感受。这些，也是我们在研究应感理论问题时不应忽视的。

第三节　随物赋形，当止乃止

应感是人力不能控制的创作心理现象，这种心理现象的形成得益于人们对生活和知识长期、深刻的涵养。应感在创作中的出现是短暂的，唯其短暂，人们才感到很难捕捉，很难认识。但对应感在文学艺术创作中的作用，人们却看得一清二楚，它的临阵表现是自然的、创造性的，没有任何刀斧之痕。它整合了人们业已形成的散乱的思绪，使之条理化和情感化。在应感的状态下，情感得到了尽情的宣泄，最终绽放出夺目的光彩。

关于应感的自然性问题，自应感命题一提出来，人们就已经有所认识。陆机说应感"来不可遏，去不可止"，就涵括了对其自然性的思索。南齐陆厥接着陆机的话题，进行了更为深入的发掘，他以曹子建的赋为例加以论述："以《洛神》比陈思他赋，有似异手之作。故知天机启则律吕自调，六情滞则音律顿舛也。"（《陆厥传》，《南齐书》卷五十二）也就是说，作家、艺术家的创作并非每篇都是应感的创造，也有一些非应感创造出来的作品，然而，应感创造出来的作品是自然的，它明显高于非应感创作的作品。同时，应感的创造还不唯作品的思想情感方面，在形式技巧方面也有应感的神助。但这种技巧是依循于情感的，包括音律。陆厥还说："率意寡尤，则事促乎一日；翳翳愈伏，而理赊于七步。一人之思，迟速天悬；一家之文，工拙壤隔。何独宫商律吕，必责其如一邪？"（《陆厥传》，《南齐书》卷五十二）这就是说，应感在声律的运用上也同样神奇。它适应此时此地的创作心境，与作品中的事理表达是同步的，都遵循着自然的法则。其后，刘勰指出作家、艺术家的创作应从容率情，萧子显强调创作要"游心内运"、"气韵天成"、"不以力构"，颜之推要求文学艺术创作要"标举兴会，发引性灵"（《颜氏家训·文章篇》），李德裕说"文之为物，自然灵气。惚悦而来,不思而至"(《文章论》,《李卫公文集外集》卷三),都言说的是应感的自然性问题。这些,有利于我们准确把握应感的特征。

苏轼在谈论自己的创作体会时曾经说过这么一段话:

> 吾文如万斛泉源,不择地而出。在平地滔滔汩汩,虽一日千里无难。及其与山石曲折,随物赋形,而不可知也。所可知者,常行于所当行,常止于不可不止,如是而已也。其他虽吾亦不能知也。(《文说》,《经进东坡文集事略》卷五十七)

应感的到来使作家、艺术家的创作进入了一个黄金时期,文思如泉涌般地喷射出来,其气势,滔滔汩汩,一日千里。作家、艺术家的才思在这时统统服从于应感的安排和驱动,它的创造性非常奇妙,令人不可思议,说不清楚何以能产生这样的创造力。所可知者,创作中所存在的所有难题一应解决,极为自然,不需吹灰之力。人力也根本无法控制应感到来时的局面,该运行时会自然而然运行,该停止时会自然而然戛然而止。在这里,苏轼描述的就是应感创作水到渠成的自然状态,他指出这种状态的特征是"随物赋形",当止乃止,这是我们应该从自然的角度加以认真辨析的。

"随物赋形"在苏轼的本原意图中是一个比喻,其描述的是水随山石曲折的特征,但是,它已包含了丰富的创造性意蕴。苏轼在他的另一篇文章《书蒲永升画后》中有更为明确的阐述:

> 古今画水,多作平远细皱,其善者不过能为波头起伏,使人至以手扪之,谓有洼隆,以为至妙矣。然其品格,特与印板水纸争工拙于毫厘间耳。唐广明中,处士孙位始出新意。画奔湍巨浪,与山石曲折,随物赋形,尽水之变,号称神逸。(《东坡全集》卷九十三)

水是柔性的,在流淌的过程中,只能迁就所遇之物,随着物的形状而流动。它在本质上是自然的,具有令人难以想象的可塑性。中国古人对水是有深厚的情感的,不仅将之看作是德行的象征,而且将之作为智慧的象征,产生了许许多多亲切而生动的箴言。孔子说:"智者乐水,仁者乐山。智者动,仁者静;智者乐,仁者寿。"(《论语·雍也》)这是中国古代关于水的想象的源头,一切似乎都从此开始,对水的大智大勇地描绘也是以此为根据的。《韩诗外传》卷三曾经这样描述过水:"夫水者,缘理而行,不遗小间,似有智者;动而之下,似有礼者;蹈深不疑,似有勇者;障防而清,似知命者;历险致远,卒成不毁,似有德者。"这里虽然将水道德化和拟人化,但也包含了对水的创造性的肯定。水的百折不挠是自然韧性的生动体现,人们从水的自然性中体悟了很多有益的道理,也包括文学创作理论。

应感的自然性首先表现在,显现时没有人为的因素,一切都是不经意的,突然发生的,好像有神灵的帮助。其实,它省略了先前艰苦的涵养和修炼的过程,省略了此前为迎接应感出现所从事的大量准备。我们在上一节已经说过,应感的来临得益于作家、艺术家对生活和知识的细心体验和感悟,没有丰富的生活阅历和知识修养,没有对生活和知识的精心提炼和潜心感悟,应感是不会轻易出现的。而在应感出现之前,所有的一切都处于隐蔽之中,潜藏在作家、艺术家内心深处,或仅作为一种潜意识而存在。它需要一个激发的契机。一旦触动就会导引应感的爆发。这个因素可能是一个自然的物象,也可能是一件事,一样不起眼的东西。中国古代的作家、艺术家们深知应感的作用,已经摸索出了一系列激发应感的方法。唐时来华的日僧遍照金刚(弘法大师)曾说:"自古文章,起于无作,兴于自然,感激而成,都无许练,发言以当,应物便是。"又说:"夫文章兴作,先动气,气生乎心,心发乎言,闻于耳,见于目,录于纸。"(《文镜秘府论·南卷·论文意》)遍照金刚还介绍了几种"发兴"(感兴,激发应感)的方法:第一,抄录古人精语作为随身卷子。他说:"凡作诗之人,皆自抄古今诗语精妙之处,名为随身卷子,以防苦思。作文兴若不来,即须看随身卷子,以发兴也。"(《文镜秘府论·南卷·论文意》)借助于古人精语启发自己的灵感,培养创作的情感,这是一种独特的激发应感的方法。古人诗歌美妙的意境能够使诗人产生许多美的联想,引发诗人的创作冲动。第二,安神,睹物。遍照金刚说,"安神静虑,目睹其物",

意欲作文，乘兴即作。这实际是一种创作的虚静。创作前，诗人无私无欲是创作开展的必要前提。在虚静中观察万物，从万物身上寻求灵感的基因。第三，睡眠，养神，保持一种身心自然的状态。遍照金刚说："无兴即任睡，睡大养神"，"眠足之后，固多清景，江山满怀，合而生兴，须屏绝事务，专任情兴。"（《文镜秘府论·南卷·论文意》）必要的睡眠是使诗人身心放松的有效方法。诗人只有在身心极度兴奋的状态下才能进入创作的佳境，保证创作取得成功。这一系列的发兴方法表明，古人早已注意到了涵养应感的问题。也可以看出，应感的涵养过程本身是艰苦的，需要人们花费很多心思。由此可见，应感虽非人力所能控制，但也是可以激发的，只要找到恰当的激发途径，应感会随时光顾，使作家、艺术家的创作显得轻松自如。

应感的自然性还体现在情景关系中。在现实中，自然景物的神妙使人们产生许多美妙的遐想，人的诸多创造力也来自大自然的启发。作家、艺术家在进行文学艺术创造时，会自然而然地从自然景物之中寻求应感的发生之源。这时，自然景物往往被主体化，也成为一个有生命情思的对象，人们可以与它交流、对话。在交流和对话的过程中等待"神来、气来、情来"。李益诗："开门风动竹，疑是故人来"，沈亚之诗："徘徊花上月，虚度可怜宵"，都被认为是好诗，是因为诗人在自然景物中寻求到了激发应感的因素，找到了人与自然对话的契机，使诗句充满自然灵气。人与自然的感应，董仲舒称之为"人副天数"和"同类相动"。他曾经这样描述：

> 观人之体一，何高物之甚，而类于天也。物旁折取天之阴阳以生活耳，而人乃烂然有其文理。是故凡物之形，莫不伏从旁折天地而行，人犹题直立端尚，正正当之。是故所取天地少者，旁折之；所取天地多者，正当之。此见人之绝于物而参天地。（《春秋繁露·人副天数》）

这就是说，天与人是相互感应的，自然万物依靠天而生活，而人也是依靠天粲然有其文理，人是超过万物参与天地的创造的。董子还直接描述了天与人的感应：

天将阴雨，人之病故为之先动，是阴相应而起也。天将欲阴雨，又使人欲睡卧者，阴气也。有忧亦使人卧者，是阴相求也；有喜者，使人不欲卧者，是阳相索也。水得夜益长数分，东风而酒湛溢，病者至夜而疾益甚，鸡至几明，皆鸣而相薄。其气益精，故阳益阳而阴益阴，阳阴之气，因可以类相益损也。天有阴阳，人亦有阴阳。天地之阴气起，而人之阴气应之而起，人之阴气起，而天地之阴气亦宜应之而起，其道一也。明于此者，欲致雨则动阴以起阴，欲止雨则动阳以起阳，故致雨非神也。(《春秋繁露·同类相动》)

尽管董仲舒把天人感应说得神乎其神，但他最终还是强调"致雨非神也"。无神的态度一目了然。人与自然的感应是人长期适应自然的结果，通过对自然的长期观察和体验，把握到了一些规律性的东西。可是，这些规律性的东西又难以言说，具有一定的神秘性。这种神秘性典型地存在于文学艺术的情景关系中。古人在进行文学艺术创作的时候推崇"情景相触"和"情中景"、"景中情"，认为这样便可达到情与景的妙合无垠。谢榛说："夫情景相触而成诗，此作家之常也。或有时不拘形胜，面西言东，但假山川以发豪兴尔。譬若倚太行而咏峨眉，见衡漳而赋沧海，即近以彻远，犹夫兵法之出奇也。"(《四溟诗话》卷四)不拘形胜，面西言东，这是应感的一种特征。应感以宣泄感情为第一目的，至于景是不是眼前之景无关紧要。但可以肯定的是，眼前之景是一个触发的因素，尽管它不表现在具体的文学艺术作品中，它的意义也不可忽视。这样，景的内涵就显得复杂了一些，它在应感中的显隐难以判定。王夫之在考察情景关系的时候指出，情景有在心和在物之分，在心即是情中景，在物即是景中情。两者的关系是不可分离的。这里的"景"不是"面西而言东"——缺席于文学艺术作品中的景，其与文学艺术作品中所表现的景是对等的。王夫之说：

情景名为二，而实不可离。神于诗者，妙合无垠。巧者则有情中景、景中情。景中情者，如"长安一片月"，自然是孤栖忆远之情；"静影千官里"，自然是喜达行在之情。情中景尤难曲写，如"诗成

珠玉在挥毫",写出才人翰墨淋漓、自心欣赏之景。凡此类,知者遇之;非然,亦鹘突看过,作等闲语耳。(《姜斋诗话》卷下)

无论是出席还是缺席于文学艺术作品,景所起的作用都是一样的,它激发了应感的产生,并且以神奇的出场形式,自然而周全地宣泄了作家、艺术家的感情,在一定程度上凸显了应感的自然性。

应感的自然性最重要的表现是它的创造性,它能创造出无与伦比的文学艺术作品,突出体现作品的"神"、"精"和"妙"。陆机的应感论就着重强调的是这一点,他所说的"方天机之骏利,夫何纷而不理,思风发于胸臆,言泉流于唇齿"就表述的是应感创造性的一面。严羽称应感为妙悟,这是借助于佛家用语来言述应感的创造性。应感的创造性首先表现为心口一致。谭友夏说:"夫作诗者一情独往,万象俱开,口忽然吟,手忽然书,即手口原听我心中之所流。手口不能测,即胸中原听我手口之所止。胸中不可强,而因以候于造化之毫厘,而或相遇于风水之来去。"(《汪自戊巳诗序》,《谭友夏合集》卷八)手口能曲折周到地再现心之所想,就像风水相遭这么自然,这是一种创造的境界。汤显祖形容文章创作中的应感之妙:"自然灵气,恍惚而来,不思而至"(《合奇序》,《汤显祖集》卷三十二),他称苏轼的画:"绝异古今画格",奇妙;他称米家山的画:"形象宛然",都赞赏的是他们的创造性。但这种创造性是应感所赋予的。清代的马位在《秋窗随笔》中列举了大量的例子说明应感的创造性:"韩翃:'星河秋一雁,砧杵夜千家。'崔峒:'清排度山翠,闲云来竹房。'常建:'松际露明月,清光犹为君。'杨敬之:'碧山相倚暮,归雁一行斜。'此等句无点烟火气,非学力所能到,宿慧人遇境即便道出。""谢诗:'池塘生春草。'李诗:'蝴蝶忽然满芳草。'萧子显所谓'有来斯应,每不能已,须其自来,不以力构'。"(《清诗话》)由此,在《师友诗传录》中,张实居断言:"古之名篇,如出水芙蓉,天然艳丽,不假雕饰,皆偶然得之,犹书家所谓偶然欲书者也。"(《清诗话》)所谓"偶然得之",就是说,所有的名篇佳制都是应感创造的结果,这样的断言当不会有太大的差错。

"随物赋形"所包含的创造性意蕴,我们在对应感的自然性特征的分析中已经做了力所能及的论证。这些论证相对于应感理论的丰富性可能是冰山一角,它是不可言说的,也是说不尽的,仍然有待于大方之家做进一步扎实的研究。

第四节　应感之会与西方灵感

应感之会和西方灵感都言述的是文学艺术创作中的一种奇妙的心理现象,今天,有人依西方的称谓统称为灵感(inspiration)。这样做,似乎好理解一些。如果以应感作为统称,除了一些专业从事中国古典文艺学、美学理论研究的学者之外,其他人可能会感到茫然。这说明,现在与传统已经有了比较深刻的隔膜。19世纪末期以来,由于启蒙的需要,人们更注重普及西方文化,将之视为中国新文化启蒙、改革传统文化的良药,渐渐地,便淡忘了古典的精粹。我们在这里坚持使用应感这个原汁原味的概念,是因为在谈论中国古典文艺学,意图并不是颠覆现代文艺理论和美学的格局,而是要张扬中国古典的应感与西方灵感的差异。尽管应感和灵感所描述的现象有很多相似之处,但它们之间的差异更为明显。这是我们在本节将要探讨的。

古典的应感理论和西方的灵感理论都强调以下几个方面的共同内涵:1.应感或灵感是突发的、偶然的,人们根本无法预料;2.应感或灵感是人力不能控制的、自由的;3.应感或灵感的停留时间是短暂的,来不可遏,去不可止;4.应感或灵感都具有神奇的创造性,能在不经意之间创造出神妙的文学艺术作品;5.应感或灵感都是人们极为困惑的,不知道它到底是一种什么现象。从这些共同的认识看,中国的应感和西方的灵感确实属于同一种创作和心理现象,这说明,中西之间存在着共同的文心。但是,实质往往表现在共同性的背后。由于中西文化之间的差异,应感和灵感的理论内涵必定存在差异,这是必然的。问题是,如何看待这些差异?这应是我们在统观应感和灵感的理论时应该认真思考的。我们的态度是,应感和灵感的差异是本质的。

西方的灵感理论诞生于古希腊的神学背景下,它原本是指神的灵气。阿诺·理德说:"灵感的意思就是'吸气',也就是通过缪斯女神或其他神灵把音乐或诗或其他类似的东西吹进了艺术家的灵魂中去,让它誊写下来。"①柏拉图最早将之阐释为神赐论,奠定了西方灵感论的理论基础。西方后来的灵感理论沿着柏拉图设计的理念发展,18世纪之后,先后又生成了天才论和无意识论,渐渐地,神学的地位下降,人的地位上升,表现了人的理性认识的进步。相比于西方而言,中国古代的应感论虽然不像西方的灵感那样有较为明晰的逻辑演化轨迹,但它一开始就将应感与人对万事万物的感应联系在一起,反复强调它宛如神助,与神没有关系。也就是说,中国的应感论不是神赐或神启论,而是人对万事万物的奇妙感应论。这就显示了中西之间的差异。

柏拉图的灵感说,我们可以将之归纳为这样几个方面:

第一,灵感是神的诏语,诗人受神灵的启示作诗,不是凭靠他们的技艺作诗,整个创作的活动中都有诗神凭附着。在《文艺对话集·伊安篇》中,他这样写道:"诗神就像这块磁石,她首先给人灵感,得到这灵感的人们又把它传给旁人,让旁人接上他们,悬成一条锁链。凡是高明的诗人,无论在史诗或抒情诗方面,都不是凭记忆来做他们优美的诗歌的,而是因为他们得到了灵感,有神力凭附着。""这类优美的诗歌本质上不是人的而是神的,不是人的制作而是神的诏语;诗人只是神的代言人。"②在柏拉图看来,诗的创作活动不是人的活动而是神的活动,这显然是受宗教的神秘主义影响,有他自己的理论基础。

第二,灵感的状态是诗人的迷狂状态,是诗人平常理智的迷失。在《文艺对话集·伊安篇》中,柏拉图说:"科里班特巫师们在舞蹈时,心理都受一种迷狂支配;抒情诗人们在作诗时也是如此。""没得到灵感,不失去平常理智而陷入迷狂,就没有能力创造,就不能作诗

---

① [英]阿诺·理德:《美学研究》,转引自陶伯华、朱亚燕:《灵感学引论》,辽宁人民出版社,沈阳,1987年,第24页。
② [古希腊]柏拉图:《文艺对话集·伊安篇》,朱光潜译,人民文学出版社,北京,1983年,第8~9页。

或代神说话。"①在《文艺对话集·斐若德篇》中,他又说:"有这种迷狂的人见到尘世的美,就回忆起上界里真正的美,因而恢复羽翼,而且新生羽翼,急于高飞远举,可是心有余而力不足,像一只鸟儿一样,昂首向高处凝望,把下界一切置之度外,因此被人指为迷狂。现在我们可以得到关于这种迷狂的结论了,就是在各种神灵凭附之中,这是最好的一种……"②

第三,灵感是超越技艺的,具有奇妙的创造价值。所谓超越技艺也就是非技艺,它不是人的技艺所能操纵的。人的智慧在这时往往显得软弱无力,不起任何作用,起作用的只是诗神操纵的灵感。柏拉图说:"诗人并非借自己的力量在无知无觉中说出那些珍贵的词句,而是由诗神凭附着来向人说话。"③这样,柏拉图就完成了他关于灵感的理论建构。这种神赐或神启论一直统治着中世纪以前的西方文艺学和美学,在当今也有一定的影响。

柏拉图何以会提出灵感神赐的命题,这固然与古希腊浓厚的神学氛围有关。人类在最初认识不清自然现象时,就将之归结为神的作用。柏拉图虽然贵为智者,但是,他也摆脱不了神学的困扰。他对灵感现象振振有辞地解说就表现了对神学的自信。这里当然存在着虚幻的一面,有令人发笑的虚假性。然而,在这虚假性的背后,我们还要看到他真实性的内涵,其中存在着一个不能忽视的文类的因素。古希腊时期,所谓的诗就是《荷马史诗》和戏剧,这都是叙事性的文学作品。为了写活作品中的人物,作家不得不进行角色的置换,即自己潜入作品的角色之中,陷入迷狂。"柏拉图的灵感针对的现象就是叙事作品创作中作家对象化为自己所写的人物,与自己的人物合而为一时的状态。"④这是真实的,是有价值的。正是在这一点上,柏拉图的灵感

---

① [古希腊]柏拉图:《文艺对话集·伊安篇》,朱光潜译,人民文学出版社,北京,1983年,第8页。
② [古希腊]柏拉图:《文艺对话集·斐若德篇》,朱光潜译,人民文学出版社,北京,1983年,第125页。
③ [古希腊]柏拉图:《文艺对话集·伊安篇》,朱光潜译,人民文学出版社,北京,1983年,第9页。
④ 张法:《中西美学与文化精神》,北京大学出版社,北京,1997年,第238页。

说才显示了他的生机。我们也能理解柏拉图一直受到尊崇的理由。

18世纪以后,灵感就失去了神学的意义,开始向美学演进。对灵感理论的传统根基做出大刀阔斧改造的是浪漫主义的创作思潮,它把灵感的创作现象从神赐或神启的传统认识论拉回到人的独创性和天才性的能力上,使灵感的人性开始复苏,进入了科学的认识领域。在某种程度上可以这样说,灵感划分了古典主义和浪漫主义这两大创作思潮和美学思想的界限。其重要性是不可估量的。

康德认为,天才就是给艺术提供规则的才能,它是艺术家天生的创造性能力,是属于自然的。这就非常清楚地告诉我们,天才不是神的凭附,是作家、艺术家天生的、自然的能力。所谓天生的,不是说生下来就有,而是强调作家、艺术家创作的独特性。这在康德的分析中一目了然。他说:

> 天才,1. 是一种产生出不能为之提供任何规则的那种东西的才能,而不是对于那可以按照某种规则来学习的东西的熟巧的素质;于是,独创性就必须是它的第一特性。2. 由于也可能会有独创的胡闹,所以天才的作品同时又必须是典范,即必须是有示范作用的;因而它们本身不是通过模仿而产生的,但却必须被别人用来模仿,即用作评判的准绳和规则。3. 天才自己不能描述或科学地指明它是如何创作出自己的作品的,相反,它是作为自然提供这规则的;因此作品的创造者把这作品归功于他的天才,他自己并不知道这些理念是如何为此而在他这里汇集起来的,甚至就连随心所欲或按照计划想出这些理念,并在使别人也能产生出一模一样的作品的这样一些规范中把这些理念传达给别人,这也不是他所能控制的。(因此天才这个词也很有可能是派生于genius,即特有的、与生俱来的保护和引领一个人的那种精神,那些独创性的理念就起源于它的灵感。)4. 自然通过天才不是为科学而是为艺术颁布规则,而且这也只是就这种艺术应当是美的艺术而言的。①

---

① [德]康德:《判断力批判》,邓晓芒译,人民出版社,北京,2002年,第161~162页。

天才为美的艺术颁布规则，它是美的典范，是独一无二的，不可复制（模仿）的。康德拒绝说它是神灵的凭附或启示，是对柏拉图真正、彻底的反对。西方的灵感理论至康德的天才说是一个重要的分水岭。至于黑格尔，他的天才观和灵感观只是在康德的基础上做进一步的推进而已。

黑格尔说："天才是真正能创造艺术作品的那种一般的本领以及在培养和运用这种本领中所表现的活力。但是这种本领和活力都只是属于主体的，因为只有一个自觉的主体，一个把这种创造悬为目标的主体，才能进行心灵性的创造。"①很显然，黑格尔把天才清晰明确地称之为主体性的才能。他认为，传统将天才看作是天生的观点部分是错误的。"因为人作为人，天生地就有对于宗教、思考和科学方面的资禀，这就是说，人作为人，就有能力去接受对于神的认识，去达到由思考得来的知识。要做到这一层，所需要的只是与生俱来的资禀，再加上教育、文化修养和勤勉。至于艺术则不然，它需要一种特殊的资质，其中天生的因素当然也起重要的作用。……因此，艺术创作，正如一般艺术一样，包括直接的和天生自然的因素在内，这种因素不是艺术家凭自力所能产生的，而是本来在他身上就已直接存在的。只有在这个意义上我们才能说，天才和才能必然是天生的。"②他不完全否认神灵的作用，他把神灵的作用解释为天生的才能，亦即艺术家个人的资禀。这有他的合理性。在具体讨论灵感的时候，他认为，单单靠心血来潮或感官的刺激不会产生灵感，单靠存心要创作的意愿也召唤不出灵感。要煽起灵感的产生，必须先有一种想象所抓住的并且要用艺术方式去表现的明确的内容。也就是说，"作为一个天生地具有才能的人，他与一种碰到的现存的材料发生了关系，通过一种外缘、一个事件，或是像莎士比亚那样，通过古老的民歌、故事和史传，通过这一类事物的推动，他自觉有一种要求，要把这种材料表现出来，并且因此也表现自己。"③这就把灵感讲得非常平淡。灵感是作家、艺术

---

① [德]黑格尔：《美学》第一卷，朱光潜译，商务印书馆，北京，1997年，第360页。
② 同上书，第360~361页。
③ 同上书，第365页。

家个人的天生才能与现存材料的碰撞,根本不是神赐或神启的。

其实,康德和黑格尔的天才理论中已经萌生了对灵感的潜意识因素的认识,这种认识一直到19世纪中期以后才渐渐明朗。以著名的心理学家、医生弗洛伊德为代表的精神分析学将人的意识分为意识、前意识和潜意识三个层次。他认为,意识和前意识都是可以随时浮现和召回到意识中来的意识,而无意识是不能在意识中浮现的,因为它是被意识拒斥的,受意识的抵制和压抑。但是,无意识又是人类不可缺少的意识,它在本能上以追求快乐为目的,所以经常冲破意识的藩篱。无意识冲破意识藩篱的时间、途径、方法是不可预料的,当它冲破意识的藩篱之时,也就是作家、艺术家失去自我、显示本我之时。弗洛伊德通过对精神病患者的研究,得出作家、艺术家创作中所体现的无意识就是一种灵感,它像童年游戏和白日梦一样,是一种无意识的满足。这种灵感观带有科学实证的特征,是我们应该认真对待的。

相比较而言,中国的应感论要单纯许多。它不像西方的灵感理论那样有一个完整的逻辑发展过程,但是,也有自己的特点。概言之,应感在陆机身上已经形成了比较完整的理论系统,而后逐渐分化,形成了天机应感论、虚静应感论、妙悟应感论、性灵应感论等理论内容,呈现出自己的逻辑特征。

天机应感论是陆机的首创,他对"天机骏利"的描述,生动形象地再现了应感到来的种种表现,其理论内涵也较为丰盈。"方天机之骏利,夫何纷而不理。思风发于胸臆,言泉流于唇齿。纷葳蕤以馺遝,唯毫素之所拟。文徽徽以溢目,音泠泠而盈耳。"(《文赋》)这里讲到了应感的几个方面的特征:1.应感来临的时候,人的思维特别清晰,诸多纷杂的物象各就各位,思维处于亢奋的阶段;2.应感到来的神速也促使创作神速,思绪像风一样,语言像流水一样,使人的笔很难记下这快捷的一瞬;3.应感的到来深化了各种各样物象的色彩、声音的逼真性,使人如身临其境;4.应感的到来使作家、艺术家的创作取得了空前的成功,但是,应感本身没有规律可循,它只存在于作家、艺术家此时此地的创作之中。后来,沈约的"天机启则律吕自调"、"兴会标举"和"音韵天成"的相关论述都是陆机天机应感论的延伸。在某种程度上,天机应感论奠定了中国古代应感论的基础。

虚静应感论是刘勰较早集中论述的。在《文心雕龙》中,以《神思》篇和《养气》篇为代表,全面探讨了虚静与应感的关系。刘勰认为,虚静是与养气联系在一起的,作家、艺术家要想达到"从容率情"的应感的状态,首先应该养气。其内容包括:1. 锥股自厉,学业在勤。也就是要刻苦学习,积累丰富的学识,这是培养应感的一个重要的条件。在《文心雕龙·神思》篇中,刘勰讨论了"陶钧文思,贵在虚静"的问题,其主要途径是:"积学以储宝,酌理以富才,研阅以穷照,训致以绎词"。作家、艺术家必须掌握丰富的学识才能促成应感的发生。杜甫和韩愈也坚持这种态度,强调读书破万卷。2. 求天下奇闻壮观,以知天地之广大。也就是要求作家、艺术家在进行文学艺术创作之前要多了解生活,多阅历。杜甫不仅要求读万卷书,还要求行万里路,知行并进。苏辙曾经这样说过:"辙生十有九年矣。其居家所与游者,不过其邻里乡党之人,所见不过数百里之间,无高山大野,可登览以自广;百氏之书,虽无所不读,然皆古人之陈迹,不足以激发其志气。恐遂汩没,故决然舍去,求天下奇闻壮观,以知天地之广大。过秦汉之故都,恣观终南、嵩、华之高,北顾黄河之奔流,慨然想见古之豪杰。至京师,仰观天子宫阙之壮,与仓廪府库、城池苑囿之富且大也,而后知天下之巨丽。见翰林欧阳公,听其议论之宏辩,观其容貌之秀伟,与其门人贤士大夫游,而后知天下文章聚乎此也。"(《上枢密韩太尉书》,《栾城集》卷第二十二)这也是培养应感的一种途径。3. 清和其心,调畅其气,善于调适自己。由于应感的发生不能够预测时间,需要涵养,涵养的过程也就是调适的过程。刘勰曾经这样描述这一过程:"是以吐纳文艺,务在节宣,清和其气,调畅其气,烦而即舍,勿使壅滞,意得则抒怀以命笔,理得则投笔以卷怀。"(《文心雕龙·养气》)也就是说,创作的过程是从容率性的过程,不要强迫自己,要平静地等待应感的爆发。虚静应感论是中国古代独特的应感论,中国古代的应感论与西方的灵感论的最大区别也就体现于此。

妙悟应感论肇始于魏晋佛学大兴时期,成熟于宋代,以严羽的《沧浪诗话》为标志。它有点类似于虚静应感论。悟的过程一方面要作家、艺术家多感悟前代的优秀作品,另一方面还取决于作家、艺术家独特的素质。严羽说:"大抵禅道惟在妙悟,诗道亦在妙悟。且孟襄阳学力下韩退之远甚,而其诗独出退之之上者,一味妙悟而已。""先熟读楚辞,朝夕讽咏,以为之本;及读古诗十九首、乐府四篇、李陵苏武汉魏五言,皆须熟读,即以李杜二集枕藉观之,如今人之治经,然后博取盛唐名家,酝酿胸中,久之自然悟入。"(《沧浪诗话·诗辨》)这就是说,妙悟有作家、艺术家天生的禀赋因素,也有文学感悟方面的因素,但是,与学识的关系不十分密切。因为文学的感悟是直观的,学识是一种知识的积累,两者虽有关系,却也相差万里。文学艺术的创作终须靠应感的爆发,依靠学识是无法达到目的的。

性灵应感论产生于明代中后期,以李贽、徐渭、汤显祖和公安派为代表,一直波及清初。李贽追求"童心"。所谓"童心"就是真心,也可称之为自然之心。它是坚决排斥人为因素的,排斥传统学理和书本的障碍。李贽说:"古之圣人,何尝不读书哉!然纵不读书,童心固自在也,纵多读书,亦以护此童心而使之勿失焉耳,非若学者反以多读书识义理而反障之也。"(《童心说》)李贽并不反对多读书,多穷理,他认为,读书的目的就是为了守护童心。若因为多读书反而有害于童心的培养,就误入了歧途,这是他坚决排斥的。他反对书本对人的性灵的拘束。李贽推崇这样一种创作的态度:"且夫世之真能文者,比其初皆非有意于为文也。其胸中有如许无状可怪之事,其喉间有如许欲吐而不敢吐之物,其口头又时时有许多欲语而莫可所以告语之处,蓄极积久,势不能遏。一旦见景生情,触目兴叹;夺他人之酒杯,浇自己之垒块;诉心中之不平,感数奇于千载。既已喷玉吐珠,昭回云汉,为章于天矣,遂以自负,发狂大叫,流涕痛哭,不能自止。宁使见者闻者切齿咬牙,欲杀欲割,而终不忍藏于名山,投之水火。"(《杂说》,《李氏焚书》卷三)这种应感状态是真性灵的表现。汤显祖推崇奇士之心和奇士之文。他说:"天下文章所以有生气者,全在奇士,士奇则心灵,心灵则能飞动。"(《玉茗堂文之五》)奇士之文是一种性灵之文。因为它有生气,能使人心灵、飞动。这种奇士是不符合传统的行为规范的,它摆脱了传统的格套,但却具有神奇的创造性。后来,袁宏道提倡作文要"独抒性灵,不拘格套",可谓对李贽童心思想的进一步深化。他具体解释道:"非从自己胸臆流出,不肯下笔。有时情与境会,顷刻千言,如水东注,令人夺魄。其间有佳处,亦有疵处。佳处自不必言,即疵处亦多本色独造语。"(《序小修诗》,《袁中郎全集》卷一)性灵应感所创造的文学艺术作品,即使是瑕疵也是本色独造的,足见袁宏道对性灵应感的钟爱。

通过上述描述,我们可以看出,中国古典的应感论和西方的灵感论各有千秋。中国的应感论尽管没有完善而严密的逻辑,但却有自己独特的系统,有自己独特的风韵。中国的应感论和西方的灵感论的区别是本质上的,它们与各自的文化背景密切联系着。它们的差异,实质上是中西两大文化差异的集中体现。

第九章 物化：
审美创造的最高境界

在中国古典文艺学、美学发展史上，物化作为文学艺术创造的一种独特的手段，早在先秦时期就已经生成。它发端于老子哲学，成熟于庄子哲学，引起了后世文学艺术家和理论批评家的高度重视。他们从具体的文艺创作实际出发，以自己切身的创作体验，描述物化的现象，发掘并阐释其中所蕴涵的深刻的理论意蕴，给后世的文艺学、美学理论，以及文学艺术创作以很多启迪。物化所昭示的文学艺术创造"天人合一"的忘我的精神境界和思维境界，是一种极高的审美境界，显示出中国古代文学艺术审美创造理论的巨大价值。有人将中国古代的物化理论与西方的心物交融和审美移情理论相等同，其实，它们之间并不能画等号。物化不同于西方美学上的心物交融说和审美移情理论，而形成了自己的、具有本民族个性的理论品格。在建设有中国特色的文艺理论体系，完善我们自身的文艺学、美学的今天，物化的理论内涵和理论价值值得我们认真、深入总结。

第一节 "庄周梦蝶"的启示

当今世界，大凡研究中国古代文化的，恐怕不会有人否认老庄在中国古代文学艺术领域的杰出贡献。且不说汪洋恣肆的庄子散文表现出来的别具一格的运思方式，其塑造的一系列生动感人的艺术形象，有许多已经成为后世艺术家的艺术范本。[1]然而，我们要探讨的不是庄子寓言所塑造的艺术形象，恰恰是他的运思方式和生命精神。

---

[1] 宗白华：《美学散步》，上海人民出版社，上海，1983年，第1页。

老庄哲学所表现出来的天人合一的哲学思想,以及强烈的思辨意识、傲睨万物的宇宙观,表现了对自然的推崇意义,充满了生生不息的生命精神,在中国思想界起着振聋发聩的作用,在不同的历史阶段,每每成为思想革新的理论武器和推动时代进步的发动机。老庄哲学非常注重人的入思方式,在其经典的著作《老子》和《庄子》中有许多深刻的阐发。在这诸多的入思方式中,虚静代表了一个方面,物化则代表了另一方面。先秦时期,虚静是不拘泥于一家一派的,它并不是道家的专利,儒家、法家等都谈论它,完全打破了学派界限,成为诸子百家所认同的入思方式。然而,各家各派对虚静的认识差异很大,他们的谈论根本不在一个平面上。道家是把虚静作为一种修身养性的心理状态来对待的。如果说,在道家的思想中,虚静强调的是作家、艺术家在进行审美创造时必备的心理状态,那么,物化则强调的是作家、艺术家在进行艺术审美创造时所达到的理想境界。这一境界的形成虽然有虚静参与,但已经迥异于虚静的创造形态,它和虚静一样,也成为文学艺术审美创造的独立范畴,具有独特的理论价值和理论意义。

像虚静一样,物化观念最早的源头也是《老子》。在《老子》三十七章中,曾经有这样的表述:

> 道常无为而无不为。侯王若能守,万物将自化。化而欲作,吾将镇之以无名之朴。无名之朴,亦将不欲。不欲亦静,天下将自正。

老子从其"道"的哲学理念出发,倡导"无为而无不为",认为这是"万物将自化"的前提条件。万物自化就是物化,它的精义在于自然,亦即物化是自然而然发生的,不是人为推动的,此与老子"道法自然"的观念相通。在这个意义上,我们就能理解老子万物自化的思想意旨。追求物化也就是追求自然。从这段话中,我们隐约感觉到,老子在说"万物将自化"的时候好像忽略了主体的参与,作为人的主体似乎根本没有参与到万物自化中。其实,老子的大部分论述中,他都特意将主体隐去,人与万物一气贯通,主体与万物是一体的,主体自存于他的思考之中。这里的"万物"既指人,又指物。"万物将自化"既包含人的变化,包含物的变化,更包含人与物的互化。

老子的主客体一体化的思想，在庄子那里又得到进一步地深化。庄子弥补了老子隐去主体的缺憾。在他的论述中，叙事的意味虽然更加浓郁，但意指性也更为明确，可从他对梦蝶这一寓言的演绎中清晰理会。《庄子·齐物论》云：

> 昔者庄周梦为胡蝶，栩栩然胡蝶也，自喻适志与！不知周也。俄然觉，则蘧蘧然周也。不知周之梦为胡蝶与，胡蝶之梦为周与？周与胡蝶，则必有分矣。此之谓"物化"。

这是一个美丽的故事。表面上看，这个故事有些荒唐，其实，内在包含着极其玄妙的真理。在这个故事中，我们可以理解庄子齐万物、等生死的宇宙观，可以体会庄子那种独特的入思方式。像老子一样，他也消泯人与物的界限。泯灭人与物是天人合一观念的极端化，强调人与物没有绝对界限，这自有其荒谬的成分。但从另一角度看，又是他浪漫气质的一种表现。泯灭人与物的界限并非庄子之本意，他的本意是阐释物化的境界，倡导一种纯真的审美创造的入思方式。

庄子所说的"物化"究竟是什么？前人的理解可谓仁者见仁、智者见智。郭象在《庄子注》中解释为"死生之变"，成玄英疏为"物理之变化"。陈鼓应将其解释为"物我界限之消解，万物融化为一"①。诸释相较，我们以为，当以陈说最切合庄子本意。在《齐物论》的题旨下，万物浑融，等价齐一。但浑融的万物操纵者应该是人，不应是没有生命和思维的物。人为万物之最为灵明者，万物因人的灵明而灵明。人与万物浑融的另一层含义是，人不奴役万物，而将万物看成同人一样有生命与情感的存在。但是，人与物又是不能混同的。前人在解释这一寓言时却明显存在着混同物与主体的倾向。如宋人陈碧虚云："周蝶之性，妙有一气也。昔为胡蝶，乃周之梦，今复为周，岂非蝶之梦哉！"（《褚伯秀〈南华真经义海纂微〉卷四引》）蝴蝶是一个美丽的象征，其超脱而浪漫的精神气质，充满自由而不受约束的意蕴，就是庄子人格精神的映射。因此，陈碧虚说"周蝶之性，妙有一气"，这是联系了庄子的

---

① 陈鼓应：《庄子今注今译》，中华书局，北京，1999年，第29页。

人格。但他又说"今复为周,岂非蝶之梦哉",明显混同物与主体,解释过于玄虚。蝴蝶何来梦欤?庄子从齐物的立场出发,将对象也看作是一种主体存在,以蝴蝶之眼来看待事物的发展变化,符合他的思想实际。这是中国古代天人合一观念的具体化,到了现代,西方现象学哲学借鉴了老庄的这种思想观念提出了主体间性的关系问题,在思想界掀起了一阵狂飙。说明这种思想的真理性和亲和力是巨大的。庄子常常与动物对话,甚至与骷髅对话,并认定它们也是有生命、有情思的,这是宣泄自己心里深层的压抑,具有特别的象征意义。其实,在以物眼观人时,真正看人的还是庄子,只不过他换了一个角度。庄周梦蝶的故事所描述的是蝶梦庄周,蝶的身上所灌注的仍是庄子的主体意识。这一点无可置疑。如果混同物与主体,无论如何也解释不通庄周梦蝶的寓言故事,也无法体味中国传统天人合一的哲学境界。

从这个故事中,我们还感悟到了梦觉齐一的问题。应该说,这与庄子的齐万物、等生死的思想是一致的。庄子的思想意识中,他从来就没有把物与人真正地分清过。人就是物,物就是人。既然人与物都没有鲜明的界限,还有什么东西存在界限呢?梦就是觉,觉就是梦,因此,蝶就是周,周就是蝶。对此,宋人王雱说得好:

> 夫庄子《齐物》之篇,始之以无彼我,同是非,合成毁,一多少,齐大小而已。及其言之至,则次之以参年岁,一生死,同梦觉,千变万化而归于一致,所谓明达而无碍者也。(《南华真经新传》卷二)

这样,物化就是"物我界限消解,万物融化为一"。

弄清了物化的字面意义,我们便可以进一步分析,探讨一下将庄子的物化作为一种哲学的入思方式,对文学艺术的创作所具有的实际意义。

首先,文学艺术的创作应达到忘我的精神境界。庄子物化的本质就是忘我。忘我乃是主体的沉冥,这是在极度自适的状态下所产生的一种感觉。对此,庄子有很深的体会。他做了一个梦,梦见自己变成了一只美丽的蝴蝶。梦境中的蝴蝶翩翩飞舞,栩栩如生,使他异常兴奋,顿时忘掉了自我,"不知周也"。这时,蝴蝶与庄周融为一体,不能截然分开。这种主体的沉冥是精神状态的极度自适。人在对外物的深切疑虑中,天人合一,达到了审美忘我的境界。这种忘我的境界是一种审美创造和审美体验的自由超越。在文学艺术的创作中,这是一种必备的心理素质。舍此,无法进入文学艺术创作的最高境界。

其次,文学艺术的创作应在忘我的状态下移情。我们在这里所说的"移情",不完全等同于里普斯的审美移情,即将主体情思移诸创造对象上去,实现主客体的交流。我们所说的"移情"仍然是天人合一的境界,是天与人的交流。在这种交流的过程中,客体也变成了主体,能够与创造主体自由对话。在"庄周梦蝶"这则故事中,庄子所产生的不分蝶我的困惑是主体移情,但更是天人合一。他不辨庄蝶之梦,做到身心蝶化,这便融合了主体与客体。在庄子的心目中,这两者是一体化的,它们之间没有本质的区别。正是因为没有本质的区别,庄子的情思移诸蝴蝶的身上,才会产生主客体的浑化,"不知周梦为胡蝶与,胡蝶之梦为周与"。这是移情导致人情思的扑朔迷离。作家、艺术家往往就是在这扑朔迷离中进入了文学艺术创造的美妙境界。

再次,文学艺术的创作应保持"心斋"的体验状态。"心斋"就是内心的虚静,是气。它是文学艺术创作过程中的心理酝酿和准备,是物化状态实现的必经之途。庄子借孔子之口陈述了心斋:"若一志,无听之以耳而听之以心,无听之以心而听之以气!耳止于听,心止于符。气也者,虚而待物者也。唯道集虚。虚者,心斋也。"(《庄子·人间世》)成玄英疏云:"心有知觉,犹起攀缘;气无情虑,虚柔任物。故去彼知觉,取此虚柔,遣之又遣,渐阶玄妙也乎!"这就是说,要实现"心斋",必须超越知觉——抛弃感性和理性的束缚,亲近虚柔——达到一种由气组成的虚无的境界(虚静),只有在虚静的状态下才能超越功利,实现忘我和移情,从而达到文学艺术创作的极致。在这个意义上,心斋实乃实现物化的前提条件。

庄子的物化思想是中国古典文艺学、美学物化观念的理论起点。从上文的简略讨论中可以看出,这一理论起点很高,一开始就差不多产生了一套较为规范的操作模式。在后世理论家的不懈努力下,经过不断充实和完善,最终形成了一种具有民族特色的审美创造理论,在古代文学艺术的创作中,发挥着积极、独特的作用。

第二节 心斋:物化的心理机制

心斋,就是心体的斋戒。作为庄子思想的一个重要内容,它实际上已经成为虚静理论的精神支柱。心斋的核心是"去彼知觉,取此虚柔",解构所有的感性和理性,崇尚纯然的无功利,故而与庄子忘我的思想境界相通。从实质上说,心斋讨论的是人生修养的问题,不是文学艺术理论问题,但它对文学艺术的审美创造却有很大的启发。在文学艺术创作中,缺少心斋这种非功利的无待,缺少心斋这种虚柔的心境,很难成就审美创造的大业。因此,认识与探讨心斋这一艺术思维的心理机制就显得尤其重要了。它是通向纯粹艺术审美体验和审美创造的不二法门。

庄子曾经花费笔墨,用寓言的形式,生动形象地"论述"了心斋的意义。他说:

> 梓庆削木为鐻,鐻成,见者惊犹鬼神。鲁侯见而问焉,曰:"子何术以为焉?"对曰:"臣工人,何术之有!虽然,有一焉。臣将为鐻,未尝敢以耗气也,必斋以静心。斋三日,而不敢怀庆赏爵禄;斋五日,不敢怀非誉巧拙;斋七日,辄然忘吾有四肢形体也。当是时也,无公朝,其巧专而外滑消;然后入山林,观天性;形躯至矣,然后成见鐻,然后加手焉;不然则已。则以天合天,器之所以疑神者,其由是与!"(《庄子·达生》)

从这则寓言故事,我们看出了"斋以静心"的重要性。姑且把梓庆削木为鐻的行为视为艺术的创造行为[①],因为在对这一行为的认识中贯注着庄子的形上潜质。庄子向来把艺术看作是一个庄严、神圣的事

[①] 鐻本身为乐器,将之视为艺术"创造"的行为并无不可。但是,艺术创造的行为是形上行为,庄子在这里描绘的是形下行为,两者是有严格区别的。然而,庄子又以形上的态度来认识这种形下的行为,便是一种艺术创造的行为了。

业,对之顶礼膜拜。"斋以静心"就是一种近乎宗教式的膜拜仪式。在心斋的过程中,养气是必需的。养气的目的是为了保持心境的绝对虚空,所以庄子说,"未尝敢以耗气也"。艺术创造离不开心斋,它不可能须臾成功,必须假以时日。每过一日,人的精神境界都会因修炼提高一个层次。因此,庄子说,"斋三日,而不敢怀庆赏爵禄"说明斋戒者(梓庆)的内心仍有非分之想;"斋五日,不敢怀非誉巧拙"说明斋戒者(梓庆)仍没有达到内心的清纯;"斋七日,辄然忘吾有四肢形体也",连自己的形体都忘却它的存在了,还有什么不能忘却的呢?这时,才真正达到内心的清明。可见,心斋的过程实际上就是修身养性以至达到忘我的过程。只有实现真正的忘我,才能创作出"惊犹鬼神"的文学艺术作品。

庄子这一思想的神韵被后世广泛传播,许多文学艺术家和文艺批评家都能够真正地吸收其精华,把它视为艺术思维的一个必要的过程加以运用。《西京杂记》所记载的司马相如为《上林赋》《子虚赋》时所表现的"意思萧散"的状态就是心斋的过程①;陆机在讨论神思时所描述的"收视反听,耽思旁讯"(《文赋》)的心理状态也是心斋的过程。而刘勰的"疏瀹五藏,澡雪精神"(《文心雕龙·神思》)更是用生动形象的语言对心斋所做的阐释。从这里可以看出,心斋作为文艺创作的心理机制,并不是物化的专利,而是中国古代艺术思维的一个总的心理前提,在文学艺术的审美创造中,具有独特的理论意义。

综观心斋的理论内容,我们可以从以下几个方面来认识其作为审美创造物化心理机制的理论特征。

第一,心斋外在的表现形式是忘我,实质上是作家、艺术家对自己主体心性修养的一次静默的检阅。心斋启动的过程也就是创作开始的过程。在这一过程中,作家、艺术家主体的学识、个性、情感、气质、审美趣味等纷纷骚动,努力寻求适合自己主体心性的客观物象,以求得自己灵魂生命的愉悦。故而,刘勰说:

---

① 《西京杂记》为葛洪托名汉刘歆所作,其中记载了司马相如的创作情况和言论。其云:"司马相如为《子虚》《上林》赋,意思萧散,不复与外事相关,控引天地,错综古今,忽然如睡,焕然乃兴,几百日而后成。"

> 故思理为妙，神与物游。神居胸臆，而志气统其关键；物沿耳目，而辞令管其枢机。枢机方通，则物无隐貌；关键将塞，则神有遁心。（《文心雕龙·神思》）

"神与物游"昭示这是一种物化状态，这种状态始终伴随着心体的斋戒。刘勰展示了这种心体斋戒过程中主体修养的重要性。所谓"志气"，就是情志、意气，它是指作家、艺术家在心斋的状态下所显现出来的主体的学识、个性、情感、气质、审美趣味等，这些都在文学艺术的审美创造中起着关键的作用。作家、艺术家的志气促使作家、艺术家去寻求与自己主体心性气质相合的客观物象。这些客观物象让他们情思飞扬，达到主体的沉冥。然而，这些客观物象并非刻意寻求的，它们自然地呈现在作家、艺术家的艺术视野和艺术心性中，以瞬间直觉的形式显现出来，保证作家、艺术家文学艺术创作的进一步开展。通过心斋的静默检阅，作家、艺术家的思想情感也得到了清理与调整，接受了文学艺术创造的庄严洗礼。这是心斋必须要首先做到的。

第二，心斋是一种潜意识。它对作家、艺术家主体心性修养的静默检阅就是在潜意识状态下完成的。这种潜意识的一个明显特点是：它并非目标鲜明，意图鲜明，但在它的指导下又能准确接近并非刻意追求的目标和意图。这要归结为心斋的超功利性。心斋的外在表现形式是忘我，丝毫不考虑作家、艺术家个体作为灵魂生命的存在，因此也就少了不少牵挂。这种潜意识和无功利是很多作家、艺术家都非常看重的。如虞世南就曾经这样论述过书法创作："字有态度，心之辅也。心悟非心，合于妙也。"（《笔髓论·契妙》）所谓"心悟非心"，就是要做到心与物化，与物沉冥。同时，"心悟非心"也是一种潜意识，或者是潜意识所导致的必然结果，只有达到这种心境，才能使创作臻于妙境。对于心斋的潜意识，李涂说得更为形象真切：

> 做大文字，须放胸襟如太虚始得。太虚何心哉？轻清之气旋转乎外，而山川之流峙，草木之荣华，禽兽昆虫之飞跃游乎重浊渣滓之中，而莫觉其所以然之故。人放得此心，廓然与太虚相似，则一旦把笔为文，凡世之治乱，人之善恶，事之是非，某字合当如何

书,某句合当如何下,某段当先,某段当后,如妍丑之在鉴,如低昂之在衡,决不致颠倒错乱,虽进而至之圣经之文可也。(《文章精义》)

李涂要求作家、艺术家"放胸襟于太虚",并非真的能把心放到太虚之中。这个"太虚"是一个无的世界,也就是心斋的境界。在这个境界中,山川、草木、禽兽、昆虫之变化皆随于心,心也同时化于万物之中,这才有"莫觉其所以然"的感受。这"莫觉其所以然"也正是潜意识所起的作用。这种潜意识的参与,在一定程度上保证了物化的正常开展,使文学艺术作品情感真挚,意趣天然。

第三,心斋是一种心境的空虚和焦渴。心因为空虚,才需要实物去充实;因为焦渴,才需要甘泉去滋润。庄子说:"唯道集虚,虚者,心斋也。"他把虚空看作是道的表现,这是老庄的哲理意趣。道具有无限的创造力,它化生有无,而有又生于无,无就是虚。"虚者,心斋也。"依此类推,心斋也就是道的表现,也是具有创造力的表现。这就是庄子重视心斋的原因。文学艺术创作要实现物化,作家、艺术家必须进行心体斋戒,以保持心境的虚空,这样才能排除先入之见,对对象做出最为本真的直观。由于心境的虚空而陷入焦渴之中,迫使作家、艺术家去发现、去索取,以寻求文学艺术创作的动力。因此,心斋不仅是一种艺术思维的心理机制,实际上已变成文学艺术创作的真正的动力。金圣叹就描述了心斋的这种创造过程,他是以"圣境"、"神境"、"化境"三个阶段来进行分析的。他说:

> 心之所至,手亦至焉者,文章之圣境也;心之所不至,手亦至焉者,文章之神境也;心之所不至,手亦不至焉者,文章之化境也。

(《第五才子书序一》)

"圣境"和"神境"虽是文学艺术创作的妙境,但不是最高的境界,最高的境界是"化境",它是化我心于物心的境界,主体完全沉冥于物之中。从"心之所至"到"心所不至"是一个从实入虚的过程。这是一个心斋的过程,也是心从焦渴到满足过程,以心手相应表现出来。心手相应不仅表现在"心之所至,手亦至焉",还表现在"心之所不至,手亦不至焉"。到了"心之所不至,手亦不至焉",心非心,手非手,便达到满足心境空虚和焦渴的绝妙境界,这就是金圣叹所说的"化境"。文学艺术的创作要想真正达到这个境界,以满足焦渴和空虚的心境,殊非易事。作家、艺术家必须付出精神情感的巨大努力。

最后,心斋是作家、艺术家心灵的超越。超越是痛苦的,然而又是美丽的。超越的过程中,尽管存在许许多多这样那样令人难以启齿的痛苦,一旦超越过去,便会产生情感的欣悦,实实在在享受一下超越的美丽。庄子在描述梓庆"斋七日"之后的感觉时曾经这样写道:"当是时也,无公朝,其巧专而外滑消;然后入山林,观天性;形躯至矣,然后成见鐻,然后加手焉;不然则已。则以天合天,器之所以疑神者,其由是与!"(《庄子·达生》)这一段描写虽然没有一句言及欢乐的语言,但情感的欣悦溢于言表。那种酣畅淋漓的操作过程,就是梓庆(庄子)最大快乐的表现。而这一切,正缘于他实现了对自己心灵的超越。关于这一问题,我们后文将继续讨论,因为已经不完全属于物化的心理机制了。

第三节　审美移情:物化的表现特征

如果我们全面审视一下中国古代的物化理论,就会发现文学艺术创造的审美移情是它的典型的表现特征。

在《庄子》的寓言文本中,庄周梦蝶所产生的幻化是蝶梦庄周。庄周和蝴蝶分为两个不同的等级和层次。因此,"周与胡蝶,则必有分矣"。近人刘武在解释"必有分"的内涵时这样说过:

> 栩栩然者蝶也,蘧蘧然者周也。魂交则蝶也,形接则周也。故曰:"则必有分矣。"然蝶为周所梦化,则周亦蝶也,蝶亦周也,分而不分也,即上文所谓"彼出于是,是亦因彼","是亦彼也,彼亦是也"。(《庄子集解内篇补正》)

这里提出"魂交则蝶也,形接则周也",以显示周蝶之区别。"魂交"和"形接"二语亦出自《庄子·齐物论》。其云:"其寐也魂交,其觉也形开,与接为构,日以心斗。"可见,用"魂交"和"形接"能揭示梦与觉的区别。刘氏从这一角度来讨论周蝶之分,是着眼于精神情感和现实世界的差别的。这似乎与庄子梦觉齐一的思想相矛盾,其实,它们是统一的。周与蝶在梦与觉中显示了差别,也在梦与觉中实现了齐一。它们在天人合一的精神作用下实现了物化,不分彼此,不辨你我,达到了"天地与我并生,而万物与我为一"(《庄子·齐物论》)的最高境界。由此可见,"魂交"就是一种精神和情感的活动。这种精神和情感的活动直接作用在客观物象蝴蝶身上,赋予它以人的思想和情感,便实现了物化。这与西方美学史上的"移情"说有相通之处。然而,由于物化论和移情说产生的传统文化背景存在巨大的差异,导致它们在具体内涵上有许多不同,是我们不应忽视的。

在《西方美学史》中,朱光潜先生曾经这样介绍西方的移情作用:

> 什么是移情作用?用简单的话说,它就是在人观察外界事物时,设身处在事物的境地,把原来没有生命的东西看成有生命的东西,仿佛它也有感觉、思想、情感、意志和活动,同时,人自己也受到对事物的这种错觉的影响,多少和事物发生同情和共鸣。①

在西方美学史上,移情说的代表人物是德国美学家里普斯。他的移情说强调主体和客体的一体化,并强调一体化是人所造成的。人在审美创造中所产生的审美移情并非主体和客体的对立,恰恰相反,是主体和客体的和谐。"正如我感到活动并不是对着对象,而是就在对象里面,我感到欣喜,也不是对着我的活动,而是就在我的活动里面。我在我的活动里面感到欣喜或幸福。""移情的作用就是这里所确定的一种事实:对象就是我自己。根据这一标志,我的这种自我就是对象,也就是说,自我和对象的对立消失了,或者说,并不曾存

---

① 朱光潜:《西方美学史》(下),人民文学出版社,北京,1984年,第597页。

在。"①庄周梦蝶所表现的物化意蕴正是自我与对象的和谐。这种和谐的典型表现就是审美移情,在移情的过程中完成了文学艺术的审美创造。

中国古代特别注重"天人合一"。在对万事万物的认知过程中,非常强调人与自然的和谐对应。受这种宇宙观的影响,中国古代的文学艺术创作也非常讲究人与万物的感应。人与物的这种感应,在古人看来是相互的。人感物,物也感人。自然万物也会产生情感,它们会哭、会笑、会表达悲喜。然而,人是万物最为灵明者,万物的这种情感是人所赋予的,是作家、艺术家的情感投射,它们的主宰还是人。"昔我往矣,杨柳依依,今我来思,雨雪霏霏。"(《诗经·小雅·采薇》)依依杨柳似有情有思,充满柔情。这柔情是诗人的情感投射,并非真诚地认为杨柳有情。它是主体与对象融合为一的结果。这种情感的投射经常会依据主体的实际表情需要随意设定,"杨柳依依"是一种情感类型,而"硕鼠硕鼠,无食我黍,三岁贯女,莫我肯顾"(《诗经·魏风·硕鼠》)又是一种情感类型。硕鼠的贪得无厌也是一种审美移情,按照里普斯的说法,只不过属于反面的移情而已。②

中国古代的"天人合一"观念化育了中国古代的审美创造物化理论,这是中国式的审美移情,我们可以称之为物化移情。庄子发其端,而董仲舒应该是这种审美物化移情理论的又一重要开拓者。他从天人感应的角度阐发了物化移情的另一方面,即客观对象的情感主动性的内涵,认为万物的情思引发了人的情思,发展了中国古代的审美创造物化理论。比如,他将人的情感变化对应于春夏秋冬四季的变化,开启了中国古代对悲秋和伤春文学现象理论分析的先河,其文化的意义是极为深远的。虽然,他认为天(自然)有意志情感,但又肯定了天(自然)与人的统一。神秘玄虚的成分存在着,而亲切与真诚也同时存在着。在用于解释文学艺术感应现象时,这种神秘玄虚的东西便

---

① [德]里普斯:《移情作用·内模仿和器官感觉》,伍蠡甫、胡经之主编:《西方文艺理论名著选编》(中),北京大学出版社,北京,1986年,第569~471页。
② [德]里普斯:《再论"移情作用"》,伍蠡甫、胡经之主编:《西方文艺理论名著选编》(中),北京大学出版社,北京,1986年,第481页。

开始淡漠,而代之以具有鲜活的生命精神和现实意义的物化移情理论。他说:

> 人生有喜怒哀乐之答,春秋冬夏之类也。喜,春之答也;怒,秋之答也;乐,夏之答也;哀,冬之答也。天之副在乎人,人之性情有由天者矣。(《春秋繁露·为人者天》)

所谓"天之副在乎人,人之性情有由天者",就是肯定天人感应,追求人与自然的和谐。董仲舒认为,人在四季中的不同的情感表现是"天"作用的结果,"天"本身就有情感,这种情感只有与人的情感产生碰撞才会成为有价值的情感。换言之,没有人的情感,"天"的这种情感是不存在的。这就是感应。感应是双方的、交互的,天感人,人也感天,缺少一方,便不成感应。这其中蕴涵着对审美创造物化的极深的思考,也包含着对物化移情的深切思索。董子的这种思想也可能存在着明显的缺陷,但是,这一缺陷并不足以成为我们与董子沟通的屏障。

物化在"天人合一"观念的笼罩下提倡审美创造的移情,尤其突出了情思的审美价值。在董仲舒天人感应的思想中,我们已经能够感受到这一点。但是,董仲舒的论述并不十分明晰,有时还带有生硬的成分。在后来的《世说新语》中,对物化移情的情思的审美价值认识就更为鲜明了,无论是对象的情思还是我的情思都具有更为纯粹的审美意义。《世说新语·言语》云:"简文入华林园,顾谓左右曰:'会心处不必在远。翳然林水,便自有濠濮间想也,觉鸟兽禽鱼,自来亲人。'""顾长康自会稽还,人问山川之美。顾云:'千岩竞秀,万壑争流,草木蒙笼其上,若云兴霞蔚。'"简文的濠濮之想是受庄子的影响,以情思移诸对象,鸟兽禽鱼都有情有思,正因为它们有情有思,才与人亲近。这种自然的亲和非常有诱惑力,连鸟兽禽鱼都能与人会心,具有人情味,人还有什么烦恼和孤独呢?而顾恺之对岩、壑、草、木、云、霞的赞美更富有诗意。在他的眼里,这些无生命的东西都充满着生命的情思,展现了自然美的魅力。在这里,情思的审美价值提高了,它已自觉地转移到对象身上,使对象与自我的对立消失,"对象就是我自己"。

关于西方的审美移情和中国古代的物化移情,很多人都看到了它们之间的区别。陶东风曾经评价过里普斯的移情说与中国古代的心物论,就是针对审美移情和物化移情的。他说:"在利普斯(笔者按:即里普斯)那儿,物没有地位,已被我取而代之;而在中国古人那儿,物有独立的价值和意义,我化入、契入物而不是取代物,这才是真正的物我同一。"①这在一定程度上抓住了西方移情与中国古代物化移情的差异。中国古人真诚地相信物有情思,这是在"天人合一"背景下所生成的一种带有幻化色彩的主观感觉(其中包括谶纬迷信),表现在艺术的审美创造中,往往会产生神奇的效果。但是,在中国古典文艺学和美学中,"物"的意义特别广泛,它可以指自然之物,也可以指社会人事之物。社会人事之物是独立的,它的美往往与人伦道德联系在一起。而自然之物直到魏晋时期才开始独立,具有独立的审美价值和审美意义。在这之前,即使在老庄那里,自然之物也仍然没有独立。这些物只有与某些寓言与象征联系在一起才具有意义。董仲舒是注重自然之物的价值的,他认为自然之物有思想、意志和情感,但他还是强调,这种思想、意志和情感只有在人与物的相互感应时才会发生,其基本的立足点是人与物的对话。在对话的过程中,起主动作用的恐怕还是人,而不是物。中国古代对物的重视表现在:他们不会任意役使物,而会适应物的特性,不像西方那样完全将物视为我的工具,当作我达到某种意图的阶梯。这就构成了中国古代的物化移情与西方审美移情理论的差异。

我们可以看看古人对这一问题的讨论实例。杜甫云:"思飘云物动,律中鬼神惊。"(《敬赠郑谏议十韵》)思飘云物才会动,思想情感对云物移情才会产生惊鬼神的诗歌。这是强调人的主动性。苏轼云:"故画竹必先得成竹于胸中,执笔熟视,乃见其所欲画者,急起从之。振笔直遂,以追其所见,如兔起鹘落,少纵则逝矣。"(《文与可画筼筜谷偃竹记》)画竹前首先要成竹在胸,这也是强调人的主动性。在这里,人

---

① 陶东风:《中国古代心理美学六论》,百花文艺出版社,天津,1999年,第149页。

的主动性还表现在人能够迅速捕捉住竹刹那间的变化,进行生动而形象的刻画。在一首题画诗中,徐渭说:"送君不可俗,为君写风竹。君听竹梢声,是风还是哭?若人能描风竹哭,古云画虎难画骨。"(《附画风竹于笺送子甘题此》)风吹竹动,似泣似咽,竹何以能哭?这是人情感的主动性所致,肯定不是物本身的因素。故而,清黄虞龙这样说:

> 古今能文章之士,皆胸中无物,眼底无人。无物,故河山大地,以至虫鱼花鸟,都足供其笔端;无人,故先秦两汉百家诸子,只是我寻常交往。(《与客》,《尺牍新钞》)

"胸中无物,眼底无人",体现了作家、艺术家文学艺术创作的极度主动性。因为做到了无物,物才显示了它的生动性;因为做到了无人,人才具有神采,上下千古,死而复生,正显示出化入、契入物的作用。人的主动性是显而易见的。上述云物、竹子以及河山大地、虫鱼花鸟,无不是在主体情思主动下所实现的天人合一。独立地看待一个物象,再具有灵性的物象也没有价值、没有意义。

然而,在包括文学作品在内的中国古代的一些著作中,古人又的确把物象描述得富有灵性,这是古人化入、契入物的结果,是古人的丰富的想象。在这一想象的过程中,人处于主动地位,但这种主动不可能是西方那样的绝对主动(西方的绝对主动包含着对物的绝对轻视,对主体的极度重视),它发生在对物的尊重的前提之下,没有物,也没有我。这样,中国古代的物化理论和西方的移情理论差别就非常明显了。这种差别实质上是文化的差异。西方人喜欢用科学的态度来认识心与物,中国人认识心与物的态度是情绪化和理想化的。用一句简单的话说,西方人是理性的,中国人是感性的。

唐人李阳冰有一段精辟的话讨论物化移情:

> 阳冰志在古篆,殆三十年,见前人遗迹,美即美矣,惜其未有点画,但偏旁模刻而已。缅想圣达立卦造书之意,乃复仰观俯察六合之际焉:于天地山川,得方圆流峙之形;于日月星辰,得经纬昭回之度;于云霞草木,得霏布滋蔓之容;于衣冠文物,得揖让周旋之体;

于须眉口鼻,得喜怒惨舒之分;于虫鱼禽兽,得屈伸飞动之理;于骨角齿牙,得摆拉咀嚼之势。随手万变,任心所成,可谓通三才之品汇,备万物之情状者矣。(《唐李阳冰上采访李大夫论古篆书》,《佩文斋书画谱》卷一)

沉浸在文学艺术的创造中,任何一种物象都会引起作家、艺术家的移情,移情的过程是一个充满想象的过程,这一过程体现了作家、艺术家对万物的尊重。李阳冰的"随手万变,任心所成"是主体的主动性在文学艺术中的创造性表现,它与里普斯的"对象就是我自己"内涵在本质上虽然有差异,但在形式上却有相像之处,可视为古人对物化过程中的审美移情所做出的东方式的阐释。更进一步说明,在审美创造的物化形态中,主体和物象是合一的。只有在主体情思的统领下,物象才会充满生动的艺术情趣,具有真正的审美意义。

第四节 物我互化:物化的最高境界

在主体与客体的一体化上,西方的移情说和物化理论没有本质的不同。不同的是,它们对于物的态度和阐释方式。一如前文所言,西方人喜欢用科学冷静的理性态度来认识心与物,中国人认识心与物的态度是情绪化、理想化的,是感性的。这是中西文化的差异造成的,它体现了各民族理论的特色。客观物象之所以富有情思,是作家、艺术家"移入"的结果,并不是物象本身就有情思。中国古代文人尽管相信物有情思,并在这种观念的支配下把客观物象描绘得如此具有人情味,但这仍是古人的"觉"。"觉鸟兽禽鱼,自来亲人。"如果漠视这一点,就不能正确地认识中国古代的物化理论。说到底,在审美创造的物化形态中,物身上所表现出来的情思是外在的,是作家、艺术家所赋予的,并不是物本身所具有的。

这样说,便又产生了一系列的问题。那么,审美移情说和物化理论的差异仅仅表现在阐释方式上吗?它们在内涵上有没有什么不同?如果有,表现在哪些方面?

审美移情说和物化理论在内涵上的一个重要的不同表现在对主体和客体的一体化境界的认识上。在审美移情说的理论里,"对象就是我自己",非常在意"我",强调"我"的主导作用。里普斯这样说:

> 身体状况所生的快感只有在我注意到身体状况时才会感觉到。说一件东西是愉快的,就等于说我心眼注视到这对象时感到一种快感。但是我在注意我的身体状况或身体器官活动过程时所感到的快感,和我不注意器官活动过程而全神贯注到审美对象上面时所感到的欣喜,决不能全体地或部分地等同起来。总之,A不能等于非A。①

人对快感的认识是伴随着对人的身体状况的认识过程的,也就是说,快感始终联系着主体自身。里普斯认为,尽管人有时也"全神贯注"于审美对象,但始终有一个伟大的"我"在支配。因此,移情作为一种快感,也是一种"我"始终关注的审美创造心理活动。"我"时时刻刻都在,须臾不曾离开。

中国古代的物化理论从一开始就强调忘我。所谓"心斋"就是为了彻底忘我做好心理准备。庄子在讨论心斋时强调忘我,但在进一步深入时,他又感到心斋还是不足以表达忘我的境界,于是,又补充了一个"坐忘",并借孔子的高足颜回之口加以表述:"堕肢体,黜聪明,离形去知,同于大通,此谓坐忘。"(《庄子·大宗师》)"坐忘"完全蔑视自我,将自我置于一个残酷无情的境域。庄子之所以如此强调心斋和坐忘,是为了完成"外生"(将生死置之度外)这一人生修炼,与"外物"(抛弃功利得失)、"外天下"(将整个世界都置诸脑后)一起组成一个完整的人生修养层次。这无意间也深化了文学艺术的审美创造理论。忘我是物我互化的基础,只有在此基础之上,才能达到审美创造的最高境界。

在中国古代的文学艺术创作实践中,大凡追求物我互化者,无不

---

① [德]里普斯:《移情作用·内模仿和器官感觉》,伍蠡甫、胡经之主编:《西方文艺理论名著选编》(中),北京大学出版社,北京,1986年,第478页。

以忘我为前提。王僧虔陈述他的书法创作体验,曾这样说:

> 书之妙道,神彩为上,形质次之,兼之者方可绍于古人。以斯言之,岂易多得。必使心忘于笔,手忘于书,心手遗情,书笔相忘,是谓求之不得,考之即彰。(《文意赞》,《书法钩玄》卷一)

要达到书法创作的最高境界,必须做到"心手遗情,书笔相忘",这就是忘我,是主体的暂时沉冥。古代的文学艺术家坚信:文学艺术的创作只有真正达到忘我的境界才能创造出不露痕迹、妙造自然的"神品"。故而,清代的徐增慨然叹息:"无事在身,并无事在心,水边林下,悠然忘我,诗从此境中流出,那得不佳?"(《而庵诗话》,《清诗话》)意味极其深沉。

如此看来,以忘我为基础的物我互化是物化的最高境界。处于这种境界,一切都那么淳朴自然,一切都那么亲切感人。

物我互化的第一个表现是物我难辨。在物化活动中,由于处于忘我的沉冥,许多作家、艺术家都混同物我,物就是我,我就是物。对这种境况,处于文学艺术审美创造中的作家、艺术家本人是很难觉察的,只有艺术创造的过程结束,作家、艺术家跳出身临其境的那个圈子,重新反思这一过程,才会产生深切的体会。苏轼准确地把握了这一点。在评文与可画竹时,他就这样写道:

> 与可画竹时,见竹不见人,岂独不见人,嗒然丧其身。其身与竹化,无穷出清新。庄周世无有,谁知此凝神。(《书晁补之所藏文与可画竹》)

"见竹不见人","嗒然丧其身","其身与竹化",竹就是我,我就是竹,我与竹处于混化的状态,这是创作的最高境界。这种境界极为难得!它促成文学艺术精品的产生,若没有对文学艺术的真诚热爱,若没有对现实生活的深切体验,若没有为艺术献身的无私精神,很难达到这种境界。

物我互化的第二个表现是物有情思。在物化的审美创造中,思维极度活跃,作家、艺术家处于物我莫辨的精神状态,物有情思是一种必然。物会哭,会笑,能够与人对话,成为人的知己。这不仅仅是拟人化的修辞手法,实在是一种艺术思维的表现形式。杜甫《春望》所描述的"感时花溅泪,恨别鸟惊心",就是物化审美境界的真实展现。元好问评秦观《春雨》诗云:"'有情芍药含春泪,无力蔷薇卧晚枝。'拈出退之《山石》句,始知渠是女郎诗。"(《论诗三十首》)他之所以以"女郎诗"冠少游,是着眼于少游诗所表现的无力意象。芍药和蔷薇是两种美丽的花,与妙龄美貌的女子形成互渗。芍药含泪、蔷薇无力是审美物化所产生的境界。少游将自己的情思移入这两种花上,表现的是女子的情感。因此,元好问评之为"女郎诗"。是褒,是贬,不是本文讨论的问题。这种物化往往包含着民族深层的文化心理,有独特的文化意义。如果以主体间性的理论看,在这一物化的过程中,物也同人一样是一种主体的存在,它不完全受人的支配,有时,还左右着人的思想情感的发展。但是,单独的物又没有意义,它必须与人产生主体间的共振才具有价值。

物我互化的第三个表现是审美体验的心灵超越。这在审美创造的物化境界中尤其重要。如果说,物我难辨,物有情思是物化创造的外在表现形态,那么,审美体验的心灵超越就有物化创造的精神意义了。物化创造所追求的妙造自然和忘我的艺术境界,是为了更好地展示作家、艺术家的心灵,追求主观情思和客观物象相统一的一致性。关于这一点,祝枝山说得好:

> 将以宣豁风抱,纾和志节,则必得长津阔野,以极其大。将内观心语,玩索理性,则必得窟室奥寝,以极其小。若夫欲大可放,欲小可敛,不事崇广,而遐旷自致于尺寸之地,则以据境之要乎!
> (《葛秀才小楼记》,《枝山文集》卷一)

从大处言,物化的开展是为了"宣豁风抱,纾和志节";从小处言,物化的开展是"内观心语,玩索理性"。无论大处还是小处,都是为了实现心灵的超越。在心灵超越的过程中,作家、艺术家自身的价值也得到了实现。

如何才能做到物我互化,以实现审美体验的心灵超越?这也是古人经常思索的问题。从庄子开始,就已经着手对这一问题做艰难的形上探索,到董其昌和金圣叹,才找到解决这一问题的具体方法。董其昌说:

> 画人物须顾盼语言,花果迎风带露,禽飞兽走,精神脱真,山水林泉,清闲幽旷,屋庐深邃,桥渡往来,山脚入水澄明,水源来历分晓。有此数端,即不知名,定是高手。(《画诀》,《画禅室随笔》卷二)

金圣叹也说:

> 乃今耐庵忽然以笔墨游戏,画出全幅活虎搏人图来。今而后,要看虎者,其尽到《水浒传》,景阳岗上,定睛饱看,又不吃惊,真乃此恩不小也。传闻赵松雪好画马,晚更入妙。每欲构思,便于密室解衣踞地,先学为马,然后命笔。一日管夫人来,见赵宛然马也。今耐庵为文,想亦复解衣踞地,作一扑、一掀、一剪势耶!东坡画雁诗云:"野雁见人时,未起意先改。君从何处看,得此无人态。"我真不知耐庵一副虎食人方法在胸中也?(《第五才子书施耐庵水浒传》第二十二回夹批)

董其昌的"精神脱真"、"清闲幽旷"表面上是心境的涵养,实际上却提出感受自然万物的方法,要求作家、艺术家在感受的过程中身与物化;金圣叹的"解衣踞地,先学为马"是借助于模仿培养艺术家对物性的感受,从而实现物化。两者相较,金圣叹所论方法的具体性更为明显。无论是董其昌还是金圣叹,他们的意图都是为了寻求物我互化,以达到文学艺术创造的最佳境界,从而展示作家、艺术家体验的本真。

应该强调的是,物我互化这三个方面的实际运用并不是孤立的,而是三位一体的。作家、艺术家在实际操作时不可能将它们无端拆开,分别进行独立的运作,若此,很难发挥物化思维的精髓。对物化思维的这些层次,我们也应该有非常清醒的认识,否则,同样无法洞悉这一艺术思维的真谛。

第十章 比兴：
称名也小，取类也大

比兴这一文艺学、美学范畴的提出，是先秦时期用诗的结果。先秦时期的用诗，实际上是综合赋诗、赏诗、创作的文学活动，整个活动开展的外在表现形式是对"诗三百"的解读。赋诗、赏诗和创作的一体化体现在对"志"的表达上，这是先秦用诗的目的。"诗言志"理论的提出就是这一意图。赋诗是对诗人之志的陈述，也借此表达赋诗者之志；赏诗的目的在于"以意逆志"。先秦时期，诗的创作意识极为淡漠，赋诗、赏诗本身就是一种创作活动，可以从《左传》所记载的"赋诗断章"的行为中领会。赋诗者在赋诗的过程中实际已经赋予了所赋之诗以自己的思想情感，并且让听诗者能够意会、理解，这本身就是一种创作，是对"诗三百"的欣赏和创造。由于"诗三百"是配乐而唱的乐歌，先秦时期的用诗活动很大程度上也是一种音乐活动。比兴作为早期"六诗"的两类，与音乐有关，这是事实。但是，"六诗"到底是什么？至今仍难以下结论。可以肯定地说，它的原始意义不是文学艺术审美创造的思维形式，最多只能算作诗的解读方式。这种解读方式并不是一成不变的，它最终变成了一种创造的方式。比兴由解读发展到创造是在汉代完成的，其中蕴藏的奥秘值得认真考察。

第一节 《诗经》的传授、解读与比兴概念的提出

先秦时期，诗的观念是否具有普遍的文体意义？在当今仍有不同的看法。一种观点认为，诗即志，是寺人之言[①]，这是从文字学和文化

[①] 参见杨树达《释诗》、叶舒宪《诗经的文化阐释》等著作，里面有比较详尽的解释。

人类学的角度考虑认识问题的；一种观点认为，诗特指"诗三百"，这是从作品的角度考虑认识问题的；一种观点认为，诗是指一种文体，具有普遍的文体意义①；还有一种观点认为，诗在先秦往往与其他经典混称，作为志的一个符号。这些观点都是中国古代诗的意义的一个方面，仅是看问题的一个角度。不管诗是什么，先秦时期讨论与诗相关的问题，都与"诗三百"联系在一起，或者说以"诗三百"作为经典的论述范例。这自然涉及《诗经》的解读问题，也涉及比兴概念的相关问题。将比兴作为完整概念提出来的现存最早的文献是《周礼》，在那里，比兴仅是"六诗"中的两类：

> 大师：掌六律、六同，以合阴阳之声。阳声：黄钟、大蔟、姑洗、蕤宾、夷则、无射。阴声：大吕、应钟、南吕、函钟、小吕、夹钟。皆文之以五声：宫、商、角、徵、羽。皆播之以八音：金、石、土、革、丝、木、匏、竹。教六诗，曰风、曰赋、曰比、曰兴、曰雅、曰颂；以六德为之本，以六律为之音。

"六德"是指中、和、祗、庸、孝、友这六种品德，"六律"则是指阳阴之声的相应和谐，又称"六乐"。《周礼·春官·宗伯》中的记载是非常明白的。

> 大司乐……以乐德教国子：中、和、祗、庸、孝、友。……乃奏黄钟，歌大吕，舞《云门》，以祀天神。乃奏大蔟，歌应钟，舞《咸池》，以祭地祇。乃奏姑洗，歌南吕，舞《大韶》以祀四望。乃奏蕤宾，歌函钟，舞《大夏》，以祭山川。乃奏夷则，歌小吕，舞《大濩》，以享先妣。乃奏无射，歌夹钟，舞《大武》，以享先祖。

从这两段较完整的记载可以看出，"六诗"与乐教有关，它是一个统一的逻辑分类。这种乐教的内容是什么？真是一言难尽。章必功

---

① 陈良运《中国诗学批评史》认为："从商、西周到《左传》所记载的春秋时代（前770～前476），诗作为一种文体的观念，被人民普遍接受了，歌谣都纳入了诗的范围，来自民间的民歌、民谣被称为'风诗'。"江西人民出版社，南昌，1995年，第3页。

认为,"《周礼》'六诗'反映了周代国学'声、义'并重的诗歌教授内容和由低级到高级、由简单到复杂的诗歌教授过程。这一过程分为三个阶段:'风'、'赋'为第一阶段,是基本功的训练,要求国子能熟练地歌唱诗、朗诵诗。前者是以'声'为用的基本形式,后者是以'义'为用的基本形式。'比'、'兴'为第二阶段,是诗歌义理的训练,要求国子能准确、深刻地以'义'为用。'雅'、'颂'为第三阶段,是正声诗乐的训练,要求国子能严格地按照周礼以'声'为用"①。这表面上好像是在同一的逻辑层面分析"六诗",但他认为风、雅、颂是声,赋、比、兴为义,骨子里还是受后来"六义"观的影响。王昆吾针对章文发论,认为"六诗"并不是针对国子的"周代诗歌教学的纲领",而是对瞽矇进行语言与音乐训练的项目。"六诗"之教有两项基本要求,一是合于音律,二是合于乐序。六诗的顺序是乐序的反映,其教学目的在于正音。风、赋、比、兴、雅、颂指六种传述诗的方式,具体地说,风指方音诵,赋是雅言诵,比是赓歌,兴是和歌,雅为乐歌,颂为舞歌。②我们认为,这种论述比较有说服力。由此可见,"六诗"是早期的艺术概念。比兴虽然是两种传述诗的方式,但并非与后来的作为艺术思维方式的"六义"之比兴相对立,它们之间仍有某种默契关系。从王文周详的考论中可以看出。

"六诗"是针对古代的音乐所提出的一个命题,这里的诗不完全是指《诗经》,涵盖面较《诗经》更为广泛,虽然《诗经》在远古时也是配乐而唱的,是一种音乐,但只是先秦音乐的一个部分。"六诗"中的风、雅、颂也不与现存《诗经》中的风、雅、颂等同,它们之间虽有关联,但毕竟有分别。然而,"六诗"这一概念又可视为对现存《诗经》的最早解读,只不过这种解读只着眼于音乐,依据传统的礼义,基本奠定了后世解读《诗经》的基础。

《周礼》原名《周官》,其成书年代各家看法不一。但有一点却是事实:它是真实反映西周社会制度的文献。"六诗"在战国以前应是

---

① 章必功:《"六诗"探故》,《文史》第二十二,中华书局,北京,1984年,第168页。
② 王昆吾:《诗六义原始》,《中国早期艺术与宗教》,东方出版中心,上海,1998年,第221~240页。

上层社会已经熟悉的用诗内容，在实际的运用中往往比较灵活，并不拘泥于一种固定、单一的形式，从可靠的《左传》《论语》等先秦典籍中可以找到例证。

《左传》记载的用诗可以从两个方面来认识：其一是赏诗；其二是赋诗。赏诗即是观乐，以音乐的形式表现《诗经》的内容，能从中对诗产生时代的社会现实及其治乱状况有准确真实的了解。赏诗与"六诗"的关系密切，主要表现在诗的音乐形式中，以乐教作为赏诗的重要内容。《左传·襄公二十九年》记载了吴季札观乐的史实，颇有说服力。吴公子札来鲁，见叔孙穆子，请其观乐：

> 使工为之歌周南、召南，曰："美哉！始基之矣，犹未也。然勤而不怨矣。"为之歌邶、鄘、卫，曰："美哉，渊乎！忧而不困者也。吾闻卫康叔、武公之德如是，是其卫风乎？"为之歌王，曰："美哉！思而不惧，其周之东乎？"为之歌郑，曰："美哉！其细已甚，民弗堪也，是其先亡乎！"为之歌齐，曰："美哉，泱泱乎，大风也哉！表东海者，其大公乎！国未可量也。"为之歌豳，曰："美哉，荡乎！乐而不淫，其周公之东乎？"为之歌秦，曰："此之谓夏声，夫能夏则大，大之至也，其周之旧乎？"为之歌魏，曰："美哉！沨沨乎！大而婉，险而易行，以德辅此，则明主也。"为之歌唐，曰："思深哉！其有陶唐氏之遗民乎？不然，何忧之远也。非令德之后，谁能若是？"为之歌陈，曰："国无主，其能久乎？自郐以下无讥焉"。为之歌小雅，曰："美哉！思而不贰，怨而不言，其周德之衰乎？犹有先王之遗民焉。"为之歌大雅，曰："广哉，熙熙乎！曲而有直体，其文王之德乎？"为之歌颂，曰："至矣哉！直而不倨，曲而不屈，迩而不逼，远而不携，迁而不淫，复而不厌，哀而不愁，乐而不荒，用而不匮，广而不宣，施而不费，取而不贪，处而不底，行而不流，五声和，八风平，节有度，守有序，盛德之所同也。"

吴公子札的赏诗其实也就是赏乐。这里虽然没有详述诗乐的演唱或传述的方法，但乐教的意图是非常鲜明的。其中提到了"五声和，八风平，节有度，守有序"的内容，大概是讲述诗乐的演唱或传述的,只不过极为笼统、极为含混而已。

赋诗是对诗的引用,也是一种意义的创造。春秋时期,赋诗之风尤其兴盛,不仅用于交际,而且用于教化,与乐教有异曲同工之妙。《左传》记载了大量的赋诗史实,从中可以了解此时的文化风俗。僖公二十三年记载,秦穆公宴请晋公子重耳。重耳赋《河水》,穆公赋《六月》。《河水》当为《诗经·小雅·沔水》,韦昭《国语·晋语》注云:"河当作沔,字相似误也。"这是对"诗三百"的借用,借助于"诗三百"表达自己的主观情志。重耳赋诗之意在于向穆公表示返国后将朝事于秦,穆公赋诗之意在于赞美公子重耳为君必将称雄。这都是典型的外交辞令。赋诗者个人的意图压倒了原诗,表面上看是误读,实际是赋诗者的着意创造。清人劳孝舆说:"古人所作,今人可援为己诗,彼人之诗,此人可赓为自作,期于'言志'而止。人无定诗,诗无定指,以故可名不可名,不作而作也。"①这对春秋时期的用诗概括是较准确的。《左传·襄公二十七年》记载的一次集体赋诗的行动被朱自清先生《诗言志辨》及其他多种著述所称引,朱先生把它作为"言志"的一个典型的范例来论述。

郑伯享赵孟于垂陇,子展、伯有、子西、子产、子大叔、二子石从。赵孟曰:"七子从君,以宠武也。请皆赋,以卒君贶。武亦观七子之志。"子展赋《草虫》,赵孟曰:"善哉,民之主也。抑武也不足以当之。"伯有赋《鹑之贲贲》,赵孟曰:"床第之言不逾阈,况在野乎?非使人之所得闻也。"子西赋《黍苗》之四章,赵孟曰:"寡君在,武何能焉?"子产赋《隰桑》,赵孟曰:"武请受其卒章。"子大叔赋《野有蔓草》,赵孟曰:"君子之惠也。"印段赋《蟋蟀》,赵孟曰:"善哉,保家之主也,吾有望矣。"公孙段赋《桑扈》,赵孟曰:"匪交匪敖,福将焉往?若保是言也,欲辞福禄,得乎?"卒享,文子告叔向曰:"伯有将为戮矣。诗以言志,志诬其上,而公怨之,以为宾荣,其能久乎?幸而后亡。"叔向曰:"然,已侈,

---

① 劳孝舆:《春秋诗话》,转引自朱自清:《诗言志辨》,华东师范大学出版社,上海,1996年,第18页。

所谓不及五稔者，夫子之谓矣。"文子曰："其余皆数世之主也。子展其后亡者也，在上不忘降。印氏其次也，乐而不荒。乐以安民，不淫以使之，后亡，不亦可乎？"

这次集体赋诗可谓"各言尔志"。在赋者为"言志"，在听者为"观志"。"这里的言志和观志都不同于文学创作和欣赏时表达、探求作者情志的活动，而是通过赋他人之诗，暗示或隐喻赋诗者的思想感情，听者则在正确把握对方所表达情意的基础上，进一步探求其赋诗行为背后所隐藏的深层动机。"[1]可见，赋诗不仅是一种解读行为，已然是一种创作的行为，这种行为包蕴了对"诗三百"的尊崇态度。

更为重要的是，"赋诗引诗确立了一种引申联想、譬喻类比式的理解方式。赋诗引诗要求在诗句和用诗者的主观情志之间建立起某种联系，这种联系的方式通常是取其某种相似性而带有譬喻类比的性质，建立这种联系的关键又诉诸人们的引申联想能力"[2]。春秋时期，赋诗这一用诗方法已经是对"六诗"的超越，这是先秦灵活用诗的一种表现。这种超越仅是形式上的超越，其教化的精神实质并没有失去。《左传》已全然不顾"六诗"的原始意义，对上层用诗的真实情景做了不失分寸的记载，说明"六诗"本身就是一个动态发展的体系，最终演化为"六义"是一种必然，也符合文学艺术发展的规律。

春秋时期的赏诗和赋诗是对"六诗"精神的继承，也是进一步深化。作为诗的六种传述方式，其最基本的目的是正音。传述者是精于审音和记诵的瞽蒙。随着时代的发展，对诗传述的技艺要求会逐渐降低，对诗的教化要求会逐渐加强。这种情形及其在春秋时期的种种表现，已为很多学者所探讨，我们不再展开。

"六诗"观念提出的同时，《周礼·春官·大司乐》还提出了"乐

---

[1] 尚学锋、过常宝、郭英德：《中国古典文学接受史》，山东教育出版社，济南，2000年，第19页。
[2] 同上书，第23页。

语"观念。"乐语"是指"兴、道、讽、诵、言、语",它和"六诗"一样都是教诗的项目。王昆吾认为,乐语是对国子进行音乐和语言训练的项目;六诗是对瞽蒙进行语言与音乐训练的项目。"乐语"与"六诗"分列,"其缘由应在于乐语的顺序反映了另一种声教的顺序,其教学目的在于正语"①。有趣的是,无论是"六诗"还是"乐语"都有一个项目是"兴"。乐语中将"兴"置列首位。但这两个"兴"的含义是否一样呢?可以肯定地回答,二者之间不可能相同,只可能相异。"六诗"和"乐语"都是教诗的项目而单列,两个"兴"不可能指同一内容。又依据"六诗"和"乐语"的项目施用的对象不同,两个"兴"肯定有不同的内容。这个判断应是合理的。王昆吾认为,"六诗"和"乐语"具有明显的可比性。"'风'和'讽'通假;'兴'是两者共有的节目;据刘向所言'不歌而诵谓之赋','赋'是对应于'诵'的。因此,六诗的含义应参考'乐语'来确定。"②这里有一个很大的疑问:"六诗"和"乐语"产生于同一时期,出自同一部书,又都是教诗项目,是否可以断定"兴"是含义相同的项目?在同一时代,"风"和"讽"通假的可能性有多大?有什么意义?这些问题都是不易回答的。如果断定"六诗"中的"兴"是歌唱传述诗的和歌,那么,"乐语"中的"兴"义显然是指语言问题而不是音乐问题,这从"兴"下的五种方式道、讽、诵、言、语均指语言可以判断。这样,作为"六诗"之"兴"和作为"乐语"之"兴"两种教学项目,一是指音乐的传述,一是指语言的传述,二者是有分别的,不是同一的,它们之间没有直接的可比性。

"乐语"中的兴是语言问题,与道、讽、诵、言、语有同一的逻辑内涵。郑玄在注"六诗"时和乐语之"兴"是有所混淆的。因此,学者们讨论郑注大都强调郑注不符合本原之义,是重义时代的产物。对"六诗"之注表现出郑玄的偏差,而对"乐语"之注则表现了郑玄的精审。他注"兴":"兴者以善物喻善事。"注"道":"道读曰导。导者,言古以剀今也。"注"讽"、"诵":"倍文曰讽。以声节之曰诵。"

①王昆吾:《诗六义原始》,《中国早期艺术与宗教》,东方出版中心,上海,1998年,第221页。
②同上书,第222页。

注"言"、"语"："发端曰言。答述曰语。"①林尹《周礼今注今译》注"乐语"，基本以郑说为是，以为"兴"是"以物譬事"，"道"是"以古导今"，"讽"是"记背诗歌之文"，"诵"是"记背诗歌之文而以抑扬顿挫之声调唱之"，"言"是"直说己事"，"语"是"为他人说话"。②"兴"是以物譬事，这是对先秦时期用诗情形的总结。这从上文所讨论的《左传》的赋诗引诗状况可以意会。后来对"兴"的阐释多遵循这一阐释路径，直接促成了比兴艺术思维方式的形成。

"兴"的话题在孔子的诗学思想中已经是一个意味深长的观念。《论语》讲解《诗经》的运用时曾两次言及"兴"。《论语·泰伯》云："兴于《诗》，立于礼，成于乐。"《论语·阳货》又云："诗可以兴，可以观，可以群，可以怨。""兴"被历代注家解释为以物譬事、引譬连类、感发兴起。这应与"乐语"之"兴"同义，却与"六诗"之"兴"是两个问题。学人们对此历来是混淆的，必须花功夫进行清理，唯其如此，才能准确认识"兴"的意义演变。"兴于《诗》"是指受《诗》的感发所引起的思想情感的冲动，这是对《诗》的引申联想、譬喻类比。孔子对"诗三百"的解读基本上依据这种方式。《论语》关于诗应用的认识，无论是在阅读技巧上还是在意义上，都遵循这种引譬连类的方式。

《论语·学而》云：

> 子贡曰："贫而无谄，富而无骄，何如？"子曰："可也；未若贫而乐，富而好礼者也。"子贡曰："诗云：'如切如磋，如琢如磨'，其斯之谓与？"子曰："赐也，始可与言《诗》已矣，告诸往而知来者。"

孔子和子贡的这一段对话充分展示了"兴于《诗》"的意义。"如切如磋，如琢如磨"的诗句见于《诗经·卫风·淇奥》，本义在于赞美武公之德。"瞻彼淇奥，绿竹猗猗。有匪君子，如切如磋，如琢如磨。瑟兮僩兮，赫兮咺兮。有匪君子，终不可谖兮。"这里以骨、角、象牙、

---

① 郑玄：《周礼注疏》卷二十二，《十三经注疏》，中华书局，北京，1982年影印，第787页。
② 林尹：《周礼今注今译》，书目文献出版社，北京，1985年，第233页。

玉石为喻，说明人品德修养的磨炼是一个细致、艰苦的过程，而贫富对人品德的考验尤其灵验。"贫而乐，富而好礼"是一种较高的思想境界。这一思想境界的形成缘于人艰苦的精神修炼。子贡用骨、角、玉石、象牙打磨成器的艰辛说明君子修养过程的艰苦，这是一种典型的引譬连类，深刻领会了孔子"兴于《诗》"的思想实质。

同样的解读还表现在《论语·八佾》中，孔子和子夏的对话含蓄蕴藉，充满思想和语言的智慧。

> 子夏问曰："'巧笑倩兮，美目盼兮，素以为绚兮。'何谓也？"子曰："绘事后素。"曰："礼后乎？"子曰："起予者商也，始可与言《诗》已矣。"

这里的引譬连类是通过孔子的悉心启发表现出来的。美人的笑态及美目流盼的姿态虽然是外在形象的描绘，其实是人美的心理揭示。在孔子的眼里，美而有礼、美而有德才是真正的美。"绘事后素"是孔子启发子夏的绝妙隐喻。这句诗讲的是绘画方法。描画事物以素色为先，而后再施以粉黛等浓墨重彩。子夏正是在这一隐喻的基础上领会了做人应以仁义为本质、以礼仪为华彩的道理，令孔子极为欣喜。这是"兴于《诗》"所产生的良好效果。"兴"成为感发、启发人们思想情感的重要方式。

"兴于《诗》"创立于孔子，发展于后世诸子。作为亚圣的孟子虽没有提出并阐释兴的观念，也同样用引譬连类的方法读诗、解诗，但眼光却超出孔子不少。他和公孙丑论诗可以看作一个范例。

> 公孙丑问曰："高子曰：《小弁》，小人之诗也。"孟子曰："何以言之？"曰："怨。"曰："固哉，高叟之为诗也！有人于此，越人关弓而射之，则己谈笑而道之，无他，疏之也。其兄关弓而射之，则己垂涕而道之；无他，戚之也。《小弁》之怨，亲亲也。亲亲，仁也。固矣夫，高叟之为诗也！"曰："《凯风》何以不怨？"曰："《凯风》，亲之过小者也；《小弁》，亲之过大者也。亲之过大而不怨，是愈疏也；亲之过小而怨，是不可矶也。愈疏，不孝也；不

可矶,亦不孝也。"

可以看出,孟子解诗着眼于全篇,与孔子只注重只言片语有很大的差别。这种差别并不是本质的,而是形式的。他以怨亲孝悌之道比附《小弁》与《凯风》,仍然是引譬连类的方法。在此基础上,他又加以引申,做出了一些较为生硬的儒学说教。这是在大的解读环境中所产生的必然结果。我们不可对这种思想的发展予以小视。

由此观之,先秦"六诗"、"乐语"与孔子"兴于诗"、"可以兴"的观念有较为复杂的诗学背景。"六诗"首先标榜比兴,与"乐语"之"兴"和孔子之"兴"有不同的内涵。"六诗"之"兴"是传述《诗经》的方法、技巧和方式;"乐语"之"兴"和孔子之"兴"则是对《诗经》的引譬和感发。古往今来的很多学者往往混同这两种不同的"兴"的用意,认为"六诗"之"兴"、"乐语"之"兴"和孔子之"兴"同义。[①] 这是误解,但两者却有精神上的联系。正是这种精神上的联系使人们难以详察它们之间的差别,甚至忽略了它们之间的差别,从而形成了中国文学理论史和美学史上的比兴公案。

"六诗"比、兴并举,"乐语"和孔子只言"兴"而不言"比"。力图糅合比兴的古代学者注意到这一事实,在注释《周礼》和《论语》时,便使出浑身解数,以圆古代之说。汉孔安国注孔子"诗可以兴"云:"兴,引譬连类。"邢昺疏:"若能学诗,诗可以令人能引譬连类,以为比兴也。"(《论语注疏》)朱熹注兴:"感发志意。"(《论语集注》)刘宝楠《论语正义》案:"先郑解比、兴就物言,后郑就事言,互相足也。'赋'、'比'之义皆包于'兴',故夫子止言'兴'。"很显然,古人在讨论孔子之"兴"时认为"兴"包含"比"在内,故而孔子只言兴而不言比。孔安国对孔子的注释是一个典型的代表。他说"兴"是"引譬连类",一是强调"兴"之引(启发,感发),一是强调"兴"之譬(比喻、隐喻),言外之意是说"兴"中含比。可见后人理解不误。东汉末年,郑玄注《周礼》"六诗",混淆了孔子"兴"的观念,影响极大。他说:

[①] 鲁洪生:《从赋、比、兴产生的时代背景看其本义》,《中国社会科学》,1993年第3期。

风言贤圣治道之遗化也。赋之言铺,直铺陈今之政教善恶。比见今之失,不敢斥言,取比类以言之。兴见今之美,嫌于媚谀,取善事以喻劝之。雅,正也,言今之正者以为后世法。颂之言诵也,容也,诵今之德,广以美之。

朱自清先生称郑玄之注"是重义时代的解释"①,应该符合实际。因为孔子等人对《诗经》的解释已经着重于感发、教化之意,基本上抛弃声了。到了《毛诗序》,将《周礼》之"六诗"改为"六义",标志着对"六诗"改造的完成,从此,"六诗"和"六义"成为两个截然不同的概念。

"六义"是"六诗"发展的必然结果,这种结果以政教、德教的形式固定下来,并余韵流播,其过程是曲折的,情节是微妙的。《毛诗序》作为"六义"思想的直接传播者引起了众多的争议,褒贬不一。它的价值确实有正负两个方面:正的方面是对中国古典文艺学、美学的开拓,重要的成果之一是赋比兴概念的提出;负的方面是对《诗经》的误读与歪曲,导致《诗经》精髓的丧失。因此,人们对《毛诗序》的认识也呈现两种不同的倾向,一方面认为它是我国古代第一篇专论诗的文章,是我国古代诗学的第一块丰碑;另一方面又列举了它的十大谬妄,对之无情剖析。②这都符合《毛诗序》的实际。

无论如何,比兴概念的提出都是中国古典文艺学、美学的一件盛事。从"六诗"到"六义",使比兴获得了生命的活力。在比兴成长的过程中,孔子和汉儒的浇灌功不可没。比兴二法虽然在形式上是诗的两种表现手段,但它们又是一体化的,在发展的过程中,已经初露了艺术思维的端倪。它"是对古代人类求同联想的心理活动和以类相推的类比思维形式的高度概括"③,是中华民族艺术思维起步的一个重要的阶梯。

---

① 朱自清:《诗言志辨》,华东师范大学出版社,上海,1996年,第79页。
② 张西堂:《诗经六论》,商务印书馆,北京,1957年,第133页以下。
③ 鲁洪生:《从赋、比、兴产生的时代背景看其本义》,《中国社会科学》,1993年第3期。

第二节　比兴作为一种艺术思维理论的生成

比兴的发展经过了一场脱胎换骨的变化。从"六诗"到"六义"是一个意义的转换过程，在这个过程中有许多的中介讲不清楚，故而对比兴的研究仍存在很大的空间。我们只是选择这个空间中的艺术思维部分，发掘其理论的深刻意义，探讨其对文学创作的价值。这是研究比兴的一个不可忽视的环节。然而，比兴作为一种思维理论是怎样生成的？它具有怎样的生存背景和前提条件？是我们必须回答的。

比兴作为一种思维方式是脱胎于原始思维的。在它身上，我们仍然能够看出原始思维追求神秘互渗、追求直觉联想的痕迹。①这是人类思维的遗传。尽管人类从类人猿发展到今天，已经差不多褪尽了猿类的动物性，但原始思维的方式仍有限地保留着，并不时浮出人类思想的表层，发挥重要的作用。这说明，人类的思维也是多元并存的，简单与复杂、直觉与理性，相互补充，互为条件，共同完善着人类社会的生活。

比兴作为一种真正的艺术思维理论，它的形成应当是汉代。这是因为，虽然比兴概念在先秦时期已经提出，但含义大部分不明，至今仍有许多争论，而且观点相左的程度尤甚。只有汉代给比兴以明确的解释，尽管是对先秦经典的释义，释义准确与不准确倒在其次，关键是，汉人按照他们自己的理解解释了比兴。可贵的是，他们的解释在一定程度上抓住人类进行文学创作的思维品性，得到后世较为广泛的认同。比兴作为一种真正的艺术思维理论，创立之功当归二郑（郑众、郑玄），特别是郑玄。郑玄《周礼注》注"六诗"，实际上是参照了先秦典籍所载的传诗、解诗方法以及《诗经》的创作特点，将之移注《毛诗序》之"六义"最为得体。郑玄在不经意之间成了比兴思维理论的开拓者。

然而，郑玄注释比兴的毛病也不避讳。他注"比"："比见今之

---

① 关于比兴思维的相关论述，参见李健《比兴思维研究》一书，安徽教育出版社，合肥，2003年。

失,不敢斥言,取比类以言之。"注"兴":"兴见今之美,嫌于媚谀,取善事以喻劝之。"好像比就是说恶事的,是讽刺的;"兴"就是说美事,是劝谏的。这样强行赋意,意图明显,只是为了强调教化。可以肯定地说,郑玄对比兴的注释不符合比兴之原意。"比"在先秦时就有解说。墨子云:"譬也者,举他物以明之也。"(《墨子·小取》,原文为"辟","辟"通"譬"。)《礼记·学记》也说:"不学博依,不能安诗。"这里均不言"比"是说专门用来说恶事的,倒是孔子曾经说过使用"比"的好处。他说:"能近取譬,可谓仁之方也。"(《论语·雍也》)由此可知,郑玄注比兴完全出于杜撰。实际上,他还是没有真正弄懂比兴到底是什么,稀里糊涂地说,比是比喻,兴也是比喻。但他又意识到比兴应该是有区别的,为了表明它们之间的区别,便勉强说比是说恶事,兴是说善事。这种注释有些荒唐。郑玄对比兴的注释虽不完美,却从整体上把握了比兴的特点,即比兴的类比性和隐喻性特点,这样,郑玄对比兴的注释仍是有功劳的。凡事虽不唯两面,也要视其两面的合理性表现的程度加以评判,这才是科学、客观的态度。

倒是郑众的观点合理一些。郑众说:"比者,比方于物也。兴者,托事于物。"不言善恶。郑众之说的原文已佚,其言说的背景已不可得知。这还是郑玄在《周礼注》中引用的话,以表示同意。比是比喻,兴是寄托,包括隐喻、象征等。"托事于物"一语含义尤其深刻。郑众对比兴的理解虽然在表面上是从语言的微观角度着眼,实际上却有一种宏观的意识,其视界的开阔远超郑玄,内在已经昭示着一种思维理论的形成,一种艺术思维理论的诞生。由于郑众和郑玄都是经学的大师,可以想象,郑众在谈及《诗经》时,不可能不言及教化。但从他对比、兴的解释中,却丝毫看不出教化的影子,态度之公正客观是空前的,是令人钦佩的。比是"比方于物",意思特别明白。那就是说,比就是比喻、直喻;兴是"托事于物",不单是比喻的问题了。作家、艺术家在他所描写的客观物象中寄托某种思想、情感、态度,所运用的方式除了隐喻、象征之外,还应该有许多方式,诸如典故、曲笔、转喻、类比等。总而言之,兴是隐性的、委婉的。故而,刘勰说"比显而兴隐",以表明比兴之间的差异。正是由于比兴意义的缠夹,后人干脆将比兴合二为一,成为一个概念。在言述的过程中,很多人就把比和兴看作是一回事、一个问题。如《毛诗故训传》说"兴",就说它是比喻,朱自清先生在《诗言志辨》中举了大量的例子,也说兴是比喻。他又引清代陈奂《诗毛氏传疏·葛藟篇》的解说:"曰'若'曰'如'曰'喻'曰'犹',皆比也。《传》则皆曰兴。"可见,从《毛诗故训传》开始,对比与兴的认识就是糊涂的,没有做明确的界分。朱自清先生本人也持这种观点,认为兴是譬喻,包括隐喻。在论及比兴之间的差别时,他又说,兴除了譬喻之外,还有一个发端之意,只有两者合二为一才是兴,兴之外的譬喻便是比。这种说法仍疑窦重重。如果断定兴也是比喻,是否把兴的内涵狭窄化了呢?如果说兴在比喻之外,还有发端之意,这种观点也不新鲜。因为早在六朝甚至更早,人们已经断定兴有"起"义。刘勰《文心雕龙·比兴》说:"故比者,附也,兴者,起也。附理者切类以指事,起情者依微而拟议。起情故兴体以立,附理故比例以生。"朱熹也说:"兴者,先言他物以引起所咏之词。"[①]这明明就是说兴是发端。兴所包含的意义并不是单一的,而是极其丰富的。比兴合称不仅仅指它们意义相近,更重要的是,它们合在一起能产生强大的思想容量,对文学艺术的创作和批评产生重大影响。

将比兴合称是刘勰的创造。《文心雕龙》专设《比兴》一篇论述比兴,尽管在具体论述的时候比兴分论,但其中已明确地表现出了比兴一体化的倾向。刘勰说:"比则蓄愤以斥言,兴则环譬以寄讽。"又说:"楚襄信谗,而三闾忠烈,依《诗》制《骚》,讽兼比兴。炎汉虽盛,而辞人夸毗,讽刺道丧,故兴义销亡。"比兴二法在文学创作中缺一不可,它们之间是相互为用的,离开比,兴不足为兴,相反,离开兴,比也不足为比。比兴所表现的讽喻寄托的美学魅力余味无穷。刘勰高度赞赏了屈原的创作:"依《诗》制《骚》,讽兼比兴。"这是最为完美的。刘勰比兴一体化倾向对比兴思维理论的生成与深化起着推波助澜的作用。在使比兴成为一个诗学术语的过程中,刘勰立下了汗马功劳。

判断一种艺术思维理论的形成,一方面要看特定时代的人是否

[①]朱熹:《诗集传》,中华书局,北京,1958年,第1页。

有明确的理论认识,另一方面还要考察特定时代的文学创作状况,看这种理论是否对这一时代的文学创作产生直接的影响。这样的判断才不流于虚空。理论原本是来源于创作的,是对先前创作经验的总结。汉代兴起的大规模的注经和解诗活动是一种理论的提升过程,这一过程虽然也像先秦的赋诗、引诗、赏诗那样,是对经典的学习,但已经有了实质性的差别。这种差别就导致明确的理论出现。汉人对比兴的注释,依前文所言,不唯微观的修辞,已涉及宏观的意识。这是一种理论产生的征兆,而这种征兆恰恰是先秦所没有的。因此,比兴理论只能产生于汉代,而不可能产生于先秦。尽管比兴作为一种艺术思维理论产生于汉代,但作为一种艺术思维方式,它的形成应该是很早的,可能自文学艺术产生之日起就已经存在,不仅仅限于某一个特定的时代。比兴思维已经广泛运用于《诗经》。《诗经》中的许多创作就是借助于某一(类)事物或受某一(类)事物的启发开展起来的,并且综合运用联想、想象、象征、隐喻等手法来表现另一事物,展示其美的形象。如果抛开儒家对《诗经》牵强附会的政治伦理解释,按照美学的观点阐释,依然符合我们上述对比兴思维的看法。如孔子曾将之作为表现礼之典范的《卫风·硕人》:

> 硕人其颀,衣锦褧衣。齐侯之子,卫侯之妻,东宫之妹,邢侯之姨,谭公维私。
>
> 手如柔荑,肤如凝脂,领如蝤蛴,齿如瓠犀,螓首蛾眉,巧笑倩兮,美目盼兮。
>
> 硕人敖敖,说于农郊。四牡有骄,朱幩镳镳,翟茀以朝。大夫夙退,无使君劳。
>
> 河水洋洋,北流活活。施罛濊濊,鳣鲔发发,葭菼揭揭,庶姜孽孽,庶士有朅。

第一节铺陈硕人出身之高贵,第二节描写硕人之美丽,修辞手段上运用的是比喻,而在艺术思维上运用的是比兴思维。想象非常奇特,用喻非常贴切。第三节描写硕人贤惠,对夫君体贴入微。第四节描写风物之美,水美鱼肥,人们生活富裕,以隐喻硕人生活幸福、美满。这四节诗,朱熹均注为"赋也",意谓在表现手段上用的全是铺陈,甚至广泛运用了比喻的第二节诗也不例外。从整体上考察,这首诗在创作时运用比兴思维的痕迹仍是十分明显的,且不说第二节,第三节、第四节也都有这种痕迹。第三节的"四牡有骄,朱幩镳镳,翟茀以朝"就有一种象征、隐喻之意,"骄"形容车马强壮,隐喻人之精神焕发。"镳镳",本意是用朱红的布饰以车马,使之光彩繁盛,更加衬托了硕人之美。第四节铺写风物,这里的风物之象都可视为象征、隐喻。水的意象是温柔的,水与美女有摆脱不了的缘分,用水隐喻女性是古人的通常做法。鱼是性的象征。闻一多先生在《说鱼》一文中已经做了详尽的说明。"鳣鲔"是鱼中较大的种类,以隐喻性之强壮。这里所隐喻的性的内涵在儒家之注中已经含蓄表露,只是碍于封建伦理的情面,不愿直陈而已。如朱熹注第三节时就说:"此言庄姜自齐来嫁,舍止近郊,乘是车马之盛,以入君之朝。国人乐得以为庄公之配,故谓诸大夫朝于君者宜早退,无使君劳于政事,不得与夫人相亲,而叹今之不然也。"[1]由此观之,该诗比兴思维的运用是非常成功的。它产生了巨大的艺术魅力。比兴思维的运用使这首诗对美人的描写成为美的典范,在描写的过程中给美注入了人性的活力。

有意思的是,儒家以伦理道德为本,以此生搬硬套产生于远古时期、以民歌形式出现的《诗经》,并由此产生了比兴说诗的方法,这一方法与一般人对诗的理解、与《诗经》本身的创作思维殊途同归。表面上看,这是一种巧合,其实是文学艺术创作的规律在起作用。文学艺术的创作不单单追求字面的功用,而追求内在情感的真实。为了更好地表达情感,作家、艺术家往往采用联想、想象、隐喻、象征等手法达到目的。而这些联想、隐喻、想象、象征是活生生的,并非固定的、死板的。人人都可以根据自己合理的阅读进行创造性的理解,发挥自己的鉴赏水平。儒家的理解只是众多阐释理解中的一种。令人厌烦的是,儒家理解千篇一律,还以强制人性的伦理道德愚弄人、教训人,牵强附会的表现过于强烈。这无形中又使古老的《诗经》按照儒家的意

---

[1] 朱熹:《诗集传》,中华书局,北京,1958年,第36页。

图现代化了,抹煞了《诗经》的本意,在一定程度上违反了文学艺术创作与鉴赏的规律。后来,儒家成为统治思想,《诗经》在被神圣化的同时也被庸俗化了,使想还《诗经》一个真实的面目成为极难的事。比兴由儒家提出,无形中便沾染上难以舍弃的政治伦理内容,但这并不影响比兴作为一种思维方式在文学艺术创作中的应用。这是因为,人们仍然可以像儒家人为地赋予诗某种政治伦理那样抛弃儒家所赋予的政治伦理,遵循艺术创作的规律,按照美的规律去创造。这样,比兴思维的活力并不因为儒家的浸染而丝毫减弱。

比兴思维的理论形成于汉代,但成熟于两晋和南北朝时期。汉代对比兴理论的阐发基本是经学的,郑玄关于比兴的理论是在《周礼注》中表现出来的,而先郑(郑众)的观点为郑玄所引,可以肯定地说,仍是从经学出发。到了西晋,人们才从文学的角度进行了阐发。挚虞云:"比者,喻类之言也。兴者,有感之辞也。"(《文章流别论》)这种释义基本上是郑众的翻版。在这里,"比"的含义极为清晰,"喻类之言"是指比喻这一修辞手段;而"兴"的含义就不那么明晰了。挚虞对"兴"的"有感之辞"的阐释或许就是"托事于物",亦即有某种外在物象启发,产生感触,形诸文字,但似乎又舍去了"托事于物"的相对明确的隐喻内涵,使"兴"趋于模糊与多义。然而,挚虞对兴的阐释又是表情达意的理论延伸。他说"兴"是"有感之辞",强调有感而发,有情而发,已是艺术思维的问题。对比兴做出全面准确阐释的还是刘勰,他在《文心雕龙·比兴》篇中,不仅从语言上探讨了比兴作为修辞的特点,还从整个思维上进行了发掘,对儒家的经学观点进行了糅合。他说:"故比者,附也,兴者,起也。附理者切类以指事,起情者依微以拟议。起情故兴体以立,附理故比例以生。比则蓄愤以斥言,兴则环譬以寄讽。"强调比兴是情感的激荡,是联想、想象、象征、隐喻等各种手段的综合运用。所谓"切类指事"、"依微拟议",就是指比兴思维强烈的综合作用。抓住事物之间的联系,发挥微言大义。在《比兴》篇最后,刘勰评价比兴的价值:"诗人比兴,触物圆览,物虽胡越,合则肝胆。拟容取心,断辞必敢。攒杂咏歌,如川之涣。"由于比兴思维的运用,文学艺术作品弥合了众多不同物象之间的差距,塑造了许许多多立体多面的美的形象,使人产生震撼。在这个意义上,"诗人比兴"就非同一般了。刘勰超越了一般的语言限定,将比兴上升到整体的"切类指事,依微拟议"的高度加以论述,是对比兴思维理论的重大发展。

更为可贵的是,刘勰还从理论上论述了比兴思维的表现特征,在《文心雕龙·比兴》中他又指出:

> 观夫兴之托谕,婉而成章,称名也小,取类也大。《关雎》有别,故后妃方德,尸鸠贞一,故夫人象义。义取其贞,无从于夷禽,德贵其别,不嫌于鸷鸟,明而未融,故发注而后见也。且何谓为比,盖写物以附意,飏言以切事者也。故金锡以喻明德,珪璋以譬秀民,螟蛉以类教诲,蜩螗以写号呼,浣衣以拟心忧,卷席以方志固,凡斯切象,皆比义也。至如麻衣如雪,两骖如舞,若斯之类,皆比类者也。楚襄信谗,而三闾忠烈,依《诗》制《骚》,讽兼比兴。炎汉虽盛,而辞人夸毗,讽刺道丧,故兴义销亡。于是赋颂先鸣,故比体云构,纷纭杂遝,信旧章矣。

在这里,比兴思维的一系列特征被和盘托出,其总体表现是"称名也小,取类也大"。这虽然是说兴的,但却带有总论的性质。比兴思维的诗性品格也正体现在这"称名也小,取类也大"中。它集中作家、艺术家创造的智慧和艺术技巧,展示了情感的思理之光,展现语言艺术的美的魅力,使一首小小的诗、一篇小小的文具有巨大的思想情感容量。这一切都是受外在物象的启发或借助于外在的物象完成的。故而,刘勰以《诗经》《楚辞》的具体隐喻和象征加以说明,并采用诗化的语言,使比兴思维的这一特征在理论表述上也充满诗性。不仅如此,刘勰还讨论了"称名也小,取类也大"所包含的形象(意象)创造特征,认为大凡优美的艺术形象(意象)都是寓意深远的,往往具有以一当十的作用,是无可替代的典型。正是由于其寓意的深远,才能吸引人,打动人,给人以回味无穷的审美享受。刘勰还发挥了儒家的讽喻教化思想,强调"称名也小,取类也大"的重要意义在于讽喻、教化。从他所列举的《诗经》和《楚辞》的例子可以看出,他受儒家解诗的影响很深。在他的意识中,比兴思维只有与儒家的讽喻教化结合起来才能显示价值。这恰恰是汉代以来研究比兴的固定模式。这种研究得出的结论必然是:比兴思维是属于政治伦理的,它只能是一种政治艺术思维的模式。

差不多与刘勰同时或稍晚,钟嵘也从艺术思维的角度,对比兴发表了较为精当的见解。他这样解释兴、比、赋:

> 故诗有三义焉,一曰兴,二曰比,三曰赋。文已尽而意有余,兴也;因物喻志,比也;直书其事,寓言写物,赋也。(《诗品序》)

钟嵘以"文已尽而意有余"释"兴",非常明确地避开了语言修辞的狭小的阐释,将视界扩展到整个创作,指涉整个创作思维,也超出了一般的修辞学的理解。"因物喻志",就是借助于外在的物象,利用联想、想象、象征、隐喻等手法表达情感志向。这也是微观上的修辞手段无法实现的。尽管钟嵘分释比兴,但他已经准确看到了比兴对整个创作的思维统领,注重由比兴所造就的文学的形象性和抒情性。

钟嵘是提倡文学的滋味的,要求文学要给人以充分的美感。他的比兴观念是他"滋味"说的基石。认为诗(文学)要达到"指事造型,穷情写物,最为详切"的理想境界,必须运用兴、比、赋这些创作思维的手段,只有如此,才能做到"味之者无极,闻之者动心"。

然而,与刘勰等理论家不同的是,钟嵘还看到了使用比兴思维方法所造成的创作上的弊端。在《诗品序》中,他说:"若专用比兴,患在意深,意深则词踬。"这是中国古典文艺学、美学第一次也可能是唯一一次对比兴的负面作用发表评论。当别人对儒家创造的这一诗学概念极力美化并奉为不二法门时,钟嵘却持有大胆怀疑、批判的态度,发现了比兴作为语言修辞手段和艺术思维所存在的缺陷。这说明,钟嵘对此是深思熟虑的,并不依循儒家的传统教条。从他对六义的选择及兴比赋的排列顺序,就可以看出他的态度。他舍弃了风、雅、颂三义只取兴、比、赋三义,也就舍弃了儒家传统的讽喻、教化,至少不把讽喻、教化作为文学艺术创作的第一义,这是钟嵘对比兴理论的重大贡献。实际上,钟嵘发展并丰富了儒家解诗提出来的比兴这一重要的文艺学、美学范畴,标志着比兴由政治艺术思维向纯粹艺术思维的深刻转变。

刘勰和钟嵘被誉为魏晋南北朝文学批评的双子星座。他们对比兴的态度虽然差异很大,但有一点是相同的,那就是:他们都从文学艺术创作思维的角度认识到比兴所蕴含的巨大价值,认识到比兴思维的"称名也小,取类也大"和"文已尽而意有余"的思想情感包容性。特别是钟嵘,他能客观地评价比兴思维所存在的缺陷,不受儒家思想的左右,已经具备了纯文学、纯艺术的态度,这是他超越刘勰的地方。这表明,比兴作为一种艺术思维理论已经成熟。

魏晋南北朝之后,比兴理论进一步深化。唐宋是比兴理论发展并深化的一个重要时期,这一时期的学者在前人的基础上又提出了与前人不同的看法,值得探讨。皎然说:"取象曰比,取义曰兴,义即象下之意。凡禽鱼、草木、人物、名教,万象之中义类同者,尽入比兴。"(《诗式》)比兴原本包括象、义两个方面。刘勰虽说"兴之托喻,婉而成章,称名也小,取类也大",恐怕还是偏重于义的方面,尽管其中包蕴着形象的塑造,但没有明指。钟嵘的"文已尽而意有余"虽然也有"指事造形,穷情写物"做铺垫,但依然偏于义。皎然明确将象与义分开,并说"义即象下之意",即在实际的运用中象、义一体,不失为一种创见。这说明,对比兴思维的形象性的认识已经提到日程。文学艺术如何运用形象的类比以及象征、隐喻表达思想情感已经成为理论家们自觉的意识。很多人已认识到,在形象创造的过程中,不能以单一的讽喻、教化作为比兴思维的唯一创作目标,应追求创作的多元化。皎然的看法得到不少人的赞同与支持。如林景熙云:"比,形而切;兴,托而悠。"(《王修竹诗集序》,《霁山文集》卷五)许学夷说:"诗有景象,即风人之兴比也,唐人意在景象之中,故景象可合不可离也。"(《诗源辨体》卷二十七)乔亿说:"景兼比兴,无景非诗。"(《剑溪说诗又编》)他们都言述比兴是象、义兼容,离开"形而切"的形象是不能表达真实的思想情感(义)的。形象性是比兴思维理论特别重要的因素。

除了形象性之外,比兴思维理论还重视情感性。宋代的李仲蒙则从情景相附的角度论述了比兴,可视为注重情感性的突出例子。他说:

> 叙物以言情谓之赋,情物尽也。索物以托情谓之比,情附物者也。触物以起情谓之兴,物动情者也。故物有刚柔缓急荣悴得失之不齐,则诗人之情性亦各有所寓。非先辨乎物则不足以考情性,情性可考,然后可以明礼义而观乎诗矣。(胡寅《致李叔易书》引,《斐然集》卷十八)

这段话是胡寅《致李叔易书》一文所引用的。此说一出不久,便引起了各方面的广泛回应。从宋至清,引述不断。李仲蒙论比是"索物以托情",论兴是"触物以起情",抓住物与情的关系。"索物以托情"是情感在先,索物在后,要求寻求适当的物象寄托思想情感;"触物以起情"是由某种外在物象的激发产生情感,引起创作的冲动。这是比兴思维所表现的两种状况,即借助于某一(类)外在的物象表达情感或受某一(类)外在物象的激发产生了创造的欲望。李仲蒙紧紧抓住物与情的关系而不是物与理的关系,这就将比兴思维限定在诗性的范围内,从而深化了比兴思维的理论内容。到宋代,比兴思维的理论已基本完善。

从汉到宋,比兴思维理论经过了发生、成熟和深化的历程,但在理论产生之前和理论产生之中,创作的试验一直不断地进行,无形中对理论的生成起着一种策应作用。从"托事于物"到"有感之辞",从"称名也小,取类也大"到"文已尽而意有余",从"取象曰比,取义曰兴"到"索物以托情"、"触物以起情",比兴思维理论便织就了一张相对精密的网。古典文学艺术创作便在这种思维的滋养下开花结果,铸就了中国文学的辉煌。

第三节 比兴思维与象征

象征(symbol)是一个源于西方的文艺学、美学概念,它的原初意义指交往、记忆、信物,并不是我们今天理解的象征意义。在希腊语的含义中,它就是一个信物,这种信物有交往、记忆、认同之义,后来才逐渐演化成一个具有神秘意义的观念符号,一个美学概念。歌德说，象征性"代表着许许多多其他例子的突出例子，包括着一定的总体，需要一定的程序，它们在我心灵中唤起相似的或是生疏的东西；从内外两方面要求我们承认其具有一定的统一性和总体性"[1]，并指出象征代表着人与物、艺术家与自然的合作，呈现出心智规律之间的深度和谐。康德说："象征的表象方式是直觉的表象方式的一种"，它"包含对概念的直接演示"，"借助于某种类比"[2]。黑格尔说，象征是艺术的开始，主要源于东方，它首先是一种符号，表现形象和意义的关系。[3]可见，象征呈现出多元的语义结构，被赋予非常丰富的美学内涵。

在西方，象征的意义是不断演变的。德国哲学家伽达默尔曾经讨论了象征意义演变的原因。他指出：

> "象征"这一词之所以能够由它原来的作为文献资料、认识符号、证书的用途而被提升为某种神秘符号的哲学概念，并因此而能进入只有行家才能识其谜的象形文字之列，就是因为象征绝不是一种任意地选取或构造的符号，而是以可见事物和不可见事物之间的某种形而上学的关系为前提。宗教膜拜的一切形式都是以可见的外观和不可见的意义之间的不可分离性，即这两个领域的"吻合"为其基础的。这样，它转向审美领域就可理解了。[4]

象征向审美领域的转变是它发展的必然结果，也只有如此，象征才能找到它赖以生存的归宿和土壤。

象征的显赫是近代的事。19世纪末，西方兴起了一个以象征为主要创作手段的潮流，这就是所谓的象征主义。它的创作源头可以追溯到美国作家爱伦坡（Edgar Allan Poe）、法国作家奈瓦尔（G. de Nerval）、波德莱尔（Charles Baudelaire）、韩波（A.Rimbaud）和魏尔伦（P.Verlaine），

---

[1] [美]雷内·韦勒克：《近代文学批评史》第一卷，杨岂深、杨自伍译，上海译文出版社，上海，1997年，第278页。
[2] [德]康德：《判断力批判》，邓晓芒译，商务印书馆，北京，2002年，第200页。
[3] [德]黑格尔：《美学》第二卷，朱光潜译，商务印书馆，北京，1997年，第9～11页。
[4] [德]伽达默尔：《真理与方法》，洪汉鼎译，上海译文出版社，上海，1999年，第94页。

直到1886年,法国诗人莫雷阿斯(Jean Moreas)才在《象征主义宣言》一文中正式提出一种理论。而后,象征便迅速波及全世界,形成了一股强大的创作和思想潮流,在美学上树立起一面光辉的旗帜。

西方象征主义创作追求的是"重视抽象思维在艺术创作中的重要性,追求纯诗或文学的诗意性"①。这是有一定的针对性的,主要针对实证主义、自然主义、现实主义、庸俗社会学等创作和批评的倾向,主张将创作和批评的重心移至内心。象征主义理论家瓦雷里(P.Valery)宣称:"象征主义从此成为与今天起支配乃至控制作用的思想观念完全对立的精神状态及精神产物的文字象征。"②

中国古代没有"象征"这一概念,但中国古代的文学艺术创作及理论中却已经包含着象征的种种内容,这些内容与西方的象征理论形成某种对应关系,具有相互参照的价值。在将中国的某一理论与国外的某一理论互释或比较时,我们不应看有没有准确对应的概念(这几乎是不可能的),而应看有没有实质性的内容。我们在对比兴思维的考察中发现了象征的蛛丝马迹,认为象征与比兴思维也有非常亲密的血缘关系。

早在20世纪30年代初,精通西学的朱光潜先生和梁宗岱先生就曾经探讨过象征,并掀起了一场争论。朱光潜说:

> "拟人"和"托物"都属于象征。所谓"象征",就是以甲为乙的符号。甲可以做乙的符号,大半起于类似联想。象征最大的用处就是以具体的事物来代替抽象的概念。我们在上文说过,艺术最怕抽象和空泛,象征就是免除抽象和空泛的无二法门。象征的定义可以说是:"寓理于象。"梅圣俞《续金针诗格》里有一段话很可以发挥这个定义:"诗有内外意,内意欲尽其理,外意欲尽其象,内外意含蓄,方入诗格。"③

---

① 张首映:《西方二十世纪文论史》,北京大学出版社,北京,1999年,第55页。
② 胡经之、张首映主编:《西方二十世纪文论选》第1卷,中国社会科学出版社,北京,1989年,第86页。
③ 朱光潜:《朱光潜美学文集》第1卷,上海文艺出版社,上海,1983年,第507页。

朱先生认为，象征就是一种修辞的手段，但它"寓象于理"，又似乎不仅仅是一种修辞术。梁宗岱批评朱光潜"把文艺上的'象征'和修辞学上的'比'混为一谈"。他认为，"拟人或托物可以达到象征境界的方法，一篇拟人或托物，甚或拟人兼托物的作品未必是象征的作品"。他说《诗经》里的"兴"与象征颇近似列举了《文心雕龙·比兴》对兴的解释"兴者，起也，起情者依微以拟义"，并进一步分析道：

> 所谓"微"，便是两物之间微妙的关系。表面看来，两者似乎不相联属，实则是一而二，二而一。象征底微妙，"依微拟义"这几个字颇能道出。当一件外物，譬如，一片自然风景映进我们眼帘的时候，我们猛然感到它和我们当时或喜，或忧，或哀伤，或恬适的心情相仿佛，相逼肖，相会合。我们不摹拟我们底心情而把那自然风景作传送心情的符号，或者，较准确一点，把我们底心情印上那片风景去，这就是象征。①

作为中西贯通的大家，朱光潜和梁宗岱二先生都有点偏执一隅了。在中国古代，比和兴分立，都属于语言表达的手段，比是修辞学上的，兴又何尝不是呢？颜师古注班固《汉书·楚元王传》"依兴古事"云："兴，谓比喻也，音许证反。"洪迈评杜牧《阿房宫赋》云："其比兴引喻，如是其侈。"（《容斋随笔·唐赋造语相似》）此外，兴还有"兴喻"之称，如刘因云："予观古人之教，凡接于耳目心思之间者，莫不因观感以比德，托兴喻以示戒。"（《鹤庵记》，《静修集》卷十遗文四）这些都是说兴是比喻。但比和兴又不仅仅只有修辞学的功能，它们的含义还有很多。比兴两者合起来，便不能简单将之视为一个修辞学的概念了，而成为一个艺术思维的范畴。至于象征也有类似情状。在西方，象征是一个美学和艺术思维的范畴，也是一个修辞学范畴。黑格尔对象征进行了系统研究，在《美学》第二卷第一部分"象征型艺术"中，专列一章讨论"比喻的艺术形式"。他说："我们可以把这种形式叫做自觉的象征表现。或者说得更确切一点，比喻的艺术形

---

① 梁宗岱：《诗与真·诗与真二集》，外国文学出版社，北京，1984年，第64~66页。

式。"①这便又是一个修辞学的问题了。尽管黑格尔以宽广的学术视野讨论比喻，不仅仅将比喻视为一种修辞手段，它还包含了修辞学的内容。这就说明，一个艺术的、美学的概念可以在多个层面上展开，具有丰富的意旨。弗莱(Northrope Frye)似乎深谙此道。在其大著《批评的剖析》中，他把象征分为五个"相位"（即关联域或层次）：其一是文字相位，其二是描述相位，其三是形式相位，其四是神话相位，其五是总解相位。简直有把象征一网打尽的意图。这其中就包括修辞和思维的内容。严格地说，语言和思维是两个不可截然分开的实体，通常说，语言是思维的物质外壳，离开语言修辞，思维不可能存在。因此，从语言和思维两方面综合认识比兴和象征就显得尤其重要。

　　比兴思维是一种受某一（类）事物的启发或借助于某一（类）事物所展开的艺术思维方式，其目的是表达另一（类）事物，塑造美的形象。这一形象融合了创作者主观的情感、理想和抱负，有时也带有某种理性或抽象的意图。为了更好地展示其表达的艺术性，除运用想象外，还运用象征、隐喻等手段。这样，象征是比兴思维不可缺少的艺术方法，是比兴思维的一个重要的表现特征。

　　象征首先是一种形象（image），或曰意象，它是感性的、直观的。文学艺术在本质上都是形象的、直观的、感性的，但这些形象并非都是象征。象征的形象是一种符号，这种符号具有约定俗成的意义，它"本身只唤起对一个直接存在的东西的观念"②。这与比兴思维对形象创造的要求有惊人的相似性。对比兴创造形象的要求，古人认为应该"切类以指事"、"依微以拟议"、"写物附意"、"婉转附物"，亦即形象要包含着一定的观念意义。直接的、简单明了的比喻不是真正意义的象征，不具有真正的符号意义，必须"婉转附物"才具有观念意义。从这个意义上说，"关关雎鸠，在河之洲"的雎鸠便是一种象征。《关雎》的象征并不像儒家解说的那样是后妃之德，而是纯真的爱情。它唤起了人们关于爱情的"观念"，这才符合雎鸠鸟出入成

---

① [德]黑格尔：《美学》第二卷，朱光潜译，商务印书馆，北京，1997年，第98页。
② 同上书，第12页。

双的特征。李白的《登金陵凤凰台》是比兴思维的杰出成果,它也运用了象征,象征的诸多意象相互交织,唤起了人们的观念。诗中的"凤凰"、"浮云"、"蔽日"、"长安"都是象征。凤凰吉祥,象征贤才;浮云阴险,象征小人;蔽日和长安象征君主。全诗充满了对家国前途的执着关注,表现了无限的怅惘、悲愁。后人评此诗云:"言诗须道兴比赋,如'日暮乡关',兴而赋也;'浮云'、'蔽日',比而赋也。"(王世懋《艺圃撷英》)评诗者的意图虽然是诋毁此诗,但也承认了这样一个事实:这首诗是借助于形象(象征)表现观念,运用了比兴这一思维手段。

象征对形象意义的要求是约定俗成的,亦即这一形象甫一出现,人们就能凭直观抓住它的特征(如上述的雎鸠、凤凰、浮云、蔽日、长安等)。这些形象都以约定俗成的意义易于为人理解,并产生强烈的美感享受。在中国古代文学史上,象征运用大量出现。梅、兰、竹、菊常常用作美的精神品格的象征,豺、狼、犬、豹常常用作恶的品格象征。这就是一种约定俗成的习惯。然而,象征的具体运用又是非常复杂的,必须面对具体文本,结合具体文本描写的情境来加以认识才能洞悉象征的本质。在屈原的《离骚》中,那种象征的新奇不结合文本极难识别,王逸称这些象征都是比喻。"《离骚》之文,依《诗》取兴,引类譬喻,故善鸟香草,以配忠贞;恶禽臭物,以比谗佞;灵修美人,以媲于君;宓妃佚女,以譬贤臣;虬龙鸾凤,以托君子;飘飘云霓,以为小人。"(《离骚经序》)这些象征集中了远古时代诸多的文化符号密码,如远古的神话传说、风俗特征、审美观念等,不了解远古文化的特征,是无法索解屈原的象征手段的。杨义评价王逸的分析说:"(王逸)对《离骚》取兴引譬的罗列,不尽确当,然而'香草美人'之说无疑揭示了《离骚》存在着'香草喻'和'两性喻'两大象征体系,一者以自然物隐喻较为抽象的人之本身,一者以男女爱情置换较多俗态的人际关系。而且这二者又常常相互渗透,比如'荃不察余之中情兮'、'折琼枝以遗下女'一类诗句,就把香草喻渗透于两性喻之中,从而产生更为丰富的言外意、味外味的审美功能。"[①]这对我们理解

[①]杨义:《楚辞诗学》,人民出版社,北京,1998年,第73页。

古代文学艺术的象征有一定的启迪。

象征的形象是暧昧的,黑格尔称之为暧昧性。暧昧性的形成还在于作家、艺术家赋予作品以观念的意义。这种意义与所借助的事物形象隔了几层,或者是其中蕴含的文化信息过于丰富,或者是象征的意象生僻,只在特定的范围流行。这种情形就有点远离约定俗成了。但通过对这些意象的破解,人们仍能从不同的方面理解作品的意义。如南唐中主李璟词:"青鸟不传云外信,丁香空结雨中愁。"(《浣溪沙》)此处"青鸟"和"丁香"就是象征,而且寓意复杂,蕴含大量的文化信息。"青鸟"语出《山海经·海内北经》,它是一种信鸟。《汉武故事》加以附会说,西王母出访武帝,命青鸟先期飞降承华殿,通风报信。这样,"青鸟"便成为传递美好信息的使者,是吉祥的象征。"丁香"是一种落叶灌木或小乔木,花呈紫色或白色,有香味,供观赏之用。李商隐有诗云:"芭蕉不展丁香结,同向春风各自愁。"(《代赠二首》)这样"丁香"便成为忧愁美人的象征。这种象征因为蕴含的文化信息过于丰富而具有暧昧性,但并不影响观念的传达,只不过传达的范围有限,仅限于同阶层的欣赏者而已。例如李贺之诗,多用生僻的象征意象,读之使人感到拗口,但色彩鲜明,哲理意味浓郁,颇有特色。如"羲和敲日玻璃声"、"黄鹅跌舞千年觥"(《秦王饮酒》);"昆仑使者无消息,茂陵烟树生愁色"(《昆仑使者》);"东关酸风射眸子,空将汉月出宫门"(《金铜仙人辞汉歌》)等。这些生僻的象征都透露出阴冷的鬼气,凸现了李贺"鬼才"的杰出才能和艺术魅力。

西方象征主义的创作是追求抽象的,是讲究抽象思维的。瓦雷里曾专门写了一篇《诗与抽象思维》的文章,宣称:"每一个真正的诗人,其正确辨理与抽象思维的能力,比一般人所想象的要强得多。"[1]他要求诗人要切实加强逻辑训练,提高观察社会、认识真理、辨别真理的能力,以便能在身后留下痕迹。象征主义有一个企图,那就是融合哲理与诗,其目的是使诗成为"纯诗"(pure poetry),从而使诗具有"无限的价值"。这种具有"无限的价值"的纯诗是象征主

---

[1] 伍蠡甫主编:《现代西方文论选》,上海译文出版社,上海,1983年,第37页。

义诗歌创作的理想,是诗歌达到超验本体的一个阶梯。象征主义所追求的抽象,也就是这种超验本体即一种达到彼岸世界的具有某种神性色彩的诗歌境域。由此看来,对象征主义的抽象思维并不能简单地理解。对诗人逻辑思维的要求本身无甚大碍,关键是如何使这种抽象思维化作美丽的诗魂,最终使诗成为具有哲理意味而又形象生动的"纯诗"。

比兴思维在创作运用的过程中是有一个理性的设定的,这一理性的设定建立在政治伦理隐喻的基础之上,在本质上是以意为主、意在词先的,是一种抽象的思维过程。儒家对创作的要求是"言志","志"不仅包括理想抱负,思想情感,还包括深邃的哲理。孔颖达说:"故《虞书》谓之'诗言志'也。包管万虑,其名曰心;感物而动,乃呼为志。志之所适,外物感焉。言悦豫之志则和乐兴而颂声作,忧愁之志则哀伤起而怨刺生。"(孔颖达《诗大序正义》,《毛诗正义》卷一)白居易也曾自述自己的创作思想:"故仆志在兼济,行在独善;奉而始终之则为道,言而发明之为诗。谓之'讽喻诗',兼济之志也。谓之'闲适诗',独善之义也。故览仆诗,知仆之道也。"(《与元九书》)作家、艺术家在创作之前,有一个大致的创作意图,并根据这一意图的需要对自己积累的创作材料进行理性地筛选,然后将之运用到创作中去,这个过程是一个抽象思维的过程。孔颖达和白居易所言大致是这么一个过程。所谓"包管万虑"、"志在兼济,行在独善"大体是对这一过程的描述。然而,文学创作仅有抽象思维是不够的,抽象思维只有具体溶化到直觉思维中才能使艺术成为艺术。这样,抽象思维必须要经受情感冲动的点拨。所谓"感物而动"、"言而发明之"即是这一层意义。在抽象思维中,作家、艺术家获得了一个超验的本体——一种艺术的理想或哲理。在直觉思维中,这一超验的本体得到了艺术的展示,获得了升华。这是创作的理想境界。就白居易的《赋得古原草送别》一诗而言,这首诗明显经过抽象思维的加工。此诗本意是写送别,但重心却落在写草上,将草所蕴含的哲理揭示出来,又进一步诗意化,使这首诗虽有刀斧之痕,却仍然生动感人。

> 离离原上草，一岁一枯荣。野火烧不尽，春风吹又生。远芳侵古道，晴翠接荒城。又送王孙去，萋萋满别情。

抽象思维的精华体现在颔联中，"野火烧不尽，春风吹又生"所表现的哲理人人都能意会，草在这里是顽强生命力的象征。不仅如此，这联诗的用意还在象征友谊，赞美友谊。尽管天各一方，彼此心心相印，友谊就像生命顽强的小草，永不断绝！全诗借助原上草比兴，将抽象的哲理完美地融汇在情感的表达中，这大概就是象征主义所说的"纯诗"。比兴思维和象征是息息相通的。

然而，对抽象思维的强调不能够太过，把抽象思维看得高于一切。在文学艺术作品中，尤其不能刻意引入抽象思维，若此，将会导致诗性尽失。这在古今中外的许多作家身上都有教训。白居易也不例外。

我们来读一下他的《感兴二首》：

> 吉凶祸福有来由，但要深知不要忧。只见火光烧润屋，不闻风浪覆虚舟。名为公器无多取，利是身灾合少求。虽异鲍瓜难不食，大都食足早宜休。

> 鱼能深入宁忧钓？鸟解高飞岂触罗？热处先争炙手去，悔时其奈噬脐何？樽前诱得猩猩血，幕上偷安燕燕巢。我有一言君记取，世间自取苦人多！

这两首诗诗味尽失，简直可以称为押韵的训示。其原因就是将抽象思维直接搬到诗中，没有经过诗性的改造与加工。这不是真正的象征，也没有真正的比兴思维。一个经验丰富的优秀诗人尚且如此，何况一般的作者呢？

象征是一个系统，抽象思维仅是这个系统的一支，所以，抽象思维尽管被象征主义理论家过分强调，但也并不能成为唯一的一支。象征的每一支都趋向意义，即趋向于由抽象思维所构筑的超验本体，其中也包括象征的描写、叙述以及声音、形式。关于这一点，弗莱认识得非常深刻：

> 象征系统的每一个相位都以独特的方法趋向叙述和意义。

在文字相位,叙述是有意义的声音的流动,意义是含混的和复杂的语言布局。在描述相位,叙述是对真实事件的模仿,意义是对实际对象或命题的模仿。在形式相位,诗歌存在于事例和训诫之间。在示范性的事件中,有一种复现的因素;在训诫或关于应该做什么的陈述中,有一种意愿(desire,或称为"向往")的强烈因素。在原型批评中,将把这些复现的因素和意愿放在前列,它把个别诗篇当作诗歌整体的组成单位来加以研究,把象征作为交流的单位来加以研究。①

恐怕也只有这样认识象征并将其置于多视角的观照,才能洞见象征的真正意义。

在象征主义诗学理论中,还有一种通感理论值得珍视,它是"象征主义诗学体系的一块最重要的基石"②。钱锺书说,它"几乎……成为象征派诗歌的风格标志"③。

通感(synaesthesia),心理学上又称联觉。钱锺书先生有一个恰当的说法:"在日常经验里,视觉、听觉、触觉、嗅觉、味觉往往可以彼此打通或交通,眼、耳、舌、鼻、身各个官能的领域可以不分界限。颜色似乎会有温度,声音似乎会有形象,冷暖似乎会有重量,气味似乎会有体质。诸如此类,在普通语言里经常出现。"④这种现象即是通感。象征主义的代表作家波德莱尔《恶之花》中有一首十四行诗《应和》(Correspondance,有人译为通感)被认为是通感理论和创作的代表作。在这首诗中,自然被比作一座神殿,里面有活的柱子、象征的森林,芳香、色彩、音响全在相互感应。简直是一个奇妙的世界!韦勒克称:"十四行诗《应和》谈不上是一份批评文本,似乎成为象征主义正宗标志的联觉方面兴趣的起点。""他在十四行诗《应和》中标举的是一种玄理;他在诗歌中运用联觉仅仅是作为象征主义大典

---

① [加]弗莱:《批评的剖析》,陈慧等译,百花文艺出版社,天津,1999年,第106~107页。
② 吴晓东:《象征主义与中国现代文学》,安徽教育出版社,合肥,2001年,第32页。
③ 钱锺书:《通感》,《七缀集》,上海古籍出版社,上海,1996年,第72页。
④ 同上书,第65页。

中的又一个类比,正如他一贯运用诸门艺术之间的比较,以音乐术语去概括画作或以视觉形象去概括乐曲而并未混淆诸门艺术甚或提倡它们的融合。"①波德莱尔的创作直接得益于瑞典神秘主义哲学家斯威登堡的影响,这在他个人的言论中能够找到依据。在《对几位同时代人的思考》一文中,波德莱尔宣称:"而灵魂更为伟大的斯威登堡早就教导我们说天是一个很伟大的人,一切、形式、运动、数、颜色、芳香,在精神上如同在自然上,都是有意味的,相互的,交流的,应和的。"②在创作中,波德莱尔强调人的精神情感与自然的普遍应和,这极类似中国传统的天人合一、天人感应的思想观念。通感在某种程度上展现的就是人的超验状态,展现的是人的精神情感和自然界的相互沟通与融合。

中国古代虽然没有明确的通感理论,但中国古代的哲学理论已经囊括了通感所蕴含的精神意义。而中国古代的诗文创作现状已经明确昭示通感已是一种真实的存在,出现了诸如"红杏枝头春意闹"、"隙月斜明刮寒露"等通感名句。没有什么比实际存在更有说服力了。

《易经》是一部用自然现象(天、地、风、雷、水、火、山、泽)推演社会人事的哲学著作,它从最简单的两个符号——- -开始,以此象征自然界和人类社会的万象,可视为最早的符号象征。这种象征沟通了人与自然界的精神联系,实现了二者之间的相互应和。《周易·说卦》说得很清楚:"昔者圣人之作《易》也,幽赞于神明而生蓍,参天两地而倚数,观变于阴阳而立卦,发挥于刚柔而生爻,和顺于道德而理于义,穷理尽性以至于命。"以天地阴阳来穷理尽性,本身运用的就是"大通感"。由大及小,中国古典文学中通感现象的出现就是可以理解的了。实际上,通感现象在远古时期的先哲眼里已经属一种正常的现象,钱锺书先生已经列举,无须我们翻拣出更多的例子。他说:"把各种感觉打成一片混作一团的神秘经验,我们的道家和佛家

---

① [美]雷内·韦勒克:《近代文学批评史》第四卷,杨自伍译,上海译文出版社,上海,1997年,第522页。
② [法]波德莱尔:《波德莱尔美学论文集》,郭宏安译,人民文学出版社,北京,1987年,第97页。

常讲。道家像《庄子·人间世》'夫徇（同洵）耳目内通，而外于心知'；《列子·黄帝篇》'眼如耳，耳如鼻，鼻如口，无不同也，心凝形释'，又《仲尼篇》：'老聃之弟子有亢仓子者，得聃之道，能以耳视而以目听。'佛书《成唯识论》卷四：'如诸佛等，于境自在，诸根互用。''诸佛'能'诸根互用'，等于'老聃'能'耳视目听'。"①这是一种诗性的思维。感觉的错乱将人的思维引入一个玄妙的境界中，人的感觉也被诗化。凭借这种诗化的因素，文学艺术作品便具有了虚实感和新奇性，这是比兴思维的一个重要的内容。

比兴思维是重视虚实和新奇的，由此形成了比较系统的理论。虚实和新奇不仅包括象征中的通感的内涵，而且包括了"纯诗"的内涵，具有较为充实的理论品格。虚实和新奇在比兴思维理论中有许多精妙的阐释。严羽云："盛唐诸人唯在兴趣，羚羊挂角，无迹可求。故其妙处透彻玲珑，不可凑泊，如空中之音，相中之色，水中之月，镜中之象，言有尽而意无穷。"（《沧浪诗话·诗辨》）这"空中之音，相中之色，水中之月，镜中之象"的虚实境界是包括象征中的通感的。这是严羽对比兴思维理论的重要贡献。罗大经以具体的创作个案为例说明比兴思维的虚实与新奇，其中就涉及明显的通感现象。他说：

> 诗家有以山喻愁者，杜少陵云"忧端如山来，澒洞不可掇。"赵嘏云"夕阳楼上山重叠，未抵春愁一倍多"是也。有以水喻愁者，李颀云"请量东海水，看取浅深愁"，李后主云"问君能有几多愁？恰似一江春水向东流"，秦少游云"落红万点愁如海"是也。贺方回云："试问闲愁都几许，一川烟草，满城风絮，梅子黄时雨。"盖以三者比之愁多也，尤为新奇，兼兴中有比，意味更长。（《鹤林玉露》乙编卷一）

其中引例，多有通感。山的重叠不抵春愁之一半，这是将视觉和情感搅和在一起。更为明显的便是李颀的"请量东海水，看取浅深愁"了，看愁的浅深便是通感，同时，以"浅深"喻愁是以实在的比喻

---

① 钱锺书：《通感》，《七缀集》，上海古籍出版社，上海，1996年，第73页。

来虚幻的,也是感觉交通的现象。贺铸的那几句著名的写愁诗包含的通感意味更为强烈,"一川烟草,满城风絮,梅子黄时雨"都是人们能真切看到的景象,在这里用来表现看不到只能感受到的愁,把愁的虚无缥缈、纷纭杂乱、绵绵无期形象地表达了出来,真是"尤为新奇"。比兴思维的妙处就表现在所借助的物象与展示的美形象地交通和联系上,它使各种不同的感觉调动自如,互相打通,从而整合出一种新的形象和人无法言喻的精神境界。

由此观之,象征是比兴思维的一种手段。当人们受某一(类)事物的启发或借助于某一(类)事物塑造美的形象时,象征是不可缺少的。当然,象征中也凝聚了作家、艺术家极为丰富的想象力,但象征的作用不可代替,它有自己的美学品格。象征所追求的抽象思维和纯诗都是比兴思维极为重视并强调的,它所追求的通感也与比兴思维虚实和新奇一脉相承。比兴思维的理性设定左右它必须运用抽象思维,而比兴思维对虚实和新奇的要求是使文学艺术达到"纯诗"理想的一条重要途径。在象征的有力支持下,比兴思维才显示出它的诗性魅力。

第四节 比兴思维与隐喻

隐喻,在中国古代就有其名,见于宋代语言学家陈骙的《文则》。陈骙论比,总结了古今的取喻,将之分为十类,其中第二类即是隐喻。陈骙分析说:

> 二曰隐喻:其文虽晦,义则可寻。《礼记》曰:"诸侯不下渔色。"(国君内取国中,象捕鱼然,中网取之,是无所择)《国语》曰:"没平公军无秕政。"(秕,谷之不成者,以喻政)又曰:"虽蝎谮。焉避之。"(蝎,木虫。谮从中起,如蝎食木,木不能避也)《左氏传》:"是豢吴也夫。"(若人养牺牲)《公羊传》曰:"其诸为其双双而俱至者与?"(言齐高固及子叔姬来,其双行匹至似兽,《山海经》有兽名双双)此类是也。(《文则》)

这就揭示了隐喻作为一种语言现象的实质。就比喻本身而言,其可分为本体和喻体两个部分,这两个部分往往是通过喻词连接的。喻词引导人们判断哪是本体,哪是喻体。然而,在陈骙的分析中,我们可以看出,隐喻作为一种修辞现象的最大特点是本体和喻词缺席,仅仅喻体在场。故而,陈骙说"其文虽晦"。隐喻的意义如何判断呢?这就必须在具体的语言环境中进行判断。"军无秕政"之所以成为隐喻,就在于"秕"的形象性,只有在这一具体的环境中,"秕"才能成为隐喻。很显然,中国古代的隐喻仅仅是一种语言修辞的现象。我们在这里谈论隐喻,就不仅仅将之视为一种语言修辞现象了,而且将之视为一种思维现象。这样,隐喻就成为一种跨越语言文化的重要论题。

隐喻(metaphor)在西方几为显学,早在古希腊时期,亚里士多德就曾经热烈地讨论过隐喻,而后历代延续不断。亚氏说:

> 用一个表示某物的词借喻他物,这个词便成了隐喻词,其应用范围包括以属喻种、以种喻属、以种喻种和彼此类推。①
>
> 但是,最重要的是要善于使用隐喻词。唯独在这点上,诗家不能领教于人;不仅如此,善于使用隐喻还是有天赋的一个标志,因为若想编出好的隐喻,就必先看出事物间可资借喻的相似之处。②

亚氏从语言修辞上谈论隐喻,把它与创作才能联系起来,将之视为作家天赋的一个标志。他将隐喻的应用归为四类,即以属喻种、以种喻属、以种喻种和彼此类推,这是对隐喻的最早的归类。亚氏关于隐喻的思想成为后世总结隐喻的美学和语义学思想的源头。

黑格尔将隐喻放在"象征型艺术"里加以研究,可以想象象征和隐喻的微妙关系。他认为:1."隐喻的范围和各种形式是无穷的。它的定性却是简单的。隐喻是一种完全缩写的显喻。"2. 隐喻主要是用在语言的表达方式中,每一种语言本身都包含无数隐喻,其本义涉及的是感性事物,后来引申到精神。在发展的过程中,隐喻的意义会发生变化,引申义可能会成为本义。因此,有必要通过诗的想象去制造

---

① [古希腊]亚里士多德:《诗学》,陈中梅译,商务印书馆,北京,1999年,第149页。
② 同上书,第158页。

新的隐喻。3. 隐喻比起通常的本义词能见出更大的生动性,其意义和目的在于适应思想和情感的强烈力量和要求,强化思想和情感的效果,在外在事物中寻求自己,把它们转化为精神。"隐喻的表达方式也可以起于想象力的恣肆奔放","尽量在貌似不伦不类的事物之中找出相关联的特征,从而把相隔最远的东西出人意外地结合在一起"。①这样,黑格尔就不仅仅将隐喻局限在一个狭窄的语言修辞学领域,而将之扩展到宽广的美学领域,使隐喻获得了生命的活力。

我们抬出亚里士多德和黑格尔这两位诗学和美学泰斗的隐喻思想,意在洞见西方隐喻思想的实质。隐喻在西方人的视野中不仅是一个修辞学的问题,而且是一个哲学和美学的问题,这给我们研究中国古代的比兴思维提供了一个视角。比兴思维与隐喻有密切的关系,然而它们到底是一种什么关系?隐喻在中国古代文人的视界中是否仅仅是一种语言修辞现象?隐喻在中国古代文人的艺术思维中到底有什么意义和价值?这些都是我们必须认真考虑并做出回答的。

中国古代的隐喻理论基本上是附在比兴观念上的。比兴作为两种修辞手段,汉代已将之区分开。刘勰说"比显而兴隐"(《文心雕龙·比兴》),和汉代的区分角度明显不一样,是对比和兴表现方式的区分。如果从整个比喻的角度来理解,我们可以说,刘勰的意思是说比是显喻(Simile),兴是隐喻(metaphor)。但是,朱自清先生通过对《毛诗诂训传》以兴注诗的行为的具体分析,认为兴是譬喻,又是发端,很多兴的譬喻属于显喻(Simile),也有很多兴的譬喻属于隐喻。②兴的意义简直让人无所适从,缠夹得厉害。这本身就说明,纯粹从修辞学上认识比兴有太多的局限,要对这一问题做更为深入的探讨,必须打破语言修辞的界域,深入到文化、思维、精神之中,这才可能给比兴以较为充实的内涵。

比兴思维理论在汉代才得以生成,但这种思维方式却古已有之,它脱胎于原始思维,经过了漫长的发展和演变。作为一种艺术思维

---

①[德]黑格尔:《美学》第二卷,朱光潜译,商务印书馆,北京,1997年,第127~132页。
②朱自清:《诗言志辨》,华东师范大学出版社,上海,1996年,第53~63页。

方式,在最初,它是以隐喻和符号象征表现出来的。这种隐喻和符号象征的特征在中国的先秦文化中表现得极为鲜明。《易经》的符号象征有目共睹。它用最简单的—、--两个符号来推演人事物理,充满玄秘性和辩证色彩,后人无不承认它是中国哲学的始祖,代表了东方玄秘的哲学体系。这种符号的象征性被比兴思维所收容并成为它的一个重要的表现特征。在先秦经典中,曾经运用了大量的无比生动的隐喻。这些隐喻并不像陈骙列举的那样,仅限于语言层面,它还具有很强的思想与精神意义。《春秋》作为一部历史著作,后人不是把它当作单一的历史著作看待,还当作一部思想著作阅读,反复赞赏它的微言大义。如荀子云:"《春秋》言是,其微也。"(《荀子·儒效》)这是将《春秋》看作一部整体隐喻的著作。到了汉代,不少学者皓首穷经,对《春秋》及"三传"做了深入细致的研究,在中国思想文化史上产生了重大的影响。不仅《春秋》如此,《诗经》也是如此。比兴可以说是对《诗经》隐喻的一种概括。尽管这种概括在具体内涵的表述上有不尽恰当之处,但毕竟把《诗经》当作一部隐喻的著作来看待。"温柔敦厚"成为诗教,就是儒家对《诗经》隐喻的结果。这种整体隐喻被我们称之为大隐喻。至于小隐喻,就涉及具体的思想内容了。在《老子》《论语》《孟子》《庄子》等著作中,我们时时能够读到精彩绝伦的隐喻。《老子》精妙五千,华彩盖世,弘深远奥,我们没有理由不把它作为一部精彩绝伦的思想隐喻著作。"道可道,非常道;名可名,非常名。无名天地之始,有名万物之母。故常无欲,以观其妙;常有欲,以观其徼。此两者同出而异名,同谓之玄,玄之又玄,众妙之门。"(《老子》一章)这里的隐喻是哲学层面的,隐喻的内容极为深刻。老子奏响了玄妙哲学的华章,对隐喻的运用如此驾轻就熟,令后人汗颜。其他如昭昭昏昏、婴儿玄牝、一二三之喻①,将自然人生的玄

---

① 《老子》二十章云:"俗人昭昭,我独昏昏;俗人察察,我独闷闷。"隐喻为人处世,须无欲无情。第六章云:"谷神不死,是谓玄牝,玄牝之根,是谓天地根。"隐喻处卑守静。第二十八章云:"常德不离,复归于婴儿。"以婴儿隐喻自然。第四十二章云:"道生一,一生二,二生三,三生万物。"一、二、三喻世界上万事万物的多极。

理隐喻得天衣无缝,诗意浓郁。无怪乎,有人将老子称为一个诗人,将《老子》一书称作一部奇诗。《论语》也常有妙语如珠的隐喻:"岁寒然后知松柏之后凋也"(《论语·子罕》);"朽木不可雕也,粪土之墙不可圬也"(《论语·公冶长》);"智者乐水,仁者乐山"(《论语·雍也》);"食不厌精,脍不厌细"(《论语·乡党》)。这些深刻的政治、伦理、道德隐喻流传百世,成为人们生活的训诫。《孟子》里鱼与熊掌的隐喻,家喻户晓,舍生取义之成为儒家人格美的标志,在很大程度上得益于这一精妙的比喻,其中的思想力量不言而喻。庄子是一个运用隐喻的高手,他的隐喻已经上升到了一个较高的层次。他用寓言故事实施整体隐喻,最能体现隐喻思维乃至比兴思维的诗性。轮扁斫轮,庖丁解牛,削木为鐻,佝偻承蜩等,这些著名的寓言故事为庄子的隐喻增添了光彩。此外,《庄子》一书中所描写的形象如鲲鹏、大树、大瓠、山木、哀骀它、支离疏等,均具有精深的哲学意旨,是一种思想精神的隐喻。《庄子》是发展隐喻的一个光辉的里程碑,它表现了中华民族的诗性智慧,对后世文学艺术的发展具有不可低估的意义。先秦运用隐喻的种种表现,正应了维柯在《新科学》中的断言:

> 凡是最初的比譬(trope)都来自这种诗性逻辑的系定理或必然结果。按照上述玄学,最鲜明的因素也是最必要的和最常用的比譬就是隐喻(metaphor)。它也是最受到赞赏的,如果它使无生命的事物显得具有感觉和情欲,最初的诗人们就用这种隐喻,让一些物体成为具有生命实质的真事真物,并用以己度物的方式,使它们也有感觉和情欲。这样就用它们来造成一些寓言故事。所以每一个这样形成的隐喻就是一个具体而微的寓言故事。这就提供一种根据来判定隐喻何时在语言中开始出现。一切表达物体和抽象心灵的运用之间的类似的隐喻一定是从各种哲学正在形成的时期开始,证据就是在每种语言里精妙艺术和深奥科学所需用的词,都起源于村俗语言。①

---

① [意]维柯:《新科学》,朱光潜译,商务印书馆,北京,1997年,第200页。

比兴思维是隐喻的寄身之所,一旦隐喻上升为整体隐喻,形成了一种思维方式,即隐喻思维,在这种情况下,比兴和隐喻真的是难分彼此了。因为隐喻也是借助于某一(类)事物表现另一(类)事物,在表现的过程中,类比、联想、象征、想象相互交织,并形成了美的形象。隐喻思维在寓言和神话中的表现较为普遍,寓言和神话中的超现实的想象及创造方式为隐喻提供了极好的实施基础。那种奇特的想象和象征无不暗示着现实生活的某种存在与可能,充满睿智的哲思。这种情形,卡西尔在《语言与神话》中已经做了扎实的论述。他把语言和神话看成是两种思维方式,把这两种思维方式的连结称为隐喻式的思维,就是肯定了隐喻作为一种思维方式的现实性。①

我们可以轮扁斫轮的寓言来说明比兴和隐喻思维,这也是文学批评中常引用的一个典型的范例。《庄子·天道》云:

> 桓公读书于堂上,轮扁斫轮于堂下,释椎凿而上,问桓公曰:"敢问,公之所读者何言邪?"公曰:"圣人之言也。"曰:"圣人在乎?"公曰:"已死矣。"曰:"然则君之所读者,古人之糟粕已夫!"桓公曰:"寡人读书,轮人安得议乎!有说则可,无说则死。"轮扁曰:"臣也以臣之事观之,斫轮,徐则甘而不固,疾则苦而不入。不徐不疾,得之于手而应于心,口不能言,有数存焉于其间。臣不能以喻臣之子,臣之子亦不能受之于臣,是以行年七十而老斫轮。古之人与其不可传也死矣,然则君之所读者,古人之糟粕已夫!"

轮扁借斫轮一事隐喻知识传播的不可能性及语言的软弱无力,可谓深刻而传神。整个隐喻的过程是通过轮扁对自己斫轮的体会来加以表现的。这是一个三段论式的思维。首先,轮扁肯定桓公所读是古之糟粕,然后现身说法,以他斫轮"不徐不疾,得之于手而应于心"的体验"口不能言",不能用语言精确地把自己的这种体验传给儿子做精心论证,最终得出结论:传世的语言都是糟粕,不可传的精妙的思

---

① [德]恩斯特·卡西尔:《语言与神话》,于晓等译,生活·读书·新知三联书店,北京,1988年,第102页。

想已经死去。张隆溪先生在分析庄子这一寓言时指出:"这里,庄子当然是在谈论那超越了语言和理解的不可言说的道,不过,他说的话却应和着那显然至为重要并且与诗相关的弦外之音,因为诗人比哲学家更多地承担着不仅要把握,而且要用语言描绘出物之精粗和超越于物之精粗的使命——要把人类经验与想象范围内所有深邃、微妙、可能和不可能的一切付诸优美的语言。如果哲学家的语言不能描绘那不可说的道,诗人的语言就更不足以达到其立意要达到的目标。"①这种"弦外之音"也可视为庄子的另一种隐喻吧!由此可见,庄子这一寓言隐喻的意义是相当丰富的,这是隐喻思维所达到的效果,只有整体隐喻才能实现。从这里,我们也感受到隐喻作为一种思维方式与比兴思维是相通的。

轮扁斫轮是隐喻思维,隐喻的结果是揭示出一个深奥的玄理。我们也可以将这则故事作为文学来看待。它借助于轮扁对斫轮体会的解说,运用类比、隐喻的手段,塑造了轮扁这个智者的形象。这样,这则寓言运用的便是比兴思维了。比兴和隐喻在具体的诗文中的确难以分别,在寓言中的运用是如此,在诗中的运用就更加明显了。然而,比兴和隐喻并不是没有区别的,可以从下几个方面来认识。第一,比兴作为一种整体的思维方式具有广泛的包容性,它是受某一(类)事物的启发或借助于某一类事物来开展的。这类事物只对情感、思想起着引导作用,虽然可能在作品中出现多次,但并不是贯穿作品中的主要意象。而隐喻思维中的隐喻事物往往伴随作品描写和抒情的始终,有时,作品中出现的隐喻意象不止一个,而是多个,但意旨一致,它们是作品所表现的主要意象。例如《诗经》中很多诗在开头借助于某一物象引起所咏之词,后面所歌咏的内容就与所借助的物象没有什么直接的关系了。"关关雎鸠,在河之洲"、"桃之夭夭,灼灼其华",这里的雎鸠和桃便不是诗中的主要歌咏对象,只是起着情感和思想的引导作用。当然,诗中所歌咏的内容与这些意象有某种不明确的、暧昧的关系,这最多只能算作一种隐喻的修辞手段,而不能算作隐喻思维

---

① 张隆溪:《道与逻格斯》,冯川译,四川人民出版社,成都,1998年,第110页。

了。这是比兴思维的特征。而隐喻思维则有所不同了,如李白的《赠汪伦》:"李白乘舟将欲行,忽闻岸上踏歌声。桃花潭水深千尺,不及汪伦送我情。"这是隐喻思维。"桃花潭水深千尺"是全诗的核心意象,隐喻的焦点全都集中在这里。以水深喻友谊之深,是一个绝妙的隐喻。如果缺少了这一意象,这首诗的思想情感就要大打折扣。然而,我们又可以说这是比兴思维。可见,意象运用在判断比兴和隐喻这两种思维方式上起着关键的作用。第二,比兴合称不是语言修辞的手段,至少是一种艺术的手段;而隐喻在狭义上是一种修辞手段。这一点显而易见,较易辨析。"孔雀东南飞,五里一徘徊"是比兴的艺术手段,不能简单将之视为一种修辞手法。"东边日出西边雨,道是无晴却有晴"在修辞上虽是双关,也是隐喻,双关体现在后一句,而隐喻则体现在前一句。中国古代比与兴分论,认为比与兴都是比喻,这样,比与兴自身的差别也难以搞清楚。今人有研究比兴者,试图给比兴一明确的说法:"比是一种隐喻操作,兴则是一种基于隐喻的转喻操作或基于转喻的隐喻操作。"①似乎比兴与隐喻没有什么差别了。比兴和隐喻的差别之一就表现在一是艺术表现手段,一是修辞手段上。艺术表现手段也包括修辞手段,外延总要大一些。第三,隐喻往往是一种哲学行为,而比兴则是一种纯粹的诗学行为和美学行为。隐喻表现在文学艺术中增添了文学的哲学色彩。这与隐喻在中西方的发展是有关系的。我们从文学艺术作品的哲学色彩和抒情色彩中往往能直观地判断出哪是隐喻,哪是比兴。在具体作品中,它们往往从理论上会很难区分,但从感觉上还是有所分别的。如屈原的《橘颂》,基本上是隐喻的。杨义称,它是"借对自然物的隐喻性颂扬来表达抒情主体的志行品质","创造了象征的或隐喻的表现体系"②。而如白居易的《长恨歌》和《琵琶行》则是比兴的。其浓郁的抒情色彩夹杂着对现实、人生的体验,意在达到某种教化的效果。这两类作品存在着明显的差别,但具体表现又是相当复杂的。有时,我们很难截然断定哪些作品

---

① 季广茂:《隐喻视野中的诗性传统》,高等教育出版社,北京,1998年,第153页。
② 杨义:《楚辞诗学》,人民出版社,北京,1998年,第378~379页。

是隐喻的，哪些作品是比兴的。即使依靠直觉，也不能断定。艺术各手段之间相互交通联系是艺术的整体行为，人为地分清是一种痴心妄想，不可能实现。

即使隐喻和比兴如此缠夹，我们也欣然接受。隐喻虽然是世界各民族都认同并运用的语言和思维现象，在表达人的思想情感方面的作用巨大，但真正形成比较科学的隐喻理论的还是西方学者。中国古代学者在这方面的研究极为薄弱。而比兴则不同了。比兴是中国传统的语言表达手段、艺术手段和思维方法，古往今来的研究成果很多，几成显学。隐喻的理论基本上是附属在比兴的理论之中的，比兴思维包括隐喻。这样，隐喻在完善比兴思维的理论内涵，丰富比兴思维的创作内容和手段，进而完善文学创作的艺术思维方面都具有不可估量的意义和价值。

首先，隐喻增强比兴思维艺术创造的形象性、直观性，使文学艺术作品的形象更加鲜明生动，具有美感魅力。隐喻使形象充满立体感，这是由隐喻的多角度切入所造成的。古人对这一点看得非常清晰。刘勰说："夫比之为义，取类不常：或喻于声，或方于貌，或拟于心，或譬于事。"（《文心雕龙·比兴》）刘勰辅以大量的实例说明，最后将之归纳为"拟容取心"，探讨的正是隐喻对形象的塑造以及隐喻对比兴思维形象性的意义。王元化说："'拟容取心'这句话里面的'容'、'心'二字，都属于艺术形象的范畴，它们代表了同一艺术形象的两面；在外者为'容'，在内者为'心'。"[1]意谓形象融合主客体两个方面。要实现对形象的完美表现，就必须运用明喻和隐喻。只有如此，才能使创造的形象充满美感。隐喻能"使无生命的事物显得具有感觉和情欲"[2]，而"意象可以作为一种'描述'存在，或者也可以作为一种隐喻存在"。[3]意象（image）只有作为一种隐喻才具有更高的审美价值。试以钱惟演《木兰花》词为例说之。词云："城上风光莺

---

[1] 王元化：《文心雕龙创作论》，上海古籍出版社，上海，1984年，第179页。
[2] [意]维柯：《新科学》，朱光潜译，商务印书馆，北京，1997年，第200页。
[3] [美]雷内·韦勒克、奥斯汀·沃伦：《文学理论》，生活·读书·新知三联书店，北京，1986年，第203页。

语乱,城下烟波春拍岸。绿杨芳草几时休?泪眼愁肠先已断。"词写离愁别恨,运用许多隐喻的意象,以"莺语乱"隐喻内心的怅惘;以"春拍岸"隐喻无可奈何;以"绿杨芳草"隐喻满腹无止无休的愁绪。这些隐喻塑造了一个愁肠百结的抒情主人公的形象。这些隐喻是多元立体的,且有一种新奇感。如"绿杨芳草"之喻,一反往常的审美习惯,那一望无尽的葱绿和浓郁的芳香好像失去往日的美,变得十分讨厌,这正是"以我观物,故物皆着我之色彩"(王国维《人间词话》),是词人的心境促成了这一绝妙的隐喻。这一隐喻极为形象,极其生动,对表现全诗的意境,创造鲜明的意象,提升词的审美价值起着重要的作用。

其次,隐喻能充分展示比兴思维艺术创造的文学性,使文学艺术作品形成一种反常化程序,言近旨远,意味无穷。比兴思维在创造过程中所具有的言近旨远,刘勰已经非常明确地认识到了。《文心雕龙·比兴》说:"观夫兴之托谕,婉而成章,称名也小,取类也大。"何谓"称名也小,取类也大"?这是比兴思维的一个重要的表现特征。其言述的就是文学艺术作品的言近旨远和无穷的意味,意谓比兴思维是达到这一审美目标的捷径。钟嵘《诗品》讲得就更清楚了。他特别赞赏"指事造形,穷情写物"的五言诗:"故诗有三义焉:一曰兴,二曰比,三曰赋。文已尽而意有余,兴也;因物喻志,比也;直书其事,寓言写物,赋也。"(《诗品序》)所谓"文已尽而意有余"即是言近旨远。皎然也说:"取象曰比,取义曰兴,义即象下之意。"(《诗式》)"象下之义"亦即象外之象,也是言近旨远。可见,在理论上对比兴思维的言近旨远的认识是理论家们的共同倾向。清代的陈廷焯对比兴思维的这一特征做了一个有深度的总结。他说,比是"托讽于有意无意之间","若兴则难言之矣。托喻不深,树义不厚,不足以言兴。深矣厚矣,而喻可专指,义可强附,亦不足以言兴。所谓兴者,意在笔先,神余言外,极虚极活,极沉极郁,若远若近,可喻不可喻,反复缠绵,都归忠厚"(《白雨斋词话》卷六)。兴的这种捉摸不定、"神余言外"的特征正是比兴思维创造力的表现,这在很大程度上归功于隐喻。例如,古人,包括陈廷焯都极为推崇的姜夔的名词《暗香》就是一首成功运用隐喻的杰作。词句句不离梅花,但写的却是对一个女子的思念，是整体的隐喻。词云：

> 旧时月色，算几番照我，梅边吹笛？唤起玉人，不管清寒与攀摘。何逊而今渐老，都忘却春风词笔。但怪得竹外疏花，香冷入瑶席。　　江国，正寂寂。叹寄与路遥，夜雪初积。翠尊易泣，红萼无言耿相忆。长忆曾携手处，千树压西湖寒碧。又片片吹尽也，几时见得？

月色依旧，梅边吹笛，引起词人对往日爱情生活的追忆。何逊的《咏早梅》是咏梅名诗，传颂一时。词人以何逊自比，言自己已经年老，才华消逝，写不出香艳的词句，只有这竹林外稀稀落落的梅花依然幽香频袭。江南水乡下起了大雪，折几枝梅花表达相思，因路远无法寄赠。空对酒杯，凝视红梅，抹不去这无边的思念。只能追忆往时常常携手的西湖边上，看千树梅花点点飘落。何时才能相见呢？这首词优美的情调都是借助梅的隐喻。梅成为思念的象征，成为爱情的隐喻。梅的隐喻使这首词言近旨远，意味无穷。

其三，隐喻强化了比兴思维艺术创造的哲性色彩，使文学艺术作品既具备文学性的素质，又具备哲理化的特点，拓宽了文学艺术表现的领域。隐喻是伴随着初始的寓言、神话而产生的，它又是语言和寓言、神话的联结点。保罗·利科尔说，隐喻和神话相联系，它是作品的本质，作品的内在含义。①先秦诸子往往用隐喻表达哲理，是表达思想的一种方式。"岁寒然后知松柏之后凋也"，隐喻的对象是人，意谓只有在艰苦的条件下，在恶劣的环境中才能见到一个人真正的品德。所谓"真金不怕烈火炼"也是同样的哲理隐喻。刘勰已认识到这种哲理的隐喻在比兴思维中的重要价值。他说："盖写物以附意，飏言以切事者也。故金锡以喻明德，珪璋以譬秀民，螟蛉以类教诲，蜩螗以写号呼，浣衣以拟心忧，卷席以方志固，凡斯切象，皆比义也。"（《文心雕龙·比兴》）这里所列举的许多隐喻都以哲理化的倾向取胜。正

---

① [法]保罗·利科尔：《解释学与人文科学》，陶远华等译，河北人民出版社，石家庄，1987年，第168页。

因为这些隐喻的运用，文学作品才具有美感，这些隐喻也作为经典流传后世。先秦诸子寓言的哲理就是运用隐喻的结果。在历代的诗文创作中，大凡具有哲理意味的作品必定有隐喻存在，这似乎成为创作的一条定规。如曹植的《感婚赋》，其开首云："阳气动兮淑清，百卉郁兮含英。春风起兮萧条，蛰虫出兮悲鸣。"这是以自然的律动隐喻人情感的萌发。人的情感就像大自然中的万事万物一样，适时而动，不能抑制。在自然的比兴下，才有以下情感的内容：

顾有怀兮妖娆，用搔首兮屏营。登清台以荡志，伏高轩而游情。悲良媒之不顾，惧欢媾之不成，慨仰首而太息，风飘飘以动缨。

在自然的引导下，这种隐喻便具有了哲性色彩。这种哲性色彩丝毫不会减弱作品的文学性，相反，却增强了作品的美的韵味。

元韦居安对隐喻的哲理性有较深的体会，他以竹为例发表了自己的看法。他说：

植物中惟竹挺高节，抱贞心，故君子比德于竹焉，古今赋咏者不一。半山老人一联云："谁怜老节生来瘦，自许高才老更刚。"自负甚高。李师直一联云："未出土时先有节，便侵云去也无心。"语亦奇的。李叔与一绝云："一种春风到町畦，物情春亦不能齐。过篱新笋贪成竹，不管同根未脱泥。"殊有言外之意。（《梅磵诗话》卷下）

竹是对人品格的隐喻，在竹子身上隐喻了人生的许多哲理。竹子成为君子的形象，成为人人都能意会的君子隐喻。这固然与竹子的自然特征有关，却注入了人的想象和现实生活的经验。郑板桥是将竹子当作自己人生哲学的著名诗人、艺术家。他不仅画竹，而且写竹。他在《题兰竹石二十七则》中的一首诗中写道："四时花草最无穷，时到芬芳过便空。唯有山中兰与竹，经春历夏复秋冬。""板桥画四时不谢之兰，百年长青之竹，万古不败之石，正是为了表现画家自己千秋不变之人。"[1]竹的隐喻成为郑板桥生命最有价值的一个部分。

---

[1] 胡经之：《文艺美学论》，华中师范大学出版社，武汉，2000年，第213页。

隐喻作为比兴思维进行艺术创造的一个手段具有多方面的功能。这些功能包括语言和意义两个方面。我们在这里只是突出地阐释隐喻在比兴思维运用上的意义功能、情理功能及美学价值，至于它的语用功能我们将在下一节中进一步论述，以期能较为完整地揭示隐喻在比兴思维中的审美创造作用。

第五节 比兴思维与诗性语言

文学艺术创作中的语言问题是一个极为复杂的问题，它不仅涉及语音、词汇、语法、修辞等语言本身的问题，还涉及作家、艺术家具体的操持和运用语言的言语问题。费尔迪南·德·索绪尔说，语言是一种表达观念的符号系统，言语是个人意志和智能的行为。①语言不仅是社会的事实，还是心理和思维的事实。对语言的诗性特征的考察，有利于我们更好地认识比兴思维的理论价值，更深入地发掘艺术思维和语言的关系。意大利哲学家维柯曾经研究了人类的诗性语言，认为人类最初的比喻往往是用有生命的东西替代无生命的东西，用人体比喻所有的事物。他说：

> 一切比喻（都可归结为四种）前此被看成作家们的巧妙发明，其实都是一切原始的诗性民族所必用的表现方式，原来都有完全本土的特性。但是随着人类心智进一步的发展，原始民族的这些表现方式就变成比喻性的，人们就创造出一些词，能表示抽象形式，或包括各个分种的类，或把各部分联系到总体。这就推翻了语法学家们的两种普遍错误：一种认为散文语言才是正式语言，而诗并不是正式语言，另一种认为散文语言先起，然后才有诗的语言。②

诗性的语言是人类最早的语言，这在我们的历史中也得到了证实。在我国较早的文献中，语言的运用都是富有诗性的，如《老子》

---

① [瑞士]费尔迪南·德·索绪尔：《普通语言学教程》，高名凯译，商务印书馆，北京，1982年，第28~42页。
② [意]维柯：《新科学》，朱光潜译，商务印书馆，北京，1997年，第203页。

《诗经》《春秋左传》《论语》等。其诗性的语言主要表现在大量的比喻运用上,用非常鲜明生动的比喻表达抽象的思想意蕴。远古的比喻生命力之强,以至今天,我们仍奉之为圭臬。如《老子》云:"孔德之容,惟道是从。道之为物,惟恍惟惚。惚兮恍兮,其中有象,恍兮惚兮,其中有物。"(二十一章)《诗经》云:"淇则有岸,隰则有泮。总角之宴,言笑晏晏。信誓旦旦,不思其反。"(《卫风·氓》)《论语》云:"鸟之将死,其鸣也哀;人之将死,其言也善。"(《泰伯》)这些比喻都以整齐的句式、优美的音律、超人的智慧、形象的语言显示了其诗性的存在,正是在这诗性浓郁的时代,先秦提出了比兴这一概念。汉人解比兴时认为这是两种比喻之法。郑司农(众)云:"比者,比方于物也。兴者,托事于物。"郑玄云:"比见今之失,不敢斥言,取比类以言之。兴见今之美,嫌于媚谀,取善事以喻劝之。"比和兴不仅是操持比喻的方式不同,而且内容也不相同。就比喻方式而言,比是打比方,以彼物比此物,兴是借物寓托;就比喻的内容而言,比是说恶事、讽刺,兴是说善事、喻劝。这虽然是儒家对比兴的解说,将之政治化、伦理化了,但从中,我们仍能看出比兴具有的诗性内涵。那就是:多极联系,含蓄委婉,言近旨远。正是在此基础之上,比兴才发展演化成一种艺术思维方式。这本身就说明思维和语言的密切关系。

比兴思维和比喻是孪生姐妹,但它们之间的关系却又不像孪生姐妹那样脱离母体后自由、松散,各有各的行动,各有各的思想,而是依然保持精神的一致和形影不离。比兴思维的开展离不开比喻,包括隐喻、显喻(明喻)、转喻,比喻绝对地控制着比兴思维的语言运用,从而保证了这一艺术思维方式的诗性特征。

比兴思维是借助于某一(类)事物或受某一类事物启发来表达情感,创造美的形象的一种艺术思维方式。这种思维方式是总体的、综合性的,但也常常在局部发挥作用。就像黑格尔在论述象征时所说,象征有独立性象征和非独立性象征一样,独立性象征是一个特定阶段的艺术观照和表现类型,是整体的,非独立性象征仅是一种外在形式的表现,是局部的。比兴思维的局部作用就表现在语言的运用上,最典型的则是比喻的运用。在比兴思维的熔铸中,比喻就像一朵永远不败的鲜花，怒放在古典文学艺术的天空。在西方，黑格尔曾经系统地研究过比喻的艺术形式，他称比喻的艺术形式是自觉象征的表现。这种比喻的艺术形式就类似运用比兴思维创作的文学艺术作品，这类作品无论是在思维方式上还是修辞方式上运用的都是比喻。黑格尔曾论证了作为比喻艺术形式的寓言、影射语、宣教故事、格言、谜语等所具有的意义，他是把它们当作独特的文体来对待的。他把比喻分为意义和形象两个部分，认为意义是前提。他说：

> 如果要就这一领域进行较确切的分类，我们就会发现在各种比喻之中，意义本身总是前提，和它相对立的是一个与它有关联的感性形象，一般总是意义放在首要地位，而形象则是单纯的外衣和外在因素；不过另一方面也会发现这样一个差别：这两方面之中，有时是这一方面，有时是那一方面首先出现，作为出发点。这就是说，有时是形象作为一种独立的、外在的、直接的自然的事件或现象摆在那里，要从此见出一种普遍的意义，有时是意义先单独地出现，然后替它从外面挑选一个形象。①

在比喻的运用中，意义虽然是前提，但也会出现一些特殊情况。黑格尔所言述的比喻的两种情况，有时形象会独立地出现，有时意义会独立地出现，与我们所论述的比兴思维在方法和现象上有相似之处。比兴思维是有"感物兴情"和"托物寓情"这两种情形的，第一种就类似于黑格尔所说的形象独立出现，第二种类似于黑格尔所说的意义单独出现。可见，中西文艺学、美学思想是能够相互融通的。任何整体的综合性事物结构都能从它的组成元素的小结构上显现共同之处。比喻作为比兴思维笼罩下的一种语言手段呈现出与比兴思维的相似性是必然的。这正说明它们之间的亲密关系。人类对比喻的运用，其真实的用意是让人易于理解，通过对形象生动直观的体悟，把握施喻者的真实意图和情感。然而，事情往往与意愿相违背。恰恰是比喻，由于采用迂回曲折的方法，并交换运用隐喻、转喻等，往往使人难以

---

① [德]黑格尔：《美学》第二卷，朱光潜译，商务印书馆，北京，1997年，第100~101页。

意会，形成理解的真空。这里的关键是意义与意象的衔接，怎样使要表达的意义和选择的意象恰当地连在一起，这是些令人头痛的事。然而，正是这一悖论成就了比喻迷人的诗性，使它魅力无穷。

比喻有两种方式，一种方式是从形象出发，另一种是从情感意义出发。这两者所达到的效果是各有千秋的。从形象出发，笔墨多倾注在形象上，通过对形象较为完整的拟人化的刻画以达到比喻的目的，如人们津津乐道的屈原的香草美人之喻，以及神话性的隐喻、寓言等都属于这种比喻。比喻的运用从形象出发，借助于这些形象来表达情思。从情感意义出发的比喻多侧重于情感意义的表达，为达到这一目的，特意布置隐喻和显喻等具体的手段。如："雨恨云愁，江南依旧称佳丽"（王禹偁《点绛唇·感兴》），"枝上柳绵吹又少，天涯何处无芳草"（苏轼《蝶恋花》）。这里，江南、佳丽、芳草这些意象都是为表达情感意义特意布置的，表现出较为明显的隐喻和显喻痕迹，不需要特别的思量，只需直觉感悟。而从形象出发的比喻往往不易觉察，因为，笔墨开始便定在对这形象的描绘上。如《湘君》："君不行兮夷犹，蹇谁留兮中洲？美要眇兮宜修，沛吾乘兮桂舟。"洪兴祖注"要眇"："要，于笑切。眇，与妙同。《前汉》传曰：幼渺之声。亦音要妙。此言娥皇容德之美，以喻贤臣。"注"桂舟"："桂舟，迎神之舟，屈原因以自喻"。（《楚辞补注》）这种理解虽然牵强，但有一点可以肯定，它是一种从形象开始的比喻，比喻的意义却不露痕迹。对从形象出发的比喻，恐怕只能从比兴思维的视角理解才可能透彻一些，因为，这是一种整体的比喻，单单从字面和引申义上把握很难得到精髓。这是相对于情感意义出发的比喻来说的。当然，任何比喻都必须考虑比喻运用的上下文关系，只有在这种关系中才能准确理解比喻的意义。

比喻作为一个大的修辞类别是包含隐喻、转喻、显喻的。就隐喻、转喻、显喻在文学艺术上的作用而言，人们更多地推崇隐喻。这是因为隐喻不仅包括了其他比喻所具有的特点，而且更具有诗性。黑格尔和弗莱都说，隐喻在某种程度上就是明喻（显喻），正是认识到隐喻的包容性。在比兴思维中，隐喻更为活跃，它无处不在，在彰显语言的诗性上立下汗马功劳。

隐喻增强了的文学语言的奇异性、新鲜性,使语言永远处于一种鲜活的状态之中,生机勃发。关于这一点,亚里士多德就已经认识得很清楚了。他说:"言语的美在于明晰而不致流于平庸。用普通词组成的言语最明晰,但却显得平淡无奇。克勒俄丰和塞奈洛斯的诗作可以证明这一点。使用奇异词可使言语显得华丽并摆脱生活用语的一般化。所谓'奇异词',指外来词、隐喻词、延伸词以及任何不同于普通用语的词。"①又说:"但是,最重要的是要善于使用隐喻词。唯独在这点上,诗家不能领教于人,不仅如此,善于使用隐喻还是有天赋的一个标志,因为若想编出好的隐喻,就必先看出事物间可资借喻的相似之处。"②文学作品中的隐喻是作家的创造性之一。在中国古典文学作品中,凡是能够流传下来的,经得起历史和艺术考验的,具有鲜活生命力的,还是创造性地运用隐喻的作品。因为这些作品不仅传达了优美的思想情感,还展示了新鲜奇异的语言,给人机智和美感。孔子有一个绝妙的隐喻:"不义而富且贵,于我如浮云。"(《论语·述而》)这就是说,由于不仁义而带来的富贵,是他孔子极为鄙夷的。"浮云"的隐喻极为新鲜,可以给人们提供许许多多诗意化的想象。其隐喻的指归在于浮云的漂泊无根和轻浮无节,是不会长久的。"浮云"的隐喻既有传统性和社会性,使"富贵于我如浮云"成为君子孤傲清高的象征。这种语言方式本身包含着相似性和转换性,同时有因果性。通过浮云与"不义而富且贵"的比附、转换,造成因果式的隐喻效果,使语言神奇而具有美感。

隐喻的魅力表现在它始终处于活的状态中,那些处于僵化状态中的隐喻必然会死亡。黑格尔曾经描述过隐喻在人类语言中的表现:"但是这种字用久了,就逐渐失去它们的隐喻性质,用成习惯,引申义就变成了本义,意义与意象在娴熟运用之中就不再划分开来,意象就不再使人想起一个具体的感性观照对象,而直接想到它的抽象的意义。"③隐喻的死亡是语言发展的必然结果。一批老的隐喻死亡,转

---

① [古希腊]亚里士多德:《诗学》,陈中梅译,商务印书馆,北京,1999年,第156页。
② 同上书,第158页。
③ [德]黑格尔:《美学》第二卷,朱光潜译,商务印书馆,北京,1997年,第128页。

化成人人都能够意会和理解的明晰的语言和普通词,同时有一些新的隐喻诞生。这正是隐喻的活的状态的表现。在语言发展的历史上,常常有这种情况,一些古老的隐喻随着时代的发展不仅没有消亡,而且不断生成,其隐喻的指归是多极的、丰富的。如我们上文所列举的"浮云"隐喻,孔子的隐喻开风气之先,后来"浮云"的隐喻又不断地生成了。如李白的《登金陵凤凰台》。"总为浮云能蔽日,长安不见使人愁"里的"浮云"隐喻奸佞小人。奸佞小人整日围在帝王身边,不时献谗,出坏主意,遮蔽了帝王的眼睛,使帝王的圣光黯然失色。"浮云"的隐喻极形象生动。再如李白的"浮云游子意,落日故园情",以"浮云"隐喻游子。浮云在天空中漂泊无根,象征游子到处游荡。在李白的身上,"浮云"的隐喻意旨都绝然不同。可见,对一个客观意象的观照是多视角的,从不同的意义出发皆可获得这个形象的创造性的隐喻。任何隐喻的运用都有一个语境,不能脱离具体的语境使用隐喻。严格说来,隐喻不具有独立的品格。因此,黑格尔说:

> 隐喻的范围和各种形式是无穷的,它的定性却是简单的。隐喻是一种完全缩写的显喻,它还没有使意象和意义互相对立起来,只托出意象,意象本身的意义却被勾销掉了,而实际所指的意义却通过意象所出现的上下文关联中使人直接明确地认识出,尽管它并没有明确地表达出来。
>
> 但是用意象比譬的意义既然只能从上下文的关联中见出,隐喻所表达的意义就不能说有独立的艺术表现的价值,而只有次要的或附带的艺术表现的价值,所以隐喻更多的是作为一件本身独立的艺术作品的外在雕饰而出现。[①]

隐喻的魅力还表现在曲喻和典故的运用上,这也是展示语言诗性特征的一个重要的标志。和一般的比喻相比,曲喻有更多的文学意味,主要是它的奇特的联想和对隐喻的高度浓缩,受某一(类)事物的启发或借助某一(类)事物的痕迹全无。而典故则将完整而曲折的

---

① [德]黑格尔:《美学》第二卷,朱光潜译,商务印书馆,北京,1997年,第127~128页。

比喻完全浓缩,借助于神话或历史表达思想情感。

曲喻联想的奇特性在于能出人意料地表达事物之间的相似性,使人一下子难以分辨是在用比喻。曲喻尤其能表现作家的丰富的想象力和语言天赋。"明月不归沉碧海,白云愁色满苍梧。"(李白《哭晁卿衡》)这是李白的曲喻。传说日本友人晁衡在归国途中身溺大海,李白抑制不住内心的悲痛,写作这首诗以示追念。"明月"一句是奇特的曲喻,日月从海上升起,最终又落入大海,这是古人的宇宙观。这里明月隐喻晁衡,隐喻晁衡光明磊落的品德,联想十分奇特。最善于运用曲喻的要数李贺了,钱锺书先生对此有精湛分析:

> 长吉赋物,使之坚,使之锐,余既拈出矣。而其比喻之法,尚有曲折。夫二物相似,故以此喻彼;然彼此相似,只在一端,非为全体。苟全体相似则物数虽二,物类则一;既属同概,无须比拟。长吉乃往往以一端相似,推而及之于初不相似之他端。余论山谷诗引申《翻译名义集》所谓:"雪山似象,可长尾牙;满月似面,平添眉目"者也。如《天上谣》云:"银浦流云学水声。"云可比水,皆流动故,此外无似处;而一入长吉笔下,则云如水流,亦如水之流而有声矣。《秦王饮酒》云:"羲和敲日玻璃声。"日比琉璃,皆光明故;而来长吉笔端,则日似玻璃光,亦必具玻璃声矣。同篇云:"劫灰飞尽古今平。"夫劫乃时间中事,平乃空间中事,然劫既有灰,则时间亦如空间之可扫平矣。他如《咏怀》之"春风吹鬓影",《自昌谷到洛后门》之"石涧冻波声",《金铜仙人辞汉歌》之"清泪如铅水",皆类推而更进一层。古人病长吉好奇无理,不可解会,是盖知有木义而未识有锯义耳。①

曲喻引诱人的直觉趋于更加复杂化、多样化,联想更加广泛、绮丽,使文学语言具有无穷的韵味。

典故作为隐喻的一种形式是社会历史文化的积淀,每一个典故的背后都有一个叙事,包含着神话和历史的话语,同时成功地比附了思

---

①钱锺书:《谈艺录》,中华书局,北京,1996年,第51页。

想情感，使当下在历史与神话的纵深之中寻求到一个归宿。关于典故在文学中的运用，从古至今有不少争论。在古代，以钟嵘为代表，认为诗的创作应绝弃事类："至乎吟咏情性，亦何贵于用事？""观古今胜语，多非补假，皆由直寻。"(《诗品序》)刘勰认为："故事得其要，虽小成绩，譬寸辖制轮，尺枢运关也。或微言美事，置于闲散，是缀金翠于足胫，靓粉黛于胸臆也。"(《文心雕龙·事类》)典故运用得恰当，能增强语言的文采之美，展示语言微言大义的功能，更好地表达思想情感。如果典故运用得过滥，则使语意艰涩，不能很好地发挥语用功能。在中国古代诗文中，有很多成功运用典故的范例。如辛弃疾《水调歌头》：

> 落日塞尘起，胡骑猎清秋，汉家组练十万，列舰耸层楼。谁道投鞭飞渡？忆昔鸣髇 血污，风雨佛狸愁。季子正年少，匹马黑貂裘。　今老矣，搔白首，过扬州。倦游欲去江上，手种橘千头。二客东南名胜，万卷诗书事业，尝试与君谋：莫射南山虎，直觅富民侯。

这里用了8个典故，皆是精彩的隐喻：1. 楚国子重"使邓廖帅组甲三百，被练三千以侵吴。"事见《左传·襄公三年》，以此隐喻南宋威武之师。2. 苻坚率军八十万进攻东晋，他说："以吾之众，投鞭于江，足断其流。"事见《晋书·苻坚载记》，隐喻军士众多。3. 匈奴头曼单于为其太子冒顿作鸣镝，令部下云："鸣镝所射而不悉射者斩之。"后来冒顿随其父头曼打猎，便用鸣镝射杀头曼。事见《史记·匈奴列传》。以此隐喻自食其果。4. 佛狸（拓跋焘）南侵中原受挫，为太监所杀。隐喻多行不义必自毙。5. 苏秦（季子）入秦游时，身穿黑色貂裘。隐喻风华正茂。6. 三国时，吴丹阳太守李衡曾在龙阳县的汜洲种千株橘树，临死时对儿子说："吾州里有木奴千头，不责衣食，岁绢千匹。"事见《水经注·沅水》，以此隐喻归隐之心。7. 李广野居蓝田南山时射猎，闻有虎，尝自射之。事见《史记·李将军列传》，隐喻备战之心理。8. 汉元帝时，张放幼袭富民侯，得皇帝宠信，斗鸡走马，骄奢淫逸。元帝与他出外游乐，自称富民侯家人，事见《汉书·张汤传》，以此隐喻帝王无能。这些典故的运用，使这首词具有一种历史的厚重感，文采灿烂之至,耐人寻味。典故成为这首词曲折委婉表达思想情感的重要手段,更使文外之旨、言外之意成为文学的高尚审美追求。当然,对典故的运用也应以恰当为标准,不可过分。如果过分,往往使文学作品变得晦涩,遭人诟病,如北宋西崑体诗人杨亿之辈。

比兴思维与隐喻的关系至为密切,我们已在上一节从思维的角度做了较为深入的讨论。在本节中,我们又沿袭了这一话题,讨论隐喻的语用问题。诗性语言是否仅包含隐喻之一种呢?也就是说诗性语言是否和隐喻画等号呢?决然不是。诗性语言以隐喻为主体,还包括象征、音律,以及狭义的修辞,如明喻、借喻、婉转、夸张、比拟、讽喻、借代等。这些都是使文学具有言近旨远、抒情性和形象性等诗性特征的重要因素。狭义的修辞虽然是运用语言的具体手段,但从思维上说,都是比兴思维的结果。这些手段其实都可以归入到隐喻的门类,西方人就是这么看待的。①而中国传统则把它们单独归类,认为从语言修辞上看,它们都具有独立性。陈望道先生认为譬喻(比喻)包括明喻、隐喻、借喻,认为一层进了一层,一次比一层简洁。②这已成为中国语言学界的共同看法。实际上,这诸多的"喻"虽有细微差别,但以隐喻统领是最为恰当的,因为隐喻不仅涵盖了比喻的特征,而且囊括婉转、夸张、借代、讽喻、比拟等修辞手段。在对隐喻的语用认识上,西方也表现了视角的科学性。这一点值得我们借鉴。

比兴思维强化了文学语言的诗性,这是因为比兴思维对隐喻的操纵。同时,隐喻这类诗性的语言也促进了比兴思维的完善,这是因为语言是思维的基础。诗性语言(运用明喻、借喻、借代、夸张、比拟、讽喻、婉转等手段)是想象和联想的结果,抒情性、形象性和言近旨远是它的特征。文学只有在这种语言的笼罩下才能打动人,给人以强烈的美感享受。这种语言经过比兴思维的创造才会显现诗性本色。

[此章系节选自李健博士论文《比兴思维研究》(安徽教育出版社,合肥,2003年)各章节,略有改动。特此说明。]

---

① 胡曙中:《英汉修辞比较研究》,上海外语教育出版社,上海,1994年,第318页以下。
② 陈望道:《修辞学发凡》,上海教育出版社,上海,1982年,第71页以下。

第十一章　法无定法：
艺术法度之魅力

　　法度,是文学艺术创作过程中文学艺术家运用的法则。相比于西方而言,中国古代的文学艺术创作是非常注重法则的,作家、艺术家们在艺术创作实践的过程中研究总结出一整套完整的法则,形成了关于法度的系统的美学思想,对规范文学艺术创作产生了实质性的影响。重法成为中国古代文学艺术创作的传统。法度的观念产生于先秦。在先秦典籍中,记载了大量的关于法的论述,其中包括赏诗和赏乐之法、言语之法、写作之法等,这些法则对后世文学艺术创作都有一定的启迪。《左传·襄公二十九年》记载了吴公子札观乐的史实,就是对赏乐之法的演绎。老子强调"道法自然",这个法虽然不是具体之法,是形而上之法,但却具有很强的现实意义。它直接启发了后人关于法的思索。《庄子·寓言》借孔子之言云:"夫受才乎大本,复灵以生。鸣而当律,言而当法,利义陈乎前,而好恶是非直服人之口而已矣。"这里的"言而当法"就是指所说的话符合法度,其中包括文法。由于先秦时期的各种文类还不完备,对具体之法的认识并不清晰,故而有"三代无文人,六经无文法"(陈傅良《止斋集·文章策》)之说。到了汉代,法的观念开始觉醒。《淮南子》曾经记述了绘画之法,以为明月之光不可细书,辰雾之朝不可远望(《说林训》),是一种典型的法度之论。扬雄明确地提出了"法度"的概念,这个"法度"已指文法。这从他关于"诗人之赋丽以则,辞人之赋丽以淫"(《法言·吾子》)的批评中可以作为佐证。魏晋南北朝时期,文章学已相当发达。陆机的《文赋》虽是一篇文学理论著作,但大部分内容还是谈文章做法,如其中关于法和病的论述就是法度的美学理论。刘勰的《文心雕龙》体大思精，理论分量很重，基本上也是论述各体文章的做法，涉及法度的理论内容很多。因此，有学者认为，《文心雕龙》是一部文章做法指导，有一定的道理。法度理论是到了宋代才完备的，在欧苏等人的推动下，在以黄庭坚为代表的江西诗派的创作实践中，法度成为中国古典文学艺术创作有一定的实用价值和意义的理论内容，是中国古典文艺学中的一种充满生机和富有魅力的创作理论。

第一节　追问文学艺术的法度

当今，一提起文学艺术的法度，不少人会对之充满睥睨，往往将之与琐屑而细微的问题联系在一起，将它与可有可无、微不足道联系在一起，不愿做过多的思虑。尤其是在今天的文艺学和美学研究中，这种倾向更加明显。学人们习惯于接受并运用西方文艺学、美学的研究方法，动辄喜欢抬出一个大得惊人的问题，形而上地发表一些危言耸听的言论，讨论一些不着边际的话题，不愿意具体入微地研究创作法度，更有甚者，陷入玩弄语言游戏的怪圈之中，难以自拔。实际上，西方人也是注重法度的，古希腊时期的理论家们经常讨论比喻和隐喻的问题。西方人喜欢讨论的问题是节奏和韵律，如韦勒克、沃伦、瑞恰慈都曾经认真研究过这些问题。瑞恰慈甚至还谈论了现代诗的用典，他说"典故成了所有继承文学传统的诗人取材来源中规范正常的一部分"[①]。在当下中国，由于文学批评界轻视法度，注重玄理，形成了理论和创作的对立。很多作家、艺术家不愿意倾听批评家的声音，在一定程度上反映了今天的文学艺术批评所存在的问题。要解决这些问题，恐怕还是要实在一些，认真研究一下古代文学艺术创作的法度理论，从中借鉴一些合理的、有用的东西，实现创作和批评的统一。

中国古代文学艺术创作的法度理论涉及面很广，大到总体的篇

---

① [英]艾·阿·瑞恰慈：《文学批评原理》，杨自伍译，百花文艺出版社，天津，1997年，第196页。

章布局之法、创作构思之法，小到细微的字法、句法、用典、修改和声律，无所不包，曲尽其妙，形成了较为系统的法度美学理论。这些理论都是从作家、艺术家的文学艺术创作实践中得来的，具有很强的操作性，因而，有了无可替代的价值。

中国古代文学艺术创作的法度理论往往与传统密不可分。传统就是经验，是古人在进行文学艺术创作过程中所体会到的成功的经验。这些经验保存在经典的作品之中，足以为后世法。但是，传统并不是僵死的，它是一个活的参照，人们在因袭传统的过程中可以根据自己的实际进行创造性的革新。故而，古代有"通变"之说，言述对传统的继承与革新。古人对传统的态度也是非常微妙的。一种态度以为，传统是一个不可超越的，人们只能亦步亦趋地模仿；一种态度以为，传统不仅可以模仿，而且可以超越；还有一种态度要求抛弃传统，自我创新。这些态度在汉代已经纷纷登场，导演了一场旷古持久的古今之争。

汉代的古今之争是伴随着古文经和今文经的传播而展开的。这不仅是经典的传播问题，还是当时政治哲学的一个大问题，也是语言学的一个重要问题。中国古代关于章句的观念是在这场争论中定型的。统而言之，今文经学崇尚简洁和实用，古文经学崇尚繁琐和考证。它们时而对立，时而合流，不断地演化，支配着中国古代文化的发展。陆贾是古今之争的较早挑起者。在《新语》中，他曾经说过这样的话："世俗以为，自古而传之者为重，以今之作者为轻，淡于所见，甘于所闻，惑于外貌，失于中情。"（《术事》）言外之意，他反对贵古贱今。可见，贵古是很早就已经流行的一种世俗倾向。这与中国人喜欢向后看不喜欢向前看的性格有关。向后看，有切实可行的参照；向前看，如盲人摸象，只能摸索。联系中国古代的修史之风，我们就能够体悟许多。其后，以董仲舒为代表的今文经学家和以孔安国为代表的古文经学家轮番登场，占据着汉代政治和学术的舞台。今古文之争发展到宋代，随着理学的兴起形成一个转折，而后，逐渐波及整个封建社会。乃至后人在谈论中国学术的时候，以汉学和宋学作为中国学术的分野，可见，今古文之争影响之巨。

在汉代，扬雄是具有浓厚崇古思想的文学家，也是较早的将法度付诸实践的文学理论家。《汉书·扬雄传》记载：

> （雄）实好古而乐道，其意欲求文章成名于后世，以为经莫大于《易》，故作《太玄》；传莫大于《论语》，作《法言》；史篇莫善于《仓颉》，作《训纂》；箴莫善于《虞箴》，作《州箴》；赋莫深于《离骚》，反而广之；辞莫丽于相如，作四赋：皆斟酌其本，相与放依而驰骋云。

对于前代经典，扬雄的态度是认真模仿，所谓"相与放依而驰骋"，就是在模仿的基础之上有所创新。模仿的一种主要方法是多读，读熟读透前人的作品，并切实消化，用佛教的话语说，是"参透"，就可能达到纵横驰骋的化境。《汉书·扬雄传》还具体谈到了他的模仿问题："先是时，蜀有司马相如，作赋甚弘丽温雅，雄心壮之，每作赋，常拟之以为式。"从扬雄的《羽猎赋》和《长杨赋》的创作情形看，模仿司马相如《子虚赋》和《上林赋》的痕迹确实很明显，但独创之处也很突出。可以说，他确实做到了"相与放依而驰骋"。在很大程度上，扬雄的模仿就是创作的法度。这是一个人在学习创作的过程中不可缺少的环节。在《法言·吾子》中，扬雄这样说："或曰：'女有色，书亦有色乎？'曰：'有。女恶华丹之乱窈窕也，书恶淫辞之涩法度也。'""淫辞"是烦烂放荡之辞，即不得体、奢靡之辞，扬雄认为，它会扰乱法度，这个法度虽然不是全指写作上的文法，但有很大的文法方面的成分。扬雄第一次提出"法度"这个概念，说明此时人们的法度观念已经觉醒，为中国古典文艺学进入魏晋南北朝这一重视法度审美的时代奠定了基础。

熟读前人的优秀作品是作文的法度之一，扬雄稍后的桓谭有更为清晰的认识。《新论·道赋》中载："扬子云工于赋，王君大习兵器。余欲从二子学。子云曰：'能读千赋则善赋。'君大曰：'能观千剑则晓剑。'谚曰：'伏习象神，巧者不过习者之门。'"多读是创作的一条捷径。通过阅读，读者自然而然地体悟到创作的法则，这比生硬地进行枯燥的理论讲解更为有效，已经成为古人创作的不二法门。后人多有生动细微的发挥,如南宋严羽是坚决反对讲究法度的江西诗派的,但他也强调多读,多读先秦以来的优秀作品,以汉、魏、晋、盛唐为法,将李、杜的作品"枕藉观之",由此,他认定,多读是"悟入"的重要途径。

魏晋南北朝时期,文艺学、美学研究取得了空前的发展。这一时期,法度的理论开始成熟,一个重要标志是将法度审美化。陆机从美学的角度较早讨论了法度问题,提出了作文法度的一系列原则,如会意尚巧、遣言贵妍、音声迭代等。他将作文法度和作文过程中经常出现的多种弊端等细微的问题具体化,在《文赋》中,罗列了一些枝节问题,如辞害理比、警句、独创性,以及篇章结构的短小、言语憔悴、浮诡、卑俗、寡淡等,并从美学上予以分析,得到了同时代及后世的广泛附和。刘勰的《文心雕龙》从《情采》篇到《附会》篇专论法度,涉及熔裁(文章的修改与加工)、声律、章句、丽辞(对偶)、比兴、夸饰、事类、隐秀等问题,论述更系统、更深入。刘勰将法度的讨论推向高潮,也为宋及以后的法度美学理论的发展与深化奠定了坚实的基础。

综观古人的法度美学理论,我们可以将它的内容分为以下几个方面,并以此为起点加以讨论,追问一下古人的法度美学观念到底有什么价值?

第一,结构。结构是文学艺术创作的一个重要环节,它是依据艺术构思对文学艺术作品诸因素进行组织安排。结构必须遵循自然的法则,符合美的规范。陆机在《文赋》中所说的"选义按部,考辞就班"就是结构方面的问题。他认为,意义的选取和语言的运用是结构中的基本问题,必须遵循一定的秩序。意义是主,语言是辅。在具体创作实施的过程中,要做到"理扶质以立干,文垂条而结繁",这样就实现了以主统次,主次分明。同时,文章的结构要巧妙,具有创新意识。杜绝"仰逼先条,俯侵后章"、"文繁理富,意不指适"、"若发颖竖,离众绝致"的不良现象的产生。这些细微的问题,在刘勰的《文心雕龙》里又有了完整而深刻的阐发。《文心雕龙·附会》篇提出了附会的命题,也就是篇章结构的问题。他指出,所谓附会就是"总文理,统首尾,定与夺,合涯际,弥纶一篇,使杂而不越者",附会的方法是,"使众理虽繁,而无倒置之乖;群言虽多,而无棼丝之乱;扶阳而出条，顺阴而藏迹，首尾周密，表里一体"。但是，也不能锱铢必较，必须抓住主干部分，"弃偏善之巧，学具美之绩"。只有遵循这种方法，才能使文学作品成为美的产品。

文章结构如此，书法、绘画等艺术形式的结构何尝不如此呢？

作为一位著名书法家，晋代的卫夫人是重视书法创作的"意前笔后"的。所谓的"意前笔后"，就是构思在前，用笔在后。书法创作要想达到美的境界必须要花费心力去构思，寻求书法的美的结构。其所作《笔阵图》曾经陈述了她对书法结构的看法：

> 结构圆备如篆法，飘颻洒落如章草，凶险可畏如八分，窈窕出入如飞白，耿介特立如鹤头，郁拔纵横如古隶。然心存委曲，每为一字，各象其形，斯造妙矣，书道毕矣。

由于书法是抽象的，在结构上特别难以把握，需要书法家按照各自的修养灵活处理。王羲之从自己的理解出发，依照书法创作的通则，对卫夫人的书法结构的观点做了详尽的阐发。在《题卫夫人〈笔阵图〉后》中，他特别申述了草书的结构："若欲学草书，又有别法。须缓前急后，字体形势，状如龙蛇，相钩连不断，仍须棱侧起伏，用笔亦不得使齐平大小一等。每作一字须有点处，且作余字总竟，然后安点，其点须空中遥掷笔作之。"这样的表述，摆脱了玄虚的成分，生动、具体，操作性强。但它又是美的生成方法，运用这种方法创作出来的书法作品才可能具有审美价值。

绘画作为视觉艺术或空间艺术，它是运用造型手段表现作者审美体验的一种形式。它的审美特征是造型性，用形、光、色和点、线、面构成形象。为了使形象更具有审美价值，绘画特别注重结构。张彦远《历代名画记》曾记述了晋顾恺之《魏晋胜流画赞》中的一段话，具体解析了绘画结构：

> 凡吾所造诸画，素幅皆广二尺三寸。其素丝，邪者不可用，久而还正，则容仪失。以素摹素，当正掩二素。任其自正……凡胶清及彩色不可进素之上下也。若良画黄满素者，宁当开际耳。犹于幅之

两边各不至三分。人有长短,今既定远近,以瞩其对,则不可改易阔促,错置高下也。(《历代名画记》卷五)

南朝谢赫在《古画品录》中提出著名的绘画六法,其中第五法叫做"经营位置",就是上述顾恺之所言的内容,指的是章法结构。张彦远解释说:"夫象物必在于形似,形似须全其骨气。骨气形似,皆本于立意而归乎用笔,故工画者多善书。""至于台阁、树石、车舆、器物,无生动之可拟,无气韵之可侔,直要位置向背而已。"又说:"至于经营位置,则画之总要。"(《历代名画记·论画六法》)也就是说,结构与骨气形神俱佳,才能达到气韵生动的审美境界。宋郭若虚说得更为明确:"凡经营下笔,必合天地。何谓天地?谓如一幅半尺之上,上留天之位,下留地之位,中间方立意定景。"(《林泉高致·画诀》)古代的绘画美学家所强调的"神"是包含绘画的整体结构的,如元稹评张璪的古松画谓其"得神骨",沈括所说的"书画之妙,当以神会"(《梦溪笔谈·论画》),都蕴涵着结构的要求。这是一种美学要求。

第二,句法。句法是作家、艺术家在进行文学艺术创作时运用语言的方法。这种方法在一个具体的时代、一个具体的作家那里可能会形成一种程式,但总体来讲又没有固定的法则。这是一个涵盖面极广的问题,举凡煅字炼句的诸多问题如丽辞、事类、夸饰、隐秀、声律等都属于句法的范围。翻开中国古典文艺学、美学资料,关于句法的论述数不胜数,足见古人对这一问题的重视。然其论述之精审、分析之细密,更是让人流连忘返,回味无穷。"句"作为一个独立的语言单位是由字构成的,因此,句法里本身就包含着字法。在中国古代,字法和句法是统一的。

句法理论的讨论开始于魏晋南北朝。陆机的《文赋》有不少内容是关于句法的。如他说在文章创作中要"立片言以居要",这片言就是"警策",即我们今天所谓的警句。他指出,警句的作用能够使整篇文章有条理,彰显文学的审美意义。与此相应的是秀句。陆机说:"或苕发颖竖,离众绝致。形不可逐,响难为系。块孤立而特峙,非常音之所纬。心牢落而无偶,意徘徊而不能揥。"秀句的存在虽然使文章的大部分语句黯然失色，但它增强了文章的审美价值，也是不可缺少的。刘勰也讨论了秀句的问题。《文心雕龙·隐秀》篇云："秀也者，篇中独拔者也。""凡文集胜篇，不盈十一；篇章秀句，裁可百二。"秀句不易得到。正因为秀句为"篇中独拔"，历代文人都很重视，将之视为神来之笔。中国文学批评史上，出现了独特的摘句批评的方式，这是对秀句句法的高度肯定，使句法批评也成为中国古代一种重要的文学批评方式。这些理论虽可欣赏，却有一定的创作指导意义。如钟嵘《诗品序》在弘扬其"直寻"的创作观时就采取了这种方法："至乎吟咏情性，亦何贵乎用事？'思君如流水'，即是即目；'高台多悲风'，亦惟所见；'清晨登陇首'，羌无故实；'明月照积雪'，讵出经史？"到了唐朝初年，元兢就已经集结汉代以来的优秀诗句编成《古今诗人秀句》二卷，意在给诗人提供一种创作的范本。

句法理论还包括对偶（丽辞）、声律和事类。在古代文学家和理论家的眼里，这些都是极其重要的。《文心雕龙·丽辞》讨论了对偶的运用，提出"奇偶适变，不劳经营"的原则，并具体论述了对偶的方法。刘勰说："故丽辞之体，凡有四对：言对为易，事对为难，反对为优，正对为劣。言对者，双比空词者也；事对者，并举人验者也；反对者，理殊趣合者也；正对者，事异义同者也。"又说："是以言对为美，贵在精巧；事对所先，务在允当。"后人以此为起点，又总结出许多实用的对偶法则，如唐初上官仪《论对属》和《六对》中所提出的上下、尊卑、有无、同异、去来、虚实、出入、是非、贤愚、悲乐、明暗、清浊、存亡、进退等反对之法与类对之法。如果我们翻检一下古代关于诗词创作的著作，就会发现五花八门的对偶方法。

事类理论论述的是关于典故的运用。魏晋南北朝时期，诗歌创作的用事倾向非常鲜明，以陆机、颜延之为代表的事类诗创作在当时具有很高的地位，成为众多诗人效法的对象。事类的运用要求作家有很高的知识修养，必须能够准确驾驭语言的意指方向。刘勰《文心雕龙》有《事类》一篇提出了事类运用的法则，从中可以看出这一句法的独特之处。"是以综学在博，取事贵约，校练务精，捃理须核，众美辐辏，表里发挥。"事类用得好，能够充分发挥语言的表意功能，扩大语言的容量。但如果专注于事类，就可能陷入掉书袋的陷阱，影响人们对作品的欣赏和理解，进而影响到文学作品的传播。故而，对于事类在作品中的运用，很多人持反对态度。钟嵘就是一个突出的代表，他以摘句的方法阐释"直寻"观念的一段话就是反击事类诗的经典的批评文字。尽管钟嵘的观点有些偏激，也不能不说他在一定程度上还是看到了问题的要害。在具体的创作过程中，这些正反的观念都有现实的参照意义，是应该进行合理吸纳的。

由于诗词是中国古典文学的主流文类，声律问题自然是人们反复谈论的一个重要话题。在齐梁年间，声律理论应时而生，此后便主导着诗词创作的发展方向。沈约等人创四声八病之说，使声律登堂入室，进入文学创作的最内在的领域。唐代以后，诗分古诗、律诗、绝句，就是依据声律运用的差异而划分的。依韵作诗，倚声填词，成为文人诗词创作的习惯。在一定程度上，声律的运用促进了中国古典文学特别是诗词的发展。没有声律，不可能出现唐诗、宋词的辉煌。声律增强了诗词的音乐美和情韵美，但也有不可避免的缺陷。由于声律是一种固定的程式，它在一定程度上又限制了人情感的表达。自从声律创立以来，强烈反对的声音就一直不断。这就要求声律不断地调整，以适应不同创作的需要。中国古代的声律理论内容丰富，有很多有实用价值的观点，需要我们花时间去认真总结，这对完善我们的文学创作理论是有帮助的。

第三，修改。修改是文学艺术创作的一个必要环节。修改的过程是追求文学艺术最佳审美境界的过程。在当今，修改作为文学艺术创作的一个重要环节被现代文艺学忽视了，很少有人认真谈论这一话题。然而，在古典文艺学中，这个问题一直居于重要地位。陆机《文赋》花不少篇幅论述这一问题，讲到了"苟铨衡之所裁，固应绳其必当"和"暗合于曩篇"，"虽爱亦必捐"的修改原则，包含了一个严肃文学家和理论批评家的责任心和正义感。刘勰《文心雕龙》专门有《镕裁》一篇，论述文章的修改。刘勰说："规范本体谓之镕，剪截浮词谓之裁。裁则芜秽不生，镕则纲领昭畅，譬绳墨之审分，斧斤之斫削矣。"刘勰在这一论题下讨论了文章构思和修改过程中的一系列问题。他认为,文章在开始构思时,"辞采苦杂,心非权衡",文章完成之后就要花功夫修改了。修改的目标不仅在结构方面,使整篇文章"首尾圆合,条贯统序",还应该花功夫在字句方面,应做到繁简适宜,表情达意准确。关于文章修改,古代流传着许多佳话,如贾岛的"推敲"和白居易的"求俗",说明古人对修改极为重视。即使大家如杜甫,也是主张"新诗改罢自长吟"的,他要力争做到"语不惊人死不休",而修改正是实现这一目标的重要途径。洪迈《容斋续笔》曾记载两个修改的例子,值得我们深思:

> 王荆公绝句云:"京口瓜洲一水间,钟山只隔数重山。春风又绿江南岸,明月何时照我还?"吴中士人家藏其书,初云"又到江南岸",圈去"到"字,注曰"不好",改为"过",复圈去而改为"入",旋改为"满",凡如是者十许字,始定为"绿"。黄鲁直诗:"归燕略无三月事,高蝉正用一枝鸣。""用"初曰"抱",又改曰"占",曰"在",曰"带",曰"要",至"用"字始定。(《容斋续笔》卷八)

修改是一个艰难的过程,它往往难过创作。故而,袁枚有很深的体会:"改诗难于作诗,何也?作诗兴会所至,容易成篇。改诗则兴会已过,大局已定,有一二字于心不安,千力万气,求易不得,竟有隔一两月,于无意中得之者。"(《随园诗话》卷二)可见,修改作为创作的一个必备的环节,其艰难的程度超过了人们的想象。

法度理论无限丰富的内容难以罗列殆尽,上述之论仅是以列举的形式浮光掠影地给人们提供一个简要的线索,希望有志于中国古典文艺学、美学的学者多用力于这一领域,从中提炼出适合于当今文学艺术创作的一些法则,早日摆脱文艺学与文学艺术创作的对立局面,实现文艺学与文学艺术创作的互补与融合。

第二节 别裁伪体,转益多师

掌握文学艺术创作法度的一种重要方法是多读多学,这是自古及今的经验之谈。扬雄告诫桓谭说,"能读千赋则善赋"(《新论》);陆机论述创作前的修养，除"颐情志于典坟"外，还应"游文章之林府"（《文赋》）；刘勰对创作的总体要求是原道、宗经、征圣，言外之意就是多读经典。而真正把多学多读作为一种创作法度的是唐朝大诗人杜甫，他所提出的"别裁伪体"和"转益多师"的法度观念，至宋代及以后被反复推演，成为文学艺术创作的不二法门。因此，杜甫被重视"法"的江西诗派推尊为"祖"。江西诗派的主要代表如黄庭坚、陈师道等都是苏轼的门徒，即后人所称的"苏门四学士"成员，欧阳修又是苏轼的老师。由此，我们可以看出，杜甫、欧阳修、苏轼、江西诗派之间的渊源关系。

杜甫是在《戏为六绝句》中提出"别裁伪体"和"转益多师"的创作法度的。诗云：

　　不薄今人爱古人，清词丽句必为邻。窃攀屈宋宜方驾，恐与齐梁作后尘。（其五）

　　未及前贤更勿疑，递相祖述复先谁？别裁伪体亲风雅，转益多师是汝师。（其六）

在对待古与今的态度上，老杜显得比较通达，明确表明"不薄今人爱古人"，只是以艺术高下为师法标准。无论是古与今，杜甫首先要求做到的一点是"别裁伪体"。所谓"别裁伪体"就是对传统进行甄别、清理，抛弃那些伪劣的、没有生命力的、缺乏高尚审美趣味的作品做法，吸取优秀作品的精华，切实将之运用于自己的文学艺术创作之中。

杜甫提出"别裁伪体"有一个现实的背景，那就是针对唐代初期所表现得比较典型的创作倾向：一方面是沿袭齐梁以来的创作风气，另一方面是复古文学主张的兴起。齐梁文风的萎靡黯弱不利于重塑唐代的文风。因此，唐初的文人骚客们在玩味了齐梁的艳词之后幡然悔悟，以"初唐四杰"与陈子昂为代表的年轻有为的诗人们便向齐梁文风发起了最猛烈的挑战，以示决裂。然而，他们在反对齐梁文风的同时，不问精华与糟粕，将它们一概抹杀，未免有失公允。卢照邻《南阳公集序》云：

江左诸人，咸好环姿艳发。精博爽丽，颜延之急病于江、鲍之间；疏散风流，谢宣城缓步于向、刘之上。北方重浊，独卢黄门往往高飞；南国清轻，惟庾中丞时时不坠。嗟乎！古今之士，递相毁誉。(《幽忧子集》卷六)

王勃《上吏部裴侍郎启》云：

虽沈、谢争骛，适先兆齐、梁之危；徐、庾并驰，不能免周、陈之祸。于是识其道者卷舌而不言，明其弊者拂衣而径逝。(《王子安集》卷八)

到了陈子昂，将这种不满的声音抬高到了八度。其《与东方左史虬修竹篇序》云：

文章道弊五百年矣。汉、魏风骨，晋、宋莫传，然而文献有可征者。仆尝暇时观齐、梁间诗，彩丽竞繁，而兴寄都绝，每一永叹。思古人常恐逶迤颓靡，风雅不作，以耿耿也。(《陈伯玉文集》卷一)

齐梁文风确实是初唐时期的一大景观。其弊端自不待言，缺少风骨，格调柔靡。但其艳丽的词彩也沾溉初唐，使很多诗人受益。"初唐四杰"以学习齐梁起家，成就最高的王勃，其身上齐梁的气息就更多。而在当时，诗人所创制的众多的名篇佳作中，有不少流传古今的绝唱带有齐梁的柔靡，如张若虚的《春江花月夜》、刘希夷的《代悲白头翁》。由此看来，单纯地否定齐梁有失公允。实际上，初唐的很多文人也正是这么做的。他们一方面批判齐梁文风，另一方面又打着复古的旗号，从其中吸取营养。"四杰"中的骆宾王曾说过这样的话：

爰逮江左，谣咏不辍，非有神骨仙才，专事玄风道意。颜、谢特挺，戎罚典丽。自兹以降，声律稍精。其间沿改，莫能正本。天纵明睿，卓尔不群，听新声鄙师涓之作，闻古乐笑文侯之睡，以封鲁之才，追自卫之迹。弘兹雅奏，抑彼淫哇，澄五际之源，救四始之弊，固可以用之邦国，厚此人伦。(《和闻情诗启》,《文苑英华》卷六五六)

至李白、杜甫，态度就更为明朗了。李白说："自从建安来，绮丽不足珍。圣代复元古，垂衣贵清真。群才属休明，乘运共跃鳞。文质相炳焕，众星罗秋旻。"（《古风五十九首》之一，《李太白全集》卷二）他高声赞美齐梁诗人："解道澄江静如练，令人长忆谢玄晖。"（《金陵城西楼月下吟》，《李太白全集》卷七）"蓬莱文章建安骨，中间小谢又清发。"（《宣城谢朓楼饯别校书叔云》，《李太白全集》卷十八）"览君荆山作，江鲍堪动色。"（《经乱离后，天恩流夜郎，忆旧游书怀赠江夏韦太守良宰》，《李太白全集》卷十一）杜甫也紧随附和："庾信文章老更成，凌云健笔意纵横。今人嗤点流传赋，不觉前贤畏后生。"（《戏为六绝句》之一）"清新庾开府，俊逸鲍参军。"（《春日忆李白》）"熟知二谢将能事，颇学阴何苦用心。"（《解闷十首》）这就说明，齐梁作家也有不少优秀者值得人们效法，应该给齐梁文学一个公正的评价。

杜甫的"别裁伪体"之"伪体"包括唐以前所有的创作末端，并不是特指齐梁文风。尽管他在《戏为六绝句》中说过"恐与齐梁作后尘"，批评的是齐梁后尘，不是齐梁的所有作家。这一点应该明了。"别裁伪体"就是甄别并抛弃不好的创作倾向和创作法度，使创作走向审美。什么样的作品是人们应该师法的作品，杜甫明确地说是符合"风雅"标准的作品，即像《诗经》里国风和大雅、小雅一样的符合传统审美习惯的作品。所谓"亲风雅"就是要求学习这一类作品。自汉代诗歌振兴以来，人们一直是要求以《诗经》和《楚辞》为法的。不仅因为这些作品凝结了古人的创作经验，更为重要的是，它们经历了一个经典化的过程，成为令人景仰的经典，所以就更应该以之为法了。这是我们的诗骚传统，不能丢弃。应该说，汉以来至整个魏晋南北朝时期，都是尊重这种诗骚传统的。沈约《宋书·谢灵运传论》云：

> 自汉至魏，四百余年，辞人才子，文体三变。相如巧为形似之言，班固长于情理之说，子建、仲宣以气质为体，并标能擅美，独映当时，是以一世之士，各相慕习。原其飚流所始，莫不同祖风骚；徒以赏好异情，故意制相诡。

师法风骚，其结果并非众人一面，众口一词。由于师法的内涵不同，趣味不一致，个人作品的风貌也差异很大。就曹植和阮籍而言，虽然他们都师法《诗经》，曹植师法的是国风，阮籍师法的是小雅。①因此，曹植有曹植的特征，阮籍有阮籍的体格。他们所形成的艺术特征和取得的艺术成就也相差很大。

"别裁伪体"还有一个眼光的问题。由于人们对文学艺术作品的认识不一致，对同一部作品可能会产生不同的评价，甚至会得出大相径庭的结论。这也是正常现象。在这种情形下，人们只能服从自己的审美趣味，剔除那些自己认为不适宜师法的作品，转向自己喜欢的、认为可以师法的作品。只要学习得当，同样能够走出一条属于自己的路。在对待我国第一部具体作家创作的文学作品《离骚》的态度上，古代文人就展示了他们的仁与智。多数人认为，《离骚》是依经立义的，屈原的人品和文品是可以与日月争光的。但是，也有不同的声音。班固就说，屈原作为一个诗人和生活在世俗中的人，他的人品和文品有许多地方不符合传统法度，但他的文章弘博丽雅，是辞赋之宗，为很多人所景仰。"今若屈原，露才扬己，竞乎危国群小之间，以离谗贼。然责数怀王，怨恶椒、兰，愁神苦思，强非其人，忿怼不容，沉江而死，亦贬絜狂狷景行之士。多称昆仑冥婚宓妃虚无之语，皆非法度之政、经义所载。谓之兼诗风雅而与日月争光，过矣。""然其文弘博丽雅，为辞赋宗，后世莫不斟酌其英华，则象其从容。自宋玉、唐勒、景差之徒，汉兴，枚乘、司马相如、刘向、扬雄，骋极文辞，好而悲之，自谓不能及也。虽非明智之器，可谓妙才者也。"（《离骚序》）其实，班固的声音也有两个方面，一方面贬抑屈原的人品；另一方面，褒扬他优美的文词。即使不耻他的人品，很多学习他作品的人也能够从他的文词中得益不少。因此，任何一个文学家都要分两面看待。《文心雕龙·辨骚》在总结古人对屈原的争论时说："及汉宣嗟叹，以为皆合经术；扬雄讽味，亦言体同诗雅。四家举以方经，而孟坚谓不合传，褒贬任声，抑扬过实，可谓鉴而弗精，玩而未核者也。"他批评班固对屈

---

① 可参阅钟嵘《诗品》关于曹植与阮籍的品评。

原的评论是"鉴而弗精,玩而未核",恐怕也没有多少道理。班固自有他的理由。他有自己"别裁伪体"的立场。

如果说,屈原作为一位一流的经典作家在历史上基本上没有多少诟病,成为人们师法的典型的话,那么,后来的许多二三流的作家身上毛病很多,也同样有很多崇拜者,从他们的身上同样能够学到很多东西。这在钟嵘的《诗品》中有大量的举例。陶渊明作为一代宗师,钟嵘说"其源出于应璩"。如果属实的话,陶渊明真可谓"青出于蓝而胜于蓝"了。在文学成就上,他的确超出应璩很多。此其一。其二,左思作为西晋时期的著名作家,钟嵘说"其源出于公干"。公干指刘桢,是建安七子之一,其在文学史上的成就已不能与左思抗衡。其三,鲍照是刘宋时期的重要代表作家,钟嵘说"其源出于二张",二张即张协、张华,以今天的眼光看,二张的文学成就远远超不过鲍照。当然,钟嵘溯源流的批评方法有很多臆测的成分,不宜找出强有力的例证,这无疑会影响他的结论。古代的师学渊源中,确实有不少"青出于蓝而胜于蓝"的现象。判定一个作家、艺术家学习的成功,关键是要看其"别裁伪体"的功夫,能不能从二三流的作家身上学到一流的东西。这才是至关重要的。如果从二三流的作家身上学到了一流的本领,并不妨碍他成为一流的作家。我们前面所列举的钟嵘的批评就是成功的范例。

"别裁伪体"是一种甄别的本领。它包括对同时代或前代作家、艺术家的甄别,还包括对一个具体作家、艺术家创作优缺点的甄别。这就和"转益多师"联系在一起。因此,"别裁伪体"和"转益多师"是不能够截然分开的。

"转益多师"就要广泛学习,不拘泥于哪一门哪一派,更不局限于哪一家。只要他身上存在着独特的东西,都是学习的对象。杜甫提出这一问题,表明他的思想是非常开通的。在古代,作家、艺术家的师承对象往往从一家开始,而且有可能集中在这个作家、艺术家的某一点上,如江西诗派学习杜甫,就学习他格律谨严的法度;西崑体诗人学习李商隐,就学习他精当的用典,这些都遭到人们的诟病。这种学法的确没有抓住作家、艺术家精髓的东西。因此,这种学法只能是一种粗劣的模仿,可取的地方不多。同时,古代文人门派界限森严更加重了这种学习的风气,要想超越门派,必须有一定的胆识。在中国古典文学史上,曾经产生了诸多争论,一般地说,这些争论都是由门派之间引起的。例如,唐初对沈宋体和上官体为代表的诗人因袭齐梁文风的批评,北宋初对西崑体诗人的批评,南宋时期对江西诗派的批评等,都蕴涵着很强的门派之争。今天,我们在认识这些问题的时候,只是考虑到文学史发展的公正性,而肯定了其批评的合理性,其实,里面有很多不合理的因素。如果我们认真追究一下,就会发现其中包含着许多不公正。例如,上官体诗歌确实没有多少生活的气息,但它"错绮婉媚"的文词和谨严的格律足以为后世法,在完善中国古典诗歌的艺术形式方面是有贡献的。后来,很多诗人从这种诗歌身上学到了作诗的法度。可惜的是,上官体的这种功绩被"四杰"和陈子昂们的激烈批评给抹杀了。至于西崑体诗人的遭遇也大致如此。他们首先遭到古文家石介的攻击。石介视西崑体诗人的代表杨亿到不杀不足以平民愤的程度:"昔杨翰林欲以文章为宗于天下,忧天下未尽信己之道,于是盲天下人目,聋天下人耳。"(《怪说中》,《石守道先生集》卷下)其理由是他们的诗歌"以风云为之体,花木为之象,词华为之质,韵句为之数,声律为之本,雕锼为之饰,组绣为之美,浮浅为之容,华丹为之明,对偶为之纲"。(《上蔡副枢密书》,《石守道先生集》卷上)今天看来,这算什么弊端?这正是西崑体诗人的贡献。开拓有宋一代诗风与文风的欧阳修曾对西崑体诗人有比较公正的评价:

> 杨大年与钱、刘数公唱和,自《西崑集》出,时人争效之,诗体一变。而先生老辈患其多用故事,至于语僻难晓,殊不知自是学者之弊。如子仪《新蝉》云:"风来玉宇乌先转,露下金茎鹤未知。"虽用故事,何害为佳句也。又如"峭帆横渡官桥柳,叠鼓惊飞海岸鸥。"其不用故事,又岂不佳乎?盖其雄文博学,笔力有余,故无施而不可,非如前世号诗人者,区区于风云草木之类,为许洞所困者也。(《六一诗话》)

这才是对待西崑体诗人的客观态度。纵观古代的文学论争,往往以思想的论争代替了艺术的论争。无论是对上官体和沈宋体的批评,还是对西崑体的批评乃至对江西诗派、公安派、桐城派的批评,都蕴涵着这么一种倾向。这些批评忽视艺术法度,因此,我们说是不公正的批评。而欧阳修却兼顾了这些,他对法度的重视并没有掩盖其在文学思想上的开拓之功。在他的身上就表现出"转益多师"的思想品格。这是一种非常可贵的品格。只有这种品格才能培养孕育出"三苏"这样的文章大家,把中国古代的文学艺术创作进一步推向深入。

苏轼是崇尚法度的。他的创作采纳百家之长,成为中国古代文学创作的典范。文学史家大都认为,苏词开启了中国古典诗词创作中的豪放一派,其实,他的诗词婉约特征也很突出。他虽有"大江东去,浪淘尽,千古风流人物"的豪放风格,也有"料得年年肠断处,明月夜,短松冈"这样的婉约风格,呈现出风格多样化的色彩。他的诗文创作,明显地表现出"转益多师"倾向。在《书黄子思诗集后》一文中,他说:

> 苏、李之天成,曹、刘之自得,陶、谢之超然,盖亦至矣。而李太白、杜子美以英玮绝世之姿,凌跨百代,古今诗人尽废。然魏、晋以来,高风绝尘,亦稍衰矣。李、杜之后,诗人继作,虽间有远韵,而才不逮意。独韦应物、柳宗元,发纤秾于简古,寄至味于淡泊,非余子所及也。唐末司空图,崎岖兵乱之间,而诗文高雅,独有承平之遗风。

苏轼从众多的文学家身上都能发现独特的东西,即便是司空图——文学史上三流的诗人,他也认为其"诗文高雅,独有承平之遗风"。也就是说,他从司空图的身上看到了别人难以发现的法度,有不少可学的东西。最有意思的是他对孟郊的评价:

> 夜读孟郊诗,细字如牛毛。寒灯照昏花,佳处时一遭。孤芳擢荒秽,苦语余诗骚。水清石凿凿,湍激不受篙。初如食小鱼,所得不偿劳。又似煮彭蚎,竟日嚼空螯。要当斗僧清,未足当韩豪。人生如朝露,日夜火消膏。何苦将两耳,听此寒虫号。不如且置之,饮我玉卮醪。

我憎孟郊诗,复作孟郊语。饥肠自鸣唤,空壁转饥鼠。诗从肺腑出,出辄愁肺腑。有如黄河鱼,出膏以自煮。尚爱铜斗歌,鄙俚颇近古。桃弓射鸭罘,独速短蓑舞。不忧踏船翻,踏浪不踏土。吴姬霜雪白,赤脚浣白纻。嫁与踏浪儿,不识离别苦。歌君江湖曲,感我长羁旅。(《读孟郊诗二首》)

苦吟是孟郊诗的一个方面,法度是孟郊诗的另一方面。这两首诗详细地剖析了孟诗遣词造句、运用俚俗所形成的余味曲包之法。孟郊诗的法度所形成的诗韵足以媲美于诗骚。苏轼就从孟郊的苦吟中看到了这诸多的好处。可见,他所学的范围是极其广泛的,并不拘泥于一家一派。

苏轼曾经说过这样的话:"冲口出常言,法度法前轨。"(《与明上人》)也就是说,法度得自前人。从上文的讨论中可以看出,他是要求"转益多师"的。然而,他又说:"出新意于法度之中,寄妙理于豪放之外。"(《书吴道子画后》)学习前人不是亦步亦趋地因袭前人,而要将前人的东西切实化为自己的,这才是至关重要的。苏轼的这种理论实开启了后来"法无定法"的观念,是我们下文要讨论的。

杜甫的"别裁伪体"和"转益多师"的思想是中国古典文艺学中法度思想的一个重要的内容。这一内容,在集大成的作家和理论家那里都有精湛发挥。他们将自己的学习体会陈述出来,供广大的学习者参考。这是最有价值的创作理论,应该引起我们的高度重视。

第三节 "死法"与"活法"

法度的观念虽然产生很早,但却是到宋代才完全成熟,形成了比较完整的法度理论。其肇始于欧阳修,到苏、黄便达到了相当高的层次。后世对宋代的诗法理论有不少贬低,主要是针对江西诗派。如明李东阳就说:

唐人不言诗法,诗法多出宋,而宋人于诗无所得。所谓法者,不过一字一句,对偶雕琢之工,而天真兴致,则未可与道。其高者失之捕风捉影,而卑者坐于黏皮带骨,至于江西诗派极矣。惟严沧浪所论超离尘俗,真若有所自得。反复譬说,未尝有失。(《怀麓堂诗话》)

他说得有些绝对,把宋代的文学创作一下子抹杀了,但前半句说的却是对的。诗法的确多出于宋,到江西诗派达到极致。"死法"和"活法"之论就是集中江西诗派的法度精华而提炼出来的有价值的理论。

"死法"与"活法"之论都是句法和字法理论,探讨的是诗文创作中的句法和字法的运用问题。"死法"一词较早见于叶梦得的《石林诗话》,那就是阐述句法和字法的。叶氏说:

> 诗人以一字为工,世固知之,惟老杜变化开合,出奇无穷,殆不可以形迹捕。如"江山有巴蜀,栋宇自齐梁"。远近数千里,上下数百年,只在"有"与"自"两字间。而吞纳山川之气,俯仰古今之怀,皆见于言外。《滕王亭子》"粉墙犹竹色,虚阁自松声",若不用"犹"与"自"两字则余八言凡亭子皆可用,不必滕王也。此皆工妙至到,人力不可及,而此老独雍容闲肆,出于自然,略不见其用力处。今人多取其已用字模仿用之,偃蹇狭陋,尽成死法。不知意与境会,言中其节,凡字皆可用也。(《石林诗话》卷中)

以具体的语言结构运用来言述整个诗歌创作的法度,提出诗歌创作的自然问题。要做到诗的自然,字的运用应追求自然,"不可以形迹捕"。叶梦得在这里分析了老杜的句法,从平常用字开始,仅仅几个普通的字(有、自、犹)就能显现老杜的吞纳山川、俯仰古今、雍容闲肆的气概与风度,达到一种创作的化境。这也给人们一种启示:在诗歌创作的过程中,不要刻意去寻求华丽的辞藻,不要翻肠搜肚地去找一些生僻的、别人难以理会的高雅之字,能达到表意效果的平常字往往使诗显得最为自然。这是老杜之法。老杜的最大特点是自然。叶氏批评"今人"模仿老杜,尽成死法,显然是对着以江西诗派的某些诗人为代表的诗歌创作倾向的。可以看出他与江西诗派的微妙关系。

"死法"是墨守成规、无所创新之法。古往今来有不少人认为黄庭坚的"夺胎换骨"、"点铁成金"之法就是因袭模拟之法，是"死法"。是否如此？恐怕还要认真分析。黄庭坚在《答洪驹父书》中说：

> 老杜作诗，退之作文，无一字无来处，盖后人读书少，故谓韩杜自作此语耳。古之能为文章者，真能陶冶万物，虽取古人之陈言入于翰墨，如灵丹一粒，点铁成金也。

释惠洪《冷斋夜话》曾引黄庭坚言：

> 诗意无穷而人才有限，以有限之才追无穷之意，虽渊明、少陵不得工也。然不易其意而造其语，谓之换骨法；规摹其意形容之，谓之夺胎法。

这就是"夺胎换骨"、"点铁成金"的由来。宋人魏泰就批评黄庭坚："黄庭坚喜作诗得名，好用南朝人语，专求古人未使之事，又一二奇字，缀葺而成诗，自以为工，其实所见之僻也。"（《临汉隐居诗话》）金人王若虚也批评黄庭坚：

> 鲁直论诗，有夺胎换骨、点铁成金之喻，世以为名言。以予观之，特剽窃之黠者耳。鲁直好胜，而耻其出于前人，故为此强辞，而私立名字。（《滹南诗话》卷三）

这都是贬低黄庭坚的，其中有一些不实之词。对黄庭坚之语，恐怕还不能理解得这么绝对，应该从两个方面看待黄氏之论：其一是因革，其二是创新。也就是说，在因革中创新，没有因革，也不可能创新。创新固然可贵，而人人创新，篇篇创新，无论如何也很难做到。这在陆机和刘勰的理论中已经有所表述。《文赋》云："或袭故而弥新，或沿浊而更清。"刘勰以具体的创作说明学习、因革前人作品的必要性。《文心雕龙·通变》云：

> 夫夸张声貌，则汉初已极。自兹厥后，循环相因，虽轩翥出辙，而终入笼内。枚乘《七发》云："通望兮东海，虹洞兮苍天。"相如

《上林》云:"视之无端,察之无涯,日出东沼,月生西陂。"马融《广成》云:"天地虹洞,固无端涯,大明出东,月生西陂。"扬雄《校猎》云:"出入日月,天与地沓。"张衡《西京》云:"日月于是乎出入,象扶桑于濛汜。"此并广寓极状,而五家如一。诸如此类,莫不相循,参伍因革,通变之数也。

可见,学习前人,重在"因革"。"因革"就是创新,在文学的发展过程中是必不可少的。这样看来,黄庭坚的"夺胎换骨"、"点铁成金"有创新的内涵。"夺胎换骨"是说师承要有渊源,"点铁成金"是说化用别人的语言要巧妙、不露痕迹。唐皎然在《诗式》中曾经介绍了"偷语"、"偷势"、"偷意"三种诗法。"偷语"例中,他列举了陈后主的《入隋侍宴应诏诗》"日月光天德",以为取自傅长虞《赠何劭王济诗》的"日月光太清";"偷意"例中,他列举了沈佺期的《酬苏味道诗》中的"小池残暑退,高树早凉归",以为出自柳恽的《从武帝登景阳楼诗》中的两句:"太液沧波起,长杨高树秋";"偷势"例中,他列举了王昌龄的《独游诗》:"手携双鲤鱼,目送千里雁。悟彼飞有的,嗟此罗忧患",以为出自嵇康的《送秀才入军诗》:"目送归鸿,手挥五弦。俯仰自得,游心太玄"。对于这种现象,难道都要将之统统界定为剽窃因袭吗?学习化用前人的作品也是一种创造。关键是要化得好,不给人以俗气之感。这虽然是一种死的方法,但其内在已有一种活的方法存在着。

黄庭坚的师法途径还是比较广泛的。他不仅学杜甫,还像西崑体诗人一样学李商隐。他重视诗的法度,但在创作过程中,并没有拘泥于一人一法,也没有像盛唐诸多诗人一样抛弃六朝,或是依据一己的嗜好对前代诗人进行攻击,而是以开阔的心胸对待前代的创作。这就显得可贵了。他评价过很多齐梁作家,对他们均抱以尊重的态度。如,他说沈(约)、谢(朓)"为儒林宗主,时好作奇语",并进一步陈述了古代好作奇语的现象:

> 好作奇语,自是文章病。但当以理为主,理得而辞顺,文章自然出群拔萃。观杜子美到夔州后诗,韩退之自潮州还朝后文章,皆不

烦绳削而自合矣。往年尝请问东坡先生作文章之法。东坡云:"但熟读《礼记·檀弓》当得之。"既而取《檀弓》二篇,读数百过,然后知后世作文章不及古人之病,如观日月也。文章盖自建安以来,好作奇语,故其气象衰苶,其病至今犹在。惟陈伯玉、韩退之、李习之,近世欧阳永叔、王介甫、苏子瞻、秦少游乃无此病耳。(《与王观复书》,《山谷集》卷十九)

又说:"宁律不谐而不使句弱,用字不工不使语俗,此庾开府之所长也。然有意于为诗也,至于渊明,则所谓不烦绳削而自合。"(《题意可诗后》,《山谷集》卷二十六)他从前代许多诗人身上都学到了诗法,崇敬杜甫,以杜诗为宗,当然也继承了杜甫"转益多师"的学诗方法,使他也有资格成为一代宗师。

当然,黄庭坚的理论也有其自身的弱点,那就是过于强调"夺胎换骨"、"点铁成金"、"无一字无来处",强调得似乎过了头,忽视了自我创新,以至于人们对他有很多误解,认为他将"夺胎换骨"、"点铁成金"、"无一字无来处"作为唯一的创作方法而步入了极端。黄氏之后的江西诗派诗人们动辄以山谷语作为经典的法言,大谈而特谈诗法、句法,有时不免琐碎和俚俗。如陈师道云:"黄鲁直云:'杜之诗法出审言,句法出庾信,但过之尔。'杜之诗法,韩之文法也。诗文各有体,韩以文为诗,杜以诗为文,故不工尔。"(《后山诗话》)范温云:"句法之学,自是一家工夫。昔尝问山谷曰:'耕田欲雨刈欲晴,去得顺风来者怨。'山谷云:'不如千岩无人万壑静,十步回头五步坐。'此专论句法,不论义理,盖七言诗四字三字作两节也。"(《潜溪诗眼》,郭绍虞《宋诗话辑佚》)这就给人以不好的引导。后人批评黄庭坚虽然有些过头,但我们又不能不说在一定程度上击中了他的弊端,具有合理性。

江西诗派的后学们深切地体悟到黄庭坚身上的可贵之处,对他的法度理论做了进一步总结,提出了"活法"之说,有力地回击了有些人对黄庭坚及江西诗派的不公正评价。吕本中《夏均父集序》云:

学诗当识活法。所谓活法者,规矩备具,而能出于规矩之外;变化不测,而亦不背于规矩也。是道也,盖有定法而无定法,无定法而有定法。知是者，则可以语活法矣。谢玄晖有言，"好诗转圆美如弹丸"，此真活法也。近世惟豫章黄公，首变前作之弊，而后学者知所趣向，毕精尽知，左规右矩，庶几至于变化不测。然余区区浅末之论，皆汉、魏以来有意于文者之法，而非无意于文者之法也。

这里对"活法"内涵的论述很清楚。吕本中将黄庭坚作为"活法"的典范，将"好诗转圆美如弹丸"视为"真活法"。"活法"是指诗法和句法的灵活多变，规矩具备而又出于规矩之外。我们可以以具体的诗法来言说之。

其一，句法。黄庭坚是重视诗歌的句法的，这是直接从前代诗人包括杜甫身上学来的本领。杜甫诗歌句法精严，为后人称道，他常常能自我创新，发明许多前人未用之句，尤为新奇。句法这一诗法在杜甫诗歌创作中的运用就是一种活法，黄庭坚认识得很清楚。他评价杜甫古律"句法简易，而大巧出焉"（《与王观复书》之二），也就是说，诗歌创作若能够从简易中见巧妙，那是一种最高的境界了。在这里，他推崇简易，与前文所列举的谨慎地对待奇语是一脉相承的。在他的诗文中，大量谈及了句法，如："赤壁风月笛，玉堂云雾窗。句法提一律，坚城受我降。"（《子瞻诗句妙一世，乃云效庭坚体，盖退之系效孟郊樊宗师之比以文，滑稽耳。恐后生不解，故以韵道之》）这是评苏轼的诗歌的。他如："传得黄州新句法，老夫端与把降幡。"（《次韵文潜立春日三绝句》）"无人知句法，秋江月自澄。"（《奉答谢公静与荣子邕论狄元规孙少述长韵》）"寄我五言诗，句法窥鲍谢。"（《寄陈适用》）"比来五字工，句法妙何逊。"（《元翁坐中见次元寄到和孔四饮王夔玉家长韵，因次韵，率元翁同作寄滋城》）等，在黄庭坚的眼中，诗的句法简直成了无可替代的因素，是诗歌创作中的根本。

然而，黄庭坚自己对句法运用的水平到底如何？我们结合他的诗歌创作具体考察一下。其《病起荆江亭即事》云：

> 翰墨场中老伏波，菩提坊里病维摩。近人积水无鸥鹭，时有归牛浮鼻过。（其一）

闭门觅句陈无己，对客挥毫秦少游。正字不知温饱未？西风吹泪古藤州。（其六）

第一首诗的一、二句是夫子自道，以伏波将军马援和维摩诘相比，描述了自己当时的困境。马援六十二岁依然出征，老当益壮，而自己已垂垂老矣。三、四两句描述自己当时的居住环境，虽有水却无鸥鹭，只有归牛来回浮渡。此处化用唐人陈咏的诗句"隔岸水牛浮鼻渡"，生活气息较为浓郁。第二首诗讲述陈师道和秦观两位好友的创作情形。陈师道作诗以苦吟出名，他家境贫穷，写诗时怕声音扰乱，把孩子和狗、猫都赶出去，此谓"闭门觅句"。此时，师道正做正字小官。而少游诗律精细，对客挥毫，下笔巧妙。这首诗感情真挚、句法考究。"闭门觅句"和"对客挥毫"生动形象地刻画了陈师道和秦观的独特性格。一句问句将对朋友的关怀和盘托出，"西风吹泪"一语，情感悲凉，表达了对秦观的深深悼念。此诗句法新颖，虽化用前人但不露痕迹，做到言有尽而意无穷，正能代表鲁直活用诗歌句法的特征。

其二，用典。用典是黄庭坚诗歌创作的重要特征。分析他的《病起荆江亭即事》可以看出这方面的特点。他"夺胎换骨"和"点铁成金"的诗歌理论在很大程度上就是言述用典的。钱锺书先生曾经分析过宋代用典的创作倾向，他说：

"无一字无来处"就是钟嵘《诗品》所谓"句无虚语，语无虚字"。钟嵘早就反对这种"贵用事"、"殆同书抄"的形式主义，到了宋代，在王安石的诗里又透露迹象，在"点瓦为金"的苏轼诗里愈加发达，而在"点铁成金"的黄庭坚的诗里登峰造极。"读书多"的人或者看得出他句句都是把"古人陈言"点铁成金，明白他讲些什么；"读书少"的人只觉得碰头绊脚无非古典成语，仿佛眼睛里搁了金沙铁屑，张都张不开，别想看东西了。①

钱先生对宋代的用典持有揶揄的态度，大有否定用典的趋势，似

---

① 钱锺书：《宋诗选注》，人民文学出版社，北京，1997年，第96～97页。

乎偏激了一些。其实，用典作为文学创作的一种句法自有它的优点，能使文学作品言近而旨远，是不可缺少的。然而，中国文学发展史上，确实也存在钱先生所说的用典弊端，典用不好，大多数人不明白，创作成为个人一己的独白，如韩愈、杨亿等人的某些作品。黄庭坚的用典并不追求奇，与韩愈和杨亿不是一回事，他的目标不是佶屈聱牙，而是不俗。在《书嵇叔夜诗与侄榎》一文中，他说："叔夜此诗豪状清丽，无一点尘俗气。凡学作诗者，不可不成诵在心。"《题意可诗后》又云："宁律不谐而不使句弱，用字不工而不使语俗。""不俗"就是追求一种新鲜活泼之语。黄庭坚虽然做得不一定好，但他有了这方面的意识。有学者在分析苏黄"不俗"的文学标准时说黄庭坚的"不俗"是"取法前辈，变意求新，标奇越险，以求艺事的精深华妙而超迈流俗"[①]，评价是不准确的。虽不能说黄庭坚是反对"奇"的，但他对待"奇"的态度最起码是谨慎的。这一点，我们前文已有简要论述。他的"不俗"主要是通过用典的方法达到一种超迈的境界，这倒是黄庭坚的目的，也可以看作是黄庭坚活法的一个重要内容了。

其三，字法。从宋代初年开始，杨亿就很注重字法，到了苏黄又达到了一个高度。东坡认为："大抵作诗当日锻月炼，非欲夸奇斗异，要当淘汰出合用事。"（《书赠徐信》）也就是说，作家独特的创作方法的形成是日锻月炼的结果。炼字并不是追求新异，而是追求更好地表达性情。黄庭坚学习杜甫，学习他锻字炼句的精妙技法，使自己的字法也独具一格，成为人们师法的对象。吕本中《童蒙诗训》云：

> 前人文章各自一种句法，如老杜"今君起柂春江流，予以江边具小舟"、"同心不减骨肉亲，每语见许文章伯"。如此之类，老杜句法也。东坡"秋水今几竿"之类，自是东坡句法。鲁直"夏扇日在摇，行乐亦云聊。"此鲁直句法也。学者若能遍考前作，自然度越流辈。（《宋诗话辑佚》卷下）

张耒在《读鲁直诗》中说："不践前人旧行迹，独经斯世擅风

[①] 张毅：《宋代文学思想史》，中华书局，北京，1995年，第110页。

流。"(《柯山集》卷十八)黄庭坚善于活用动词、形容词、副词及虚词,也像杜甫一样,追求"语不惊人死不休"的效果。如他的《雨中登岳阳楼望君山》：

投荒万死鬓毛斑,生入瞿塘滟滪关。未到江南先一笑,岳阳楼上对君山。满川风雨独凭栏,绾结湘娥十二鬟。可惜不到湖水面,银山堆里看青山。

这首诗选自钱锺书先生的《宋诗选注》,并没有用多少典故,可能是钱先生有意所为,但字法的运用是很高妙的。一个"投"字,将人生的辛酸囊括殆尽。诗人遭贬四川戎州,那是一个荒蛮之地,一待就是六年。"生"字是对自己生命的慨叹,瞿塘滟滪关是一个危险的所在,也是一个风光旖旎的所在。经过如此多的波折,连诗人自己都惊异,居然活着来到这里,并从这里到达岳阳。"绾结"一词尤其奇妙。君山是楚辞所描述的湘夫人居住的地方,山的形状像十二个绾结起来的发髻,充满神奇的想象。"银山"是描述波浪的。波浪层层翻滚,像一个个银色的山峰。透过这银色的山峰遥望青山,诗意无穷。这首诗字法工整,学习前人又超越了前人,足见鲁直之法是"活法"而非"死法"。正应了明人李腾芳所说：

字法甚多,有虚实、深浅、显晦、清浊、轻重、偏满、新旧、高下、曲直、平仄、生熟、死活各样。第一要活,不要死。活则虚能为实,浅能为深,晦能为显,浊能为清,轻能为重,以至其余,莫不皆然。若死则实字反虚,深字反浅,清字反浊,以至其余,莫不皆然。(《山居杂著·文字法三十五则》,《李文庄公全集》卷九)

对于江西诗派的"活法"和"死法",俞成有一个明确的总结。他说：

文章一技,要自有活法。若胶古人之陈迹,而不能点化其句语,此乃谓之死法。死法专主蹈袭,而不能生于吾言之外,活法夺胎换骨,则不能毙于吾言之内。毙吾言者,故为死法；生吾言者,故

为活法。(《文章活法》,《茧雪丛说》卷一)

文学创作只有追求活法才能保持长久的生命力,如果亦步亦趋地蹈袭前人,必定要陷入僵死的局面,丧失了创造的意义。

第四节　法无定法

吕本中说"活法"是"规矩备具,而能出于规矩之外,变化不测,亦不背于规矩也",进而说它是"有定法而无定法,无定法而有定法",这便开启了中国古典文艺学"法无定法"理论的先河,对人们灵活理解诗文的法度是大有帮助的。

"法"作为规则是在尊重各种文学艺术创作特征的基础上逐渐形成的,它是文学艺术创作不可缺少的。人们都知道,作诗有作诗的规则,作文有作文的规则,书法有书法的规则,绘画有绘画的规则,音乐有音乐的规则。这些规则各有其特性,是不可相互交叉的。不能把绘画规则拿来作为音乐的规则,也不能把音乐的规则拿来作诗文的规则。规则是固定的,但是,规则又是不定的、恍惚的。南朝谢赫论绘画"六法",这"六法"虽然是固定之法,但是,其中哪一法是具体的?哪一法又是不具体的?恐怕每一个人使用起来都会不一样。单说"气韵生动"一法,这一法的内涵人们至今仍在争论。什么是"气韵生动"?怎样才能做到"气韵生动"?恐怕很难说清楚。今人多从美学的角度解释,这大致不错。可是,作为一种具体的法,如果将之深度地理论化和玄虚化,对作家、艺术家的文学艺术创作是无益的。我们认为,作为一种具体的方法,光争论没有用,关键在作家、艺术家的摸索、感悟,在摸索、感悟中寻求出属于作家、艺术家自己的独到之法。因为,一种具体的法,由于每个人的理解不同,每个人用起来都会不一样。黄庭坚曾经教人一法:

> 凡作一文,皆须有宗有趣,终始关键,有开有合;如四渎虽纳百川,或汇而为广泽,汪洋千里,要自发源注海耳。(《答洪驹父书》)

其中的"有开有合"虽是具体的法，但又是模糊的法。怎么个开合法？每个人理解和使用都会不一样的，各人有各人的开合规则。这说明，法既是固定的，又不是固定的，它始终处于变化之中。

文学艺术创作有法，古人论述详矣。元陈绎曾说：

> 陈文靖公问为文之法，绎曾以所闻于先人者对曰：一养气，二抱题，三明体，四分间，五立意，六用事，七造语，八下字。(《文说》)

这是大法。大凡作文所有之法无不囊括。对此，南宋姜夔在《白石道人诗说》中有一套较为完整的阐说。在关于作诗的大局与整体方面，他教给人具体之法。我们可以详细读之：

> 大凡诗，自有气象、体面、血脉、韵度。气象欲其浑厚，其失也俗；体面欲其宏大，其失也狂；血脉欲其贯穿，其失也露；韵度欲其飘逸，其失也轻。

姜夔以通透的眼光看待这些大法，每一种法下都给出一个提醒，如果用不好这些法，可能会陷入另一种荒唐的境地。首先，姜氏认为，要做到气象浑厚而不俗、体面宏大而不狂、血脉贯通而不露、韵度飘逸而不轻，的确不容易。这些法既具体，又捉摸不定。但又确实是作诗之法。它要靠诗人的悉心感悟才能理解。其次，他教给人谋篇布局之法："作大篇，尤当布置：首尾匀停，腰腹肥满。"也就是说，作品的结构上，头和尾要均匀，头大、尾小或者尾大、头小都是犯忌的，中间要充实、肥满，不仅内容要丰富，而且文字要居多。其三，在用语方面，他说："雕刻伤气，敷衍露骨。""花必用柳对，是儿曹语。""难说处一语而尽，易说处莫便放过；僻事实用，熟事虚用；说理要简切，说事要圆活，说景要微妙。""喜词锐，怒词戾，哀词伤，乐词荒，爱词结，恶词绝，欲词屑。""语贵含蓄。"真是要言不烦，把语言运用应该注意的方方面面说得相当仔细，亲切而实用。其四，关于用典、措辞、叙事，他说："学有余而约以用之，善用事也；意有余而约以尽之，善措辞也；乍叙事而间以理言，得活法者也。"用典不要卖弄，恨不得把自己平生所学全都显摆出来；措辞要以简洁为主，能够表达意思即可；叙事要灵活多变，间之以理。此外，还有知诗病、晓源流、篇终结意等。白石似乎特别关注篇终，他认为，结尾在诗歌创作中的地位是很重要的。"一篇全在尾句，如截奔马，词意俱尽，如临水送将归是已；意尽词不尽，如抟扶摇是已；词尽意不尽，剡溪归棹是已；词意俱不尽，温伯雪子是已。所谓词意俱尽者，急流中截后语，非谓词穷理尽者也。所谓意尽词不尽者，意尽于未当尽处，则词可以不尽矣，非以长语益之者也。至如词尽意不尽者，非遗意也，词中已仿佛可见矣。词意俱不尽者，不尽之中，固已深尽之矣。"这些方法都提供给学诗者，让他们通过具体的创作实践去体悟，久而久之，自然会领会其中的奥妙。

对于这些法，古人都有精当发挥。古人在发挥的时候，往往针对具体文类分别论述。由于文类不同，创作方法的差异很大。这是人人都清楚的。首先是诗法。古代关于诗法的论述较多。王世贞说："篇法有起有束，有放有敛，有唤有应，大抵一开则一合，一扬则一抑，一象则一意，无偏用者。句法有直下者，有倒插者，倒插最难，非老杜不能也。字法有虚有实，有沉有响，虚响易工，沉实难至。"又说："篇法之妙，有不见句法者；句法之妙，有不见字法者。此是法极无迹，人能之至，境与天会，未易求也。"（《艺苑卮言》卷一）篇法多种多样，句法更是多种多样。用得绝好者，篇法中不见句法，句法中不见字法。它们之间浑然无迹，成为一个整体。就像明黄子肃所言："句既得矣，于句中无字，浑然天成者为佳。下字必须清，必须活，必须响，与一篇之意、一句之意相通，各自卓立而复相成，是为本色。"（《诗法》，《诗学指南》卷一）古人于诗的句法和字法尤其用力。王世懋《艺苑撷余》分析老杜句法："少陵故多变态，其诗有深句，有雄句，有老句，有秀句，有丽句，有险句，有拙句，有累句。后世别为大家，特高于盛唐者，以其有深句、雄句、老句也；而终不失为盛唐者，以其有秀句、丽句也。"方东树分析山谷句法："大抵山谷所能，在句法上远：凡起一句，不知所从何来，断非寻常人胸臆中所有；寻常人胸臆口吻中当作尔语者，山谷则所不必然也。"（《昭昧詹言》卷十）这些都是以个案来陈说作诗的句法，其意在给人们提供一个学习的参照，希望人们从中能够得到一些有益的东西。

其次是文法。宋代陈造有《文法》一篇，专门讨论文法。他说："古人妙于文，惟妙故健。文有顺而健，有逆置而弥健。迁、固多得此法。"(《文法》,《江湖长翁集》卷二十九)"健"是为文之总法，又是细微之法。语言的刚健也是一种"健"。在这里，陈造倡导的是一种雄浑有力的文法。他认为史家如司马迁、班固得到了这种方法。金圣叹以具体文本来分析文法，他从《西厢记》中总结出了"烘云托月"和"曲折"之法。"予尝观于烘云托月之法乎？欲画月也，月不可画，因而画云。画云者，意不在于云也。意不在云，意固在月也。"(《惊艳》批语,《增订金批西厢》卷一)以此来言说这一折戏先写张生之妙。他又说："文章之妙，无过曲折。诚得百曲、千曲、万曲，百折、千折、万折之文，我纵心寻其起尽，以自容于其间，斯真天下之至乐也。"(《赖简》批语,《增订金批西厢》卷三)从《水浒》中，他又总结出"避实取虚"之法。这些法都具有实践的操作性，对文章的创作是有益的。包世臣对文法说得更为详尽："余尝以隐显、回互、激射说古文，然行文之法，又有奇偶、疾徐、垫拽、繁复、顺逆、集散，不明此六者，则于古人之文，无以测其意之所至，而第其诣之所极。"(《文谱》,《安吴四种·艺舟双楫》卷八)并对这些方法做了细致的解释。魏禧又从另外一个角度总结出古文的伏、应、断、续之法，他说："言古文者，曰伏、曰应，曰断，曰续。人知所谓伏应，而不知无所谓伏应者，伏应之至也；人知所谓断续，而不知无所谓断续者，断续之至也。"(《陆悬圃文序》,《魏叔子文集》卷八)实际也就是法无定法了。

再次是曲法。曲在元时才大兴，元代遂产生了曲法之论。而明王骥德论述曲法最为详尽，其《曲律》中有"章法"、"句法"、"字法"之论，分别阐述了多种方法。在论述章法时，他说戏曲的章法是先定"规式"。所谓"规式"就是进入创作的方式。然后，分"段数"。所谓"段数"，就是起、承、转、合，"从何意起，何意接，何意作中段敷衍，何意作后段收煞"。由于戏曲是一种程式化很强的艺术形式，王骥德的这些陈述显得特别重要。接下来的句法和字法之论就比较灵活了。他说句法：

句法，宜婉曲，不宜直致；宜藻艳，不宜枯瘁；宜溜亮，不宜艰涩；宜轻俊，不宜重滞；宜新采，不宜陈腐；宜摆脱，不宜堆垛；宜温雅，不宜激烈；宜细腻，不宜粗率；宜芳润，不宜噍杀。又总之，宜自然，不宜生造。(《曲律》)

他说字法：

下字为句中之眼，古谓"百炼成字，千炼成句"，又谓"前有浮声，后须切响"。要极新，又要极熟；要极奇，又要极稳。虚句用实字铺衬，实句用虚字点缀。务头须下响字，勿令提挈不起。押韵处要妥帖天成，换不得他韵。(《曲律》)

这些细致之法，对指导当时的戏曲创作确实具有积极的意义。

前面说的是有法，下面我们再来谈谈无法。

无法是建立在有法的基础之上的，它并不意指文学艺术创作没有规则、法度，而是言述文学艺术创作超越法度，亦即在对文学艺术创作有深切感悟的基础上灵活地运用法度。古人对"无法"的论述非常精彩。如，吕本中说"活法"是"有定法而无定法，无定法而有定法"；唐顺之说汉代以前的文章是"未尝无法，而未尝有法，法寓于无法之中"(《董中峰侍郎文集序》，《荆川先生文集》卷十)；叶燮也说"法者，虚名也，非所论于有也，又法者，定位也，非所论于无也"(《原诗·内篇》上)。"无法"应该包括下列内涵：其一，不拘泥于一人之法。其二，化用古人之法，应做到自然、毫无痕迹。其三，能够自创新法。可见，无法的境界是一个很高的境界。下面，我们就围绕这几个方面做一番讨论。

在中国古典文学艺术创作中，但凡大家都不拘泥于一人之法，而是聚集多人之法，从中做出恰当的取舍，选择那些适合自己的、有效的方法完善自己的创作。杜甫的诗歌创作，后人将之作为法度的典范，就是因为他不拘一人之法。他曾经自述道："李陵苏武是吾师，孟子论文更不疑。""复忆襄阳孟浩然，清诗句句尽堪传。""熟知二谢将能事，颇学阴何苦用心。""不见高人王右丞，蓝田丘壑蔓寒藤。最传秀句环区满,未绝风流相国能。"(《解闷十二首》)"窃攀屈宋宜方驾,恐与齐梁作后尘。"(《戏为六绝句》)"永怀江左逸,多病邺中奇。"(《偶题》)李陵、苏武、孟云卿、孟浩然、谢灵运、谢朓、阴铿、何逊、王维、屈原、宋玉,以及江左文人,都是他学习的对象。他学习古人之法,在经过透彻领悟之后,将之运用于自己的诗歌创作中,达到了极高的艺术境界,足以为后世法。因此,杜甫身上体现了众多法度的集合。他的法不是任何人的,而是他自己的。这是他不拘泥于一人之法的结果。不拘泥于一人之法也包括古今贯通,使古法更好地适应今天的创作。关于这一点,颜之推分析得好:

> 古人之文,宏材逸气,体度风格,去今实远,但缉缀疏朴,未为密致耳。今世音律谐靡,章句偶对,讳避精详,贤于往昔多矣。宜以古之制裁为本,今之辞调为末,并须两存,不可偏弃也。(《颜氏家训·文章》)

文学艺术创作是一种存在于当下的行为,一味地学习古人不一定符合当下的需要,故而颜之推提倡古今并存。今法与古法结合方能实现创作的自得。

学习古人之法,并不是为了单纯的模仿,而是想方设法化用古人之法,做到自然天成,毫无痕迹。唐顺之说:"所谓法者,神明之变化也。"(《文编序》,《荆川先生文集》卷十)这是说,法在作家、艺术家的手里不是僵死的,而是不断变化的。要想巧妙地化用古人,必须"别裁伪体","转益多师",加强自身修养,多读、多思、多练,做到理明、义熟、辞以达志。古人向来将理与法联系在一起,认为理是法之本,法从理中来。元郝经说:

> 古之为文也,理明义熟,辞以达志尔。若源泉奋地而出,悠然而行,奔注曲折,自成态度,汇于江而注之海,不期于工而自工,无意于法而皆自为法。
>
> 文有大法,无定法,观前人之法而自为之,而自立其法。彼为绮,我为锦;彼为榭,我为观;彼为舟,我为车;则其法不死,文自

新而法无穷矣。

文固有法,不必志于法,法当立诸己,不当尼诸人。不欲为作者则已,欲为作者名家而如古之人,舍是将安之乎?(《答友人论文法书》,《郝文忠公陵川文集》卷二十三)

如果真正地做到了理明、义熟、辞以达志,法就不能限制作家、艺术家的创作,作家、艺术家也就处于极高的无法境界。后来,桐城派的义法理论恐怕多少受郝经的启发,但又失去了郝经的通达,沦入重理、重法的旧程式。在古代,凡通达的文学家艺术家都坚决反对亦步亦趋的拟古之法。如金人王若虚曾这样说:

古之诗人,虽趣尚不同,体制不一,要皆出于自得。至其词达理顺,皆足以名家,何尝有以句法绳人者。鲁直开口论句法,此便是不及古人处。而门徒亲党以衣钵相传,号称"法嗣",岂诗之真理也哉!(《滹南诗话》卷三)

王氏所说的"自得"就是无法,这是一种自然的法则。"自然妙者为上"(谢榛《四溟诗话》卷四),几乎成为古代文学艺术创作的主流声音。

文学艺术创作不遵守法度不行,但又不能死守古人之法。学习古人的法度,不在乎学得像不像,关键在于是否得到了古人法度的神韵。不得神韵,学得越像,越没有生命力,因为其缺乏创新。江西诗派之所以遭到后世的诟病,主要是因为他们中的不少人学习某人学得太像,从而失去了自我。黄庭坚赞赏陈适用诗"句法窥鲍谢"(《寄陈适用》),恐怕不是陈适用的长处,而恰恰是他的短处。因为他的诗没有独创性,让人一眼就看到了踪迹。杜甫的诗像谁?黄庭坚说其"诗法出审言,句法出庾信"(陈师道《后山诗话》引),不知依据何在!杜审言是杜甫的祖父,杜甫师承家法是自然而然的,杜甫自己也曾经赞赏过他的祖父诗"冠古"。但是,黄氏说他的句法出庾信,如果仅仅因为杜甫不止一次赞赏庾信,那就有点臆测了,没有强有力的说服力。其实,杜甫就是杜甫,他不像任何人,他像他自己。也就是说,杜甫达到了无法的境界,他的诗歌有别人无可比拟的创造性。这是杜甫的生命力之所在。大凡具有独创性的诗人无不如此。江西诗派后期,吕本中最早认识到这一点,他提出的"活法"之论拯救了江西诗派的诗学理论,在一定程度上也提升了江西诗派的诗坛声誉。"活法"在某种意义上就是"无法"。因为它主张超越法度,以"好诗转圆美如弹丸"作为诗歌美学的标准。这种"无法"的观念到了元代有了更进一步发挥,郝经、方回、揭曼硕等人都强调这一点,元代的诗歌创作虽然处于衰落阶段,但在诗歌理论上却能够独辟蹊径,注重并强调诗歌创作的独创性。

"法无定法"并非要求文学艺术创作背弃法度。它要求文学艺术创作讲究法度,但不要拘泥于法度。文学艺术的创作要想实现独创,必须抛弃亦步亦趋地模拟古人之法的做法,通过自己的悉心体悟,实现创作的"无法"。这是古人非常期盼的最高的诗歌创作境界。

第十二章　知音：
文学艺术的审美接受

"知音"是文学艺术审美接受的一个重要问题。中国古典文艺学、美学对这一问题有精彩的阐发。文学艺术作为作家、艺术家生命体验和审美体验的物化形态，并非作品一完成就到达终点。它还面临着重新创造的问题，即通过人们对文学艺术作品的审美欣赏和阐释、接受，实现了对它的二度体验。只有这样，文学艺术的价值才能真正实现。文学艺术的接受活动产生得很早，在先秦时期就已经有大量的关于《诗经》（乐）的欣赏、阐释和接受的文献记载，最典型、全面的还是《左传·襄公二十九年》吴公子札观乐的言论记述，真实地展现了当时人的审美欣赏心理和审美接受态度，揭示了当时文学艺术批评的政治、伦理和道德的本质。因此，对于这条记载，我们可以做多面观，它所包含的信息特别丰富。后来，诸多的关于《诗经》（乐）的批评思想都与此有密切的关联。如孔子的"思无邪"、兴观群怨、"绘事后素"及"尽善尽美"的审美接受观念，都力图揭示这个主题。先秦时期还提出了一些重要的审美接受原则和方法，在这一方面可以说，孟子是用力最勤、成就最大的一位。他所提出的"知人论世"和"以意逆志"的审美接受思想，奠定了中国古典知音论的基础，成为历代沿袭的、至今仍有极强生命力的审美接受信条。魏晋南北朝是审美接受理论的成熟期。刘勰正式提出了"知音"的问题，阐发了"知音"的理论内涵，明确了"知音"的"六观"的法则，进一步完善了先秦以来的审美接受观念，对推进有中国特色的古典文艺批评体系的形成有极其重要的意义。

第一节　知人论世

　　文学艺术的审美接受是一种主体心理的体验活动。这一活动的开展是无法则可循的，想在这种活动中找出一些清晰明了、能够放之四海而皆准的审美接受规律简直不可能。关于文学艺术的审美接受观念，古今的差异很大。一般地说，古人提倡一种客观化的审美接受观念，这种观念总希望审美接受主体能无限地接近作者，接近文本的原本意图；而现代则提倡一种主观化的审美接受观念，这种观念要求审美接受者抛开创作主体的作家、艺术家，强调审美接受主体的审美再创造，形成一种新的文学解释学。客观化的方法是中西古典的方法，主观化的方法主要是近现代西方文艺学的方法。中国古典文艺学关于文学艺术审美接受的总体原则是"知人论世"，这是一种客观的解释方法。它强调，审美接受者为了更真实、本质地接近文本，必须全面地了解作者，认识作者及其生活的时代。中国古代是笃信人文一体、文为心声的，古代的文艺学和美学理论家们认为，只有做到"知人"，才有资格"论世"，才能对文学艺术作品实现真正理解。

　　"知人论世"的方法最早是孟子提出来的。这是一个真正意义上的文学批评的方法。何以如此说？不仅是因为孟子在讨论这一命题时明确地提到"诗"，将"诗"作为一种重要的批评文本，更有意义的是，孟子将颂诗、读书、知人的方法与传统对文化典籍的观念结合起来，适应了社会文化发展的大背景，具有一种宏通的眼光。联系《左传》《论语》等传统经典对《诗经》的认识，并进一步从"诗言志"的观念出发，认真反思一下中国古典文艺学关于这一论题的阐说，就能够理解孟子为什么会提出这么一个问题，以及这一问题所具有的现实意义。

　　《孟子·万章下》云：

> 　　一乡之善士，斯友一乡之善士；一国之善士，斯友一国之善士；天下之善士，斯友天下之善士。以友天下之善士为未足，又尚论古之人。颂其诗，读其书，不知其人，可乎？是以论其世也。是尚友也。

这就是"知人论世"的发源。朱熹在注释这段话的时候说:"颂、诵通。论其世,论其当世行事之迹也。言既观其言,则不可以不知其为人之实,是以又考其行也。夫能友天下之善士,其所友众矣,犹以为未足,又进而取于古人。是能进其取友之道,而非止为一世之士矣。"(《孟子集注》卷十,《四书章句集注》)显然,朱熹的解释不在文学批评方面,而在"取友之道"方面,告诫后学不要胸无大志、眼光短浅,以结交天下之士为满足,还要将取友的范围放得更大一些,以"非止为一世之士"为目标,与古人结交,结交的途径就是读古人之书,颂古人之诗。通过阅读和理解,使古人成为自己的精神之交,也使自己成为后世万代愿意结交的"善士"。这也就是孔子所谓的"立言不朽"。做到了这一步,也就实现了人生的最大价值。

朱熹是以儒学家的眼光看待孟子这一宏论的。他的解释从儒家的立身、立德和立言入手,当然符合孟子的真实意图,但还有一个文学艺术接受层面的问题没有说透。那就是:"颂其诗,读其书,不知其人,可乎? 是以论其世也。"要真正地读懂某人的书、某人的诗,必须要了解某人,了解他的"为人之实",了解他的德行,还要了解他所处的时代。一个简单的阅读问题何以搞得这般复杂? 如果我们进一步考察就会发现其中的奥妙,"知人论世"接受观念的产生实在有深厚的传统文化背景。

在百家争鸣的春秋战国时期,人们对传统文化抱着极为虔诚的态度。针对"礼崩乐坏"难堪局面的形成,一些有识之士便将目光转向古典文化典籍,想从这些古典文化典籍中寻求拯救礼乐的良方。孔子切实做了大量的整理古代文化典籍的工作,他的整理有鲜明的实用目的。那就是:在整理的过程中对这些典籍予以重新阐释,赋予其能适应当下的理论意义。据司马迁《史记·孔子世家》载:"自天子王侯,中国言六艺者折中于夫子,可谓至圣矣。"此后所流传的《周易》《诗经》《尚书》《礼记》《春秋》,都经过了孔子的加工改造。这就是重新阐释,至今仍有明显踪迹的是《诗经》。在《论语》中,有不少关于《诗经》的言论,可以看出孔子的接受趣味。孔子说:"诗三百,一言以蔽之,曰:思无邪。"(《论语·学而》)"兴于诗,立于礼,成于乐。"

(《论语·泰伯》)"小子何莫学夫诗？诗可以兴，可以观，可以群，可以怨。迩之事父，远之事君，多识于鸟兽草木之名。"(《论语·阳货》)这样，《诗经》不仅是一个文学的文本，更是一个政治、伦理、道德的文本，在各个领域都有举足轻重的价值和意义。应该值得特别注意的是孔子的"兴、观、群、怨"的观念。这里的"观"，按照一般的理解是"考见得失"，亦即从《诗经》中能够了解往古的历史和风俗，通晓政治的得失。这个"观"好像是理性之"观"，但并非这么简单。李泽厚、刘纲纪说："孔子所说的'诗可以观'的'观'不只是单纯理智上的冷静观察，而是带有情感好恶特征的。"[1]也就是说，这个"观"具有审美接受和情感欣赏的意蕴。从侧面也启发了孟子，"知人论世"的审美接受方法的提出并非偶然。

"知人论世"有两个层面的内容值得我们注意：其一是"知人"；其二是"论世"。这两个层面的内容相辅相成，相互关联，都以颂诗、读书作为前提。"知人"和"论世"皆由颂诗和读书引出，通过"知人"、"论世"更好地理解文学作品，或者通过阅读、理解文学作品更好地"知人论世"。"知人"是指了解人的性格、情感、思想、修养、气质、审美好尚等。中国古代的文艺学、美学家认为，作家、艺术家的性格、情感、思想、修养、气质、审美好尚都决定了作家、艺术家的风格特征，这些特征在文学艺术作品中以生动的感性形式真切地存在着，使人们在阅读欣赏文学艺术作品的同时也了解了作者，实现了知人。

为什么通过文学艺术作品就能够知人？在文学艺术作品中何以存在知人的因素？这是我们要认真思索的。中国古代的理论家之所以将话说得这样绝对，是因为他们坚信诗是能够"言志"、"缘情"的。也就是说，他们坚信文学艺术是真实地表现自我的。不仅是文学，所有的文章都以真为本，杜绝虚伪与夸饰不实。从孔子开始就坚持以文、行、忠、信立本（是谓"孔门四教"），教人作文、修身应心存忠信。他曾经提出"修辞立其诚"的语言观，这也是文学道德的一种要求。

---

[1]李泽厚、刘纲纪：《中国美学史》第一卷，中国社会科学出版社，北京，1987年，第126页。

所谓的"修辞立其诚",是说语言要表现人的真诚,表现人的真实性情。后来,这便成为古人进行文学艺术创作的信条,无论作诗、作文,还是创作其他的艺术都以此为准则。孟子崇尚善人、信人,认为善人、信人都是符合"仁"的人,也就是他所说的"大人"。"大人者,不失其赤子之心者也。"(《孟子·离娄章句下》)这种"赤子之心",是纯真无伪之心,是真心。文学艺术就要展现真心。先秦诸子无论是哪家哪派都非常尊重"真",真是一种至高无上的美学标准。这对后来的文学观念的发展产生了实质性的影响。汉代大儒扬雄说:"故言,心声也;书,心画也;声画形,君子小人见矣。"(《法言·问神》)言为心声,语言是人真实情感和心理的表现,透过语言的屏障,人们能窥见言说者最隐秘的情感和心理世界,没有任何可以隐瞒的,没有任何不可以表现的。一直到明末,李贽还高扬"童心"说:"夫童心者,真心也;若以童心为不可,是以真心为不可也。夫童心者,绝假纯真,最初一念之本心也。若失却童心,便失却真心;失却真心,便失却真人。人而非真,全不复有初矣。""天下之至文,未有不出于童心焉者也。"(《童心说》,《李氏焚书》卷三)仍然把表现真实的思想和性情作为最高的准则。由此可见,"知人论世"这一文学艺术审美接受观念所提出的前提和依据是文学艺术能表现作家、艺术家的真实性情。正是因为文学艺术表现了作家、艺术家的真实性情,"知人"才是必然的。

中国古代的作家、艺术家将自己的文学艺术创作与自身相等,言志、抒情,也为"知人"创造了无限的可能性。绝大多数作家、艺术家以自己的情感经历作为创作的题材,许多作品就是"实录"。文学与历史相等同。人们一直是这样认识《诗经》的,也是这样认识屈原和其他作家、艺术家的。司马迁作《史记·屈原贾生列传》,以其作品所记述的内容为依据,杜甫的诗歌被称为"诗史",足见古代文学艺术作品的实录本相。历代作家、艺术家的创作都被视为作家、艺术家的生活和心灵的真实记录,更助长了"知人"的权威性。从作家、艺术家的文学艺术作品中发掘作家、艺术家的思想、情感、修养、气质、审美趣味,是文学艺术批评家和鉴赏家必须做的事情。"知人"成为考察作家、艺术家创作和审美心态的一种必不可少的手段。

"知人"并不局限于对作家、艺术家自身的了解。任何一个作家、艺术家都生活在特定的历史时代,生活在特定的地域之中,与这个特定的历史时代和地域发生关系。他的身上必定会打上这个特定的历史时代和地域的表征,留有特定历史时代和地域的印痕。因此,要想全面地"知人",必须"论世"。"论世"就是了解作家、艺术家所生活的时代和地域状况,发掘时代和地域的社会政治、经济和文化环境对作家、艺术家文学艺术创作的影响,中外古今都非常强调这一点。法国的史达尔夫人曾经从社会制度的差异考察民族文学的差异,探讨了宗教、社会风俗、法律对文学艺术的影响,并运用这种方法研究了西欧各国的文学,提出了西欧南北文学的界说,对后世文学批评方法的科学化有重大贡献。丹纳则提出了著名的种族、环境、时代三元素说,强调人先天的生理和遗传因素、地理、气候等自然因素、社会环境因素对文学艺术的制约作用,并认为种族体现了民族的精神,环境孕育了民族的艺术,时代推动了艺术的发展。①这些都运用了社会历史的方法,进行"知人论世"的文学批评。对时代、环境的考察,中国古代开始得更早。在汉代,曾对屈原的文学作品展开了大规模的讨论,所运用的方法就是"知人论世",而且"论世"的特点极为突出。尤其可贵的是,在这次较为广泛的讨论中,对屈原的评价产生了很大的反差。一种观点认为,屈原人品高洁,可比拟于日月;另一种观点认为,屈原露才扬己,毫不谦逊。展示了"知人论世"的复杂性,给人们正确认识和运用这一方法以充分的提醒。刘勰在《文心雕龙》中也有大量篇幅论述时代、环境对文学创作的影响,特别注重学术文化的作用,最为集中的当数《时序》篇。他以"时运交移,质文代变"立论,以纵向的、历史的眼光对此前的文学发展做了比较详尽的描述:"昔在陶唐,德盛化钧,野老吐何力之谈,郊童含不识之歌。有虞继作,政阜民暇,薰风诗于元后,烂云歌于列臣。""至大禹敷土,九序咏功,成汤盛敬,猗欤作颂。逮姬文之德盛,周南勤而不怨;大王之化淳,豳风乐而不淫;幽厉昏而板荡怒,平王微而黍离哀。""齐开庄衢之第,楚

---

① [法]H.A.丹纳:《艺术哲学》第二章,傅雷译,人民文学出版社,北京,1983年。

广兰台之宫,孟轲宾馆,荀卿宰邑,故稷下扇其清风,兰台郁其茂俗,邹子以谈天飞誉,驺奭以雕龙驰响,屈平联藻于日月,宋玉交彩于风云。观其艳说,则笼罩雅颂。故知炜烨之奇意,出乎纵横之诡俗也。"唐魏徵则注意到文学创作的地域特征:"江左宫商发越,贵于清绮;河朔词义贞刚,重乎气质。气质则理胜其词,清绮则文过其意。理深者便于实用,文华者宜于咏歌。此其南北词人得失之大较也。"(《隋书·文学传序》)这些都是"论世"的内容。文学艺术的批评和审美接受至今也无法摆脱"知人论世"的方法,说明这一方法有着强大的生命力。

"知人"与"论世"并行不悖,在具体运用中是合二为一的。章学诚在检讨史籍撰写的失误时曾经发表过这么一段议论:

> 昔者,陈寿《三国志》纪魏而传吴、蜀,习凿齿为《汉晋春秋》,正其统矣。司马《通鉴》仍陈氏之说,朱子《纲目》又起而正之。"是非之心,人皆有之。"不应陈氏误于先,而司马再误于其后,而习氏与朱子之识力,偏居于优也。而古今之讥《三国志》与《通鉴》者,殆于肆口而骂詈,则不知起古人于九原,肯吾心服否耶?陈氏生于西晋,司马生于北宋,苟黜曹魏之禅让,将置君父于何地?而习与朱子则固江东南渡之人也,惟恐中原之争天统也。诸贤易地则皆然,未必识逊今之学究也。是则不知古人之世,不可妄论古人文辞也。知其世矣,不知古人之身处,亦不可以遽论其文也。身之所处,固有荣辱、隐显、屈伸、忧乐之不齐,而言之有所为而言者,虽有子不知夫子之所谓,况生千古以后乎?圣门之论恕也,"己所不欲,勿施于人"。其道大矣。今则第为文人论古,必先设身,以是为文德之恕而已尔。(《文史通义·文德》)

这就是说,论古人之文,不仅要知其世,还要知其所处时代的各种思想对作家、艺术家的创作都可能产生的实质性影响,陈寿和司马光之所以形成错误的因袭,有一定的时代和自身的原因。习凿齿和朱熹之所以能厘正谬误,也有时代和自身的原因。章氏给"身处"以具体的解释,显示人的荣辱、隐显、屈伸、忧乐等不同遭遇,这些对文学艺术(包括历史)的接受都具有一定的意义。

"知人论世"是对作家、艺术家思想情感及其生活时代的还原，但这种还原又很难是本质的。无论是孟子还是章学诚，他们所提倡的"知人论世"都是理想化的，都力图无限地接近作者和他所生活的时代，对作家、艺术家所创作的文学艺术作品做最本真的透视。殊不知，要做到这一步极其困难，几乎是不可能的。这是因为，接受者受到自身所处时代环境和自身个性的限制。接受者不可能重合于作者，消除作者和他生活时代的距离。接受者和作者之间存在着天然的历史性，这种历史性以极其顽强的生命力存在着，是不可能消弭的。同时，接受者又在一定程度上受"前理解"的支配。这种"前理解"往往以先入之见干扰接受者，使得他在接受的过程中不可能不产生偏差。如何对待这种偏差，这是当今接受美学的一个重要课题。尽管这一课题已经多层次、多角度地开展，但还远远不够完善。这并不说明"知人论世"的命题在今天已经失去了价值，只是表明它有一定的历史局限。无论是作为一种理想还是作为一种现实的要求，"知人论世"的审美接受思想至今仍有意义，还有进一步深入研究的必要。

第二节　以意逆志

"知人论世"是中国古典文艺学关于文学艺术审美接受的总的原则。围绕这一原则，生成了一系列相关的法则。"以意逆志"便是其中重要的一种。焦循《孟子正义》援引顾镇语云："夫不论其世，欲知其人，不得也。不知其人，欲逆其志，亦不得也。孟子若预忧后世将秕糠一切，而自以其察言也，特著其说以防之。故必论知人而后逆志之说可用之。"[1]可见，"以意逆志"是以"知人论世"为基础的。不知人，就无以论世。

"以意逆志"也是孟子所提出的审美接受观念。这一观念的产

---

[1] 顾镇：《虞东学诗·以意逆志说》，焦循：《孟子正义》，中华书局，北京，1998年，第639～640页。

生起源于孟子和弟子咸丘蒙对《诗经》的讨论,其本意在于辨明君君臣臣、父父子子之道,但却涉及对《诗经》的理解和接受的根本问题。《孟子·万章上》云:

> 咸丘蒙曰:"舜之不臣尧,则吾既得闻命矣。《诗》云:'普天之下,莫非王土;率土之滨,莫非王臣。'而舜既为天子矣,敢问瞽瞍之非臣,如何?"曰:"是诗也,非是之谓也;劳于王事,而不得养父母也。曰:'此莫非王事,我独贤劳也。'故说诗者,不以文害辞,不以辞害志。以意逆志,是为得之。如以辞而已矣,《云汉》之诗曰:'周余黎民,靡有孑遗。'信斯言也,是周无遗民也。孝子之至,莫大乎尊亲;尊亲之至,莫大乎以天下养。为天子父,尊之至也;以天下养,养之至也。《诗》曰:'永言孝思,孝思维则。'此之谓也。《书》曰:'祗载见瞽瞍,夔夔齐栗,瞽瞍亦允若。'是为父不得而子也。"

从这一段对话中可以看出,孟子充分运用了他"知人论世"的方法,对诗的本原意义做了精细的考察。咸丘蒙引用《诗经·小雅·北山》中的诗句,望文生义,忽视了诗歌产生的具体历史背景和诗人心态。他以为,"普天之下,莫非王土;率土之滨,莫非王臣"言述的是普天之下的土地都是国王的土地,普天之下的所有人都是国王的臣民。其字面意思确实如此。但是,如果从这首诗产生的背景看,就不能这样绝对地理解了。孟子准确地认识到,这是一首怨诗。诗人所慨叹的是,自己日夜为王事操劳,没有时间尽孝子之道,不能侍奉父母。为此,内心不安。由此,孟子提出了关于诗的接受方法。不要因为字而妨碍了对句意的理解,不要拘泥于句子的表面意义而影响了对诗人志向的接受,要"以意逆志"。这才是正确接受作家作品的方法。

"以意逆志"思想的提出有深厚的哲学、伦理学和诗学背景,其哲学背景便是人性论。孟子的人性论是性善论。他假定人心是相同的,认为人本性皆善:"恻隐之心,人皆有之;羞恶之心,人皆有之;恭敬之心,人皆有之;是非之心,人皆有之。"(《孟子·告子上》)"凡同类者,举相似也,何独至于人而疑之?圣人与我同类者。"(《孟子·告子上》)既然人心相通,圣人与我同类,必然人心互知,是能够相互了解和认识的。像孔子一样,孟子也强调"仁",肯定"仁"就是人心。他说:"仁,人心也。"(《孟子·告子上》)由于"心之官则思",心支配着人的思想和行为,使思想和行为均符合"仁"的规范。因此,他又说:"君子所性,仁义礼智根于心。其生色也,睟然见于面,盎于背,施于四体,四体不言而喻。"(《孟子·尽心上》)由这种"仁"的态度出发,孟子提出了许多人性的原则,要求人要保持积极向上的生活品性,从"仁"中培养人的浩然之气以及"至大至刚"、舍生取义的主体人格。他曾经这样告诫人们:"天下有道,以道殉身;天下无道,以身殉道。未闻以道殉乎人者也。"(《孟子·尽心上》)即使面临"天将降大任于斯人"的身心痛苦,也应泰然处之,不可产生丝毫的动摇情绪,以此来锻造人的身心意志,使自己成为一个真正的"仁"之人。在伦理上,孟子是极为重视亲亲和孝悌的。他将"亲亲"与"仁爱"分得极为清楚,认为这是两个方面的问题,是不能够混淆的。他曾说:"君子之于物也,爱之而弗仁;于民也,仁之而弗亲。亲亲而仁民,仁民而爱物。"(《孟子·尽心上》)对至亲,应亲亲;对别人,应仁爱。亲亲和仁爱都是为了求得心心相通,实现人与人的相互理解。孟子说:"孝子之至,莫大乎尊亲。"又说,亲亲也是一种"仁"。在分析《小弁》一诗时,就明确地说:"《小弁》之怨,亲亲也。亲亲,仁也。"(《孟子·告子下》)他将这种哲学和伦理学的观念运用于对诗的解说和接受中,自然而然地产生"以意逆志"的审美接受方法。

明了"以意逆志"提出的哲学和伦理学背景,我们还应回顾一下诗学的背景。孟子所处的时代是一个"赋诗言志"的时代。《诗经》被作为一个实实在在的工具应用于社会政治、文化交往领域,"《诗》以言志"成为一种普遍的观念。清人劳孝舆曾经在其所著《春秋诗话》中描述了那时的赋诗情形:"古人所作,今人可援为己诗,彼人之诗,此人可赓为自作,期于言志而止。人无定诗,诗无定指,以故可名不名,不作而作也。"(卷一)当时,人们创作的意识极为淡漠,赋诗就是一种创作行为。人们常常通过赋诗来表达自己的情感、志向,观诗者也通过人们的赋诗行为观志。当时的赋诗有一种明显的倾向,那就是赋诗断章。赋诗者根据自己的需要,对《诗经》中的诗句任意截取，随心所欲，即景生情。这是当时一种非常普遍的现象。断章取义不顾及全诗的整体意义，有时注重的是字面意义，有时注重的是比喻义，只要观诗者对《诗经》相当熟悉，一般都能够理解赋诗者的赋诗意图。赋诗断章的最大弊端是有意歪曲诗的本原意义，歪曲诗人作诗的本原意图，不以"知人论世"作为理解接受诗的最根本的途径。孟子看清了这种弊端，于是，以"以意逆志"纠正世俗的诗歌接受倾向，进一步弘扬"言志"的诗学传统。

弄清了"以意逆志"的产生背景，我们来探讨一下它的理论内涵，思考这一审美接受理论在文学艺术的审美接受中到底具有怎样的理论意义，在深入思考的基础之上，做出我们的评价。

关于"以意逆志"的解释，历来分歧很大，主要有以下两种：

其一，"意"是指读者之心意，"志"是诗人之心志；"以意逆志"就是以读者之心意去求取诗人之心志。东汉赵岐《孟子章句》云：

> 文，诗之文章，所引以兴事也。辞，诗人所歌咏之辞。志，诗人志所欲之事。意，学者之心意也。孟子言说诗者当本之，不可以文害其辞，文不显乃反显也。不可以辞害其志。辞曰："周余黎民，靡有孑遗。"志在忧旱灾，民无孑然遗脱不遭旱灾者，非无遗民也。人情不远，以己之意，逆诗人之志，是谓得其实矣。

朱熹《孟子集注》云："言说诗之法，不可以一字而害一句之义，不可以一句而害设词之志，当以己意迎取作者之志，乃可得之。"①清焦循引顾镇《虞东学诗·以意逆志说》云：

> 《书》曰："诗言志，歌永言。"而孟子之诏咸丘蒙曰："以意逆志，是为得之。"后儒因谓吟哦上下，便使人有得；又谓少间推来推去，自然推出道理。此论读者穷理之义则可耳，诗则当知其事实，而后志可见，志见而后得失可判也。……不知学者引申触类，六通四辟，无所不可，而考其本旨，义各有归。如切磋本言学问之事，则凡言学问者无不可推，而谓诗论贫富可乎？素绚本有先后之序，

---

① 朱熹：《孟子集注》卷九，《四书章句集注》，中华书局，北京，2001年，第306页。

则凡有先后者无不可推,而谓诗论礼后可乎?断章取义,当用之论理论事,不可用以释诗也。然则所谓逆志者何?他日谓万章曰:"颂其诗,读其书,不知其人,可乎?是以论其世也。"正惟有世可论,有人可求,故吾之意有所措,而彼之志有可通。①

这都是说,"以意逆志"是以读诗者的心意去求取诗人之心志。因为,孟子已有一个先在的前提,人心相通。诗人和读者的心是相通的,他们都处于儒家仁学的理性设定之中,故能相互沟通。赵岐所言"人情不远"也正是此意。顾镇以知人论世的眼光来分析"以意逆志",他明确指出断章取义不可以用来解释诗。他还认识到人生活在特定的时代环境之中,人与时代都是鲜活的、生动的,是人人都能感知的,故"有世可论,有人可求"。人心相通,加之人与时代的鲜活存在,人能感知,这就为"以意逆志"提供了无限的可能性。

其二,"意"是指古人之意,"志"是指古人之志;"以意逆志"是以古人之意求取古人之志。持这种观点者以吴淇为代表。其《六朝选诗定论·以意逆志节》云:

> 汉宋诸儒以一"志"字属古人,而"意"为自己之意。夫我非古人,而以己意说之,其贤于蒙之见也几何矣!不知"志"者,古人之心事,以"意"为舆,载"志"而游,或有方,或无方,意之所到,即志之所在。故以古人之意求古人之志,乃就诗论诗,犹以人治人也。(《六朝选诗定论》卷一)

吴淇认为,以读者之意求取古人之志于理难通。因为我们不是古人,用我们的心意去解释古人必定有许多蒙蔽,不能接近古人的本原意图。因此,"以意逆志"的正确的理解方法应该是"以古人之意,求古人之志"。这就像以人治人,要就这诗而论这诗。

就这两种理解说,它们的主要分歧在对"意"的理解上。前一种观点认为"意"是读诗者之心意,后一种观点认为"意"是作者之意,

---

① 顾镇:《虞东学诗·以意逆志说》,焦循:《孟子正义》,中华书局,北京,1998年,第639页。

也就是经典之意。今人多数赞同前一种解释,以为比较符合孟子的本原意图。李泽厚、刘纲纪认为:"旧注说,'意'指的是'学者之心意',这是正确的。'意'是读诗者主观方面所具有的东西,'志'是诗人的作品客观具有的,两者应加以区别。但这个'意',不能是同作品毫无关系的胡思乱想,也不能是某种纯粹抽象的概念认识。它实际是指读者对作品的主观感受,包括想象、情感、理解诸因素的统一,而且在不同的读者那里是各各不同的。"①周光庆认为:"'以意逆志'说的'意',是解释者心灵中先在的'意',而不是所谓的蕴含于诗歌之内而'就其淋漓尽致言之'的那种'意'。因为在孟子的时代,还不可能从诗歌文本的思想内容中分析出作诗者之'志'与'载志而游'的'意',更不可能构想出'以古人之意求古人之志'的解释方法。但是应该指出,作为解释者先在的'意',在孟子的时代也是一个全新的发现,它与作为'强恕而行'的主体'万物皆备于我'的状态是相似相近且有相同妙处的。它是读诗以'逆志'的主观条件与活动起点,其内容也包括知识结构、认识能力、期待视野等。每个解释者必然都有其先在的'意',也必然总有其独特的'意';解释者的先在之'意'的不同,其'逆志'的方式与效果必然也随之有所不同。"②联系孟子所处的时代、学术文化的发展,以及孟子个人的态度,我们认为,将"以意逆志"之"意"完全界定为"读诗者之心意"是不符合实际的。孟子此论所批评的是断章取义的读诗方法,这是显而易见的。断章取义的最大弊端是以一己之意图去理解诗,不顾及诗的原本意义和诗人原本的作诗动机,仅从字面意义对诗意做出判断,这断章取义正是"以己之意,逆诗人之志"。此其一。其二,以读者之心意去求取诗人之心志,这种表述虽然显得很突兀,但也不能不是人们应该认真思索的。实际上,这本身就是一个漏洞百出的论题。怎样以读诗者的心意去求取诗人的心志?人与人是不同的,此人如何想彼人很难参透。要想实现人与人的心意的重合简直不可能,因此,以读者之心意去求取诗人

---

①李泽厚、刘纲纪:《中国美学史》第一卷,中国社会科学出版社,北京,1987年,第194页。
②周光庆:《中国古典解释学导论》,中华书局,北京,2002年,第358页。

之心志是无法实现的理想，不是孟子本人的意图。其三，孟子是强调知人论世的。他要求读古人之书，颂古人之诗，要了解古人所处的时代，要了解古人的性情。这是一个客观的前提。他不可能要求读者以自己的心意去求取诗人之意，而要求从作者出发，从作品中所表现的情意去求取作者的心意。由此推测，"以意逆志"之"意"当指诗中所表现之意，这也是作者之意。读诗者借助于想象、情感、知识等诗中所表现的作者之意逆推诗人的心志就具有了某种可能性。由此看来，以赵岐、朱熹等人为代表的解释不一定是符合孟子的解释。倒是吴淇说出了孟子的本原意义。"故以古人之意求古人之志，乃就诗论诗，犹以人治人也。"当然，这属于一种客观的接受方法。要想实现这一目标确实很不容易。虽然孟子强调知人论世，认为此人之心与彼人之心是可以相通的，是可以实现相互理解的，但这相通与理解也有一个限度的问题，要做到完全相通、完全理解确实很难。实际上，"以意逆志"也可以说是孟子的审美接受理想。

我们说，赵岐、朱熹等人的理解不符合孟子的本原意图，不是抬高孟子的"以意逆志"的思想，将之视为不可超越的真正的先圣，也并非完全抹杀赵岐、朱熹们的思想价值。尽管他们的解释矛盾百出，但也是对孟子思想的进一步发展。这是一种"现代化"的解释，是一种新的"以意逆志"的思想。这种思想之所以能兴起于东汉，是因为汉代经学的涵养。汉代的解经与注经在一定程度上是发挥个人对经典的理解，解释学的体例相对较为完备。在汉代的解释学体例中，有一种叫做"微体"，专门发掘经典的隐微之意。这种解释学的方法就带有很强的主观随意性。将这种方法运用到对孟子的解释中，会自觉或不自觉地改造孟子的"以意逆志"的解释学思想。这就促成了赵岐的解释学思想的产生。赵岐实际上歪曲了孟子的本意，他对"以意逆志"的解释是他自己的理解。这恰与当今流行的解释学理论和接受美学的思想注重读者主体创造性相吻合。解释学在西方的兴起也源于对经典的释义。中世纪之后，在关于《圣经》和法律条文的解释基础上产生了解释学，到了近代，逐渐应用于哲学和文学的解释中，以施莱尔马赫为代表的解释学家希望通过批评的解释揭示某个文本作者的原意,极类似于吴淇的"以古人之意求古人之志"。这种解释的方法遭到了海德格尔和伽达默尔的批判。他们认为,任何一个人都存在历史性,因此,在文本的理解活动中,不可能揭示某个文本的原意,只能带有理解者自身的印痕。他们创立了现代解释学。在他们看来,理解的历史性也构成了理解者的主观偏见,而主观偏见又构成了解释者的特殊视界。因而理解者的视界与对象内容所包蕴的过去视界在理解中达到"视界融合",使理解者和理解对象都超越了原来的视界,达到一个崭新的视界。从这个意义上说,文本的真正意义是和理解者一起处于不断的生成中,文本意义的可能性是无限的。伽达默尔说:

> 后来的理解相对于原来的作品具有一种基本的优越性,因而可以说成是一种完善理解（ein Besserverstehen）——这完全不是由于后来的意识把自身置于与原作者同样位置上（如施莱尔马赫所认为的）所造成的,而是相反,它描述了解释者和原作者之间的一种不可消除的差异,这种差异是由他们之间的历史距离所造成的。每一时代都必须按照它自己的方式来理解历史流传下来的文本,因为这文本是属于整个传统的一部分,而每一时代则对这整个传统有一种实际的兴趣,并试图在传统中理解自身。当某个文本对解释者产生兴趣时,该文本的真实意义并不依赖于作者及其最初的读者所表现的偶然性。至少这种意义不是完全从这里得到的。因为这种意义总是同时由解释者的历史处境所规定的,因而也是由整个客观的历史进程所规定的。……文本的意义超越了它的作者,这并不只是暂时的,而是永远如此的。因此,理解就不仅只是一种复制的行为,始终是一种创造性的行为。①

在这个意义上,读者的地位提高了,他们和作者一样也参与了文本的创造。读者可以不受作者思想意图的限制,做出自己跨越历史的

---

① [德]伽达默尔:《真理与方法》(上),洪汉鼎译,上海译文出版社,上海,1999年,第380页。为照顾全书概念的统一,此处译文中的"本文"均改为"文本"。

理解。在任何一个时代，文本都可能被赋予不同的意义，因为，读者（解释者）都处于一定的历史环境之中，受历史处境的规定。这和赵岐、朱熹等人以读者之心意求取诗人之心志的"以意逆志"的解释有相同之处，都强调读者的创造性。所不同的是，由于对读者的无限看重，伽达默尔连作者的原本意图都不顾及了，认为阅读和解释可以完全抛开作者，而赵岐、朱熹们还念念不忘作者之心志，照顾本原意图，显示了中国古代的解释对作者及其本原意义的尊重。"以意逆志"在高扬读者主体创造性的同时并没有将作者抛弃。

如果说，伽达默尔对读者的重视仍以文本为中心，还没有将读者提高到至高无上的地位，那么，到了接受美学那里，读者便成为中心。接受美学以解释学和现象学为基础，大量地沿用了解释学的概念。尧斯认为，文学作品意义的来源有两个方面：一是作品本身，一是读者赋予。其中，读者对作品意义的赋予是主要的、起决定作用的。仅仅从作品角度研究作品的意义是"作品拜物教"，这种研究进行得越深入，作品的意义就越混乱。伊瑟尔认为，文本的表现具有一种潜在性，这种潜在性并不是可有可无的，需要读者在阅读的过程中将其现实化。文学作品存在大量的不确定性和空白，这些不确定性和空白只能依靠读者的想象，用读者的知识、经验和情感去填补。赵岐、朱熹们虽然对"以意逆志"的解释不像接受美学家们那样深入细致而富有理性，但也已经明确意识到读者在阅读过程中的创造作用。他们是允许读者发挥自己的想象的，运用自己的知识、情感和经验参与到作品的创造之中。只不过他们又给这种创造设置了一个限定：要尊重作者的本原意图。在阐释这种思想的时候，赵岐等人便陷入了矛盾之中，一方面允许读者发挥自己的创造，另一方面又要顾及作品的本原意义，使"以读者之心意求取诗人之心志"的"以意逆志"的解释显得漏洞百出，语焉不详。但是，赵岐们的贡献依然是突出的，他们的"以意逆志"已远非孟子的"以意逆志"，在阐释孟子思想的过程中将孟子思想大大地发挥了，也将中国古典解释学和接受美学向前推动了一大步。

第三节　诗无达诂

"诗无达诂"是西汉大儒董仲舒提出的一种诗学观念，见于《春秋繁露·精华》篇，文章这样写道：

> 难晋事者曰：《春秋》之法，未逾年之君称子，盖人心之正也。至里克杀奚齐，避此正辞而称君之子，何也？曰：所闻《诗》无达诂，《易》无达占，《春秋》无达辞，从变从义，而一以奉人。

这段话本来是解释《春秋》的，顺便捎带上《诗经》和《周易》。"《诗》无达诂"在汉代是非常流行的一句话。清人凌曙注云："《诗·汎历枢》作'《诗》无达诂，《易》无达言，《春秋》无达辞'。《说苑·奉使篇》引《传》曰作'《诗》无通故，《易》无通吉，《春秋》无通义'。《困学纪闻》引作'《易》无达吉，《诗》无达诂，《春秋》无达例'。"董子所言的"《诗》无达诂"到底是什么意思？诸注本均未做解释。苏舆先生对"《春秋》无达辞"的注释倒可以参证："无达辞，犹云无达例也。程子云：'《春秋》以何为准？无如中庸。欲知中庸，无如权。何物为权？义也，时也。《春秋》已前，既已立例，到近后来，书得全别，一般事便书得别有意思。若依前例观之，殊失也。《春秋》大率所书事同则辞同，后人因谓之例。然有事同辞异者，盖各有义，非可例拘也。'"①又据刘明今考辨，"达"在先秦两汉时期有两种意义，一为行而不遇，一为相遇。然在"《诗》无达诂"中应做相遇解。"达"训为相遇、通达。而"诂"的意义明确，就是"训故言也"，即用今语来解释古语。②这样，"《诗》无达诂"就是说，对《诗经》的理解难以取得共同的、一致的见解。今天，我们可以将《诗经》的特指忽略，泛指所有的文学艺术作品。那么，"诗无达诂"的意思就是：对所有的文学艺术作品的理解都没有固定的、一致的答案，都可仁者见仁、智者见智。这已经成为当今文学艺术审美接受的通则。

---

① 苏舆：《春秋繁露义证》，中华书局，北京，1996年，第95页。
② 刘明今：《方法论》，复旦大学出版社，上海，2000年，第449页。

一般认为,"《诗》无达诂"是先秦以来"以意逆志"的诗学观念发展的必然结果。这确实是一种误解。持此论者已经自觉地接受了赵岐关于"以意逆志"的解释,没有仔细辨析这两种观念产生的背景,没有弄清楚它们各自真切的内涵。我们前文已经讨论了孟子"以意逆志"的观念,认为孟子的"以意逆志"是与他的知人论世联系在一起的,强调诗人本原,注重诗人之意和诗人之志。不可能像后人理解的那样,"意"是指读者之心意,"志"乃诗人之心志,"以意逆志"就是以读者之心意求取诗人之心志,读者有充分发挥的余地。实际上,对"以意逆志"的解释早在东汉就已经产生,但却是主观化的解经方法,是"微体"解经的具体化。它完全背离了孟子,是一种新的文学审美接受观念。只不过沿用了孟子的概念,是典型的旧瓶装新酒。今天看来,"以意逆志"确实与"《诗》无达诂"有很多相近之处,不是"《诗》无达诂"受"以意逆志"的影响,恰恰相反,是"以意逆志"受"《诗》无达诂"的启发。因为,"《诗》无达诂"早在西汉就由董仲舒提出,而赵岐注"以意逆志"是东汉中期以后的事。两相对照,就可以发现这一秘密。虽然"以意逆志"的概念早于"《诗》无达诂",但彼"以意逆志"非此"以意逆志",两者有天壤之别。后来,人们普遍接受了赵岐对"以意逆志"的解释,实际上也就是接受赵岐的思想,而不是孟子的思想。

那么,"《诗》无达诂"是怎样产生的?它的源头应该在哪里?如果我们从本原上考察,"《诗》无达诂"应该与先秦时期的《春秋》观念有密切关联。先秦人普遍认为,《春秋》作为一部历史典籍,具有微言大义的特征。《左传·成公十四年》载:"君子曰:《春秋》之称,微而显,志而晦……"杜预注:"辞微而义显。""晦亦微也,谓约言以记事,事叙而文微。"荀子也反复说明这一点。《荀子·劝学》云:"《礼》之敬文也,《乐》以中和也,《诗》《书》之博也,《春秋》之微也,在天地之间者毕矣。"《儒效》云:"《诗》言是,其志也;《书》言是,其事也;《礼》言是,其行也;《乐》言是,其和也;《春秋》言是,其微也。"这里的"微"都是指意义精微,内涵深厚,不能够三言两语将它的含义说尽。许慎《说文解字》云:"微,隐行也。"正是迎合先秦人的观念。而提出"《诗》无达诂"诗学观念的董仲舒恰恰是治《公羊传》的大师,从这里更可以见证"《诗》无达诂"是受《春秋》观念的影响,与孟子原本意图的"以意逆志"是不相关联的。

秦汉时期,人们对经典的阅读和阐释是注重发掘其精微之义的。这种精微之义往往幽隐难明,作者在作品中并没有明确表露,只能靠读者依据自己的知识和经验去推测、判断。先秦人"赋诗断章"不是为了发掘《诗经》的精微之义,而是为了一己之用,"赋诗言志"是赋古人之诗以表达自己的志向。这虽然也是对《诗》的一种阐释,但已完全脱离了《诗经》之本意,是孟子所反对并批判的。发掘精微之义的典型产物应该是《左传》。《左传》为《春秋》做传,以史实为依据,注重对本原之意的发掘,唤醒了隐藏在语言中的善善恶恶和一字褒贬,对"上明三王之道,下辨人事之纪"起着巨大的作用。因此,历来都将《左传》视为政治和伦理学著作。对待《诗经》也是如此。秦汉人对待《诗经》,并不将它作为一部严格的文学作品,而是视为具有讽喻和教化作用的政治伦理教科书。发掘它的美刺教化意义就是探寻它的精微之义。在汉代,对《诗经》的研究达到了高潮。汉代传《诗经》者有齐、鲁、韩、毛四家,四家诗均注重对其美刺教化意义的发掘。这种发掘是否尊重诗人本原?已经不好回答。今天看来,确实存在很多问题。但在那时,人们从心底认为那就是诗人的本原意义,没有丝毫的怀疑。《韩诗外传》载:"昔者孔子鼓瑟,曾子、子贡侧门而听。曲终,曾子曰:'嗟乎!夫子瑟声殆有贪狼之志,邪僻之行,何其不仁趋利之甚?'子贡以为然,不对而入。夫子望见子贡有谏过之色,应难之状,释瑟而待之。子贡以曾子之言告。子曰:'嗟乎!夫参,天下贤人也,其习知音矣。向者丘鼓瑟,有鼠出游,狸见于屋,循梁微行,造焉而避,厌目曲脊,求而不得。丘以瑟淫其音。参以丘为贪狼邪僻,不亦宜乎?'《诗》曰:'鼓钟于宫,声闻于外。'"(第七卷第二十六章)这是一个反面的说教。以不仁之曲示人,是孔子有意考察学生的判断能力。孔子将这次实验的结论归结到"鼓钟于宫,声闻于外"上,从反面说明《诗经》的教化意义。《诗经》所载就是真理,任何现实都能从《诗经》中找到依据。这种情形在《毛诗诂训传》中的表现就更为突出了。如《毛诗诂训传》解《汉广》:"《汉广》,德广所及也。文王之道被于南国,美化行乎江汉之域,无思犯礼,求之不可得也。"解《凯风》:"《凯风》,美孝子也。卫之淫风流行,虽有七子之母,犹不能安其室。故美七子能尽其孝道,以慰其母心而成其志耳。"解《静女》:"《静女》,刺时也。卫君无道,夫人无德。"此类例子很多,我们在这里不再列举。从这些例子中,我们可以看出《毛诗诂训传》的倾向就是发掘其美刺教化之义,这被汉代人视为《诗经》的精微之义。其实,这种解释方法肯定是歪曲诗的本原意义的,这种解释已经遭到学术界的严厉批判,实际上已是以读者之心意去求取诗人之心志的"以意逆志"的解释方法,只不过,这种"读者之心意"是儒家思想熔铸而成的,它是儒家思想的普泛化,仍然沿袭的是先秦儒家先圣的解诗方法。这种沿袭先秦以来的解释无形中促成了赵岐的"以意逆志"的生成,也对"诗无达诂"产生了一定的影响。

秦汉时期,这种探寻精微之义的解释学可谓功过参半。因为它过分强调儒家思想的美刺与教化,忽视个体化的思想与情感,使这种解释具有很大的局限性。董仲舒身为汉代大儒,他的思想不可能不打上秦汉解释学的传统烙印,然而,"《诗》无达诂"又确实是一种带有新的内涵的解释学和接受美学的观念,主要表现在以下几个方面:

其一,没有单一的思想和意义设定。无论是先秦诸子还是汉代儒家,他们对《诗经》的理解都有一个单一的意义设定,认为《诗经》的每一首诗都是演绎伦理道德的,不能做伦理道德以外的解释。《左传》如此,孔子如此,孟子、荀子也是如此。《左传·襄公二十年》载:"冬,季武子如宋,报向戌之聘也。褚师段逆之以受享,赋《常棣》之七章以卒。宋人重贿之。归复命,公享之。赋《鱼丽》之卒章。公赋《南山有台》。武子去所,曰:'臣不堪也。'"这一段话充分体现了《春秋》微言大义的特点,必须结合引诗的具体内容才可以读懂。武子出宋,意欲与宋结交,赋《常棣》,取其"妻子好合"之意,喻两国和好,亲如兄弟。归去复命,赋《鱼丽》之卒章,取其"物其有矣,维其时矣"之意,喻聘宋正是时机。襄公赋《南山有台》,取其"乐只君子,邦家之基,邦家之光"之意,赞美武子为国争光。孔子说"《关雎》乐而不淫,哀而不伤"(《论语·八佾》);他认为《诗经·卫风·硕人》中描写美人之美的诗句其真正的意图是"绘事后素",是为了表现"礼"。这都是牵强附会的理解,不一定是诗之本意。即便通达如孟子,也挣脱不了这一解释的怪圈,他的关于《诗经》的许多解说仍然以儒家伦理道德作为最高的解释规范,牵强附会的痕迹仍然明显。如我们前文论述"以意逆志"所引孟子与咸丘蒙的对话,其中引用了《诗经·小雅·北山》一诗,并以此与尧舜禅让相比附,也不一定符合诗的原意。这都是以一种单一的思想和意义去设定诗,使人在解读《诗经》之前内心已有一种理解的定势和原则存在,干扰了读者阅读的自由度。这种风气到了汉代,随着经学的兴盛愈演愈烈。在这种情形下,董仲舒提出了"《诗》无达诂"之论,虽然摆脱不了"以诗为天下法"(《春秋繁露·祭义》)的儒家伦理道德思想的缠绕,但已不像"以意逆志"和美刺教化一样仅限于某一单一思想和意义的设定,具有一定的通达性。允许对《诗经》做多义的理解,并非仅限于一种固定的意义。这在一定程度上启发了赵岐,使他对"以意逆志"做出了注重读者主观能动性的解释。到了宋明时期,苏轼强调诗"不可以言语求而得,必将深观其意"(《既醉备五福论》,《东坡七集》后集卷十);谢榛认为"诗有可解,不可解,不必解"之分,钟惺强调"诗为活物"(《诗论》,《隐秀轩集》)的观点,都是从文学作品多义性的角度认识文学的审美接受,可谓对诗无达诂审美接受观的进一步深化。

　　其二,注重把握文学艺术作品的未定点和空白,追求言外之意。但凡优秀的文学作品,都会给人们留下许多未定点和空白,需要读者充实、填补。"诗无达诂"的审美接受观已经包含了这一层意义。在汉代,这种观念局限在经典的解释上,即便是经典,也是可以做灵活而多面的解释的。然而,至魏晋,这种解释学的观念便与玄学的言意观念合流,进一步生成了"言不尽意"的文学审美观。对这一问题,我们已经在第五章中做了论述,此处兹不深论。中国古代对文学作品意义的未定点和不确定性的认识主要表现在对比兴之法的运用上。汉代将比兴严格限定在讽喻教化的范畴之内,认为诗的比、兴皆有定指,如郑玄《周礼注》中对比和兴的解释,以为比是说恶事,兴是说善事,比和兴的运用是为了教化。魏晋南北朝时期发生了根本的变化。钟嵘第一次摆脱了汉儒对比、兴的解释，将其放置于文学审美的层面进行反思。他说："文已尽而意有余，兴也；因物喻志，比也。"（《诗品序》）他将兴解释为"文已尽而意有余"，这是对文学作品的未定点和空白问题的初步思考。文学作品的未定点和空白是文本的基础结构或审美对象的基础结构，当代西方的接受美学家伊瑟尔称之为文本的"召唤结构"。这种"召唤结构"的形成是由于读者的知识结构和审美对象本身的模糊性，也取决于审美对象的语言——描写性语言，这种语言本身就具有更多的意义空白，需要人们去填补。文学艺术的审美接受的主要任务就是寻求理解文学艺术的未定点和空白，以实现对它的多元的把握。欧阳修写过一首诗表达过同样的意蕴：

  无为道士三尺琴，中有万古无穷音。音如石上泻流水，泻之不竭由源深。弹虽在指声在意，听不以耳而以心。心意既得形骸忘，不觉天地白日愁云阴。（《赠无为军李道士二首》，《欧阳文忠公集》）

  "万古无穷音"就是艺术的未定点和空白，它的内涵是人们难以穷尽的。每个人只能靠自己的心灵去意会，而每一个人只能认识到其意义的一个方面。也就是严羽所谓的"羚羊挂角，无迹可求"的"兴趣"，它是"空中之音，相中之色，水中之月，镜中之象"，是"言有尽而意无穷"的。

  其三，提倡读者发挥自己的主观能动性，对文学作品进行合理的解读。孟子的"知人论世"和"以意逆志"的文学审美接受观都注重作品的本原，要求从具体文本出发，结合作家、艺术家自身的情感、性格、气质、修养、审美趣味，及生活的时代环境评判其作品，不太注重读者的再创造。后人在阐释孟子思想的过程中将他的"以意逆志"主观化了，读者的地位开始提高。然而，在此之前，董仲舒的"《诗》无达诂"公然张扬《诗》无确指，《诗》无定解，就是要求读者充分发挥自己的主观能动性，在审美接受允许的合理范围对诗做出自己的审美判断。"《诗》无达诂"对读者接受自由度的强调，适应了文学艺术审美接受发展的需要,最终使人们对文学艺术作品的理解、接受实现多元化,让文学艺术的接受成为一种个体化的自由行为。文学艺术作品是特定的历史时代的产物,随着时代的发展,它越来越远离当下的生活,想对古代的文学作品做出真正客观的理解和评价变得越来越不可能。即使是当下的作品,也不能做出纯粹客观的理解和评价,其阅读行为必然会打上读者自身的印痕。因为人心各异,人的审美感受和审美趣味各各不同,很难统一。为此,朱克敬曾经这样说:"余尝作《无题》诗示一契友,使测所指,竟茫然。夫以同时之人,至契之友,尚不能知其意之所在,而谓千载之下,悬拟臆断,能得古人之心,不亦诬乎?"(《瞑庵杂识》卷二)这种带有实验性质的做法很有说服力。看来,在文学艺术的审美接受中,不允许读者发挥自己的主观能动性,一味追求诗人本原的做法简直是无法实现的。有力地呼应了董子的"诗无达诂"理论,也高度肯定了读者主观创造的价值,也为更为完善的审美接受理论的产生奠定了基础,指出了一条可能性的途径。

第四节 "六观":通达知音的路径

在上文,我们已经从解释学审美接受的角度对中国古代的知音理论做了一些分析,探讨了"知人论世"、"以意逆志"、"诗无达诂"这三种具体的原则、方法及其内在意蕴。知音是困难的,但千古以来,人们仍然不断地呼唤知音,这到底是为什么?简而言之,就是渴求对文化、历史和人文心理的理解,在古人和同时代人之间寻求对话的可能性,进而达到一种理想的审美境界。

刘勰《文心雕龙》有《知音》一篇,集中讨论了知音问题。他首先慨叹知音之难,知音难逢:"逢其知音,千载其一乎!"知音难逢的主观原因是"崇己抑人"、"贵古贱今"、"信伪迷真",其客观的原因是"文情难鉴"。主客观两个方面的原因促成"音实难知",想实现对于文学艺术作品的真正理解是极其困难的。文学艺术作品的表现情形极其复杂,各种体裁和各种风格的作品异彩纷呈,有文有质,无形中增加了知音的难度。然而,读者的口味又千差万别,"慷慨者逆声而击节,蕴藉者见密而高蹈,浮慧者观绮而跃心,爱奇者闻诡而惊听,会己则嗟讽,异我则沮弃,各执一隅之解,欲拟万端之变",根本不可能对全部文本意义实现真正的理解。任何人的阅读和理解都只是众多文本意义中的极小一部分,想以"一隅"驾驭"万端"是一种愚蠢的想法。然而,知音的实现是否可能?刘勰又明确回答是可能的。接着,他论述了知音的可能性。要实现知音,首先要"博观",尽可能多地阅读古今作品,"操千曲而后晓声,观千剑而后识器"。多读,方能加深对作品优劣评定的直观印象,对准确理解文学艺术作品是有帮助的。其次要"不偏于憎爱",做到"平理若衡",保持公正平常的心态。任何些微的偏私都可能导致评价的不公正。在这个基础上,刘勰论述了文学艺术知音的路径,提出了"六观"的法则。

刘勰说:"是以将阅文情,先标六观:一观位体,二观置辞,三观通变,四观奇正,五观事义,六观宫商。斯术即形,则优劣见矣。"(《文心雕龙·知音》)刘勰在这里言之凿凿,强调只要做到"六观"就能够评价和认清文章的优劣。这"六观"之中涵盖了作家、文本、文学史、语言等诸多的内容,可尝试分析之。

所谓"文情"是指文学作品的具体情状,亦即文章写作的优劣。知音的目的就是审美,评判作品的优劣。要洞悉作品写作的优劣必须进行"六观"。范文澜《文心雕龙注》释"六观":"一观位体,《体性》等篇论之。二观置辞,《丽辞》等篇论之。三观通变,《通变》等篇论之。四观奇正,《定势》等篇论之。五观事类,《事类》等篇论之。六观宫商,《声律》等篇论之。大较如此,其细条当参伍错综以求之。"[①]可见,知音是一个涵盖面极其广泛的问题,它囊括了文学创作中的很多因素。

"位体"是依据文学情感表达的需要以确定文体风格。《文心雕龙·镕裁》云:"履端于始,设情以位体。"评判文学作品,首先应该看这一点,看情感的表达与文体的运用是否适应。刘勰所处的时代,虽不能说诸体已经完备,但文章的体式还是多种多样的,不同的体式

---

① 范文澜:《文心雕龙注》,人民文学出版社,北京,2000年,第717页。

具有不同的风格。据罗宗强先生统计,《文心雕龙》论及文体81种,属有韵之文的25种,属无韵之笔54种,另有2种界限不明。①也就是说,这81种文体囊括了我们今天所谓的审美文体(文学文体)和非审美文体(应用文体)两大类,即便一些形式上是应用文类的文体,有时也写得文采斐然,生动感人。尽管如此,每一种文章体式相对仍有较为固定的表达旨趣,有大致一致的风格特征。如乐府,我们今天把它看作是诗的一种,但与诗还是有区别的。刘勰说:"乐府者,声依永,律和声也。""故知诗为乐心,声为乐体;乐体在声,瞽师务调其器;乐心在诗,君子宜正其文。"(《文心雕龙·乐府》)乐府从民间来,歌咏的是民间风俗,并且披上音乐。乐府的职能是"敷训胄子",以教化为本,崇尚温雅,摒弃淫词。这些都是我们认识乐府诗歌应该参照的标准。再如颂、赞二体,它们也都有自己的表情特点和风格特征。刘勰说:"颂者,容也,所以美盛德而述形容也。""容告神明谓之颂。""颂主告神,义必纯美。"(《文心雕龙·颂赞》)就是说,颂是一种祷告之词,它在写法上也有不同于其他文体的要求:"原夫颂惟典懿,辞必清铄。敷写似赋,而不如华侈之区;敬慎如铭,而异乎规戒之域。揄扬以发藻,汪洋以树义,虽纤曲巧致,与情而变,其大体所底,如斯而已。"(《文心雕龙·颂赞》)至于赞,刘勰说:"赞者,明也,助也。""然本其为义,事生奖叹,所以古来篇体,促而不广;必结言于四字之句,盘桓乎数韵之辞,约举以尽情,昭灼以送文,此其体也。"(《文心雕龙·颂赞》)这里把赞的文体特征说得很明确,知音首先要在位体上下功夫。后来的文学批评受刘勰的影响,注重对文体和情感表达关系。宋代的胡寅《题酒边词》论述了词曲的产生与情感表达的关系,言说得比较精当:

>　　词曲者,古乐府之末造也。……名之曰曲,以其曲尽人情耳。方之曲艺,犹不逮焉;其去《曲礼》则益远矣。然文章豪放之士,鲜不寄意于此者,随亦自扫其迹,曰谑浪游戏而已也。唐人为之最工者。柳耆卿后出,掩众制而尽其妙,好之者以为不可复加。及眉山

---

① 罗宗强:《魏晋南北朝文学思想史》,中华书局,北京,1996年,第265页。

苏氏，一洗绮罗香泽之态，摆脱绸缪宛转之度，使人登高望远，举首高歌，而逸怀浩气超然乎尘垢之外。于是《花间》为皂隶，而柳氏为舆台矣。(《宋六十名家词》)

词曲的兴起正适应人复杂情感表达的需要。诸如豪放、谑浪游戏（婉约）之情感，在诗歌中表达并不适宜，但词曲却能够容纳它们，便形成了词曲的风格特征。"观位体"就是要寻绎出文体与情感的表达关系，看其所运用的文体是否适应这种情感，以及文体与情感结合所形成的风格特征，这种风格特征是作家、艺术家独具的。

"置辞"是指语言的运用。刘勰对语言是非常重视的，在《文心雕龙》中，就有《镕裁》《章句》《丽辞》《练字》等篇专门讨论语言，涉及语言表达的诸多问题。《镕裁》篇论述了如何更好地表达情理的问题。刘勰认为，更好地表达情理必须对语言进行镕裁。"规范本体谓之镕，剪截浮词谓之裁。"语言精练，即刘勰所说的"情周而不繁，辞运而不滥"。这是作家的文章修改技巧，读者在阅读的时候应加以注意。《章句》篇论述的是"章"与"句"的运用规律。刘勰说："夫设情有宅，置言有位；宅情曰章，位言曰句。故章者，明也；句者，局也。……夫人之立言，因字而生句，积句而成章，积章而成篇。篇之彪炳，章无疵也；章之明靡，句无玷也；句之清英，字不妄也；振本而末从，知一而万毕矣。"(《文心雕龙·章句》)刘勰认为，章句的离合，语调的高低，都没有固定的标准。关键是"原始要终"，做好恰当的安排，使文章"外文绮交，内义脉生"，首尾形成俨然一个整体。章句虽然琐屑，但也是不可忽视的。黄侃《文心雕龙札记》云："结连两字以上而成句，结连两句以上而成章，凡为文辞，未有不辨章句而能工者也；故一切文辞学术皆以章句为始基。"①这正是申明章句的重要性。《丽辞》篇讨论的是对偶的运用，阐释了对偶的一些法则。刘勰指出，对偶有言对、事对、反对和正对四种。他说："凡偶辞胸臆，言对所以为易也；征人之学，事对所以为难也；幽显同志，反对所以为优也；并贵共心，正对所以为劣也。""是以言对为美，贵在精巧；事对所先，

---

① 黄侃：《文心雕龙札记》，华东师范大学出版社，上海，1996年，第159页。

务在允当。"对偶增强了语言表达之美,是审美接受不可忽略的。此外,还有情采、夸饰等语言问题也都在刘勰的论说视野之内。上述这些方面都是文学阅读过程中读者应该注意的语言问题,文学作品作为语言的艺术,离开对语言的理解就脱离了根本。刘勰将之作为一个重要的问题加以阐发,是有深刻的用意的,表明他对语言的重视。

"通变"是指通晓文章体制的变化以便进行创新。刘勰认为,"设文之体有常,变文之数无方"(《文心雕龙·通变》)。所谓"设文之体有常"是说各种文章体裁都有自己大体固定的写法,从语言的组织到结构和情理的安置有大致的程序;所谓"变文之数无方",是说具体写作文章的过程中,文辞气力的变化是没有任何规律的,一个总的要求就是"数必酌于新声",要能够自我创新。刘勰指出,从文学发展的历史看,文章的发展总体上是沿着从质及文的这条路径的,中间虽有"文质彬彬"完美的文学创作状况出现(如商周、东汉、建安黄初时期),但并不是主流的写作倾向,至刘宋时期,文章写作完全堕入诡讹。刘勰说这是"竞古疏今,风末气衰"的结果。文章写作要做到"通变",必须"斟酌乎质文之间","隐括乎雅俗之际"(《文心雕龙·通变》)。中国古典文艺学一直是注重文学艺术创作中的通变问题的,文学艺术创作始终遵循着"变而通,通而久"的古训。唐陆贽说:"夫知本乃能通于变,学古所以行于今。"(《制策问博通坟典达于教化科》,《陆宣公翰苑集·制诰》卷六)严羽也强调"作诗正须辨尽诸家体制,然后不为旁门所惑"(《答出继叔临安吴景仙书》)。李贽高度赞美后世的文学创新:"诗何必古选,文何必先秦。降而为六朝,变而为近体,又变而为传奇,变而为院本,为杂剧,为《西厢曲》,为《水浒传》,为今之举子业,大贤言圣人之道皆古今至文,不可得而时势先后论也。"(《童心说》,《焚书》卷三)因此,读者对作者"通变"的考察,着重在"变"上,也就是看作者在创作上有哪些独特的创新。这是评判一个作家文学创作价值的重要标准。

"奇正"是指文章格调新奇而归于雅正。在《文心雕龙》中,刘勰并没有专篇论述这一问题,但在《辨骚》《风骨》《定势》等篇中对这一问题有间接涉及。在《辨骚》篇中,刘勰称赞《离骚》是"奇文",

这个"奇"字不是贬义的,指文章语言和构思新奇,充满想象力。刘勰进一步论述了《离骚》之文,说它的可贵之处是"酌奇而不失其真,玩华而不坠其实"。这里的"真",也就是"正",指作品的雅正。总体来说,刘勰是追求雅正的,因为雅正更有利于《原道》《宗经》和《征圣》理想的实现。他提倡"奇",真实意图是以"正"驭"奇"。《定势》篇还提到了"反正"的问题,刘勰说:"故文反正为乏,辞反正为奇。效奇之法,必颠倒文句,上字而抑下,中辞而出外,回互不常,则新色耳。"批评了逐奇而失正的倾向。"奇正"是借用《老子》的观念,《老子》曾经说:"以正治国,以奇用兵,以无事取天下。"(五十七章)又说:"正复为奇,善复为妖。"(五十八章)显然,"奇正"是一对相反相成的范畴。刘勰活用了"奇正"这一概念,将"奇"看作是作家、艺术家出人意料的创作现象,主张文学艺术作品应该给人新鲜生动又直观的审美感受。因此,从审美接受来说,"奇"就是俄国形式主义所说的"陌生化"效果。在文学艺术创作中,陌生化手段的运用突出了事物在作品中的本来面貌,能够唤醒读者阅读的内在热情,使读者不得不认真打量它,感受它,聚精会神,乐此不疲。刘勰之后,"奇正"便成为中国古典文艺学的一个重要话题。①皎然说:"取境之时,须至难至显,始见奇句。"(《诗式·取境》)吴子良说:"文虽奇,不可损正气;文虽工,不可掩素质。"(《荆溪林下偶谈》卷二)王世贞评杜甫:"扬之则高华,抑之则沉实,有色有声,有气有骨,有味有态,浓淡深浅,奇正开合,各极其则,吾不能不服膺少陵。"(《艺苑卮言》卷四)这些都将"奇正"作为一个标准评判文学作品,"奇正"便成为一个具有魅力的审美接受范畴。在阅读文学艺术作品时,不能不对其保持高度的注意。

"事义"和"宫商"分别指文学作品中典故和声律的运用。关于这两个问题,对法度的讨论中已经有所触及,这里不拟重复。读者在阅读文学作品时,不能不对这两个问题进行认真地思量。典故的运用具有很大的隐秘性,如果不弄清典故的来龙去脉,肯定会对文学作品

---

① 李健:《中国古代文论中的奇与正》,《阜阳师范学院学报》,1998年第1期。

造成误读，影响读者的审美判断。想准确地理解作品中的典故，读者必须加强自身的修养，多读书，多体验。声律是中国古代文学创作的一种独特现象。由于中国古代诗赋、词曲比较发达，声律的运用非常讲究，依韵作诗、倚声填词成为古代文人创作的习惯，声律也成为判断诗文作品优劣的重要标准。这就要求读者要谙熟中国古代的声律学和音韵学，弄清楚押韵合辙的一般规律，才能对作品做出正确的判断。

由此观之，"六观"之法囊括了文学创作的各个方面的内容，同时囊括了文学审美接受的各个方面的内容。它是进行文学审美评判的标准和尺度，但不是绝对的标准和尺度。它只适应具体的时代，不能作为永恒固定的标准。今天看来，"六观"的审美接受法有很多已经不适宜了，但并非说它的所有内容都不适宜。评判现代文学艺术作品，"六观"已经不可能作为审美评判的法则，但对古典文学进行阅读和欣赏乃至审美评判时，仍然离不开这"六观"，仍然具有重要的价值。在今天的文学审美接受活动中，尽管"六观"不能作为审美评判的法则，但并不意味着它的内涵完全失效。它的很多内容如"观位体"、"观置辞"、"观通变"、"观奇正"等，涉及文学的情感与文体、文学语言、创新意识、陌生化效果等，都能够与现代的中西文艺学观念连接起来，仍然有不少可资借鉴的成分。因此，对这一法则，我们有必要予以高度重视。

第十三章　境、象、意：艺术意境的美学品格

意境是中国古典文艺学、美学的一个重要范畴，又称为"境"或"境界"，具有极其复杂的内涵。意境与思想、情感、形象有密切关联，故而，有人说，意境就是艺术形象，或干脆借用西方的文艺学、美学概念，说它是典型形象，围绕形象展开。有人又贴近中国古典文艺学、美学，说意境是情景交融，是意象。还有人说，意境并非形象本身，而是形象引起的情调和气氛，是虚实相生，是象外之意。

在当今，想具体而微地说清楚意境是什么，恐怕不是那么容易。它已经融入中国哲学美学和艺术精神之中，是随着时代的发展不断地充实的，必须联系具体的文学艺术创作实际才有可能解释清楚它的精微意蕴。中国古典文艺学、美学对意境的认识是有一个漫长的过程的。先秦至魏晋南北朝，人们注重对"象"和"意"的研究，强调意境的特征是"立象以尽意"；唐代以至宋元，开始注重对"思"、"境"、"象"的研究，强调意境的特征是思与境偕、境生于象外；明清时期，又注重对情景的研究，强调意境的特征是情景交融；及至清末，又注重"有我之境"和"无我之境"的研究，强调"意境"就是"境界"。这便构成了意境发展的逻辑线索，而意境的美学品格也正是在这一逻辑发展的过程中逐渐完善的。

第一节　艺术意境的生成

意境是文学艺术审美创造的一种独特现象，是一种有意味的审美形象。由于文学艺术审美创造现象的复杂性，导致艺术意境本身

的意蕴也非常复杂,意境理论的出现是晚于有意境的文学艺术作品的。在文学艺术发展史上,任何一种理论的出现都晚于文学艺术创作的实践。理论是对实践的总结,没有实践,不可能产生理论。这应该是一个永恒的真理。先秦时期就出现了有意境的作品。清人潘德舆说:"《三百篇》之体制、音节,不必学,不能学;《三百篇》之神理、意境,不可不学也。神理、意境者何?有关系寄托,一也;直抒己见,二也;纯任天机,三也;言有尽而意无穷,四也。"(《养一斋诗话》卷一)王国维也评价《诗经》中的《黄鸟》《蒹葭》等诗是"体物之妙,侔于造化"(《文学小言》)。如此看来,《诗经》中的很多诗就有意境,《诗经》已是有意境的作品。

不仅《诗经》,《楚辞》《庄子》也是有意境的作品。宗白华先生说:

> 所以中国艺术意境的创成,既须得屈原的缠绵悱恻,又须得庄子的超旷空灵。缠绵悱恻,才能一往情深,深入万物的核心,所谓"得其环中"。超旷空灵,才能如镜中花,水中月,羚羊挂角,无迹可寻,所谓"超以象外"。①

正是因为这些有意境的文学作品的产生,才会产生意境的美学理论。

先秦时期并没有出现完整的意境概念,却出现了"意"、"境"、"界"三个单独的概念。但这些均与我们今天的意境——这一文艺学、美学范畴——没有多大关系。如,《诗经·周颂·思文》有"无此疆尔界"之说,这个"界"是指疆界;《庄子·齐物论》有"忘年忘义,振于无竟,故寓诸无竟"之说,这里的"竟"同"境","振于无竟"是"遨游于无穷的境地","寓诸无竟"是"寄寓于无穷的境域"②。至于"意",先秦出现的就比较多了,而这诸多的"意"中,与今之意境有关系的是《周易》的"立象以尽意"(《周易·系辞上》)的思想。在那里,"象"的意义恐怕与后来意境的"境"的意义更为接近。先秦虽然

---

① 宗白华:《中国艺术意境之诞生》,《美学散步》,上海人民出版社,上海,2002年,第77页。
② 陈鼓应:《庄子今注今译》,中华书局,北京,1999年,第90页。

没有出现完整的意境概念,但已经为后来意境美学理论的形成打下了原初的基础。

关于"意境"这一概念的来源,学术界几乎是众口一词,认为是出自佛教。美籍华裔学者刘若愚认为,王国维所使用的境界这个词,本身是梵文的一个译语,在佛教中意指天宇(sphere)或精神界(spiritual domain)。①徐复观认为:"若以境界为诗词的'本源',则应回到传统的解释上去。一般人所说的'人生境界'、'道德境界'、'艺术境界'等,应顺着《无量寿经》上'比丘白佛,斯义宏深,非我境界'的意义来了解。"②叶嘉莹认为,境界本为佛家语原本是不错的,"这在佛家经典中乃是一个较特殊的术语,而一般所谓'境界'之梵语则原为Visaya,意为'自家势力所及之境土'。不过此处所谓之'势力'并不指世俗上用以取得权柄或攻城略地的势力,乃是指吾人各种感受的'势力'"。③陈良运从唯识论的"外境"与"内识"、"共相"和"不共相"的观念出发,讨论了境界的内涵,认为从文学方法,尤其是诗歌艺术看,境界有很多默契之处。"诗人们主体情志欲求对象化实现,终于发现了一个最佳的'所托'。"④

意境是否本于佛经?仅仅从概念的相似性上辨析并不够。顾祖钊认为:"意境论的渊源,应当起自《庄子》。"⑤他从思想渊源和语言渊源着手做了较为深入的论证,认为道家哲学的核心是"和"。庄子的"天地与我并生,万物与我为一"的思想给意境论的"物我与共"、"主客为一"、"情景交融"的美学理论提供哲学前提。同时,"境"的概念出自《庄子》,在《庄子》中作"竟"。在古代,"境"与"竟"相同。庄子的"竟"与"无极之境"、"自由之境"有极为密切的关系,因为庄子说过"忘年忘义,振于无竟,故寓诸无竟"(《庄子·齐物论》)。我们认为,意境起源于道家是可信的。然而,意境论的提出在

---

① 刘若愚:《中国诗学》,杜国清译,台湾幼狮文学公司,台北,1977年,第131页。
② 徐复观:《中国文学论集》,台湾学生书局,台北,1974年,第137页。
③ 叶嘉莹:《王国维及其文学批评》,河北教育出版社,石家庄,1997年,第192页。
④ 陈良运:《中国诗学体系论》,中国社会科学出版社,北京,1998年,第236页。
⑤ 顾祖钊:《艺术至境论》,百花文艺出版社,天津,1993年,第163页。

唐代佛禅大兴的时代也受佛学的启发。表面上看,意境论借助了佛学"境"的概念,但这个"境"也不是典型的佛学概念了,它已经经过了中国本土哲学的改造,佛学经过儒、道的改造之后广泛流传是哲学史上不争的事实。由于论题的关系,我们在这里对这一问题不拟做深入的探讨。

意境概念虽然晚出,但其理论的雏形很早就已经孕育了。先秦时期的诗"言志"观念就将从感性世界(情感世界)向理性世界的拓展作为自己生命意蕴之所在,与此相匹配,还有"立象以尽意"、"感物"、"比兴"等观念。虽然它们内涵有异,角度有别,但都在寻绎艺术审美中的情感质,追求视觉形象的内在意味,并在这个衔接点上与意境的生成联系在一起。可以说,言志、立象以尽意、感物、比兴等都直接促成了意境理论的生成。

"立象以尽意"的观念值得我们注意,这是《周易》提出的著名论断。在《周易》中,它是借助于孔子之口说出的:"子曰:'书不尽言,言不尽意。'然则圣人之意不可见乎?子曰:'圣人立象以尽意,设卦以尽情伪,系辞焉以尽其言。变而通之以尽利,鼓之舞之以尽神。'"(《周易·系辞上》)"象"是自然与情感因素的统一,具有很强的包蕴性和层次性。包蕴性体现在:它是生生不尽的,具有极强的生命和情感的衍生能力。"象"可以尽意,借助形象,可以表达概念无法表达的思想和情感,这与后来意境提倡的情景交融、传情达意的特征有内在精神的一致性,足见"立象以尽意"与意境的血缘关系。"感物"是肇始于《乐记》的一种文艺学、美学观念,它言述的是文学艺术创造和审美体验的发生。人心之感与外在物象产生了感应,引起了创作的冲动,这正是文学艺术发生的根源。"凡音之起,由人心生也。人心之动,物使之然也。感于物而动,故形于声。"这表述了"物"(形象、意象)与心的关系。情为物所引发,必然融情于物,通过鲜活生动的物象表现思想情感,仍然是后来意境所讨论的内容。因此,"立象以尽意"和"感物"说都为意境的生成立下了汗马功劳,这些理论所包容的内涵值得我们认真思量。

"比兴"与意境的关系也十分密切。对此,笔者在专著《比兴思维研究》中有比较详细的论述。① "比兴"产生于先秦,是先秦"六诗"之二种。在当时,人们对"比兴"并没有明确的界说,从《诗经》《楚辞》的创作中可以看出当时"比兴"的大致内涵。汉代开始对"比兴"进行阐释,将比兴作为文学艺术创作的手法和思维方式。郑众说:"比者,比方于物也;兴者,托事于物。"郑玄说:"比,见今之失,不敢斥言,取比类以言之;兴,见今之美,嫌于媚谀,取善事以谕劝之。"(《周礼注》)无论是比方于物、托事于物,抑或以善恶说"比兴",都将"比兴"与形象性和情感性联系在一起。及至刘勰,又明确地指出"比显兴隐":"比者,附也;兴者,起也。附理者切类以指事,起情者依微以拟议。起情故兴体以立,附理故比例以生。"(《文心雕龙·比兴》)刘勰已注意"比兴"中显与隐、情与理之间的差异,对文学艺术本质特征和审美规定性的认识达到很高的层次。还首次将"意象"的概念引入文学艺术的创造中,在《文心雕龙·神思》篇中提出了"窥意象而运斤"的美学命题,为意境理论的最终形成打下了坚实的基础。

魏晋南北朝时期,王弼对《周易》的"象"和"意"的解释也极大地启发了意境理论。《周易略例·明象》云:

> 夫象者,出意者也。言者,明象者也。尽意莫若象,尽象莫若言。言生于象,故可寻言以观象;象生于意,故可寻象以观意。意以象尽,象以言著。故言者所以明象,得象而忘言;象者所以存意,得意而忘象。犹蹄者所以在兔,得兔而忘蹄;筌者所以在鱼,得鱼而忘筌也。然则,言者,象之蹄也;象者,意之筌也。是故存言者,非得象者也;存象者,非得意者也。象生于意而存象焉,则所存者乃非其象也;言生于象而存言焉,则所存者乃非其言也。然则,忘象者,乃得意者也;忘言者,乃得象者也。得意在忘象,得象在忘言。故立象以尽意,而象可忘也;重画以画情,而画可忘也。

这融合了老庄"有"、"无"的艺术虚实观和先秦的言、象、意理论,对"象"的表意性和超越性的特征做了哲理性很强的分析,简直

---

① 李健:《比兴思维研究》第五章,安徽教育出版社,合肥,2003年。

就是典型的意境或意象理论了。与此同时，随着佛学的传播，境界的概念被引入中国。刘宋时期，求那跋陀罗译《楞伽经》，经文里已经译出了境界："第一义者，圣智自觉所得，非言说妄想觉境界。"(《大正藏》卷十六)乃至唐代，这一概念在佛经中出现得更为频繁，如"功能所托，名为境界"(圆晖《阿毗达摩俱舍论本颂疏》卷一，《大正藏》卷四十一)；"如是六根种种境界，各各自求所乐境界，不乐余境界"(道世《法苑珠林·摄念篇》，《大正藏》卷五十三)等。后来，这一概念直接为王国维借用和发挥，成为意境的另一用语。

最早使用"意境"这一概念且赋予其较明确意义的是唐代的王昌龄，他在《诗格》中首先提出了三境：

> 诗有三境：一曰物境。欲为山水诗，则张泉石云峰之境，极丽绝秀者，神之于心，处身于境，视境于心，莹然掌中，然后用思，了然境象，故得形似。二曰情境。娱乐愁怨，皆张于意而处于身，然后驰思，深得其情。三曰意境。亦张之于意而思之于心，则得其真矣。

陈良运认为，物境、情境和意境是创造的三个层次，这三个层次之间的关系是"依次递进"的三种境界；物境是寄情于物，诗中有画；情境是取物象征，融物于情，直抒胸臆；意境是表达"内识"、哲理、生命真谛。①是否如此，还应思量。这里存在一个问题，由于《诗格》旧题是王昌龄所作，王昌龄的著作权还不能肯定，加之意境理论如此完整、圆融，故而引人怀疑：《诗格》非王昌龄所作。对此，罗根泽先生做了考证。他从诗格这种批评样式的兴盛着手，认为初唐、晚唐五代及至宋初是诗格兴盛的两个时代，王昌龄《诗格》在初唐产生是不可怀疑的。罗先生还从日僧遍照金刚《文镜秘府论》找出证据。《文镜秘府论》中许多地方直录原文，并注明作者，明确说明《诗格》为王昌龄所作。现存《诗格》与遍照金刚引文对照，许多条竟一字不差，说明确有《诗格》其书，确为王昌龄所作。②王昌龄虽然提出了"意境"

---

① 陈良运：《中国诗学体系论》，中国社会科学出版社，北京，1998年，第240页以下。
② 罗根泽：《中国文学批评史》第二册，上海古籍出版社，上海，1984年，第30页以下。

这一概念,但对意境的内涵却语焉不详,所谓"张之于意而思之于心"并未道出实质。真正从本质上揭示意境内涵的是皎然、刘禹锡和司空图,他们将比兴、意象、诗味等因素进一步融合起来,将意境理论推进到一个新的阶段。

皎然说:"取象曰比,取义曰兴,义即象下之意。凡禽鱼草木人物名数,万象之中义类同者,尽入比兴。"(《诗式·用事》)比兴的运用过程就是意象的生成过程,亦即形象的创造过程,这实在是意境的创造问题。皎然明确地探讨了取境,他说:

> 取境之时,须至难至险,始见奇句。成篇之后,观其气貌,有似等闲,不思而得,此高手也。有时意静神王,佳句纵横,若不可遏,宛如神助。不然,何由先积精思,因神王而得乎?(《诗式·取境》)

他认为,诗境的选取要从险难处着手,诗歌完成之后应给人一种"不思而得"的印象,没有任何雕琢之痕,从而创造出完美的意境。在《诗议》中,他又说:

> 夫境象非一,虚实难明。有可睹而不可取,景也;可闻而不可见,风也。虽系乎我形,而妙用无体,心也;义贯众象,而无定质,色也。凡此等,可以偶虚,也可以偶实。

把意境与虚实联系起来,表现了皎然视界的开阔。诗歌的韵味是超越于文字和形象之上的,诗人在取境和追求诗味的过程中,有精神的主动性和巧妙驾驭自然的能力。这便是皎然意境理论的收获。

皎然之后,刘禹锡又提出了"境生于象外"的问题,说明意境的创造要能给人以"言有尽而意无穷"感受,这是更为深刻的审美体验。怎样才能使意境的创造"言有尽而意无穷"?这是下文将要集中解决的问题。司空图意境理论的主要贡献在于对意境层次的独到感悟。他综合了刘勰、皎然等人的思想,提出了"象外之象"和"味外之旨"的理论,描述了诗境的不同层次,发掘了诗境的深刻意蕴,已经从理论上认识到意境是一种超感性、超具象的美学范畴,对后世意境美学影响甚巨。

宋代的意境理论是以"兴趣"为中心的。严羽阐发了"兴趣"理论,将司空图的"象外之象"和"味外之旨"的理论意旨进一步完善,其意图在于使之成为一种更专门化的对诗的审美追求。他认为,诗是有其独特的品格的,它与读书、穷理没有什么关系,是"不涉理路,不落言筌"的。严羽已经朦胧地感觉到诗境应有一种圆融、玲珑的美学特质,它通体透明又难以从直观上把握,借助于一定的物质实体,如语言、形象存在,空灵虚幻,不可捉摸。他认为诗歌艺术所追求的美学极致是"玲珑透彻,不可凑泊"的意境。要实现这种意境必须依靠"妙悟",只有"妙悟"才能使诗歌作品"如空中之音,相中之色,镜中之象",真正达到"言有尽而意无穷"。这样,"象外之象"和"味外之旨"这种诗歌意境的两个层次就更为清晰了。

明代的意境理论体现在以公安派为代表的诗学观念中。公安派强调"独抒性灵,不拘格套"(《叙小修诗》),具有强烈的创新意识。这种创新表现为"情与境会"所生成的自然的创作状态,它是不避瑕疵的。袁宏道说:

> ……足迹所至,几半天下,而诗文亦因之以日进。大都独抒性灵,不拘格套。非从自己胸臆中流出,不肯下笔。有时情与境会,顷刻千言,如水东注,令人夺魄。其间有佳处,亦有疵处。佳处自不必言,既疵处亦多本色独造语。然予则极喜其疵处。(《叙小修诗》)

这就是说,意境的创造不以追求完美为标准,只要达到"情与境会"的自然状态也就满足了。在这种状态下,文章的佳处自然闪亮无比,而疵处也显得质朴可爱。这与宋代以来追求意境的"玲珑透彻"形成了鲜明的对比。这说明,意境的发展在每一个时代都有不同的要求。它的内涵不是固定不变的,而是不断充实的。

清代是意境理论集大成的时期。先有王夫之的情景关系说,后有王国维的境界说。王夫之试图以情景关系为纲对意境的各层次不断生成的性质给予一个合理的解释。他认为,情与景处在相互依存的关系之中,它们之间是相互包含和相互生发的。"情景名为二,而实不可离。神于诗者,妙合无垠。巧者则有情中景,景中情。"(《姜斋诗话》卷下)他强调"以写景之心理言情,则身心中独喻之微,轻安拈出"(《姜斋诗话》卷下),就是强调善于把抽象的情思转化为形象的景物,将"情语"变成"景语"。"写景之心理"就是诗人独特的艺术思维方式,经过主体情思与对象形态相互感应,达到"情不虚情,情皆可景,景非滞景,景总含情"(《古诗评选》卷五谢灵运《登上戍鼓山诗》)的境地。这样,王夫之就将意境的理论大大推进了。到了王国维的"境界"说,意境理论发展到了高峰。

王国维将"意境"易名为"境界"。他公然声明:"然沧浪所谓兴趣,阮亭所谓神韵,犹不过道其面目,不若鄙人拈出'境界'二字,为探其本也。"(《人间词话》)他将境界分为"造境"与"写境"、"有我之境"与"无我之境"、"诗人之境界"与"常人之境界"等多种类别,从各个角度加以探讨,完整地揭示了中国传统意境论的美学意义。王国维的境界理论达到中国古典文艺学、美学意境论探索的新高度,标志着中国古典意境论的完成。

第二节　意与境会

意境是由"意"与"境"这两个单体概念组合而成的,它的意义是其中任何一个单体概念无法代替的。在中国古典文艺学、美学中,单体概念往往是一个母体概念,它化育、衍生了复合概念,从而使中国古典文艺学、美学的概念走向规范。魏晋南北朝之前,文艺学、美学的概念多为单体概念,而后才慢慢向复合概念发展。复合概念出现之后,单体概念并没有退出历史舞台,还常常出现在理论批评论著中,但意义已经发生了变化。这一单体概念可能就与复合概念同义,可能寓指另外的意义,应视具体情况而定。意境是唐代才形成的一个复合概念,它的单体概念应该是"意"、"象"、"境"。这样就不难理解古代的意境理论为什么总是讨论"象"与"意"、"意"与"境"的关系,把"立象以尽意"和"思与境偕"、"意与境会"作为一个重要的话题。

纵观古代的意境理论,"立象以尽意"是唐代以前讨论的话题,而"思与境偕"和"意与境会"是唐代以后讨论的话题,立足点不一样,意图却是相同的,都是为了解决主观的思想情感和客观的事象、物象之间的融合问题。"意"是指人的思想、情感。思想、情感在文学艺术中的表现要依靠具体的形象,故而说"意"离不开"象"。《周易·系辞上》说"书不尽言,言不尽意",是说语言不能真切地表达人的思想、情感。然而,人的思想、情感就无法表达了吗?《周易》断然否认,认为"立象"可以尽意。"立象"就是创立卦象,这是一种极生动而又极抽象之象。它是有形的,因为有形,故而生动。《周易·系辞上》所说的"拟其形容,象其物宜",就是创立形象的一种法则。"立象"是为了"尽意","象"中包含着"意"。这里就蕴涵着意境最原始的意义,借助于形象表达思想情感,客观的物象中寄予着人主观的思想情感。至于怎样寄予,那是另外的话题,是留给后人探讨的问题。韩非子接着这个话题,他曾经谈到了画犬马和鬼魅的问题,认为画犬马难,画鬼魅易。就是因为犬马有形有状,人人见过,人人了解,要画得人人中意,确实不易。而鬼魅无形无状,谁也没有真正地见过,它只是存在人的想象中,故而画成什么样子都不可能有人提出异议。这里,不涉及艺术的创造问题,仅讨论对象的评判问题。其中也有一个"尽意"的层面,那就是以现实的真实作为"尽意"的尺度,不符合现实的就是不能"尽意"的。当然,这个"意"是低层次的,不能将之上升为思想情感的高度。然而,韩非子的思想也有一可取之处,要求形象的创造应遵循现实的法则,以现实为依据,多层面地反映现实生活,这是有意义的。从这个立场说,韩非子的思想也是意境理论必须具备的内涵。

在中国古代,对"意"与"象"认识得深刻的不能不推王弼。王弼是发挥了《周易》的,他说"尽意莫若象,尽象莫若言",把"言"拉了进来,更切合文学的实际。这样"意"与"象"的双边关系实际成了"言"、"象"、"意"的三边关系。这三边的关系是由表及里的。"言生于象,故可寻言以观象;象生于意,故可寻象以观意。意以象尽,象以言著。"也就是说,语言是从生动的形象中产生的,从语言中能够体味形象;而形象又是从意义中产生的,从形象中能够领会意义。意义借助于形象才能表达,形象借助于语言才能够生动、鲜明。语言、形象、意义,在具体的文学作品中是三位一体的,任何一方离开另两方都难以存在,它们三者又是一种循环相生的关系。然而,就"言"、"象"、"意"三者而言,"言"是工具,"意"是目的,那么,"象"只能是中介。王弼说:"故言者所以明象,得象而忘言;象者所以存意,得意而忘象。犹蹄者所以在兔,得兔而忘蹄;筌者所以在鱼,得鱼而忘筌也。然则,言者,象之蹄也;象者,意之筌也。"这里把庄子的思想引进《周易》的阐释中,也就是把道家有无观念引入"言"、"象"、"意"的解释中,大大充实了它们的内涵。"言"是"象"之蹄,"象"是"意"之筌。非"言"无以尽"象",非"象"无以尽"意"。那么,是不是说,"言"和"象"都是文本的旨归,都是应该着力打造的?王弼又重点强调:"存言者,非得象者也;存象者,非得意者也。象生于意而存象焉,则所存者乃非其象也;言生于象而存言焉,则所存者乃非其言也。"不能夸大"言"和"象"的作用,过分注重语言就可能忽视形象的传神素质;过分注重形象就可能忽视意义的精微之处。因此,要忘"象"、忘"言"。"得意在忘象,得象在忘言。"应从言外追求形象的本质,应从形象之外寻求文本的意义。这就是艺术的有无与虚实,是艺术意境的一个较高的层次。

王弼的这一段发挥具有经典的意义,它不仅显示了中国美学的思辨性,还阐释了中国意境的精微性。"言"、"象"、"意"三者是一个整体,虽然名义上如此区分,并不说明它们是各自独立的。作为一个整体,其核心是"意"。只要能准确表达思想情感,"言"和"象"都是可以忘记的。然而,文学艺术是以描写塑造形象见长的,王弼很清楚这一点。因此,他强调"得象忘言",也就是要求形象的创造精微传神。这对唐代的"意"、"象"、"境"关系的理论阐说影响至深,是我们必须认真对待的。

王昌龄诗的"三境"理论首先探讨了"思"与"境"的关系,"思"是艺术构思,"境"是指诗歌创作的主客观的氛围。王昌龄说,"物境"的创造是"用思"的结果,"用思"可以"了然境象",得到形似;"情境"的创造也得益于"驰思","驰思"方能深得其情;"意境"

的创造"张之于意而思之于心",这样才得其"真"。显然,王昌龄的本意是谈论诗歌创作的,教人如何创作具有"物境"、"情境"和"意境"的诗歌。如果从审美的角度审视王氏的理论,可以看出这"三境"同时又代表了审美的三个类别,而不是某些学者所说的三个层次。关于"物境",王氏仅限于谈论山水诗,因为山水诗是注重情景之美的。"欲为山水诗,则张泉石云峰之境,极丽绝秀者,神之于心,处身于境,视境于心,莹然掌中,然后用思,了然境象,故得形似。""极丽绝秀"的泉石云峰之象,深深地打动了诗人,使诗人"神之于心",本身就包含着情景交融的因素。这个"物境"也就是后之所谓意境。"情境"是专门纯粹就言志抒情的诗歌创作而言,这类诗歌创作的目的就是表达"娱乐愁怨"。"娱乐愁怨"是属于诗人个体的体验,是"张之于意而处于身"的。因此,只有处于此情之中才会有深切的感悟。它体现了主体性情之美,只能是后来所说的意境的一个部分。关于"意境",王氏的解说是"张之于意而思之于心"。它不同于我们通常所说的意境概念,指表达哲理,与"情境"是相对的。因此,王昌龄说,表达出意境才能得到真。这个"真"是指真理。由此可以做出判断,从文艺学、美学上说,王昌龄的"三境"理论,其核心并不在"意境",而在"物境"。因为"物境"道出了情景交融的实质,"情境"和"意境"只是后来意境理论的一个内涵,不足以等同后世的意境理论。对于这一点,我们在探讨王昌龄的"三境"理论时要保持清醒,不能因为他第一次提出意境这一概念,就不顾及它的实际意义,无限夸大它的价值,否则会导致评价的不公正,起误导作用。

王昌龄总结的"思"与"境"的关系,实际上是讨论诗人如何构思创造意境(不是王氏本人所说的"意境"),可从他对"三格"的论述中看出。他说:

> 诗有三格:一曰生思。久用精思,未契意象,力疲智竭,放安神思,心偶照境,率然而生。二曰感思。寻味前言,吟讽古制,感而生思。三曰取思。搜求于象,心入于境,神会于物,因心而得。(《诗格》)

然而，这里却包含着意与境会的思想。"生思"是由于长期的思考没有得到自己要寻求的意象，正当身心疲惫不堪时，突然"心偶照境"，产生了思绪。"感思"是由于阅读前人的作品，产生了"吟讽古制"的创作冲动。"取思"是先选取适合表达的外在物象，思想情感再融入外在的物象中，做到"神会于物"。"神会于物"也就是实现了意与境会。日僧遍照金刚所引述的王昌龄《论文意》的内容也表达了同样的思想，强调"置意作诗"、"目击其物"，还要做到"深穿其境"。达到这个阶段，方是"意与境相兼始好"（《文镜秘府论》）。意与境会就是诗人的思想、情感与外在物象的融合，外在的物象并不是特意去寻求的，而是不经意遇到的，没有刻意雕凿的痕迹。人的思想情感必须借助于外在的物象才能表达，这是人们很早就明白的道理。至于意与境如何融合才会产生强烈的美学效果？这就是前人不一定能完全弄清楚的了，是意境理论的任务，是意境理论必须回答并要切实完成的。

　　意与境会的观念，在唐宋时期得到了众多理论家的附和。他们已深切地意识到这一问题的重要性，对之做出了更为深入的探索。权德舆在《左武卫胄曹许君集序》中说许氏的诗"皆意与境会"，司空图在《与王驾评诗书》中说王氏的五言诗"长于思与境偕"，都包含着深深的赞美之意，言述他们诗歌创作虚实相生、情景交融的品格。最为典型的是苏轼对陶渊明的评价，其《题渊明饮酒诗后》云："'采菊东篱下，悠然见南山。'因采菊而见山，境与意会，此句正有妙处。近岁俗本，皆作'望南山'，则此一篇神气多索然矣。古人用意深微，而俗士率然妄以意改，此最可疾。"（《说郛》卷八十一）他仅拈出陶诗中的"采菊东篱下，悠然见南山"两句诗分析之，采用版本考据的方法。他认为这两句诗的妙处就在于境与意会，其焦点集中于一个"见"字。"见"与"悠然"的搭配合情合理，那种不经意的自然风神一览无余。人们一般理解不了这一字的好处，随意将"见"改为"望"，那种雕凿、刻意的成分就暴露出来了。可见，一字就能决定一首诗的意境，就能洞悉意与境会的妙处。

　　苏轼对意境的分析，显示了中国古典文学批评的主流方法——

摘句批评的妙处。即使像意境这么一个重大的文艺学、美学问题，古人也以一字或一句来统摄，不能不说古人确实具有以小见大的胸襟。其实，采用摘句的方法讨论意境在初唐已经开始了。元兢的《古今诗人秀句序》曾经罗列了一些具有意境之美的秀句，如对谢玄晖的"落日飞鸟还，忧来不可极"，做出如此分析："观夫'落日飞鸟还，忧来不可极'，谓扪心罕属，而举目增思，结दद惟人，而缘情寄鸟。落日低照，即随望断，暮禽还集，则忧共飞来。美哉玄晖，何思之若是也。"（遍照金刚《文镜秘府论》南卷引）而后，殷璠的《河岳英灵集》也采用是法分析意境，他称颂孟浩然的"众山遥对酒，孤屿共题诗"一联"无论兴象，兼复故实"，这"兴象"就是意境。至如白居易也不能免俗，其《文苑诗格》云："或先境而后入意，或入意而后境。古诗：'路远喜行尽，家贫愁到时。''家贫'是境，'愁到'是意。又诗：'残月生秋水，悲风惨古台。''月'、'台'是境，'生'、'惨'是意。"（《诗学指南》卷三）在这些摘句批评中，也可以看出意与境合的倾向，古人是要求诗歌的创作朝这个方向努力的。

意与境合包含极为丰富的内容。从总体上说，它是主客观的融合，即主观的思想、情意与客观的事象、物象的融合。具体地说，它是情与景的融合、虚与实的融合、远与近的融合，同时是这众多融合的集合。在意境的状态中，情即是景，景也是情；虚即是实，实也是虚；远即是近，近也是远。情景、虚实、远近，具体可分又不可分，它们是浑然整一的关系。对于意境的这种内涵，皎然已经体悟得很深。他曾经明确地说："夫境象非一，虚实难明。"它"可以偶虚，亦可以偶实"，初步揭示了意与境合在多种样态上的虚实相生的素质。诗歌创作中的虚虚实实没有固定的法则可循，是很难说清楚的，就像虚虚实实的自然界中的大千万象一样。他具体举例：第一，自然景物是"可睹不可取"的（"有可睹而不可取，景也"），"可睹"说明它是实实在在的，"不可取"说明它是虚幻的。第二，即使虚无飘渺如风，它也是"可闻而不可见"的（"可闻而不可见，风也"），人们能听到它的声音说明它是实在的，看不到它的形象说明它是虚幻的。第三，作为主宰人行为的"心"也是如此。它依托人的形体，是实在的；它的活动是无任何规则的,又是虚幻的("虽系乎我形,而妙用无体,心也")。第四,颜色不能单独存在。它是依托别的事物而存在的,在这一点上,它是实在的;然而,它又不属于任何一种事物,在这一点上,它又是虚幻的("义贯众象,而无定质,色也")。意与境合也就如同这自然的景、虚无的风、无体的心、无定质的色,它集虚虚实实于一身,一言难尽。然而,正是它的魅力。意与境合就试图发掘意境理论在多种样态上虚实相生的素质,力图使意境成为完善文学艺术审美创造的重要手段。

第三节　意境的结构层次与审美特征

意与境合展示了意境在多种样态上虚实相生的素质,在我们看来,这是意境的美学魅力。那么,意境的审美构成究竟呈现出一种什么形态?它有几个维度或层次?各维度和层次之间的关联如何?恐怕只有先解决好这几个问题,才有可能揭示意境的审美意蕴。

宗白华先生认为:"艺术意境不是一个单层的平面的自然的再现,而是一个境界的深层的创构。"它有"直观感相的模写"、"活跃生命的传达"和"最高灵境的启示"这三个层次。[①]这三个层次是通过他具体分析蔡小石《拜石山房词》序里一段精妙描绘得来的。蔡云:

夫意以曲而善托,调以杳而弥深。始读之则万萼春深,百色妖露,积雪缟地,余霞绮天,一境也。再读之则烟涛汹洞,霜飙飞摇,骏马下坂,泳鳞出水,又一境也。卒读之而皎皎明月,仙仙白云,鸿雁高翔,坠叶如雨,不知其何以冲然而澹,翛然而远也。江顺诒评之曰:"始境,情胜也。又境,气胜也。终境,格胜也。"

对于蔡小石所描写的这三种境界,对第一种境界("万萼春深,百色妖露,积雪缟地,余霞绮天"),宗先生称之为"直观感相的渲

[①] 宗白华:《中国艺术意境之诞生》,《美学散步》,上海人民出版社,上海,2002年,第74页。

染",其特点在于静与实;对第二种境界("烟涛颂洞,霜飙飞摇,骏马下坡,泳鳞出水"),宗先生称之为"活跃生命的传达",其特点在于飞动而虚灵;对第三种境界("皎皎明月,仙仙白云,鸿雁高翔,坠叶如雨"),宗先生称之为"最高灵境的启示",其特点在于超迈而神圣。①宗先生的这种分析对我们认识意境的审美构成有重要的启发。

其实,王昌龄早就对意境的层次结构进行了比较精辟的概括。他曾经提出了"三境"之说,王氏的"物境"似乎更贴近今天意境的美学内涵。然而,物境、情境、意境这"三境"似乎又具有层次。如果我们从写形的角度理解,可以将意境分为三个层次。第一层即"有形",第二层即"虚形",第三层即"无形"。"有形"是指"象",亦即象内之象或象之本身,按照宗先生的说法,是艺术的"直观感相的模写"。它是借用人的眼耳感觉到的静而实的形象,是艺术表达的表层次。"虚形"是指象外之象、境中之意,按照宗先生的说法是"活跃生命的传达"。它是人们难以凭借感官看到或听到的"动而虚"的精神情感意向,属于艺术的中层次。"无形"是指"大音希声,大象无形"、境外之意、无形的体道光辉,按照宗先生的说法是"最高灵境的启示"。它是超越情与象、宇宙本心、天地之道的,具有神而圣的特点。这是艺术的最高层次。概括地说,"有形"就是"境","虚形"就是"境中之意","无形"就是"境外之意"。下面,我们就循着这三个层次,探索意境的本质。

首先,看第一层:境。

境是象内之象。它表征为审美对象的外部物象,包括文学艺术作品中的笔墨形式和语言所构成的可见之象,也就是文学艺术作品中对物象实体的再现部分。"孤帆远影碧空尽,唯见长江天际流"、"枯藤老树昏鸦,小桥流水人家,古道西风瘦马",这里所描写的景物,如帆、藤、树、鸦、桥、道、马等,都是对对象的直接反映或折射部分,都可称之为境。这种境(象内之象)在空间上是有限的,在时间上也仅

---

① 宗白华:《中国艺术意境之诞生》,《美学散步》,上海人民出版社,上海,2002年,第75页。

是一瞬,具有鲜明的感官性、再现性、此岸性。虽然具有生动、鲜活之感,但不足以构成完整的意境,甚至不足以成为艺术。只有当这些客观物象进入人们的情感领域,打上审美主体的精神美的印痕,才能成为真正的艺术。王安石有诗:"鸣蝉更乱行人耳,正抱疏桐叶半黄。"(《葛溪驿》)蝉作为自然界的生物在这里成为扰乱诗人心境的主谋,叶黄而稀疏的桐树则成为人生命衰败的象征。蝉和桐叶被情感化了,其情感化的印记就是一个"乱"字和一个"黄"字,这两个字就表明蝉和桐叶不仅仅是境,而是诗人情感意绪的寄托之物,是美的形象。同样,列举的帆、藤、树、鸦、桥、道、马等,也只在它们成为孤帆、枯藤、老树、昏鸦、小桥、瘦马时才具有审美的意义,因为,它们传达了诗人孤独、苦寂、凄清的心境,实现了审美客体之景和审美主体之情的统一。这是意境形成的关键。

其次,看第二层:境中之意。

境中之意是象外之象。它具体表征为审美创造主体和审美欣赏主体的情感表现性与客体对象的现实之景和作品形象的融合。对这一问题,刘禹锡和司空图谈得较为透彻。刘禹锡《董氏武陵集纪》写道:

> 诗者其文章之蕴邪?义得而言丧,故微而难能,境生于象外,故精而寡和。

司空图《与极浦书》云:

> 戴容州云:"诗家之景,如蓝田日暖,良玉生烟,可望而不可置于眉睫之前也。"象外之象,景外之景,岂容易可谈哉?

这"境生于象外"与"象外之象,景外之景"就是司空图在《与李生论诗书》中所说的味在咸酸之外、"韵外之致"、"味外之旨"。一般认为,这是对文学艺术最高境界的描述。"韵外之致"、"味外之旨"已经包含着哲理意趣。这恐怕有误解的成分,过分拔高了司空图的理论内涵。我们可以以司空图的举例简单分析。在《与李生论诗书》中,他举了很多自己的诗句,认为符合"韵外之致"、"味外之旨"。如写早春:"草嫩侵沙短,冰轻著雨销";写山中:"坡暖冬生笋,松凉夏健人";写江南:"曲塘春尽雨,方响夜深船";写丧乱:"骅骝思故第,鹦鹉失佳人";写夏景:"地凉清鹤梦,林静肃僧仪";等等。从这些诗句看,都没有哲理意趣,只不过是语言精巧、形象鲜明而已。这样,"象外之象"的前一个"象"就是"境",没有进入审美层次的客观物象,而后一个"象"却是艺术形象,融入了诗人情感意趣的形象。这个"象"也就是严羽所说"空中之音,相中之色,水中之月,镜中之象"(《沧浪诗话·诗辨》)的"音"、"色"、"月"、"象",也就是王夫之所谓的"景外设景"、"景外取景"。意境的这一层次是不能脱离第一层而存在的,它与第一层共同构成了意境的美学意蕴,但并不是最高级的。处于"象外之象"的境域,所描写物象已经具有了人的性格,打上作家、艺术家性情的印迹。这时,主体和客体之间已经存在亲密的精神交流,产生了审美移情的现象。于是,人们才会有这种感觉:"春山如笑,夏山如怒,秋山如妆,冬山如睡。四山之意,山不能言,人能言之。"(《南田画跋》)处于"象外之象"、"境生于象外"的意境层次中,意与境会,心物相契,情景相融,虚实相生,心完全化为物,物也完全化为心,情景心物妙合无垠,被视为高妙意境的象征。

然而,意境成为艺术本体的范畴还有更终极的原因。在中国古典美学中,表现主体的精神美并不是中国传统美学的目的。它的目的是达于"天",即达到那个统摄心物、化育万有的天地之道。这样,必然还要透过情与景、虚与实去寻求意境的更高的层次,寻找渗透于情景、虚实背后的宇宙灵气的流行——道体的光辉(境外之意)。

其三,看第三层:境外之意。

境外之意是文学作品中所表现的无形之象,它集中代表了中国人的宇宙意识:大音希声,大象无形,唯道集虚,体用不二。这构成了中国艺术家生命哲学的情调和艺术意境的灵性。境外之意(无形之象)是意境的最高层次,但它是不能独立存在的,还要依赖前两个层次。因此,它自己并不是形成意境的一个单独类型。它体现在意境的前两个基本类型之中,是真正的艺术必不可缺少的要素。这种境外之意(无形之象)达到"无"的哲学本体高度,是对道体光辉的传递。只有秉承宇宙之气的生命心灵,方能在"澄怀味象"之中达到审美的最高境界。显然,这种最高境界的审美意境是深受道家哲学影响的。道家哲学是讲究心体斋戒的,最佳的途径是"听之以气"(《庄子·人间世》)。"气"在中国古典哲学中不仅是天、地、人的本体,而且是艺术的本体。意境的创造当然离不开"气","气"能够使天人达到"合一"的境界,这也是意境的最高境界。这种境界既使宇宙和心灵得到了净化,又使宇宙心灵得到了深化。人只有在超脱的胸襟里才能够体味这宇宙的深境。从马致远的《天净沙·秋思》中,人们能够感受到地老天荒与人生苦寂;从陈子昂的《登幽州台歌》中,人们能够感受到宇宙无边和人生短暂。这就是借助了诗歌的意境理解了宇宙,也理解了人生。境外之意不是情与景的简单相加,而是情、景、道在人生审美体验中的统摄、聚合、交融。在这种"无形之象"的最高境界中,景全是情,情又具象为景,它是一个独特的宇宙,是人的精神想象,并非人间的真实存在。

从上文的讨论中可以看出,境(象内之象)、境中之意(象外之象)、境外之意(无形之象)是意境的三个不可分离的层次或维度,它们之间是对立统一的,都服从于中国古典哲学对天、地、人的认识。"有形"之象必须经过主体情思("虚形")的加工才能染上一种意绪,形成一种氛围,换言之,"虚形"(主体的审美体验)是由于物象("有形")的感发和诱导,才发为心声,具有极大的能动性。"有形"除了感染兴发主体情思("虚形")以外,还成为主体情思所寄、意绪所蕴的象征。更进一层,"无形"给"有形"以灵魂和生命力,它统摄万物,化育天地万物,处于心与物之上。然而,"有形"不能离开"无形"而存在,"无形"也不能离开"有形"而存在。这就是说,道依存于物,物为道所统摄。

艺术意境将人的瞬息存在与永恒结合在一起,这种结合是基于人生哲思的冲动。然而,艺术家创造意境的过程与哲人的思考殊途同归,都是为了寻求人生的终极意义。意境的创造过程是由形入神、由物会心、由景至情、由情至灵、由物知天、由天悟心的心灵感悟和生命超越过程;是一个变有限为无限、化瞬间为永恒、化实景为虚境的过程;是一个个人心灵与人类历史沟通的过程。这一过程无终结性和确定性，使意境成为一个召唤结构，幽深浩渺，难以穷尽。

从意境的层次性我们体悟到了它的召唤结构，这还远远不够。接下来还要认识意境的审美特征，这对全面把握中国古典文艺学、美学的精粹是至关重要的。

意境注重的是表现性。它不像西方的情节、结构、典型形象那样铺排写实，以形象的清晰性、结构的确定性和情节的完整性取胜，它追求的是真力弥满、万象在旁的主体心灵超越和抟虚成实的审美意趣。这就决定了意境具有以下审美特征：

第一，虚实相生的取境美。中国古典文艺学是强调文学艺术创作虚实结合的，其理论的源头在于哲学中的有无相生论，以道家的影响最为深刻。虚实理论在汉代曾经遭遇波折，以王充为代表的理论家坚决反对艺术虚实手法的运用，以为"实虚之分定，而华伪之文灭"（《论衡·对作》），但并没有阻挡汉代文学艺术对意境的创造。这种状况到魏晋时有所改观。陆机明确地说："课虚无以责有，叩寂寞而求音；函绵邈于尺素，吐滂沛乎寸心。"（《文赋》）就是说，文学创作是一个容纳虚实的过程，离开虚实无以创造文学的意境。到了唐代，皎然则进了一步，他说"境象非一，虚实难明"，指出意境创造虚实的复杂性。后来的境象理论无不囊括虚实。因此，意与境展示了意境在多种样态上的虚实相生的素质。

可以结合具体的文学作品认识意境的这一美学特征。杜甫《月夜》云：

今夜鄜州月，闺中只独看。遥怜小儿女，未解忆长安。香雾云鬟湿，清辉玉臂寒。何时倚虚幌，双照泪痕干。

这首诗对艺术虚实手法的化用就表现在诗人不写自己如何思念家乡，思念亲人，而是说亲人如何思念自己。这样就化实为虚，化景物为情思。抽象的情感（思念妻子）附丽于具体的形象（对月怀人）画面上，使读者驰骋于虚实之间，从诗人对妻子念之深推想丈夫的思之切，就是这首诗的妙处。

再如李白的诗《赠汪伦》：

李白乘舟将欲行,忽闻岸上踏歌声。桃花潭水深千尺,不及汪伦送我情。

这首诗作于天宝十四年(755)李白游览于皖南泾县之时。当诗人登舟欲行之际,好友汪伦前来送别。妙就妙在未见其人先闻其声,以歌声代人,以虚寓实,虚实相生。"忽闻"表明踏歌相送对诗人来说实出意外,就诗来说,也是巧妙的意外之笔。诗中的精彩之笔还有"桃花潭水深千尺"。千尺之深的潭水比起汪伦那诚挚、朴素之情是远远"不及"的。而汪伦"送我情"到底有多深?诗人留下了大量空白,任人度量。这首诗的画面有动有静,跳跃转换,灵动自然。刘禹锡说:"境生于象外,故精而寡和。"此之谓也。

第二,意与境浑的情性美。意境者,意与境合也。"文学之事,其内足以摅己,而外足以感人者,意与境二者而已。上焉者意与境浑,其次或以境胜,或以意胜。苟缺其一,不足以言文学。"(《人间词乙稿序》)王国维的这番话,言之成理,持之有故。意与境的结合方式,可以意与境浑,也可以以意胜,也可以以境胜。无论哪一种结合方式,都能构成意境。不过,意与境的结合必须达到完整的统一,自成一个独立自在的意象境界。在这个意象境界里,蕴涵着无穷之味,不尽之意。孟浩然的《春晓》:

春眠不觉晓,处处闻啼鸟。夜来风雨声,花落知多少。

诗人春眠沉睡,一觉醒来,天已破晓,只听见外面唧唧喳喳的鸟声。由不觉而觉,不由得想到昨夜的风雨吹落了多少花朵。然而,诗人的心境又似觉而不觉,任其所至。全诗意象单纯,但诗意无穷。既有对春晓美景的赞美,又有对花落春短的惋惜。这在诗人的审美体验中是一致的。这种复杂而美妙的审美感受,被诗人巧妙而完美地编织进诗的意境里,使这首诗脍炙人口,至今仍有强烈的艺术魅力。

在意与境的结合中,"境"可以是多种多样的,可以写景,可以叙事,可以状物,可以绘人,也可以多种因素综合,但都能创造出意境。杜牧的《江南春》绝句全是写景,没有直接抒情,但在写景中间接表情。李白的《宣城见杜鹃花》是咏物抒情,达到物情交融。金昌绪的《春怨》绘人托情,通过人外在动作的描绘,表达出内心的感情。由此可见,诗的意境不仅只有抒情的因素,其他的因素也都融入进来,只不过,其他因素在诗的意境中被抒情化了。

意与境的结合,"意"中必含情。情是意境的基本要素,无情不成意境。有些诗词,专作情语,堪称"情境"。王国维说:"境非独谓景物也,喜怒哀乐,亦人心中之一境界。故能写真景物,真感情者谓之有境界。否则谓之无境界。"(《人间词话》)"意"必含情,但又不限于情。意境中的"情"是以"理"为基础的,并受"理"的控制。感情和思想联系着,这是情思。清人沈德潜说过:"人谓诗主性情,不主议论,似也,而亦不尽然。……但议论须带情韵以行,勿近伧父面目耳。"(《说诗晬语》卷下)情理在形象中完美结合,不尽之意蕴涵在整个意境中,使景物灿然,情思幽远。以理入诗,并非不能创造意境,关键是能否做到理与情融。苏轼的《题西林壁》("横看成岭侧成峰")和朱熹的《观书有感》("半亩方塘一鉴开")都是说理的诗,但都鲜明生动,给人以强烈的美感享受。

第三,深邃悠远的韵味美。艺术的意境是心中之意和心中之境独特形态的结合,在意与境的和谐统一中产生了一种独特的东西,古典文艺学、美学称之为"韵味"。关于审美接受中的趣味,我们将在下文中列单章讨论。在这里,只简略地讨论一下意境所创造的韵味。"韵"本来是说声音的,余音绕梁,谓之韵味无穷。在诗歌中,韵味存在于直接意象和间接意象的和谐统一中,它要有韵味,必须"言有尽而意无穷"。如陶渊明的《饮酒》诗("结庐在人境")就是一首韵味隽永的好诗。诗人采菊东篱,目睹南山云气、日夕归鸟的一刹那,与自己此时此刻的情感相合,于是把自己的审美趣味融入其中。而诗人自己的这种审美体验,正是诗人自己也说不清、道不明的,只是朦胧地感觉这种景致中有一种"真意",便创造了这首诗的意境。在这首诗中,诗人想描写的既非南山物景,又非山下"人境",而是一种与自然和谐一致的理想境界。这种理想境界就是诗的韵味。

意境的这种韵味美是感性美和理性美的结合,是直接意象和间接意象的统一。它给人无穷无尽的审美想象。王国维说:"'红杏枝头春意闹',着一'闹'字而境界全出;'云破月来花弄影',着一'弄'字境界全出矣。"(《人间词话》)何以如此?因为"闹"字把红杏枝头的颜色、状态和它的声音、运动连接起来,沟通了视觉意象、听觉意象和动觉意象,形成一幅独立而完整的春景。不仅如此,"闹"字还把人的感情表现出来。这样,一个"闹"字从直接意象导向间接意象,构成了这首词的意境,产生了韵味。同样,"云破月来花弄影"也采用这种方法构成词的意境。中国古典诗词对意境的创造,通常运用通感、联觉、移情、比拟、物化等手段实现目的,依靠直接的意象扩大、延伸、增殖、引发、导向间接意象,形成诗词的韵味。

第四节 "有我之境"与"无我之境"

探讨意境的美学品格,不能不特意关注王国维的"境界说"。因此,将他的"有我之境"和"无我之境"单独拿出来分析,以期更为完整地揭示意境的美学品格。

王国维是将"境界"与"意境"并举的。在1907年的《人间词乙稿序》中,他提出了意境;在1908年发表的《人间词话》中,他又特标境界("词以境界为上"等);而在1913年的《宋元戏曲史》之《元剧之文章》中又标榜意境("然元剧最佳之处,不在其思想结构,而在其文章。其文章之妙,亦一言以蔽之,曰:有意境而已矣")。综观王氏所论意境和境界的意义,并没有实质的差别,它们同样是强调情景交融、虚实相生的。王国维说:"境非独谓景物也。喜怒哀乐,亦人心中之一境界,故能写真景物、真感情者,谓之有境界。否则谓之无境界。"(《人间词话》)这里的"境"是包括景物和情感的,就是意与境相合。王氏虽然受西学影响较深,但骨子里仍然流淌的是中国古典传统的血脉。对于他意境和境界混合使用的做法,只能归结为古典学术品格的遗传。因为,中国古代是不讲究概念的严谨性的。

王国维从多个角度将境界予以分类。在《人间词话》中,他说:

有造境，有写境，此理想与写实二派之所由分。然二者颇难分别，因大诗人所造之境必合乎自然，所写之境亦必邻于理想故也。

有有我之境，有无我之境。"泪眼问花花不语，乱红飞过秋千去"、"可堪孤馆闭春寒，杜鹃声里斜阳暮"，有我之境也。"采菊东篱下，悠然见南山"、"寒波澹澹起，白鸟悠悠下"，无我之境也。有我之境，以我观物，故物皆著我之色彩；无我之境，以物观物，故不知何者为我，何者为物。古人为词，写有我之境者为多，然未始不能写无我之境，此在豪杰之士能自树立耳。

境界有大小，不以是而分优劣。"细雨鱼儿出，微风燕子斜"，何遽不若"落日照大旗，马鸣风萧萧"；"宝帘闲挂小银钩"，何遽不若"雾失楼台，月迷津渡"也。

王氏以理想和写实这两种文学创作的不同特点区分"造境"和"写境"，认为这两者颇难分别。什么是"造境"？什么又是"写境"？王氏并没有明确阐述，给后人留下了一个谜团。对此，学者们有不少臆测。萧遥天认为，"造境"的作品是"主观地描写外界现象与心理现象"，"写境"的作品是"客观地描写外界现象与心理现象"。[①]叶嘉莹认为，"造境"与"写境"是"就作者写作时所采用的材料而言的"，"取材现实之中实有之事物者为'写实'一派之所由起，而取材于非现实中实有之事物，而但出于作者意念中之构想者，则是'理想'一派之所由起"。[②]王文生认为，从对生活的认识而言，写实派注重"观"，理想派则注重"感"；就表现生活而言，写实派直书其事，以形写神，用生活本身的形式描写生活，理想派则借助诡异之辞、荒诞之事抒发感情和理想。[③]后来，王文生又修正了自己的观点，认为王国维的"造境"和"写境"的说法存在缺失，言"写境"指以现实本来的形式反映现实犹有可说，而"造境"颇令人费解[④]。王氏的"造境"和"写境"确

[①] 萧遥天：《语文小论》，槟城友联印刷厂，槟城，1956年，第35页。
[②] 叶嘉莹：《王国维及其文学批评》，河北教育出版社，石家庄，1998年，第207~209页。
[③] 王文生：《中国的写实派文学理论》，《临海集》，陕西人民出版社，西安，1983年，第157~158页。
[④] 王文生：《论情境》，上海文艺出版社，上海，2001年，第50~51页。

实是受西方思潮的影响,套用现实主义和浪漫主义的提法,但他却从中国传统文学理论的角度认识,认为这代表着诗词创作的两种境界。

王国维还提出了境界大小的问题。在《人间词话》中,他认为,大境和小境并没有优劣之别。何谓大境?何谓小境?对此,学者们也有不同的理解。叶嘉莹认为,大境与小境"乃是就作品中取景之巨细及视野之广狭而言的"①。徐复观则有不同的态度,他评说大小境:"取境的大小,和作者精神境界的大小,和作者人生的修养、学力,密切关联,这如何能不分优劣呢?"②王文生认为,作者的精神境界对作品的内容形式有深刻的影响,但这不表现在取境的大小上,大景能表现作者的精神境界,小景同样也能。"由此看来,取境的大小实无关于作者的胸襟怀抱和精神境界。"③我们认为,大境、小境是指作者在此时此地所展示的景物和情感的表现情状,大境所展示的景致是壮阔的,其情感的表现也是豪放或悲壮的;小境所展示的景致是细微的,其情感的表现是柔婉和优美的。它与作者的整个精神境界有关联,表现了作者精神境界的不同方面,但没有优劣之分。因为,就一个具体的作者而言,他既可以表现大境,又可以表现小境,不可能一味地大,也不可能一味地小。但大境、小境中依然能够折射出共同的东西,这就是作者的精神境界。

接下来,我们要花功夫讨论的就是"有我之境"和"无我之境"了。这个问题是王国维意境理论的一个核心内容。

王国维说,"有我之境"是"以我观物","物皆著我之色彩";"无我之境"是"以物观物,不知何者为我,何者为物"。显然,这是就诗词作品中所展示的物我之间的关系而言的。也就是说,作者在诗词作品中所描写的景物上是否留下明显的印痕是判定"有我"和"无我"的标准。当然,文学作品作为作家主客观统一的产物,都打上了作家的主观思想情感的印痕,从根本上说都是"有我"的。王氏在分析

---

① 叶嘉莹:《王国维及其文学批评》,河北教育出版社,石家庄,1998年,第214页。
② 徐复观:《诗词的创作过程及其表现效果——有关诗词的隔与不隔及其他》,《中国文学论集》,民主评论社,台中,1966年,第138页。
③ 王文生:《论情境》,上海文艺出版社,上海,2001年,第53~54页。

"无我之境"的时候也说得很清楚:"以物观物,不知何者为我,何者为物。"也就是说,"无我之境"实现了真正的天人合一,物我交融,我就是物,物就是我,这还是"有我",不是"无我"。从这里,我们也可以看出王氏的矛盾。"有我之境"和"无我之境"的划分的确是不科学的。

然而,"有我之境"和"无我之境"确实是一个重要的问题。朱光潜先生在他的《诗论》中也说王氏"有我"和"无我"的分别是一个"很精微的分别",但"所用的名词似待商酌"。他提出用"同物之境"和"超物之境"的概念,以为可代替王氏的"有我之境"和"无我之境"。朱光潜先生说:

> 移情作用是凝神注视,物我两忘的结果,叔本华所谓"消失自我"。所以王氏所谓"有我之境"其实是"无我之境"(即忘我之境)。他的"无我之境"的实例为"采菊东篱下,悠然见南山","寒波澹澹起,白鸟悠悠下",都是诗人在冷静中所回味出来的妙境(所谓"于静中得之"),没有经过移情作用,所以实是"有我之境"。与其说"有我之境"与"无我之境",似不如说"超物之境"和"同物之境",因为严格地说,诗在任何境界中都必须有我,都必须为自我性格、情趣和经验的返照。①

朱光潜先生说出了部分真理。但如果以此来解释"有我之境"和"无我之境",还会矛盾百出,不能完满。叶嘉莹说,王氏的"有我之境""原来乃是指当吾人存有'我'之意志,因而与外物有某种对立之利害关系时之境界","无我之境""是指当吾人已泯灭了自我之意志,因而与外物并无利害关系相对立时的境界"。②这样以物我之间是否有对立的利害关系来确定"有我之境"和"无我之境",似乎也不符合王氏之本意。尽管王氏受康德、尼采、叔本华影响很深,但他还是按照中国传统的思维讨论了这些问题。因为中国传统哲学在认识

---

① 朱光潜:《诗论》,生活·读书·新知三联书店,北京,1998年,第61~62页。
② 叶嘉莹:《王国维及其文学批评》,河北教育出版社,石家庄,1998年,第201页。

主体与客观对象的关系时是不强调对立的,只强调统一。沿着这条思路,理解王国维的"有我之境"和"无我之境",恐怕更能接近王氏的原本意图。

对这个问题理解比较独特的是王文生。他是从批评的角度认识这一问题的。他强调"无我之境""是文学中从未存在的境",故而对其存而不论,只讨论"有我之境"。他从中西哲学的异同出发,联系王国维接受叔本华的具体情况进行分析,得出了与别人不同的结论。他认为,王国维受西方哲学的影响很大。中国哲学"天人合一"、"道通为一"的世界观与西方现实世界和真理世界(理念世界)二分的世界观有根本的不同。西人重视理念世界,不重视现实世界,认为理念世界高于现实世界。"王国维所说的'有我之境',实际上就是西方哲学超越现象、不带感情、对理念世界的思辨和认识。"[1]并进而批评王国维混淆了哲学和文学的界限。这恐怕又陷入了一个绝对化的境域,忽视了王氏对传统思想的涵养,不符合实际。

王国维的"有我之境"和"无我之境"的划分,虽然存在不科学的因素,但他的本意还是想区分境界的不同类型和层次。他是反复强调诗词表达性情的,"故能写真景物、真感情者,谓之有境界","其言情也必沁人心脾,其写景也必豁人耳目"。这并不说明诗词不能明理。它要表达人对宇宙人生的认识和感悟,写出作者的理想和抱负。因此,表达情感是境界的一个方面,在表达情感的同时,又能融情于理,展示深刻的宇宙人生真理,这是境界的另一个方面。在某种意义上可以说,这是境界的更为高级的层次。由此,王国维说:"诗人对宇宙人生,须入乎其内,又须出乎其外。入乎其内,故能写之;出乎其外,故能观之。入乎其内,故有生气;出乎其外,故有高致。"(《人间词话》)所谓"入乎其内",就是用自己的情感去观照宇宙万物,描写宇宙万物;所谓"出乎其外",就是融情于理,在表达情感的同时又展示了深刻的人生哲理。"有我之境"就是"入乎其内","无我之境"就是"出乎其外"。然而,王国维又说:"古人为词,写有我之境者为多,然

---

[1] 王文生:《论情境》,上海文艺出版社,上海,2001年,第32~37页。

未始不能写无我之境,此在豪杰之士能自树立耳。"也就是说,真正能够实现融情于深刻哲理的作品较少,只有一些大诗(词)人、豪杰之士才能为之。

  为了进一步说明王国维"有我之境"和"无我之境"的区分意图及意义,可以以他所列举的诗词作品为例深入分析。他说,"泪眼问花花不语,乱红飞过秋千去"、"可堪孤馆闭春寒,杜鹃声里斜阳暮",这是"有我之境"。前一句出自冯延巳的《鹊踏枝》,后一句出自秦观的《踏莎行》。冯延巳的《鹊踏枝》是一组词,多托怨妇女子之口,代人立言,表达惆怅感伤之思绪。"泪眼问花花不语,乱红飞过秋千去",一"泪眼"表明主体的出现,这是"有我"。"泪"、"乱"都是悲伤之词,以此显示主体情感之悲伤。同时,乱红飞落,这种残春的景象又加重了情感的悲伤意绪。主体悲伤,是因为主体无法向人倾诉,难以排泄内心之情感,故问花。花本无情之物,在主体的折射下,也有了感情。"花不语"是移情于花。"不语"一写花,写花之沉默,花之感伤;二写主体,写主体内心的伤感意绪难以用语言表达。这句词写女子的伤感,情景交融,形象传神。人们能从诗中明确看出主体的存在,主体的情感基调也很明显,并没有深刻哲理。这就是王国维所说的"有我之境"。秦观词《踏莎行》是寓居郴州旅馆所作,同样表达自己的孤独和伤感。"可堪"是不堪忍受之意,这一语表明了主体的存在。"孤馆"不仅是一个孤独的旅馆,更指一个孤独的人。旅馆在这里被人格化了,被拟化为一个孤独的象征。旅馆虽然挡住了料峭的春寒,但挡不住人的孤独心绪。"杜鹃"自古被认为是一种悲伤之鸟,传说是蜀帝杜宇所化,声音悲凉,催人回归,口中啼血,故而,白居易有"杜鹃啼血猿哀鸣"之句。"斜阳"写天色已晚,又一天过去了,夜临近了,这表明孤独的加剧。在这里,孤馆、春寒、杜鹃、斜阳都被词人情感化了。这就是王国维所说的"入乎其内",主体进入了客观描写的对象之中,使客观对象都打上情感的色彩。而除此之外,并没有什么高深的哲理意趣。从这里,我们看到了"有我之境"的内涵。有"有我之境"的诗词必须符合以下几个方面的条件:1.主体的情感意绪明确;2.情景交融,形象传神;3.充满移情的意象;4.没有高深的哲理或说理。如此，方能称之为"有我之境"。

而"无我之境"是怎样的呢？"采菊东篱下，悠然见南山。""寒波澹澹起，白鸟悠悠下。"这些都是"无我之境"。前一句出自陶渊明的《饮酒》组诗第五首；后一句出自元好问的诗《颍亭留别》。陶诗着重表达的是一种自然的情感意趣。"采菊东篱下"就言述的是一种行为，不带有明显的情感倾向。从情感上说，这一句显得比较枯淡，不像"泪眼问花花不语"、"可堪孤馆闭春寒"那样情感浓烈。"悠然见南山"就有一点情感意趣，"悠然"虽然是一种情感意向，但总给人的感觉是懒洋洋的、不经意的。因此，可称"无我"。然而，诗人的意绪就表现在这懒洋洋和不经意中。表现了诗人淡泊的心境，其中融入了浓烈的哲理意蕴。"采菊"是一种高雅的行为，"菊"是一种高洁的象征。因为，它不仅在众芳消歇的秋天怒放，而且能够入药，治病养生。"采菊"的行为就是积极生存的一种表现。这种积极生存不是以轰轰烈烈干一番政治事业为基准的，而是淡泊以养性，始终保持一种与世无争的心态。这样，诗的味道就出来了。它展示了陶渊明的玄学心境。同样，"寒波澹澹起，白鸟悠悠下"也具有闲适枯淡的意蕴。从表面上看，这是一句纯粹的写景诗，写"寒波"，是"澹澹"的；写"白鸟"，是"悠悠"的。"澹澹"和"悠悠"都具有闲适之意，这就不单单是波浪和鸟的闲适，而是人的闲适了。处于政治的风口浪尖上，人难免有得失之感，荣辱之叹，情感一味失落，而在自然的境域之中，看到鲜活的生命和变化多端的自然现象，心情平静了，得失和荣辱都忘却了，只保留了一种生命的本真。这是生活的最高境界。因此，王国维称"无我之境"是"出乎其外"。因而"无我之境"必须符合下列几个条件：1. 情感意向淡漠；2. 景物寄寓深刻；3. 哲理意味浓烈；4. 超越世俗倾向明显。

然而，王国维又说：

　　无我之境，人唯于静中得之。有我之境，于由动之静时得之。故一优美，一宏壮也。(《人间词话》)

"静"可以理解为人心境的枯淡，对世事、对功名利禄不加以思虑，这是道家和玄学人生观，是中国古典的诗性智慧。老庄是注重虚静的，从老子的"至虚极，守静笃"到庄子的"心斋"和"坐忘"，都强调的是"静"，只有在"静"中才能摆脱世事的缠绕，达到一种空明的境界。大概就是从这一点上，叶嘉莹以物我之间的对立关系思索"有我之境"和"无我之境"。这只能说是其中的一个方面。从总体上说，"有我之境"和"无我之境"不看重物我之间的对立，相反，更看重物我之间的融合。这受中国古代"天人合一"思想的影响。"天人合一"是贯通儒道佛思想观念的。道家虽然强调人与现实（物）的对立，但强调人与自然的和谐，它对自然的敬重达到无以复加的程度，简直有一种自然崇拜的倾向。齐万物，等生死就代表了这种倾向。物就是我，我就是物。物外化为我，我外化为物。庄子曾经说过梦蝶的故事，这个故事能典型地代表庄子物我同一的思想。王国维受中国传统思想影响很深，他对庄周、屈原有较为深入的领会，不可能不顾及这种思想的整体而偏执一隅。如果一味强调对立而不强调统一，那就误读了王国维。叶嘉莹是典型的一例。

王国维还认为，"有我之境"在审美意趣上是"宏壮"的，"无我之境"在审美意趣上是"优美"的。这是他受叔本华美学思想的影响，借用叔本华的概念表述他的思想。在《叔本华哲学及其教育学说》一文中，王国维曾经这样说过：

> 故美之知识，实念之知识也。而美之中，又有优美与壮美之别。今有一物，令人忘利害之关系，而玩之而不厌者，谓之曰优美之感情。若其物直接不利于吾人之意志，而意志为之破裂，唯由知识冥想其理念者，谓之曰壮美之感情。然此二者之感吾人也，因人而不同；其知力弥高，其感人也弥深。[①]

"优美"和"壮美"是叔本华所使用的美学概念，见于其《作为意志和表象的世界》一书。叔本华说：

> 所以壮美感和优美感的不同就是这样一个区别：如果是优

[①] 舒芜等编选：《中国近代文论选》（下），人民文学出版社，北京，1981年，第742页。

美,纯粹认识无庸斗争就占了上风,其实客体的美,亦即客体使理念的认识更为容易的那种本性,无阻碍地,因而不动声色地就把意志和为意志服役的,对于关系的认识推出意识之外,使意识剩下来作为"认识"的纯粹主体,以致对于意志的任何回忆都没留下来了。如果是壮美则与此相反,那种纯粹认识的状况先通过有意地,强有力地挣脱该客体对意志那些被认为不利的关系,通过自由的,有意识相伴的超脱于意志以及与意志攸关的认识之上,才能获得。这种超脱不仅必须以意识获得,而且要以意识来保存。①

在文学艺术创造中,意志摆脱了物我之间的利害关系,所创作的作品就是优美的,相反,作家、艺术家受意志的困扰,不能摆脱物我之间的利害关系,所创作的作品就是壮美的。王国维发现了中西哲学思想相同之处,感到用中国的虚静之说不能完全规范"有我之境"和"无我之境",遂借用西哲叔本华的"理念"加以充实。

毕竟中西之间的差异导致"虚静"和"理念"的格格不入。叔本华的"优美"和"壮美"不能准确解释中国文学创作在虚静统摄下的"无我之境"和"有我之境"。"无我之境"所展示的并非纯粹的认识主体,它虽然表现为感情枯淡,追求哲理意趣,但并非没有感情。剥开枯淡的外衣,浓烈的感情赫然在场。就像我们分析陶诗"采菊东篱下,悠然见南山",既表现了诗人积极生存的态度,又表现了他对生活无限热爱的情思。这种"无我之境"就是我们上文所说的"境外之意"。这是意境的最高层次。唯其最高,才很少有人能达到。

尽管王国维的"有我之境"和"无我之境"的概念运用是矛盾的、不科学的,但他的意图却是美好的,为解决传统的意境理论尽了自己最大的努力。

---

① [德]叔本华:《作为意志和表象的世界》,石冲白译,商务印书馆,北京,1997年,第282页。

第十四章　风骨：
古典艺术的美学风范

　　风骨作为中国古典文艺学、美学的一个重要范畴，肇始于先秦的《诗经》研究，自魏晋以来，成为人们品评文学艺术作品的一个重要的美学标准，历代沿用不休。风骨的内涵究竟是什么？学术界的争论迄今仍然很大，尚无定论。这是因为，古代的风骨意义十分复杂，不好在一个固定的、统一的理论范式中明确界定，姑且认为它是一种美学风范。风范不同于风格，也不同于品格，它是一种美的范式，意义相对模糊，用来解释风骨这样模糊的概念恰到好处。在古代，"风"和"骨"是两个概念。这两个概念在不同的文论家那里都有不太相同的内涵。先秦时期，人们讨论"诗三百"，有"六诗"之说，其中之一就是"风"。先秦之"风"，有歌咏、讽诵之意，经过两汉的发挥，"风"成为讽喻、教化的代用语。至魏晋，意义发生了很大的变化。"骨"在汉代是指骨相。王充《论衡》有《骨相》篇，专门讨论人的骨法、性情和命运，也是风骨的源头之一。至晋代以后，人们便普遍使用风骨这一概念品评文学艺术和人物风度，倡导艺术的气格之美和人物风度的清俊爽朗之美，对文学理论和美学理论的影响甚巨。风骨这一古典文艺学、美学范畴的规范是刘勰确定下来的，其《文心雕龙》有《风骨》一篇，全面论述了风骨的内涵，意蕴精深。从此以后，风骨作为中国古典艺术的美学风范成为古典文学艺术创作和理论的一个绕不开的话题，并且显现了它的理论的独特性，是我们必须要认真对待的。

第一节　风骨范畴的生成

"风"和"骨"是两个观念,这两个概念合成一个概念并非一朝一夕之事,有一个漫长的历程。《文心雕龙·风骨》云:

> 《诗》总六义,风冠其首,斯乃化感之本源,志气之符契也。是以怊怅述情,必始乎风,沉吟铺辞,莫先于骨。故辞之待骨,如体之树骸,情之含风,犹形之包气。

这里明确地说"风"是起源于"六义"的,与《诗经》有密切的关系。"六义"是一个后出的概念,在先秦称之为"六诗",均指风、赋、比、兴、雅、颂。"风"指"诗三百"中的十五国风,它具有讽喻、教化的作用。因此,后来人们在认识"诗三百"时,就与讽喻、教化联系在一起。"风"在先秦还有歌咏的意思,如《国语·晋语》所言"风德以广之,风山川以远之,风物以听之",暗含着"风"的抒情性。这都奠定了"风"的意义基础。到了汉代,人们阐释《诗经》,遂将讽喻、教化与歌咏之意结合起来,使"风"成为一个意义丰富的概念,为进入文艺学、美学领域准备了前提条件。

汉代对"风"有意义的阐释是《毛诗序》。其云:"风,风也,教也。风以动之,教以化之。""风"又训为"讽",就是讽喻。讽喻是采取含蓄委婉的手段进行讽刺和劝谕,要达到目的必须运用比兴的手法。文学教化是汉代文艺学、美学思想的主导性观念,这种观念的形成不是空穴来风,仍是对先秦以来的文艺学、美学思想的秉承。在一定的意义上,这是研究《诗经》《楚辞》的结果。汉代人认为,《诗经》《楚辞》是具有讽喻和教化作用的,所有的文学艺术作品也都有讽喻和教化作用。如扬雄就说,赋具有讽喻教化的作用:"或曰:'赋可以讽乎?'曰:'讽乎!讽则已,不已,吾恐不免于劝也。'"(《法言·吾子》)[1]在这种情形下,"风"便形成了它的独特的意义,对后世的文

---

[1] 扬雄的这种观念到后来有所转变。他从辞赋的接受中看到了辞赋的讽谏作用非常微弱,后来就由原来对辞赋的狂热转变为抛弃辞赋而不为,并指责辞赋是雕虫小道。事见《汉书·扬雄传》,言论见《法言·吾子》"或问:吾子少而好赋"条。

学和美学观念起着举足轻重的作用。

"骨"的本义指骨骼,后来与相命之学绞合在一起,成为相术的一个术语。古代将人的骨相与命运联系起来,认为人的骨相之中显现着人的吉凶、贵贱、寿夭、祸福,故常常从骨相断定人一生的命运。王充《论衡·骨相》云:"人命禀于天,则有表候(见)于体。察表候以知命,犹察斗斛以知容矣。表候者,骨法之谓也。"从人的骨法何以能断定人的命运?王充所举,尽是些诸如黄帝龙颜、尧眉八采、禹耳三漏、文王四乳等奇形怪状、道听途说之例,并没有讲清楚什么科学依据。骨法不仅与人的命运相关,还与人的性格关联。王充说:"非徒富贵贫贱有骨体也,而操行清浊亦有法理。贵贱贫富,命也;操行清浊,性也。非徒命有骨法,性亦有骨法。惟知命有明相,莫知性有骨法,此见命之表证,不见性之符验也。"(《论衡·骨相》)王充的这种思想虽然弥漫着迷信荒诞的思想,但对后来的人物品评仍有很大的启发。魏晋南北朝时期,人物品评之风盛行,不单纯是玄学化育这一种因素,骨相之学也是一个源头。魏晋南北朝的人物品评也不是纯粹的评定优劣,已是一种审美批评。可见,由骨法相术演变而来的东西并不一定就是糟粕的东西,文化的化育和生物的演化一样都充满着奇妙。

魏晋南北朝的人物品评之风是从汉代的清议发展而来。汉代的清议有两个方面的内容:一是"激扬名声,互相题拂"(《后汉书·党锢列传》),二是"品核公卿,裁量执政"(《后汉书·党锢列传》)。它是出于对不良世风的愤懑,也包含着人物品评。魏晋时期,人物品评极盛。在魏晋的人物品评中,就大量引进相术的"骨相"、"骨法"概念,但远远超越臆想和迷信的色彩,带有很强的审美评价成分。如《世说新语·赏誉》云:

> 王右军目陈玄伯"垒块有正骨"。
>
> 王右军道谢万石"在林泽中为自逸上",叹林公"器朗神俊",道祖士少"风领毛骨,恐没世不复见如此人",道刘真长"标云柯而不扶疏"。(刘孝标注"殷中军道右军'清鉴贵要'"条)《晋安帝纪》曰:"羲之风骨清举也。"

《世说新语·品藻》云：

> 时人道阮思旷骨气不及右军，简秀不如真长，韶润不如仲祖，思致不如渊源，而兼有诸人之美。
>
> 蔡叔子云："韩康伯虽无骨干，然以肤立。"

这里的"正骨"、"毛骨"、"风骨"、"骨气"、"骨干"都是指人的精神风度，也就是人的精神之中所透露出来的美的气质、美的风采。当然，这种精神风度是与人的外貌（骨相）分不开的。

魏晋南北朝的人物品评采取的是直观会意的方法，这种直观会意的方法背后蕴藏着理性的思考。就一个具体的品评行为而言，品评者和被品评者彼此都非常熟悉，一个人的品行操守都包含在直观会意之中，所以，表面上的直观会意也就不仅是现象了。尽管风骨是一个形象化的言述，它也是一个理性的东西，包容了一个理性很强的美学内容。

几乎与此同时，书法和绘画品评也大量借用相术概念，也完善了书法和绘画艺术理论。传说卫夫人所作的《笔阵图》就记载了李斯曾用"无骨"评周穆王书法的观点，从语态推测，这是批评周穆王书法的。所谓"无骨"就是缺乏骨力，即缺乏生动鲜明的个性之美，笔力柔弱。她说："善笔力者多骨，不善笔力者多肉。多骨微肉者谓之筋书，多肉微骨者谓之墨猪。"（《笔阵图》）顾恺之《魏晋胜流画赞》以"骨"来品评绘画已是寻常现象，"骨"俨然成为一个标准。如：

> 《周本记》：重迭弥纶有骨法，然人形不如《小烈女》也。
>
> 《伏羲》《神农》：虽不似今世人，有奇骨而兼美好。神属冥茫，居然有一得之想。
>
> 《孙武》：大荀首也。骨趣甚奇。
>
> 《醉客》：作人形骨成而制衣服慢之，亦以助醉神耳。多有骨俱，然蔺生变趣，佳作者矣。

徐复观先生认为，这里所说的"骨"同于"气韵生动"的"气"。①认识比较准确。但"气"是虚化的，"骨"是形象的；"气"是形上的，"骨"是形下的。它们之间毕竟还有差异，不可能完全等同。可以这样说，"骨"是"气"的一个阶梯，它必须在充实了美的意蕴之后才能与"气"相提并论。"骨"在这里差不多就是一个美学范畴了。

南齐谢赫又将风骨理论向前推进了一大步。他著有《古画品录》一书，首先将"骨法用笔"列入"六法"之一，又分别用这一概念评价其他画家。他评曹不兴："观其风骨，名岂虚哉？"评张墨、荀勖："但取精灵，遗其骨法。"评江僧宝："用笔骨鲠，甚有师法。"这里的"风骨"、"骨法"、"骨鲠"都是指绘画作品所具有的生命气力，尤其是"风骨"一语，不仅把绘画的生命气力囊括其中，兼及情感的感染力，标志着"风骨"的文艺学、美学理论已经在绘画理论中走向成熟。

从相命之术到人物品评和绘画品评，风骨完成了由庸俗概念向美学概念转化的过程。这一过程的高潮应该是刘勰的《文心雕龙》。在这部"体大思精"的皇皇巨著中，刘勰最为完整地阐述了风骨的美学意义。

刘勰认为，风骨作为两个独立的概念各有自己的意义。"风"既然出自"六义"，必定与讽喻教化有关。然而，刘勰更为强调它的情感性，关注它的抒情性特征。他说，"情之含风，犹形之包气"，"意气骏爽，则文风清焉"，"深乎风者，述情必显"（《文心雕龙·风骨》）。可见，"风"是指情感。但如果"风"是一般的情感，它就可能失去独特性，这里的情感必定另有意义。从刘勰所运用的比喻看，这种情感应该是充满郁勃之气的情感，是一种具有力之美的情感。

"风"是指情感，那么，"骨"又是指什么呢？刘勰说，"沉吟铺辞，莫先于骨"，"辞之待骨，如体之树骸"，"结言端直，则文骨成焉"，"故练于骨者，析辞必精"，"若瘠义肥辞，繁杂失统，则无骨之征也"（《文心雕龙·风骨》）。可见，"骨"是指文辞，即语言。语言是以物质的形式在文学作品中表现出来的，它是实在的，人们通过语言

---

① 徐复观：《中国艺术精神》，华东师范大学出版社，上海，2001年，第98页。

能够把握作家的思想和情感，找到并发现其与众不同的审美力量。语言对意义的展示有很多的路径，笼统地谈论语言不一定非要使用"骨"这一概念。"骨"所指称的语言绝对不是一般的语言，它是精练的、端直有力的。具备这一特征的语言才能称为"骨"。刘勰的"骨"是指语言表述很明确，但这种具备强烈的审美意义的语言，它必须与"风"相结合方能显示出这种语言的本色。

这样，我们就可以理解刘勰"风"与"骨"并举的意图。"风"和"骨"虽然有各自独立的意义，但它们却不能单独存在。离开"风"，"骨"不足以为"骨"；同样，离开"骨"，"风"亦不足以为"风"。"风"是虚幻的，"骨"是实在的，两者一虚一实，虚实相生，产生了一种审美意蕴。"风"与"骨"只有结合在一起才能形成打动人心的力量。这是一种美学风范，必须从总体上去把握。这是刘勰对风骨的贡献。

此后，钟嵘在他的《诗品》中继续发挥风骨的意义。他提出了一个与风骨意义相同的范畴——风力，在具体论述的过程中，风力与丹彩并举，标扬"建安风力"（如同刘勰之"建安风骨"），同样倡导力之美。与刘勰有所不同的是，钟嵘将风骨理论具体应用于具体诗人的品评中，在个体的具体创作实践中检验风骨的理论内涵。他称曹子建的诗是"骨气奇高，词采华茂"（"骨气"也就是风骨），称刘桢的诗是"真骨凌霜，高风跨俗"，称鲍照"骨节强于谢混"等，都是应用这一理论的典型表现。在这一方面，钟嵘好像又返回了顾恺之、谢赫等人的绘画品评中，大规模的批评实践无疑丰富了风骨的理论内涵，使之更加贴近理论的本真。

有意思的是，风骨在南朝已经理论羽翼丰满，到了唐代，却被用来作为批评南朝和初唐文风的理论武器。陈子昂《与东方左史虬修竹篇序》一文指责"汉魏风骨，晋宋莫传"，不满于齐梁文风的萎靡、黯弱，及其对初唐文风的影响，认为这是"道"失落的表征。由此，他提出了"骨气端翔，音情顿挫，光英朗练，有金石声"的审美理想，发扬光大了刘勰、钟嵘的风骨理论，延续了这一审美理想的血脉。从魏晋以迄唐代中期，是风骨理论异常风光的时期。唐代中期以后，风骨理论便退居二线，理论的创新意识已不强烈，当下的应用意识也不浓郁。但它并没有消失，从宋至清，还不时出现在一些重要理论家如严羽、张炎、胡应麟、沈德潜、刘熙载等人的理论批评中，继续发挥它的美学风范作用。

第二节　气化风骨

在中国古代的风骨论中，人们已经明确认识到风骨与气的关系非常密切。我们在前面的章节中论述了文气，对这一问题已有所触及，有必要再做进一步申述。《世说新语》说阮思旷"骨气不及右军"，提出"骨气"一词，这"骨气"就是风骨。此外《世说新语》还有运用"风气"品人者，如（阮浑）"风气韵度似父"（《任诞》），（王夫人）"有林下风气"（《贤媛》），这里的"风气"都是风骨内涵的一个部分，也可视为风骨，指人清俊爽朗之美。刘勰《文心雕龙·风骨》中花了很大的篇幅讨论风骨与"气"的关系，足见"气"在认识风骨问题上的重要性。"气"何以对风骨如此重要？这是我们要思索的。

刘勰说"气"："《诗》总六义，风冠其首，斯乃化感之本源，志气之符契也"，"情之含风，犹形之包气"，"意气骏爽，则文风清焉"，"思不环周，索莫乏气，则无风之验也"，并陈述曹丕的文气说论述风骨。在《风骨》篇中，"气"与"风"、"骨"出现的频率一样高。据统计，"风"出现了14次，"骨"出现了13次，而"气"竟出现了14次，与"风"的次数一样。可见，"气"对于刘勰来说是非同寻常的，抓住了气，就等于抓住了风骨。其原因恐怕还要从中国传统哲学来认识。

在中国传统的哲学观念中，气涵养、生成了自然万物。风从气中而来，风和气都是宇宙存在的一种自然物质。《乐记》云："地气上齐，天气下降，阴阳相摩，鼓之以雷霆，奋之以风雨，暖之以日月，而百化生焉。"《庄子·齐物论》云："大块噫气，其名为风。"气生风，气就是风，风是气的流动。流动才是鲜活的，才是生命化的，因此，有气才会有活泼泼的生命现象。这是主导古人的思想。这一思想有它的深刻性。由此延伸，气被用来解释一切生命现象，包括人的精神存在现象。气降落凡尘是必然的。在用于凡尘的人事解释时,气用来指称人的精神现象,它包括人的思想、情感、气质,是可以涵养的。管子强调精气,孟子强调养气,庄子强调听气,既要求顺应人的自然禀性,又要求人为地培养人的精神气质。先秦时期对气的认识已经达到了这样的高度,至两汉,"自然元气论"的提出进一步张扬了气的作用。《淮南子》认为,气与人的生命性情有密切关系,它不仅是用来充实生命的,还用来涵养生命。它说:"夫孔窍者,精神之户牖也,而气志者,五脏之使候也。耳目淫于声色之乐,则五脏摇动而不定矣;五脏摇动而不定,则血气滔荡而不休矣;血气滔荡而不休,则精神驰骋于外而不守矣;精神驰骋于外而不守,则祸福之至,虽如丘山,无由识之矣。"(《精神训》)"人之性,有侵犯则怒,怒则血充,血充则气激,气激则发怒,发怒则有所释憾矣。"(《本经训》)《淮南子》是强调守气的,守气就需要一种涵养的功夫,到了发泄的时候再发泄,不可任意泄露,否则伤性情。王充说:"人之善恶,共一元气。气有少多,故性有贤愚。"(《论衡·率性》)都强调气与性情的关系。曹丕正式提出文学创作中的文气说,标榜"文以气为主",气与情感的关系便在文学创作中站稳脚跟。刘勰正是继承了古人的这种观念建构他的风骨论,他将"气"与"情"连接在一起,进而把"风"与"情"连接在一起。

　　气是自然界的现象,风也是自然界的现象。风因为气的鼓荡而产生,风与气是合一的。风与气降临凡尘,成为艺术和生命现象。这为刘勰的风骨论提供了理论依据,因为风骨在根本上是注重文学艺术的生命活力的。风作为艺术的一个因素是从远古的采风制度开始的。采风是统治者的一种统治策略,收集民间歌谣俚曲,目的是了解民间的风俗、政治的得失、百姓的情感,为统治者调整、制订统治政策提供参照。传统的观点认为,《诗经》中的"国风"就是各地歌谣的集结,后来经过了孔子等人的编订。由于它来自民间,被认为具有讽喻教化作用,且被圣人和统治者视为最高的政治和艺术的规范,使人们在理解风的时候就自然而然地联想到国风,联想到讽喻教化。这已经成为人们的一种固定思维。即使在今天,我们仍以这种思维习惯去阅读《诗经》、理解《诗经》。当然,这种思维定势有它不能逃避的缺陷。

刘勰说"风"是化感的本源、志气的符契。这个"风"就是指十五国风，或曰统指《诗经》。他认为，国风作为原始艺术最先开启艺术的讽喻教化风气，那么，它就是文学的源头。这个风不仅指讽喻教化，而且有抒情性的意义。这与刘勰本人论及的风的内涵是不一样的。有学者看得很清楚："实际上国风的教化感发作用与风骨的艺术感染力量虽同属文学作品对读者（或听者）的积极影响，但内涵并不相同。刘勰喜欢引用儒家经典来阐发自己的见解，有时立论不免牵强。"[①]可是，我们也应该看到这一点：刘勰是崇尚儒术的，相信文学具有讽喻教化的作用，它的风骨之风与国风之风有联系是真诚的。至于风骨之风与国风之风意义有别，是最正常不过的了。不然，他的这种风骨理论的价值和特征又在什么地方呢？刘勰说，国风是化感的本源、志气的符契。这里的"志气"就是情志、意气，包括作者的思想、情感、气质、性格。这些都是虚化的。文学艺术表达作者的思想情感，展示了作者的气质和性格，有什么样的气就会有什么样的风。即使作者在文学艺术作品中表现了一种虚假之情，这也是一种情，它真切地显现着，无论真实还是虚假，都是一种客观存在。当然，刘勰是要求表现真实感情的。真实感情存在的基础是作家、艺术家对现实生活的深刻体验。没有感触良多的现实生活，不可能表达出打动人心的思想感情。

鉴于《诗经》所展示的思想情感与气的关系，刘勰做了进一步的开拓。他说："意气骏爽，则文风清焉。""意气"等同于"志气"，这里仍是概念的混用。它指的是作者先天以及长期的思想涵养所形成的性情。气虽然是可以涵养的，但涵养是建立在先天的性情基础之上的。所以，我们宁愿把气看作是一个复杂的动态结构。"骏爽"之气，不是《淮南子》所说的怒气，而是一种清俊爽朗之气。什么是清俊爽朗之气？刘勰的回答很明确，那是"文风清焉"，亦即情感清朗之气。对这一问题，刘勰有一定的陈说。《文心雕龙·才略》篇中谈到了刘琨的"雅壮而多风"，其实也就是意指"文风清焉"。钟嵘《诗品序》也

[①] 王运熙：《文心雕龙·风骨笺释》，《文心雕龙探索》，上海古籍出版社，上海，1986年，第117页。

谈到了刘琨的创作问题，他说："先是郭景纯用隽上之才，变创其体；刘越石仗清刚之气，赞成厥美。"罗宗强先生曾经以具体作品为例，分析了刘琨（越石）的"雅壮而多风"。他指出："雅壮，义正而近于悲壮，指其报国之情怀。雅壮之情怀反映在作品中，便是那感人的感情力量，这便是'风'。"[1]骏爽之气所产生的情感力量是雅壮的，那么刘勰心目中的风骨内涵在这里也就部分清楚了。在我们看来，《文心雕龙·风骨》中的一个比喻最能准确表达刘勰的意愿。在陈述了曹丕的《典论·论文》的文气说之后，刘勰说了这么一段话："夫翚翟备色，而翾翥百步，肌丰而力沉也；鹰隼乏采，而翰飞戾天，骨劲而气猛也；文章才力，有似于此。"风骨就是文章才力，它就像"翰飞戾天"的鹰，虽然没有漂亮的羽毛，但骨劲气猛。只有具备了健劲有力气势的文章才是有风骨的文章。刘勰风骨论的美学范式在这里已经明显表露。

气与风的关系姑且如是说。那么，气与骨到底是一种什么关系呢？

刘勰的风骨论里，骨是指语言，但不是指普通的语言，而是指刚健的、具有力之美的语言。这样，骨与气自然而然地联系在一起了。有学者说，刘勰的骨是指严密的逻辑结构、论证的力量、文章的事义，及由这些结合起来所形成的作家的人格和人品，恐怕还要进一步探索。既然风是指刚健的思想情感力量，那么骨还包括事义（事理），是否有职司不明之嫌？此外，刘勰反复将骨与辞放在一起相提并论，其意图到底是什么？倘若骨是指文章的逻辑力量、事义和作家的品格，这与语言有什么直接关系？这些都是要认真思量的。刘勰说：

若丰藻克赡，风骨不飞，则振采失鲜，负声无力，是以缀虑裁篇，务盈守气，刚健既实，辉光乃新，其为文用，譬征鸟之使翼也。（《文心雕龙·风骨》）

在这里，他反对与思想情感无关的华词，认为是没有风骨的表现。对于华词的态度，刘勰在《风骨》篇中还有表述。他说："若风骨

---

[1] 罗宗强：《魏晋南北朝文学思想史》，中华书局，北京，1996年，第332页。

乏采,则鸷集翰林,采乏风骨,则雉窜文囿。"他既要文采又要风骨,文采与风骨在文章中同样重要,缺一不可。黄侃先生在释风骨的时候说:"其曰'缀虑裁篇,务盈守气'者,即谓文以命意为主也。"①从根本上误解了刘勰的意图。刘勰的意思是,要想使文章具有风骨之美,必须在情感的酝酿、语言的组织(构思)等方面花费功夫,力争把自己的个性气质融入这种构思中去,并不是说文章以命意为主。可见,刘勰还是强调气在语言运用中的作用的。语言也离不开气。换言之,骨离不开气。骨要想具有刚健的气势必须贯注气,使语言也具有思想情感的力量。这样,风骨就是一个整体了。风、骨虽然是两个单独的概念,但单独存在则毫无意义,因为失去了整体的价值,就像是一台完整的机器,将它的一个美的部件卸下来,那么,这个单独的美的部件的存在就不会有美的意义。

无论是风还是骨,都是气化的结果。文学艺术作品要成为美的对象,必须经受气的化育,也就是要经受人的思想情感的整合。在这个意义上,说气就是风,气就是骨,一点都不为过。黄侃先生在讨论这一问题时说:"黄氏(黄叔琳)谓气是风骨之本,未为大缪,盖专以性气立言也。纪氏(纪昀)驳之谓气即风骨,更无本末。今试释其辞曰:风骨即意与辞,气即风骨,故气即意与辞,斯不可通也。"②黄侃对纪昀的三段论式的批驳看起来言之凿凿,实际是犯了寻章摘句的老病。因为气作为主体的修养贯穿在文学艺术创作的各个环节之中,无论是情感还是语言都充满着作家的主体之气,说气即风骨有什么不可呢?

实际上,将气与风骨连起来是古代理论家的通行做法,从这种做法中,我们也可以领略古代理论家对气与风骨的态度。因气就是风,风就是气,古代的风与气往往是一个概念。这一点,我们在上文中已有论述。《世说新语·贤媛》对王夫人"有林下风气"的品评,这"风气"也可视为风骨。将骨与气连在一起的现象很多,可以从各个时代的理论论述中罗列一些,给大家一个直观的印象:

---

① 黄侃:《文心雕龙札记》,华东师范大学出版社,上海,1996年,第127页。
② 同上书,第129页。

刘义庆《世说新语·品藻》：时人道阮思旷,骨气不及王右军……

钟嵘《诗品·魏陈思王曹植》：骨气奇高,词采华茂……

殷璠《河岳英灵集》：然适诗多胸臆语,兼有气骨,故朝野通赏其文。

魏庆之《诗人玉屑》：(王维)其人既不足言,词号清雅,亦萎弱少气骨。(卷十五)

张炎《词源·杂论》：秦少游词,体制淡雅,气骨不衰。

胡应麟《诗薮》：繁钦《定情》,气骨稍弱陈思,而整赡都雅,宛笃有情。(内篇)

胡震亨《唐音癸签》：明皇藻艳不过文皇,而骨气胜之。

李重华《贞一斋诗话》：风含于神,骨备于气,知神气即风骨在其中。

刘熙载《艺概·诗概》：杜诗只有无二字足以评之。有者,但见性情气骨也；无者,不见语言文字也。

从这里，我们可以看出气与骨的亲密无间的关系。这里的"骨气"或"气骨"基本上都可以与风骨等同，是指一种整体的美感力量，但在一些细微的关节上又有很多不同之处。比如，风骨与形、神的创造，与格调的创造等，这是一个新的话题，是刘勰等早期的风骨论者不曾注意到的。

总之，风骨的创造离不开气。无论是思想情感还是语言，气都起着点化和化育的作用。它贯穿在整个文学艺术的创作过程中，是文学艺术创作之本。气保证了文学艺术创造的独特性，更保证了文学艺术作品那种刚健壮雅的力量和气势。它是美感形成的基础。

第三节 "骨气端翔，音情顿挫"：风骨的美感力量

风骨作为一种美学风范在魏晋开始形成，有刘勰、钟嵘、陈子昂等人对魏晋文学的评价为证。汉末建安时期，特殊的社会环境造就了

这一时期特殊的文学现象，文学创作一改先前歌功颂德的风貌，转向对社会和人生的思索，对人生命的价值和意义的思索，创作的视野变得开阔。按照文学创作的逻辑发展，人们一般不把这一时期归入汉代文学的范畴，而将之归入魏晋文学的范畴，因为它与汉代文学创作相比，明显呈现出一种断裂，而与魏晋文学创作相比则是一种天然的承接关系。它引导并启发了魏晋文学。

刘勰在检讨这一时期的文学创作时曾经这样说过：

自献帝播迁，文学蓬转，建安之末，区宇方辑。魏武以相王之尊，雅爱诗章；文帝以副君之重，妙善辞赋；陈思以公子之豪，下笔琳琅；并体貌英逸，故俊才云蒸。仲宣委质于汉南，孔璋归命于河北，伟长从宦于青土，公干徇质于海隅，德琏综其斐然之思，元瑜展其翩翩之乐，文蔚、休伯之俦，于叔、德祖之侣，傲雅觞豆之前，雍容衽席之上，洒笔以成酣歌，和墨以藉谈笑，观其时文，雅好慷慨，良由世积乱离，风衰俗怨，并志深而笔长，故梗概而多气也。

（《文心雕龙·时序》）

建安文学的创作成就，后人称之为建安风骨。刘勰虽没有直接使用这一称谓，但从种种倾向中可以看出他对这一时期文学的态度。他说这一时期的文学是"雅好慷慨"、"梗概多气"、"慷慨以任气"（《文心雕龙·明诗》）、"魏之三祖，气爽才丽"（《文心雕龙·乐府》）都是风骨之意，也就是说，刘勰肯定建安文学是追求风骨的，并且达到了风骨的峰巅，后人很难企及。

刘勰对魏晋特别是建安文学的态度到了钟嵘则更为明朗化。钟嵘明确提出"建安风力"的概念，这"建安风力"就是建安风骨。钟嵘说："降及建安，曹公父子，笃好斯文；平原兄弟，郁为文栋；刘桢、王粲，为其羽翼。次有攀龙托凤，自致于属车者，盖将百计。彬彬之盛，大备于时矣。"（《诗品序》）他哀叹江表时代的文风："皆平典似《道德论》，建安风力尽矣。"在这里，他用"彬彬之盛，大备于时"这样一个孔子曾经心仪的"文质彬彬"的理想文学标准，指认建安文学，说明建安文学的确已经成为一个时代的典范。这个典范是以"建安风力"为标志的,"建安风力"就是"梗概多气"的建安风骨。

  为何建安文学受到了如此高的评价？建安风骨（风力）的含义是什么？学术界论述详矣。在这里只做简单的陈述。首先，建安文学是文质兼备的文学，它能够做到"以情纬文，以文披质"（沈约《宋书·谢灵运传论》）。从三曹及"七子"这些代表性作家的创作看，建安文学一个突出的特点是文质兼备，实现了文学创作情感表达和文学体式的统一。这一时期的作家都有自己擅长的文学体式，形成了自己的风格特征。如曹操善四言，其诗古直悲壮，意蕴深厚；子建善五言，其诗其文词采华茂，情感悲切；王粲善辞赋，其文秀雅，其情愁怆；刘桢善五言，其诗真骨凌霜，高风跨俗。他们都做到了文质兼备，作品具有很高的审美价值。其次，建安文学追求一种慷慨悲凉的审美意趣。它抒发哀思，但不一味消沉，字里行间弥漫着一种奋发昂扬的精神气质，给人们带来了全新的审美感受，以曹操为代表。他的《短歌行》《步出夏门行》《蒿里行》《薤露行》等诗，格调苍凉，建功立业的雄心壮志与忧愁苦闷的情思相互纠结，表达出积极昂扬的奋斗精神。此外，曹丕、曹植、刘桢、王粲的作品也都展示了悲情美，表现了时代环境给他们带来的愁绪。虽然建安文人的作品意境苍凉，但没有任何消沉的感觉。这种特殊的心绪铸就了建安文学的慷慨悲凉的美学品格，进而形成建安风骨。再次，建安文学反映的社会现实层面非常深广，而且格调健康。建安时期是一个战乱的时期，这一时期阶级矛盾、派系矛盾、民族矛盾纠结在一起，形成无法调和的态势，各种战争连绵不断，战争带来的创伤给人们的心理以深刻的影响，使不少有识之士拿起自己的笔，记录下当时的社会现实及人们的心理感受。这就产生了曹操的《蒿里行》《薤露行》、蔡琰的《悲愤诗》、王粲的《七哀》、曹植的《送应氏》、陈琳的《饮马长城窟行》、阮瑀的《驾出北郭门行》等多方面反映当时社会现实的诗文作品。这些作品反映社会现实的面不仅比较广，而且深刻揭示社会动乱的根源。作家亲自经历战乱，有直接的现实体验，因此，在进行描写时，态度客观，情感真切，形成一时风气。即便高贵如曹操，依然写出了"白骨露于野，千里无鸡鸣"的肃杀、悲凉的诗句。可以想见，没有深刻的社会和人生体验，怎么会有如此沉痛的语言？这种种表现都是建安风骨的一个重要内容。

人们生活在现实之中，凡是美的东西总不至于被长期忽略。建安文学被眼光雪亮的刘勰和钟嵘发现，并成为一代文风的典范，绝非偶然。刘、钟弘扬建安文学，还有一个重要的现实的目的，就是对抗消沉、萎靡的齐梁文风。这样，建安风骨便成为一个有力的武器。然而，在当时极其混乱的状态下，刘勰、钟嵘的呼喊并没有起到应有的作用，随着刘勰抑郁而死，加之钟嵘位末名卑，齐梁文风有增无减，到陈叔宝，已成颓势，但它的生命力依然顽强，一直波及初唐。这才有陈子昂的一声呐喊：

> 文章道弊五百年矣。汉魏风骨，晋宋莫传，然而文献有可征者。仆尝暇时观齐梁间诗，彩丽竞繁，而兴寄都绝，每以咏叹。思古人常恐逶迤颓靡，风雅不作，以耿耿也。一昨于解三处见明公《咏孤桐篇》，骨气端翔，音情顿挫，光英朗练，有金石声。遂用洗心饰视，发挥幽郁。不图正始之音，复睹于兹，可使建安作者相视而笑。（《与东方左史虬修竹篇序》）

陈子昂重提汉魏风骨，重提建安，一个重要的理由就是他所处时代的文风逶迤颓靡，风雅不作，这是齐梁文风影响的结果。为了逆转这种颓风，他选择向齐梁文风开炮，提出了一个贴近建安风骨的审美标准：骨气端翔，音情顿挫，光英朗练，有金石声。

首先，"骨气端翔"标举的是一种风骨美，有一种思想情感的气势与力量。"骨气"也就是风骨，"端"是指骨骼端庄、坚实，"翔"是指气势的飞动。骨骼的端庄、坚实是指语言的劲健有力，气势的飞动是指思想情感的活力、飞灵。它们共同组成美的合唱，形成一种健康向上的思想情感力量。这种风骨之美是纠缠着传统的比兴的。陈子昂的可贵贡献不仅在于重提汉魏、建安风骨，还在于他发掘出了风骨比兴的意蕴。这是刘勰、钟嵘不曾明确意识到的。尽管他们在自己的著作中都曾经讨论了比兴的问题，但没有将它置于风骨的情境之下讨论，因此隔了一层。在有风骨的作品中发现了比兴，应该是陈子昂的一个发现。

其次,"音情顿挫"标举的是音节美和情感美。它是在风骨统领之下的,并且服从于风骨的实际需要。这是陈子昂风骨内容的一个部分。"音"是指音节、声音,"情"是指情感。古典诗歌讲究音韵美,但如果过分追求音韵之美而忽视与情感的谐调搭配,这种音韵之美没有任何意义。音韵只有与情感谐调搭配,才能形成抑扬顿挫的美感力量,完美展示人的情感历程。刘勰、钟嵘的风骨论意识到了情感的打动力量,但没有明确讨论音韵的问题。他们虽然都谈到了"采",这只是笼统的文采,可能音韵并没有形成共识或者没有普及的缘故(齐永明年间,沈约等人提出声律,刘勰是采取接受的态度的。《文心雕龙》专门有《声律》篇申述,钟嵘却采取排斥态度,认为声律使"文多拘忌,伤其真美"),导致刘、钟二位不关注风骨与音韵的关系。陈子昂弥补了这个缺陷。他对音韵的关注是适应初唐的文学创作实际的。可见陈子昂风骨论的提出不是着意复古,沿袭古意,而是有自己独特的创新。

再次,"光英朗练"标举的是文学作品的光彩,追求一种明朗、皎洁、凝练之美。这也是陈子昂风骨论的内涵之一。"光"指光彩,"英"本意指花瓣,此谓鲜美。"朗"有明朗、皎洁之意。"练"指凝练。这是一种美的光彩,它是建立在"骨气端翔,音情顿挫"的基础之上的。文学作品具有一定的思想情感的气势和力量,具有音情的和谐之美,会使整个作品光洁鲜亮,具有更为强烈的情感的力量。

陈子昂的风骨论,在他以后的创作中化为实际的行动,作为一种审美的标准被用于实践,改变了当时的文风(当然,这功劳不能算在陈子昂一个人的头上,初唐四杰、殷璠等人都做出了贡献)。因此,陈子昂被称为"诗家有开创气象者"(徐世溥《榆溪诗话》),应该有一定的道理。

陈子昂之后,唐诗追求"气象"。这"气象"就是殷璠所说的"风骨凛然"(《河岳英灵集》),指一种开阔壮大的情思。李白是盛唐诗歌气象壮大第一人,他不仅躬身实践,而且在理论上有明确的宣言。他的"蓬莱文章建安骨,中间小谢又清发。俱怀逸兴壮思飞,欲上青天览日月"(《宣州谢朓楼饯别校书叔云》)就表达对建安风骨的叹服,"逸兴壮思"从建安风骨而来,是对建安风骨美学思想的承继。

由此看来,风骨在唐代已经成为刚健壮大的美感力量的代用语。可以从古代的理论表述中找出充足的证据。古代理论家会沿用这一概念或近似概念如"骨气"、"气骨"等,不管是用于文学批评还是用于书法绘画批评,都是具有这个层面的意义。文学批评使用风骨的,如严羽评阮籍《咏怀》:"极为高古,有建安风骨"(《沧浪诗话·诗评》);胡应麟评《易水歌》:"凄婉激烈,风骨情景,种种具备"(《诗薮》内篇卷三);沈德潜评庾信:"庾子山才华富有,悲感之篇,常见风骨"(《说诗晬语》卷上);周济评李清照:"闺秀词惟清照最优,究苦无骨,存一篇尤清出者"(《介存斋论词杂著》);等等。这些都是推崇刚健壮大情思的典型例子。绘画书法批评使用风骨的,如荆浩《笔记法》论画:"凡笔有四势:谓筋、肉、骨、气。笔绝而不断谓之筋,起伏成实谓之肉,生死刚正谓之骨,迹画不败谓之气。"张彦远云:"古之画或能移其形似而尚其骨气,以形似之外求其画,此难可与俗人道也。"(《历代名画记·论画六法》)刘熙载论书法:"字有果敢之力,骨也;有含忍之力,筋也。"(《艺概·书概》)这里的风骨、骨或骨气都是指壮大的气势。尽管它们与文学的指称在细枝末节上有所差别,但总体的审美意蕴是没有太大差别的。文学审美批评与书法绘画审美批评运用风骨理论时,内涵有相当的共同性,这使风骨作为一个通用的审美批评概念成为可能。

风骨理论发展到陈子昂是一个转折。这种转折表现在:风骨的刚健壮大的审美情思内涵已经定型,成为一种美学的风范。此后,风骨理论便走向平稳发展的阶段。可能就是因为风骨理论的这种发展过于平稳,不像魏晋南北朝和初盛唐时期那样,有风有浪,后来的文学艺术理论又开始漠视风骨,以致很多人误认它失去了生命的活力,不再具有现实的意义。

第四节　风骨与崇高

通过上述考察，我们发现，风骨理论与西方的崇高理论内涵有相近之处，不妨在此做一简单分析。

崇高是西方文艺学、美学的一个重要范畴，它早在中世纪以前就已经产生了。作为西方美学的一个重要发现，它首先揭示的是风格问题。郎加纳斯较早提出这一问题，他对崇高的谈论是专门针对文章风格的，意图找出崇高风格的来源。他认为，崇高风格的来源有五个，即庄严伟大的思想、强烈而激动的情感、运用藻饰的技术、高尚的措辞以及堂皇卓越的结构，这已经是一个审美的范畴。他说："崇高可以说就是灵魂伟大的反映。"①他希望作家要有庄严伟大的思想，要确立伟大的写作目标。在写作的过程中，人要自始至终保持主动，不做卑鄙无耻的家伙。他说："做卑鄙无耻的家伙并不是大自然为我们——它所挑选出来的子女——所订定的计划，绝不是的；它生了我们，把我们生在这宇宙间，犹如将我们放在某种伟大的竞赛场中，要我们既做它丰功伟绩的观众又做它雄心勃勃的竞赛者；它一开始就在我们的灵魂中植有一种不可抗拒的对于一切伟大事物、一切比我们自己更神圣事物的渴望。因此，就是整个世界，作为人类思想的飞翔领域，还是不够宽广，人的心灵还常常越过整个空间的边缘。"②他认为，人们真正欣赏的是惊心动魄的事物，因为这些事物能够使人产生心灵的振动。崇高在文章中的表现是横扫千军、不可阻挡的。

中世纪之后，随着人们认识的深入发展，崇高的内涵发生了转变。崇高被描述为人类对苦难的超越心态，展示了人类战胜苦难的一种境界。它根源于原始的图腾崇拜。当时，人类改造自然和征服自然的能力非常有限，不得不依靠超自然的力量（如神、宗教等）对抗自然，实现个体精神的自由。因此，崇高是与恐惧相伴而生的，由恐惧

---

①[古罗马]郎加纳斯：《论崇高》，伍蠡甫、胡经之主编：《西方文艺理论名著选编》（上），北京大学出版社，北京，2000年，第119页。
②同上书，第126页。

而生敬畏，由敬畏而产生愉悦。英国经验主义美学家柏克认为，人有两种情感，一种是痛感，一种是快感。快感引发了美感，痛感引发了崇高。危险和惊惧是崇高所追求的效果，这样崇高与丑有血缘关系，因为它造成了人们的不愉快。他从自然、社会、艺术三个角度论述了崇高的来源。就自然方面说，悬崖、高山、布满星斗的夜空使人产生敬畏之情，它们是崇高的。就社会来说，专制政府和异教徒寺庙给人以精神上的压抑和种种神秘性，也是崇高的。在艺术作品中，他列举了弥尔顿和维吉尔描写恐惧的诗，认为这些同样是崇高的。在这些崇高的对象面前，人的力量都显得那么渺小与微不足道。然而，令人恐惧的对象在人们的审美观念中要真正崇高，必须要经过人们的心理化育，使人们与它们保持一定的距离，让人处于一个安全的地带，似有危险并无危险，这样，令人恐惧的对象才能成为审美对象。

康德对崇高的思考仅仅限于自然界。他对自然的崇高做了深入的分析。他认为，真正的崇高不包含在任何感性的形式中，只针对理性的理念，因为它具有更高的合目的性。康德说：

> 但在自然界里我们习惯于称之为崇高的东西中却根本没有任何导致特殊的客观原则及与之适合的自然形式的东西，以至于大自然通常激发起崇高的理念，毋宁说是在它的混乱中，或在它的极端狂暴、极无规则的无序和荒蛮中，只要可以看出伟大和力量。由此可见，自然界的崇高概念远不如自然中美的概念那么重要和有丰富的结果；它所表明的根本不是自然本身中的合目的之物，而只是对自然直观的可能的运用中的合目的之物，为的是使某种完全独立于自然的合目的性可以在我们自己心中被感到。对自然的美，我们必须寻求一个我们之外的根据，对于崇高我们却只须在我们心中，在把崇高性带入自然的表象里去的那种思想境界中寻求根据，这是目前很有必要的一个说明，它把崇高的理念和一个自然合目的性的理念完全分开，并使崇高的理论成为只是对自然合目的性的审美评判的一个补充，因为借此并没有表现出自然中的任何特殊的形式，

而只是展示了想象力对自然表象所做的某种合目的性的运用。①

他将崇高的情感划分为数学的崇高和力学的崇高两种，数学的崇高是就量而言，力学崇高是就质而言。数学的崇高是一种绝对的大，与之相比的任何东西都是渺小的。在自然界中，没有任何可以成为感官对象的东西是符合这一要求的，也就是说，自然界里没有崇高，崇高是由某种反思判断力活动起来的表象所带来的精神情调。力学的崇高是将自然界看作强力，成为人们恐惧的对象。人们之所以恐惧，是因为人们的反抗本能。也许人的反抗毫无意义，根本不能动摇自然的毫毛，这是摆脱恐惧的唯一途径。然而，人在恐惧时是不能做出审美判断的，要做出审美判断，必须从崇高的危险中超脱出来。康德承认自然景象中有美的崇高存在。他说，险峻的、仿佛威胁着人们生命的山崖，天边高高汇集携带着闪电的云层，火山及其毁灭一切的暴力，无边无际的海洋，一条巨大高高的瀑布，都使人的生命变得渺小，但只要人们处于安全地带，这些景象越是可怕，越吸引人。这就是美的崇高。"因为它们把心灵的力量提高到超出日常的中庸，并让我们心中一种完全不同性质的抵抗能力显露出来，它使我们有勇气能与自然界的这种表面的万能相较量。"②另一方面，自然界之所以能够成为崇高，还因为它把想象力提高到表现那些场合，使人的内心产生超越自然的使命感。这是康德崇高理论的闪光点之所在。

由此可见，康德认为崇高是一种绝对的大，它能够使人们产生恐惧，使人感到自己渺小。这种崇高来自于人的理性，它是人的使命感的崇高。

在西方的崇高理论中，还有一种理论认为崇高是一种绝对道德的力量，它不受形体大小的制约，纯粹因为道德的因素。布拉德雷就持这种观点，他曾经列举了屠格涅夫的散文诗《麻雀》说明这一问题。暴风把鸟巢里的小麻雀吹落到地上，当强大的猎狗扑向小麻雀时，一只老麻雀像石子一样冲着猎狗的鼻子撞击，一次又一次，直到

---

① [德]康德：《判断力批判》，邓晓芒译，人民出版社，北京，2002年，第84页。
② 同上书，第100页。

生命的最后一息。这是一种崇高,丝毫不亚于大海和苍穹的崇高。这种崇高也包蕴着大,那不是体积范围之大,而是力量之大。在布拉德雷的思想观念中,摆脱了美与崇高的对立,将它们看成是统一的。他认为,人类的崇高感有两个阶段,第一阶段是受挫或压抑阶段,这时,人产生逃避或恐惧的感觉,感到自己力量的渺小;第二阶段是力量的反作用阶段,自我突然涌现、扩张,使人超越一切阻碍和限制,勇敢地面对挫折。这样,崇高就无条件地进入美学领域,标志着西方崇高理论的进步。

风骨虽然没有明确说它所表现的东西必须是恐怖的、能够引起人们强烈惊惧的,但说出它所表现的内容必须是刚健壮大的。在这一方面,风骨和崇高具有了某种对应性。

刘勰推崇慷慨悲凉的建安风骨,这慷慨悲凉的背后隐藏的是人们的恐惧和无奈。"白骨露于野,千里无鸡鸣。""步登北邙坂,遥望洛阳山。洛阳何寂寞!宫室尽烧焚。"(曹植《送应氏》其一)"塞裳上墟丘,但见蒿与薇。白骨归黄泉,肌体乘尘飞。"(孔融《杂诗二首》)这是一种恐惧,更是一种悲哀,不是自然的力量导致人情感的悲哀,而是社会的力量所造成的。刘勰明确指出,建安风骨是"世积乱离,风衰俗怨"的结果,恐怕只能算作外部的成因。然而,风骨的形成不单纯是外部的因素能决定的,还必须有气的参与。所谓气是指人的思想情感和性格特征,也类似西方崇高理论所说的理念。它是长期修炼而成的,是风骨形成的内部因素。建安风骨中蕴涵了一个重要的因素——玄学,这是一种彻头彻尾的理念。玄学的任诞放达铸就了人们通脱的性格特征,它反过来又推动了建安风骨的形成。曹操的《短歌行》一诗可以代表建安文学的风骨特征:

> 对酒当歌,人生几何?譬如朝露,去日苦多。慨以当慷,忧思难忘。何以解忧?唯有杜康。青青子衿,悠悠我心。但为君故,沉吟至今。呦呦鹿鸣,食野之苹。我有嘉宾,鼓瑟吹笙。明明如月,何时可掇,忧从中来,不可断绝。越陌度阡,枉用相存。契阔谈䜩,心念旧恩。月明星稀,乌鹊南飞。绕树三匝,何枝可依?山不厌高,水

不厌深。周公吐哺，天下归心。

尽管儒家的家国天下理念赫然在目，但那种任诞和狂放依然清晰可睹。如露的人生是如此短暂，建功立业又是如此艰难，只能依靠衮衮诸公——贤明之士，共同成就天下大业。这首诗所渲染的气势是壮大的，情感是悲凉的，它是中国特色的崇高——情感悲凉但不消沉，境界壮大却意蕴深厚。

建安风骨的另一个表现就是借助于阔大的自然宣泄情感，这阔大的自然在西方人看来是崇高的，在中国人看来却是有风骨的一种表现。如上引曹操诗"山不厌高，水不厌深"，山水都是阔大的，增添了这首诗的风骨内涵。再如曹操的《观沧海》：

> 东临碣石，以观沧海。水何澹澹，山岛耸峙。树木丛生，百草丰茂。秋风萧瑟，洪波涌起。日月之行，若出其中。星汉灿烂，若出其里。幸甚至哉！歌以咏志。

曹丕的《善哉行》：

> 上山采薇，薄暮苦饥。溪谷多风，霜露沾衣。野雉群雊，猴猿相追。还望故乡，郁何垒垒！高山有崖，林木有枝。忧来无方，人莫之知。人生如寄，多忧何为？今我不乐，岁月如驰。汤汤川流，中有行舟。随波转薄，有似客游。策我良马，被我轻裘。载驰载驱，聊以忘忧。

所不同的是，这些阔大的自然不带有恐怖的色彩，只有力图征服和改造的欲望，即便如曹丕的悲凉诗句"溪谷多风，霜露沾衣""汤汤川流，中有行舟"也不带有任何恐惧，使中国的风骨论一开始便具有了审美的素质。

建安风骨意境的阔大和情感的悲凉直接表现出的恐惧心理很少，给人以直面恐惧而毫不畏惧的感觉。今天看来，能够继承建安时期的风骨美学的只能是盛唐。这两个时代风骨美学发达是一种必然的现象。

李白有一首诗《蜀道难》，描述了蜀道的艰难状况：

>　　蚕丛及鱼凫，开国何茫然。尔来四万八千岁，不与秦塞通人烟。西当太白有鸟道，可以横绝峨眉巅。地崩山摧壮士死，然后天梯石栈相钩连。上有六龙回日之高标，下有冲波逆折之回川。黄鹤之飞尚不得过，猿猱欲度愁攀援。青泥何盘盘，百步九折萦岩峦。扪参历井仰胁息，以手抚膺坐长叹。

蜀道可谓恐怖，在李白的笔下却成为一个生动鲜明的审美对象，恐怖化为美的力量。李白的诗以飘逸著称，用西方的崇高论概括他的风骨特征恰如其分。但从实质而言，他的风骨与崇高差异很大。西方的崇高强调自然的强大，不可征服，而李白笔下没有不能征服的东西。如《峨眉山月歌送蜀僧晏入中京》：

>　　我在巴东三峡时，西看明月忆峨眉。月出峨眉照沧海，与人万里长相随。黄鹤楼前月华白，此中忽见峨眉客。峨眉山月还送君，风吹西到长安陌。长安大道横九天，峨眉山月照秦川。黄金狮子乘高座，白玉麈尾谈重玄。我似浮云殢吴越，君逢圣主游丹阙。一振高名满帝都，归时还弄峨眉月。

连月亮都能征服，还有什么征服不了的呢？当然，李白是用想象征服自然，这种崇高带有浪漫色彩。

与李白大相径庭，杜甫的风骨表现为沉郁顿挫。何谓沉郁？陈廷焯曰："所谓沉郁者，意在笔先，神余言外，写怨夫思妇之怀，寓孽子孤臣之感。凡交情之冷淡，身世之飘零，皆可于一草一木发之。而发之又必若隐若现，欲露不露，反复缠绵，终不许一语道破，匪独体格之高，亦见性情之厚。"（《白雨斋词话》卷一）这就是说，沉郁并没有显示出情感的力量，而顿挫就把这种情感的力量显示出来了。为此，陈子昂才推崇"音情顿挫"。如杜甫诗《壮游》：

>　　往昔十四五，出游翰墨场。斯文崔魏徒，以我似班扬。七龄思即壮，开口咏凤凰。九龄书大字，有作成一囊。性豪业嗜酒，嫉恶

怀刚肠。脱略小时辈，结交皆老苍。饮酬视八极，俗物都茫茫。

这是平铺直叙，然而抑扬顿挫的风骨依稀可见。在自负和沉痛之余，诗人体验到人世的沧桑、人情的悲凉。诗人的孤傲像屠格涅夫笔下的那个不自量力的麻雀，以自己微薄的力量与社会抗争。其崇高的精神境界于此可见一斑！

总之，中国古典的风骨理论与西方的崇高理论有相像之处。风骨强调刚健壮大，推崇慷慨悲凉；崇高强调恐惧与绝对的大，推崇理性和力量。但两者的差异也十分鲜明。崇高强调人的恐惧感，处于安全状态下的美感形成；风骨不强调人对恐惧的畏惧，注重对恐惧的征服，在慷慨激昂中呈现出无可比拟的美感力量。

第十五章　趣味：
艺术的审美评判

中国古典文艺学、美学对艺术的审美批评有一套自己独特的概念范畴。上文已经讨论了意境和风骨，这些都是西方文艺学、美学批评中不曾具有的。接下来，我们要讨论的是趣味，趣是意趣，味是滋味。这也是中国古典文艺学、美学众多独特的审美批评概念中的一个。"味"本来是用以指称味觉的一个概念，后来就运用到文学艺术的审美批评中，意谓文学艺术的审美鉴赏就像吃东西，也追求美味。"味"作为一个独特的审美范畴形成于春秋时期。老子曾经提出了"为无为，事无事，味无味"的观念，认为无味之味才是至味。这是发挥道家的有无思想，表现对虚无的推崇。实际上，老子的"味"已经具有了美感的意义。《左传》记载了很多音乐欣赏的史实材料，有不少就把音乐的欣赏和味联系起来。如，昭公二十年记载晏婴"声亦如味"的观点，认为声音的清浊、疾徐、哀乐、刚柔等与味之盐梅有异曲同工之妙。这明显带有审美的眼光，为使"味"成为一个审美的观念奠定了基础。《论语》曾记载孔子在齐闻《韶》三月不知肉味的感受，是因为音乐的美让他忘却了肉的美味，这也是以味论艺的一个极好的范例。可见，在先秦时期已经形成了味的审美批评理论。"味"在中国古典文艺学、美学的漫长发展历程中成为一个独特的审美批评概念是必然的，充分显示了中国古代理论家以实为虚的视角，为世界文学艺术审美理论与批评的完善提供了一个有价值的参照。

第一节　味的审美理论的兴起

"味"作为一种审美理论萌芽于春秋时期。将味用诸文学艺术的审美鉴赏,其灵感来自于饮食的美味。这是没有什么疑问的。"味"指滋味,从口,未声,表明它与饮食有关。在先秦典籍中,关于味的大量的应用都是着眼于这一方面。《左传》记载的昭公九年曰:"君实司味";昭公二十年曰:"宰夫和之,齐之以味";宣公四年曰:"必尝异味";等等。都说的是饮食之味。这饮食之味是人的生理的一种满足,它是一种快感,与美感的差别甚远。然而,美感之味正是由快感之味发展而来的。可以以昭公二十年的记载探讨味是如何由快感之味向美感之味进化的。

> 齐侯至自田,晏子侍于遄台。子犹驰而造焉。公曰:"唯据与我和夫。"晏子对曰:"据亦同也,焉得为和?"公曰:"和与同异乎?"对曰:"异。和如羹焉,水火醯醢盐梅以烹鱼肉,燀之以薪。宰夫和之,齐之以味,济其不及,以泄其过。君子食之,以平其心。君臣亦然。君所谓可而有否焉,臣献其否以成其可。君所谓否而有可焉,臣献其可以去其否。是以政平而不干,民无争心。故《诗》曰:'亦有和羹,既戒既平。鬷嘏无言,时靡有争。'先王之济五味,和五声也。以平其心,成其政也。声亦如味,一气,二体,三类,四物,五声,六律,七音,八风,九歌,以相成也。清浊,大小,短长,疾徐,哀乐,刚柔,迟速,高下,出入,周疏,以相济也。君子听之,以平其心。心平德和。故《诗》曰:'德音不瑕。'今据不然。君所谓可,据亦曰可。君所谓否,据亦曰否。若以水济水,谁能食之?若琴瑟之专壹,谁能听之?同之不可也如是。"

晏子关于"和"与"同"的辨析,是一种对君臣的态度辨析,并不是关于美的辨析。奇妙的是,这里却涉及美的问题。他说,"和"就像美味的羹,在水中加入盐梅、鱼肉等材料用火烹煮,然而,并非多种材料的随意混合,而是按比例有机调和。随意的混合就不成其味了,不能达到人们期望的味觉,所谓"济其不及,以泄其过"就是美味的生成过程。在味的调和过程中，任何一种味都应保持一定的适度，不可过量，也不能缺量。就是所谓的"和"，才能保证味道鲜美。同时，晏子还把味与声（音乐）联系起来。他说，声就像味道的调和一样，优美的声音是调和五音的结果。从这里，我们理解到，味有单一之味，有多种味道调和在一起而形成的复合之味。相比之下，复合之味更具有快感，更具有诱人的魅力。

《左传》的这一记载对我们研究味作为一种美感的生成显得特别重要。因为《左传》相对于很多先秦典籍比较可靠，它的产生也相对较早，值得信赖。晏子提出味的"和"的问题，有一个潜台词是我们不能不注意的，那就是，为什么"和"才具有更美的味道？这涉及味的婉转、悠长等问题，是后来味觉美学反复讨论的。味表现在文学艺术领域，有味外之旨和言有尽而意无穷的问题。这才真正触及文学艺术的审美实质。而这却是魏晋南北朝及以后的事情了。

味在先秦诸子的著作中有广泛涉及，意义比较庞杂，但多指味觉快感，很少接近美感。如《庄子·至乐》所言"口不得其厚味"，《孟子·告子上》所言"口之于味，有同嗜焉"，《荀子·性恶》所言"目好色，耳好声，口好味"等，都说的是味觉带来的快感。这种快感虽然是生理的，也都带有直觉的好恶感受，已经显示了审美快感的萌芽。只要大家细心一点就会发现，先秦诸子在谈论味的时候，往往将之与声、色相提并论。它们是属于同一层次的，都是直觉的感官活动。如《老子》云："五色令人目盲，五音令人耳聋，五味令人口爽。"《论语·述而》："子在齐闻《韶》，三月不知肉味。"《孟子·告子上》云："故曰，口之于味也，有同嗜焉；耳之于声焉，有同听焉；目之于色焉，有同美焉。"《荀子·王霸》云："故人之情，口好味而臭味莫美焉；耳好声而声乐莫大焉；目好色而文章至繁妇女莫众焉。"等等，此类例子不胜枚举。这声、色、味给人以直接的快感，声在当时的观念中就是美感，因为在先秦人的意识里没有比乐更高尚的了。乐携带着仁和礼，表现了人崇高的道德，就是美的。而味也同样是携带着道德意蕴的。如孔子在齐闻《韶》三月不知肉味，《韶》之美是一种道德之美，由这种道德美的浸染、感发，孔子的思想灵魂受到巨大的震撼，连肉的美味也不觉得了。由此类推,味进入审美领域也是理所当然的。

其实,老子的味的理论已经有非常明确的审美因素。《老子》三十五章云:"乐与饵,过客止。道之出口,淡乎其无味,视之不足见,听之不足闻,用之不足既。""乐"是指音乐,"饵"是指美味,音乐和美味并列,都是指能给人带来感官快乐的东西。而"道"是无味的,它超越了人们的生理感官,依然能够给人们带来快乐。李泽厚、刘纲纪说:"《老子》讲'味',又提及了'乐与饵',用'道'与之相比,说明它所讲的'味'也与审美有关,但他认为真正的、最高的美是存在于无味、无色、无声的'道'之中的。"[1]因此,《老子》六十三章又云:"为无为,事无事,味无味。"王弼解释云:"以无为为居,以不言为教,以恬淡为味,治之极也。"[2]"无味"是一种恬淡之味。这恬淡之味如果按照老子的本意理解就是"无",我们可以将之理解为虚无,一种飘渺、恍惚的境界。这是老子极力追求的一种美的境界,老子将之视为最高的美、绝对的美。这"味无味""突出了审美愉悦的无限性、自由性"[3]。由此观之,老子的味的理论已经包含了审美的理论,尽管这种审美理论是模糊的、多义的,为味更深一步涉足于审美领域建造了一个必要的阶梯。

老子之后,对味做出进一步论述的是孟子和荀子,他们的味都带有审美的因素。孟子说,人的口味是有共同性的,与犬马之类的动物有本质的区别。天下之味都以易牙——这一烹调大师——之味为准则,说明人的味觉有共同性。由此类推,人类的美感也有共同性。今人在研究孟子的这一论述时,正是从共同美的角度认识的,因为孟子不仅讲过"口之于味,有同嗜焉",还讲过"耳之于声,有同听焉;目之于色,有同美焉"。味与声、色一样都能给人带来感官的愉悦,使人

---

[1] 李泽厚、刘纲纪:《中国美学史》第二卷,中国社会科学出版社,北京,1987年,第799页。
[2] 王弼:《老子道德经注》,楼宇烈:《王弼集校释》,中华书局,北京,1999年,第164页。
[3] 李泽厚、刘纲纪:《中国美学史》第二卷,中国社会科学出版社,北京,1987年,第800页。

产生美的享受。然而,无论是味还是声、色,都是孟子的一种比喻,他的真正意图是表达人心对理义的感悟。人心对理义的感悟就像人对味、声、色的感觉一样,都有共同性。荀子基本也是这么一个视觉。他说:"目好之五色,耳好之五声,口好之五味,心利之有天下。"(《荀子·劝学》)"目辨白黑美恶,耳辨音声清浊,口辨酸咸甘苦,鼻辨芬芳腥臊,骨体肤理辨寒暑疾养,是又人之所常生而有也,是无待而然者也,是禹、桀之所同也。"(《荀子·荣辱》)所不同的是,荀子明确要求辨味,已经带有审美评判的意味,为味进入文学艺术的审美领域又打开一扇小门。

凡此种种,都只能说明味已经具有一种审美的素质,还没有真正成为审美的范畴。在我们看来,在先秦,味的使用平台基本就一个,那就是以味作比喻,用来演说政治、伦理、道德、礼法的内容,并没有摆脱味觉方面的意义,可是,这却为味进入审美领域奠定了基础,故而这一过程也是不可省略的。

两汉时期,先秦关于味的用法依然在用,但出现了一些新的苗头,那就是将味与语言联系在一起,提倡对语言的品味。刘向《说苑·君道》有一段记载:

> 汤曰:"药食先尝于卑,然后至于贵,药言先献于贵,然后闻于卑。"故药食尝乎卑,然后至乎贵,教也;药言献于贵,然后闻于卑,道也。故使人味食,然后食者,其得味也多,使人味言,然后闻言者,其得言也少。是以明王之于言,必自他听之,必自他闻之,必自他择之,必自他取之,必自他聚之,必自他藏之,必自他行之。

这里提到了"味言",所谓"味言"就是对语言的一种品味,味就不是味觉之味,而是一种品赏了。味由名词活用为动词,开始进入语言的领地,这标志着一种有意义的转变,即味剥离了味觉的生理快感的阈限,进入了品味的心理快感磁场,为其步入真正的审美之路迈出了至关重要的一步。

魏晋南北朝时期,味的理论不可能脱离味的本原意义,但已不强调味觉方面的生理快感,而是强调意蕴方面的心理美感,追求言外之意。如陆机《文赋》论文："或清虚以婉约，每除烦而去滥，缺大羹之遗味，同朱弦之清泛。虽一唱而三叹，固既雅而不艳。"葛洪《抱朴子·辞义》云："夫文章之体，尤难详赏。苟以入耳为佳，适心为快，鲜知忘味之九成，《雅》《颂》之风流也。所谓考盐梅之咸酸，不知大羹之不致；明飘摇之细巧，蔽于深沉之弘邃也。""大羹"即是美味的羹，它是众多味道的复合。"入耳为佳，适心为快"依然指生理感官的享受，不是心理美感。陆、葛在这里都强调对文章言外之意的追逐，这里的味都可等同于言外之意。毫无疑问，这个味已经属于审美评判的范畴，它已经正式进入了文学艺术审美批评的领域。

味作为一种审美理论的兴起是到刘勰、钟嵘最后完成的。《文心雕龙》对味的审美意义有多层次的展示，我们可以将之归为以下几个方面：其一，味是一种审美的玩赏。这与味的词性转变有很大关系。我们前面说到刘向的"味言"，这个"味"字的词性已经发生转变，由原来的名词转变为动词。到刘勰的《文心雕龙》，味的这种动词化的使用已司空见惯。如《明诗》："至于张衡怨篇，清典可味。"《隐秀》："使玩之者无穷，味之者不厌矣。"《情采》："研味孝老，则知文质附乎性情。""繁采寡情，味之必厌。"《总术》："味之则甘腴。"这些"味"字都是玩赏之意，一如他在《辨骚》篇中所言"褒贬任声，抑扬过实，可谓鉴而弗精，翫而未核者也"。这"鉴"和"翫"（通"玩"）与上述之"味"同义，都是指玩赏。显然，这是一种审美品赏，味亦成为审美品评的一个概念。其二，味强调的是"文外重旨"和"复意"。刘勰认为，这是有余味的关键因素。《隐秀》篇曾经这样说："隐也者，文外之重旨者也；秀也者，篇中之独拔者也。隐以复意为工，秀以卓绝为巧，斯乃旧章之懿绩，才情之嘉会也。"又说："深文隐蔚，余味曲包。"这实际开启了后世味外之味理论的先河，有深厚的审美意蕴。其三，味是作品所透露出来的美的意趣。这是对先前陆机等人对味理论的运用和直接继承。此类概念主要有：余味（《宗经》等篇）、遗味（《史传》）、道味、辞味（《附会》）、义味（《总术》）、滋味（《声律》）等。至如单体的味字使用就更为频繁了，不好在这里一一列尽。这些概念尽管表达的是美的意趣，但多少还透露出刘勰与前人的瓜葛,如道味、义味等,就与儒家思想有关。这些味主要是指通过对语言的阅读,领会文章的美的意趣,它与作为味觉感官的味道是不一样的,具有美学上的意义。

钟嵘的文学批评核心是滋味说,味成为他进行审美评判的一个有力的武器。我们从《诗品序》中的这段著名的言论里可以看出滋味说的丰富意蕴:

> 五言居文词之要,是众作之有滋味者也,故云会于流俗。岂不以指事造形,穷情写物,最为详切者耶! 故诗有三义焉:一曰兴,二曰比,三曰赋。文已尽而意有余,兴也;因物喻志,比也;直书其事,寓言写物,赋也。宏斯三义,酌而用之,干之以风力,润之以丹彩,使味之者无极,闻之者动心,是诗之至也。

钟嵘标举五言诗,认为五言诗是有滋味的诗,是因为它能"味之者无极,闻之者动心"。何以如此? 这便涉及滋味的真正内涵。五言诗之所以富有滋味,是因为:1. 指事造形,穷情写物,最为详切。也就是说,它能够生动地刻画出事物的美的形象,完美地描绘出事物的状态,并且在描绘的过程中注入了自己的真情实感。2. 斟酌采用兴、比、赋三义。钟嵘对三义的解释具有现代意义。他说,兴是"文已尽而意有余",比是"托物喻志",赋是"直书其事,寓言写物"。这便接触到了味的根本。后世对味或趣味理论的发挥主要是在这一层面。3. 风力和丹彩兼具。风力就是风骨,丹彩是文学语言的文采,包括遣词造句的各种手段。这样,滋味的意义就丰富了。至此,味已经成为一种具有中国古典特色的审美批评理论。

第二节 "味外之旨"与"韵外之致"

钟嵘的滋味说已经揭示了五言诗的"文已尽而意有余"的特质,他认为这是通过对"兴"的使用而实现的。从钟嵘所论述的整体内容看,这似乎只是滋味的一个特征,钟嵘是将滋味作为一个完整的美学批评体系来构架。然而,我们看重的却正是这一点。味的美也正体现在它所呈现的意蕴含蓄、委婉、富有情趣方面。钟嵘的这一美学思想到了晚唐的司空图那里得到了淋漓尽致的发挥。

在《与李生论诗书》中，司空图这样写道：

> 文之难，而诗之难尤难。古今之喻多矣，而愚以为辨于味，而后可以言诗也。江岭之南，凡足资于适口者，若醯，非不酸也，止于酸而已；若鹾，非不咸也，止于咸而已。华之人以充饥而遽辍者，知其咸酸之外，醇美者有所乏耳。彼江岭之人，习之而不辨也，宜哉。诗贯六义，则讽喻、抑扬、渟蓄、温雅，皆在其间矣。然直致所得，以格自奇。前辈诸集，亦不专工于此，矧其下者耶？王右丞、韦苏州澄澹精致，格在其中，岂妨于道举哉？贾浪仙诚有警句，视其全篇，意思殊馁，大抵附于寒涩，方可致才，亦为体之不备也，矧其下者哉？噫！近而不浮，远而不尽，然后可以言韵外之致耳。

> 盖绝句之作，本于诣极，此外千变万状，不知所以神而自神也，岂容易哉？今足下之诗，时辈固有难色，倘复以全美为工，即知味外之旨也。

司空图说辨味难，难就难在味不是单一一种，而是多味的复合。真正的美味就在于这多味的复合之中。他以江岭之南人们味觉的迟钝做比喻，由于习惯的因素，他们只知道单一之味，酸则酸，咸则咸。而中原之人（华之人）却不喜欢这种单一之味，他们更喜欢咸酸之外的醇美之味。司空图显然更推崇醇美之味，他对诗之味的态度也是如此。司空图将"六义"看成是不同诗味的表现，显然直接承袭了钟嵘的观点。因为钟嵘说过五言诗之所以富有滋味是因为采用了兴、比、赋三义。这是对古代"六义"理论的创造性发展。钟嵘的创造性已表现得十分明显，他抛弃了"六义"的讽喻教化本质，对之做出了纯粹艺术的界定。而司空图虽然表面上讨论教化，实际上，他的诗味说是与教化无关的。这从他对"味外之旨"和"韵外之致"的强调上可以看出。司空图认为，诗的讽喻、抑扬、渟蓄、温雅都是不同的诗味，这涉及诗的意义表现、创作手段、风格特征、意境创造等许许多多的问题，也就是说，味在司空图那里更是一个丰盈而复杂的美感问题。

首先,从意义表现上说,司空图的"味外之旨"和"韵外之致"是一种"复义"。真正优秀的文学作品意义都不是单薄的,有复杂的意义结构。它们的意义和情韵是多层次的,足以让人咀嚼不尽。这种复义有可能是意义上的层进关系,有可能是意义上的平行关系。它不仅与创作者有关,而且与欣赏者有关。从创作的角度说,这种复杂的意义结构是作家赋意的结果。作家在进行文学艺术创作的过程中,自觉或不自觉地进行多重赋意,或使用隐喻,或借助于象征,使作品表现的表层意蕴和深层意蕴产生和谐的共振。如屈原的诗《离骚》、曹植的文《洛神赋》、李白的诗《梦游天姥吟留别》、李商隐的诗《锦瑟》、贾岛的诗《寻隐者不遇》、苏轼的诗《题西林壁》等,都是具有多层意蕴的优秀作品。《洛神赋》的主旨不在于描绘洛神之美以及对洛神的情感缠绵,而在于表达对美的情感追求和期望。同样,《锦瑟》也不仅仅是渲染情感的怅惘和失落,而在于揭示人生如梦和无常。它们都在一定程度上实现了复义,是作家有意而为之。从接受的角度说,欣赏者也参与了意义的创造,因此,复义也与阅读有关。不同的欣赏者受自身素质和阅读环境的影响,每个人都能从作品中获得不同的意义,所谓"诗无达诂"、"一千个鉴赏者有一千个哈姆莱特"即是此意。因此,从李商隐的《锦瑟》中,有人读出了思念,有人读出了悼亡,有人读出了爱情,有人读出了人生的无常。每一种读法都有自己的合理性,不可能强求划一。但是,读者对意义的创造有一个限定,那就是必须符合审美接受的规则。一篇文学艺术作品的真正价值就在于:它能不断地创造意义。这样,才能常读常新,有永不衰竭的生命力。

其次,从创作手段上说,司空图的"味外之旨"和"韵外之致"是各种创作手段使用的结果。作家、艺术家为了使自己的创作更具有艺术性,不可能采取单一的手段,对某一事件或情感做毫无起伏的平铺直叙,而是多种艺术和语言手段并用,以期达到某种立体的效果。我们上文说过,作家为了实现自己赋意的目的,或使用隐喻,或借助于象征,恐怕也只是创作手段的很小一部分。创作的手段还有更多,如司空图所说的抑扬、渟蓄。创作手段有大小之分,大的手段是创作方法,小的手段是语言修辞手法。它们都能够产生"味外之旨"和"韵外之致"。单就象征和隐喻说,也有大小的问题。大的问题是整体上的隐喻和象征,小的问题只是语言修辞上隐喻和象征,二者虽然都能够产生"味外之旨"和"韵外之致",但效果会截然不同。韩愈的《毛颖传》实施的是总体的象征与隐喻,以毛颖的命运对应文人的命运,富有强烈的"味外之旨"。屈原的《离骚》实施的是部分象征与隐喻,以香草、美人对应君子、贤臣,以恶草、臭木对应小人、奸臣,也实现了"味外之旨"的目的。可见,要想使自己的作品具有味外之旨和韵外之致,创作手段是一种不可缺少的手段。它是营造美感氛围的一个重要的因素。

再次,从风格特征上说,司空图的"味外之旨"和"韵外之致"是指不同风格特征的作品所产生的奇妙审美效果。风格凝结着作家、艺术家特殊的思想情感和修养气质,是作家、艺术家情感的外在显现形式。风格的背后隐藏着很多内容,如作家、艺术家的生活经历、生活态度、政治观点、美学观点、个性气质等,只要作者是一个诚实的作者,作品中基本上都有表现。读者在阅读作品、感受它的风格特征的同时,就是在与作者对话,与作者进行一种观念和情感的交流。任何一种风格的背后都隐藏着作家、艺术家浓烈、挚热的情感,哪怕是极为冷淡孤僻的风格特征,依然有一种热情存在。我们读李贺阴冷的诗,思索良多,回味良多。在思索和回味之余,同样能体会到他的热情。杜牧《李贺集序》这样描述李贺的诗味:"云烟绵联,不足为其态也;水之迢迢,不足为其情也;春之盎盎,不足为其和也;秋之明洁,不足为其格也;风樯阵马,不足为其勇也;瓦棺篆鼎,不足为其古也;时花美女,不足为其色也;荒国侈殿,梗莽丘垄,不足为其恨怨悲愁也;鲸呿鳌掷,牛鬼蛇神,不足为其虚荒诞幻也。"这就是风格所展现出来的"味外之旨"和"韵外之致"。对这一问题,已有不少人投入了细致的关注。细读司空图,我们能够感觉他有明显的风格偏好。他特别推崇澄澹精致的风格。在《与李生论诗书》中,他说:"王右丞、韦苏州澄澹精致,格在其中,岂妨于遒举哉?"在《与王驾评诗书》中,他又说:"右丞、苏州趣味澄夐,若清风之出岫。"可见,王维、韦应物是他心中的偶像。所谓澄澹精致,就是一种淡泊的情怀,一种超越世俗的生活态度和审美情趣。司空图认为,这样的作品具有味外之旨、韵外之致。因为这更贴近他的社会,更贴近他的情感。由此观之,读者对风格的欣赏也是因人而异的,他要寻求适合自己审美趣味的风格特征,认为这才是有趣味的,否则,就是无趣味的。

最后,从意境的创造上说,司空图的"味外之旨"和"韵外之致"是指意境深远、形象鲜明的美感特征。要做到意境深远、形象鲜明,必须融合思与境。在《与王驾评诗书》中,他曾经说,"思与境偕"乃"诗家之所尚"。这就是说,诗歌应处理好思想情感与景物形象的融合关系,切实做到情景交融、虚实相生。做到这一点,诗也就有"味外之旨"和"韵外之致"了。司空图还具体描述了意境的美感效果,他认为,有"味外之旨"和"韵外之致"的意境应具备以下几个方面的条件:

第一,"近而不浮,远而不尽"。所谓"近而不浮"是指形象而言,系指形象近距离、鲜活,只有近距离,人们才能看得真切。"浮"是浮泛,也就是没有抓到形象的特征,只做一些无关紧要的浮泛描绘,这样就不能亲切感人。"近而不浮"一下子就抓住了问题的实质,要求形象的创造真切、鲜明、富有个性,给人以生动直观的印象。所谓"远而不尽"是指诗歌所描绘的意境深远,能够给人以无限丰富的想象。"远"如果系指形象,会造成形象的朦胧,不符合诗味的要求;而如果是指意境,朦胧就是一种美了,给人以雾中看花的感觉。正因为"远"才会"不尽","远"中蕴涵着无穷无尽的意味。司空图对意境远和近的要求,有一种极高的美学视界,体现了艺术创造中的辩证原则。这一"近"一"远"形成了意境的虚实相生、情景交融,故而能够产生无穷的韵味。

第二,"超以象外,得其环中"。这是司空图在《诗品·雄浑》中的表述。"超以象外"就是说,诗歌的创作不应拘泥于表面的形象描绘,要能够超越文字所表现的形象之外。要做到这一点,殊非易事。它要求诗人有丰富的想象力和语言文字的驾驭能力。这种"超以象外"就是陆机在《文赋》中所说的"虽离方而遁圆,期穷形而尽相",是"离形得似",离开了形象描绘的本身达到形象塑造的目的。这涉及多种艺术和语言手法的运用,上文已经简单论述。"环中"本意是指空虚之处。《庄子·齐物论》云:"枢始得其环中,以应无穷。"意思是说,"合乎道枢才像得入环的中心,以顺应无穷的流变"①。在这里,"环中"引申为最能打动人灵魂的思想情感意蕴。这是强调意境创造的虚灵。高妙的意境创造,不可拘泥于死的物象,要抓住活的意蕴。这样的作品方具有"味外之旨"和"韵外之致"。

第三,"不著一字,尽得风流"。此语出自司空图《诗品·含蓄》。这是描绘含蓄的意义的,强调诗歌对语言的超越。含蓄是诗味之一种,这里既指语言,也指整个诗境。语言的表现是有限的,同时,语言的表现又是无限的。它的有限性在于,仅仅使用特定的书写形式(文字)表达无限丰富的意蕴,限制了表达;它的无限性在于,特定的书写形式(文字)的确表达了无限丰富的意蕴,张扬了表达。诗歌创作要力争抛弃语言的有限性特征,不要死于句下,对语言做出无限性的超越。这当然需要诗人的思想情感和才艺涵养。也只有这样,才能展示诗歌的"味外之旨"和"韵外之致",更为完美地创造出诗歌的意境。

上述所论是我们对司空图的"味外之旨"和"韵外之致"所做的一点分析。司空图达到了钟嵘之后诗味理论的又一个高峰。整个唐代和北宋,数百年间,无人能与之比肩。故而,我们以他为个案,以点带面。然而,我们对司空图的诗味理论又不做全面地分析,只是选取一个视角,是为了适应对整个问题的把握。目前,对司空图的诗味理论的研究并不深入,还需要同行诸君做出艰苦的努力。

第三节 "兴趣"与"意趣"

我们对味的理论内涵做了一番梳理,着重讨论了刘勰、钟嵘和司空图的味论。在我们看来,对中国的味论,抓住这三家就基本把握住了主脉。然而,与此相关的还有趣。趣,一般指意趣,相邻的概念有旨趣、兴趣、情趣、趣味、妙趣等。它虽然不是味,实际上,在文学艺术的审美评判中与味的使用意义却没有大的差异,从这一角度,我们也

---

①陈鼓应:《庄子今注今译》,中华书局,北京,1999年,第59页。

将之视为味的同级相关范畴。对这一问题,学术界有所忽略。我们尝试着做一番探讨。

趣进入文学艺术批评领域是在南北朝时期。南齐王僧虔《论书》中较早使用了这一概念。他评萧思话书法:"萧思话全法羊欣,风流趣好,殆当不减,而笔力恨弱。"这里的"风流趣好"是指书法的长处、趣味。意思是说萧思话师法羊欣,有羊欣的长处,有羊欣的趣味,但笔力较羊欣为弱。这个"趣好",我们还可以理解成风格。这样,趣与味的意义就很相近了。较多使用趣来进行文学审美批评的还是刘勰。《文心雕龙·颂赞》云:"挚虞品藻,颇为精核,至云杂以风雅,而不变旨趣,徒张虚论,有似黄白之伪说矣。"《哀吊》云:"及潘岳继作,实踵其美,观其虑善辞变,情洞悲苦,叙事如传,结言摹诗,促节四言,鲜有缓句,故能义直而文婉,体旧而趣新,金鹿泽兰,莫之或继也。"《体性》云:"子云沉寂,故志隐而味深;子政简易,故趣昭而事博。"这里的趣除《颂赞》中的"旨趣"指意趣之外,其余之趣都可以理解为趣味。刘勰批评挚虞将风雅与颂杂糅的做法,认为其旨趣不变是"徒张虚论";他褒扬潘岳的哀吊文"义直而文婉",体式是旧的,而趣味是新的,也就是说潘岳能够进行意义的创新;他说刘向(子政)崇尚简易,其文章趣味彰显而用事广博。可见,趣在刘勰那里已经属于文学批评的范畴,其用途与味简直异曲同工。

至唐代,王昌龄《诗中密旨》标举诗之三格,将"得趣"列为第一格。他说:

> 诗有三格。一曰得趣,谓理得其趣,咏物如合砌,为之上也。诗曰"五里徘徊鹤,三声断续猿,如何俱失路,相对泣离樽"是也。二曰得理,谓诗首末确语不失其理,此谓之中也,诗曰"世胄蹑高位,英俊沉下僚"是也。三曰得势,诗曰"孟春物色好,携手共登临,放旷丘园里,逍遥江海心"。(《诗学指南》卷三)

王昌龄说,"得趣"是"理得其趣"。在咏物的过程中,如果做到了理与趣合,便是诗中之上格。这个趣是意趣,因为它与理纠结在一起。张怀瓘《书断下》云:"万事无情,胜寄在我,苟视迹而合趣,或循干而得人。虽身沉而名飞，冀托之以神契，每见片善，何庆如之。"（《法书要录》卷九）这个趣是情趣。张氏说，书法创作也是寄托着书法家的主体性情的，它是对万事万物的模拟，一个事物如果与创作者的主体情趣相合，便成为模拟的对象。这是一个关键的问题。唐代有书法家张旭，他观公孙大娘舞剑，草书大进，就是因为他的情趣与舞剑产生了和谐共振，他从舞剑的姿态上获得了某种灵感，催化了他的创造力。所以，张氏说，书法的创作也要迹（万物之象）与趣合。此后的唐代文学艺术批评理论便被味淹没了，味代替了趣，行使着趣的审美批评的权利。到了南宋，趣才开始复兴，反而取代了味，成为文艺审美批评的主导角色。

对宋代的趣论，我们拟聚焦于二人，一个是严羽，一个是张炎。

严羽是以倡导兴趣出名的。兴趣关涉着他的诗歌理论基础，引起人们的注意。在《沧浪诗话》中，严羽这样论述兴趣：

夫诗有别材，非关书也；诗有别趣，非关理也。然非多读书，多穷理，则不能极其至，所谓不涉理路、不落言筌者上也。诗者，吟咏情性也，盛唐诸人，唯在兴趣；羚羊挂角，无迹可求。故其妙处，透彻玲珑，不可凑泊。如空中之音，相中之色，水中之月，镜中之象，言有尽而意无穷。（《诗辨》）

他首先说诗有别趣。所谓"别趣"就是别样的情趣，这一定有个参照，从"非关理也"这句承接的话可以看出，"别趣"是相对于说理而言的。严羽是反对江西诗派以文字、议论和才学入诗的做法的。他说："近代诸公乃作奇特解会，遂以文字为诗，以才学为诗，以议论为诗；夫岂不工，终非古人之诗也，盖于一唱三叹之音，有所歉也。"（《沧浪诗话·诗辨》）这些以文字、议论、才学入诗的诗歌，缺少一唱三叹的素质，没有趣味，只有吟咏情性的诗歌才具有趣味。严羽特别抬出了盛唐诸公，说他们的诗歌"唯在兴趣"。什么是兴趣？严羽自己也有较为明确的解释。首先，他打了一系列的比喻：羚羊挂角，无迹可求；透彻玲珑，不可凑泊；空中之音，相中之色，水中之月，镜中之象。这些比喻都是说，有兴趣的诗歌是毫无雕琢痕迹的，是空灵的、有韵味的。然后才说"言有尽而意无穷"。有人认为,严羽提出的兴趣这一概念是兴和趣两者的结合。兴是指中国文学传统表现手法的那个"兴",它是一种含蓄、委婉、充满想象的表现手段;趣是指情趣,也就是诗歌的味。这有一定的道理。实际上,严羽的兴趣说,综合了自钟嵘、司空图以来的诗味论,同时,又做了自己的发挥。钟嵘在论述他的滋味说时重新解释了兴、比、赋,并说"文已尽而意有余,兴也"。司空图在阐释他的"味外之旨"和"韵外之致"时说"诗贯六义",言外之意是,诗的趣味离不开风、赋、比、兴、雅、颂六义。因此,说严羽的兴趣之兴就是六义之"兴"没有什么疑问。然而,严羽的兴趣说有什么独到之处呢?这是我们要思索的。

其一,严羽的兴趣说虽然强调"言有尽而意无穷",但他是特别反对诗歌说理的。因此,他所说的趣就不可能是意趣,而只能是情趣。意趣并不排斥诗歌的说理,整个宋代诗歌创作的风气就是议论、说理,和唐代的诗风迥异,严羽强调兴趣,明显有对抗潮流之意。一方面表现了他的勇气,另一方面也表现了他的保守和复古的思想品格。从严羽之后宋代文人的实际创作情形看,他并没有产生实质性的影响,足以说明他的这种思想有点不合时宜,不能适应诗歌意境发展的需要。然而,他又接触到部分真理,抓住了宋代诗歌创作的弊端。他说:"且其作多务使事,不问兴致,用字必有来历,押韵必有出处,读之终篇,不知着到何处。其末流甚者,叫噪怒张,殊乖忠厚之风,殆以骂詈为诗。诗至此,可谓一厄也,可谓不幸也。"(《沧浪诗话·诗辨》)这是在批评苏、黄诗风,实是文学史上"诗坏于苏、黄"的先声。从这个角度看待他的兴趣说,又不能不叹服他的精审了。

其二,严羽的兴趣说强调诗歌的创作与诗人的学识没有关联,只靠诗人的妙悟,这抓住了诗歌创作的特点。诗歌创作确实需要诗人有独特的感悟能力。一个学识丰富、满腹经纶的人不一定能成为优秀的诗人,除非他有独特的感悟。严羽说:"大抵禅道惟在妙悟,诗道亦在妙悟。且孟襄阳学力下韩退之远甚,而其诗独出退之上者,一味妙悟而已。"(《沧浪诗话·诗辨》)也正是在这个意义上,他说"诗有别材,非关书也"。实际上,这也包含着严羽的偏见。因为他反对诗歌说理，认为一个学识渊博的人往往受他的学识影响，必定在诗歌中有所表现。以他所批评的苏轼为例，苏轼学识渊博，但他的诗词基本没受学识的太大影响，依然写得感情真挚，文采飞扬。苏轼也是推崇诗味的，但他推崇的是枯澹的诗味，与严羽的空灵诗味大不相同。"所贵乎枯澹者，谓其外枯而中膏，似澹而实美，渊明、子厚之流是也。若中边皆枯澹，亦何足道。"（苏轼《东坡题跋·评韩柳诗》）由此，严羽否定了枯澹的诗味，只张扬他的兴趣的诗味，其偏颇是有目共睹的。

这两点足以代表严羽兴趣说的创造性意义，彰显了他的兴趣说与钟嵘、司空图诗味说的差异。总的来说，严羽还是将趣味的理论向前推进了一步。只不过是，他表面上标榜的是趣（情趣）不是味而已。

张炎作为一位著名的词人也参与到趣味的讨论之中，他的论述带有经验性的意义，不能不予以关注。他强调意趣，在论词名著《词源》中曾经这样说："词以意趣为主，要不蹈袭前人语意。"他举出苏轼的《水调歌头》（明月几时有）、《洞仙歌》（冰肌玉骨），王安石的《桂枝香》（登临送目），姜夔的名词《暗香》《疏影》为例，指证这几首词都是"清空中有意趣"的绝妙好词。综观这几首词，表达的都是怀古、忆人、感伤之意蕴，感情浓郁，壮怀激烈。王安石的《桂枝香》被《古今词话》称为三十余家同调之"绝唱"；苏轼的《水调歌头》被胡仔《苕溪渔隐丛话》称为"此词一出，写中秋词尽废"；其他几首都受到后世的广泛赞誉。这几首词之所以被称为有意趣，一是从情感表达而言，二是从寓意深厚而言，三就是张炎所说的"清空"。

关于"清空"，张炎有一段论述说得比较完整。他说：

> 词要清空，不要质实。清空则古雅峭拔，质实则凝涩晦昧。姜白石词如野云孤飞，去留无迹。吴梦窗词如七宝楼台，眩人眼目，碎拆下来，不成片段。此清空质实之说。梦窗《声声慢》云："檀栾金碧，婀娜蓬莱，游云不蘸芳洲。"前八字恐亦太涩。如《唐多令》云："何处合成愁？离人心上秋。纵芭蕉不雨也飕飕。都道晚凉天气好，有明月、怕登楼。前事梦中休。花空烟水流。燕辞归、客尚淹留。垂柳不萦裙带住，漫长是、系行舟。"此词疏快，却不质实。如

是者集中尚有，惜不多耳。白石词如《疏影》《暗香》《扬州慢》《一萼红》《琵琶仙》《探春》《八归》《淡黄柳》等曲，不惟清空，又且骚雅，读之使人神观飞越。(《词源》卷下)

张炎说清空的特征是古雅峭拔，如野云孤飞、去留无迹，这就昭示它有一种超迈脱俗的风格特征。清空与质实相对，这是从意趣上讲的，清空是清新空灵，质实是质朴平实。它们都与语言的华美关系不大。质实不表示它不使用华美的语言，质实的作品即使语言再华美也掩盖不了质实的本质。可见，清空和质实都是指意趣，不是指语言。清是指清新、雅洁，空是指空灵、峭拔。二者结合就组成了一个美妙的词的境界。张炎是反对词采无端艳丽的，他批评吴文英也是着眼于这一点。他说吴词是七宝楼台，碎拆下来，不成片段，也就是说他徒有华美的文采，终归质实。清空即有意趣，能使词意趣高远。张炎说："美成词只当看他浑成处，于软媚中有气魄，采唐诗融化如自己者，乃其所长。惜乎意趣却不高远。所以出奇之语，以白石骚雅句法润色之，真天机云锦也。"(《词源》卷下)这里的"骚雅"也就是古雅，是指词人清新超俗的审美意趣。从他所列举的词作看，清空是排斥软媚的情感意趣的，它包含着峭拔。也就是说，浓烈的情感中蕴涵一种刚正之气，不在乎作品描写的是缠绵的情感还是贞刚的气节。由此可见，清空追求的是情景交融、无迹可求，能于实中见虚、虚实相生，表现空灵飞动的境界。这是张炎心目中理想的境界，就是词的最高的意趣。

到了明清，"趣"便成为一个出现频率极高的批评语汇，它差不多代替了味的出场。高启就说："诗之要：有曰格，曰意，曰趣而已。格以辨其体，意以达其情，趣亦臻其妙也。体不辨则入于邪陋，而师古之义乖；情不达则堕于浮虚，而感人之实浅；妙不臻则流于凡近，而超俗之风微。三者既得而后典雅冲淡，豪俊浓缛，幽婉奇险之辞，变化不一，随所宜而赋焉。如万物之生，洪纤各具乎天；四序之行，荣惨各适其职。又能声不违节，言必止义，如是而诗之道备矣。"(《独庵集序》,《高太史凫藻集》卷二)把格、意、趣三者并列，将趣抬高到无以复加的地位。此后，谢榛、汤显祖、屠隆、钟惺、袁宏道、李渔、何绍基

等纷纷标榜趣,都将之视为文学艺术创作和审美的一个重要因素,大大丰富了趣的内涵。如:

《四溟诗话》:"诗有四格:曰兴,曰趣,曰意,曰理。太白《赠汪伦》曰:'桃花潭水深千尺,不及汪伦送我情。'此兴也。陆龟蒙《咏白莲》曰:'无情有恨何人见,月晓风清欲堕时。'此趣也。王建《宫词》曰:'自是桃花贪结子,错教人恨五更风。'此意也。李涉《上于襄阳》曰:'下马独来寻故事,逢人惟说岘山碑。'此理也。"(卷二)

《如兰一集序》:"诗乎,机与禅言通,趣与游道合。"(《汤显祖集》诗文集卷三十一)

《论诗文》:"文章只要有妙趣,不必责其何出;只要有古法,不必拘其何体。语新而妙,虽出己意自可;文袭而庸,即字句古人亦不佳。杜撰而都无意趣,乃忌自创;摹古而不损神采,乃贵古法。"(屠隆《鸿苞集》卷十七)

《东坡文选序》:"夫文之于趣,无之而无之者也。譬之人,趣其所以生也,趣死则死。人之能知觉运动以生者,趣所为也。能知觉运动以生,而为圣贤、为豪杰者,非尽趣所为也。故趣者,止于其足以生而已。今取其止于足以生者,以尽东坡之文,可乎哉!"(钟惺《隐秀轩集》)

《叙陈正甫会心集》:"世人所难得者唯趣。趣如山上之色,水中之味,花中之光,女中之态,虽善说者不能下一语,唯会心者知之。今之人慕趣之名,求趣之似,于是有辨说书画,涉猎古董以为清,寄意玄虚,脱迹尘纷以为远;又其下则有如苏州之烧香煮茶者。此等皆趣之皮毛,何关神情?夫趣得之自然者深,得之学问者浅。当其为童子也,不知有趣,然无往而非趣也。"(袁宏道《袁中郎全集》)

《重机趣》:"'机趣'二字,填词家必不可少。'机'者,传神之精神;'趣'者,传奇之风致。少此两物,则如泥人土马,有生形而无生气。"(李渔《闲情偶寄》)

《与汪菊士论诗》:"诗贵有奇趣,却不是说怪话,正须得至理。理到至处,发以尺径,乃成奇趣。"(何绍基《东洲草堂文钞》卷五)

上文之举例,"趣"的意义是相当纷杂的,但无一不是强调"趣"在审美批评中的重要性。明清之"趣"于此可略见一斑。

第四节 "味"与"韵"

中国古典文艺学、美学对于"味"的审美理论,经过司空图研究产生的高峰之后便渐渐回落,回落的一个重要标志就是"味"的分化与合流。"味"作为一个主打概念悄然失去了在审美批评中的主角身份,代之以兴趣、意趣、神韵、格调等。虽然使用的概念不一样,但内在的意蕴是一致的。因此,我们有理由将之罗集,并分别加以讨论。

"韵"这一概念产生得很早,在六朝的时候,主要应用于人物品评,艺术批评也开始运用这一概念,如谢赫的绘画六法之"气韵生动"。从唐代开始,将这一概念大规模运用到艺术中,于是有气韵、神韵这些艺术的重要概念。张彦远《历代名画记》曾经这样记述:"至于鬼神人物,有生动之可状,须神韵而后全。若气韵不周,空陈形似;笔力未遒,空善赋彩,谓非妙也。"(卷一)显然,这里的"韵"是指艺术形象的创造,强调艺术形象的创造要力争表现出形象的气质与神采。后来,"韵"又被运用于文学艺术的审美批评中,意指文学艺术应给人以回味悠长的审美感受。到了清代,王士禛将"神韵"发挥成一个意蕴极其丰富的理论,影响清代诗坛达百年之久。

"韵"的意义非常复杂,它既包含文学艺术创造的内容,又容纳着文学艺术审美的精义。我们抛开前者,重心放在后者,选取的论述角度不涵盖韵意义的全部。这是为了适应本章的主旨,并非以偏概全,或故做惊人之语。因为,本章所论是艺术的审美评判,至于艺术创造的问题在本书"形神"一章已经讨论,可以参照。

关于韵,宋代范温有一段深入的论述,令我们记忆尤深:

且以文章言之，有巧丽，有雄伟，有奇，有巧，有典，有富，有深，有稳，有清，有古。有此一者，则可以立于世而成名矣。然而，一不备焉，不足以为韵。众善皆备而露才用长，亦不足以为韵。必也备众善而自韬晦，行于简易闲澹之中，而有深远无穷之味，观于世俗，若出寻常。至于识者遇之，则暗然心服，油然神会，测之而益深，究之而益来，其是之谓矣。其次一长有余，亦足以为韵。故巧丽者发之于平澹，奇伟有余者行之于简易，如此之类是也。(《潜溪诗眼·论韵》)

范温说"韵"是"行于简易闲澹之中，而有深远无穷之味"，"韵"就与"味"发生了联系。这里的"韵"不是指一般之味，而是指深远无穷之味。从这段话可以看出，范温对韵之味的要求是很严密的。但这种深远无穷之味，必须蕴涵于简易平淡之中，只有此中表现出来的味才可以称之为韵。这样的味具备"有余"的素质，它能给人无穷无尽的审美享受。可见，韵是一种味，但并非平常之味，是一种高级之味。范温以具体作家作品为例，表达了自己的看法：

　　自《论语》、六经，可以晓其辞，不可以名其美，皆自然有韵。左丘明、司马迁、班固之书，意多而语简，行于平夷，不自矜炫，故韵自胜。自曹、刘、沈、谢、徐、庾诸人，割据一奇，臻于极至，尽发其美，无复余蕴，皆难以韵与之。惟陶彭泽体兼众妙，不露锋芒，故曰：质而实绮，癯而实腴，初若散缓不收，反复观之，乃得其奇处。夫绮而腴，与其奇处，韵之所从生，行乎质与癯，而又若散缓不收者，韵于是乎成。(《潜溪诗眼·论韵》)

在这里，他又进一步讨论了"韵"的意义，具备"韵"味的作品必须满足以下几个条件：1. 可以晓其辞，不可以名其美；2. 意多而语简，行于平夷，且不矜炫；3. 质而实绮，癯而实腴，初视若散缓不收，反复观之，乃得其奇处。这实际上是欧、苏等人所倡导的平淡的审美趣味，从他对陶渊明的推崇中能够明显看出承继关系。

苏轼对文学艺术作品是有很高的审美要求的，他的审美趣味是枯澹。在《书黄子思诗集后》一文中，他首先从书法谈起，进而论及诗。他说，钟（繇）、王（羲之）之迹，萧散简远，妙在笔画之外。诗歌创作也是如此。苏（武）、李（陵）之天成，曹（植）、刘（桢）之自得，陶（潜）、谢（灵运）之超然，李、杜之绝世英玮，都是有至味的表现。李（白）、杜（甫）之后，"独韦应物、柳宗元发纤浓于简古，寄至味于淡泊"，司空图的诗味论当时无人识其妙。诗的妙处在于给人一唱三叹的美感，这是一个很高的境界。在《送参寥师》一诗中，他又这样写道："欲令诗语妙，无厌空且静。静故了群动，空故纳万境。阅世走人间，观身卧云岭。咸酸杂众好，中有至味永。"强调空与静，认为这是保持诗之至味的一种必备的条件。苏轼反复强调"至味"（前面说到了淡泊之味和空静之味，都不是太具体）。这"至味"到底是一种什么样的味？在《评韩柳诗》中，苏轼给予了明确的解答：

> 所贵乎枯澹者，谓其外枯而中膏，似澹而实美，渊明、子厚之流是也。若中边皆枯澹，亦何足道。佛云："如人食蜜，中边皆甜。"人食五味，知其甘苦者皆是，能分别其中边者，百无一二也。

至味就是枯澹，它集天成、自得、超然、淡泊、空静于一身，意味隽永，一唱三叹，诗中有画，画中有诗。这也就是范温所说的"韵"。可见，范温的韵论实际上是宋初味论的延伸，是对宋代前中期审美理想的张扬。

与范温相互唱和的诗评家还有张戒，虽然他们所持的武器相同——都用"韵"来表达他们的审美理想，而且"韵"的含义基本相像，但对具体作家的看法却出现了差异。张戒也认为"韵"是一种味，是一种高级的诗味。他说：

> 阮嗣宗诗，专以意胜；陶渊明诗，专以味胜；曹子建诗，专以韵胜；杜子美诗，专以气胜。然意可学也，味亦可学也。若夫韵有高下，气有强弱，则不可强矣。此韩退之之文，曹子建、杜子美之诗，后世所以莫能及也。（《岁寒堂诗话》卷上）
>
> 韵有不可及者，曹子建是也。味有不可及者，渊明是也。才

力有不可及者,李太白、韩退之是也。意气有不可及者,杜子美是也。文章古今迥然不同,钟嵘《诗品》以古诗第一,子建次之,此论诚然。观子建"明月照高楼"、"高台多悲风"、"南国有佳人"、"惊风飘白日"、"谒帝承明庐"等篇,铿锵音节,抑扬态度,温润清和,金声而玉振之,辞不迫切,而意已独至,与三百五篇异世同律,此所谓韵不可及也。(《岁寒堂诗话》卷上)

韦苏州诗,韵高而气清。王右丞诗,格老而味长。虽皆五言之宗匠,然互有得失,不无优劣。以标韵观之,右丞远不逮苏州;至于词不迫切,而味甚长,虽苏州亦所不及也。(《岁寒堂诗话》卷上)

张戒认为,就韵与味二者说,韵比味高,但二者又各有短长。韵比味高,表现在味可学而韵不可学;二者各有短长,表现在韵高而清,味老而长。范温认为曹子建是"难以韵与之"的,而张戒却给予很高的评价。他说,曹子建、韦苏州韵高,陶渊明、王右丞味高,他们都达到诗歌审美的很高境界。在这里,张戒又无端加上"意"与"气"二义,似乎"气"的等级最高,恐怕这只是一种解说的策略。就他所品评的诸位诗人,每个人的作品都有独特的韵味,不好以优劣而论。比如,他在讨论韦苏州和王右丞时,态度就是如此。依韵比味高的观点,韦苏州应比王右丞高,然而,张戒说,二人"互有得失,不无优劣"。态度非常明显。从张戒所论,我们读出了韵就是味。不仅如此,意与气也是味。韵之味不同于平常之味,它是一种具有更高审美价值之味。

宋代欧、苏与范温追求诗味枯澹的审美态度,到明代无可奈何地失落了,但追求韵之味的风气依然不减。宋代对"韵"没有太多的限定,只是说它也是一种味。而从明代开始有了限定,将韵之味的内涵条分缕析得更细。陆时雍《诗镜总论》谈读陶诗的感受是"清风徐来,水波不兴",这是一种悠然之味。他将诗中的韵之味分为韵古、韵悠、韵亮、韵矫、韵幽、韵韶、韵清、韵洌、韵远等多种,分别以具体诗句说之,实际上是指诗不同的审美趣味,以及这些审美趣味给人的不同感受。这些感受是一种直觉,是一种能够觉出其或古雅或幽远或清洌的直觉。他又说:

诗之可以兴人者,以其情也,以其言之韵也。夫献笑而悦,献涕而悲者,情也;闻金鼓而壮,闻丝竹而幽者,声之韵也。是故情欲其真,而韵欲其长也,二言足以尽诗道矣。乃韵生于声,声出于格,故标格欲其高也;韵出为风,风感为事,故风味欲其美也。有韵必有色,故色欲其韶也;韵动而气行,故气欲其清也。此四者,诗之至要也。(《诗镜总论》)

韵与声、色、风、气是连在一起的,它囊括了诗歌的语言、风格、情感、意境等多方面的因素。声是诗歌的声音,它能够传达诗人的绵绵情韵;色是指诗歌的文采,它能够展示诗人敞亮的胸怀;风是指诗歌的感化,它能够表现诗美的意蕴;气是指诗歌的活力,它能够显现诗人清新的气质。诗歌要做到有韵,极为不易。声、色、风、气都是诗歌的韵,四者整合在一起就是诗最高的韵。陆时雍的分析很有个性,他将韵与文学艺术全部的审美趣味糅合在一起,以一种总体的眼光加以审视,符合文学艺术审美发展的规律。

至此,我们不能不触及清代的神韵说,所说的神韵说不是单指哪一家(如王士祯、翁方纲等)的理论,而是指清代的包括神韵、格调、性灵在内的所有的关于文学艺术审美理论,一者它们是相互衍生的,二者它们都以韵和味相标榜,宣扬自己的审美批评主张。神韵作为王士祯诗学思想的核心包括创造和审美两个方面,我们在这里只偏重于审美方面。在诗学旨趣上,王士祯的思想几经变化。他早年宗唐,中年宗宋,晚年又复归于唐。其诗学理论也来自于司空图和严羽。在《唐贤三昧集》中,他陈述了严羽的兴趣说和司空图的味在咸酸之外说,表示对两家的推崇。他强调诗歌创作的化境:"舍筏登岸,禅家以为悟境,诗家以为化境,诗禅一致,等无差别。"(《香祖笔记》)诗禅本无差别,化境也就是神韵,它是文学审美的一种极高的境界。神韵的审美理论在王士祯那里大致包含以下两个方面的内容:1. 追求兴会的审美境界。这种兴会的审美境界是空灵的、飘渺的,它往往不着任何痕迹,具有很高的审美趣味。王士祯曾经借用严羽的话描述这种兴会的境界:"夫诗之道,有根柢焉,有兴会焉,二者率不可兼得。

镜中之象，水中之月，相中之色，羚羊挂角，无迹可求，此兴会也。"（《突星阁诗集序》）在他看来，这种境界是极为难得的。2.倡导诗歌冲淡、自然和清奇的审美品格。王士禛说："昔司空表圣作《诗品》二十四，有谓冲淡者曰：'遇之匪深，即之愈稀。'有谓自然者曰：'俯拾即是，不取诸邻。'有谓清奇者曰：'深出古异，淡不可收。'是三者，品之最上。"（《鬲津草堂诗集序》）"最上"说明它们是王士禛心目中最高的审美境界。这种审美境界到了翁方纲那里又得到了发挥，其《神韵论》中无处不留下他推崇王士禛的痕迹。鉴于翁氏的创造意义不大，这里不再讨论。

袁枚是倡导性灵说的，他也对韵发表了自己独特的见解："作史三长：才、学、识而已。诗则三者皆宜兼，而尤贵以情韵将之，所谓弦外之音，味外之味也。情深而韵长，不徒诗，学宜然，即其人之余休后祚，亦于是征焉。"（《钱竹初诗序》）韵是弦外之音，味外之味，它与情感有关，它是情感的自然延伸。读诗者在阅读的时候只有深深地体味到情感，才能理解诗的韵味。他也欣赏严羽的兴趣说，但认为这只是众多审美趣味之一种，批评王士禛将之奉为至论的做法并非真正知诗，表现出一种更为开阔和通达的态度。

韵是一种味，是更富有审美意义的味。这一问题牵涉比较广泛，单单从审美评判的角度难述其详。韵与味的结合表明中国古典文艺学、美学趣味理论发展的深入，也更加彰显了中国古代文学艺术审美理论的民族特色。

参考文献

中国古代典籍部分

[1] 阮元.十三经注疏[M].北京:中华书局,1982.
[2] 杜预.春秋左传经解[M].上海:上海古籍出版社,1998.
[3] 李道平.周易集解纂疏[M].北京:中华书局,1994.
[4] 刘宝楠.论语正义[M].北京:中华书局,1998.
[5] 杨伯峻.论语译注[M].北京:中华书局,1982.
[6] 焦循.孟子正义[M].北京:中华书局,1998.
[7] 王先谦.荀子集解[M].北京:中华书局,1988.
[8] 朱熹.四书章句集注[M].北京:中华书局,1983.
[9] 郭庆藩.庄子集解[M].北京:中华书局,1982.
[10] 陈鼓应.庄子今注今译[M].北京:中华书局,1997.
[11] 孙希旦.礼记集解[M].北京:中华书局,1998.
[12] 林尹.周礼今注今译[M].北京:书目文献出版社,1985.
[13] 洪兴祖.楚辞补注[M].北京:中华书局,1983.
[14] 楼宇烈.王弼集校注[M].北京:中华书局,1999.
[15] 苏舆.春秋繁露义证[M].北京:中华书局,1996.
[16] 黄晖.论衡校释[M].北京:中华书局,1990.
[17] 班固.汉书[M].颜师古,注.北京:中华书局,1982.
[18] 向宗鲁.说苑校证[M].北京:中华书局,2000.
[19] 赵幼文.曹植集校注[M].北京:人民文学出版社,1998.
[20] 向新阳,刘克任.西京杂记校注[M].上海:上海古籍出版社,1991.
[21] 陶渊明.陶渊明集[M].逯钦立,校注.北京:中华书局,1999.
[22] 严可均.全晋文[G].北京:商务印书馆,1999.
[23] 严可均.全宋文[G].北京:商务印书馆,1999.
[24] 严可均.全梁文[G].北京:商务印书馆,1999.
[25] 范文澜.文心雕龙注[M].北京:人民文学出版社,2000.

[26] 詹瑛.文心雕龙义证[M].上海:上海古籍出版社,1999.

[27] 陈延杰.诗品注[M].北京:人民文学出版社,1998.

[28] 李善.文选注[M].北京:中华书局,1977.

[29] 杨明照.抱朴子外篇校笺[M].北京:中华书局,1997.

[30] 陈子昂.陈子昂集[M].北京:中华书局,1962.

[31] 王昌龄.诗格[O].格致丛书本.

[32] 瞿蜕园,朱金城.李白集校注[M].上海:上海古籍出版社,1980.

[33] 仇兆鳌.杜诗详注[M].北京:中华书局,1979.

[34] 王利器.文镜秘府论校注[M].北京:中国社会科学出版社,1983.

[35] 刘禹锡.刘禹锡集[M].上海:上海人民出版社,1975.

[36] 华忱之,喻学才.孟郊诗集校注[M].北京:人民文学出版社,1995.

[37] 白居易.白居易集[M].北京:中华书局,1979.

[38] 白居易.文苑诗格[O].诗学指南本.乾隆敦本堂刊本.

[39] 赵殿成.王右丞集笺注[M].上海:上海古籍出版社,1961.

[40] 郭绍虞.诗品集解[M].北京:人民文学出版社,1998.

[41] 殷璠,等.唐人选唐诗(十种)[M].上海:上海古籍出版社,1978.

[42] 冯浩.玉谿生诗集笺注[M].上海:上海古籍出版社,1979.

[43] 柳宗元.柳宗元全集[M].上海:上海古籍出版社,1997.

[44] 王琦,等.李贺诗歌集注[M].上海:上海古籍出版社,1977.

[45] 贾岛.二南密旨[M].丛书集成初编本.北京:中华书局,1985.

[46] 欧阳修.欧阳文忠公集[O].四部丛刊本.

[47] 朱东润.梅尧臣集编年校注[M].上海:上海古籍出版社,1980.

[48] 邵雍.伊川击壤集[O].四部丛刊影印本.

[49] 程颢,程颐.二程集[M].北京:中华书局,1981.

[50] 黎靖德.朱子语类[G].北京:中华书局,1981.

[51] 朱熹.诗集传[M].北京:中华书局,1958.

[52] 成伯玙.毛诗指说[O].四库全书本.

[53] 林景熙.霁山文集[O].四库全书本.

[54] 胡寅.斐然集[O].四库全书本.

[55] 李涂.文章精义[M].北京:人民文学出版社,1998.

[56] 苏轼.东坡题跋[O].丛书集成本.

[57] 苏轼.经进东坡文集事略[O].文学古籍刊行社.

[58] 欧阳询,等.艺文类聚[G].上海:上海古籍出版社,1985.

[59] 陆游.陆游集[M].北京:中华书局,1976.

[60] 邓广铭.稼轩词编年笺注[M].上海:上海古籍出版社,1978.

[61] 洪迈.容斋随笔[M].上海:上海古籍出版社,1978.

[62] 陈骙.文则[M].北京:人民文学出版社,1998.

[63] 郭若虚.图画见闻志[M].北京:人民美术出版社,1978.

[64] 郭绍虞.沧浪诗话校释[M].北京:人民文学出版社,1983.

[65] 杨万里.诚斋易传[M].上海:上海古籍出版社,1990.

[66] 黄子肃.诗法[O].诗学指南本.乾隆敦本堂刊本.

[67] 方回.桐江集[O].宛委别藏本.

[68] 苏天爵.元文类[O].清光绪十五年江苏局刊本.

[69] 胡应麟.诗薮[M].上海:上海古籍出版社,1979.

[70] 何良俊.四友斋丛说[M].北京:中华书局,1983.

[71] 袁黄.诗赋[O].古今图书集成本.

[72] 徐渭.徐渭集[M].北京:中华书局,1983.

[73] 归庄.归庄集[M].上海:上海古籍出版社,1984.

[74] 胡应麟.少室山房类稿[O].明刻本.

[75] 钱谦益.牧斋初学集[M].上海:上海古籍出版社,1985.

[76] 何文焕.历代诗话[G].北京:中华书局,1997.

[77] 丁福保.历代诗话续编[G].北京:中华书局,1983.

[78] 丁福保.清诗话[G].上海:上海古籍出版社,1992.

[79] 郭绍虞.清诗话续编[G].上海:上海古籍出版社,1999.

[80] 唐圭璋.词话丛编[G].北京:中华书局,1996.

[81] 胡震亨.唐音癸签[M].上海:上海古籍出版社,1981.

[82] 纳兰性德.通志堂集[M].上海:上海古籍出版社,1979.

[83] 王国维.人间词话[M].北京:人民文学出版社,1982.

[84] 李渔.闲情偶寄[M].上海:上海古籍出版社,2000.

[85] 沈德潜.古诗源[M].北京:中华书局,2000.

[86] 袁守定.占毕丛谈[O].光绪重刻校本.

[87] 王夫之.船山全集[M].长沙:岳麓书社,1998.

[88] 叶瑛.文史通义校注[M].北京:中华书局,2000.

[89] 马瑞辰.毛诗传笺通释[M].北京:中华书局,1989.

[90] 俞剑华.中国古代画论类编[G].北京:人民美术出版社,2000.

[91] 沈子丞.历代论画名著汇编[G].北京:文物出版社,1982.

[92] 胡经之.中国古典文艺学丛编（1-3）[G].北京:北京大学出版社,2001.
[93] 郭绍虞.中国历代文论选（1-4）[G].上海:上海古籍出版社,1984.
[94] 张少康,卢永璘.先秦两汉文论选[M].北京:人民文学出版社,1999.
[95] 郁沅,张明高.魏晋南北朝文论选[M].北京:人民文学出版社,1999.
[96] 周祖譔.隋唐五代文论选[M].北京:人民文学出版社,1999.
[97] 陶秋英.宋金元文论选[M].北京:人民文学出版社,1999.
[98] 蔡景康.明代文论选[M].北京:人民文学出版社,1999.
[99] 王镇远,邬国平,等.清代文论选[M].北京:人民文学出版社,1999.
[100] 舒芜.中国近代文论选[M].北京:人民文学出版社,1981.
[101] 华东师范大学,等.历代书法论文选[M].上海:上海书画出版社,2000.
[102] 崔尔平.历代书法论文选续编[M].上海:上海书画出版社,2003.
[103] 中国戏曲研究院.中国古典戏曲论著集成[M].北京:中国戏曲出版社,1979.
[104] 蔡毅.中国古典戏曲序跋汇编[G].济南:齐鲁书社,1989.

译著部分

[1] 柏拉图.文艺对话集[M].朱光潜,译.北京:人民文学出版社,1983.
[2] 亚里士多德.诗学[M].陈中梅,译注.北京:商务印书馆,1999.
[3] 黑格尔.美学[M].朱光潜,译.北京:商务印书馆,1999.
[4] 康德.判断力批判[M].邓晓芒,译.北京:人民出版社,2002.
[5] 维柯.新科学[M].朱光潜,译.北京:商务印书馆,1997.
[6] 列维-布留尔.原始思维[M].丁由,译.北京:商务印书馆,1994.
[7] 列维-斯特劳斯.野性思维[M].李幼蒸,译.北京:商务印书馆,1987.
[8] 黑格尔.小逻辑[M].贺麟,译.北京:商务印书馆,1996.
[9] 克罗齐.美学原理·美学纲要[M].朱光潜,等,译.北京:外国文学出版社,1983.
[10] 费尔迪南·德·索绪尔.普通语言学教程[M].高名凯,译.北京:商务印书馆,1982.
[11] 海德格尔.海德格尔选集[M].上海:上海三联书店,1996.
[12] 保罗·利科尔.解释学与人文科学[M].陶远华,等,译.石家庄:河北人民出版社,1987.
[13] 雅克·马利坦.艺术与诗中的创造性直觉[M].刘有元,等,译.北京:生活·读书·新知三联书店,1992.
[14] 恩斯特·卡西尔.语言与神话[M].于晓,译.北京:生活·读书·新知三联书

店,1988.

[15] 恩斯特·卡西尔.人论[M].甘阳,译.北京:生活·读书·新知三联书店,1997.

[16] 伽达默尔.真理与方法[M].洪汉鼎,译.上海:上海译文出版社,1999.

[17] 弗莱.批评的剖析[M].陈慧,等,译.天津:百花文艺出版社,1999.

[18] 艾·阿·瑞恰慈.文学批评原理[M].杨自伍,译.南昌:百花洲文艺出版社,1997.

[19] 韦勒克,沃伦.文学理论[M].刘象愚,等,译.北京:生活·读书·新知三联书店,1986.

[20] 韦勒克.近代文学批评史[M].杨岂深,杨自伍,译.上海:上海译文出版社,1997.

[21] 韦勒克.批评的诸种概念[M].丁泓,等,译.成都:四川文艺出版社,1988.

[22] 阿多诺.美学理论[M].王柯平,译.成都:四川人民出版社,1998.

[23] 列·谢·维戈茨基.艺术心理学[M].周新,译.上海:上海文艺出版社,1986.

[24] 鲁道夫·阿恩海姆.视觉思维[M].滕守尧,译.成都:四川人民出版社,1998.

[25] 鲁道夫·阿恩海姆.艺术与视知觉[M].滕守尧,朱疆源,译.成都:四川人民出版社,2001.

[26] 鲁道夫·阿恩海姆.艺术心理学新论[M].郭小平,翟灿,译.北京:商务印书馆,1999.

[27] 卫姆塞特,布鲁克斯.西洋文学批评史[M].颜元叔,译.北京:中国人民大学出版社,1987.

[28] 张隆溪.道与逻各斯[M].冯川,译.成都:四川人民出版社,1998.

[29] 特雷·伊格尔顿.二十世纪西方文学理论[M].伍晓明,译.西安:陕西师范大学出版社,1987.

[30] 胡塞尔.纯粹现象学通论[M].李幼蒸,译.北京:商务印书馆,1996.

[31] 海德格尔.存在与时间[M].陈嘉映,王庆节,译.北京:生活·读书·新知三联书店,2000.

[32] 奥古斯丁.忏悔录[M].周士良,译.北京:商务印书馆,1981.

[33] 莫里斯·梅洛-庞蒂.知觉现象学[M].姜志辉,译.北京:商务印书馆,2001.

[34] 海德格尔.荷尔德林诗的阐释[M].孙周兴,译.北京:商务印书馆,2000.

[35] 海德格尔.形而上学导论[M].熊伟,王庆节,译.北京:商务印书馆,1996.

[36] 乔纳森·卡勒.论解构[M].陆扬,译.北京:中国社会科学出版社,1998.

[37] 汉斯·罗伯特·耀斯.审美经验与文学解释学[M].顾建光,等,译.上海:上海译文出版社,1997.

[38] 理查德·沃林.文化批评的观念[M].张国清,译.北京:商务印书馆,2000.

[39] 约翰·塞尔.心灵、语言和社会[M].李步楼,译.上海:上海译文出版社,2001.

[40] 胡经之,张首映.西方二十世纪文论选(1-4)[G].北京:中国社会科学出版

社,1989.

[41] 伍蠡甫.西方文论选[M].上海:上海译文出版社,1979.
[42] 伍蠡甫.现代西方文论选[M].上海:上海译文出版社,1983.
[43] 波德莱尔.波德莱尔美学论文选[M].郭宏安,译.北京:人民文学出版社,1987.
[44] 刘若愚.中国文学理论[M].杜国清,译.台北:台湾联经出版事业公司,1981.
[45] 刘若愚.中国诗学[M].杜国清,译.台北:台湾幼狮文学公司,1977.
[46] 青木正儿.中国文学概论[M].隋树森,译.台北:台湾开明书店,1977.
[47] 厄尔·迈纳.比较诗学[M].王宇根,等,译.北京:中央编译出版社,1998.
[48] 维特根斯坦.哲学研究[M].李步楼,译.北京:商务印书馆,1996.
[49] 罗素.西方哲学史[M].何兆武,李约瑟,译.北京:商务印书馆,1996.
[50] 罗兰·巴尔特.符号学原理[M].李幼蒸,译.北京:生活·读书·新知三联书店,1988.
[51] 倪梁康.胡塞尔选集[M].上海:上海三联书店,1997.
[52] 拉曼·塞尔登.文学批评理论[M].刘象愚,等,译.北京:北京大学出版社,2003.
[53] M.H.艾布拉姆斯.镜与灯[M].郦稚牛,张照进,童庆生,译.北京:北京大学出版社,1989.

现代著述部分

[1] 郭绍虞.中国文学批评史[M].天津:百花文艺出版社,1999.
[2] 罗根泽.中国文学批评史[M].上海:上海古籍出版社,1984.
[3] 王运熙,顾易生.中国文学批评通史[M].上海:上海古籍出版社,1996.
[4] 王运熙.文心雕龙探索[M].上海:上海古籍出版社,1986.
[5] 朱光潜.诗论[M].北京:生活·读书·新知三联书店,1998.
[6] 朱光潜.朱光潜美学文集[M].上海:上海文艺出版社,1983.
[7] 朱自清.诗言志辨[M].上海:华东师范大学出版社,1996.
[8] 胡经之.文艺美学[M].北京:北京大学出版社,1999.
[9] 胡经之.西方文艺理论名著教程[M].北京:北京大学出版社,1986.
[10] 胡经之.文艺美学论[M].武汉:华中师范大学出版社,2000.
[11] 胡经之,王岳川.文艺学美学方法论[M].北京:北京大学出版社,1995.
[12] 赵沛霖.兴的源起[M].北京:中国社会科学出版社,1987.
[13] 朱良志.中国艺术的生命精神[M].合肥:安徽教育出版社,1998.

[14] 宗白华.美学散步[M].上海:上海人民出版社,2002.
[15] 宗白华.美学与意境[M].北京:人民出版社,1987.
[16] 陈圣生.现代诗学[M].北京:社会科学文献出版社,1998.
[17] 黄霖,等.原人论[M].上海:复旦大学出版社,2000.
[18] 汪涌豪.范畴论[M].上海:复旦大学出版社,1999.
[19] 刘明今.方法论[M].上海:复旦大学出版社,1999.
[20] 蒋凡.周易演说[M].长沙:湖南文艺出版社,1998.
[21] 耿占春.隐喻[M].北京:东方出版社,1995.
[22] 鲁枢元.文艺心理学阐释[M].上海:上海文艺出版社,1989.
[23] 杨义.楚辞诗学[M].北京:人民出版社,1998.
[24] 杨义.中国叙事学[M].北京:人民出版社,1997.
[25] 杨义.中国古典小说史论[M].北京:中国社会科学出版社,1997.
[26] 滕守尧.审美心理描述[M].北京:中国社会科学出版社,1985.
[27] 梁宗岱.诗与真·诗与真二集[M].北京:外国文学出版社,1984.
[28] 黄侃.文心雕龙札记[M].上海:华东师范大学出版社,1996.
[29] 张首映.西方二十世纪文论史[M].北京:北京大学出版社,1999.
[30] 吕景云,朱丰顺.艺术心理学新论[M].北京:文化艺术出版社,1999.
[31] 张少康,等.中国文学理论批评发展史[M].北京:北京大学出版社,1995.
[32] 杨守森.艺术想象论[M].天津:百花文艺出版社,1991.
[33] 顾祖钊.艺术至境论[M].天津:百花文艺出版社,1993.
[34] 童庆炳.艺术创作与审美心理[M].天津:百花文艺出版社,1999.
[35] 王一川.审美体验论[M].天津:百花文艺出版社,1999.
[36] 王昆吾.中国早期艺术与宗教[M].上海:东方出版中心,1998.
[37] 叶舒宪.诗经的文化阐释[M].武汉:湖北人民出版社,1997.
[38] 张少康.中国古代文学创作论[M].北京:北京大学出版社,1983.
[39] 张少康,刘三富.中国文学理论批评发展史[M].北京:北京大学出版社,1995.
[40] 牟世金.雕龙集[M].北京:中国社会科学出版社,1983.
[41] 王元化.文心雕龙创作论[M].上海:上海古籍出版社,1984.
[42] 卞之琳.人与诗·忆旧说新[M].北京:生活·读书·新知三联书店,1984.
[43] 顾颉刚.古史辨(1—3)[M].上海:上海古籍出版社,1982.
[44] 李泽厚,刘纲纪.中国美学史[M].北京:中国社会科学出版社,1987.
[45] 李泽厚.美学论集[M].上海:上海文艺出版社,1980.
[46] 李泽厚.美的历程[M].北京:中国社会科学出版社,1984.

[47] 俞建章,叶舒宪.符号:语言与艺术[M].上海:上海人民出版社,1988.
[48] 徐复观.中国艺术精神[M].上海:华东师范大学出版社,2001.
[49] 杨明照.文心雕龙校注拾遗补正[M].南京:江苏古籍出版社,2002.
[50] 钱锺书.管锥编[M].北京:中华书局,1996.
[51] 钱锺书.谈艺录[M].北京:中华书局,1996.
[52] 钱锺书.七缀集[M].上海:上海古籍出版社,1996.
[53] 钱中文.文学理论:走向交往对话的时代[M].北京:北京大学出版社,1999.
[54] 闻一多.闻一多全集[M].北京:生活·读书·新知三联书店,1982.
[55] 陶伯华,朱亚燕.灵感学引论[M].沈阳:辽宁人民出版社,1987.
[56] 卢盛江.魏晋玄学与中国文学[M].南昌:百花洲文艺出版社,2002.
[57] 蒲震元.中国艺术意境论[M].北京:北京大学出版社,1999.
[58] 朱狄.艺术的起源[M].北京:中国青年出版社,1999.
[59] 尚学锋,等.中国古典文学接受史[M].济南:山东教育出版社,2000.
[60] 罗宗强.隋唐五代文学思想史[M].上海:上海古籍出版社,1986.
[61] 罗宗强.魏晋南北朝文学思想史[M].北京:中华书局,1996.
[62] 罗宗强.玄学与魏晋士人心态[M].天津:南开大学出版社,2003.
[63] 王岳川.二十世纪西方哲性诗学[M].北京:北京大学出版社,1999.
[64] 蒋述卓.佛经传译与中古文学思潮[M].南昌:江西人民出版社,1990.
[65] 许结.汉代文学思想史[M].南京:南京大学出版社,1990.
[66] 陈良运.中国诗学批评史[M].南昌:江西人民出版社,1995.
[67] 陈良运.周易与中国文学[M].南昌:百花洲文艺出版社,1999.
[68] 陈良运.中国诗学体系论[M].北京:中国社会科学出版社,1998.
[69] 张西堂.诗经六论[M].北京:商务印书馆,1957.
[70] 叶维廉.中国诗学[M].北京:生活·读书·新知三联书店,1994.
[71] 叶维廉.中国现代文学批评选集[M].台北:台湾联经出版事业公司,1979.
[72] 萧华荣.中国诗学思想史[M].上海:华东师范大学出版社,1996.
[73] 王文生.论情境[M].上海:上海文艺出版社,2001.
[74] 叶嘉莹.叶嘉莹说词[M].上海:上海古籍出版社,1999.
[75] 叶嘉莹.王国维及其文学批评[M].石家庄:河北教育出版社,1996.
[76] 袁济喜.六朝美学[M].北京:北京大学出版社,1999.
[77] 汪裕雄.意象探源[M].合肥:安徽教育出版社,1996.
[78] 林继中.文学史新视野[M].北京:北京大学出版社,2000.
[79] 陈望道.修辞学发凡[M].上海:上海教育出版社,1982.

[80] 胡曙中.英汉修辞比较研究[M].上海:上海外语教育出版社,1994.

[81] 周光庆.中国古典解释学导论[M].北京:中华书局,2002.

[82] 李健.比兴思维研究[M].合肥:安徽教育出版社,2003.

[83] 韩经太.理学文化与文学思潮[M].北京:中华书局,1997.

[84] 刘小枫.拯救与逍遥[M].上海:上海三联书店,2001.

[85] 周英雄.结构主义与中国文学[M].台北:台湾东大图书公司,1979.

[86] 周英雄.比较文学与小说诠释[M].北京:北京大学出版社,1997.

[87] 张法.中西美学与文化精神[M].北京:北京大学出版社,1997.

[88] 黄维樑.中国古典文论新探[M].北京:北京大学出版社,1996.

[89] 张毅.宋代文学思想史[M].北京:中华书局,1995.

[90] 张方.中国诗学的基本观念[M].北京:东方出版社,1999.

后 记

奉献在读者面前的这本《中国古典文艺学》,是胡经之先生和我花费了五年多的时光写就的。写作过程中的酸甜苦辣,真是一言难尽!但愿这本著作能圆我的导师胡经之先生早年的一个心愿,能给从事文艺学、美学研究的人们些许有益的启发。

1999年,当胡老师带着我们着手编选《中国古典文艺学丛编》(北京大学出版社2001年出版)时,就已经开始了该书的构思。《丛编》出版之后,受到很多认识或不认识的朋友的鼓励,不少人认为我们是在努力做一些有益于中国古典文艺学的普及性工作。更有一些学者非常明确地看出我们编选这部资料的用意,是想借助这些资料说明我们对中国古典文艺学、美学的总体性的认识。这确实是胡老师的意图之一。我们整理中国古典文艺学资料、编选《丛编》的目的,就是想写出一本不同于当下《中国文学批评史》或《中国古代文学理论原理》之类的总论性的古典文艺学著作。《中国古典文艺学》就是在《丛编》的基础上开展的一项研究性工作,是我们对中国古典文艺学体系思考的初步成果。

中国古典文艺学、美学的研究工作,开始于20世纪初期。整个20世纪,学人们所做的主要工作是整理并出版了大量的古典文艺学、美学资料,撰写了许多文学批评史、文学思想史、文学理论史、美学史等著作,这些工作对推动中国古典文艺学和美学的研究是有益的。今天看来,这些工作尽管成绩很大,但还需进一步深化。许多有价值的资料还需要我们去发掘,目前,还缺少一部能够准确描述中国古典文艺学、美学观念逻辑演进的历史著作。然而,这不应成为今后古典文艺学、美学研究的主要工作。由于中国古典文艺学、美学是由众多概念范畴组成的,概念范畴是中国古典文艺学、美学理论的筋骨,当今,中国古典文艺学、美学研究的主要工作是清理重要的概念范畴，在历史和当下的双重语境中阐释这些概念范畴，寻求古典文艺学、美学现代化的途径，是我们的责任。时至今日，中国现代的文艺学、美学并没有形成属于中国自己的话语体系，无论是体系、概念，还是具体的理论言说都步西方后尘，这与一个文明大国的身份极不相称。正是出于这种忧虑，我们强调加强对中国古典文艺学、美学的概念范畴的深入研究，从中寻求对构建我们文艺学、美学话语体系有价值的东西。

《中国古典文艺学》就是用范畴来解构中国古典文艺学体系的一种尝试，全书涉及古典文艺学、美学的重要概念范畴20多个，力求按照古典文艺学的本来面目，建立起它的体系。我们完全打破了传统的文学批评史和文学思想史的写法，打破以时代为线索、以人物为脉络的传统做法，运用范畴架构起中国古典文艺学的作品论、创作论、接受论，试图以丰富而有价值的资料分析和理论论证让人信服。我们深知，可能在做一项自不量力的工作，这项工作也可能不成功，但我们毫无怨言，因为我们曾经努力过。

本书的写作得到了阜阳师范学院、深圳大学及有关学者和领导的热情关心和支持。深圳大学校长章必功教授、文学院院长吴予敏教授、社科处处长吴俊忠教授等都曾经关注过本书的写作，或与作者交流，提出不少好的意见。本书部分章节曾先期发表在《南京师范大学文学院学报》《深圳大学学报》《阜阳师范学院学报》《韶关学院学报》《文艺报》《江淮论坛》等报刊上，部分文章被《新华文摘》、中国人民大学复印资料《中国古代、近代文学研究》《高等学校文科学报文摘》等摘载。在此一并致谢。

李　健

2006年2月8日，深圳

重释古典为今用

美学亦应解"红学"

初看起来,"红学"与美学,似乎风马牛不相及,怎么能扯到一起!细想一下,却又不然,两者之间,其实存在着内在联系。

"红学"并不就是美学,但它和美学密切相关。《红楼梦》研究的日益深入,必然要触及美学问题。人们对《红楼梦》的兴趣越是浓厚,就越是促使我们不得不深入思考:如果要做美学的探索,我们将怎样看待这部古典名著?

《红楼梦》是艺术

《红楼梦》是小说。小说属于文学艺术之林,它必然具有文学艺术共有的特点,而同历史、传记有别。

无疑,作为文学的种类之一,小说本身也有各种差别。比起其他类型的小说,也许,历史小说更接近于历史,传记小说更接近于传记。"红学"史上,曾有人把《红楼梦》看作历史小说,又有人把《红楼梦》说成传记小说,以突出这部小说同其他类型小说的特殊之处。但不管《红楼梦》是历史小说抑或传记小说,它毕竟既不是历史,又不是传记,而是艺术的文学。

作为文学,《红楼梦》当然具有一切意识形态所共有的普遍性质,因而同历史、传记有相通之处。《红楼梦》本身就是人类的创造、历史的产物,它离不开产生它的那个时代。因此,要研究《红楼梦》,就要像鲁迅阐明了的那样,"最好是顾及全篇,并且顾及作者的全人,以及他所处的社会状态"。确实,不顾及作品的整体,脱离了作者全人和时代状况,那样的《红楼梦》研究,是很容易近乎"说梦"的。而要弄清《红楼梦》的全篇、作者全人、社会状态,就不能不做历史学的、文献学的、考据学的研究。比如,《红楼梦》究由何人所作,又由何人修改和续作,原作是什么样子,曾经出现过一些什么版本,流传情况如何,产生这个文学珍品的历史土壤究竟怎样等。单单要弄清楚这些基本事实,就需要做细致的历史研究、周密的文献考证。因此,《红楼梦》研究必然要借助于历史学、文献学、考据学。事实上,对《红楼梦》的这种历史学的、文献学的、考据学的研究,也已纳入了"红学"的范围。

平心而论,对于《红楼梦》时代和作者的历史研究和文献考证,至今尚不能说已经足够和充分,还不能说它已能满足"红学"发展的需要。《红楼梦》的作者和产生时代,虽然已大致确定,但它的成书过程,至今还知道得太少,一时还很难说清。曹雪芹,究竟是原作者还是编定者,经他最后定稿之前,有无别人参与撰稿,是否曾以他人的稿本做基础?《红楼梦》八十回以后究竟是什么样子?高鹗续书与原书本意符合到什么程度?这些也有待继续考证和探索。就是曹雪芹的生平经历,我们所知也还不多。至于脂砚斋等人的情况,材料就更少了。这种历史研究和文献考证的不足,影响我们深入了解《红楼梦》创作构思的总体过程。

其他国家,关于莎士比亚、托尔斯泰的研究,对于歌德《浮士德》的研究,规模都很宏大,出现了许多有价值的考证,作者评传也时有更新,特别是,研究已深入到创作过程的探索。外国有的,中国倒不一定都要有。无价值的烦琐考证,在国外也有。比如,许多著作无休止地考证莎士比亚本人的奇闻逸事、怪癖奇症,甚至扩及作者的远房亲戚,在古书堆里梳爬,考证远祖世系等。烦琐的考证,不仅无助于艺术珍品真正价值的揭示,反而背道而驰,越离越远,甚至混淆视听,把人引向迷途。无价值的不足取,要引以为鉴;有价值的却不可不学。《红楼梦》是中国古典小说中最好的一部,它不只是我国的古典名著,也是世界文学杰作,当列入世界文学之林而无愧。然而,关于《红楼梦》作者的评传,至今还寥寥无几,而关于这部古典名著的创作过程,连一本系统研究的专著都没有,这不能不引起人们的关切。

如此看来,在"红学"领域,历史研究、传记考察、文献考证等,还是大有可为，尚待深入。历史学、文献学、考据学的研究，也需要不断提高研究水平。研究需要精细却不能陷入烦琐，不仅在方法上要正确，而且在方向上要对头。

"红学"和史学、传记相通，却并不等同。

作为小说，《红楼梦》有和历史、传记不同而为文学所独具的特点。理所当然，"红学"应该把《红楼梦》作为文学艺术来研究。就是对《红楼梦》做历史学、文献学、考据学的研究，也不能忘记，它是文学艺术，不是一般的历史、传记，必须时刻以此为前提。"红学"，它首先应该是文艺学。

从文艺学上来研究《红楼梦》，不仅要对它做"外在"的研究，而且更需要做"内在"的研究，把"外在"和"内在"的研究统一和综合起来。

单是"外在"的研究，并不能揭示出《红楼梦》本身所具有的艺术价值（这是一种特殊形态的审美价值）。考证出了作者的生平经历，研究了《红楼梦》时代的经济、政治、道德、哲学、宗教等状况，能使我们明白《红楼梦》这部巨著怎么会产生，它反映了什么样的时代生活。然而，对《红楼梦》的生活本源、社会起因的研究固然重要，还只是"外在"的研究。《红楼梦》正如其他艺术珍品一样，是艺术的创造，不是一般的人造产品，只有对这个艺术创造本身的独特本质进行研究，才是"内在"的研究。创造任何艺术珍品，既有"他律"，又有"自律"，它是两者统一起来的"合力"所造成的。因此，要理解这个艺术珍品的真正价值，不能只停留在"他律"的研究方面，还要登堂入室，入乎其内，对它的"自律"有所研究，弄清"他律"和"自律"相互作用造成的"合力"，怎样造成了这个艺术珍品，它具有什么特点等。

那么，对《红楼梦》做"内在"研究，必然要排斥考证吗？那倒亦未必。这要具体分析：如果有助于我们对《红楼梦》艺术价值的掌握，不仅是考证，就是索隐，都无妨采用。

中国古典文学向来重视"言有尽而意无穷"，表现的不仅是一层意，还有二层意、多层意，因此，我们读古典文学，也不能只看表面意，还要看深层意。所谓"言外之意"，倒也并不都是"寄托"的寓意,因而,它并不仅限于"微言大义",绝不等同于"影射"。古典文学中许多优秀作品并无"寓意",并不"影射",因而,我们不必去寻找"微言大义"。但反过来,也不能说"言外之意"就绝不能有"微言大义"。古典文学中有些优秀之作,确有"寄托",有"寓意"。屈原的《离骚》里,香草美人意有所隐。李商隐的"无题诗",也不全是只有爱情,有些则确有寓意。对于此类作品,钩隐稽实,似有必要,考证作者的"作意",可以帮助我们透过表面意义,掌握深层意义。小说不是诗作,两者有别。但是,中国古典戏曲和小说确也不乏寓意之作,具体作品需具体分析,不能一概而论。晚清小说家吴沃尧曾说:中国素无言论自由,文字常常招来横祸。"故忧时愤世之心,不得不托之小说。且托之小说,亦不敢明写其事也,必委曲譬喻以为寓言,此古人著书之苦况也。"(《杂说》)不敢明写直书,而以譬喻为寓言,寄托"忧时愤世"之心,这是不是中国古典小说的通例,暂且不说。但《西游记》《聊斋志异》这类小说,确有寓意,似应无疑。

那么,《红楼梦》是不是也有"言外之意"? 有人说有,有人说无,至今尚未取得一致意见。既有分歧,当可探讨。近代小说评论家天谬生断定曹雪芹写《红楼梦》有托言寓意之旨:满清王朝建立全国统治以后,"其不肖者,往往凭藉贵族因缘以奸利,贪侈之端,乃不可偻指数。曹氏心伤之,有所不敢言,不屑言。而又不忍不一言者,则姑诡谲游戏以言之,若有意,若无意。"(《中国三大家小说论赞》) 当然,《红楼梦》的典型意义、审美价值远远不限于讽嘲清朝贵族,而要广泛、深刻得多,但我们不能简单否定,作者的主观意图就毫无此意,这种主观意图在作品中就毫无体现。《红楼梦》究竟有无"伤时骂世之旨",有没有"难隐之言"? 若果有所"隐",当可以求"索",无妨做点"索隐"。但这种索隐,既不是根据只言片语,生拉硬扯,也不是离开艺术形象,捕风捉影,而是从作品的形象体系出发,在整体上把握,做出实事求是的分析。蔡元培《石头记索隐》的荒谬,主要不在于企图从书中寻找"微言大义",而在于把其中的个别人物、情节随意比附,妄加猜测,将《红楼梦》的宏大内容归结为只是"影射"某人某事。他所索出的"微言大义"也不正确。所谓"书中本事在吊明之亡,揭清之失","揭清之失"似乎可引起我们进一步思考,但把《红楼梦》的本意归结为"排满"则是穿凿附会,"吊明之亡"更纯属捕风捉影。蔡元培的索隐如此,至于王梦阮、寿鹏飞、景梅九等人的索隐就更荒谬可笑,毫无价值可言。

在文学艺术的创造中,作者的主观意图(创作本意)和作品的客观内容(形象体系)既有联系又有区别,两者的关系是复杂的,不能简单等同。如果能索出所隐的创作本意,会有助于我们掌握作品的客观内容。但作者的主观意图要转化为形象体系,艺术形象的客观内容同作者的主观意图,既有一致的方面,又有矛盾的方面,这要具体分析。即使客观内容与主观意图相一致,也并不就是等同。对于文艺学来说,探索文学艺术本身的奥秘更为重要,寻找作者的创作本意,是为了更好地理解作品本身的客观内容。为索隐而索隐,离开了艺术形象整体的索隐就没有意义。

《红楼梦》里的人物、故事、情景,在实际生活中究竟有无原型,所描绘内容有何所本?如果能做些本事考证,这在文艺学上也很有益,可以使我们明白,生活和艺术有怎样的联系,又有什么样的区别。《红楼梦》里所写的贾府兴衰,也许曾以曹家命运作原型,也许概括了更多封建家族的命运。贾宝玉这个艺术典型,也许曾以曹雪芹作原型,也许又曾以脂砚斋或其他更多的人作原型。贾府里的大观园,也许曾以北方的某个名园作模型,也许又以南方的一些名园作模型。然而,艺术形象毕竟不是生活原型,即使是描写真人真事的传记文学,也不是生活原样的复制。因此,考证生活原型并不能代替分析文学作品。胡适《红楼梦考证》的错误并不在于考证了曹雪芹生平(这恰恰是他的功绩),而是在于把《红楼梦》看成了曹雪芹自传。

艺术终究是艺术,它对生活的反映,是把从生活中得来的映象做了独特的改造,是审美的反映。文学作品也可以描写生活中的事实,但正如鲁迅、高尔基等所说的那样,并不是"一切所写为事实,靠事实来取得真实性"。作家在实践活动中感知生活事实而获得的映象,只是创作的原料,并非艺术成品。文学艺术的创造并不要求把生活事实原封不动地移植到作品中,读者也不必因为没有找到所写的生活事实而感到"幻灭"。鲁迅说得好:"但只要知道作品大抵是作者借别人以叙自己,或以自己推测别人的东西,便不至于感到幻灭,即使有时不合事实,然而还是真实。"文学艺术的创造,无非是作家自己的直接经验和从别人那里得来的间接经验的融合,所创造出来的艺术形象,或者是"借别人以叙自己",或者是"以自己推测别人"的东西。"别人"和"自己",在艺术形象中统一起来,而结合的方式基本上就是这两种。文学艺术创造的形象,要合乎情理,却不必要合乎事实,读者也不必以是否合于事实来看小说,所以鲁迅又说:"倘有读者只执滞于体裁,只求没有破绽,那就以看新闻记事为宜,对于文艺,活该幻灭,而其幻灭也不足惜,因为这不是真的幻灭,正如查不出大观园的遗迹,而不满于《红楼梦》者相同。"(《怎么写》)《儒林外史》里的马二先生,可能曾以冯粹中作为原型,曹雪芹也可能是贾宝玉的生活原型,一个是以"别人"作原型,一个是以"自己"作原型,"然而纵使谁整个的进了小说,如果作者手腕高妙,作品久传的话,读者所见的就只是书中人,和这曾经实有的人倒不相干了"(《〈出关〉的"关"》)。读者在文学作品里看到的只是贾宝玉、马二先生这些形象,艺术的魅力来自这些艺术形象,而不在生活原型那里。

因此,无论是"内在"的还是"外在"的研究,"红学"都应该把《红楼梦》作为文学艺术来研究。考证也好,索隐也好,都应围绕一个中心进行,那就是:为了有助于我们从艺术形象体系中掌握这部古典名著的价值和意义。

艺术需要美

《红楼梦》是艺术,艺术需要美。因此,《红楼梦》研究也应研究它的艺术美,揭示它的审美价值。"红学"和美学应该贯通。

文学作品是一个多层次、多序列的复杂综合体,既有内容,又有形式,是内容和形式的有机统一。《红楼梦》的内容和形式都极复杂,对它做"内在"的研究,领域也很广阔,方法可以多样,并不只限于美学一途。社会学的、心理学的、语言学的研究,可以多方面地进行,从不同角度揭示出《红楼梦》的价值和意义,方法不同,目的则一。然而,要能真正揭示它的审美价值和艺术价值,不能不借助于美学上的研究。

说起对《红楼梦》做美学的探讨,常被人误解为只是谈论一下艺术形式、表现手法。其实不然。对《红楼梦》的美学研究,当然要探索它的艺术形式之美,然而并不仅限于此。更重要的是要研究它的艺术内容之美,进而了解它的内容和形式是如何统一的,达到怎样的完美程度。《红楼梦》的艺术形式是美的,语言、文笔都很优美,令人惊叹。对于《红楼梦》完美的形式结构,我们研究得还很不够,应该尝试用多种方法进行研究,甚至不妨借鉴结构主义的某些方法。当然,对《红楼梦》艺术形式的研究,不能脱离它的艺术内容孤立进行。形式只有相对独立性,艺术的形式结构归根结底还是由艺术内容决定的,正是一定的艺术内容需要有某一种的形式结构。结构主义的根本错误在于不顾内容而孤立研究形式,把艺术文学归结为只是形式。结构主义不顾内容,但在研究文学的形式方面,却并非一无是处,如果不是搬用而是借鉴,"红学"也应吸取一些方法用来分析《红楼梦》的形式结构。比较文艺学特别重视的比较方法,也值得"红学"一试,如果能把《红楼梦》和西方小说做些比较,找出异同,将使《红楼梦》研究提高一步。当然,这种比较并不限于形式,也应扩及内容。

《红楼梦》的内容也是美的,美的形式完美地体现了美的内容,两者达到了完美的统一,构成了《红楼梦》的艺术美。问题在于:怎样理解《红楼梦》的内容之美。这是美学上的一个难题,值得"红学"探讨。

《红楼梦》里描绘了许多美的东西:美好的人物、美妙的故事、优美的景物等。那么,《红楼梦》的内容之美,不就表现在这里吗?然而,又并不尽然。

描绘美的故事,并不就是对那个对象做出了美的描绘,这是相互联系而又不可等同的两回事。历史上一些重要的美学家,如普列汉诺夫、车尔尼雪夫斯基等,对此已经做过阐明。描绘美的对象的艺术,其内容未必都美。伟大的人物如列宁,在反动作家阿威尔岑的笔下,反而成了丑恶的形象,崇高的对象被丑化了,以美为丑。卑微的人物、封建末世的才子佳人，在《儿女英雄传》里却成了着力描绘的理想人物，既有"儿女深情"，又有"英雄至性"，真乃"人中龙凤"，卑微的人物被美化了，以丑为美。相反，果戈理的《钦差大臣》和《死魂灵》描绘的却全是人类的丑恶现象，而其艺术内容却未必丑。果戈理说他的作品，"把当时所知道的俄罗斯的一切丑恶的东西，一切非正义的行为都集中在一起加以嘲笑"。果戈理描绘了丑，却不能说他的作品的内容就只是丑。像《金瓶梅》这样的作品就更为复杂，它所描绘的主要人物也大都是些丑恶的形象，正如评点家张竹坡所说："西门庆是混账恶人，吴月娘是奸险好人，玉楼是乖人，金莲不是人，瓶儿是痴人，春梅是狂人，敬济是浮浪小人，娇儿是死人，雪娥是蠢人……"就是那些次要角色，"若王六儿与林太太等，直与李桂姐辈一流，总是不得叫做人，而伯爵、希大辈，皆是没良心的人，兼之蔡太师、蔡状元、宋御史，皆是枉为人也"。《金瓶梅》在描绘丑恶人物、丑恶现象时，既有嘲笑，又有赞赏，这就使内容更呈现出复杂情况。种种情况表明，描绘美的对象，艺术内容未必都美，描绘丑的对象，艺术内容也未必都丑，这是文艺美学上经常要碰到的事实。我们在《红楼梦》研究中也必然要接触到这个问题。

  艺术的内容，不是作者反映的对象，而是对生活的反映本身。文学艺术对生活的反映，不只是一种认识，而且是对生活的评价以及作者的态度。艺术的内容，既是对生活的审美认识，又是对生活的审美评价和审美态度。文学艺术可以再现出生活中的美、崇高等审美价值，也可以再现出生活中的丑、卑鄙等审美价值。但文学艺术在再现生活时，又对生活做出评价，表现作者的态度，从而显示出作者美的观念、美的感情、美的理想。

  仅就《红楼梦》所描绘的对象说，与其说它描绘了许多美的人、美的事、美的景、美的物，倒还不如说，它描绘了美的毁灭，因为这更确切。

  在《红楼梦》里，作者把人生中许多被认为有价值的东西毁灭给人看，各种悲剧接踵而至。贾宝玉、林黛玉的命运是悲剧，薛宝钗、史湘云的命运又何尝不是悲剧？尤氏姐妹的遭遇是悲剧，柳湘莲的遭遇也是悲剧。就是王熙凤、贾探春所经历的也是悲剧。大观园里的青年女子，几乎都是悲剧的命运。所谓"千红一哭，万艳同悲"，不只是个别女子，而是所有值得同情的少女，或者是被毁灭，或者是有命无运，任人摆布。在悲剧中，人生有价值的东西，真的、善的、美的，被毁灭了。被毁灭的东西，价值越高，悲剧的气氛也愈浓。美的毁灭，本身不是美，而是悲。然而，《红楼梦》创造了生动的艺术形象，把人生中有价值的东西毁灭给人看，不仅描绘出了美被毁灭的事实，而且表现出对这些事实的评价和态度：把确实有价值的东西评价为美，以美为美，并满腔热情赞美了美，无比惋惜地哀悼美的毁灭。作者这种审美评价和审美态度，是从美的观念、美的理想出发的。因此，《红楼梦》在对美的毁灭的完美描绘中，表现了作者的美的感情、美的观念、美的理想，这些正是艺术内容之美的有机组成部分。《红楼梦》不只是真实地再现出生活中美的毁灭的事实，而且做出了正确的审美评价，表现了正确的审美态度，美的感情、美的观念、美的理想就渗透在对生活的真实再现中，完美地统一起来，这也正是我们常说的真实性和倾向性的完美统一，构成了艺术内容之美。

《红楼梦》里的悲剧多种多样，并不都只是爱情悲剧。就是青年女子的悲剧命运，也并不只是爱情上的不幸，更多的是整个人生（也包括婚姻）的不幸。她们枉有聪明才智、青春热情，但是有命无运，不能掌握自己的命运，只能随着封建家族的兴衰，走向毁灭。

就说王熙凤，同样是个复杂的艺术形象。她一生颐指气使，不可一世，最后却捉襟见肘，低声下气，结局并不美妙："凡鸟偏从末世来，都知爱慕此生才。一从二令三人木，哭向金陵事更哀。"（《金陵十二钗判词》）不少论者推测她可能被贾琏所休而哭向金陵，这当然是不幸。但不幸并不就是悲剧，有价值的东西受挫或被毁，才具有悲剧性质。王熙凤的不幸具有悲剧性质，但并不只是什么爱情或婚姻上的悲剧，而要深刻得多。

王熙凤的悲剧极为复杂，既是性格悲剧，又是社会悲剧。她的性格矛盾而又统一，确如兴儿所说："嘴甜心苦，两面三刀，上头一脸笑，脚下使绊子，明是一盆火，暗是一把刀，都占全了。"毒设相思局，弄权铁槛寺，大闹宁国府，借剑巧杀人，集中表现了王熙凤心狠手辣、为非作歹这一面的性格特征，淋漓尽致地揭露了她的丑恶，表现了作者对这些丑恶行径的憎恶和反感。然而，王熙凤的性格中又有另一面：聪明伶俐、才干出众，又正如冷子兴所说："模样又极标致，言谈又极爽利，心机又极深细，竟是男人万不及一。"偌大荣宁二府，几十个主子，男的只知醉生梦死、花天酒地，独有王熙凤，以一个青年女子，不仅治理荣国府，而且协理宁国府，支撑着大厦。秦可卿托梦，赞她是"脂粉堆里的英雄"，综观全书，这并非夸饰之辞。作者也是这样评价的，对她的这一面极为赞赏。但这个"男人万不及一"的"脂粉堆里的英雄"，最后却落得个悲惨结局："机关算尽太聪明，反误了卿卿性命。"王熙凤机关算尽，枉费心机，没有把自己的聪明才干用于"正途"，而是不择手段谋取私利，最后搬了石头砸自己的脚，不仅加速了封建家族的灭亡，也赔送了自己的性命。对于王熙凤的命运，作者是以一种惋惜的心情来描绘的，王熙凤经历的是悲剧。她的悲剧的酿成，有其性格上的原因，是一个性格悲剧。但王熙凤的悲剧，有更深刻的社会原因。王熙凤缺乏探春那种对封建家族的忠心耿耿，但终究还是为了家族利益而日夜操心。问题在于，任何人的聪明智慧也无法挽救封建家族的衰败。封建家族自身的脓疮已烂，衰败命运已无法挽回，这是内在的必然，非个人所能阻挡。王熙凤心劳日拙，也无济于事。她的贪婪自肥、中饱私囊，本身就是封建家族腐败的表征。终于，大厦倒倾，王熙凤的聪明才干连同她的整个生命，都一起埋葬在瓦砾堆中："枉费了，意悬悬半世心；好一似，荡悠悠三更梦。忽喇喇似大厦倾，昏惨惨似灯将尽。呀！一场欢喜忽悲辛。"王熙凤的一生无疑具有喜剧性，在她身上确有不少无价值而冒充有价值的东西，可笑而可恨。但王熙凤的毁灭中间确也包含着有价值的东西的毁灭，作者也以惋惜之情写出这种毁灭。

　　探春的命运比起王熙凤来更有悲剧性。这个"最是心里有算计"的"乖人"，自视甚高，也受人称道，但结局也并不美妙："清明涕送江边望，千里东风一梦遥。"但探春的悲剧，不只是婚姻上的不得自主，最后被遣送远嫁，随着封建家族的衰败，她不会有更好的命运。探春不仅才大，而且志高，这就在品性上高出王熙凤。"探春精细处不让凤姐"，"知书识字，更利害一层"，可见她的才大。她对家族的忠诚，更远超出王熙凤。探春理家是全心全意、鞠躬尽瘁的，不像王熙凤那样中饱自利，私挖墙脚。但探春为侍妾所生，处于庶出地位，使她被置于封建家族中十分尴尬的处境，连下人也懂得，她在贾府理家不能长久。更要紧的是，这个腐朽的家族已是千疮百孔，不可救药，任你才大志高，也无法挽救衰败的命运。"才自清明志自高，生于末世运偏消"，这才是探春真正的悲剧所在。探春自己也知道，贾府日趋衰败自有内在原因，所谓"百足之虫，死而不僵"，必须先从家里自杀自灭。但她自恃才大志高，想有所作为，兴利除弊。可是，忙了一阵，结果如何呢？脂砚斋的评语云："探春以姑娘之尊，以贾母之爱，以王夫人之付托，以凤姐之未谢事，暂代数月，而奸奴蜂起，内外欺侮，锱铢小事，突动风波，不亦难乎！"探春理家，不可不谓呕心沥血，到头来却无济于事，白费心血。贾府还是倒颓了，探春自己被远嫁了。作者以无限感慨的心情，写出了探春经历的人生悲剧，对有价值的东西的毁灭，寄予哀思。

作为《红楼梦》的第一主人公，贾宝玉的悲剧要比王熙凤、贾探春的悲剧又更深刻而复杂。贾宝玉的悲剧，当然包含爱情悲剧、婚姻悲剧，这没有疑义。仅就贾宝玉和林黛玉的爱情悲剧来说，《红楼梦》深刻揭示了爱情悲剧的社会成因和思想基础，无论在深度和广度上，都超出了《西厢记》《牡丹亭》所达到的水平。但贾宝玉的悲剧性质，远不限于此。

贾宝玉一生经历了双重悲剧。一是直接经验的悲剧，亦即他自己切身亲历的悲剧；一是间接经验的悲剧，亦即他耳闻目睹、听到看到的别人的悲剧。贾宝玉和林黛玉志趣相投，情意相合，但是封建家族为了家世利益，牺牲了两人的爱情，摧毁了林黛玉的生命。这是贾宝玉直接经验到的悲剧，使他有切肤之痛，难以忍受。促使宝玉"悬崖撒手"的原因却有多种。宝玉对官场污浊深恶痛绝，坚决不走仕宦之途，他也不被世俗所容，这里本身就有悲剧冲突。宝玉不愿与官宦为伍，遁逃到大观园，厮守在女儿群里，沉浸在理想境地，享受较为自由自在的生活。然而，大观园好景不长，他所敬爱的好友知己命运也日见不济，恰如鲁迅所说："颓运方至，变故渐多，宝玉在繁华丰厚中，且亦屡与'无常'见面，先有可卿自经，秦钟夭逝；自又中父妾厌胜之术，几死；继以金钏投井，尤二姐吞金；而所爱之侍儿晴雯又被遣，随殁。悲凉之雾，遍被华林，然呼吸而领会之者，独宝玉而已。"（《中国小说史略》）这里，贾宝玉直接经验的和间接经验的各种人生悲剧，相互交错，汇聚一起，促使他改变人生道路，眼看人世间一切有价值的东西正在逐个毁灭。在他看来，有价值的东西毁灭了，人生也就没有价值了。他想保住有价值的东西不被毁灭，但无能为力，也没有力量敢于反抗，于是，只好逃离，出家去了。贾宝玉的悲剧，是人生的悲剧。

贾宝玉本身就有悲剧性格。一个人如果对人生悲剧熟视无睹，只是醉生梦死，就说不上是什么悲剧性格。贾宝玉和贾府的其他贵族老爷、少爷不同，他对人生的悲剧有特殊的敏感。鲁迅说贾宝玉"爱博而心劳"，对人世间所爱者广博得很，特别富于感情。脂砚斋评语中说及宝玉"情不情"，黛玉"情情"，宝玉的"情"比黛玉的"情"要广博得多。黛玉只对有情人施之于情，宝玉则对无情者也施之于情，"凡世间之无知无识，彼俱有一痴情去体贴。"宝玉不仅对人，而且对物也充满了情。无知无觉的无情之物，落花、绿枝、相思树、花鸟草木等，宝玉都以情对之。对于人，宝玉不仅对有情分的人施之于情，对并无情分之人也待之以情。素不相识的龄官、藕官，都引起他的同情。就是以怨报德的贾环，宝玉也以情相待。正因为世上的不幸人太多了，而宝玉"爱博而心劳"，人生的悲剧接踵而至，所以他的"忧患亦日甚"。对于人生的忧患，世上的不幸，宝玉都要去关切、同情，必然要陷于苦恼而不能自拔，这正是宝玉悲剧性格的特征。鲁迅说得好："多所爱者，当大苦恼，因为世上，不幸人多。"宝玉确是如此。金钏惨死，王夫人赏了五十两银子，金钏亲母也只是磕了头，谢了出去，但在宝玉心里却激起了波浪，"五内摧伤"，恨不得也身亡命殁，跟了金钏死去。金钏死后一周年，宝玉还默默记着，正当全家在为贵妃省亲而沉浸在欢乐声中，他却到水仙庵"不了情暂撮土为香"，深深悼念金钏。遍被华林的悲凉之雾，别人还未感受，独有宝玉已呼吸而且领会到了。种种人世的悲剧，他感受特别深，苦恼也更甚，最终使他无法忍受，愤而出走了。

贾宝玉这个艺术形象是《红楼梦》的独特创造，是"今古未有之一人"。这个形象既不是生活中真人真事的简单模仿，也不是前人创造的抄袭，就连素来爱把自己同贾宝玉比附的脂砚斋也承认：贾宝玉"是我辈于书中见而知有此人，实未目曾亲睹者"；"不独于世上亲见这样的人不曾，即自古所有之小说传奇中，亦未见这样文字"。在宝玉的形象中，作者融合了自己直接和间接的生活经验，并把他自己的思想、感情、理想等都灌注进去了。

《红楼梦》创造了众多的悲剧人物。在这些艺术形象中，作者对人生中有价值的东西给予肯定，对美的毁灭无限愤慨，其中渗透着作者美的感情、美的理想。因此，这些悲剧形象是构成《红楼梦》内容之美的重要组成部分。

《红楼梦》以悲剧为主，全书笼罩着悲剧气氛，但也交织着喜剧成分，把人生中无价值的东西撕破给人看。前人已看到，在《红楼梦》里，"悲戚欢愉，不啻双管之齐下也。"（戚蓼生《石头记序》）喜剧中会描绘丑。四大家族里那些人面兽心的贾赦、贾琏、贾蓉、薛蟠之流，丑态百出，令人作呕。丑和美相对立，是否定的审美价值。但文学艺术中的喜却并不等于丑，喜剧是对丑的否定，它嘲笑丑。《红楼梦》在描绘生活中的丑恶现象时，不是为丑而丑，更不是以丑为美，而是撕下丑外面的假面，褫其华衮，还其本相，加以无情的嘲笑，在笑中否定丑。对丑的直接否定，也就间接肯定了美。对丑的嘲笑中，也表现了作者的美的情操、美的理想。这是《红楼梦》高出《金瓶梅》的根本之点。

文学艺术是对生活的独特创造。《红楼梦》的作者对人生有深刻而丰富的体验，其中包括深切的审美体验。《红楼梦》之可贵，正在于作者对人生有深刻而真切的感受，即王国维所说，"其所见者真，所知者深"（《人间词话》）。在对人生的审美体验中，不仅有对生活的观察，不只是把生活中美、丑、悲、喜等现象再现出来，而且对生活中的这些现象做出评价，表现出作者的爱憎态度。因此，对《红楼梦》做美学的研究，不仅必须了解它再现了生活中的一些什么现象，而且要弄清作者是怎样评价这些现象的，渗透在艺术形象中的感情态度是怎样的，再现和表现怎样在艺术形象中统一起来，构成了艺术之美。

美在整体

艺术是整体。"艺术要通过一种完整体向世界说话。"（歌德）艺术的美，就存在于这个整体之中。"不全不粹之不足以为美"（荀子·劝学），古人所说的这个道理，对于文学艺术也是适用的。七宝楼台，拆成碎片，不成整体，美将焉存？

《红楼梦》本身是个宏大而复杂的形象体系。各种人物，许多故事，众多场面，所有形象，相互交错，彼此联系，综合而为浑然整体。作者对人生的审美体验，正是通过完整的形象体系才得以体现。因此，要了解《红楼梦》的真谛，就不能不去掌握它的艺术整体。

是什么东西把那么多的单个形象综合成一个完整的体系？

当然是由作品的主题来统一所有的形象。然而，文学作品的主题并非抽象的概念。主题当然是一种思想，正如高尔基所说："主题是从作者的经验中产生，由生活暗示给他的一种思想，可是它蓄积在他的印象里还未形成。当它要求用形象来体现时，它会在作者心中唤起一种欲望——赋予它一个形式。"（《和青年作家的谈话》）这是从作者的生活经验中产生并和生活经验密切联系着的具体的思想，是渗透着感情的思想。这种思想和科学著作中那种由推理得来的思想有所不同，这是形象的、和感情结合着的思想。艺术大师托尔斯泰在谈到他自己的创作经验时，不止一次地发表过这样的见解：在长篇巨著中，把众多复杂的现象统一为艺术整体，这不仅是情节的连贯和人物关系的一致，更重要的是作者对待所写生活的评价和态度上的统一。正是作者对生活的评价和态度上的统一，决定了艺术作品内部的形象的联系，把人物、情节、场面等统一起来。

那么，《红楼梦》是以一种什么样的思想和感情来结构它的形象体系？《红楼梦》对生活如何评价，持什么态度？

《红楼梦》开卷第一回,那块石头上有一首偈语云:"无材可去补苍天,枉入红尘若许年。此系身前身后事,倩谁记去作奇传。"这石上偈语,当然不等于《红楼梦》形象整体所体现出来的主题思想,形象的思想和概念的思想不能直接等同。但这首偈语所说的思想却同《红楼梦》体现出来的主题思想有内在联系。"无材可去补苍天"说的顽石,脂砚斋评语却说是"书之本旨";"枉入红尘若许年"这说的是宝玉,脂砚斋的评语则说:"惭愧之言,呜咽如闻。"确实,这里是以顽石、宝玉的自况来表现作者自己的人生感叹。"无材可去补苍天,枉入红尘若许年",这正是《红楼梦》作者自己对于现实人生的评价和态度。作者对于他所置身于其中的现实人生,有异常辛酸的体验:希望人生有意义而现实却又无意义,想有所作为却又无所作为,满腔悲愤情,一把辛酸泪。

　　《红楼梦》所表现出来的对于人生的评价和态度,是复杂而矛盾的。第一方面,对于人生有依恋和追求,幻想补天济世,使人生变得美好;第二方面,人生太黑暗了,不幸太多了,使人失望,不如出世,逃离人间;第三方面,对于人间的污浊,官场宦途,深恶痛绝;第四方面,对于那已消逝了的封建家族的繁华梦,又颇留恋。这种对人生的矛盾心理,正是我国封建社会中某些知识分子共有的人生体验。有人生的理想又找不到理想的人生,于是苦闷悲愤。到了封建末世,随着实际生活中现实矛盾的愈益激化,这种矛盾心理也更为复杂而深刻。《红楼梦》正是表现了这种极为复杂而深刻的人生体验:对于人生的追求,随着人生中有价值的东西的日益毁灭,在心里也逐渐幻灭,于是逃离人世,到世外寻找安慰,在回忆中玩味人生的理想。

　　对人生的这种体验,主要是通过贾宝玉的人生道路的描绘而体现出来的。当然,《红楼梦》对现实人生的描绘,视野异常广阔,触及封建社会的各个方面,并不只是在写贾宝玉的人生道路,因而,确可称之为封建社会的百科全书。《红楼梦》为我们展示了封建家族由盛到衰过程中的复杂情景,真是五光十色。各种各样的人物在我们面前走过,人物的命运,特别是青年女子的悲惨命运吸引着我们,但最使我们关切的还是贾宝玉的命运。贾宝玉的爱情悲剧并非《红楼梦》中统一全书的线索，贾宝玉的人生道路也不能囊括《红楼梦》的宏大主题。贾府内外所发生的一切事件、各种人物的命运不一定都围绕贾宝玉而进行，但是以贾宝玉的眼光而见出的。这样，贾宝玉在《红楼梦》的人物形象体系中就具有特殊的地位和作用。在《红楼梦》里，贾宝玉是悲剧主人公，又是其他悲剧的见证人。他亲身经受的人生悲剧，他所看到的和听到的种种人生悲剧，都在作品中描绘出来了。《红楼梦》里，既写了贾宝玉本人直接参与的许多事件，又写了更多贾宝玉身外发生的种种事件，又通过贾宝玉的眼光把这些事件统一起来，表现了作者对生活的评价和态度。《红楼梦》善于叙述故事，但更善于抒发人情，所以鲁迅把它称为"人情小说"，看到了它的特点。确实，《红楼梦》同《三国演义》《水浒传》这类小说不同，也和《西游记》这类小说有异，它更善于通过故事、人物表现作者的思想感情，因而富有浓郁的诗意。《红楼梦》所叙述的故事，不像许多以故事取胜的小说那样具有贯穿全书、统一全局的作用，而是带有抒情散文的意味，把各种平行的或不同序列的情节，依照思想感情综合起来，以表现作者对生活的评价和态度。这一切造成了《红楼梦》独特的诗意之美。

绝不是说《红楼梦》的艺术形象只是表现作者人生哲学的传声筒。作者的人生体验在作品中化成了艺术形象，作者对人生的评价和态度都在人物、情节、场面中流露出来，并不以抽象概念出现。《红楼梦》的形象体系宏大而复杂，它由众多的人物、情节、场面构成，诸如秦可卿出丧、贾元春省亲、王熙凤协理宁国府、贾探春理家、贾宝玉挨打、林黛玉葬花等，都是形象体系中不可分割的部分。如果抛开这些个别形象（人物、情节、场面），也就没有《红楼梦》的艺术整体。因此，为了要掌握《红楼梦》的艺术整体，也要研究形象体系中的单个形象。《红楼梦》研究既要综观整体，又要细察局部。要在整体中看局部，分析局部也要联系整体。局部，是整体中的局部。每一单个形象的审美价值，不仅由它自身，而且是由它和其他形象的联系及在形象总体中的地位所决定的。因此，对于《红楼梦》单个形象的研究，既要注意形象与形象之间的关联，更要重视单个形象和整体形象之间的联系。

如果把那块"补天"不成的顽石孤立起来看,也许会觉得写顽石无多大意义。但如果我们把这块为女娲丢弃不用的石头同全书的形象体系联系起来,也许会发现:《红楼梦》创造这个顽石形象,不只是为了叙述上的需要,而且是为了更好地表达作者对人生的评价和态度,具有独特的审美价值。一块"补天"不得的顽石,不甘寂寞,投向人间,但经历了更加痛苦的人生,历尽人间沧桑,体验到各种辛酸,最后还是回到那青埂峰下。作者用石头在人间的经历,对黑暗人生做了有力的鞭挞。

《红楼梦》在把人物、情节、场面等单个形象结合为形象整体时,创造出富有中国民族特色的艺术天地,我们把它称为艺术意境。在中国古典艺术中,意境的创造并不限于诗、词、曲、赋,绘画、雕塑、音乐、舞蹈等都追求艺术意境。就是擅长叙事的小说,擅于塑造性格的戏剧,也着意于创造意境。王国维已经看到元剧的最佳之处,就在于创造出意境。晚清许多小说评论家进而又意识到小说也以创造意境为上,不过语焉不详,未能阐明个中道理。其实,在中国古典小说中,《红楼梦》是最成功地创造了艺术意境的一部。它继承和发展了古典文学艺术的民族传统,把叙事的、戏剧的、抒情的因素,予以综合,熔为一炉,创造出一种富有诗意的、独特的艺术境界。

《红楼梦》里有数量众多的诗、词、曲、赋,无论是小说人物咏吟的诗,还是作者直接抒发感受的诗,都创造了诗的意境。这些诗境成为全书形象体系的有机组成部分。然而,我们说《红楼梦》成功地创造了艺术意境,并非仅因为它有诗境,主要还在叙事、述人、写景时,创造出了小说所特有的意境。这里说的,也不仅是指《红楼梦》常把前人的诗境"泛出",化为小说的意境,这种类型的意境已经渐为前人所注意。例如,小说廿五回,描写贾宝玉出房寻觅红玉,东张西望,骤一抬头,只见西南角游廊下栏杆上似有一个人倚在那里,隐约像是红玉,"却恨面前有一株海棠花遮着,看不真切"。脂砚斋批语说道:"余所谓此书之妙皆从此等笔墨也。试问观者,此非'隔花人远天涯近'乎?"又如小说五十八回,描写贾宝玉病后去看黛玉,看到山石之后大杏树花落结杏,引起了一番"绿叶成荫子满枝"的感叹,构成意境,这是从苏轼、杜牧等人的诗境中"泛出",发展而成。这种直接从诗境"泛出"的小说意境,在《红楼梦》里不乏其例。但全书中最感人的一些意境,却不是从前人诗境中"泛出",而是《红楼梦》所独创的,例如"黛玉葬花"、"中秋联句"。饯花那天,大观园里春色迷人,而林黛玉却看着春残花落,暗自伤心。《红楼梦》以强烈的感情,描绘了黛玉的所见、所为、所思,有情有景,情景相生,抒情、写景、叙人、述事,都融合在一起,创造了全新的意境。脂砚斋评语说道:"开生面,立新场,是书多多矣。唯此回更生更新。"并赞叹:"诗词文章,试问有如此行笔者乎?"中秋联句的描写,也把人物性格、景物环境、动作事件、感情抒发等交融在一起,创造出感人至深的艺术意境,这是《红楼梦》的独特创造。

《红楼梦》里创造的意境,大小不一,为数众多,宝玉冒雪乞红梅,黛玉愁归潇湘馆,宝钗扑蝶,湘云醉卧,许多情节、场面都自成意境。众多的意境结合起来,又构成更广阔的意境。那个大观园就是作者创造的人世间的理想世界,贾宝玉和一群少女在这里享受到人生的乐趣。随着贾府的衰败,这个理想化的现实世界也充满着悲凉之雾。太虚幻境、青埂峰下,是幻想中的神话意境。《红楼梦》中,现实世界和幻想世界又结合而为全书的意境,整个形象体系就是一个艺术意境。

为了创造艺术的意境,《红楼梦》在艺术手法上有不少创新。比如,作者在叙述故事、塑造人物、描绘场面时,经常变换角度,从不同的方面描绘对象,自叙、代叙、旁叙等不时交错。就像中国画常用多重透视、散点透视描绘对象,既能使描绘具有立体感,又能更好地表现作者的审美感受。

《红楼梦》具有不朽的艺术魅力,千言万语也难以把它说尽。它吸引着不同时代不同的人,直到现在仍有吸引力。但每个时代不同的人对它的理解和评价,也各不相同。前人说得好:"作者用一致之思,读者各以其情而自得。"(王夫之《姜斋诗话》)既要研究这部作品本身,又要了解它对我们今天这个时代的意义,不妨也可以从"接受美学"的角度做些探索。"红学"的领域是宽广的,从马克思主义观点来研究《红楼梦》,是"红学"唯一正确的道路。马克思主义的方法,是"红学"的根本方法。但是,根本方法并不排斥具体方法的多样性。研究《红楼梦》的途径和方法,随着马克思主义本身的发展,将越来越多,越来越广。"红学"研究将会向广度和深度发展,达到更高的水平。

愿"红学"永葆青春。

1980年秋,北大中关园

(原载《红楼梦研究集刊》1981年辑)

意象经营石头记

一

整部《红楼梦》有一个宏大的形象体系。众多的形象（人物、事件和情景）错综复杂，相互联结，融为一体。组织形象体系中的单个形象，只是整体中的个别，它的意义只在形象整体的总的联系中才能见出。

《红楼梦》里写有一块顽石，自有其一番经历，构成一个既似寓言又像神话的故事。顽石的故事在全书中究竟起什么作用，具有什么意义呢？

《红楼梦》作者在最后成书前，也许借鉴过一些主题未必相同、情节也不一样的稿本，有的稿本写了顽石，有的稿本可能没有。但既然曹雪芹是"批阅十载，增删五次"才定稿的，足证《红楼梦》是精心构思之作，我们就没有理由把顽石的故事看作可有可无之笔或斥为荒诞无稽之谈。这块顽石的意象，石头的故事，乃是经过作者煞费苦心的意象经营而创造出来的，构成整个形象世界的有机部分，为形象体系不可缺少。

《红楼梦》一开头就写了这块顽石。顽石无材补天、幻形入世的故事，是全书的真正开端。今本中全书开头的那些议论，"此开卷第一回也"，其实只是作者的创作说明，并非小说的开始。《红楼梦》是从顽石的故事导入艺术境界的。

《红楼梦》不仅以顽石的幻形入世作为全书的开端，而且以顽石的返本还原、归山出世作为全书的结束。脂砚斋评《石头记》的批语中透露全书的结尾可能是："青埂峰下重证前缘，警幻仙姑揭情榜"，顽石又回到它入世前的地方。亲眼见过《红楼梦》初稿的曹雪芹好友明义，在《题红楼梦》诗中也曾说道："莫问金姻与玉缘，聚如春梦散如烟。石归山下无灵气，总（纵）使能言亦枉然。"可见，《红楼梦》全书是以顽石归山作结的。顽石从入世到归山，前后连贯，"如常山蛇，击尾而首应"，情节完整。

顽石的故事，不仅使全书有头有尾，而且还把全书的主体和首、尾联结起来，融为整体。通过顽石的经历，从幻想世界引出现实世界，再从现实世界走向幻想世界，使幻想与现实相统一、结合，创造出一个独特的艺术境界，表现作者对人生的一种独特的感受和理解。

顽石故事在《红楼梦》里是如此重要，无怪《红楼梦》一书又曾题名为《石头记》。为《红楼梦》提供过写作材料并做过评点的脂砚斋，就力主用《石头记》作书名。目前能见到的《红楼梦》早期版本，大都题名为《石头记》。脂砚斋评点过的12种版本，竟有8种都以《石头记》命名。

所谓《石头记》者，石头之所记也。甲戌本的"凡例"中云："曰《石头记》，是自譬石头所记之事也。"石头的入世与归山，家族的兴衰荣辱，人物的悲欢离合，世态的炎凉变幻，所有的故事全记载在一块大石上。所谓"道人亲眼见石上大书一篇故事，则系石头所记之往来，此则《石头记》之点睛处"，就是说《石头记》即石头之所记。

然而，《石头记》不只是石头之所记，所记的还是石头的经历。庚辰本有云：空空道人从那石上抄录下来的，正是顽石"坠落之乡，投胎之处，亲自经历的一段陈迹故事"。这就是说，此石不只是故事的记录者，而且所记的故事又是这块顽石的经历——"往来"。因此《石头记》者，石头所作的石头自己的经历记载也。

石头的经历，颇为曲折。它有个不平凡的来历：女娲炼石补天，在大荒山无稽崖炼了三万六千五百零一块石头。女娲用了三万六千五百块去补天，单单剩下了一块未用，弃在青埂峰下。这块弃而不用、未得补天的顽石，自经锻炼，已通灵性，有了思想，有了感情，能记事，能说话。顽石眼见众石俱得补天，独自己未入选，所以自愧自叹，哀怨伤悲。后来遇见了一僧一道，顽石动了凡心，想入红尘，于是幻形入世，到了人间。顽石在人间的经历,所见所遇所闻的人间故事乃是《红楼梦》的主要部分。在这里,种种人间喜剧、人生悲剧相继发生,交错进行,构成《红楼梦》的主体故事。顽石在红尘中见到、听到、遇到层出不穷的人间喜剧、人生悲剧之后,最后又出世归山,返本还原,回到青埂峰下。

《红楼梦》为什么要在这里虚构一个顽石的故事?作者是否真相信在人世之外还存在一个"彼岸世界",是否真相信顽石能通灵、幻化,至少在目前,还无有事实材料能予证实。艺术形象有多义性。也许,《红楼梦》用女娲炼石补天的神话暗示天已残倾,乾坤待整。也许,《红楼梦》用乱世石言的寓言隐喻时事,抨击现实政治。但是,如果把顽石故事和主体故事联系起来看,顽石的入世与出世,正是表现了《红楼梦》作者对于人生的理解和感受。顽石的幻形入世,乃是不甘于荒山寂寞,羡慕尘世的荣华富贵。顽石入世之后,享尽了人间的荣华富贵,似应感到满足。然而,它看到这荣华富贵的背后,掩盖着形形色色的人间喜剧,多种多样的人生悲剧,人世间并不美妙。于是,顽石终于离开尘世,又回到寂寞凄凉的青埂峰下。《红楼梦》作者对于人生有自己的感受和看法,这种感受和看法,既通过书中的主体故事表现出来,又通过顽石的故事表现出来。

为了弄清楚《红楼梦》的主题思想,不仅需要了解书中的主体故事,要了解这个顽石的故事,更要了解顽石故事是如何和主体故事相连接的。正是在这些故事及其连接中,表现了作者的人生感受和见解,展现了作品的主题思想。顽石故事与主体故事的连接方式如果不同,必定会影响到作品的思想内容。

《红楼梦》里,顽石故事和主体故事是怎样连接起来的呢?顽石怎样从幻想世界进入现实世界,又怎样从现实世界逃回幻想世界?对此,不同版本的《红楼梦》有不同的描写、处理方式。它们的不同在哪里呢?

二

脂砚斋评的《红楼梦》版本系统中,顽石故事同主体故事是这样连接起来的:顽石从幻想世界转到现实世界,化为一"物"——通灵宝玉。通灵宝玉不是贾宝玉其人,只是其人身上所挂之物。但通灵宝玉由蠢物顽石转化而来,已通灵性,和贾宝玉形影不离,可以从旁观察尘世,记录人生。于是,这块通灵宝玉就成了人间喜剧和人生悲剧的旁观者、看剧者。一旦通灵宝玉离开尘世,回到山下,还原为蠢物顽石,它在人间的经历也镌刻在上面了。

在脂本系统中,庚辰本对顽石入世的叙述最为简单。在交代过顽石来历后,庚辰本这样写道:

一日,正当嗟悼之际,俄见一僧一道远远而来,生得骨格不凡,丰神迥异,来至石下,席地而坐长谈。见一块鲜明莹洁的美玉,且又缩成扇坠大小的,可佩可拿。那僧托于掌上叹道:"形体倒也是个宝物了,还只没有实在的好处。须得再镌上数字,使人一见便知是奇物方妙。然后携你到那昌明隆盛之邦,诗礼簪缨之族,花柳繁华地,温柔富贵乡,去安身乐业。"石头听了,喜不能尽,乃问:"不知赐了弟子那几件奇处?又不知携了弟子到何地方?望乞明示,使弟子不惑。"那僧笑道:"你且莫问,日后自然明白的。"说着,便袖了这石,同那道人飘然而去,竟不知投奔何方何舍。

在这叙述中,这块被女娲弃而不用的顽石,早在遇见一僧一道之先,自己已经化成一块美玉。一僧一道见到的是这块美玉,不是顽石。这块美玉也未曾主动要求僧、道带它入世,而是由僧、道在美玉上镌了数字,然后携入红尘,为的是去"安身乐业"。这块美玉,不知投奔何方何舍,也不知是化物变人。

甲戌本对顽石入世的叙述,要比庚辰本具体,而且艺术细节也不完全相同。在前述所引的那段叙述之前,甲戌本还有较长一段描写,具体说明一僧一道来到青埂峰下的情景:

说说笑笑，来至峰下，坐于石边，高谈快论。先是说些云山雾海神仙玄幻之事，后便说到红尘中荣华富贵。此石听了，不觉打动凡心，也想要到人间去享一享这荣华富贵。但自恨粗蠢，不得已便口吐人言，向那僧道说道："大师，弟子蠢物，不能见礼了。适间，二位谈那人世间荣耀繁华，心切慕之。弟子质虽粗蠢，性却稍通。况见二师仙形道体，定非凡品，必有补天济世之材，利物济人之德。如蒙发一点慈心，携带弟子得入红尘，在那富贵场中温柔乡里享受几年，自当永佩洪恩，万劫不忘也。"

这里，顽石虽经锻炼，但自己还没有本领变成美玉。它听一僧一道在谈论尘世的荣华富贵，打动了凡心，也想到人间去享受一番，所以主动请求僧道带它下世。那一僧一道却反而劝它别下红尘，并且说出了一番人生道理：

二仙师听毕，齐憨笑道："善哉善哉，那红尘中有却有些乐事，但不能永远依恃。况又有美中不足，好事多磨，八个字紧相连属。瞬息间则又乐极生悲，人非物换。究竟是，到头一梦，万境归空，到不如不去的好。"这石凡心已炽，那里听得进这话去。乃复苦求再四。二仙知不可强制，乃叹道："此亦静极思动，无中生有之数也。既如此，我们便携你去受享受享。只是，到不得意时，切莫后悔。"石道："自然，自然。"

一僧一道给顽石讲的人生哲理，它未曾理会，还是苦求下凡入世。僧道助了顽石一臂之力，施了幻术，才把蠢物顽石变成一块莹洁美玉：

那僧又道："若说你性灵，却又如此质蠢，并更无奇贵之处，如此也只好踮脚而已。也罢，我如今大施佛法助你一助，待劫终之日复还本质，以了此案，你道好否？"石头听了，感谢不尽。那僧便念咒画符，大展幻术，将一块大石登时变成一块鲜明莹洁的美玉，且又缩成扇坠大小的，可佩可拿。

这些关于顽石入世的叙述和描写，在庚辰本中都没有。但在这些叙述和描写之后，其他细节就一样了：那僧在美玉上镌了数字，携入红尘，"不知投奔何处何舍"。

这块由蠢物顽石变来的美玉，到了人世间后变成了什么呢？就是贾宝玉生下时口里衔的通灵宝玉。

庚辰本和甲戌本在第一回写"甄士隐梦幻识通灵"，对这块美玉的下落都有所交代，它在甄士隐的梦中出现：

> 一日炎夏永昼，士隐于书房闲坐，至手倦抛书，伏几少憩，不觉朦胧睡去。梦至一处，不辨是何地方。忽见那厢来了一僧一道，且行且谈。只听道人问道："你携了这蠢物意欲何往？"那僧笑道："你放心，如今现有一段风流公案，正该了结。这一干风流冤家尚未投胎入世，趁此机会，就将此蠢物夹带于中，使他去经历经历。"那道人道："原来近日风流冤孽又将造劫历世去不成！但不知落于何方何处？"

于是，那僧就又引出了神瑛侍者和绛珠仙子的故事。这段风流冤孽故事同顽石下凡的故事，并无必然关系、因果联系，在脂本中，这是各不相干的两回事。甲戌本在写神瑛侍者和绛珠仙子入世的故事时，既未出现警幻仙子，又未出现蠢物顽石。顽石只是在神瑛侍者入世时被那僧"夹带于中"，送到世上。甄士隐在梦中看到的那块鲜明美玉，已经是镌了"通灵宝玉"字样的，只是还不知道此物落于何方。到了第二回，冷子兴演说荣国府，告诉贾雨村：贾府生了个公子贾宝玉，"一落胎胞，嘴里便衔下一块五彩晶莹的玉来，上面还有许多字迹，就取名叫做宝玉"。可见，神瑛侍者入世变成了贾宝玉，而那块由顽石变来的美玉，则被夹带在神瑛侍者身上，在贾宝玉出生时成了口中衔的通灵宝玉。从此，它就被挂在贾宝玉颈项里。

蠢物顽石之变为通灵宝玉，在甲戌本第84页里进一步得到确证。贾宝玉到梨香园去探宝钗的病。宝钗要看一看宝玉的佩玉，他从项上摘下通灵宝玉，宝钗托于掌上。小说在此处对佩玉做了一番描写，说它如何莹润可爱，然后这样写道："这就是大荒山中，青埂峰下的那块顽石的幻相。"此回中还说道，"那顽石亦曾记下他这幻相，并癞僧所镌的篆文"。可见，通灵宝玉是那顽石的幻相，顽石就是那通灵宝玉的前身。

蠢物顽石化为通灵宝玉，通灵宝玉后又还原为蠢物顽石，幻想世界和现实世界就是这样被连接起来的。通灵宝玉作为人生悲剧、人间喜剧的观剧者、旁观者出现，它不是主人公，不是那些悲剧、喜剧的当事人、剧中人。旁观者清，从旁观者的眼光看人生，也许要比当事人、剧中人更为清醒，或者能更直接地表达作者的人生感慨和见解。

三

在程伟元刻本系统里，顽石故事同主体故事的连接却是另一个样子：顽石从幻想世界到现实世界，化身为人——贾宝玉。贾宝玉是《红楼梦》全书的主人公，他看见不少人生悲剧和人间喜剧，但他自己又是书中最大的人生悲剧的主角、当事人。

这块顽石，补天未用，却落得逍遥自在，到处游玩。一天，顽石来到警幻仙子处，就留在赤霞宫，警幻仙子赐给它"神瑛侍者"的名号。于是，在脂评本中各不相干的两件事合而为一，蠢物顽石变成了神瑛侍者。程甲本和程乙本在细节描写上虽仍有些差别，但这个情节基本上是一样的。

顽石既变成了神瑛侍者，而神瑛侍者入世又成了贾宝玉，那么，贾宝玉的前身也就是这块顽石。程刻本写那神瑛侍者常在灵河岸上行走，遇见三生石畔的"绛珠仙草"，日以甘露灌溉，于是"绛珠仙草"得以幻化人形，修成女体。只因"绛珠仙草"未报神瑛侍者灌溉之德，故五内郁结一段缠绵不尽之意，想在神瑛侍者下世为人之时，一同入世，用一生的眼泪偿还神瑛侍者的甘露之恩。神瑛侍者入世为贾宝玉，绛珠仙草入世则为林黛玉。

显然，关于顽石入世的描述，在程刻本和脂评本中是不一样的。在脂评本中，顽石变为通灵宝玉，由蠢物变灵物；神瑛侍者变贾宝玉，同顽石不相干。程刻本中，顽石转化为神瑛侍者，神瑛侍者又入世为贾宝玉,蠢物变灵物,灵物又变人。

这样,顽石不是变成旁观者、观剧者,而是直接成了当事人、剧中人。

于是,顽石的经历和贾宝玉的经历合而为一,作为小说的主人公、人生悲剧的当事人,贾宝玉的经历突出起来,首尾相连的顽石经历也直接就是贾宝玉的经历。作为旁观者、观剧者的通灵宝玉,在小说中的作用就不如在脂评本中那样重要了,它已失去了记述者的资格,只是主人公贾宝玉的影子,成为贾宝玉前生顽石的象征。这样的写法,对于突出主人公贾宝玉的遭遇这一主要线索很有必要。在程刻本中,顽石的经历也就是主人公的经历,而在脂评本中,顽石的经历并不就是主人公的经历,两者有联系,但也可以分开。通灵宝玉虽与贾宝玉形影不离,但也可以离主人公而去,不必与主人公的命运相终始,也不必等到主人公的悲剧结束。我们已无从知道,脂评本的最后结尾是个什么样子,存在两种可能:一是,作为记述者的通灵宝玉要等贾宝玉的命运最后了结,才能返本还原;二是,作为记述者的通灵宝玉,也可以不等主人公及其家族的命运最后如何,就出世而去,小说戛然而止。这样,顽石的经历是完整的,有头有尾,自成故事,但主人公及其家族的命运却是不完整的,有头无尾,未有结果。程刻本既然把顽石的经历和贾宝玉的经历合而为一,那么,只有把贾宝玉及其家族的最后命运交代清楚,小说才能结束,而通灵宝玉的命运却无关大局。在程刻本中,通灵宝玉此物在第九十四回中就已遗失了。这个旁观者、观剧者如果不在,小说本可结束,可以不顾贾宝玉的命运如何。顽石变通灵宝玉,通灵宝玉又变顽石,顽石故事也就完整了。正如程刻本中甄士隐在第一百二十回所说:"那年荣府查抄之前,钗黛分离之日,此玉早已离世,一为避祸,二为撮合,从此夙缘一了,形质归一。"可是,如果《红楼梦》就这样等到通灵宝玉丢失而结束,那么通灵宝玉遗失后的许多重大事件,荣、宁两府被抄,宝、钗二人结婚,贾宝玉的出家等,也都不见了。程刻本却可以不顾通灵宝玉已失,照样展开主人公及其家族的故事,直到剧中人把自己的悲剧演完,才让主人公贾宝玉出家,返本还原为顽石,回到青埂峰下。

顽石经历和贾宝玉经历的合而为一，通灵宝玉失去记述者的作用，使小说的叙述角度也严格统一了。

在脂评本中，对于主人公及其家族的描写，是从作者的第三人称角度叙述的。对于顽石的经历，作者基本也是以第三人称口吻叙述出来的。贾宝玉和顽石在这里都是被叙述者，是叙述的对象，不是叙述者。就是在描写通灵宝玉时，它也被作为叙述对象来处理的。但在脂评本中，通灵宝玉由顽石变来，而通灵宝玉又是贾宝玉及其家族命运的记述者，于是，有时也出现了这样的叙述角度：顽石或通灵宝玉以自己的眼光和口吻叙述自己的所见所闻所遇，作者用第一人称的写法，让顽石或通灵宝玉直接交代故事，抒发感受。甲戌本第十五回"秦鲸卿得趣馒头庵"，写宝玉和秦钟见面的情景。但通灵宝玉这个目击者、记述者不在场（凤姐怕通灵宝玉失落，等宝玉睡下之时，命人把它取来，塞在他的枕边，于是通灵宝玉离开了贾宝玉），未曾得见，于是小说就以第一人称口吻写道："宝玉不知与秦钟算何账目，未见真切，未曾记得。此系疑案，不敢纂创。"这是作者让通灵宝玉以记述者的身份直接出来说话，不是以第三人称叙述。庚辰本第十七、第十八回写贵妃省亲的情景，元春进大观园，"只见园中香烟缭绕，花彩缤纷……说不尽这太平气象，富贵风流"。此处，作者也让石头以记述者的身份站出来抒发感受，于是出现了第一人称的口吻："此时自己回想当初在大荒山中青埂峰下，那等凄凉寂寞。若不亏癞僧跛道二人携来到此，又安能见这般世面。本欲作一篇灯月赋、省亲颂以志今日之事，但又恐入了别书的俗套，按此时之景即作一赋一赞，也不能形容得尽其妙。即不作赋赞，其豪华富丽，观者诸公亦可想而知矣。所以倒是省了这工夫纸墨。且说正经的为是。"这一段叙述，全是石头的叙述口吻，许多《红楼梦》批阅者也是这么看的。庚辰本在此处就有双行批语："自'此时'以下，皆石头之语，真是千奇百怪之文。"对此种笔法，有的批语极为赞赏："忽用石兄自语截住，是何笔力，令人安得不拍案叫绝，是阅历来诸小说中有如此章法乎？"

在程刻本中，通灵宝玉已失去了记述者的作用，不需要让它以记述者的身份跳出来叙述或议论，于是，也就不必再有脂评本中那种第一人称的笔法。作者把人称统一起来，全用第三人称的叙述，以作者的叙述角度，写出主人公贾宝玉及其家族的命运。顽石的故事、通灵宝玉的经历，也都是从第三人称的角度叙述出来的。原先在脂评本中那些石头自语的第一人称叙述，全作为后人的批语予以删除。脂评本中那种基本以第三人称、间用第一人称的笔法，代之以单一的第三人称笔法。

四

《红楼梦》两个不同版本系统对顽石故事的不同处理方式和叙述笔法，对全书的整体形象发生影响，使作品的思想意义也出现某种变化。

顽石故事在《红楼梦》里不是主体故事，它不如主人公贾宝玉及其家族的经历那样重要。但并非只有主体故事才能表现作者的思想，作者的思想也表现于顽石故事里。作品的主题思想，只有在形象整体中才能见出。把形象体系中的一些形象和其他形象割裂开，会无从了解作品的主题思想。只从主体故事说作品的主题，正如只从顽石故事谈作品主题，都是片面的，不能完整地掌握作品的主题思想。只有将主体故事和顽石故事连接起来分析作品的思想，才能科学地说明作品的主题。

所有版本主体故事的基本轮廓相似，主人公贾宝玉及其家族的命运都以悲剧告终。顽石故事的基本轮廓也大致相同，顽石幻形入世而又归山出世。这些基本相似的故事形象地说明：青埂峰下虽然凄凉寂寞，但可以自由自在，无牵无挂，没有烦恼；人世间虽然也有许多赏心乐事，但瞬息万变，苦随乐生，不胜烦恼。现实并不美妙，顽石枉入红尘，不如归去。但这些基本相似的故事，在两个版本系统中又有细微的差别，影响作品的思想也产生一些变化。

甲戌本中，顽石所以要下凡入世，乃是因为补天不成，被抛峰下，在那里自怨自叹，听说红尘中荣华富贵，甚为动心，"也想要到人间去享一享这荣华富贵"。在未曾入世的顽石眼光中，青埂峰下并非美妙之处、理想境界。而那已经看破红尘的一僧一道反而劝顽石别去自寻烦恼,理由是:"那红尘中有却有些乐事,但不能永远依恃。况又有美中不足,好事多磨,八个字紧相连属。瞬息间则又乐极悲生,人非物换。究竟是,到头一梦,万境归空。"这番话概括地说出了僧、道对人生的看法。在僧、道看来,世间确有人生乐事。但一来,乐事虽有,不能长久,世事多变,乐极悲生,人非物换,无所依恃;二来,乐事之外,还有苦事,美中不足,好事多磨,紧相连属。应该说,僧、道的这些话道出了人生中的一些事实,并非谬误。但僧、道又接着对此做了唯心主义的解释、谬误的结论:"究竟是,到头一梦,万境归空。"无疑,这是佛学中的"色即是空,空即是色"的虚无主义谬论。

僧、道之论,并不一定就是作者所要表达的思想,正如《红楼梦十二支曲》中表达的"冤冤相报自非轻,分离聚合皆前定",《好了歌》及甄士隐的注解辞中所表达的"好便是了,了便是好"等思想,也未必就是作者的思想一样。但作者对这些思想也不持否定态度。秦可卿托梦王熙凤,说了一番"盛筵必散"的道理,作者对这种思想似有所肯定。在题咏诗中所说,"浮生着甚苦奔忙,盛席华筵必散场。悲喜千般同幻渺,古今一梦尽荒唐",这种思想在作品中确时有流露。

无疑,作者的思想同僧道之论有密切联系。人生如梦、万境归空的思想在《红楼梦》里有所表现。顽石故事里,这种思想表现得比较明显。

但《红楼梦》的主题却并不只是表现"到头一梦,万境归空"的思想。从整体形象,特别是从主体故事看,《红楼梦》的主要思想是对现实生活的不满,对尘世荣华富贵的否定,幻想有一个美妙的、自由的、和谐的社会。

在脂评本中,顽石幻化为通灵宝玉,跟着主人公贾宝玉享受着人间的荣华富贵,摆脱了青埂峰下凄凉寂寞的环境,照理应该心满意足。然而,通灵宝玉最后还是返本还原,出世而归。为什么顽石当初向僧道苦苦相求,争着入世,最后却又离开尘世,甘愿凄凉寂寞?这是因为尘世虽能享受荣华富贵,但引来无数烦恼。顽石亲眼看到贾宝玉及周围许多人的悲剧命运,使它对尘世有了真切的了解。人世间并不那么美妙,还不如青埂峰下好。脂评本虽然只有八十回,无从知道顽石的最后结局,但给人留下深刻印象的还是对现实生活所持的批判态度。只是脂评本将顽石故事和主人公的故事连接又自成线索,顽石的经历、思想和贾宝玉的经历、思想虽相接近,而又不同,所以僧、道那番"到头一梦,万境归空"的说教,在顽石故事中显得较为醒目。

在程刻本中,顽石入世直接化成了主人公贾宝玉,一百二十回的小说里主人公的命运有了结局,构成完整的故事。整个形象体系的客观意义,把僧、道那番"到头一梦,万境归空"的说教挤到极为狭窄的地方,这种思想的比重相对地就显得小了。

不甘于凄凉寂寞的顽石,想享受人间荣华富贵的愿望实现了:由顽石幻化成为贾宝玉,在"花柳繁华地、温柔富贵乡"里"锦衣纨绔","饫甘餍肥",人间最好的物质享受都尝到了。这人间荣华富贵的生活是什么味道?贾宝玉尝到了它的甜味,但伴随而来的苦味也引来了无尽的烦恼。

贾宝玉经历了爱情的悲剧,但贾宝玉的悲剧,不只是爱情的悲剧,还要深广得多。

享受荣华富贵虽也是人间乐事,但世事瞬息万变,不能久长。正如鲁迅所说,贾家纵然煊赫,然而"颓运方至,变故渐多","悲凉之雾,遍被华林"。生活在"繁华丰厚"中的贾宝玉,比别人更早地"呼吸而领会"到了。百足之虫,死而不僵,然而金玉其外,掩盖着败絮花天酒地、纸醉金迷的人是不会觉察到颓运将至的。唯贾宝玉却呼吸和领会到了,因而不时流露出"好景不长"之叹。

贾宝玉不仅觉察到荣华富贵不能久长,而且觉悟到荣华富贵不足留恋。伴随着荣华富贵、物质享受而来的,是富贵限人,精神上受束缚,不自由。贾宝玉在见了秦钟之后生发了一番自惭形秽的感慨:"可恨我为什么生在这侯门公府之家?要也生在寒儒薄宦的家里,早得和他交接,也不枉了一世。我虽比他尊贵,但绫锦纱罗,也不过裹了我这枯株朽木;羊羔美酒,也不过填了我这粪窟泥沟:'富贵'二字,真真把人荼毒了。"荣华富贵的物质享受给贾宝玉带来了精神上的苦闷。

贾宝玉像关在笼中的金丝鸟一样,享受锦衣玉食却不得自由。他不能同喜爱的人自由交往，却要按封建礼法接待那些为他所讨厌的人物。他要和最喜爱的林黛玉结婚，可是封建家族衡量自己的利益而牺牲了他的爱情。个人理应得到的、合理的自由，他得不到，荣华富贵还有多大价值！

不只是贾宝玉个人经受了悲剧，还亲眼看到了人生中无数悲剧。在他看来，人生中许多有价值的东西，都在被毁灭掉。单纯、天真的姑娘、丫头们，有才有情的优伶，特别是最了解他的林黛玉，一个个地被毁掉。鲁迅说得好，"在我眼中的宝玉，却看见许多死亡"；宝玉在"繁华丰厚"中，"屡与'无常，觑面'"。这些人生的悲剧在他心里留下了精神创伤。

贾宝玉的最大悲剧，不只在他看到了世间许多人生悲剧，而且在于：他对这些人生悲剧过分执着，摆脱不开。他对这些悲剧中受损害、被毁灭的真的、善的、美的东西，寄予深情，无限哀伤，却无能为力，束手无策，只存着烦恼和苦闷。可是人世间的悲剧实在太多，不幸者到处可见，于是贾宝玉的苦恼越来越多，加在他精神苦恼的负荷比别人更重。这就是鲁迅所说的，"多所爱者，当大苦恼，因为世上，不幸人多"。贾宝玉此人，"爱博而心劳"，于是"忧患亦日甚矣"。如果贾宝玉不是个"爱人者"，而是个"憎人者"，那么，他可以对人生悲剧闭眼不看，掉头不顾，甚至幸灾乐祸，不至于"心劳"，更无"苦恼"和"忧患"。可贾宝玉偏偏是个"爱人者"，关切着别人的不幸，寄予同情却无能为力，于是产生了他自己精神上的悲剧。

这个精神上的悲剧如何解决？也许，贾宝玉可以在极度精神苦闷中自杀了之，以求精神解脱。这样的结局，说不定更能突显"到头一梦，万境归空"的思想：生即是死，死即是生。然而，这样的结局不符合贾宝玉性格的逻辑发展。贾宝玉眼看人生中那些有价值的东西（真的、善的、美的）被毁灭，虽然无可奈何，束手无策，但他的感情态度却是明确的：这些东西不该被毁灭，他为这些东西的毁灭而惋惜、愤慨。他对这些东西不能忘情，不能"绝尘缘"，便走了出家这条道路，离开那毁灭了他和别人的幸福、自由的家族和那个世道，继续活着。这是对自己家族和那个世道的消极抗议，也是对那些被毁灭的不幸者的深切怀念。

贾宝玉出家为僧，顽石返本还原，在青埂峰下继续凄凉寂寞地生活，故事固然表现出了癞头和尚宣扬的"沉酣一梦终须醒，冤孽价（债）清好散场"的消极思想，但已经和主体故事融为一体的顽石经历，已显示出了这样的客观意义：它不愿再在这个毁灭着真的、善的、美的东西的现实世界上生活。《红楼梦》主体故事的描写，重心并不在肯定顽石在青埂峰下寂寞凄凉而又自由自在的生活，而在否定那个给它荣华富贵而又毁灭自由、幸福的现实。

1981年冬，北大中关园

（原载《红楼梦研究集刊》1982年辑）

谁解其中味
——《红楼梦》的意蕴

《红楼梦》是中国古典文学史上最好的一部小说。它的出现,把中国古典文学推上了历史最高峰。但这部小说诞生在中国封建末世,真是历史的奇迹。曹雪芹生于"康乾盛世",享受过盛世的繁华;但随着家族的衰败,急速跌入下层,"半生潦倒",历经了人世沧桑。到了晚年,曹雪芹痛定思痛,追忆了"半世亲见亲闻",反思了整个人生,花了10年心血,写出这部《红楼梦》。在这里,他不仅写出了家族的兴衰,而且道出了封建末世的种种征兆。"生于末世运偏消",他比别人更早地感受到末世的来临,"忽喇喇似大厦倾"。

对于这样一部小说,更需要按照马克思、恩格斯一再倡导的从美学的观点和历史的观点来加以评价。

曹雪芹写完《红楼梦》,抚卷慨叹:"都云作者痴,谁解其中味?"对他所经历的一生,当然需做周密的考证。但文学作品一旦产生,就成了相对独立的存在,只能从《红楼梦》所创造的整个形象体系做美学的和历史的综合分析,才能真正领悟到其中的意味。

一

《红楼梦》是中国文学史上的一枝奇葩。"自有《红楼梦》出来以后,传统的思想和写法都打破了。"(鲁迅)《红楼梦》以它的艺术独创性和思想的深刻性,启迪后人对当时社会各个方面进行反思。

《红楼梦》涉及的社会面之广泛,描绘各种事件笔触之精细,在中国文学史上是前所未有的。然而,自问世以来,《红楼梦》的主旨到底是什么,却一直是没有解开的谜。正如鲁迅先生所指出的:"单是命意，就因读者的眼光而有种种：易学家看见《易》，道学家看见淫，才子看见缠绵，革命家看见排满，流言家看见宫闱秘事。"①

早在《红楼梦》问世不久，就有人提出：《红楼梦》"辞传闺秀而涉于幻者，故是书以梦名也。夫梦曰红楼，乃巨家大室儿女之情，事有真不真耳。红楼富女，诗证香山；悟幻庄周，梦归蝴蝶。作是书者籍以命名，为之《红楼梦》焉"②。这把《红楼梦》看作是写儿女情长的梦幻之书，显然是悖谬之论。又有人认为："《石头记》乃性理之书，祖《大学》而宗《中庸》，故借宝玉说：'明明德之外无书'，又曰'不过《大学》《中庸》'。是书大意阐发《学》《庸》以《周易》演消长，以《国风》正贞淫，以《春秋》示予夺，《礼经》《乐记》融其中。"③"似作者无心于《大学》，而毅然以一部《大学》为作者之指归；作者无心于《周易》，而隐然以一部《周易》为作者之印证。使天下后世直视《红楼梦》为有功名教之书，有裨学问之书，有关世道人心之书，而不敢以无稽小说薄之。"④论者似乎着意抬高《红楼梦》的价值，不过，它仅仅是封建文人以经学眼光看出的幻象，离《红楼梦》作者的原意可谓南辕北辙。与经学眼光看《红楼梦》相反，有的封建文人以道学的眼光来看《红楼梦》，对它百般诋毁，大肆辱骂。有论者道："淫书以《红楼梦》为最，盖描摹痴男女情性，其字面绝不露一淫字，令人目想神游，而意之为之移，所谓大盗不操干矛也。"⑤因而断言："《红楼梦》一书，诲淫之甚者也。"（曹雪芹）"以老贡生槁死牖下，徒抱伯道之嗟，身后萧条，更无人稍为矜恤，则未必非编造淫书之显

---

① 鲁迅：《〈绛洞花主〉小引》，《鲁迅全集》卷七，人民文学出版社，北京，1981年，第419页。
② 梦觉主人：《红楼梦序》，《古典文学研究资料汇编·红楼梦卷》卷二，中华书局，北京，1963年，第二八页。
③ 张新之：《红楼梦读法》，《古典文学研究资料汇编·红楼梦卷》卷三，中华书局，北京，第一五三～一五四页。
④ 鸳湖月痴子：《妙复轩评石头记序》，《古典文学研究资料汇编·红楼梦卷》卷二，中华书局，北京，第二七页。
⑤ 陈其元：《庸闲斋笔记》，《古典文学研究资料汇编·红楼梦卷》卷四，中华书局，北京，第三八二页。

报矣。"①更有甚者,道学家们编造了"阴间""轮回"等迷信的东西对曹雪芹进行攻击。如毛庆臻写道:"入阴界者,每传地狱治雪芹甚苦,人亦不恤。盖其诱坏身心性命者,业力甚大……伤风教者,罪安逃哉?"②封建的卫道者们源于一个目的从两方面对《红楼梦》进行了肆意歪曲。

旧红学的索隐派以"抉微"为务,力索《红楼梦》中的微言大义。或认为:"《红楼梦》一书,为故大学士明珠故事"③;或认为:"是书全为清世祖与董鄂妃而作,兼及当时诸名王奇女也"④。不仅封建文人为求宫闱秘事而大索《红楼梦》之隐,就是以蔡元培为代表的资产阶级旧民主主义者,出于自己的政治目的,也在《红楼梦》研究中运用索引的方法,试图从"政治的索引"进一步发展为"索引的政治"。蔡元培认为:"《石头记》者,清康熙朝政治小说也。作者持民族主义甚挚。书中本事在吊明之亡,揭清之失,而尤于汉族名士仕清者寓痛惜之意。"⑤蔡元培研究《红楼梦》主要是从反清的动机出发的,这在当时的历史条件下不可谓不进步,但是他探索《红楼梦》主题的方法——牵强附会、刻意求深、无中生有——却并不符合作品的实际,整个立论和论证结果完全建立在一个虚无飘渺的基础之上。

新红学的代表胡适认为:《红楼梦》是曹雪芹的"自叙传",是一部宣扬坐吃山空的平淡无奇的自然主义作品,全书的旨义是写"闺友闺情"。这种在实证主义和实用主义相结合的哲学思想指导下的"考证"结果,显然与曹雪芹创作《红楼梦》的意向相去甚远。

以上种种结论都是在传统的、旧的、偏颇甚多的研究方法指导下

---

① 梁恭辰:《北东园笔录》,《古典文学研究资料汇编·红楼梦卷》卷一,中华书局,北京,第一五页。
② 毛庆臻:《一亭考古杂记》,《古典文学研究资料汇编·红楼梦卷》卷一,中华书局,北京,第一四页。
③ 许叶芬:《红楼梦辨》,《古典文学研究资料汇编·红楼梦卷》卷三,中华书局,北京,第二二三页。
④ 王梦阮:《红楼梦索隐提要》,《古典文学研究资料汇编·红楼梦卷》卷三,中华书局,北京,第二九七页。
⑤ 蔡元培:《石头记索隐》,《古典文学研究资料汇编·红楼梦卷》卷三,中华书局,北京,第三一九页。

得出的。马克思主义对文学艺术的研究,力主须从作品的实际出发,放到当时的历史中去考察,把历史的观点和美学的观点结合起来,才能做出实事求是的分析。在批判地继承历史优秀遗产的基础上,马克思主义的方法论在《红楼梦》研究领域开辟了一个新的天地。众多红学研究者在对《红楼梦》的主题进行探索时,也力争在历史唯物主义思想的指导之下做出符合实际的分析。纵观我国1949年以后对《红楼梦》主旨的研究,基本有以下几种看法:1."以贾府为代表的封建家族衰亡史"。2."爱情中心"。3."爱情掩盖政治斗争"。4."子孙不肖,后继无人"。这几个方面是《红楼梦》着笔最浓郁处,也是曹雪芹在生活中体会最深、感触最多之处,把这几种观点作为《红楼梦》的主旨看,似乎都有合理的地方。然而,仔细考察却又都有以偏概全之嫌。怎样才能准确揭示《红楼梦》小说深刻而含蓄的主旨呢? 马克思曾经指出:"对一个著作家来说,指导某个作者实际上提供的东西和只是他自认为提供的东西区分开来,是十分必要的。"①我们探索《红楼梦》小说的主旨,作为最有力例证的应该是小说的形象整体。只有结合小说形象系统整体的描写,我们才能看出现有对《红楼梦》主旨分析的不全面处;也只有结合小说的形象整体本身,我们才能找出《红楼梦》小说主旨的真正所在。

二

目前评论《红楼梦》主旨比较有代表性的四种看法都有独到之处,又都有点偏颇。怎样汲取这些看法中的合理之处,使对《红楼梦》主旨的探索更符合小说的实际情况,这便是我们努力的目标。

第一种主旨说——"以贾府为代表的封建家族衰亡史"——建立在这样的例证之上:一是认为,"《红楼梦》在结构上有一个显著特点,即以贾荣二府盛衰作为统揽全书的一个总的脉络"。二是认为,

---

① [德]马克思:《马克思致马·马·柯瓦列夫斯基的信》,《马克思恩格斯全集》卷34,人民出版社,北京,1955年,第343页。

"《红楼梦》所塑造的许多人物典型，不管他们的思想、性格、身份、教育有多大的差异，他们被写进小说，都是围绕一个中心，这个中心就足以体现贾府为代表的封建家庭衰亡史。"

其实，这两个例证所包含的所指，只是《红楼梦》小说的主要情节故事。诚然，《红楼梦》截取了贾府衰亡过程中的一个段落作为小说的主要情节，并且，小说塑造的艺术形象亦是生活在前者构成的背景之中。然而，小说的主要情节是否就是小说的主旨呢？要回答这个问题首先得把"情节"和"主旨"的概念分清楚。什么是文艺作品的情节与主旨呢？文艺作品的情节就是文艺作品的故事内容；而文艺作品的主旨是作家、艺术家通过文艺作品的情节体现出来的中心意蕴。情节，乃至主要情节，并不等于主旨。在文艺作品里，同样的情节可以表现不同的主旨，同一个主旨亦可以由不同的情节来表达。"写什么"和"怎么写"在美学上是有区别的。从美学的观点看，不同的人面对同样的审美对象，由于审美理想、审美趣味的不同，可以做出不同的审美评价。因此，不同的作家处理同样的题材，也就会有不同的写法，表现出不同的意蕴。《红楼梦》确实把以贾府为代表的封建家族的衰亡，以及在这个衰亡过程中各种人物的语言、行动、性格、关系，入木三分地刻画了出来，这是作者十分熟悉的题材。而通过封建家族的衰亡过程表现了作者怎样的审美评价，作者所持的是什么样的审美态度，这决定了作者"怎样写"。作家写什么不等于作家怎样写。同样把汉代王昭君出塞和亲作为故事情节的戏，元朝马致远的《汉宫秋》主要表达了汉朝忍辱和番、昭君伤悲远嫁的主旨；而当代剧作家曹禺的《昭君出塞》却主要表达了汉朝与北蕃和睦相处、民族团结的主旨。

相似的，以封建家族衰亡史作为主要情节故事的文艺作品，既可以表达出作家对这个衰亡史的庆幸、欢迎、解脱之感，也可以表达出作家对这个衰亡史的悲哀、愤恨和不甘之情。作者怎样表现这个衰亡史决定了作者赋予文艺作品以怎么样的主旨。因此，把《红楼梦》中以贾府为代表的封建家族衰亡史本身作为《红楼梦》的主旨看，并不十分贴切。

从《红楼梦》小说塑造的人物形象看，各种典型人物也并不都围绕着以贾府为代表的封建家族衰亡史这个中心而展开。《红楼梦》中各种典型形象并不围绕哪个中心,他们每个人都是相对独立的个性,他们每种个性都有自己发生的渊源和发展的轨迹。但他们的各种活动又都是在贾府这个封建家族日趋衰亡的背景之下进行的。因此,必然在各种关系的交织中给每个典型人物的活动带上家族末世的色彩。小说第二回通过古董商冷子兴之口说出"如今的这宁荣两门,也都萧疏了,不比先时的光景",又说"外面的架子虽未甚倒,内囊却也尽上来了"。这就在整部小说的大幕拉开之前给各种将要上演的活剧指出了既定的背景。从小说描写的各种故事看,亦可以处处体现出这个背景的影响。例如,《红楼梦》中描写的两次大丧事——秦可卿丧事和贾母丧事,前者处于贾府既走下坡路而未彻底败落之时,"瘦死的骆驼比马大",所以仍大办丧事:为"丧礼上风光些",花了一千二百两银子给贾蓉捐了个五品龙禁尉的票。秦可卿所用的棺木是"潢海铁网山上"的"樯木","拿一千两银子,只怕也没处买去"。出殡的时候"一时只见宁府大殡浩浩荡荡、压地银山一般从北而至",连送殡的官客也"一带摆三四里远"。管家婆王熙凤在主管丧事、协理宁国府时威风凛凛、声誉显赫。及至贾母之丧,贾府已经坐罪抄没,那时贾府"统共只有男仆二十一人,女仆只有十九人,余者俱是些丫头,连各房算上,也不过三十多人,难以点派差遣",以至王熙凤处处掣肘,只能到处求爷爷告奶奶。这两件丧事充分表现出了贾府衰败的景象。但是,任何一个伟大作家的伟大之处都不仅在于他写了什么,曹雪芹写《红楼梦》也并不只在于客观地描绘了贾府的衰败。曹雪芹的伟大在于他生动地刻画了处于封建家族衰败过程中人的活动,以及他对这些典型人物审美评价的深刻性。曹雪芹通过对两件丧事的描写刻画了王熙凤等一大批艺术形象的典型性格,从其中体现出曹雪芹的审美思想(评价、判断等),这种审美思想贯穿于全书的主导方面就构成了小说《红楼梦》的主旨。因此,从小说的艺术描写看,认为《红楼梦》的主旨是"以贾府为代表的封建家族衰亡史"是值得商榷的。

第二种主旨说——"爱情中心"——是这样论述的:《红楼梦》确实以很大篇幅展开了一个封建贵族大家庭日常生活的描绘,但是作者笔下的这一切并不是散漫无稽的,它的整个描写都紧紧围绕着贾府这个贵族之家上上下下一大群少女的生活和命运而展开。这种观点可以用曹雪芹在《红楼梦》第一回谈创作"缘起"里的一段话作为例证:"忽念及当日所有之女子,一一细考较去,觉其行止见识皆出我之上……闺阁中历历有人,万不可因我之不肖,自护其短,一并使其泯灭也",说明这是曹雪芹创作动机的真实表白。这种观点指出:曹雪芹在一系列形貌有别、性格迥异的少女形象中表现出来的思想就是才情胜人而红颜薄命。作者正是通过描写贾宝玉与十二金钗的关系,深刻地反映出封建社会中妇女生活和命运的不幸。

爱情问题的确是《红楼梦》小说所涉及的重要题材。《红楼梦》表现出了作者对理想爱情的憧憬,所提出的要求是以往封建社会中关于爱情题材的文艺作品不可比肩的。诚然,在古代文学作品里,"红颜从来多薄命"常用来揭示社会不平而具有鲜明的反封建意义。但是,在不同时代的作家那里,究竟站在怎样的思想高度上反封建却是非常不同的。《诗经》中有"窈窕淑女,君子好逑"之句,"君子"看到漂亮美貌的姑娘动了心,于是去求爱。这样的恋爱不是建筑在"父母之命、媒妁之言"的基础上,可以说,它亦是对封建纲常的违悖。但在动机上仅仅由于"君子"看上了"淑女"的美貌,从历史的比较看,这是一种初级意义的反封建。乐府民歌《孔雀东南飞》中焦仲卿和刘兰芝的爱情悲剧,可以说是对封建婚姻制度的强烈控诉,他们的双双自杀是刻在反封建婚姻历史上的一个粗大的惊叹号。他们的动机又是什么呢?纵观整篇作品,无非是妻子贤惠、丈夫情笃而已。他们与其说是反抗的典型,不如说是殉情的典型。《西厢记》中崔莺莺和张君瑞的爱情故事才是真正有反抗性的反封建婚姻事例。不过从作品总的结构看,它仍然没有跳出"一见钟情,私订终身"的框架,他们结合的基础是男才女貌。张生最后在老大人"崔家不招白衣女婿"的要挟下走上考场去沽名钓誉,终于"奉旨完婚"。这种喜剧性的大团圆结局本身就是对封建势力的妥协,对封建婚姻制度的让步。而《红楼梦》对婚姻、爱情的态度堪称反封建历史上的一颗亮星,它给当时黑幕笼罩的中国婚姻制度画出了一条光明的轨道。《红楼梦》中对宝玉和黛玉的爱情描写震动过多少人的心房,引起过多少人的共鸣。在《红楼梦》中,宝玉和黛玉爱情的焦点并不在结婚本身,更重要的是揭示出了他们相互爱恋的思想基础。恩格斯曾经指出:"现代的性爱,同单纯的性欲,同古代的爱,是根本不同的。……它是以所爱者的互爱为前提的。"①在宝黛的爱情里已经有现代婚姻基础的色彩,宝玉与黛玉相互之间一次次的试探,无休止的拌嘴争吵,终于从两小无猜的兄妹感情升华到心心相通的富有现代色彩的恋爱。尽管他们在封建制度的威逼下没能走到一起结成伉俪,但恋爱过程体现出来的时代新思想远远超出了结婚这件事本身。《红楼梦》的深刻处也正在于表达出了对固有传统思想的不满,这种不满在小说里通过各种途径传达出来,宝黛爱情只是其中一个重要途径罢了。《红楼梦》的意蕴不是歌颂"爱情"所能笼括的,与过去文学史上反封建婚姻的文艺作品也不可同日而语。把《红楼梦》的主旨归结为"红颜从来多薄命"也更是一叶障目,只见树叶不见泰山。

况且,《红楼梦》小说有许多情节表现出来的思想,其意义远远超出"爱情"的界限。例如刘姥姥二进大观园刻画了一个村姥姥在封建家族盛衰的变化过程中的所言所语;宁荣两府中各种人事之间的纠葛反映了封建家族内部"一个个都象乌眼鸡似的恨不得你吃了我,我吃了你"的残酷景象等。这些情节都体现出曹雪芹对封建现实愤懑的情绪。

曹雪芹在《红楼梦》中确实讲了,整部小说"大旨谈情"。有人认为这是曹雪芹的春秋笔法,有人认为这是作者的原旨,到底怎样,我们不能轻易否定。但我们应该在文艺评论中时刻注意到把某个作者实际上提供的东西和他自认为提供的东西区分开。从《红楼梦》小说提供的实际情况看,说它"大旨谈情",可把这"情"做更为宽泛的理解,这"情"不仅仅是男女爱情,而是有更为广泛而深刻的内涵。

第三种主旨说——"爱情掩盖政治斗争"——认为《红楼梦》乃影射政治之书。曹雪芹在当时历史条件下,既必须采用掩盖手法,又

---

① [德]马克思、恩格斯:《马克思恩格斯全集》第四卷,人民出版社,北京,1955年,第73页。

希望人们能够透过"谈情"的烟幕看出并领会他用"一把辛酸泪"写出的政治、社会内容。所以他在小说的第一回题诗云："满纸荒唐言，一把辛酸泪。都云作者痴，谁解其中味。"如果把《红楼梦》的主旨简单地归之为"爱情"，未免辜负曹雪芹的一番苦心了。这种观点指出，曹雪芹在第一回中申明"虽有些指奸责佞贬诛邪之语，亦非伤时之旨……其中大旨谈情……毫不干涉时事"，而在小说的具体描写中很多情节恰恰是"干涉时事"的，这种矛盾只有用"爱情掩盖"来解释。此种看法是否允当，不妨通过分析来一谈。

　　《红楼梦》是描绘中国封建社会晚期社会面貌的一部百科全书式作品。它的题材所涉及的广度是以前任何文艺作品都比不上的：它从皇帝写到村夫，从城里写到乡下，从贵族统治者写到侍候他们的奴仆、丫环，从封建土地所有者写到市井平民，如此广阔的描写范围在小说里都有细致的刻画。这些描写源于生活又受到作者的提炼概括，以生动的形象展现在读者的面前，它们本身就组成了一个个独立的统一体。同样源于生活的小说情节，我们怎能说其中一种是为了掩盖另一种而设置的呢？首先，"爱情掩盖政治斗争"的前提是断定《红楼梦》是一部爱情小说，在这一前提成立的基础上方能建立其论点。可是，正如我们已经指出的，爱情描写是《红楼梦》的重要情节，但除此之外还有很多与爱情无关的重要情节，作者表达的思想是不能用"爱情"贯穿的。由于它们的存在，小说在题材上充满着丰富性和复杂性，如果我们贸然地认为《红楼梦》就是由爱情题材构成的爱情小说，不能不说是以偏概全。

　　其次，《红楼梦》中有很多篇幅写到了爱情，也有一些情节涉及当时的时政、禁忌，就小说描写而言，它们的关系是并呈的，怎么会一者掩盖另一者呢？《红楼梦》描写爱情的情节是清清楚楚地显现在读者面前的，尽管对叛逆者的爱情描写完全赋予新的思想、新的内容；《红楼梦》描写政治上的愤懑也是清清楚楚。"乱判葫芦案"反映"各省皆然"的封建官吏贪赃枉法、层层相护的情景，难道不是通过作者犀利的笔锋展示在我们面前的吗？元妃省亲，向家人诉说皇宫是"不得见人的去处"，难道不是作者自己写在纸上的吗？如果这可以被认为是所谓"政治斗争"的话,可以看到,它们哪有一点被掩盖过的痕迹?难道作者第一回的几句开场白是很高明的掩盖手法吗?在写了"清风不识字,何必乱翻书"这样两句话就会引来杀身之祸的时代,曹雪芹所谓的"掩盖手法"又算得什么呢?我们能看到《红楼梦》中有"伤时骂世"之语,封建统治者及御用文人难道会看不出吗?

"爱情掩盖"说的产生,一方面可能与旧红学的索隐方法有关系,另一方面也与《红楼梦》小说本身的丰富性和复杂性有关系。但无论从美学的观点看还是从文艺实践的角度看,说《红楼梦》的主旨是"爱情掩盖政治斗争"都是站不住脚的。

有人可能会问:既然说《红楼梦》中的"伤时骂世"内容没有被掩盖,那为什么在文字狱盛行的乾隆时代,曹雪芹能够安然无恙?我们认为这与中国封建时代文学传统重视诗歌、散文而轻视小说有关。况且,曹雪芹并没有写完书稿,他逝世后的一段时期内也仅以抄本行世。流传范围小,体裁不被重视,这大约才是曹雪芹逃过当时文字狱的真实情况。

第四种主旨说——"子孙不肖,后继无人"——认定《红楼梦》的主旨是揭示封建家族后继无人这一严重的现实。贾府这个封建家族里存在着两种子孙的"不肖",一种是贾珍等纨绔子弟们的"不肖",它表现出封建家族中子孙们腐朽堕落的普遍性;另一种是贾宝玉等封建叛逆者的"不肖",它表现出新思想在旧的封建结构中产生的时代特点。这两方面"不肖"的对立统一构成了《红楼梦》全书的主旨。

应该承认,《红楼梦》里描写的贾府子孙以及与他们往来的一些官宦子弟确是"不肖"的。如贾赦、贾琏、贾珍、贾蓉等,"安富尊荣者尽多,运筹谋画者无一"。他们在日常生活上奢侈豪华,讲排场、摆阔气,"生齿日繁,事务日盛",无休止的寿庆往还,加上可卿出丧、元妃省亲这类大规模的耗费——前者贾珍尽他所有出面料理,后者把银子花得如海水似的,结果造成入不敷出、"寅吃卯粮"的局面。这种局面的形成,已使贾府"渐渐地露出下世的光景"来了。另一方面,纲常混乱、淫靡腐化显示了封建道统的崩溃。这个家族中上自贾赦、下至贾蓉等都是"惯会在女人身上下工夫的",乃至在家塾中读书的贾府后代身上也反映出轻薄浮荡的恶习。而封建叛逆者尽管"其聪俊灵秀之光，在万万人之上"，却不愿走封建制度给他设置的既定道路。这两方面的"不肖"描写加在一起占用《红楼梦》的很大篇幅。但我们也不可否认《红楼梦》中的很多情节是超出"子孙不肖、后继无人"这一意思的。例如小说中"伤时骂世"的部分，被有些评论家认为是"政治斗争"的部分，它们体现出来的意义要比"子孙不肖，后继无人"大得多。这种观点强调第一回中《好了歌》在揭示"子孙不肖，后继无人"这方面的作用，而事实上《好了歌》所揭示的远远不止这一方面。它对世人在"功名"、"财产"、"情爱"、"子孙"诸方面的追求都进行了嘲讽。从甄士隐对《好了歌》做的注看也涉及以上四个方面。"陋室空堂，当年笏满床"等是对刻意追求功名的嘲讽；"说什么脂正浓、粉正香，如何两鬓不成霜"等，乃是对刻意追求情爱的嘲讽；"金满箱、银满箱，转眼乞丐人皆谤"等是对刻意追求财产的嘲讽；"训有方，保不定日后作强梁"等则是对"不肖子孙"的揭示。《红楼梦》第一回描绘的甄士隐家衰落的过程可以看作贾家这个封建大家族的缩影，甄士隐揭示的这四个方面也正是贾府所面临的四个主要危机。曹雪芹正是通过对这几个方面内容的细致刻画，组成情节揭示出他的主旨的。因而，仅仅把"子孙不肖，后继无人"突显出来，也是以偏概全。

以上四种主旨说在局部上都有其合理的一面，小说中确实也可以寻找出各自观点的例证材料。然而，《红楼梦》是一部奇书，一部特殊的书，它以艺术描绘的丰富性和复杂性，深刻揭示了封建社会走向衰亡的各种征兆，因此，很多观点都可以在其中找到支持的例证。但任何孤证论点都不能够深刻地揭示出它的主旨。我们分析《红楼梦》的主旨也要充分考虑到它的特殊性，以书出论，力求符合小说客观呈现出来的主旨。

三

《红楼梦》小说的主旨到底是什么呢？依我们看来，《红楼梦》小说的主旨就是作者通过对封建社会中封建家族成员在功名、财产、爱情、继承人等诸方面状况的描绘,表现出来的对那个世道无限悲愤和无比绝望的深沉情怀,一种回天无力而又悲天悯人的精神。

《红楼梦》亦名《石头记》。全书的引子是一段富有神话色彩的故事:女娲炼石补天,最后剩下一块无用的石头,被弃在大荒山无稽崖青埂峰下。这块顽石不甘寂寞冷落,凡心偶炽,想到凡间世上走一遭,于是就幻形入世。结果在经历了尘世的人情暖寒、悲欢离合之后,痛感"枉入红尘若许年",又依旧回到青埂峰下。《石头记》谓"石头"所记,亦谓记"石头"的经历。从石头向往尘世到它回归青埂峰,这个过程全面地反映了石头从对尘世的向往到对尘世的绝望。这个转变过程是缓慢的,造成这个转变是石头在尘世的所经所历。石头对尘世从向往到绝望的过程也正是作家对社会从期望到绝望的过程。《红楼梦》的初稿可能是"大旨谈情"的,可曹雪芹"披阅十载、增删五次"后的稿本内容远非某一单个方面所能包括的。正因为作者撰稿时对往事浮想联翩,感慨万千,因而在不言之中表达了无限之意。一部《红楼梦》是一本社会的百科全书,而贾府是这个社会中一只五脏齐全的"麻雀"。曹雪芹用他的如椽大笔作解剖刀,细致而深刻地解剖它各个部分,揭示出这只"麻雀"走向死亡的必然性。

《红楼梦》是一部奇妙之书,它在结构上也有不同于其他小说的奇妙之处。它的前五回在全书中有相当重要的地位,基本表达出曹雪芹做此书的主旨所在。在这五回中,他也向我们点明了表达主旨的基本情节。

《红楼梦》第一回通过对甄士隐遭际的描写隐喻贾府类似的结局,它有点像宋元话本中的入话。甄士隐的故事反映了一个小地主的衰败没落:一是后继无人。"年已半百,膝下无儿,只有一女",这在以男子为中心的中国封建社会中就是绝门断宗征兆。封建礼教认为,"不孝有三,无后为大",甄士隐"无后"亦是不孝,这与历代封建统治者经常炫耀的"以孝治天下"是相左的。后继无人,客观上决定了甄士隐衰败的前景。二是功名不成。"这甄士隐禀性恬淡,不以功名为念,每日只以观花修竹、酌酒吟诗为乐,倒是神仙一流人物。"功成名就,是中国封建社会读书人的普遍想法,十年寒窗就是要达到这个目的。尽管这个目的对不同的人有不同的意义,有的人是为了能够"兼济天下",有的人是为了聚财敛钱,甄士隐不以功名为务,这与封建的"圣训"是不合的,也决定了他门庭衰落的必然性。三是经济来源上枯竭。封建礼教有"修身、齐家、治国、平天下"的要求。甄士隐不走仕途已经谈不上"治国"、"平天下"了,然而在主观和客观的各种因素作用下,他连"齐家"都做不到。城里的家毁于大火后,他和妻子"到田庄上去安身。偏值近年水旱不收,鼠盗蜂起……难以安身"。甄士隐只得将田庄都变折了,便携了妻子与两个丫环投他岳丈家去。他岳丈"半哄半赚"卖些薄田朽屋与他。甄士隐"不惯生理稼穑等事,勉强支持了一二年,越觉穷了下去"。最后,"暮年之人,贫病交攻,竟渐渐的露出那下世的光景来"。

甄士隐本来功名不成,在家道中落的背景下又遭受后继无人、经济来源枯竭的打击,而这三个方面反过来又加速了他家道中落,这就是甄士隐故事的主要内容。

正当甄士隐在做最后挣扎的时候,遇到个跛足道人,在街上唱《好了歌》,对世人在子孙、功名、财产、情爱方面的追求痛加针砭,宣扬"色"即是"空"。他对甄士隐说:"可知世上万般,好便是了,了便是好。若不了,便不好;若要好,须是了。"在道人的点化下,甄士隐立时顿悟了,旋即出家,抛却这尘世的烦恼。

甄士隐的出家是对尘世生活的绝望,《好了歌注》便是这种绝望情绪的真实写照。《好了歌》和《好了歌注》涉及的四个方面是表达绝望情绪产生的基本范围,也是整部《红楼梦》描写封建家族时突出刻画的四个方面。《红楼梦》第一回所写甄士隐的故事是通篇小说的一个楔子,楔子的作用就是指明读者的注意力,在这个楔子中,作者已为我们定下了《红楼梦》主要描绘的情节范围,以及通过这个情节活动的艺术形象表达的主旨。不言而喻,这个主旨就是对曾经向往的这个人世间的绝望。

除了第一回的楔子外,曹雪芹在前五回中把小说题材所涉及的四个方面都做了预示,这也是《红楼梦》小说前五回的特殊意义之所在。

小说第一回穿插于甄士隐的故事中又引入了贾雨村的故事,贾雨村在《红楼梦》里就是一个"唯有功名忘不了"的角色。贾雨村因家道中落,在乡无益,进京求取功名;路途阻滞,穷居葫芦庙。中秋夜,甄士隐与其交接中得悉阮囊羞涩,慷慨赠银五十两。贾雨村求功名心切,第二天连向甄士隐辞行都等不及,"五鼓已进京去了"。

贾雨村得功名后,因"贪酷"、"侮上"被革去职务。但他仕念不死,听得朝廷起复旧员,马上走贾政的路子攀附宗亲,夤缘以复旧职。贾雨村的起起落落正如《好了歌注》所说的"昨怜破袄寒,今嫌紫蟒长",充分反映了一个"禄蠹"的面目。贾雨村的全部故事亦伴随着贾府的全部故事,从求功名的方面反映了曹雪芹的创作主旨。

小说第二回"冷子兴演说荣国府",交代了贾府这个大家族在财政方面的入不敷出、江河日下和在继承人方面的子孙不肖、后继无人。冷子兴演说的一开头便已定下了这样的背景基调:"如今的这宁荣两门,也都萧疏了,不比先时的光景。"从冷子兴"旁观人"的"冷眼"看,宁荣两门的萧疏主要反映在财政拮据和子孙不肖之上:在财政方面,贾府"如今生齿日繁,事务日盛,主仆上下,安富尊荣者尽多,运筹谋画者无一;其日用排场费用,又不能将就省俭,如今外面的架子虽未甚倒,内囊却也尽上来了"。更有一件大事,就是在继承人问题上"谁知这样钟鸣鼎食之家,翰墨诗书之族,如今的儿孙,竟一代不如一代"。冷子兴指出了贾府儿孙不肖的种种情况,一类是贾珍等"一味高乐",另一类就是贾宝玉"聪俊灵秀之气,则在万万人之上;其乖僻邪谬不近人情之态,又在万万人之下"。

这段演说又道出了《红楼梦》主旨的另两个方面。

小说第三回以贾雨村夤缘复旧职做引子,描写了林黛玉进京。从贾宝玉和林黛玉一见如故,又为他们今后以叛逆思想为基础的爱情做了铺垫。小说通过林黛玉进贾府会见诸人,向读者介绍了情节故事发生的具体环境。

小说第四回"乱判葫芦案",作者的笔触涉及贾府赖以存在的那个社会。一场"葫芦案"既揭示了封建官场中官吏为了仕途不惜徇私枉法,也刻画了封建家族中子孙不肖、胡作非为的行径。在这一回中,作者描绘出贾府这个封建家族存在的社会环境。

《红楼梦》第五回,作者把小说题材涉及情爱的方面做了重点的介绍。贾宝玉在梦幻中被警幻仙姑引入太虚幻境看了金陵十二钗正册及别的册子,这些册子对贾府中主要青年女性的婚姻都做了点题。从点题的答案看,这些人都是属于"薄命"的,它们被放在薄命司中,尽管"薄命"的方式和结局各有不同。十二支《红楼梦仙曲》介绍了金陵十二钗在婚姻方面的经历,《收尾·飞鸟各投林》是对她们经历的总结,没有一个不是悲剧性的。正如警幻仙姑请贾宝玉所喝仙茶、仙酒的名字:"万艳同杯"(万艳同悲)、"千红一窟"(千红一哭)。她们的悲剧故事始终围绕着作者对这人世间的悲愤和绝望。

《红楼梦》的题材主要涉及仕途、财产、儿孙、情爱四个方面,通过这四个方面表现出曹雪芹赋予小说的主旨——对当时社会的绝望和悲愤。这一点,可从在整部小说中具有特殊意义的前五回里看到。另一方面,又反证了《红楼梦》前五回的特殊意义——指出小说主要的情节范围和主旨。

四

整部《红楼梦》的内容也是按照曹雪芹在小说前五回预示的基调下进行的。

曹雪芹对仕途经营的描写,主要集中在宁荣两府和贾雨村的浮沉上。

宁荣两府的上代都是敕封的国公,依据封建社会可以封妻荫子的惯例,宁府的贾珍和荣府的贾赦都是本身无功于国而世袭的官僚,前者是世袭三品爵威烈将军,后者是现袭一等将军。贾赦之弟贾政现任工部员外郎。贾府是个百年望族,从祖辈起历任高官贵宦,同僚门生遍布京城内外,并且以婚姻作纽带结成了一张四大家族的关系网,"一荣俱荣,一损俱损"。应该说,贾府在封建官场中已经有了很好的基础,既有世系的底子,又有现任的高官。可是,封建社会宦海的不测风云仍然时时使贾府心惊胆战。贾政过生辰,听得席前报说"有六宫都太监夏老爷来降旨",把贾赦、贾政等人唬得忙止戏撤酒。太监传贾政入宫,"贾母等合家人等心中皆惶惶不定,不住的使人飞马来往报信",及至听说是贾府女儿被选作皇妃,便"不免又都洋洋喜气盈腮"。

贾妃省亲,向贾政抱怨:"田舍之家,虽齑盐布帛,终能聚天伦之乐;今虽富贵已极,骨肉各方,然终无意趣!"贾妃是从个人本身的生活要求发出她的抱怨的,但对于贾家在官场中地位的稳定性说,能有一个女儿被选作皇妃可太重要了。有了贾妃,贾府就成了皇亲国戚,至少可以少担一点宦海倾舟的焦虑。所以,贾政明知女儿到的地方是"不得见人的去处",但为了家族的利益,仍强作欢颜,说出这样一段可笑的话来:"臣,草莽寒门,鸠群鸦属之中,岂意得征凤鸾之瑞。今贵人上锡天恩,下昭祖德,此皆山川日月之精奇、祖宗之远德钟于一人,幸及政夫妇……"这段话中"幸及政夫妇"是非常重要的,他点明了元春被选作皇妃,贾府之所以兴高采烈的实质性内核。的确,元春升为皇妃后的一段日子是贾府家道中落过程的一次回光返照,使贾府一时间如"烈火烹油,鲜花着锦",正如贾母对贾妃说的:"家中已托着娘娘的福多了。"

可是,贾妃在高墙深宫里的煎熬终于以她的短寿而结束了,从此,荣国府曾得到的特别庇护也没有了。

另一个方面,贾府子弟官居显位不但没有"兼济天下"的心思和能力,连"独善其身"都做不到。宁府的贾珍只知一味的"高乐","引诱世家子弟赌博",甚至"强占良民之妻为妾,因其不从,凌逼至死"。贾赦"交通外官,依势凌弱"。而被人认为"为人谦恭厚道,大有祖父遗风,非膏粱轻薄仕宦之流"的贾政,却是个十分平庸的人。贾府的子孙既无功于国,又依势凌弱,再加上没有内宫的帮衬,自然在封建官场的倾轧中只能以失败而告终,最后被抄没家产、撤职查办。

高鹗的续书给《红楼梦》添上"兰桂齐芳"的光明尾巴,那是不符合曹雪芹的原意的。曹雪芹对贾家宦海浮沉经历的思想总结早在第一回《好了歌》和《好了歌注》里已经显现出来:

"世人都晓神仙好，惟有功名忘不了！古今将相在何方？荒冢一堆草没了。"

"陋室空堂，当年笏满床；衰草枯杨，曾为歌舞场。蛛丝儿结满雕梁……"

曹雪芹对宦海沉浮中的黑暗表现出了厌恶和绝望。

与贾家在祖宗基业上得以遨游宦海不同，贾雨村是科举出身，凭自己本事投入宦海的，这是曹雪芹刻画的封建社会另一类官吏的艺术典型。

贾雨村家道中落，连进京赶考的银两都无着落，靠卖字聊以度日。幸得甄士隐的接济，使他进士及第，选了知府。贾雨村"虽才干优长，未免有贪酷之弊，且又恃才侮上，那些官员皆侧目而视"，不上一年，便被革职了。

贾雨村被革职后到扬州盐政林如海家教馆，听人说得朝廷起复旧员，就辗转通过贾府的路子谋得金陵应天府的差缺。他上任后经手的第一件案子就是贾府的亲戚薛蟠为抢夺甄士隐的女儿而打死人命的事。从封建刑法的角度说，打死人也要偿命的，可是这案件的原告"告了一年的状，竟无人作主"。贾雨村起先不辨就里，"听了大怒"，要"公人立刻将凶犯族中人拿来拷问"。及至他知道凶犯是当地大族薛家之子，而薛家与保荐他的贾家、另两个大家族有"一荣俱荣，一损俱损"的关系。他虽然了解到被拐卖的女子即是他旧日恩公之女，却也顾不得。为了仕途，为了借此笼络四大家族，"日后也好去见贾府王府"，贾雨村不惜"徇情枉法，胡乱判断了此案"，不但使凶手薛蟠"打死人跟没事一样"，并置旧恩人甄士隐之女于不顾。"雨村断了此案，急忙作书信两封，与贾政并京营节度使王子腾，不过说'令甥之事已完，不必过虑'等语"，向贾府王府摇头摆尾。

作为一个想在封建官场上发迹的野心家，贾雨村的行事并不看重什么"恩"、"义"，能在仕途上不断升迁是他的唯一目的。这也是他巴结贾家、不顾甄家的原因。

贾雨村为了官场发迹既然会曲意奉承贾家，为了官场发迹，他亦会不惜出卖贾家。贾府的被抄与贾雨村的出卖密切相关。贾府被御史参了，朝廷叫府尹贾雨村查明实迹再办。贾雨村"本沾过两府的好处，怕人说他回护一家儿，他倒狠狠的踢了一脚，所以两府里才到底抄了"。贾雨村不惜落井下石，使他自己的地位不致因与贾府的关系而受到动摇。所作所为还是为了他的既定目标——在功名场中发迹。在他看来，官场上的发迹也意味着经济上的发财。可是，"美中不足，好事多磨"，贾雨村"人也能干，也会钻营；官也不小了，只是贪财。被人家参了个'婪索属员'的几款"，"解到三法司衙门里审问去"。后遇大赦，"递籍为民"。

曹雪芹通过对贾府和贾雨村宦海浮沉的描写，刻画了不同类型的人在封建官场中的不同遭遇。他们都"惟有功名忘不了"，可是"瞬息间则又乐极生悲，人非物换。究竟是，到头一梦，万境归空"。不管是世家显宦还是新晋权贵，到头来都逃脱不了封建宦海不测的风浪。作为一个过来人，曹雪芹在他这方面描写的笔触中融进了绝望的哀叹，显露出他对当时社会的官场不抱有任何的希望。

贾府中的人事关系恰如三小姐探春所说的："一个个都象乌眼鸡似的，恨不得你吃了我，我吃了你。"是什么驱使这个大家族的人事关系如此尖锐的呢？便是《好了歌》中一句话所点出的："世人都晓神仙好，惟有金银忘不了。"金银财产决定了贾府中人心的向背，关系的亲疏；对金银的追求导致贾府中尔虞我诈，勾心斗角。看看贾府的日常生活，有多少人不围着铜钱打转？有多少事不散发出铜锈的臭味？

在荣国府，财政大权操于王熙凤之手。王熙凤原是长房贾赦的儿媳，但为了在贾府取得掌握财权的地位，她更接近二房贾政的妻子王夫人。这一方面固然因为王夫人是她的姑姑，更重要的是王夫人受到贾府最高统治者贾母的宠幸。依靠与贾母和王夫人的关系，王熙凤确立了在贾府掌握财权的地位。

王熙凤在荣府当权不久，正值秦可卿丧事，在出殡的路上，有人求她帮助拆散一对青年的婚事。王熙凤听了，说出了一段令人震惊的话："你是素日知道我的，从来不信什么是阴司地狱报应的，凭是什么事，我说要行就行。你叫他拿三千两银子来，我就替他出这口气。"在封建社会中,公开宣布不信"阴司地狱"的人是不多的,在《红楼梦》所描写的大家族中更没有人这样说。王熙凤为了钱就敢这样说,贪婪本性一露无遗。王熙凤得了银子后利用职权活活拆散了那对青年,逼得他们自缢身亡,"这里凤姐却坐享三千两"。"自此凤姐胆识愈壮,以后有了这样的事,便恣意的作为起来。"

为了钱财,夫妻间同床异梦、相互争利的事也多得很。凤姐和贾琏名为夫妻却各有各的心腹,各存各的体己。贾琏向人借一项银子,从凤姐那里过过手,凤姐便要扣去两百两。

贾琏在家,人家给王熙凤送放债的利钱来,她手下人忙打马虎眼掩遮过去,不让贾琏知道。王熙凤放高利贷重盘剥,贾府被抄时还有整整一箱的票据,其贪婪程度,由此可见一斑。

在贾府中,为了银两钱财,兄弟间也不惜相残。贾宝玉是二房贾政的正宗继承人,贾环作为庶出的子孙在贾府并没有什么地位。然而,贾政的儿子只有这两人,如果贾宝玉死了,那么贾环就是贾政财产的当然继承者。存在这个心思,所以贾环乘贾宝玉生病躺在床上之机,把油汪汪的灯油朝后者脸上泼去,欲置之死地。这个计划未得逞,贾环在贾政盛怒的时候又乘机进谗言,想借贾政的手打死贾宝玉。贾环的母亲赵姨娘为了弄死凤姐和贾宝玉,不惜请来马道婆使用"魇魔法",拘他俩的性命。赵姨娘的目的正如她说的:"把这两个绝了,明日这家私不怕不是我环儿的。"贾府的种种丑行离不开金银这根魔棒,在这个魔棒下,各种人事关系在变形,各种明争暗斗在展开,恰似莎士比亚在《雅典的泰门》中指出的:金钱"这东西,只这一点点儿,就可以使黑的变成白的,丑的变成美的,错的变成对的,卑微的变成尊贵的,老人变成少年,懦夫变成勇士"。

可是,"终朝只恨聚无多,及到多时眼闭了。"尽管王熙凤对银钱朝敛暮聚,银钱也没有挽救她可悲可叹的命运。"一从二令三人木,哭向金陵事更哀",照曹雪芹的原意,她最终被休退还家,在贫困中了却一生。曹雪芹用他的如椽大笔描绘了整个贾府和以贾府为中心的社会到处散发着铜臭、追逐着铜臭,但铜钱并没有给他们带来幸福,"金满箱、银满箱,转眼乞丐人皆谤"。曹雪芹用艺术形象展示出他对世人追逐金银的丑态的蔑视，也表现出他对这种世风的绝望。

封建社会末期的钟鸣鼎食之家是怎样教育他们儿孙的呢？《红楼梦》这方面题材的描写给我们展开了一幅生动的图画。

贾府是一个"百年望族"，"靠祖宗的功名挣下这份家业"。到了作者笔下描绘的这一代，已经"外面的架子虽未甚倒，内囊却也尽上来了"，究其原因，实为"主仆上下，安富尊荣者尽多，运筹谋画者无一"。贾府的子孙，一个不如一个，腐败而无能。他们坐吃先人的家业，支出不顾收入，今天不思明天，结果"寅吃卯粮"、入不敷出，整个贾府已经呈现出"忽喇喇似大厦倾，昏惨惨似灯将尽"的景象。

贾府子孙的腐败更表现在纲常的混乱上。太虚幻境命司有幅画，其判词云：

> 情天情海幻情深，情既相逢必主淫。
> 漫言不肖皆荣出，造衅开端实在宁。

这段判词所配的画是被曹雪芹最后删去的"秦可卿淫丧天香楼"。尽管曹雪芹写《红楼梦》"增删五次"，只留下如此的"史笔"，仍然把贾府子孙腐朽淫乱的行径刻画得入木三分。贾珍这个做公公的与儿媳妇"爬灰"，在贾府中是公开的秘密。儿媳妇死了，他"哭的泪人一般"，"拍手道：'如何料理，不过尽我所有罢了。'"这哪里是料理儿媳妇，老子娘死了亦不过如此罢了，贾珍与秦可卿到底是什么关系，不是昭然若揭了吗？

贾蓉向王熙凤借玻璃炕屏，对着凤姐"嘻嘻的笑着"。贾蓉走了，凤姐又把他叫回来，欲语又止，叫他"晚饭后你来再说"，作者用含蓄的笔法把他们之间的暧昧关系表现得活灵活现。无怪忠心耿耿的老奴焦大喝醉了酒要骂出这样的话来："每日偷狗戏鸡，爬灰的爬灰，养小叔子的养小叔子。"

贾府的长辈对子孙们这种淫乱的行为采取放纵的态度。贾琏在凤姐生日时与鲍二家的勾搭上了，被凤姐撞破。凤姐闹到贾母处，贾母反说："什么要紧的事！小孩子们年轻，馋嘴猫儿似的，那里保的住不这么着。从小儿世人都打这么过的。"她公开容忍儿孙们这种丑行。

正如柳湘莲说的："东府里除了那两个石头狮子干净，只怕连猫儿狗儿都不干净。"

日常生活方面的大肆挥霍是子孙不肖的另一种表现。在贾府讲排场、摆阔气已成了积习，无休止的祝寿、请客、唱戏，以及亲朋间礼尚往来，已经造成贾府越来越大的财政支出。子孙们在吃喝上可谓挖空心思了，一顿螃蟹宴够庄户人家过一年，一只茄子菜倒要几十只鸡做配料。如此的挥霍奢侈，"出去的多，进来的少"，坐吃山空。贾府树倒猢狲散的结局也就成了它的必由之路了。

在贾府这日趋腐朽的大家族中又产生了贾宝玉这样的"不肖子孙"。封建家长们都把振兴家门的希望寄托在他身上，可是他独自领受到遍布的悲凉之气，以叛逆者的身份公然抛却了腐朽的家庭。

种种不肖，决定了封建大家族必然后继无人，日渐崩溃。"痴心父母古来多，孝顺儿孙谁见了？"曹雪芹的笔触在这里发出了沉重的感叹，寄寓着绝望的哀怨。

《红楼梦》第一回写空空道人将《石头记》抄去，"问世传奇"前已将它细细看了一遍，看见其中写着"大旨谈情"。无可否认，《红楼梦》很多的篇幅写了情爱，只属于纯真的人们，只属于贾宝玉和他的姐姐妹妹。贾珍、贾蓉、贾琏、贾瑞辈，只有原始的性欲，根本谈不上情爱。

然而，那是一个对纯真的爱情采取扼杀的时代。大观园少男少女们的婚嫁成了封建家族进行政治交易的筹码，他们只能在痛苦中打发年华，在绝望里了却余生。

宝黛爱情故事数百年来震荡了许多人的心房，引出了多少人的眼泪，这在历代文艺作品中是第一次以思想上的志同道合作基础描写的爱情故事。贾宝玉和林黛玉的爱情故事有一个发展过程，这个过程也是他俩叛逆思想升华的过程。贾宝玉和林黛玉从小青梅竹马，贾宝玉只是由于这一点才与她在姐妹分上亲近一些；后来贾府来了薛宝钗等一群美貌的女孩，贾宝玉与她们交往亦常常"见了姐姐，忘了妹妹"。随着贾宝玉叛逆思想的不断发展，他才日益觉察林黛玉从不说仕途经济之类"混账话"的可贵。宝黛"诉肺腑"后，贾宝玉就完全专钟于林黛玉一人了。

贾府的家族利益不能容忍宝黛的爱情。贾府在经济等方面的败落亟需得到薛家这样的大家族的支持,而薛家在官场上的微弱地位也亟需依靠贾府得到加强。贵族的联姻是一种政治行为,联姻者本人反倒仅仅是这种行为中的两块砝码而已。宝黛爱情犹如一株才破土而出的幼芽,终于在封建家族利益这块大石板的重压下夭折了。宝黛对爱情执着地追求是极为感人的,他们的追求已经有了现代婚姻的萌芽。请看《红楼梦十二曲》中以宝玉口吻写的《终身误》:"都道是金玉良缘,俺只念木石前盟。空对着,山中高士晶莹雪;终不忘,世外仙姝寂寞林。叹人间,美中不足今方信:纵然是齐眉举案,到底意难平。"宝玉不为宝钗的美貌、"贤惠"所动,始终惦记着逝去的林黛玉,他的心中充满着哀怨和绝望,最后终于"悬崖撒手",抛却了家庭和妻子,遁入空门。薛宝钗也没有得到好的结果,只能青春守活寡,过着幽居的生活。

《红楼梦十二曲》遍涉金陵十二钗的命运,她们在封建社会的吞噬下没有一个人在婚姻上得到美满的结局:元春身为贵妃,孤居深宫,得不到一点天伦之乐。探春远嫁,与父母骨肉分离。史湘云嫁的丈夫人品、模样、学问都好,却短寿。迎春懦弱老实,被贾府误嫁给"中山狼"。妙玉想洁身自好,最终却流落风尘。至于李纨守寡、凤姐被休,她们也都属于封建制度的牺牲品。大观园的青年女性在婚姻上没有一个有好的命运,感受到这严酷的现实,绝望之余,贾府的四小姐惜春终于斩断情缘,带发修行去了。《红楼梦十二曲》中的《虚花悟》描写了她摆脱尘世,转向世外的追求:"闻说道,西方宝树唤婆娑,上结着长生果。"这不仅是惜春对那个社会中婚姻等追求的绝望,亦是作者曹雪芹对那个社会中婚姻的绝望。

在情爱方面,作者没有给那个吃人的社会虚幻地罩上一层温情脉脉的面纱,而是直截了当地揭示出了它血淋淋的本质。作者对它不寄予任何希望。

《红楼梦》的主旨,曹雪芹通过官场、财产、儿孙、情爱诸方面给予了深刻的揭示,这个封建大家族不可能也不配有更好的命运,只有走向衰败的命运。《红楼梦》写道：石头幻形入世，"历尽离合悲欢炎凉世态"，在它上面记录了其经历，后面又有一偈云：

> 无材可去补苍天，枉入红尘若许年。
> 此系身前身后事，倩谁记去作奇传。

这首偈既言石头所言，亦言曹雪芹所言，作者不能补当时封建社会日益腐朽的"天"，只能把它记录下来，揭示出来，传之后人，以寄托他悲愤、绝望的情怀。

封建家族曾养育了作者曹雪芹，可是作者已经清醒地觉悟到，有恩于他的那个家族已不配、也不会有更好的命运，它已经在走向衰败，不可救药了。正如鲁迅所说，"悲凉之雾，遍被华林"，全书笼罩着悲凉之情。曹雪芹在这部巨著中，一方面将他所看到的一切无价值的东西、丑恶不堪的社会现象撕破给人看，另一方面又把他感到有价值的东西、留下美好印象的人和事毁灭给人看。整部《红楼梦》向我们展示了这个人生的悲剧，作者怀着绝望的、与昨天告别的心情为之洒下一把"辛酸泪"。这就是《红楼梦》的"其中味"。

为纪念曹雪芹逝世二百二十周年，和陈伟合撰
1983年10月，于北大燕园

"红学"解读需美学

我是来学习的,特别是向红学前辈学习。刚才大家讲了很多,如建立曹雪芹纪念馆、建立《红楼梦》研究资料中心、团结国内外的红学研究者等,我都很同意,问题是要确定切实可行的步骤。

红学在当前古典文学研究领域中,恐怕是研究人数最多,规模也是最大的一个门类。现在,社会上有这么一种反映,认为研究红学的文章那么多,看也看不过来,还有什么可研究的呢?可我想,我们的研究水平固然急需提高,但仅从规模说,我国红学同国外研究莎士比亚相比,同研究托尔斯泰相比,还不能说很大,尚有发展的余地。这两年,红学是比较兴盛,但如果说所有的问题都已研究完了,没有什么可研究的了,我却不以为然。

首先,《红楼梦》究竟是一部什么样的文学作品,我们至今还没有完全说清楚。马克思说过,希腊古典艺术具有永久的魅力。伟大的文学作品,都有不朽的艺术魅力,它的影响超越了不同时代。《红楼梦》也是这样的古典名著。但是,不同的时代对于古典作品会产生不同的理解,每个时代都能说出新的见解。对莎士比亚的评价,各个时代就不一样。古典主义时代肯定他的喜剧却嘲笑他的悲剧。启蒙主义时代才高度评价莎士比亚的悲剧,把他称为英国悲剧之父。浪漫主义、现实主义兴起的时代,对莎士比亚都有自己的理解,从中汲取各自时代需要的东西。不同时代的社会需要,决定了对过去时代文学作品有不同的理解。今天,我们究竟怎样评价《红楼梦》,仍然是"红学"的一个中心课题。回顾《红楼梦》在不同历史时期的评价,意见分歧是那么大,说法是那么多,这是完全可以理解的。如今,我们仍然回避不了这个问题:它究竟是一部什么样的文学作品?

要科学地回答这个问题,只有对《红楼梦》这部作品本身做全面的、完整的研究。从艺术形象的整体出发，做出正确的结论。"红学"界有不少专门研究家在致力于此，这很重要。但除此以外，是否还应该吸引更广泛的读者群共同探索？文学作品是给人看的，文学作品的艺术价值产生于读者的认可中。《红楼梦》这样的作品究竟是怎样被我们今天的广大读者群评价的？这本身就应该成为"红学"研究的一个课题。广大读者群对《红楼梦》的评价，也许更能体现我们今天这个时代的艺术趣味，更符合时代的审美需要。当然，读者群不是单一的而是复杂的，要做具体分析。不少国家的美学、文艺学很重视研究读者、听众、观众对文学艺术的反应，并独立为一门学问，叫"接受美学"。我们的"红学"是否也应注意一下广大读者群是如何看待《红楼梦》的呢？理所当然。《学刊》不妨多注意读者群的评价。

对于《红楼梦》研究本身，我想，不妨既鼓励方法的多样，又注意马克思主义的主导。

《红楼梦》是一只"麻雀"，解剖这只"麻雀"具有方法论上的意义。

要解剖这只"麻雀"，需要各门科学领域的人共同努力。"红学"已经吸引了不少领域的人，不只是研究文学史、历史学、文艺学的人，还有研究自然科学（如医学、植物学、建筑学）的人。现在需要各方力量相互配合，集中力量解决一些重大疑难问题。

研究方法需要多样。30年来，我们的《红楼梦》研究在方法上还不够多样，不大从方法论上注意。其实，研究文学的方法是多种多样的，可以从不同的角度、不同的侧面研究一部文学作品。可以从社会学的角度看文学，运用文艺社会学的方法研究作品。可以从心理学的角度看文学，运用文艺心理学的方法研究作品。可以从符号学或语言学的角度看文学，运用文艺符号学的方法研究作品。我更看重的是要从美学上研究文学艺术。马克思、恩格斯一再倡导要从美学观点和历史观点评价文学艺术。我看，红学也需要和美学结合起来，红学亦需美学扶。所谓从美学观点研究文学，也并不是离开文艺社会学、文艺心理学、文艺符号学的成果做孤立的研究，它也要吸取这些科学的成果。《红楼梦》麻雀虽小，五脏俱全，也不妨用各种方法解剖它。应该鼓励"红学"研究方法的多样，不要刚用一种新方法，还不成功，就马上一笔否定，应该允许尝试。反之，也不要抬高新方法否定一些传统的老方法。文献学、考证学、版本学上常用的一些古老而基本的方法，仍然是必不可少的，不能否定或贬低。对于《红楼梦》有关的历史文献、文物资料等，还需大力挖掘、继续研究，我相信，还会有新的发现。如果能发现后半部的原稿，那将功德无量，即使未发现，弄清了《红楼梦》创作过程的来龙去脉，也将是极大的贡献。

方法多样又需要统一，那就是统一于马克思主义这个根本方法之下。马克思主义作为方法，它是系统的方法。我们解剖《红楼梦》这只"麻雀"，不是只抓一点不及其余，而是要掌握整体，这就不只要分析，还需要综合。分析，需要马克思主义；综合，就更需要马克思主义。像《红楼梦》这样的古典名著，完美的形式和丰富的内容，生活的精湛描绘和作者的深切感受，人物的刻画和环境的衬托，情节的发展和叙述的生动等，是完美地融合在一起的，以至我们在分析它的某个局部时，必须密切联系它的整体，不然，就不再是那个整体中的局部。因此，我一方面盼望"红学"有更多专门研究人物形象的书、情节分析的书、时代背景的书出版，另一方面，也希望有从整体上综合研究的书不断出现。《红楼梦》研究可以有各种具体的方法，但最根本的方法还是马克思主义，要用这根本方法去指导具体方法，贯穿具体方法。

在《红楼梦学刊》编委会上发言，载学刊1982第三辑
1982年夏，北大燕园

文化融合的结晶

《文心雕龙》是我国古代一部最具理论体系色彩的文章学巨著，它的宏大体制、精密构思至今还为世人惊叹。鲁迅把它和西方的理论巨著并举，推为楷模："东则有刘彦和之《文心》，西则有亚里士多德之《诗学》，解析神质，包举洪纤，开源发流，为世楷模。"（《诗话题记》）

《文心雕龙》本身就是文化上的一种创造，它的出现又是历史文化发展的结果。生活在齐梁时代的刘勰，吸收了儒、佛、道诸多文化的营养，加以融合，才产生这样的硕果。因此，《文心雕龙》是文化融合的结晶。

综观《文心雕龙》，刘勰在具体论述为文之道时，基本上尊奉儒家的文学观。他把五经推崇为文章典范，提倡为文必须"宗经"。《文心雕龙》总结了许多儒家文人的写作经验，"振叶以寻根，观澜而索源"，最后归结到宗经。后人曾概括《文心雕龙》："大体所资，必枢纽经典"，不是没有道理。"盖文章，经国之大业，不朽之盛事"，曹丕对文章的这种重视，颇能表现儒家的文学观。确实，较之于佛、道，正是儒家最为看重文章。受过儒家文化熏陶的刘勰"博通经论"，持有儒家的文学观、浓厚的宗经思想，这毫不奇怪。

然而，刘勰受过多种文化的教养，并不只限于儒家。佛、道文化的影响，在《文心雕龙》中时隐时现。有时，涉及对世界本体的解释上，刘勰的哲学思想明显表现出佛学的痕迹。说刘勰"为文长于佛理"，这是符合实际的。《文心雕龙》在论述为文之道时，常常借助于"佛理"。

为文本身自有其道，《文心雕龙》当然在探求文章自身的道理。但它不能不接触更深一层的问题：文和道是什么关系？刘勰在《文心雕龙》的第一章就开宗明义地说出了：文本乎"道"，本源是"道"；文以明"道"，功能就在昭示"道"。"道"是本，文是末；"道"是体，文是用。这是儒家、道家等都持有的文学观，也没有奇异之处。

问题是："道"是什么呢？这却众说纷纭了。儒、道、佛各家心目中的"道"是各不相同的。那么，在刘勰的心目中，文章所"本"的、要"明"的那个"道"是什么呢？

文章所"本"的、要"明"的道，乃是"自然之道"，这在刘勰《原道》中已做了说明。所谓"自然"，若按语义说，就是"自己本来如此"之义，近似于"自然而然"、"天然自成"的那个"自然"。在《老子》中，已有"道法自然"之句，但"自然之道"这一词语，约在汉代才出现，扬雄、王充等都曾用过，可能都本自"道法自然"之说：

> 有生者必有死，有始者必有终，自然之道也。（扬雄《法言》）

> 妖气为鬼，鬼象人形，自然之道，非或为之也。（王充《论衡》）

> 自然之道，适偶之数。（王充《论衡》）

到了魏晋，"自然之道"已成为当时哲学家常用的概念，出现于哲学著作之中，例如：

> 晦以理，物则得明；浊以静，物则得清；安以动，物则得生。此自然之道也。（王弼《老子》十五章注）

> 求得者丧，争明者失；无欲者自足，空虚者受实。夫山静而谷深者，自然之道也；得之道而正者，君子之实也。（阮籍《达庄论》）

这里的"自然"，都可溯源于《老子》中的"道法自然"之说，有"自己本来如此"之意。《文心雕龙》所说的"自然之道"和"自然之势"、"自然之趣"（见《定势》篇）里的"自然"都近似于天然自成、自然而然的意思。刘勰标举自然，仍是针对齐梁时代风行的过分追求人工雕琢的靡丽之风。清人纪昀说道："齐梁文藻，日竞雕华，标自然以为宗，是彦和吃紧为人处。"

但是，儒、道、佛各家"自然"的深一层解释却又不一样了，各有其特殊义。按照佛学的理论，世间一切事象的生成都起于因缘会合，而因缘会合都只是"心"的表现。那么，佛学所说的"自然"，就是世界一切事象均依于因缘会合而自然如此。佛家的"自然"，开始可能是借用道家的"自然"一词，但含义已经有了变化。东汉时，佛经刚从西域传入，或口诵，或笔译，从老庄书籍中借用"自然"来称呼佛道，说的是"自然"，指的却是佛道，例如：

无所有至于本际，故曰自然。（竺法护译《光赞经》）
道者，自然本来清静。（竺法护译《无言童子经》）

"为文长于佛理"的刘勰，在《文心雕龙》中所标举的"自然之道"也渗透着佛家的特殊含义。这"自然之道"就是刘勰一再说的"神理"——佛学经典中所说的"真如"。黄侃在《文心雕龙札记·原道》中云："按彦和之意，以为文章本由自然生，故篇中数言自然。一则曰：心生而言立，言立而文明，自然之道也。再则曰：夫岂外饰，盖自然耳。三则曰：谁其尸之，亦神理而已……此则道者，犹佛说之'如'。"这样的解释，较为符合刘勰的原意。

不过，刘勰这个"神理"也难以说清楚，《文心雕龙》也未曾展开论证。作为万物本源的"道"，是看不见、摸不着、难以捉摸的；看得见、摸得着的是贯道之"器"，文章才可捉摸。"形而上者谓之道，形而下者谓之器"，刘勰很首肯《周易·系辞》中的这番话，哀叹"天道难闻"、"神道难摹"，只有"文章可见"。儒家是最重实证的，可是连孔子的弟子都说："夫子之文章，可得而闻也；夫子之言性与天道，不可得而闻也。"（《论语·公冶长》）可见，要把"道"说清是何等之难。刘勰就更难把佛家的神理说清楚了。但是刘勰在《文心雕龙》中却把"道"与"文"的关系说得很清楚："道沿圣而垂文，圣因文而明道。"（《原道》）"道"经由"圣"人而延伸到"文"，"圣"人则通过"文"而昭示出"道"。"道"虽然看不见、摸不着，却又无所不在，世界万物均有"道"在。道现于天，则为天文；道现于地，则为地文；道现于人，则为人文。天文、地文、人文均为"道之文"。"文章"属于人文的一种，它本于道，以明道。

"圣"是"道"与"文"之间的中介，"圣"之所以能使道垂于文，文之所以能用文明道，就因为圣人能"体道之心"、"识明神理"。为了捕捉"道心"、"神理"，圣人需有"神思"。所谓"神思"，其表层义可解作"神妙之思"，但若要深一层解，则又与佛家的"般若"有关。"般若"是佛家领悟"涅槃"的特殊智慧，"涅槃"是佛家消除烦恼、求得解脱的最高境界。"神思"并不就是"般若"，但它是捕捉"道心"、"神理"的神妙之思。明人曹学佺在《文心雕龙序》中说："其原道以心，即运思于神也。"这种把神思和道心联系起来的看法，颇有见地，符合《文心雕龙》的实际。

神思是较为复杂的构思活动，刘勰在《神思》篇中做了具体描述。值得注意的是刘勰提出了"陶钧文思，贵在虚静"之说，显然也融合了佛、儒、道各家的见解。在刘勰之前，法家、杂家等书籍中均运用过"虚静"词语，例如：

> 虚静无为，道之情也。（《韩非子·扬榷》）
> 虚静无事。（《韩非子·主道》）
> 圣人爱精情而贵虚静。（《韩非子·解老》）
> 气志虚静恬愉，而省嗜欲。（《淮南子·精神训》）
> 玄寂虚静者，神明之本也。（《抱朴子·循本》）

儒家荀子也有"虚一而静"之说。道家说到虚静的就更多了，例如《老子》一书中的"致虚极，守静笃"，《庄子》一书中的"惟道集虚"、"静则明，明则虚"等。但刘勰的虚静说，恐难只用儒家或道家的一家之言来解释。道家的"虚静"从"绝学"、"弃智"、"心斋"、"坐忘"经由"无知无欲"而得；可是《文心雕龙》中所说的"虚静"，除了必须通过"疏瀹五藏，澡雪精神"，还需要"积学以储宝，酌理以富才，研阅以穷照，驯致以绎辞"，即依靠长期的知识积累。

刘勰的"虚静"说，吸收了道家、儒家等对"虚静"的见解，也融合了佛家理论。在佛家修心过程中，"习虚静"是得到解脱、修成正果的必经之路。佛有修行，追求"六根虚静，无复驰逸，内外湛明，人无所入"(《首楞严经》),这是到达"涅槃"境界的步骤。整个修行过程,"其间阶次心行,等级非一,皆缘浅以至深,藉微而为著。率在于积仁顺,蠲嗜欲,习虚静,而成通照也"(《魏书·释老志》)。通过虚静,才能达到大彻大悟,大智大慧,达于最高境界。刘勰在《神思》中所说的是为文之道,但不时用佛家的悟道之思来描述,不能不说《文心雕龙》受佛家影响甚为明显。

正是刘勰从儒、佛、道各家文化中吸取了营养,才写出了《文心雕龙》这样体大思精的文章学巨著。但是,《文心雕龙》终究不是哲学著作,也不是经训教义,其宗旨并不在阐发其哲学理论或某家伦理道德,它的功绩还是在文章之学本身的建树。清人李家瑞说得好:"刘彦和著《文心雕龙》可谓殚心淬志,实能道出文人甘苦疾徐之故;谓有益于词章则可,谓有益于经训则未能也。"(《停云阁诗话》)

今天,我们敬佩他的还是他对文章之美的探索。依我看来,《文心雕龙》是一部文章美学。

为《文心雕龙》国际研讨会而作
1988年秋

捕捉审美中轴线

我国历史悠久，文化灿烂，对现实的审美认识自成特色，形成独特的民族传统。

古人的审美经验，凝结在历代创造出来的劳动产品里，特别明显地表现在艺术作品中。我国的文学史、艺术史集中反映了中华民族审美关系的历史发展轨迹。

古人不仅以自己的艺术活动反映并发展了审美关系，还力图理解审美活动和审美关系，不时概括自己的审美经验，逐渐形成和发展自己的美学思想、审美观念。古人的美学思想、审美观念，不只较为集中地表现在诸如文论、诗话、乐论、词话、画论、曲话这类文艺评论中，而且广泛散见于笔记、杂录、史传、书札、评点、批注，以及许多类书、丛书中。

中国古代美学思想资料极为丰富，真可以说得上"浩如烟海"，世界所少见。

但是，我们如何从这些浩如烟海的思想资料中真正归纳、分析出古人的美学思想、审美观念，真正捕捉住古人在历史发展中形成的潜美学体系，难度却极大。不仅在于资料的杂芜，更在于中国虽有潜美学，却并未像西方那样发展成以抽象思维见长的纯粹思辨美学。古人的美学思想、审美观念，乃和哲学、道德、政治的观点混杂在一起，并不单独标明。今天，我们要从那些扑朔迷离、相互混杂的思想资料中，找寻出自己的特殊对象，捕捉古人的美学思想、审美观念，理出历史线索，实非易事。

西方美学的历史发展过程中，曾出现过两大趋势：一是"自上而下"建立起来的美学，从思辨的哲学出发演绎自己的美学体系。自古希腊以来，哲学家在谈论哲学时表现了自己的美学思想，并从自然哲学、历史哲学中逐渐分离，单独发展为一门科学，鲍姆加登给予命名，转译到中国，成了美学（其实是审美学）。康德、黑格尔把古典美学发展到思辨美学的高峰，在论证自己的哲学体系时，自上而下地推演出了自己的美学。这样的美学，当然也要以美学家的审美经验为基础，也概括了当时的艺术实践、审美活动的经验，但其基本方法是从一般到个别，自上而下地从哲学引出美学。二是"由下而上"的美学，从实际的审美活动中概括出审美理论。18世纪产生的法国启蒙学派美学、英国经验派美学，19世纪出现的斯宾莎、格鲁塞等人的社会美学、艺术美学以及更后的心理美学、实证美学等，研究了许多具体的审美现象，对这些审美现象做了这样那样的解释。这样的美学，当然也要运用哲学的思维，从一定的哲学观点解释。但其基本方法是从个别到一般，由下而上地从审美现象概括出美学。当代美学的趋势，一方面是在向更高的抽象发展，哲学美学在更高的水平上做出哲学上的综合、概括；另一方面，是在向更具体的领域发展，深入到各个具体审美现象做细致的分析，出现了越来越多的具体美学部门。生活美学、劳动美学、工艺美学、技术美学、运动美学、心理美学等都蓬勃发展起来。文艺美学也在向纵深发展，电影美学、音乐美学、绘画美学、戏剧美学、摄影美学等，都得到了独立的发展。毫不奇怪，随着人类实践的发展，人与现实的审美关系，人的审美活动越来越扩大和深入，美学自然也会愈加具体。同时，美学的分工越细，分析愈深，也需要有更高程度的综合研究，更高水平的哲学概括，哲学美学也要向更高的抽象发展。

具有自己独特形态的中国古典美学情况怎样呢？诚然，中国古典美学总的说来注重实际，较少做抽象的逻辑分析，多是在即兴随感、杂谈品评中自然表露出美学见解、审美思想。但从整个历史发展过程看，类似西方美学的两大趋势，在中国古典美学中也隐约可见，只是没有像西方那样发展为高度抽象的思辨美学，基本还在潜美学状态。先秦诸子的美学，是和哲学、政治学、道德学等混杂在一起的，并未单独发展，在儒、道、墨诸家的整个思想体系中，自然而然地包含着各自的美学观点、审美思想。这样的美学既是哲学美学，又是人生美学、道德美学、政治美学，是自上而下建立起来的。就是较注意总结音乐这种具体审美现象的《乐记》,不只是从美学,还从哲学、政治、道德的观点看音乐,从整个思想体系中引出音乐思想。在先秦时代,乐和礼、射、御、书、数等并列在一起,总称六艺。同政治、道德等紧密相连。这个时代的"文学",也并不区分艺术的文学和非艺术的文学,学术论著、道德文章、哲学议论等都是"文学"。《文心雕龙》就是这种广义的文学理论总结。到了魏晋,艺术的文学越来越兴盛,和非艺术文学逐渐分开,独立发展。于是,人们对文学的看法也逐渐改变,不只"文"与"笔"区别开来了,对艺术的文学和非艺术的文学也从理论上做了分辨,那种"流连哀思"、"情灵摇荡"的艺术的文学,得到特别的注意。魏晋南北朝以后,美学和文艺理论越来越向更加具体的方向发展,文论、诗话、乐论、词话……一直到小说评点,大都是面对具体的审美现象、艺术创作,有感而发,随兴而评,自下而上地发展。由下而上,也能逐渐发展成完整的体系,像李渔的《闲情偶寄》、王夫之的《姜斋诗话》、叶燮的《原诗》、刘熙载的《艺概》和王国维的《人间词话》,都有由下而上自成体系之势。

  中国美学史应该对历史上出现的这两种趋势做综合的研究,不应只顾一面,只执一端。然而,这两类美学侧重的问题不大一样,上限与下限差别很大,内容并非都是美学问题。对这两种趋势做综合研究,首先要辨别清楚哪些问题是美学思想、审美观念,哪些问题则不是;然后在这两种趋势中,理出美学的历史发展这根中轴线。那就是历代人对于审美活动、艺术活动这种社会特殊现象的认识历史。自上而下地从哲学、道德、政治的思想体系中,逐步分出美学思想、审美观念,由下而上地从具体审美现象认识审美活动本质,都是在向一个方向接近,那就是:从不同的方面去认识审美活动、艺术活动。

  像刘勰的《文心雕龙》这部体系宏大、结构严密的古典文论巨著,美学史、文艺思想史著作都不可避免地要以很多篇幅来论述它。此书融合形而上之"道"和形而下之"器",内容丰富、博大精深,形式优美、文笔高超,本身不仅有学术价值,还有审美价值。然而,《文心雕龙》主要探讨的是什么?是作文之道。这个"文",当然也包括我们今天所说的审美的文学,但更多的还是非艺术的文学。《文心雕龙》全书五十篇,开头的《原道》《征圣》《宗经》《正纬》《辨骚》五篇,是"文之枢纽",其实是文章的总论,刘勰自己说:"《文心》之作也,本乎道,师乎圣,体乎经,酌乎纬,变乎骚。"(《序志》)这开头的几篇,就是论述文章与政治、道德、哲学等关系的,并不是专说审美的文学。《文心雕龙》上编,基本是对文章体裁做分门别类的分析,即文体论,其中当然也包括艺术的文学,但更多的并非艺术的文学。《文心雕龙》下编,主要是论述文章的创作、风格及修辞,也不是专谈艺术的文学,尽管也包括艺术文学的创作、风格及修辞。因此,《文心雕龙》是一部文章理论之书,它的主要内容首先揭示了文章(包括艺术的与非艺术的)共有的一般规律;其次,揭示了各种文体的特殊规律,当然也涉及了艺术、文学里一些特有的规律。对于中国美学史、文艺思想史来说,当然有必要弄清《文心雕龙》整个体系,但着重要研究的不是文章的一般理论、作文的一般规律,而是要探索如何为文才是按照美的规律的创造,文章怎样才能美。在我看来,《文心雕龙》是一部文章美学著作。研究它,要真正抓住刘勰的美学思想、审美观念,其他只是枝节。

在研究那些"自上而下"的美学倾向时,我们应该"往下"靠拢,抓住审美这根中轴线。

在研究那些"由下而上"的美学倾向时,我们又应"向上"靠拢,目的也是找出美学思想史、艺术思想的中轴线。

中国的传统文论、诗话等,面对具体审美对象、艺术作品,有感而发,即兴品评,画龙点睛,点到即止,很少推理论证,使审美境界能再现出来,让人获得艺术作品的"机心",品评本身就是一种审美享受。陆机的《文赋》、司空图的《诗品》,对于艺术创作活动和艺术境界本身做了艺术的描绘,审美的品评,引导自己和别人也进入艺术境界。即使到了清代,文论、诗话等向学术化发展,注意逻辑分析了,但也仍然重在审美欣赏、艺术品评,从诗文中自然地引发出审美思想、艺术见解。叶燮在《原诗》里,具体分析了杜甫《冬日洛阳城北谒玄元皇帝庙》一诗,把人带入诗境,也使人体味到作为艺术的文学的诗心。在艺术品评中,阐发了叶燮极为精辟的美学见解、审美思想。吴淇在《六朝选诗定论》中,具体分析了陶潜《饮酒诗》,把人引入诗的意境,也阐发了评者的美学思想、审美观念。这样的文论、诗话,典型地体现了中国"由下而上"的美学、文艺理论的特色。然而,大量的文论、诗话、词话等,虽也具有这样的特色,但常常陷于零碎、烦琐,有的还沉溺于无益的考证,专致于声调、格律的抉微,真正的美学思想、艺术见解反而被淹没、掩盖了。显然,对于这种趋势的研究,我们就应着重在找出淹没于其中的美学思想、艺术见解,探索不同艺术形式、文学样式(如诗、词、曲、赋)共有的审美规律,"向上"接近审美这根中轴线。

　　各门专业具体的思想史,都有各自的中轴线。中国美学思想史有自己的中轴线,中国文艺思想史也有自己的中轴线,它们相互联系又有区别。这些中轴线当然是围绕经济、政治的轴线旋转的,正如地球围绕太阳旋转,月亮围绕地球旋转一样。太阳是地球公转的轴心,但地球自身也旋转,有自转的轴心。中国美学史、文艺思想史围绕经济、政治的轴线公转,但它们自身也有自转的轴线。恩格斯说:"我们所研究的领域愈是远离经济领域,愈是接近于纯粹抽象的思想领域,我们在它的发展中看到的偶然性就愈多,它的曲线就愈曲折。如果您画出曲线的中轴线,您就会发觉,研究的时期愈长,研究的范围广,这个轴线就愈接近经济发展的轴线,就愈是跟后者平行而进。"[①]在历史的长河中,美学史同经济、政治、道德、哲学的发展在总趋势上是一致的,但并不是在每一步上都是平行的。美学史上的斗争,当然同社会的进步与落后,道德的善与恶,哲学的唯物与唯心有密切联系,但并不因此就把美学史归结为政治学、哲学、道德学领域中的斗争史。美学史是在"自律"和"他律"的相互作用的"合律"中发展的。

1980年初,燕园
(为中华全国美学学会成立而作,原载《北京大学学报》)

[①] [德]马克思、恩格斯:《马克思恩格斯选集》第四卷,人民出版社,北京,1955年,第507页。

探索古典文艺学

古代中国的诗话、词话、曲话、文论、画论、乐论、剧说、赋说、书品、点评等，浩如烟海，散见于各种典籍。如要加以概括，本可统名为"艺文学"，以与历代的"艺文志"相照应。但在犹豫再三之后，我还是按照现代称谓，把这些称为古典文艺学，更便于和现代文艺学相照应。

中国古典文艺学源远流长，传统悠久，卓然独立于世界文艺学之林。

中国古典文艺学在漫长的历史发展过程中，逐渐概括出中华民族的艺术经验，自成体系，有一套独特的范畴，具备鲜明的民族特色。

如何探索中国古典文艺学，掌握完整体系，理清基本范畴，这已经成为文艺学界密切关注的重要课题。这个课题的解决，有待集思广益，共同努力。

置中国古典文艺学于世界文艺学之林，把它和西方及东方其他各国的文艺学做比较研究，这也许是探索中国古典文艺学体系及其特点的重要途径。有比较才能鉴别。然而，比较不是比枝节皮毛，而是找本质特征，这就需要马克思主义这个根本方法。

比较要从实际出发，必须实事求是。比较，当然不止于事实比较，而应提高到价值比较的水平。但价值比较必须建立于事实比较的基础之上。为了比较，需要掌握对象的基本事实，既要知己，又要知彼，知己而又知彼，才能两相比较，辨别异同，评判优劣，从而取长补短，为我所用，发展具有中国特色的当代文艺学。

为了掌握中国古典文艺学的基本轮廓，可以按照历史顺序逐代考察，理出古典文艺学的历史脉络。此外，是不是也可以从考察中国古典文艺学的基本范畴着手，进而弄清其思想体系呢？这也许是曲径，然而不妨一试。范畴乃是思想体系这张网中的许多纽结,从各个纽结着手,弄清纽结之间的联系,亦能掌握思想体系之网。

无疑,无论是理论科学还是历史科学,都要追求理论和历史的统一。研究中国古典文艺学的历史,当然不能仅仅停留在罗列现象、只摆事实上,而要在事实的基础上,探索基本范畴、思想体系的历史生成问题。若要对中国古典文艺学做理论研究,掌握基本范畴的内在逻辑,了解它的理论价值,也需要弄清历史发展的脉络。

文艺学范畴随着历史的变化而发展,因此,考察文艺学范畴也当然不能离开历史。

艺术思想产生于人类的艺术和审美活动基础之上。作为人类活动的方式之一,审美活动开始并不独立存在,而是伴随着人类最基本的活动(生产、交往、生活等)的发展而产生,并且就渗透在这些活动之中。庄周描绘过的一些实践活动,如庖丁解牛、轮扁斫轮、佝偻承蜩、梓庆削木等,其实都已带上了审美活动的性质,只是这样的审美活动还未从实践活动中分离出来。宰牛巨匠庖丁经过近20年的苦练,解牛数千,熟而生巧,因而能在解牛时,从容自如,游刃有余,获得了实践的自由。在这种自由实践活动中直接享受到审美的愉悦,劳动本身就具有审美性质。"手之所触,肩之所倚,足之所履,膝之所踦,砉然响然,奏刀騞然,莫不中音。"(《庄子·养生主》)解牛达到这种境界就上升为审美活动了,但还不是艺术活动。

审美活动范围要比艺术活动领域广阔得多,美学范畴并不只限运用于文学艺术。中国古典美学的一些基本范畴,如美丑、虚实、形神、动静、气韵、虚静等,开始并未用于文学艺术,而是泛及审美活动的许多现象。古人论美,伍举说"夫美也者,上下、内外、大小、远近皆无害焉,故曰美"(《国语》);孟轲说"充实之谓美"(《孟子》);荀况说"不全不粹之不足以为美"(《荀子》)。这些说法,都不把美限于文学艺术范围。

确实有些人早就认识到大自然中也存在着美、丑。魏晋人袁准就说"凡万物生于天地之间,有美有恶"(《才性》)。其实,更早的庄子又说过"天地有大美而不言",而高明之人可以"原天地之美,而达万物之理"(《庄子》)。美、丑是客观存在,若要发现天地万物之美,却需要人体验、领悟,必须有特殊的才性。所以,清人叶燮说道:"凡物之美者,盈天地间皆是也,然必待人之神明才慧而见。"(《集唐诗序》)

可见,一些古人并未混淆美丑和审美,物之美丑和人之体悟,和而不同,并非为一。而且审美的对象可以是文学艺术,也可以是天地万物。审美不限于艺术审美,而艺术的创造更有自己的特殊规定。

人在生产、交往、生活的实际活动中,既感受到假、丑、恶,又体验到真、善、美,既产生审美的快感,又产生审丑的反感。有了审美体验,有感而发,就想把审美体验表现出来,这需要通过一定的手段。所以,文学艺术的产生,并不仅是在天地万物中发现美,而是要创造美,用来表达人在实践中得来的对人生的审美体验。

艺术活动是审美活动独立发展的结果。审美活动和其他实践活动(生产、交往、生活等)分离而独立,产生了艺术活动,成为审美活动集中而凝练的形式。人类在实践活动中获得自由而体验到审美的享受。这种审美的体验被人整理、组织、加工,运用特定的物质符号把它固定和物化,这就成了文学艺术。例如音乐的产生,古人说得好:"凡音之起,由人心生也。人心之动,物使之然也。感于物而动,故形于声。声相应,故生变,变成方,谓之音。比音而乐之,及干戚羽旄,谓之乐。"(《乐记》)古人并不一定了解心之感物乃由人类实践活动所引起,但音乐乃是人感物而动心,心动而形于外的结果。诗歌、舞蹈也是如此:"诗者,志之所之也,在心为志,发言为诗。情动于中而形于言,言之不足故嗟叹之,嗟叹之不足故永歌之,永歌之不足,不知手之舞之,足之蹈之也。"(《毛诗序》)文学艺术就是为了把人类的审美体验用美的形式体现出来而产生、发展的,因而不仅是一种审美活动,还是一种创美活动,要创造出一种新的美:艺术美。

从审美体验到美的形式的转化,是一个复杂的创造过程。审美体验产生在内心,看不见,摸不着,而要形之于外,就要使审美体验转化为意象,使意和象相融,甚至,还要在内心展开意象活动,各种意象相互作用,连结为一个复杂的意象世界。这是意象在内心的创造(意象经营）。这种意象的创造，又转化为形式的创造。艺术家必须使用一定的物质材料作为符号（语言的或非术语言的），以一定的方式构筑成美的形式，体现那个内心营构的内心意象。而这种美的形式的创造，需要有高超的技艺。艺术家在创造形式美时，必须身心相应，得心应手，意匠经营，忽视不得。其实，任何劳作，若想做得精美，都需要技艺，古代的"六艺"既包括"文"艺，又包括"武"艺，都需要掌握技艺。历代的文人、武士都要在技艺上精益求精，"学成文武艺，货与帝王家"，以此安身立命。

艺术创造当然追求完美的"创意"和高超的"技艺"有机结合，融为一体。但这谈何容易！善于创意构思，长于形式建构，两种能力不一定都能得到均衡发展。在实际创作中，意象创造和形式建构时常发生矛盾。就是最为自由的艺术如文学，文学家在创作时常会感到"辞"不达"意"。文学艺术的发展也就在这种矛盾中不断前进。

文学艺术的发展使文艺学范畴丰富和复杂起来。许多范畴，如美丑、虚实、形神、动静、气韵、虚静等相继用于文学艺术。春秋时，吴国季札观周乐，不时发出"美哉"的赞叹，这已经不仅只是在欣赏声音的美，而且是在赞赏意蕴的美。这里的美已经是艺术美，具有特殊的涵义了。不仅如此，随着文学艺术的发展，更多新的文艺学范畴出现了，运用于解释文学艺术，例如意象、意境、真幻、情景、神思、妙悟、感兴、意趣、比兴等等。中国古典文艺学的范畴，不是孤立存在，而是密切联系艺术实践的脉动，突出了相反相成、对立统一的艺术辩证法，诸如"虚实相生"、"形神兼备"、"刚柔相济"。

艺术活动作为一种集中而复杂的以创美为中介的审美活动，形成一个独特的系统，由各种要素相互作用所构成。创造—作品—接受是这个独特系统中的三个主要环节。中外不同文艺学对艺术活动的解释尽管各不相同，但不约而同地都这样或那样地接触到艺术活动的这三个环节。中国古典文艺学对艺术创造、艺术作品和艺术接受都有种种探索。从言、象、意到赋、比、兴，一直到观、怨、群，古典文艺学的探索，都在捕捉艺术活动的流动轨迹和生命流程。随着探索的进展，不时产生新的范畴，因而日益丰富。

中国古典文艺学的范畴远比西方文艺学丰富多彩。大量的文艺学范畴，大多直接在艺术审美中涌生。诗、文、书、画等艺术论家在"品赏"、"品味"艺术的过程中，直接体悟到艺术的意味和意蕴，有感而发，乘兴评说。"品评"是中国古典文艺评论的主要方式。这种品评从审美中自然流出，和感性具体密切联系。那"体悟"中已蕴含了理性，瞬间提升到理性，但并非脱离了感性具体而另作知性的抽象，孤立由概念、判断走向推理，抽象演绎。最具体的是最丰富的，这造成了中国古典文艺学范畴的丰富多彩，也导致范畴的多义和含混，因此只能从不同的具体语境中捕捉不同的含义。

要从理论上去把握科学对象的有机整体。为此，科学思维的基本路数应从感性具体出发，上升为知性抽象，然后返回到具体。但这已是理性具体经过抽象分析（以概念、判断、推理的演绎方式），综合了对象的多样性，呈现出的对象整体。中国古典文艺学也能隐约辨出这种思维路数。像《文心雕龙》，对"文"做了系统的理论概括，"体大思精"。叶燮的《原诗》，对"诗"做了全面的思索，自成系统。刘熙载的《艺概》甚至对诗、词、曲、赋、文、书法等多种艺术放在一起研究，力求做系统阐释，近乎中国古典文艺学的总结（实际上成了终结）。但是，中国古典文艺学的整体趋向，想不离感性具体，又要超越感性具体，把握艺术的奥秘。司空图所说的"随象运思"成为中国古典文艺学的思维特点，因而发展了形象思维的多种方式，假象见义、比拟喻示、整体感悟、象征意会等，不大乐意去做抽象思辨。结果，艺术经验丰富、审美体验深切、思辨能力高超的论家就能实现从感性具体到理性具体的跨越性飞跃。但更多论家却只能停留在感性具体，偶尔也爆出一些智慧的火花。

相比之下，西方文艺学更善于在知性抽象这个层面大显身手、施展才能。面对对象，西方文艺学特别擅长从具体感性中抽象出某个特性、某个维度，运用概念，做出判断，进行推理，演绎出成套理论。抽象思辨，汪洋恣肆，充分展开，淋漓尽致，但越来越离开活生生的具体对象，不能在更高阶段上回到理性具体。于是文学艺术这个具体对象被分解为形式、符号、话语、结构、象征、幻象、再现、表现、直觉、想象、移情、拟人等某个维度，将此维度无限伸展，成为片面的深刻。甚至像德国古典美学深谙"具体—抽象—具体"之道，但抽象思维大师黑格尔还是抓住了"绝对理念"，片面发展，天马行空，回不到艺术实践这个活生生的具体了。在抽象思辨逐步展开的历史发展过程中，西方文艺学自有一套抽象程度很高的范畴，如本质—现象、感性—理性、主观—客观、个性—共性、内容—形式等，已逐渐被我们理解或接受。

看来，中国古典文学、西方文艺学各有其长、亦有所短，两者应是互补关系，中国要发展当代文艺学，需要研究这些思想资料，哪些需要吸收，哪些已无必要，最终决定于现实的需要。中国古典文艺学的范畴，能否进行现代转换，既决定于它能否阐释当代的艺术实践，又决定于我们能否对它做现代阐释。现在提供给大家的《中国古典文艺学丛编》，只是思想资料的丛编。这些思想资料有什么历史价值和现实价值，如何阐释它的当代意义，非此书所能胜任，有待另外再做。

最后，我要说一下编书的缘由。

20世纪50年代初期，我在北大攻读文艺学，经杨晦、朱光潜、宗白华、罗根泽几位师长的指点，曾对中国古典文艺学发生了兴趣。在跟随杨晦攻读文艺学副博士课程时，曾集中精力专致于古典文艺学，积累了一些思想资料。中国古典文艺学论艺术创造，推崇艺术辩证法，探求情景交融、形神兼备、虚实相生、动静结合、刚柔相济、真幻交错、意象融洽、言意俱佳、气韵生动、文质彬彬、意境深远等，这些探索深深吸引着我。80年代初在研究文艺美学的过程中，我又积累了一些材料，想编印出来供文艺美学硕士生阅读参考。王一川、陈伟、丁涛参与辑录、编选、撰写提要。后来，王岳川亦曾参与补充、修改，编成了《中国古典美学丛编》一书，由中华书局出版，以此提供给广大读者，希望吸引更多有志于此者进而做深入探讨。此书出版后，曾受到文艺学和古典文学的爱好者，以及文学艺术系科青年学生的关注。有些学者还希望有机会能另编一本中国古典文艺学的资料，和《中国古典美学丛编》相互补足。因当时我的精力主要放在文艺美学上，已无时间专攻中国古典文艺学。后来，我在培养文艺美学博士生的过程中,深切感到必须更多吸取古典文艺学中的丰富资料,和古典美学相融通提高文艺美学的研究水平。因此,我想以《中国古典美学丛编》为基础,新编一套《中国古典文艺学丛编》。于是,在青年学者李健的协助下,新选了60万字的古典文艺学资料,对原有的资料重新审视,做了删减和调整,重新分类,另外阐释,新编成这本120万言的《中国古典文艺学丛编》,由北京大学出版社出版。这样,这套丛编也许能更适应文艺学和古典文学爱好者,特别是文学艺术系科青年学生的阅读需要。

全书分成三编,围绕着创造—作品—接受这三个环节展开。每一范畴之下,先做一提要说明,略说此一范畴的基本含义及历史发展,然后按历史顺序罗列理论资料。在创造—作品—接受这个系统中,艺术作品是最中心环节,把它列为第二编。承上为第一编艺术创造,启下为第三编艺术接受。书后附录乃古代论家简释,按朝代顺序排列,供读者查阅参考。

中国古典文艺学的资料大量散见于浩如烟海的古籍之中,我们识见有限,未做广泛搜罗,难得其全。古典文艺学的不少范畴,或具有多义,或含义不大确定,硬编入类,不免有削足适履之病。例如,文道、文气、虚实、动静,究竟应归于"创造"还是"作品",美丑、言意该纳入"作品"抑或"接受",似可斟酌。加之,我们的历史知识不够,理解可能会有差错,敬请各方指正。只有把中国古典文艺学的基本范畴放到历史中去考察,把对文学艺术实践及哲学、宗教、道德、政治的文化研究联系起来,才能给人以丰富而深刻的历史感,需要开展中国古典文艺学范畴史和范畴论的研究。

成书过程得到许多师友的鼓励和帮助,袁行霈兄答允为书名题签,友谊情深,铭印在心;北京大学出版社编审乔征胜在病中不辞劳苦,为此书付出了辛勤劳动,审阅全书,仔细校改,深为感谢。

《中国古典文艺学丛编》前言
2001年春,深大新村

读史更助逍遥游

中国自有旅游史,却无人为之作书。何故?难矣哉!非博学史笔莫能为也。

改革开放促进了我国旅游的兴旺,带动了旅游学科的建设,深圳大学在国际文化系最早创设了旅游文化专业。章必功知难而进,敢为天下先,撰写了我国第一部《中国旅游史》。这35万字的专著,史笔纵横,精彩迭出,内容丰富,文采斐然。读之令人振奋,为他喝彩。

旅游,人类基本活动之一。开始,它只是和人类其他活动混合在一起。随着文明的进步逐渐从人类其他活动中分离出来,成为人类的一种独立追求,旅游活动的内容和形式也越来越丰富多彩。人类文明越向高层发展,旅游活动在人类生活中也越来越重要。这一走向,《中国旅游史》做了生动的描述。人类早期流浪迁移,在谋生的苦旅中萌发了快乐的旅游因素。文明社会早期的商旅、军旅、巡旅也是苦中寓乐。至春秋战国,为读书而出门游学,为作官而四处游说,游的成分日益增加,宫廷的游猎、游览,游的性质更趋浓厚。汉魏六朝以下,率游、仙游、山水游、田园游、都市游、园林游,皆追求精神愉悦,获取审美享受,旅游名副其实,蔚为大观。

不同的时代有不同的时代风格,不同时代也有不同的旅游风格。《中国旅游史》鲜明地突出了各代旅游的风格差异。两汉好作万里游,游风豪壮;六朝热衷逍遥游,游风玄虚;李唐游道阔如海,游风昂扬;北宋南宋,游中未敢忘忧国,游风沉郁……

旅游脱离不了政治、经济的制约,同文化的关联更为密切。《中国旅游史》揭示了旅游和政治、经济特别是文化的内在联系。举其大端,儒家文化讲究人与社会的人际关系的统一,强调仁义道德,看重旅游修身养性、格物致知的教化作用,知者乐水,仁者乐山,君子比德。道家文化讲究人与自然的和谐，强调返璞归真、托身自然、无为逍遥的养生功能。佛教文化讲究四大皆空，强调心外无物，看重旅游离尘避俗、清心寡欲的超脱意境。

在古代，旅游和文学艺术早就结下了不解之缘。文学艺术常常是旅游的结晶，有的则直接融入旅游，成了某些旅游活动不可或缺的拐杖。明人周忱说旅游需要"三能"，即"天下山川，好之者未必能至，能至者未必能言，能言者未必能文"，故善游者，当能至、能言、能文。明人钟惺又说山水能为名胜需要"三有"，"曰事、曰诗、曰文，之三者，山水之眼也"。必功十分熟悉古典文学艺术，在北大攻读硕士学位时，专业就是古典文学，所以能得心应手地把山水诗、山水文、山水画等内容引入旅游的历史长河，使这本做学问的旅游史充满了浓郁的文学色彩。

《中国旅游史》重视古为今用，从理论上总结了古代旅游和现代旅游的三大差别。古代旅游虽然号称游客如云，但它基本上是文人士大夫和宫廷的活动，而不及现代旅游那样具有广阔的社会性与大众性。古代旅游虽然关乎经济，却不具现代旅游所产生的能够影响国计民生的经济力量。古代旅游虽然不断产生、不断改善着旅游设施，却未能形成现代旅游那种有组织、有系统的综合性服务行业和独立的社会事业。同时，《中国旅游史》又总结了古代旅游可供现代旅游借鉴继承的五笔遗产——优良传统、审美情趣、哲学精神、发展规律、人文景观。这对于我们发掘中华旅游的文化内涵和民族特色良多启迪。

探讨旅游需读史，读史更助逍遥游。相信这本率先问世的《中国旅游史》定能赢得旅游从业者和旅游爱好者的欢迎。

为《中国旅游史》而作
1995年春，深大新村

文学鉴赏亦有道

学术需要一定的积累才能有所创新。经过多年的积聚，深圳大学正在逐渐形成自己的学术力量。在文学院，有志于文艺学这一学科建设的中青年学者推出一批文艺学著作，作为《深大文库》的文艺学系列出版问世。我看到这套文库的第一部书稿就是吴俊忠的《文学鉴赏论》，感到很有创新精神，极受启发，令人鼓舞。

文学鉴赏、文学创作，这是文学这种社会现象的两个既联系又区别的活动过程，两个不同的环节。正如法国著名作家萨特所说："在写作行为里包含着阅读行为，两者辩证地相互依存。这两个相互关联的行为，需要两个不同的施动者。精神产品这种既具体又臆想的客体，只有在作者和读者共同努力下才能出现。"写作和阅读是两个不同的"施动者"的活动，作者和读者是两种活动不同的主体，必须予以区分。作者是第一主体，而读者是第二主体。作者这一主体所面对的客体是生活本身，而读者所面对的客体则是作品，是作者创造出来的另一个客体。所以，文学创作、文学鉴赏，必然有不同的特性和规律，必须分别加以研究。在探索两者的共同特性和共同规律的同时，也要深入探索两者的不同特性和特殊规律。

文艺学在研究文学艺术的特性、规律时，曾长期驻足在作品构成的本身，偶尔也涉及鉴赏，但都是附带论及。改革开放以来，文学艺术的接受这一环节逐渐受到重视，已出现了好几部文学艺术部类关于接受原理的著作。如何从理论和实践的结合上下功夫，系统、深入探索文学鉴赏的特性和规律的专著，尚不多见。俊忠的这部《文学鉴赏论》，较为全面、系统地论述了文学鉴赏的特点、类型、过程、方法等，为文学鉴赏学铺设"基础工程"。这对于推动文艺学学科建设的发展无疑是一件很有意义的事。

读者对文学作品的接受，必须经由鉴赏活动。什么是文学鉴赏？俊忠在书中说：文学鉴赏是人们对文学作品进行"感受、理解和审美活动的过程，是感性和理性活动的协调统一，是欣赏和批评的综合"。在他看来，文学的鉴赏是把欣赏和批评综合起来了。德国著名作家歌德曾把艺术欣赏分成三种：一种是，不加思索地享受美；二种是，只做判断，不享受；三种是，在享受的同时做判断，在判断的同时进行享受。俊忠以为，这第三种欣赏，应叫做鉴赏。文学的鉴赏，既有审美享受，又有审美判断，两者结合在一起。但由于着重点不同，所以文学鉴赏的实践大致可以区分为：以欣赏为主的鉴赏；以批评为主的鉴赏；欣赏、批评融合并重的鉴赏。最理想、最典型的是把欣赏和批评融为一体的鉴赏。文学前辈钟敬文老人说得好："艺术重欣赏，其次乃评论，倘若两兼之，品格自高峻。"依我看来，把文学鉴赏看作是审美享受、审美判断的结合，这捕捉到了文学鉴赏的特性。但文学鉴赏是否也把批评融入了，这可以做进一步思考。文学批评、文学评论是否和文学理论的关系更加密切？文学批评、文学评论是否处在文学鉴赏和文学理论的中间地带？都还可以更深入研究。近年已出现过专门探讨文学评论、文学批评的专著，现在又有俊忠的《文学鉴赏论》，可供我们做深入思考的参考。

编著《文学鉴赏论》是一项创造性的工作。虽然可参考的资料不少，但要建构一个科学、适用的文学鉴赏学理论体系，则需要作者具有较深厚的文学理论修养、较高的文学鉴赏能力和丰富的人生体验。俊忠正届中年，长期研究文艺学和世界文学，人生阅历和教学科研的实际经验，正好为他编著《文学鉴赏论》提供了上述必需的条件。尤为可贵的是，他在编写过程中，前后阅读了四十多种参考书，并在借鉴他人研究成果的基础上，坚持自己的学术个性和独立思考，较好地实现了借鉴和创新的完美统一。可以说，也正是这本《文学鉴赏论》的学术成就和根本特色所在。

深圳是一个商业气息浓重、实利诱惑甚多的地方，要在这里安下心来做学问，必须有坚强的毅力。俊忠在20世纪80年代后期来到深圳大学，我和他共事已有10年之久，目睹和亲身感受了他刻苦钻研的治学精神和一丝不苟的工作态度。他的《文学鉴赏论》脱稿之后请我做序,我在阅读书稿后,更为他在繁忙的工作之余坚持学术研究的勤奋和执着所感动,欣然写下上面这些话。

为《文学鉴赏论》所做的序
1998年春节,深大新村

古为今用先引路

由我主编的《中国古典美学丛编》三卷，原本乃为北大的文艺学硕士生所准备的入门导读参考资料。没有料到，此书在20年前由中华书局出版后，受到了许多中国古典艺术和文学爱好者的青睐。特别是新世纪以来，不时有人来函，希望此书能够重印。

不久前，我江苏老家的凤凰出版社总编辑姜小青亲笔来函相约，希望重版此书，将三卷合成一卷，精装出版，并要我为此书写一重版序言。我当然期盼，在中国现代化的进程中能有更多人承续中国传统文化中的精华，发扬光大。此书若能引起更多人对中国古典美学发生兴趣，起到引导入门，再钻研古典原著的作用，我将感到十分欣慰，因而欣然受命，信笔写来，说明编撰初衷。

当初，我纯粹是为了教学需要，想为北大刚入学的硕士研究生提供一些初步的资料，概略地展示一下中国古典美学有什么精粹之处，以便引导他们登堂入室，进而去领略其中的奥妙。

那是在20世纪70年代末，我国开始建立研究生学位制。当时北大中文系的老主任杨晦教授，招收了第一届文艺学硕士生，董学文、曾镇南、杨星映、郭建模四人入读。他们都是我在60年代教过的中文系学生，我了解他们的知识结构。那时，杨晦先生已届八十高龄，听觉不甚灵敏，又因白内障而视觉模糊，有诸多不便。他要我当他助手，协助他为这一届硕士研究生安排学位课程。这是因为，还在1956年北大试行副博士学位制时，我是杨晦师的首届也是最后一届副博士研究生，又是当时教研室内唯一当过研究生的年轻教师（入读副博士研究生的还有严家炎，但转治中国现代文学史，另一师兄王世德去了四川大学），对研究生教学略有所知。晦师把我找到燕东园家里，苦笑着说："你跟我读了4年多副博士研究生，最后一'反修'，把副博士学位也给反掉了。这既是历史的悲剧,也是个人的厄运。如今,研究生学位制总算建立起来了,你教过的学生有机会来攻读硕士学位了,历史终究还是走向喜剧。但我老了,你帮我张罗一下这一届,开个头,下一届就由你来招了,我不再招。"我既受命于斯,也就开始考虑在新时期如何安排研究生的教学。

时值改革开放之初,封闭已久的年轻学子急切希望了解外面的世界。我先是找到了晦师的好友冯至先生,请他在中国社会科学院世界文学研究所物色一位年轻学者,为研究生介绍西方当代文学。冯至先生欣然答允,推荐他的助手陈煜给研究生讲授西方现代派文学。后来,我又从北大西语系请来他的夫人王泰来,为研究生讲授西方结构主义、符号学理论。但半年下来,我渐感到西方的文艺新思潮固然需要知晓,但对我们终究是隔靴搔痒,不一定能解决我们自己的问题。我们要着眼于中国自己的国情,更多地了解自己的文化传统,特别是经历了"文化大革命"的劫难,更需要寻找中国文化之根。

当时,比较容易找到的中国美学史参考资料乃是北京大学哲学系美学教研室编选的,不少研究生都读了。但有很多人并不满足于此,特别是攻读文学和艺术的研究生,希望能多读些文学艺术中有关美学的古典文献。我亦颇有同感,于是开始考虑按新的结构编选一套关联文学艺术更多的美学资料。

1980年春,我陪美学老人朱光潜先生参加中华全国美学学会的成立大会,畅游了昆明。借此机会,和国内艺术院校、文学学科的学者交换美学发展的看法。会上,我提出:艺术院校、文学学科应该发展文艺美学新学科。自己在此年秋天,就在北大为研究生及高年级本科生开设了《文艺美学》一课。在此之前,北大中文系开设了《文学概论》《马列文论》《毛泽东文艺思想》等课,也可选修《美学》,是哲学系所开设,更多地涉及哲学,我称之为哲学美学。我倡导文艺美学,并非要否定哲学美学,而是想以美学观点研究文学艺术,探讨文学艺术中的美学问题。

每个学科的建立和发展,都必须以丰富的历史资料为基础。我一个人做不了,必须有更多人的参与。我在1981年开始招收首届研究生,一开始就向学校提出:我所招收的不是"文艺理论",而是"文艺美学"这一新的专业方向,为过去所没有。我的坚持,得到了教育部、北大的理解和支持。那年,北大只给我2个招生名额,但全国竟有近百人报考,最后,终于力争增加了1个名额,王一川、陈伟、丁涛三人同时入学,成为国内第一届文艺美学专业方向的硕士研究生。当时,我除了接受教育部指导,负责主编国内第一部西方文艺理论教科书《西方文艺理论名著教程》及配套参考资料(三卷)以外,主要精力放在文艺美学这一学科的建设。当时还没有什么"国家课题"一说,我的学术研究完全是自选。一川、陈伟、丁涛入学之后,围绕着文艺美学,我和大家一起着手编选三套资料。一是《中国古典美学丛编》,三位研究生全部投入;待王岳川入学之后,他也参与了增补、调整直至出版的工作。二是《中国现代美学丛编》,由一川、陈伟两人参与,经我编定,最后由北京大学出版社出版。三是《中国作家、艺术家论创作》,由一川帮我编选,本来要由东北一家出版社出版,但由于篇幅太大,又有别的出版社抢先出了类似的书籍,加上我在1984年已逐渐南移,匆忙往返北京和深圳,无暇顾及,失去了出版时机,因而作罢。

《中国古典美学丛编》最费精力,花心思最多。当时听我《文艺美学》的有美学博士生,如朱光潜的门生凌继尧,还有中央美术学院、北京音乐学院、北京电影学院等艺术院校闻讯旁听的进修教师、研究生。北师大的童庆炳也曾来听过我的课,想看看我要在这课上讲些什么。我和一川、陈伟、丁涛商议再三,决定这套资料的编选,还是要面向中国古典文学、古典艺术的爱好者,而不仅仅只是艺术院校、文学学科的研究生,以便引导更多的人关注中国古典美学。我想,既然要发展文艺美学这一新学科,就必须更多搜集文学艺术的资料,以便推进文学艺术的美学研究。

在中国传统文化的长河中,艺文的资料极为丰富。且不说历代出现的《艺文志》《艺文类聚》这一类的文献资料,就是散见于各种典籍中的文评、诗话、词话、赋论、画论、曲话、剧说、乐记、书品、艺谭、笔记等,也浩如烟海,数不胜数。尽管前人已陆续编撰过《历代诗话》《中国画论类编》《中国古典戏曲论著集成》等书籍,但还有更多的资料仍淹没于各种古籍之中，尚未被挖掘出来。我生也晚，虽然少时在无锡老家已仰慕国学大师钱穆，但我在1952年才得入学北京大学，他已去了海外，大学课堂上已无国学之地。我听杨晦讲《文艺概论》，他尚能联系中国的文学艺术来论说，没有脱离中国的文化传统。但不久，随着向苏联一边倒，苏式理论就主宰了大学讲堂。苏联专家毕达可夫在北大讲《文艺学引论》，通过高教部组织的文艺理论研究进修班，在全国高校成为主流。到1958年以后，才由毛泽东文艺思想取代。幸而在1954年，杨晦虽然让我去听苏联专家的课，但当时就提醒我：苏联的理论并不是在我国自己的文学艺术实践基础上建立的，并不了解中国的传统文化，也不一定能解决中国文学艺术实践的问题；了解一下是必要的，但我们还是要研究中国的问题。也就是在那时，年已55岁的这位五四老人，把自己的学术方向明确转向研究中国古代文艺思想史。当时，我还不理解他的这番举动。到了1956年，高教部决定在北大试行副博士学位制，研究生要学4年，最后要写学位论文。我在1955年底就已去中国人民大学马克思主义研究班当研究生，因杨晦开始培养文艺学副博士，就从中国人民大学回到了北京大学，入杨晦门下。他要我研究中国古典文艺论著，先从读经典入手，再读《文心雕龙》《世说新语》《艺文类聚》这类书籍，然后扩及历代的诗话、词话、文评、画论、书品等。正好，我也认识了南京大学罗根泽教授，他要我为他正在进行的整理中国古典文学理论工作做些事。他正在和复旦大学郭绍虞教授共同主编巨型丛书《中国古典文学理论批评专著选辑》，由人民文学出版社出版，因而常来北京处理编务。1956年夏，他风尘仆仆，从东城专门到北大找吴小如和我，要我们分别对照北京大学图书馆的藏书，做些审校。这就让我有机会接触更多的古典资料。从1956年到1958年，我在燕园闭门不出，两耳不闻窗外声，一心只读古籍书。在体验过读古书的苦乐过程中，我逐渐积累了一些中国古典文艺学和美学的资料。那是为我自己准备的研究资料，当时并无整理出版之想。

当我自己开始带领研究生向文艺美学发展之时，就迫切感到编选这套中国古典美学资料的需要了。为了讲授文艺美学，需要向听课者推荐一些参考资料。但中国古典美学、文艺学的资料是那样繁多，究竟要读些什么，能引起大家做进一步探究的兴趣，这使我颇费脑筋。学术前辈郭绍虞、罗根泽、朱东润、陈钟凡、傅庚生、方孝岳等都早已分别出版了自己的中国文学批评史的著作，中国古典文学理论批评专著丛书也已出了好多种。但如何另辟蹊径，从美学的角度编选古典资料，还是要动些脑筋，做出新的尝试。来听文艺美学一课的年轻人，虽然大多在20世纪60年代上过大学，但很快就经历了"文化大革命"，对中国传统文化接触不多。我想通过文艺美学一课，能让他们以最少的时间及早了解中国古典美学、文艺学的精粹之处。当然，要让研究生尽快入门，应有多种途径，可以一开始就引导他们读一本书或者思考一些问题，引发他们深入钻研。我的导师杨晦在1959年开始为中文系高年级讲授《中国文艺思想史》，整整一个学期只讲了一个问题：文艺的起源。他对"铸鼎象物"做了详尽的研究，多方面论证九鼎如何从政教、礼仪的象征转化为艺术，意犹未尽，学期结束，只好打住。另一位老师宗白华为哲学、中文等系讲授《中国美学思想史》，一个学期下来也只讲了先秦时代《考工记》中的工艺美术思想，《乐记》《易经》《诗经》中的美学思想，先秦之后，只能一笔带过。若要知晓中国美学和文艺思想的全貌，还是要另想别法。想从这里着手，开始我的尝试，以便让初学者能较快接触中国古典美学、文艺学中的精粹，从整体上了解全貌，虽然简略，但能给予初学者整体感受。有了兴趣，自可登堂入室，深入研究自己感兴趣的问题。于是就有了这部《中国古典美学丛编》。

这部丛编从中国古籍中选出了近70万言，归纳成三大类。第一编：作品。围绕美丑、情志、形象、形神、气韵、文质、虚实、真幻、文气、情景、意境、动静、中和、比兴等范畴，收入与此有关的资料。第二编：创作。围绕感物、感兴、愤世、情理、神思、凝虑、虚静、养气、立身、积学、法度等范畴，把有关资料收入。第三编：鉴赏。围绕兴会、体味、教化、意趣等范畴，收入与此有关的资料。

之所以要分成三编，乃是因为创作—作品—鉴赏可以自成系统。在我看来，这是文学艺术这一人类的特殊社会现象的三个主要方面，或者说，文学艺术作为人类的一种特殊活动，其主要环节乃是这三者。当然，也可以把创作—作品—鉴赏放到整个世界中去考察，构成更大的系统。英国著名文艺理论家理查兹的美国弟子艾布拉姆斯，把文学艺术品归纳为作品、艺术家、世界、欣赏这四要素，"几乎所有力求周密的理论总会在大体上对这四个要素加以区辨"。华裔美籍学者刘若愚则在《中国文学理论》一书中，肯定了这四要素，认为这四要素乃是相互作用的循环构架，艺术学与世界互动，又与作品互动；欣赏者与作品互动，又与世界互动。我考虑再三，觉得作为人类活动的一种特殊方式，文学艺术的活动进程，基本环节还是创作—作品—鉴赏。说三者自成系统，绝不是说这个系统与世界无关，而是说这个系统就存在于社会中，社会是这个系统存在的基础，不仅创作和鉴赏活动是社会现象，就是作品本身的存在也是社会现象。艺术的产生、艺术的消费、艺术的流传都只能在社会中进行，本身就是社会的一种特殊现象，而让艺术作品的内容更直接或间接地反映这样或那样的社会人生。因此艺术活动的每一环节，都与社会或世界发生互动关系。社会或世界不仅仅是艺术活动的一个环节，而是整个艺术活动的基础，影响艺术活动的每个环节。

1982年春，刘若愚在海外30年后首次归国，特来北大和杨周翰、张隆溪、我等在临湖轩座谈。他送我刚译成中文在台湾出版的《中国文学理论》。我陪他在未名湖漫步，在交谈中说了我的看法。刘若愚认为，这可以作为一说做进一步阐释。因为所谓"自成系统"，可大可小，视审视点而定。艺术的生产本身可成系统，艺术的消费也自成系统，但在整个艺术活动中只是个环节，所以系统也是相对的，审视的视野可狭可宽。我认为言之有理。1983年，叶维廉在《比较诗学》中，四要素之外，又加上了文化、历史、语言等要素，让这系统说更为复杂了。

这次会晤以后，我写了《文艺美学——文学艺术的系统研究》一文，进一步发挥了我的想法。我和乐黛云在1984年到深圳之后，曾分别邀请过刘若愚、叶维廉、李达三等人来访，我和刘若愚有过深谈。可惜1986年，刚过60岁的他就在美国斯坦福大学病逝。我痛失了这位比我年长的学长，来不及把这部《中国古典美学丛编》送他，永远失去向他讨教的机会。此次即将重版之际，我不由自主地又想起了他，心中一种怀念之情油然而生。他那种执着的治学精神，使我永世难忘。

《中国古典美学丛编》在中华书局出版时，题签乃由我在北大时的老师、著名古文字学家周祖谟先生所书。但此书名由我所定，所以标志出"美学"二字，编入资料不仅涉及艺术审美，也包括自然审美和人文审美的资料，甚至古人日常生活审美的资料。文学艺术方面的资料较多，但还是关注与美学有关的资料，从美学的角度定取舍。20世纪80年代初，我在北大倡导文艺美学之时，曾有人误解，以为我要以文艺美学取代哲学美学，其实不然。美学的对象绝不仅仅是文学艺术，而是广及人文审美和自然审美的各个领域，只是在艺术院校、文学系科更应突出艺术审美，解决文学艺术活动中的美学问题。我把这称为文艺美学，正是想把它和人文美学、自然美学做出区别而已，绝不认为美学就只是文艺美学。

不过，我心目中的美学，还只理解为审美之学。我的理解比较狭窄，因而搜集的资料还是不够宽泛。如按我如今的理解，美学除研究审美活动之外，还应研究创美活动和育美活动。人类不仅进行着审美活动，还在审美活动的基础上按照美的规律在创造着美，可称之为创美活动。人类不仅在物的生产活动中创造着美，还在人类自身的生命活动中培育人的美，可称为育美活动。审美、创美、育美三者相互补充、相互促进、相互提升。其实，艺术的创造不仅仅只是审美活动，还是一种创美活动，其价值指向又是推进育美活动。优秀的作家、艺术家不仅在人生审美的基础上按照美的规律营构出一个想象世界，还按照美的规律创造出一种符号形式，把想象的世界物化在这个符号形式中。优秀的艺术作品尽力把审美、创美、育美结合起来，融为一体。但艺术创造只是创美活动中的一种，人类按照美的规律创造的活动还有很多，对此，希望美学会得到更多的关注。美学，既是审美之学，又是创美之学，还是育美之学，我们应更宽广地拓展美学的视野。

重拾旧编，感慨万千，遥忆当年，尚处中年。我清楚记得，在完成初稿的那年（1983），心里松了口气，我带着一川、陈伟、丁涛首次登上黄山，做了一次令人难忘的自然审美。时值初春，我却光着脚，只穿一双夹趾拖鞋从北口开始爬山，登上天都峰。路上不时有人以惊异的目光看我，怎么能穿拖鞋爬山？可我就这样爬完了山，也不觉得有多大劳累。十多年后的1999年，我和老友钱中文等又登黄山，由南口坐了缆车直驰山顶，却不料半途中遇上狂风暴雨，在"鲫鱼"背脊上进退两难，狼狈不堪。回到深圳，脚趾肿烂，无法行走，误了回北大参加杨晦百年诞辰的学术研讨会，只寄去了《诲人不倦启后人》一文，留下了深深的遗憾。这个新世纪初，我曾有过新想法，要新编一套更能全面反映中国古典美学面貌的资料选编。但岁月不饶人，我亦步入老年，再无精力，心有余而力不足，只好重印此旧编，聊作自慰。

当年和我一起参编的青年学子，如今亦已走向中年。岳川在北大，一川在北师大，陈伟在上海师大，都带着自己的文艺学博士生，丁涛则在中央戏剧学院培养戏剧学博士生，都是博士生导师了，各自的学养和见识早已超过我辈。如要按照各自的学术思路新编此类资料，绝不会再像当初的那样，自当会有一番新气象。但大家都各有自己的研究专题，忙得不可开交，再也无暇顾及重新编选此类中国古典美学资料了，只能寄希望于更晚的后来者。长江后浪推前浪，若有更多后来者对此类资料有兴趣，能重新编选出更好的新书，我将会感到无比高兴。

浮想联翩，思绪难断，适可而止，就此打住。是为重版序言。

《中国古典美学丛编》重版序
2008年冬，深圳，望海书斋

文心奥妙"象"中寻

我不专治古典文艺学,但不时注视着古典文论研究领域的发展。我一直坚信,中国当代文艺学的建构,如果缺少古典文论这一维度,不从这一宝贵资源吸取营养,十分不可思议。

正因如此,当青年学者程相占将他的书稿《文心三角文艺美学》寄予我,我便饶有兴味地读完了它。这是一部探讨中国古代文心论如何向现代转化的专著,它围绕"文心"这个核心对中国古典文艺美学进行全面研究。课题很吸引人,读后颇受启发。

人类所以能创造出美妙的文学艺术,既要花心思精心构思,又要花功夫雕龙塑凤。刘勰的《文心雕龙》就既研究了为人之用心,又探讨了技巧,全面探究为文之道,形成了中国自己的文章学。

在古人看来,天上人间都充盈着"文",天文、地文、人文都是文。不过,刘勰在《文心雕龙》中探讨的为文之道,还是说文章,凡是用语言文字写成的文都包括在内,既有纯文学,又有杂文学。无论是审美的文学,还是实用的文学,都要写得美,这是古代文人撰文的共同追求。刘勰的《文心雕龙》就探讨文章如何写得美,所以,我以前曾把它称作中国古典的文章美学。它也探讨了审美文学,但更多涉及实用文学,把各种文体分门别类地展开论述。因此刘勰《文心雕龙》的最大贡献还在不同文体写作论,其中包括审美文学,但并不限此,而是全面论及不同文体如何写得美。

程相占研究中国古代文论的视野甚为广阔,并不停留在纯文学领域。他将中国原来的文论体统称为"杂文学文论范式",将受西方审美理论影响形成的文论称作"纯文学文论范式"。而中国古代言论如何向现代转化,在他看来,关键就是要研究这两种文论范式的特点及其"化约"的可能性,找出"化约"的"内在理路"。

为文之道，最难解决的矛盾，正如陆机《文赋》中所说"恒患意不称物，文不逮意。盖非知之难，能之难也"。

　　文不达意，这是一重矛盾，而意不称物，又是一重矛盾，如何解决文、意、物三者之间的矛盾，使之统一起来，这个"文心三角"让一切文章都要面对。中国古代哲学早有言意之辨，深切感受到言和意的矛盾，而庄子在《天道》篇中说："语之所贵者，意也，意有所随。意之所随者，不可以言传也。"在《秋水》篇中又说："可以言论者，物之粗也；可以意致者，物之精也；言之所不能论，意之所不能察之者，不期精粗焉。"庄子在这里已觉察到语言的局限性，言不能都尽意，意不能都称物。但人类还是在不懈努力，不断创造出新的语言尽可能表达自己的意，了解人生活的世界。《周易·系辞》受了庄子的启发，在言和意之间加了一个中介——象，充分发挥"象"的作用，使象能尽意。"书不尽言，言不尽意。然则圣人之意，其不可现乎？子曰：圣人立象以尽意，设卦以尽情伪。"魏晋时代王弼的《周易略例》中的《明象》特别阐明了象的独特贡献：立象以尽意，言不能尽意，有了象，就可尽意。"夫象者，出意者也。言者，明象者也。尽意莫若象，尽象莫若言。言生于象，故可寻言以观象，象生于意，故可寻象以观意。意以象尽，象以言著。"

　　受这种象论的启发，在魏晋以后，运用生动的语言唤起意象的审美文学就蓬勃发展起来。这种意象和卦象不同，只在于内心，是内心意象，可简称为心象。作为艺术的文学特别重视这种意象的经营，通过语言把这种内心意象表达出来，吸引人读。文艺美学既然要研究审美的文学，就不能不着力探讨这种意象的发生、发展规律，它区别于实用文学的审美结构、功能。这样，文心三角就转为言—象—意，象处在言、意的中介地位。

　　很有意思的是，因为心象成为文艺美学的重要研究对象，所以，相占干脆把文艺美学归入形而中学，我觉得很有见地，章学诚在《文史通义》中说："象之所包广矣，非徒《易》而已，六艺莫不兼之。……有天地自然之象，有人心营构之象。……人之营构，则情之变易为之也；情之变易，感于人世之接构而乘于阴阳倚伏为之也。是则人心营构之象,亦出天地自然之象也。"这人心营构之象,并非天地自然之象,而是内心意象,它是用来表达"意"或渗透着"意"的"象",所以称为意象最为贴切。但意象只存在于内心,要写成文章或用其他符号表达出来,才会形之于外。因此,象处在意和言的中介,文艺美学把对意象的研究放在重要地位,把它称为形而中学也未尝不可。古人一向以为,"形而上者谓之道,形而下者谓之器"。今人徐复观认为这中间还应加上一句:"形而中者谓之心",研究"心"的哲学应称之为形而中学。庞朴则更进一层,在《一分为三》一书中提到在形而上和形而下之间,"更有一个'形而中'者,它谓之'象'"。形而上学研究道,形而下学研究器,而研究心象之学可以称作形而中学。文艺美学要深入研究文学艺术创作中的意象经营。对艺术构思,确可把它归入形而中学。但需要有些补充,文艺美学对人心营构之象的研究,既不能脱离对天地自然之象(庄子认为,"天地有大美")的研究,又要研究意象经营如何和"器"结合(所谓"匠心独运"),审美的文章和实用的文章无论在意象经营和意匠经营方面,都有不同的特点和规律。

  人类生活于其中的那个世界只有一个,但每个人和世界的关系却是千差万别,各不相同的,因而每个人对世界的反映,也各有差别。人类除了要从实践上掌控世界,也要从精神上掌控世界,在历史实践中发展出三种最基本的反映世界的方式:一是认识世界,对主体以外的客体(世界上的人、物、事)或客体之间的关系获得知识。认识世界尽管也要发挥主观能动性,意志、感情、想象等都会参与其中,但调动主观能动性的目的还在认识那个外在对象,因而要力求客观。科学认识是这种认识方式的最高形式。二是评价世界,是在认识对象的基础上,评估这个客体对于主体究竟有什么价值。评价反映的是主体和客体的关系,客体对主体具有什么意义,决定主体对客体的态度。但主体可以是个体,也可以是群体,实用功利可以对个人,也可以对群体而说,政治评价则是评估客体对一定群体的价值,而道德评价的主体则是更大的群体。道德文章的特征,就是对客体(世界上的人、物、事)的道德价值进行评价。三是体验世界,在人与人、人与物的精神交往中获得精神体验。内心这种精神体验中,既包含对客体的认识和评价,又包含主体的态度,但已经融合在一起,物我两忘,主客不分。在精神体验中,审美体验更为精致、复杂,很难用抽象思维把握,更难用语言捕捉,因此,艺术文学只好借助于意象经营,把审美体验转化为艺术意象,营造艺术的意境,把审美体验曲折地表达出来,正是因为审美体验的特殊性,所以才需要用特殊的符号来表达,一般文章所用的是相占所称的"符象",而艺术文学乃是"艺象"——一种特殊的符象。

审美活动是人类特有的一种意向性活动,掌握世界的一种特殊方式。审美活动得以进行,既要有审美的主体,又要有审美的客体,审美客体和审美主体在审美活动中形成特殊的对象性关系。马克思在《1844年经济学—哲学手稿》说得好:"对象如何成为他的对象,这取决于对象的性质以及其相适应的本质力量的性质;因为正是这种关系的规定性造成了一种特殊的、现实的肯定方式。"美学,当然可以从审美对象这一客体入手进行研究,也可以从审美主体方面进行研究,但最终都要在审美主客体的相互关系中探得审美活动的奥秘。在审美活动中获得的审美体验是对象意识和自我意识的交融,熔主客体为一炉,它是艺术创造的灵魂。作家、艺术家如果没有对审美对象有真切的体验,只有清晰的认识或正确的评价,写出来的文章只是科学文章或道德文章,自有其科学价值或道德价值,但不是艺术作品,缺乏审美价值。只有对生活有了真切的体验,作家、艺术家才有可能进行艺术创造。因此,作家、艺术家如何由生活体验提升为审美体验,进而提炼艺术体验,将审美意象、意境符号化,创造出艺术形象(艺象),这是文艺美学要研究的重要课题。

历来的美学研究有的自上而下,有的自下而上,当代现象学美学则从分析精神现象本身着手切入,致力于研究审美现象本身。这种方法,正如盖格尔在《艺术的意味》中所说那样,"它恰好处在自上而下的美学方法和自下而上的美学方法之间"。西方马克思主义美学也意识到精神现象学对美学的启示,阿多诺在《美学理论》中指出:"现象学及其分支似乎命中注定就有助于一种新美学的详细论述,因为它们强烈反对自上而下的概念程序,也同样强烈地反对自下而上的方法。这确实是现代美学应有的样子。"中国古典美学不大在抽象思维上下功夫,不愿多做判断、推理、演绎,但十分注重对审美体验的分析,善于捕捉审美的直觉、感悟,以形象思维的方法品评艺术。这种方法很值得现代美学借鉴。程相占的这部《文心三角文艺美学》十分重视对中国古典文论的"还原",对原意做了深入钻研;但又不停留于此,进而做"生发",用现代视角对古典文论做现代阐释;更在"还原"、"生发"的基础上,对中国古典文论做了新的"建构"。

全书以言—象—意为构架,以心象为本体向道和言两个方向逐步展开,层层递进,最后进入艺术境界,为我们展示出艺术世界的奥妙。作者关注的是中国古代文心论向现代的转化,因此十分重视古代文心论和现代文艺美学的内在关联,不时用现代视角审视古代文论。语言和实在、意义的关系,也随着时代发生变化。詹姆逊就借用索绪尔的语言说:现实主义文学的语言主要是一种"参符",用来再现世界中的客观对象;而现代主义文学的语言,主要是一种"意符",用来表现作者的意义;发展到后现代文学,语言主要是一种"指符"了,只存于符号本身,以玩弄语言为乐,失去了意义和世界。书中虽然没有对此有更深入的展开,但抓住了文学发展的一个重要关节,很值得更进一步研究。

相占除了对中国古代文论有深入的掌握,还很熟悉古代哲学、古代文化,如果能把古代文论和古代文学的创作实践紧密地结合起来,我相信他会把研究更推进一层,取得更多成绩。

为《文心三角文艺美学》所作序
2002年秋,望海书斋

探秘古典诗意境

郭杰博士的《古代思想与诗的世界》一书即将出版,嘱我为序。我很高兴地答应了。

郭杰从小在徐州长大,还曾在上海教书。他在1987年去长春,在东北师大攻读博士学位,师从古典文学名家杨公骥教授。毕业后到吉林大学任教,担任著名诗人张松如(公木)教授的学术助手,从事中国诗歌史的研究。1998年,郭杰来深圳大学任教,我们得以相识。深圳是个移民城市,教师也来自五湖四海,若遇见个同乡,会倍感亲切。我从小在苏州、无锡长大,和他都是江苏人,应是大同乡。我和他的导师公木也相识。公木指导的首届研究生杨春时等人的毕业论文答辩,就请我和周来祥去长春参加。所以,一说起他的导师公木,交谈的话题就多了起来。

郭杰对中国古典文学的研究涉猎甚广,曾先后主编了十卷本《中国文学史话》、五卷本《文学大教室》。但钻研最深的还是先秦文学,对先秦诗歌史,尤其对周族史诗和屈原做过深入研究,出版了多种著作,被推选为中国屈原学会副会长。他刚入中年就已有这样的成就,实属不易。先秦文学的研究难度甚大,不仅当时的语言文字难懂,而且历史久远,资料难得。20世纪50年代初期,我在北大读书,教我们先秦文学史的乃是游国恩老先生,他德高望重,受人敬佩。后来,我师从五四老人杨晦研习中国文艺思想史,先生要我从《论语》《庄子》《诗经》《楚辞》等经典读起,并写出孔子文艺思想、庄子美学思想等读书笔记,我就深感研究先秦文学艰难。郭杰能知难而进,登堂入室,深得其中堂奥,真是难得。

近日,郭杰又撰成了《古代思想与诗的世界》,送来书稿,使我得以先睹为快。这部书共计15章，30万字。初读之后，给我留下一个突出的印象，视野比较开阔，理路比较深入。之所以这样说，当然不仅是指内容涉及的时间跨度之大，从先秦经魏晋，至于宋金；也不仅是指研讨范围之广，既有思想史的问题（如商周天命观念，以及孔孟、老庄等），又有社会史的问题（如春秋战国时代士阶层的类型分析），当然更多的还是文学史的问题（如《诗经》《楚辞》，以至于古典诗歌、小说等）。更重要的还在于，他试图从文学艺术、思想文化、社会历史的相互关联中，在精神现象的整体上把握有关问题，综合运用不同学科的研究方法，做出深入系统的分析论述。这种以文学为中心，又远远超越单纯文学学科范围的整体性学术眼光，也就是作者自己所强调的"在'历史—文化—艺术'三维视野中进行观察和思考"的态度和方法，确是富有创意的探索，而且在事实上也取得值得重视的收获。

全书贯穿着这样一个观点："诗歌是一种在特定社会历史环境和精神文化传统中形成的艺术形态。孤立的、纯而又纯的所谓文学是不存在的。因此，像'新批评'所倡导的那样完全进行封闭自足的文学内部研究，很难探究文学的实质和意义；同时，文学又毕竟具有语言艺术的本质特性，完全否认艺术审美特性，以所谓文化代替文学的研究也未必能够服人。"这个观点比较辩证。事实上，20世纪中后期以来，海内外的文学研究领域一直存在着主要应该立足于文学本位之上，还是主要应该拓展到文化全局之中的不同看法，从20世纪中期的"新批评"到20世纪后期的"新历史主义"，可以说走过了一个循环。其实，文学的研究和文化的研究并不是泾渭分明的，更不是水火不容的。相反，它们本来就各具内涵而又相互依存，犹如车之两轮、鸟之两翼，具有辩证统一的内在逻辑关系。

究竟应以什么观点研究文学？历来众说纷纭，歧见迭出，使人莫衷一是。文学是一种十分复杂的文化现象，随着历史的发展而不时变化，因而文学研究可以从不同的角度去进行，但最根本的方法还是要将"美学观点"和"历史观点"结合起来。恩格斯在高度评价德国作家歌德的文学功绩时，又指出了他的历史局限："我们绝不是从道德的、党派的观点责备歌德，只是从美学观点和历史观点来责备他。"在恩格斯的眼中，这是非常高的，甚至是最高的批评标准。他在批评当时的历史剧《济金根》时写道："我是从美学观点和历史观点，以非常高的，即最高的标准来衡量您的作品的。"

依我看来，文学研究的最大困难是美学观点和历史观点如何结合得好。只持美学观点或只持历史观点，文学研究就会走向片面。有些声称持"美学观点"的研究，只把目光停留在语言、符号的层面，以为审美只涉及艺术的形式，与内容无关。这是对文学审美的曲解。其实，艺术审美更重要的是在感受符号形式（语言的和非语言的）表现出来的审美体验，而审美体验，正如道德体验、宗教体验、政治体验等一样，都具有自己的历史意蕴，其意义是由历史赋予的。所以，从美学观点出发必须要深入历史内涵，同时用历史观点研究文学。而以"历史观点"考察文学，也必须深入到文学的独特内涵中去，剖析这种独特的文化现象所产生的独特历史和独特功能。在新世纪初兴起的文化研究中，有的并不是研究文学，而是把目光放在文学艺术这种独特文化现象的其他历史领域（政治、宗教、道德、哲学，甚至日常生活现象）中；偶尔涉及文学，也只仅仅是把文学作为例证，作为阐释社会学原理的材料而已。有些文化研究倒是把文学作为对象，对文学进行文化学的阐释，但目光停留在文学的文化意义层面，只探讨文学和其他文化现象的关系，并不触及文学审美意义（一种独特的文化意义）。审美的文学和实用的文学究竟有无区别，没有得到阐释。审美价值高的文学愈加需要从美学观点和历史观点的结合上着力，阐明这些文学的审美价值和历史价值。

文学可以是艺术（所谓纯文学），也可以不是艺术（所谓杂文学）。有的文学，功利性强（实用文学）；有的文学，功利性弱（审美文学、娱乐文学）；有的文学，艺术性高；有的文学，艺术性低。把什么看作是文学，对文学做何理解，这本身就是历史的产物。而对历史上错综复杂的文学现象，郭杰力倡把文学放在"历史—文化—艺术"这个系统中研究,这不仅要考察文学和社会历史的依存关系,还要考察文学和其他文化现象的相互关系,更要考察文学和其他艺术的互动关系,这将有助于推动文学研究向美学观点和历史观点更好结合的方向前进。

为《古代思想与诗的世界》所作序
2008年初春,望海书斋

重释古典为创新

中国古典文艺学、美学博大精深,很早就引起了我的兴趣。20世纪50年代,我在北大读书的时候,曾在杨晦、宗白华、罗根泽等先生的指点下较为系统地学习过中国古典文艺学、美学。特别是在跟随杨晦先生做副博士研究生时,我从庄子、孔子的著作开始,一路读下去,用3年的时光,倾注过全力。我曾沉浸在古人对情景交融、形神兼备、虚实相生、动静结合、刚柔相济、意象融洽、气韵生动、文质彬彬、意境深远的美妙阐释上,积累了许多文艺学、美学的资料,对后来进行文艺美学研究很有帮助。后来,我的主要精力转到文艺美学的研究上,致力于这一门学科的建设。虽然未能专治此道,但久久不能忘情,还时时将我的点滴感性写成文章,聊以慰藉我内心的渴望。我在治文艺美学的同时,也关注着中国古典文艺学、美学研究的发展,希望它能够为文艺美学的建设发挥出最大的作用。我也要求我的学生们能够更多地学习、研究中国古典文艺学、美学,拓宽自己的学术视野,为文艺美学研究的深化做出自己的贡献。

中国古典文艺学、美学是自成体系的,有一套独特的范畴,具有鲜明的民族特色。目前,对中国古典文艺学、美学史的研究已经达到一定的水平,出版过很多高质量的专著。先有郭绍虞的《中国文学批评史》,后有罗根泽的《中国文学批评史》和朱东润的《中国文学批评史大纲》,以及诸多的文学理论史和美学史著作,特别是王运熙、顾易生主编的七卷本《中国文学批评通史》的出版,标志着文学批评史的完善,而对中国古典文艺学、美学范畴的研究著作相对较为薄弱。虽然早在20世纪40年代,朱自清先生就已经写出了《诗言志辨》,开始了中国古典文艺学、美学的范畴研究,但这种研究并没有持续下去。改革开放以来,我的师辈学者徐中玉先生对此下了功夫,王运熙、黄霖、王涌豪等先生也曾花过心力。我也认为中国古典文艺学、美学确应从体系、范畴、方法三个方面做全面深入的研究，而范畴研究尤为重要，对"现代转换"关系最大。所以，在20世纪80年代初，我曾带着我的首届文艺美学研究生王一川、陈伟、丁涛（后又有王岳川加入）编过三卷《中国古典美学丛编》，在中华书局出版，基本上按范畴来分类。我招收文艺美学博士生后，一直想有人专治中国古典文艺美学，能把古典范畴的研究深入下去。中国古典文艺学、美学是由众多范畴组成的，每一个范畴之间并非壁垒森严，而是相互包容、相互交叉的，因此，每一个范畴都涉及一个潜在的文艺学、美学的系统。范畴又是中国古典文艺学、美学的基本理论内核。理清中国古典文艺学、美学的基本范畴，掌握它的完整体系，已经成为文艺学、美学密切关注的重要研究课题。当然，这也是一个艰难的课题。这一课题的深化有待广大同仁集思广益，共同努力。

我欣喜地看到我的博士生能从事中国古典文艺学、美学范畴的深入研究，写出了高质量的博士论文。李健的博士学位论文《比兴思维研究——对中国古代一种艺术思维方式的美学考察》是一篇典型的范畴研究著作，这篇20多万字的论文显示了他作为一位年轻学者的锐气。比、兴在古代是两个概念和修辞手段，或将它们视为两种教诗的方法，或将它们视为两种形象思维的方式，可是诸种解说都难以真正服人。"比"和"兴"到底是什么，现在已很难把它们的意义讲清楚。讲不清它们的意义正说明它们具有无比丰富的内涵，是一个真正的、有价值的问题。李健准确地看到了这一点。他意识到"比"和"兴"在古今的解释之所以如此纷杂，是因为它们具有复杂的意义结构，二者之间的意义相近。今天，应从整体认识比兴，摆脱传统的狭隘的观念。因此，他提出了比兴思维这一概念并给它一个具有实际意义的定义，认为比兴思维"是一种受某一（类）事物的启发或借助于某一（类）事物，综合运用联想、想象、象征、隐喻等手法，表现另一（类）事物的美的形象、展示其美的内涵的艺术思维方式"。他的理由很简单：在古代，人们已经将"比"和"兴"连在一起称为"比兴"，用来分析文学创作或评价文学作品，至迟从刘勰开始已经这样做了；

而且在具体运用的过程中，往往不辨"比"与"兴"的差异，或者从根本上着意模糊"比"与"兴"的差异。这说明，"比兴"已是一种具有民族特色的艺术思维方式，"比"与"兴"之间是难以分开的。选择这个问题做博士学位论文具有一定的冒险性，也具有一定的挑战性。但李健最终还是把它作为自己的博士学位论文，可以看出他的学术胆识。从他所研究的成果看，他将比兴作为一种整体的艺术思维方式加以对待并深入探讨，又不忽视"比"与"兴"各自的意义，写出了新意。正像答辩委员会的学位评议书所说："作者在吸收前人研究成果的基础上，将比兴作为艺术思维研究，具有新意，并有新的突破，将比兴研究提高到一个新水平，有助于中国古代文艺思想的开拓和发展。"

李健具有扎实的古文功底，熟悉中国古典文学和古代文化，对古代的文艺学、美学材料能够驾轻就熟，特别是在材料的辨析上显示了他精和准的能力。同时，李健又较为熟悉西方文艺学、美学，花了不少功夫，研读了西方大量的文艺学、美学著作，并且注意合理的吸纳。这就扩大了他的学术视野。在我看来，他的博士论文有以下几个方面的特点：第一，论文虽然涉及一个古典文艺学、美学的论题，但并没有局限于古典，更没有局限于中国，而是将比兴放置到整个世界文艺学、美学的大背景中，中西互释。这个难度是很大的，做不好可能又会掉进传统阐释的圈套之中。李健较好地处理了这一环节，在讨论比兴思维的思维特征时，他就运用西方的文艺学、美学观念（诸如想象、象征、隐喻、灵感等）阐释比兴思维，认为它们和比兴思维有某种对应关系。这是他的范畴研究和传统的范畴研究的区别所在。依我看，这应是今天的中国古典文艺学、美学研究的一种较好的途径。缺少这一途径，中国古典文艺学、美学的研究很难深入下去。中西互释，意图不在找出它们之间的优劣和异同，而在于运用它们的相似之处，体察中西文艺学、美学的相通的文化。当今的文艺学、美学研究必须要有西方视野，从西方的文艺学、美学研究中或得到某种启迪，或获取某种方法，对推动我们的古典文艺学、美学研究会产生积极的作用。第二，论文始终坚持文艺学、美学话语中国化的立场，不生搬硬套西方的文艺学、美学话语，特别是西方现代的哲学美学话语，给人以真切朴实的印象。

李健虽然注意吸收西方的文艺学、美学观念，但是并不以运用西方的概念为时髦，而将西方一些艰深的理论表述转化为明白和朴实的语言，这种作风是值得赞赏的。正如答辩委员会的学术评语所说："论文没有'地方理论中国化'的痕迹，始终坚持以中国文艺学的传统话语'比兴'为核心，以中国文学实践为基本材料，在适度时空中建构关于'比兴'思维的理论，体现出中国学术特色。"正是这一态度决定了他能够提出一些新颖的学术观点，在比兴的范畴研究上做出了贡献。第三，论文将研究的视角从古典延伸到现代，考察了比兴思维的现代意义以及它在建设有中国特色的文艺学、美学体系中的重要性，具有很强的时代感。中国古典文艺学、美学的现代运用是当今文艺学、美学研究者极为关注的问题，如何对待传统的遗产，使之具有现代性，学人们正在进行艰难的探索，提出了许多具有价值的理论观点。多数学者主张应该充分发掘古典的文艺学、美学理论，将之进行"现代转换"，为建设具有中国特色的文艺学、美学体系服务。在这一方面，李健的研究无疑具有启发意义。在这篇论文中，他对这一问题的探索可能简单了一点，给人意犹未尽的感觉，这是论题限制了他，不可能花去大量的篇幅深入讨论，但他毕竟具有了这方面的强烈的意识。我相信，他在今后的学术研究中，会将这种意识强化下去。当然，任何研究都不可能是完美的，李健的博士论文可能还存在着不少缺点，欢迎善意的批评和讨论。

　　李健勤奋好学，敏于思考，对学术认真负责。他的博士论文将要付梓，我感到非常高兴。这只是他漫漫学术研究征途的一个足迹，但愿能鼓励他更上一层楼，为文艺美学的研究多出精品成果。

为《比兴思维研究》而作
2003年春日于望海书斋

中华民族好精神

这场突然降临的灾难，使汶川人民遭受了莫大的损失。如何面对这场灾难，是对中华民族的严峻挑战和考验。面对飞来横祸，广大人民高扬伟大的民族精神，临危不惧，团结战斗，涌现出无数英勇事迹，可歌可泣，令人起敬，为之动容。

抗击战斗正在全面展开和深入发展。要取得彻底的胜利，只有继续高扬伟大的民族精神，把人文精神和科学精神密切结合，上下齐心，奋勇前进。

同心同德　团结奉献

中华文明源远流长，连绵不绝，历经五千年从未中辍，世界少见。人类历史上曾出现过26个文明形态，但很多有过中断，有的为别族融化，甚至被消解。至今犹存的几种古老文明中，埃及文明曾因亚历山大帝国的占领而希腊化，继而又被恺撒帝国占领而罗马化，而又因阿拉伯人移入而伊斯兰化。古老的印度文化，曾因雅利安人入侵而雅利安化。希腊、罗马的文明也曾因日耳曼人入侵而中绝，沉睡了千年，文艺复兴时期才又发扬光大。只有中华文明从未中断，显示出强大的生命力。英国历史学家汤因比曾对日本人池田大作说道："就中国人来说，几千年来，比世界任何民族都成功地把几亿民众，从政治、文化上团结起来，他们显示出这种在政治、文化上统一的本领，具有无与伦比的成功经验。"成功的原因当然很多，"书同文，车同轨"起很大作用，但高扬民族精神，作用更为深远。

中国民族涵盖了众多民族，要使众多民族团结成一个大家庭，需要有博大的精神作为精神纽带、内在动力。中国民族的伟大精神，正是民族之魂,具有强大的民族凝聚力,激励历代人民不断前进。平时,形散神不散,但生生不息,连绵不绝;一旦大难临头,则民族精神高涨,成为精神火炬,引领大家战胜灾难。中华民族在民族精神的火炬照耀下,一方有难,八方共助,同舟共济,众志成城。所以,古训有云:多难兴邦,这不是故作惊人之语。但灾难既然来了就要高扬民族精神,战而胜之。同心同德,团结奉献,在这次抗击战斗中表现出来的深圳精神,就是民族精神的新表现,值得大书特书。

沉着应对　韧性战斗

面对这场灾难,既不能掉以轻心,又不能惊慌失措,而应沉着应对,做韧性战斗。

这就要冷静分析,科学理性。要运用我们的智慧,不能忙乱。鲁迅倡导韧性战斗,是因为他对中国的实情有过深入的思索,甚至对国民性有过犀利的解剖,知道改造国民性的艰巨性。从这次抗击战中,我们可以看到科学研究、科学管理、科学决策是多么重要。要做韧性战斗,就必须依靠科学。我们要边战边建,加快信息化、知识化的建设,建立应对机制,使上情下达,下情上达,内外沟通,集思广益。情况明了,还要有预见。预则立,不预则废,要有超前意识、预防措施,才不致措手不及,才能立于不败之地。

因势利导　励精图治

面对这场灾难,全民都在关注抗击战斗,尽心尽力。如何因势利导,把伟大的民族精神继承、发扬,贯彻到治国兴邦中去,吸引大家关心公益事业,共造公共空间,把广大人民的社会主义现代化建设的积极性充分发挥出来,深深引起我们的一些理性反思。若因势利导,坏事也能变成好事,比如,北京的学校停课了,学生不能上学,相关部门就加速发展电视、网络的教学建设。深圳的海关也在加速信息化,加紧现代测试手段的建设。举一反三,能不能通过这次抗击战斗,提高认识，加快我们的改革步伐？比如，社区的医疗、安全网络、城中村的改造，臭水河的治理，都急需予以高度关注。南山脚下成片荔林被砍却无法制止，滨海大道地下涵洞一再被垃圾填塞，究竟问题何在？衷心盼望通过此次抗击战斗，因势利导，励精图治。

弘扬优秀文化传统

国学热正在当前兴起,值得我们高兴,正可以此为契机,推进传统文化的研究,再推进面向现实的文化研究,这将有助于中华民族的振兴,推动中国优秀文化走向世界。

彰显人文精神

文化即人化,这已成学界共识。确实,文化乃人对自然人化的结果,是人化的产物。但这只是文化的一个方面。另一方面,也许是更重要的:文化乃人自身发展的必需,人要以"文"来化人,用"文"来提升人自己,使人向自我完善的方向发展,自强不息,趋于完善。人化和化人,相互促进,"人文化成"形成人文世界。

人文精神和科学精神都是社会发展之必需,社会是由人的活动和关系构成的,人类之所以要建构社会,就是为了人自己的生存、发展和完善。因此,社会要以人为本,人文精神为社会做导向。但是人类要发展,又离不开物,不仅需要利用自然物,而且需要生产出人工物供自己生活。人不仅仅是为了活着,而且要好好地活,必须实事求是,按照科学规律办事。我们要建设和谐社会,也是我们的目的,可我们如何处理人与自然的关系、人和人的关系、人自身的内部关系,不仅需要以人为本,而且要发挥科学精神。和谐社会是目的,而科学发展则是通向和谐社会的途径。所以,我们这个时代比任何时代更需要人文精神和科学精神。

为了实现现代化,我们这个发展中国家向西方发达国家吸取了先进文化,从物质文化和制度文化中获益良多。如今,中国虽还处于初级现代化阶段,离发达国家的高级现代化尚远,但已成为世界的经济强国和世界工厂，目前急需加快精神文化的建设步伐，以精神文化之力推动民族的复兴，使精神文化成为国家发展的动力。所以，在当前就更需彰显人文精神，带动和促进国家科学地发展，迈向和谐社会。

人文精神从哪里来？深深植根于世界各民族文化的深层精神结构之中，人文精神是民族经济之魂，我们要重构当代的精神文明，当然要取得民族精神文明之长，但最直接和最急切的，还是要从我们自己的历史传统中挖掘和发扬中华民族的人文精神，这是我们的民族之魂。如果说，在建设物质文化和制度文化时重视吸取了发达国家的科学精神，那么在建设精神文化的如今，在继续吸取发达国家的精神文明之时，更需要特别重视中华民族自己的历史传承，彰显中华民族的人文精神。

依我看来，当前出现的"国学热"正好适应了时代的这种需要，反映出我们这个社会还是渴望要多了解中华民族的文化传统。为什么我们不能以"国学热"为契机，以"国学热"为突破口，引导大家都来重视民族的传统文化？我们的关注也可由"国学热"开始，由点到面，由国学扩展到传统文化的更广领域。

吸取国学精华

无疑，国学乃我国传统文化中十分重要的部分。什么是国学？在20世纪90年代，北京学者编了一套《国学丛书》，国学大师张岱年在总序的开头说："国学是中国学术的简称。"国学就是中国学术，《辞海》中也是这样论定的，只是这中国并非当今中国，而是古代中国。这样，所谓国学就是中国既往的学术。称为国故学也许更为精当。国学者，研究国故之学也。其实，西方国家也有自己的国学，专门研究自己国家的国故，日本也有自己的国学，反而是日本学者劝中国学者要珍视中国自己的国学。清代桐城名士吴汝纶到日本去考察教育，回来后写了《东游杂记》，一些日本学者对他说："中国的教育，无论如何都不要丢掉你们的经史子集。"这经、史、子、集，指中国古代的典籍，都属国故。

但国故的范围甚为广阔,并不限于学术一隅。日本学者劝我们不要丢弃的有圣贤之书、论道之书,还有不少是谈诗说文、生活杂谈之书,无所不有,广涉文学艺术、宗教伦理、风俗习惯、生活方式等各个领域。所以,只说国故并非学术,而是广及整个传统文化。但对国故的梳理、阐释及研究都是研究国故的学问。我国在20世纪初期曾出现过声势颇大的"整理国故"运动(提出于1919年,极盛于1923年至1927年)。章太炎的《国故论衡》是当时的重要论著,先是章太炎和梁启超在日本提出想办《国学报》,后来办了个《国粹学报》,鲁迅赞之为"谈学术而兼涉革命"。到了1919年,为了发起"整理国故"运动,刘师培等还成立了国故社,创办了《国故》月刊。胡适之为推进整理国故运动,还提出了一套方法,1923年在《国学季刊》的发刊宣言中倡导用科学方法整理国故:一是历史的眼光,二是系统地整理,三是比较地研究。顾颉刚在总结30年的"整理国故"思潮时说道:"整理国故的呼声倡始于太炎先生,而上轨道的进行则发轫于适之先生的具体的计划。"正是在"用科学方法整理国故"这一原则的指导下,中国在20世纪的三四十年代,对于中国传统文化的研究成为当时学术界的一个重要潮流,出现了丰硕的研究成果,今天如要重研国故,容不得我们稍有忽视。

可惜,这种重视却受到冲击而发生了断裂。我作为新中国第一代成长起来的学者,亲身经历了这个文化断裂,深切体验到由这种缺失引起的惆怅。

我的老家在苏州,因父亲是教书先生,行走于太湖之滨,所以我出生在无锡梅村。这里和国学大师钱穆的家乡荡口相毗邻,周边远近都崇敬这位学者。我的小学老师陈友梅曾与钱穆几度同事,在好几处学校教过书,不时在我面前讲起钱穆如何为人治学,使我肃然起敬,暗暗产生一种理念,将来也想做一个做学问之人。那时,正是20世纪40年代,普通百姓对做学问,特别是研究国学之人都充溢着一种敬仰之情。后来,又逐渐读了朱光潜的一些美学著作,对他的诗学特别感兴趣,敬佩他能把古诗解析得那么好,真正引人入胜,乐趣无穷。1952年我考入北京大学中文系,目标很明确,就想研究文艺学(包括诗学在内），走朱先生研究诗学的路子。到北大后又发现，与之相交往的老一辈美学家朱光潜、宗白华、蔡仪、王朝闻都博古通今、学贯中西，所以，大学几年主攻的还是中国古典文学，以补自己的不足。所幸，上个世纪50年代的前期，尽管在文艺理论领域推崇苏联专家毕达可夫开设的文艺学引论课程，但中国文学史仍然是北大中文系的主导课程，著名学者游国恩、林庚、浦江清、吴组缃、冯钟芸、季镇淮、王瑶、吴小如都在开设中国文学史，开古代汉语课程的王力，也都在彰显中华民族的传统文化。这些老师都是在"整理国故"运动中成长起来的，我的导师杨晦开讲文学概论，也是大谈中国古典文学和古典文论。我去听苏联专家的课，他就告诫我：专家说的都是西方的东西，不懂得中国的东西。文艺理论还是要研究中华民族自己的文学艺术。1956年，杨晦受命首次招收文艺学副博士研究生，我还未入学，他就明确要我跟他研究中国古代文艺思想史。这样，我有近三年时间，两耳不闻窗外事，一心只读圣贤书，从《论语》《庄子》《易经》等一本书一本书读起，再读《文心雕龙》等谈为文之道的专著，徐徐走向传统文化的堂奥。当时，专攻中国文艺理论批评史的罗根泽从南京来访，邀我和吴小如参与他和郭绍虞主编的大型丛书《中国古典文学理论批评专著选辑》的一些编审工作，为整理传统文化做些贡献。

但1958年发生了转折。学术界猛批"厚古薄今"之风，矛头指向中华民族的传统文化，文化断裂从此开始，发展到"文化大革命"，更是登峰造极。1958年秋，周扬亲自带了邵荃麟、何其芳、林默涵等到北大来，主动提出要为北大师生开设建立中国马克思主义文艺学、美学的课程，我被北大副校长魏建功任命为此课程的助教，协助周扬主持课程。周扬自己带头讲了两讲，还在沙滩北街他家里，有过数次长谈，说古代的学术要搞，但要古为今用，关注点还是要面向现实，理论要能解决当下实践中出现的问题。于是，我的学术道路逐渐转向，尽管也还在探索中国古典作品为何至今还有艺术魅力这样的问题，但更多的精力都转移到现实主义和浪漫主义相结合、理想和现实辩证统一等现实问题。到了"文化大革命"，更是无法做学术研究，唯一可做的就是评《红楼梦》。为了要弄清楚为什么《红楼梦》是中国最好的一部小说，倒是乘机把北大图书馆的清代线装小说都浏览了一下，但对中华民族传统文化的关注，也到此为止。从25岁到45岁这20年光景，我的学术岁月也是虚度了，一叹！

　　幸而，从1978年起，我开始大量阅读台湾学者对传统文化的研究著作，发现从大陆转移到台湾的许多学者对古代文学艺术的研究，仍然保存传统的民族特色，朱光潜、宗白华等富有民族特色的美学、文艺学研究反而在台湾延续着。受台湾学者王梦鸥《文艺美学》一书的启发，我把研究范围从文学扩展到其他艺术，1980年开始讲授文艺美学，并在1981年开始在北大招收文艺美学硕士生，目的就是倡导我们的文艺学建设，要接续和发扬自己的民族文化传统。我培养研究生尽早尽快地熟悉中国文化传统，编写或阅读《中国古典美学丛编》《中国古典文艺学丛编》，从熟悉中国传统文论、艺论着手，再研究现实。近年，我和我的博士生李健教授还合著了一本《中国古典文艺学》，回归中华民族文化传统。

　　国学热能唤起国人对中华民族文化传统的关注。易中天讲三国，于丹讲《论语》，向国人普及传统文化，应该热情支持。国学热也应该促进我们对传统文化做全面、深入的研究。研究和传播，提高和普及应该可以相辅相成，中天、于丹吸收了前人大量的研究成果又发挥自己阐释之长。所以，我们应借国学热之风，推进传统文化研究。学术需要争论，在相互论辩中前行。孔子究竟是圣贤还是丧家狗，并非绝对势不两立，问题在于如何理解。孔子自成学说，有自己的精神家园，否定他是圣贤，不符合事实；但孔子的学说得不到当时统治者的理解和支持，他一辈子未找到适居家园，就像丧家狗一样到处奔走呼号，是个悲剧。对理想社会的追求是美好的，但在现实生活中连安身立命之地也没有找到，实在可悲可叹！更显示出孔子对美好理想的执着，可尊可敬！对传统文化的研究如何表达，却要视所传达的对象为谁而定，有的面向同行学者，有的面向行外大众，不求一律。我最敬服陶行知的话：深入浅出是通俗，浅入浅出是庸俗；深入深出犹可恕，浅入深出最可恶。

面向现实问题

　　珍视中华传统文化,并不是要引导今人走向守旧复古,更不是要陷入狭隘的民族主义,而是为了发展和建设当代的中华文化。这就需要我们不仅研究传统文化,也要研究海外文化,更要研究当下的文化。文化研究涵盖古今中外,传统文化研究只是其中之一。

　　我们珍视自己的传统文化研究,却也不能忽视西方的文化研究成果。中西的文化研究各有长短,如何扬长避短,优势互补,以推进我们当下的文化研究,值得深思。

　　我们的传统国学,文史哲不分,儒道佛互补,重在整体阐释,较少细分解析。儒家重在处理人与人的关系,道家重在处理人与自然的关系,而佛家重在处理人内心自身的关系,但都在共同寻求关系和谐。不仅人文精神贯穿在文史哲之中,科学精神和人文精神也密切结合,礼、乐、射、御、书、数兼修是古代教育的传统。直至当今,科学家钱学森一再呼吁,科学家必须关注艺术,科学与艺术要打通。西方的文化研究更注重分门别类,条分缕析,刨根问底,追本溯源,更讲究方法的科学。我们当下的文化研究,亟需吸取两者之长,在更高层次的综合中提升研究水平。

　　西方的文化研究发展到上个世纪60年代末、70年代初,欧美掀起了文化理论运动,新历史主义、新女性主义、后殖民主义、后结构主义、后现代主义等文化理论纷纷涌现,轰轰烈烈了20年,被称为"理论时代"。大约在90年代初,文化研究的这些理论才传入中国内地学界。但在新世纪之初,不少西方学者已宣告"理论时代的终结",进入"后理论时代"。《后理论:批评的新方向》(1999)、《理论还剩了什么?》(2000)、《生活:理论之后》(2003)、《理论的未来》(2002)、《理论之后的解读》(2002)等都开始探索文化研究的新方向。著名文化学者伊格尔顿也推出了新著《理论之后》(2003),对20多年的文化理论运动做了反思,有一个共识,那就是"理论时代"奢谈"主义"的多,而真正潜心研究"问题"的少。而且,这些文化理论视野停留在种族、阶级、权力、身份、性别等领域,泛泛宣扬各种主义,没能深入到社会生活更深处,挖掘各种复杂的问题,寻求解决方法。后理论时代应该少谈"主义",多研究"问题",深入到更广的社会领域,政治问题、生态问题、艺术问题等都应触及。

看来,西方的文化研究正在面向现实发展,从"主义"向"问题"纵深发展,也很值得我们的文化研究来借鉴。我们的文化研究,应有广阔的世界视野,还要解决中国当下的现实问题。

在广东省中国文学学会2007年年会的主题报告
2007年夏,望海书斋

国学：传统之学

何为国学？国学者，我国传统之学也。

我马上得说明，这是我对国学的理解，需要做进一层的阐释。历来对国学的理解并不一样，真可说众说纷纭。就是国学大师，见解也各异。章太炎称国学为一国固有之学，吴宓则把中国学术的整体称为国学。钱穆更把国学的范围予以扩展，凡研究中国传统文化的，都是国学，并把中国传统文化概括为三大领域：人统、事统和学统。

我们所说的国学应是我国固有之学，不包括别国固有之学。别的国家，印度、埃及、希腊等许多文明古国都有自己的固有之学，当然不是我们的国学。国学是一种学问，乃中国传统文化的一个组成部分，却不等于传统文化的整体，只是传统文化中的学术文化。

国学作为我国传统之学，虽然只是我国传统学术文化中的一个部分，但研究的对象却广及整个传统文化领域。所以，按研究范围而言，国学这个我国的传统之学乃是研究我国传统文化之学。

但传统文化又有广狭之别。文化原本是相对自然而言的。未经人化的是自然，而文化是人类创造的，文化即人化。按梁漱溟的见解，文化有物质文化、社会文化和精神文化的不同层次，是广义的文化。如今我们常说的经济、政治、文化主要就是精神文化，乃狭义的文化。国学这个我国固有之学，考察的并不限于精神文化，而是广及物质文化、社会文化，但重心还是精神文化。

国学兴起于清末民国初期，原是相对西学来说的。当西方文化纷纷袭来，新式教育兴起之时，西学开始占领讲堂，国学有走向覆灭之势。此时，就已有人呼吁"保存国学"开展国学研究。"冀一线之延，为将来发达之种子，庶几有光大之一日也。"（董清骏，1908）更早些的1905年，章太炎、刘师培、黄节等就在上海成立了"国学保存会"，并且出版了《国粹导报》。章太炎所著的《国学概论》是一部深入浅出又全面系统论述国学的入门书，享誉海内外，至今已印过40多版。五四时代，北京大学创办了《国学季刊》，清华大学开办了国学研究院，编刊《国学论丛》。竭力倡导新文化的胡适，也很重视国学，提出"以科学方法整理国故"。他在《国学季刊》的发刊词中，把"国学"定义为"研究中国过去历史文化的学问"。那时，钱穆在无锡师范教书，已写出了《国学概论》，胡适就把这位没有进过大学的自学成才的学者，请到北京大学教国学。

伴随着新文化运动的国学运动起始于20世纪初期，兴盛于二三十年代，到40年代已近尾声，发展了半个世纪。我生也晚，1933年才来到这个世上，没有赶上国学的最兴盛期，但也亲身体验到了国学发展的余波。上学之初，进的是私塾，受国学的启蒙，要背《三字经》《百家姓》《千字文》和《弟子规》。上初小时，却在苏州城里读了3年多的美国教会学校，受的是"西洋"教育。等我上高小时，进的是无锡的梅村高小，又受到国学的熏陶。梅村高小成立之初，曾请钱穆和他的兄长钱挚（钱伟长的父亲）来教书。钱穆教的是国文，后来他的师弟陈友梅接着教，所以这个学校仍承续着国学传统。所以，我从小就知晓，要热爱新文化，吸收"西洋"的先进文化，也要爱护自己的传统文化，国文、国乐、国画、国剧、国术等都要懂得。既不要固步自封，也不要妄自菲薄。

2014年2月26日

国学教育人文始

国学研究要有新拓展,水平要提高,但对全社会来说,国学教育在目前亟需做的,还是要在普及上多下功夫。

改革开放虽然促进了国学在国内的复兴和海外国学的发展,但国学在全社会的普及度还远远不够。西学铺天盖地席卷而来,成为强势文化,而国学的复兴尚在开始,难度不小,还属弱势文化。才从贫困阶段挣扎而出刚够温饱的人家,还在为子女的就业发愁,还顾不上问津国学。先富起来的那些富家子弟大多去海外接受西洋教育了,与国学无缘。只有那些还想在国内有所发展的中等人家,深受应试教育之苦后,还想子弟受些国学教育。

我欣喜地看到,30多年前喊出"时间就是金钱,效率就是生命"的深圳,如今正在掀起国学普及热。北京大学、清华大学、中国人民大学等高校的国学研究院,纷纷到深圳来开办国学研讨班;一些企业拿出钱免费为市民办国学讲座;面向青少年的各种国学夏令营、读经训学班也如雨后春笋拔地而起。在此基础上,深圳还出现了"中华国学教育联盟",进一步推进国学教育的普及。

国学要普及,关键是要对国学做出新的阐释,让社会认识到国学复兴对中华民族伟大复兴和中华文化走向世界的价值和意义还要从阐释人文精神开始。国学的精义何在?天、地、人、心、和,温、良、恭、俭、让等等,都是国学的精义所在。

仁、义、礼、智、信也是灌注在国学中的人文价值理念,是中华民族的核心价值观,中国人应有的人格精神。深圳人紧紧抓住了这个国学精髓,历经7年的打造,为世人贡献了富有中国特色的大型交响诗乐《人文颂》,以西方音乐的形式阐释了仁、义、礼、智、信的精神,丰富了中国梦。2013年的国际和平日,应联合国教科文组织总部之邀在巴黎上演，获得了国际好评。教科文组织总干事称《人文颂》为"人文主义新的力量"。围绕着"仁、义、礼、智、信"这个主题，深圳还在全市精制了4000多幅经典名言的公益广告牌，向全体市民普及，成为深圳一道新的风景线。中国传统文化博大精深，可供阐释的还有很多，如"温、良、恭、俭、让"等。

  对国学做阐释，务必要深入而浅出。前人为我们提供了不少成功的经验，20世纪30年代，叶圣陶编纂、丰子恺配图的一套《开明国语课本》12册，深入浅出，图文并茂，广受赞誉，深入人心，值得国学教育借鉴。

  国内已有不少有识之士正在陆续投身国学的普及工作。深圳的前景国学研究院不久前编选出一套《国学经典诵读丛书》，共12种，由中州古籍出版社出版，这是普及国学的大好事。我希望对这些可供诵读的国学经典做出深入浅出的阐释，甚至，可创编出新的国学教材。国学精义经过深入浅出地阐释，会使人终生难忘。少时，我在具有国学传统的梅村高小读书，选进教材中的诸多历史故事，如文天祥愤作《正气歌》、孔融让梨、周处为宜兴百姓除害等内容，至今犹历历在目。最令我难忘的还是那篇《聪明的司马光》，通篇渗透了浓烈的"智、仁、勇"的人文精神。我还是忍不住把它录下：

    花园里，假山旁，许多孩子捉迷藏。
    忽然间，不提防，一个跃进大水缸。
    跳不起，爬不上，大家顿时惊得慌。
    逃的逃，嚷的嚷，一点没有办法想。
    好孩子，司马光，人又聪明胆又壮。
    只见他，急忙忙，搬起石头就敲缸。
    一阵敲，一阵响，水缸敲破开小窗。
    满缸水，窗外放，救出朋友没受伤。

2014年3月3日

国学复兴为创新

国学为何？在当下，复兴国学并非为了复古，而是重新唤起对我国传统文化的重视，然后取其精华，祛其糟粕，予以创新，为建设自成特色的中华文化做出独特的贡献，最终实现中华民族的伟大复兴。

我对国学使命的这种理解，乃基于对国学历史发展的反思，寄寓了对国学今后发展的期待和希望。

清末民初之所以倡导国学，乃是为了防止国家不要完全被西化，虽然处于被动的防御地位，却也表现出中国人的文化自觉。清末张之洞，一方面积极倡导洋务运动，另一方面竭力保护传统文化，重视传统教育，所谓"保国、保种、保教，合为一心，是谓同心。保种必先保教，保教必先保国"。梁启超一方面出洋考察，钻研西学，向西方学习，另一方面又不时提醒国人，必须"保存本国固有之精神"。颇可令人自省的是，清华大学国学研究院的那几位导师，都曾钻研过西学，梁启超、王国维自不必说，陈寅恪、赵元任都曾在"西洋"留过学。吴宓还精通英国文化。但大家都关注中西文化的比较，意识到中国传统文化中自有其"国粹"。传统文化中的精粹不能丢弃，必须保存和发扬。"国粹者，一国精神所寄也。其谓学，本之历史，因乎政俗，齐乎人心之所同，而实为立国之根本源泉也。"《国粹学刊》上的这种见解，在当时颇具代表性，广为大家接受。黄节甚至把"国粹"进一步扩展："在我国之所有适宜者焉，固国粹也。取外国之宜于我国而吾师以行焉者，亦国粹也。"洋为中用，无论西洋还是东洋文化，为我吸收，也成了中国文化的组成部分，亦成国粹。当然，也有人把中国传统文化贬得一无是处，中国文化只是渣滓，没有任何精粹。《好古》（1905）一文这样说道："数千年老大帝国之国粹，犹数百年陈尸枯骨之骨髓，虽欲保存，无奈其臭味污秽，令人掩鼻作呕何？"把中国传统文化一笔否定了。但中国传统文化既不全是精华，也不全是糟粕，国学的使命不仅在于确证事实，弄清中国传统文化究竟是什么样子，有些什么东西，更重要的是辨析精华和糟粕，做出价值判断，给予价值评价，适应时代需要。

如何处理好国学和西学的关系，一直困扰着学者文人，参与中央研究院建设的傅斯年就觉得国学的研究范围太宽泛，因而不主张"大兴国学"，要把国学分解为不同学科，对中国传统文化做分门别类的研究。这就要参照西学的学科门类，分别为史学、哲学、政治学、经济学、社会学等，不需要综合的、笼统的国学。于是，从1922年始，我国的研究院、高等学校逐渐走向学科分类的道路，发展到新中国成立，基本上实现了按西学来建立学科分类的教育体制。我在年少时还感受到了国学运动的余波，到我19岁进入北京大学读中文系时已没有人再开设国学课程。从1953年始，本想钻研中国现代美学，这本是新文化运动兴起以来吸纳了中国传统文化的中外交流的产物，但1954年就来了苏联专家，北大又按苏联模式改造学科，更没有国学的立足之地了。发展到"文化大革命"，在群众破"四旧"的运动中，古籍被毁，更何谈国学。当代生活和传统文化断裂了。

改革开放为我们开辟了一个新的历史时代。在广泛引进西方文化20年之后，我国重提国学复兴，既是对"文化大革命"的深一层的反思，又是对全球一体化的进一步的思索。马克思说得好："人们创造自己的历史，但他们不是随心所欲地创造，并不是在他们自己选定的条件下创造，而是在自己直接碰到的、既定的、从过去继承下来的条件下创造。"我们既不能走回头路，又不能走西方老路，而是要走自己的新路：中国特色的社会主义，中华民族的伟大复兴。这就是要复兴国学，深化传统文化，取其精华，祛其糟粕，进而创新，为建设中国特色的社会主义，中华民族的伟大复兴，做出自己独特的贡献。

2014年2月28日

国学研究在拓展

国学要复兴,国学应何为?国学研究和国学教育应齐头并进。国学研究既要扩展,又要深入。国学研究需提高,但国学教育应普及。

改革开放以来,中国打破了闭关自守的格局,又一次向西方学习。西方文化蜂拥而来,不仅带来了眼花缭乱的种种西学,而且送来了在海外获得了发展的汉学,使我们大开眼界,也启发我们如何复兴国学。国学的复兴,应是推进中华民族伟大复兴的重要因素。复兴国学所面临的,不仅是要推动中华文化的伟大复兴,还将推进中华文化走向世界。在全球一体化的潮流中,文明的冲突确实存在着,以和而不同、和谐相容为特色的中华文化才能立于世界文化之林,其任务之艰巨复杂,确实前所未有。

为了适应中华民族伟大复兴和中华文化走向世界的时代需要,我国的国学研究,本身就需要开拓创新,走向更为宽广的道路。

国内国学和海外汉学相互促进,相互补足,形成合力

海外汉学早在数百年前就发展成一个学科。日本的汉学已有600年历史,法国在1814年产生了汉学教授,汉学历史亦已有200年。美国的汉学晚,第二次世界大战后才有,也有60年历史。改革开放以来,海外汉学发展迅速,已经不限于研究中国的传统文化,更加关注当下中国的经济、政治、文化,全面研究中国。这一来,海外的汉学已扩展了传统汉学的思路。我的北大学友,以研究日本汉学著称的严绍璗倡议,应把国内国学和海外汉学统起来,总称为中国学。北大在1989年就开始培养国际中国学的硕士,1998年又培养国际中国学的博士。深圳大学也成立了海外中国学研究中心。促进海外汉学和国内国学的交流,不仅能提升汉学和国学的水平,更可形成合力,推进中华民族的伟大复兴和中华文化走向世界。

国学研究应把中国文化放置于世界文化之林,开拓不同文化的比较研究

在全球日益走向一体化的过程中,如今即便是研究传统文化,也要把中国文化和其他文化进行比较研究,才能富有成效。改革开放之初,为了致力于建设具有中国特色的文艺学,我曾涉足于比较文艺学、比较美学和比较文学领域,亲自体会到,只有比较才有鉴别,方能从事实判断上升到价值判断。只有把中国文化置于世界文化之林,和其他文化做比较研究,才能鉴别出中国文化的特色和短长,从而取长补短,创造出中华文化的新的辉煌。当下世界,五大文明都在寻求自身的发展,在全球一体化中呈现出文化的多元化。西方文化的两大板块:由美、英、加构成的大西洋板块,由德、法等组成的欧洲大陆板块,至今仍是强势文化,不时向外扩张。横跨欧亚的俄、白文明,也在重组力量以求复兴。拉美文明和伊斯兰文明也在寻求发展。中华文明源远流长,历史悠久,如何博取其他文明之长,就需要把中华文化和其他文化做比较研究,发展比较文化学势在必然。

国学应有新拓展,由"小国学"走向"大国学"

传统国学主要关注人文现象,重心在文、史、哲,可说是人文国学。其实,中国历来的学问家,不仅重视人文现象和社会现象,也很关注自然现象,把天、地、人作为一个有机整体考察。近年,海天出版社推出了一套《自然国学丛书》,标举"自然国学",这样就从传统国学只重人文、社会拓展到自然国学,从"小国学"走向"大国学"。新国学应是大国学,季羡林生前就很支持这种拓展。

2014年3月1日